SARAH LARK

DIE TRÄNEN DER *M*AORI-GÖTTIN

Roman

LÜBBE

Dieser Titel ist auch als Hörbuch und E-Book erschienen

Lübbe Paperback in der Bastei Lübbe GmbH & Co. KG

Originalausgabe

Dieses Werk wurde vermittelt durch
die Literarische Agentur Thomas Schlück GmbH,
30827 Garbsen.

Copyright © 2012 by Bastei Lübbe GmbH & Co. KG, Köln

Lektorat: Melanie Blank-Schröder
Landkarten: Reinhard Borner
Umschlaggestaltung und Umschlagmotiv:
Johannes Wiebel, punchdesign, München
Satz: Siebel Druck & Grafik, Lindlar
Gesetzt aus der Adobe Caslon Pro
Druck und Einband: CPI – Ebner & Spiegel, Ulm

Printed in Germany
ISBN 978-3-7857-6058-1

5 4 3 2 1

Sie finden uns im Internet unter: www.luebbe.de
Bitte beachten Sie auch: www.lesejury.de

DANKSAGUNG

Wie immer haben an der Entstehung dieses Buches viele Menschen mitgewirkt, von meinem wunderbaren Agenten Bastian Schlück über meine nicht minder großartige Lektorin Melanie Blank-Schröder zu meiner hervorragenden Textredakteurin Margit von Cossart. Ohne sie würde ich mich im Zeitdickicht meiner Bücher hoffnungslos verstricken und auch schon mal verlaufen. Jahreszahlen und Himmelsrichtungen sind nicht mein Ding.

Vielen Dank auch meinen Testlesern und diesmal auch meinen Eltern und Freunden in Mojácar, die wochenlang mit einer gewissen geistigen Abwesenheit meinerseits leben mussten. Besonderen Dank meinem Hausmeisterehepaar Joan und Anna Puzcas – die neuerdings meine Bücher lesen können, da sie jetzt ja auch auf Spanisch erscheinen. Ohne euch ginge gar nichts, weder Lesereisen noch monatelanges Versinken in fremden Kulturen!

Und natürlich vielen, vielen Dank an alle Menschen, die helfen, dieses Buch an die Leser zu bringen, von der Marketingabteilung und dem Vertrieb bei Bastei Lübbe bis zu den Buchhändlern. Und den allergrößten Anteil am Erfolg von Sarah Lark haben natürlich die Leser selbst! In der letzten Zeit durfte ich viele von Ihnen kennenlernen und mich über persönlichen Kontakt freuen.

Sarah Lark

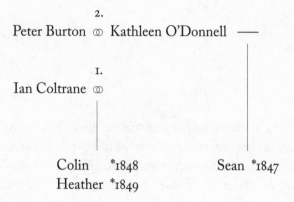

2.
Peter Burton ⚭ Kathleen O'Donnell ——

1.
Ian Coltrane ⚭

Colin *1848   Sean *1847
Heather *1849

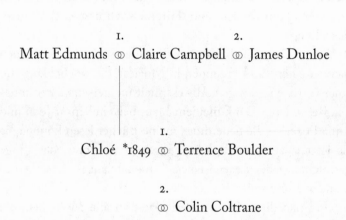

1.   2.
Matt Edmunds ⚭ Claire Campbell ⚭ James Dunloe

1.
Chloé *1849 ⚭ Terrence Boulder

2.
⚭ Colin Coltrane

3.
— Heather Coltrane

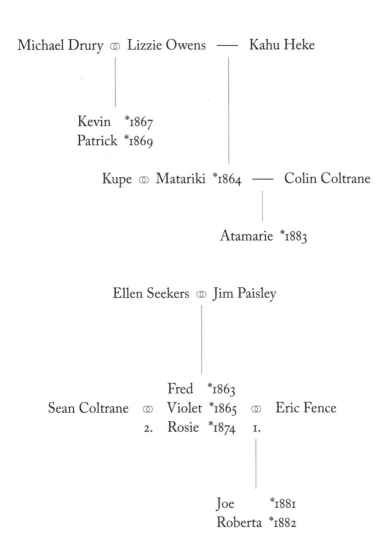

Michael Drury ⚭ Lizzie Owens —— Kahu Heke

Kevin *1867
Patrick *1869

Kupe ⚭ Matariki *1864 —— Colin Coltrane

Atamarie *1883

Ellen Seekers ⚭ Jim Paisley

Fred *1863
Sean Coltrane ⚭ Violet *1865 ⚭ Eric Fence
2. Rosie *1874 1.

Joe *1881
Roberta *1882

PROLOG

Neuseeland
Parihaka

1894

Langsam senkte sich die Dämmerung über die Berge und die See. Die Sonne, die jetzt, im Winter, ohnehin nicht hoch am Himmel gestanden hatte, ließ sich gelassen ins Meer gleiten, während ihre letzten Strahlen den majestätischen Mount Taranaki in rotgoldenes Licht tauchten.

Die Spitze des Berges war schneebedeckt und bildete eine beeindruckende Kulisse für das Dorf Parihaka.

Wie ein Wächter, pflegte Atamaries Mutter zu sagen, wir freuen uns an seiner Schönheit und fühlen uns sicher in seinem Schatten.

Atamarie fand das manchmal ein bisschen befremdlich – schließlich lernte sie in der Schule, dass der Mount Taranaki ein Vulkan war und keineswegs ein friedlicher! Vor hundertfünfzig Jahren war er das letzte Mal ausgebrochen, und theoretisch konnte das jederzeit wieder passieren. Ihre Mutter winkte jedoch ab, wenn Atamarie ihr das vorhielt. Aber nein, Atamarie, die Götter werden jetzt Frieden halten, die Zeit der Kriege ist vorbei, sagte sie. Und dann erzählte sie Atamarie und den anderen Kindern die Legende rund um den Gott des Mount Taranaki, der sich mit einem anderen Berggott um die Liebe einer Waldgöttin stritt. Die Göttin Pihanga entschied sich schließlich für seinen Rivalen, und Taranaki zog sich nach dem Kampf mit den anderen Berggöttern verärgert an die Küste zurück. Damit kam der Krieg in ihre Welt und auch in die der Menschen. Aber es gab Hoffnung. Irgendwann würde Taranaki einlenken, und wenn die Götter sich dann wieder vertrugen, konnten auch die Menschen mit dauerhaftem Frieden rechnen.

Die meisten Kinder lauschten diesen Geschichten mit offenen Mündern und voller Ernst, aber Atamarie interessierte sich eigentlich mehr für die vulkanische Aktivität des Mount Taranaki und ihre Auswirkungen auf das Land. Ihre Lieblingsfächer in der Otago Girls' School in Dunedin waren Mathematik, Physik und Geografie. Für romantische Geschichten war eher ihre Freundin Roberta zuständig.

Insofern hatte Atamarie auch an diesem Abend wenig Sinn für die Erzählungen und Lieder der alten Menschen in Parihaka, die den Kindern von der Sternkonstellation berichteten, die sich in dieser oder einer der nächsten Nächte am Himmel zeigen sollte: von Matariki – den Augen des Gottes Tawhirimatea – oder von einer Mutter mit sechs Töchtern, auf dem Weg, der erschöpften Sonne zu helfen, sich nach dem Winter erneut zu erheben … Für Atamarie waren es einfach die Plejaden, die jeden Winter um diese Zeit am Himmel über Neuseeland in Sicht kamen. Sehr nützlich zur Bestimmung der Wintersonnenwende und früher auch für die Navigation auf dem Meer zwischen Hawaiki, der ursprünglichen Heimat der Maori, und Aotearoa, dem Land, in dem sie heute lebten und das die Weißen Neuseeland nannten. Und sehr hübsch anzusehen natürlich am nächtlichen Himmel. Die Magie der Sterne erschloss sich Atamarie allerdings nicht, und den Sagen und Märchen rund um Matariki lauschte sie stets nur mit halbem Ohr.

Dafür interessierte sie sich umso mehr für die Funktion der Erdöfen, welche die Bewohner Parihakas zuvor mit Gemüse und Fleisch befüllt hatten. Dies gehörte zur Zeremonie des Neujahrsfestes, das die Maori beim Auftauchen der Plejaden Ende Mai oder Anfang Juni begingen.

Atamarie linste begeistert in die glühend heißen Höhlen, welche die Männer schon am Vormittag ausgehoben hatten.

Hangi nutzten die vulkanische Aktivität des Taranaki zum Garen der Speisen. Man wickelte Fleisch und Gemüse in Blätter, legte sie in Körbe und stellte sie auf die kochend heißen Steine. Anschließend wurden sie mit nassen Tüchern bedeckt, und dann verschloss man die Grube mit Erde. Im Laufe der nächsten Stunden sollten die Speisen garen – und möglichst genau dann fertig sein, wenn das Sternbild Matariki am Himmel aufleuchtete.

Atamarie sah genauso begierig nach den Sternen aus wie die anderen Kinder. Sie freute sich auf das Fest, schließlich war sie extra dafür aus Dunedin auf die Nordinsel gekommen. Wobei natürlich nicht sicher war, dass die Plejaden sich wirklich während der kurzen Winterferien zeigen würden. Aber Matariki und Kupe, Atamaries Mutter und ihr Stiefvater, hatten es darauf ankommen lassen.

»Du musst das Neujahrsfest mal in Parihaka erleben!«, hatte Matariki, die nach dem Sternbild benannt worden war, geschrieben. Viele Maori-Namen bezeichneten ursprünglich Naturphänomene – Atamarie hieß nach dem Sonnenaufgang. »Es hat hier einen besonderen Zauber.«

Atamarie verdrehte ein bisschen die Augen. Für ihre Eltern hatte alles, was mit Parihaka zusammenhing, einen besonderen Zauber. Sie hatten schon lange vor Atamaries Geburt in dem berühmten Dorf gelebt, damals, als der Prophet Te Whiti hier noch den Frieden zwischen den Weißen, den *pakeha*, und den Maori gepredigt hatte. Kupe hatte im Gefängnis gesessen, nachdem das Dorf dann von den Engländern gestürmt und die Bewohner enteignet worden waren. Und Matariki war mit dem Mann fortgelaufen, der Atamaries Vater werden sollte.

Sehr viel später war Te Whiti allerdings nach Parihaka zurückgekehrt und mit ihm viele seiner treuen Anhänger. Sie hatten das Dorf wieder aufgebaut und waren dabei, es erneut zu einem spirituellen Zentrum der ersten Siedler Neuseelands werden zu lassen. Diesmal allerdings weniger von Träumen getragen als von Verträgen und sicheren Absprachen. Kupe und Matariki hatten ihr Stück Land von der Regierung Taranakis gekauft – auch wenn sie es nach wie vor nicht richtig fanden, den Weißen Geld für ihr eigenes Stammland zu geben. Kupe, inzwischen Rechtsanwalt, hatte einige Klagen angestrengt. Es war recht wahrscheinlich, dass Te Whiti und sein Stamm Entschädigungszahlungen erhalten und auf Dauer ihr Land zurückbekommen würden.

Die Menschen jedenfalls kamen wieder, und es gab auch erneut Kinder in Parihaka, die Matariki in einer neuen Schule unterrichtete. An eine High School war vorerst allerdings nicht zu denken. Atamarie besuchte deshalb eine renommierte Mädchenschule in Dunedin und verbrachte die Wochenenden abwechselnd bei ihren Großeltern und in der Familie ihrer Freundin Roberta.

Parihaka konnte Atamarie nur in den Ferien besuchen, was sie wunderbar fand. Sie freute sich auf ihre Eltern und das freie Leben im Maori-Dorf, in dem es sehr viel weniger Regeln und Verbote gab als in der Otago Girls' School. Einige Wochen Flachsweben, Tanzen und Spielen der traditionellen Maori-Musikinstrumente, Fischen und Arbeit auf den Feldern genügten ihr aber stets. Das Motto von Parihaka *Wir wollen die Welt zu einem besseren Ort machen!* kam Atamaries Neigungen zwar entgegen, allerdings hatte sie völlig andere Vorstellungen als die Leute, die in Parihaka die traditionellen Künste des Maori-Volkes unterrichteten. Immer wenn das Mädchen Anstrengungen machte, etwas konkret zu verbessern – den Webrahmen zum Beispiel, an dem sie Flachs weben sollte, oder die Reuse zum Fischefangen –, lehnte man seine Vorschläge empört ab. Und manchmal fielen sogar unfreundliche Worte über Atamaries *pakeha*-Abstammung, worüber sich Matariki mehr aufregte als ihre Tochter. Atamarie war es gänzlich egal, wie viele ihrer Vorfahren aus dem einen oder dem anderen Volk stammten. Sie wollte nur nicht mehr Stunden mit Webarbeiten verbringen als unbedingt nötig, und sie hatte keine Lust, Fische zu verlieren, weil die Reuse nicht richtig schloss.

Am Ende der Ferien würde sie froh sein, Parihaka wieder verlassen und nach Dunedin zurückkehren zu können. Die Otago Girls' School war eine äußerst moderne Einrichtung, und die Lehrerinnen unterstützten Erfindungsreichtum bei ihren Schülerinnen.

Jetzt aber stand das Neujahrsfest der Maori bevor, und irgendwann mussten die Plejaden erscheinen. Die alten Leute wachten bereits die dritte Nacht in Folge, obwohl das eigentlich sinnlos war. Wenn die Sterne in Sicht kamen, so in der Regel gleich nach Sonnenuntergang.

»Es ist eine Zeit des Wartens und des Sicherinnerns, Atamarie«, erklärte Matariki. »Die alten Leute denken über das Gestern, Heute und Morgen nach, über das alte Jahr und das neue … Da ist es gar nicht so wichtig, ob die Sterne an diesem Tag erscheinen oder an einem anderen.«

Atamarie verstand das zwar nicht, aber es zwang sie natürlich auch keiner dazu, wach zu bleiben. Wenn das Essen gar und verspeist war und die Erwachsenen noch Musik machten und redeten, verzogen sich die Kinder schon in die Schlafhäuser, kuschelten sich aneinander und erzählten Geschichten. Für Atamarie war das dann fast wie im Internat in Dunedin – nur dass hier nicht mit dem Auftauchen einer Lehrerin zu rechnen war, die ihre Zöglinge energisch zur Ordnung rief.

Nun sah sie gemeinsam mit den anderen Kindern zu, wie die Sonne in der Tasmansee versank. Das Licht über dem Ackerland rund um Parihaka wurde diffus, und nur der Schnee vom kegelförmigen Gipfel des Berges leuchtete noch ein wenig golden. Der Himmel verdunkelte sich rasch – und plötzlich sah Atamarie die Sterne! Strahlend hell und klar stiegen die

Plejaden auf über dem Meer, angeführt von dem größten der sieben Sterne: Whanui.

Die Kinder begannen sofort, die Sternformation mit dem traditionellen Lied zu begrüßen, das ihre Lehrerin Matariki ihnen beigebracht hatte:

»Ka puta Matariki ka rere Whanui.
Ko te tohu tena o te tau e!«

Matariki ist zurück! Whanui beginnt seinen Flug.
Das Zeichen für ein neues Jahr!

»Und ein gutes Zeichen!«, freute sich Atamaries Mutter und nahm ihren Mann und ihre Tochter in die Arme. Kupe war extra von Wellington nach Parihaka gekommen, um das Neujahrsfest mit ihnen zu feiern. Er hatte oft dort zu tun, unter anderem bewarb er sich um einen der Maori-Sitze im Parlament. Jetzt küsste er Matariki und Atamarie und hörte zu, wie seine Frau die Zeichen deutete.

»Wenn die Sterne so klar am Himmel stehen, gibt es einen kurzen Winter, und wir können die Einsaat schon im September ausbringen«, belehrte sie ihre Familie und ihre Schüler. »Wenn sie dagegen verhangen wirken und nah beieinanderstehen, als müssten sie sich aneinander wärmen, dann wird der Winter hart, und das Pflanzen beginnt erst im Oktober.«

Atamarie runzelte mal wieder die Stirn. Ihre Lehrerin in Dunedin hätte wahrscheinlich nur ein paar Wolken dafür verantwortlich gemacht, wenn man die Sterne schlecht gesehen hätte. Atamarie stellte sich im Moment andere Fragen.

»Warum weinen die Großmütter eigentlich, Mommy?«, erkundigte sie sich. Die alten Leute waren beim Anblick der Sterne in Weinen und Wehklagen ausgebrochen. »Es ist doch schön, dass die Sterne da sind! Und ein neues Jahr!«

Matariki nickte und strich ihr langes schwarzes Haar zurück. »Ja, aber die Alten denken noch an das letzte Jahr. Sie nennen den Sternen die Namen der Menschen, die seit ihrem letzten Auftauchen verstorben sind, und beten für sie. Und dann beweinen sie die Toten zum letzten Mal, bevor das neue Jahr beginnt.«

Die alten Leute hatten nun auch begonnen, die *hangi* zu öffnen, wobei ihnen Kupe und die anderen Männer gleich halfen. Kurz darauf stieg aromatischer Duft aus den Erdöfen zum Himmel.

»Der Duft nährt die Sterne«, verriet Matariki, »und gibt ihnen Kraft nach ihrer langen Reise.«

Atamarie lief das Wasser im Munde zusammen, aber bevor sich die Menschen von den Speisen aus den Erdöfen nährten, gab es noch verschiedene Begrüßungszeremonien für die Sterne. Junge und Alte sangen und tanzten die traditionellen *haka*. Dazu ließen die Erwachsenen Bier- und Weinkrüge und Whiskeyflaschen kreisen, und Matariki und Kupe wurden wie immer wehmütig und sprachen mit ihren Freunden über die alten Zeiten in Parihaka. Wenn man ihnen glaubte, war das Leben damals ein einziges Fest gewesen. Das Dorf war angefüllt mit jungen Menschen aus allen Teilen Aotearoas, und jeden Abend gab es Lachen, Musik und Tanz.

Die meisten Erwachsenen verbrachten die gesamte Neujahrsnacht draußen an den Feuern, aber Atamarie und die anderen Kinder schliefen irgendwann ein – um gleich am nächsten Morgen wieder mit Feuereifer dabei zu sein. Am Neujahrstag ging das Fest schließlich weiter, wieder wurde getanzt, gesungen, wurden Spiele gespielt, und vor allem holten die Jungen ihre Fluggeräte hervor. Drachen zu bauen gehörte zu den Traditionen Aotearoas, die in Parihaka lebendig gehalten wurden. Das Maori-Wort dafür war *manu*.

Ein paar Fachleute in der Kunst des Drachenbaus hatten

denn auch in den letzten Wochen im Dorf unterrichtet. Aber als Atamarie aus Dunedin gekommen war, hatten alle Männer und Kinder aus dem Dorf bereits ihre Arbeiten beendet, sie selbst hatte nicht mehr mitmachen können. Insofern stand sie jetzt mit leeren Händen daneben, während die anderen dem großen Augenblick entgegenfieberten, ihre *manu* als Mittler zwischen der Welt und den Sternen, den Göttern und den Menschen in den Himmel zu schicken. Natürlich war sie etwas traurig, den Lehrgang verpasst zu haben, aber dennoch konnte Atamarie es kaum abwarten, die Drachen fliegen zu sehen. Im Gegensatz zu den meisten anderen Mädchen bewunderte sie nicht in erster Linie den bunten Schmuck der *manu*, bestehend aus Federn und Muscheln, oder die kunstvolle Bemalung, die ihnen Gesichter gab und sie zu *birdmen* – Vogelmenschen – machte. Atamarie war es wichtiger, herauszufinden, warum sich diese flachen, aber doch recht schweren Gestelle aus Holz und Blättern überhaupt in die Lüfte erhoben.

Sie schlenderte zu einem der Jungen hinüber, der einen besonders großen, liebevoll mit Rauten und Stammeszeichen verzierten Drachen flugfertig machte.

»Der hat gar keinen Schwanz«, bemerkte sie.

Der Junge sah sie stirnrunzelnd an. »Wieso sollte ein *manu* einen Schwanz haben?«, erkundigte er sich.

»Weil *pakeha*-Drachen einen haben«, belehrte ihn Atamarie. »Ich hab's auf Bildern gesehen.«

Der Junge zuckte die Schultern. »Da hat der *tohunga* nichts von gesagt. Nur dass man ein Gestänge braucht und eine Leine – oder zwei, wenn man lenken will. Aber das hat er uns noch nicht gezeigt. Das sei zu schwierig, meint er.«

Dennoch hatte der Junge zwei Schnüre aus Flachs an seiner Konstruktion angebracht.

»Erst mal muss das Ding aber überhaupt in die Luft«, konstatierte Atamarie. »Wie geht das? Warum steigt ein *manu*?«

»Durch den Atem der Götter«, antwortete der Junge. »Der *manu* tanzt mit ihrer Lebenskraft.«

Atamarie runzelte die Stirn. »Also durch den Wind«, sagte sie dann. »Aber wenn nun kein Wind ist?«

»Wenn die Götter ihm den Segen versagen, fliegt er nicht«, antwortete der Junge. »Es sei denn, man lässt ihn irgendwo heruntersegeln, von einer Klippe oder so. Aber dabei vermittelt er keine Botschaften an die Götter, er tanzt ja nicht hoch, sondern gleitet nur herunter. Und außerdem ist er dann natürlich weg.« Der Junge machte sich an den Seilen seines gewaltigen Drachens zu schaffen. Atamarie half ihm, das Fluggerät aufzustellen.

»Er ist fast so groß wie ich«, meinte sie. »Glaubst du, man könnte ihn sozusagen, hm … reiten? Und mitfliegen?« Atamarie reizte das weitaus mehr als die Kommunikation mit den Göttern.

Der Junge lachte. »Soll jedenfalls mal einer gemacht haben. Ein Häuptling der Ngati Kahungunu – Nukupewapewa. Er wollte das Pa Maungaraki erobern, aber es klappte nicht, seine Krieger konnten die Mauern des Forts nicht überwinden. Deshalb baute er einen riesigen *manu* aus Raupo-Blättern in der Form eines Vogels mit weit gespreizten Federn. Daran band er einen Mann fest und ließ den Drachen von einem Felsen oberhalb des Pa heruntersegeln. Er landete im Fort, und der Flieger öffnete den Eroberern die Tore.«

Atamarie lauschte mit leuchtenden Augen. »Deiner ist auch ein *manu raupo*«, stellte sie fest. »Du musst weit gelaufen sein, ich wüsste gar nicht, wo hier Raupo wächst.« Raupo war eine schilfartige Pflanze und wuchs in flachen Gewässern.

Der Junge lächelte verschmitzt und ein bisschen, als habe sie ein Geheimnis gelüftet. »Jaaa …«, sagte er dann, »war auch nicht einfach, ihn zu finden. Aber die Mühe lohnt sich vielleicht.«

Der Wunsch, den er an die Götter richten wollte, stand ihm im Gesicht geschrieben.

»Rawiri! Was machst du denn? Willst du den Drachen nicht endlich steigen lassen?«

Der Junge zuckte zusammen, als er die Stimme des *tohunga* hörte. Tatsächlich hatten sowohl er als auch Atamarie den Start der ersten Drachen verpasst, die meisten Jungen hatten ihre Fluggeräte bereits in den Wind gehalten und sahen nun fasziniert zu, wie sie aufstiegen. Die Priester von Parihaka beteten und sangen dazu, die Drachen sollten ihre Wünsche und ihren Segen hinauf zu den Sternen tragen. Atamarie verlor sich ein paar Herzschläge lang in dem wunderschönen Anblick der bunten *manu* vor dem auch heute sehr klaren Winterhimmel. Auch der Meister hatte seinen gewaltigen *manu aute* jetzt in die Lüfte gesandt und lenkte ihn geschickt zwischen all den kleineren Drachen seiner Schüler hindurch.

Rawiri kämpfte allerdings noch mit seinen zwei Schnüren und dem Problem, dass er allein kaum mit dem sehr großen Drachen fertig wurde.

»Soll ich ihn mal hochhalten?«, fragte Atamarie begierig.

Der Junge nickte. Und dann griff das Mädchen nach dem Drachen und wurde fast umgerissen von der Gewalt, mit der ihn der Wind aus seinen Händen zog. Der Drachen stieg steil in den Himmel, aber als Rawiri den ersten Versuch machte, seine Bahn zu beeinflussen, indem er die rechte Leine stärker anzog als die linke, stürzte er genauso steil ab.

Atamarie und Rawiri rannten gleichermaßen erschrocken und bestürzt auf den gefallenen Drachen zu, aber zum Glück war er nicht beschädigt.

»Jedenfalls ist nichts Wichtiges kaputt«, meinte Atamarie. Nur der Feder- und Muschelschmuck hatte ein bisschen gelitten.

Rawiri runzelte die Stirn und suchte hektisch nach einer

Möglichkeit, die Verzierung wieder in Ordnung zu bringen. »Der *tohunga* meint, das sei durchaus wichtig. Der Drachen sieht durch die Augen aus Muscheln, und die Bemalung ist unsere Botschaft an die Götter ...«

Tohunga waren nicht nur Fachleute auf speziellen Gebieten wie Drachenbau, Jadeschnitzen, Musik oder Heilkunst, sondern hielten auch Kontakt zu den für ihre Künste zuständigen Geistern.

Atamarie zuckte die Schultern. »Also zu den Göttern muss er ja erst mal raufkommen«, bemerkte sie dann. »Lass es uns noch mal probieren. Die Botschaft können wir dann schicken, wenn wir wissen, dass es klappt.« Sie hatte auf keinen Fall Lust, jetzt noch zu warten, bis Rawiri den Schmuck erneuert hatte. Stattdessen schaute sie nun aufmerksamer zum Himmel und konzentrierte sich auf den Drachen des *tohunga*, der Rawiris abgestürzten Vogel eben etwas schadenfroh musterte. Natürlich, er hatte ihm gleich gesagt, es sei für Anfänger zu schwierig, einen Lenkdrachen zu bauen. Aber Atamaries Ehrgeiz war jetzt geweckt.

»Du musst die Leinen weiter außen festmachen«, schlug sie vor. »Und tiefer. Und das Beste wäre überhaupt, wir hätten vier ...«

Rawiri schien ein bisschen in seiner Ehre gekränkt, aber nach einem weiteren erfolglosen Versuch fixierte er die Schnüre tatsächlich so, wie Atamarie es wollte. Mit verblüffendem Erfolg!

Der Drachen stieg wieder schnell auf, stand diesmal aber viel sicherer in der Luft, und als Rawiri einen vorsichtigen Lenkversuch machte, folgte er gehorsam seinem Leinenzug.

»Es geht! Er fliegt, er fliegt! Er fliegt, wohin ich will!« Rawiri jubelte. Sein vogelartiger Drachen behauptete sich stolz neben dem dreieckigen des Meisters.

»Willst du auch mal?«, fragte er großzügig.

Atamarie griff ohne Zögern nach der Schnur. Sie war das

einzige Mädchen, das hier die Leinen eines *manu* hielt, aber das störte sie nicht. In großen Schwüngen lenkte sie den Drachen über den Himmel.

»Ich glaube, sie stimmt, diese Legende von den Ngati Kahungunu«, meinte Rawiri. »Man kann mitfliegen. Wie ein Vogel. Der Drachen muss nur groß sein und die Götter auf seiner Seite haben.«

Atamarie nickte. Natürlich konnte man mitfliegen, der Wind hätte sie ja eben schon fast mit hochgerissen. Aber …

»Es muss auch ohne Wind gehen«, gab sie entschieden zurück.

GESCHENKE
DER GÖTTER

Neuseeland
Dunedin, Christchurch,
Lawrence, Parihaka

1899–1900

Das Lehrerseminar war in einem Nebengebäude der Universität von Dunedin untergebracht, und Atamarie fand den schmucklosen Bau einfach nur scheußlich. Aber gut, sie musste ja nicht hier studieren. Das College, das sie selbst gerade aufgenommen hatte, war sehr viel weitläufiger und wirkte deutlich imponierender. Gotischer Stil, hatte ihre Tante Heather gesagt, aber natürlich ein Nachbau. Als man in Europa gotische Kathedralen gebaut hatte, war Neuseeland noch nicht von Weißen besiedelt gewesen.

Atamarie fragte sich, ob sie sich die Namen aller möglichen Baustile würde merken müssen, wenn sie jetzt am Canterbury College studierte. »Baukonstruktion« stand tatsächlich auf dem Lehrplan. Aber das war ja wieder etwas anderes als Architektur, oder? Nun ja, sie würde noch genug Zeit haben, sich damit zu beschäftigen. Jetzt musste sie erst mal Roberta von ihrem Erfolg berichten – und hören, wie es ihr am ersten Tag ihrer Studentenzeit ergangen war.

Atamarie stieg die Treppe zum Eingang hinauf und ließ sich auf einer der oberen Treppenstufen nieder. Fröhlich summte sie vor sich hin. Sie war ausgesprochen guter Dinge, wenn auch etwas müde nach der langen Zugfahrt. Dabei war die Verbindung gut, es war heute kein großes Problem mehr, zwischen Christchurch und Dunedin hin- und herzureisen.

Das jedenfalls versicherten sich Atamarie und Roberta, seit sie sich für ihre jeweiligen Studienfächer entschieden und dabei festgestellt hatten, dass sich ihre Wege hier zum ersten Mal seit neun Jahren trennen würden. Die Mädchen hatten einander kennengelernt, als ihre Mütter noch beide in Wellington auf der Nordinsel lebten und gemeinsam das Büro einer der Organisationen leiteten, die für das Frauenwahlrecht kämpften. Nachdem das glücklich errungen war, hatten beide Frauen geheiratet. Atamaries Mutter Matariki war mit ihrem Mann Kupe nach Parihaka gezogen und Robertas Mutter Violet mit ihrem Gatten Sean in dessen Heimatstadt Dunedin. Roberta hatten sie natürlich mitgenommen. Sie durfte wie Atamarie die Otago Girls' School besuchen. Die beiden hatten hier einige Wochen zuvor ihren Highschoolabschluss gemeistert und freuten sich nun an einem weiteren Erfolg der Frauenrechtlerinnen in Neuseeland: Die Universitäten der Südinsel standen Frauen unbeschränkt offen. Selbst dann, wenn sie ein eher ungewöhnliches Studienfach anstrebten wie Atamarie.

Im Inneren des Schulgebäudes tat sich jetzt etwas. Anscheinend endete der Seminartag, und gleich darauf traten auch die ersten Studenten aus den Toren. Fast durchweg junge Frauen, konservativ gekleidet in engen dunklen Röcke und Blusen in gedeckten Farben, die unter den strengen Kostümjacken hervorblitzten. Einige wenige trugen schmucklose, sackartig fallende Reformkleider, die in Atamaries Augen ebenso langweilig und altjüngferlich wirkten wie der scheinbar unvermeidliche Kapotthut, den hier wirklich jede junge Frau spazieren trug. Dabei ging es doch auch anders. Atamarie und Roberta schnürten sich nicht, aber ihre raffiniert geschnittenen Kleider stammten aus Lady's Goldmine, dem berühmtesten Modehaus der Stadt. Sowohl Roberta als auch Atamarie nannten Kathleen Burton, eine der Besitzerinnen der Boutique, Grandma, obwohl nur Atamarie blutsverwandt mit ihr verwandt war. Deren leiblicher Vater Colin war Kathleens Sohn, ebenso wie Robertas Stiefvater Sean.

Atamarie trug an diesem Tag jedenfalls ein sonnengelbes, mit bunten Blumen bedrucktes Reformkleid, darüber eine dunkelgrüne Mantille und dazu einen niedlichen Strohhut auf ihrem blonden Haar. Sie bemerkte, dass die Blicke der wenigen männlichen Studenten wohlgefällig auf ihr ruhten, während die Frauen eher ungnädig schauten. Sicher war es nicht üblich, womöglich sogar verboten, hier auf den Stufen zu sitzen.

Aber dann erschien auch endlich Roberta, und Atamarie sprang auf, um die Freundin zu umarmen. Dabei hätte sie Roberta auf Anhieb kaum wiedererkannt, so sehr versuchte die, sich der hiesigen Kleiderordnung anzupassen. Sie trug ihr unauffälligstes dunkelblaues Kleid, kombiniert mit einem schwarzen kurzen Mantel.

»Du siehst aus wie eine Eule!«, warf Atamarie ihr vor, nachdem sie die ersten Begrüßungen ausgetauscht hatten. »Müsst ihr euch so anziehen? Dieser Hut sieht aus, als käme er aus der tiefsten Truhe von Grandma Daldy.«

Amey Daldy war eine Frauenrechtlerin, die Atamaries und Robertas Mütter zwar überaus schätzten, die aber nicht gerade für ihre Extravaganz in Sachen Mode bekannt war.

Roberta lächelte verschämt – und zog damit trotz ihrer dezenten Aufmachung die Aufmerksamkeit der männlichen Studenten auf sich. Egal, wie sie sich verkleidete, Roberta Fence war eine Schönheit. Ihr volles Haar – jetzt in einen Knoten gezwungen, aber sonst lang und wellig über ihren ganzen Rücken fallend, war von einem satten Kastanienbraun. Ihr Gesicht war herzförmig und wirkte trotz klassischer Schönheit stets weich und sanft. Sie hatte volle Lippen und blaue Augen – nicht ganz so spektakulär türkisfarben wie die ihrer Mutter, aber tiefblau und klar wie die Seen im Hochland.

»Wir sollen seriös aussehen«, meinte sie dann. »Aber das sollen doch alle Studentinnen, oder?« Sie musterte Atamaries Aufzug missbilligend.

Atamarie zuckte die Achseln. »Ich falle sowieso auf, egal, was ich anziehe. Und sag jetzt nicht, Eulen seien die Vögel der Weisheit. Wenn du mich fragst, sind Papageien sehr viel pfiffiger.«

Roberta lachte und hakte sich bei Atamarie ein. Wenn sie ehrlich sein sollte, so hatte sie die Freundin schon in den zwei Tagen vermisst, die Atamarie in Christchurch gewesen war. Auf jeden Fall hatte sie in diesen Tagen erheblich zu wenig gelacht.

»Hast du den Studienplatz denn überhaupt gekriegt?«, erkundigte sie sich, während die zwei ein Café in der Nähe der Universität ansteuerten.

Atamarie nickte. »Klar. Ging ja nicht anders. Ich hatte die besten Noten von allen. Aber es war lustig! Professor Dobbins hielt mich zuerst wohl für eine Art Luftspiegelung.«

Sie kicherte und zog die Nase kraus, als trüge sie einen Kneifer oder eine dicke Brille. Dann imitierte sie den Hochschullehrer: »›Mr. Parekura Turei … oder nein … äh … Miss?‹ Der Mann war total verwirrt. Und dabei hatte er sich doch so auf den ersten Maori-Studenten gefreut. Wahrscheinlich hat er einen Riesenkrieger mit Tätowierungen erwartet.«

Roberta kicherte jetzt auch. »Und dann kamst du …«

Atamarie hatte mit einem Maori-Krieger absolut nichts gemeinsam. Sie war nicht klein, aber doch zartgliedrig, ihre weiblichen Formen zeichneten sich unter dem weiten Reformkleid erst zaghaft ab. Zudem hätte auf den ersten Blick niemand eine Maori in ihr vermutet. Atamarie hatte zwar etwas dunklere Haut als die meisten Weißen, und ihre Augen standen ein wenig schräg, aber ansonsten kam sie ganz nach ihrer Großmutter Kathleen – einer klassischen Schönheit mit hohen Wangenknochen, einer geraden Nase und feingeschnittenen Lippen.

»Aber wie konnte er …? Dein Vorname …«

Atamarie zuckte die Schultern. »Du musst zugeben, dass

auch viele Maori-Männernamen auf i enden«, meinte sie. »Und der Mann ist Ingenieur, kein Sprachwissenschaftler. Das merkte man auch daran, dass ihm gleich erst mal die Worte fehlten. Aber ich hab mich dann vorgestellt, ihm mein Zeugnis hingehalten ...«

»Was hat er dazu gesagt?«, fragte Roberta.

Atamarie lachte. »Solange er mich nicht angucken musste, war alles gut. Wobei ich ja eigentlich gar nicht furchterregend aussehe, oder?« Roberta verdrehte die Augen. Atamarie wusste genau, dass sie einen mehr als ansprechenden Anblick bot. »Aber immer, wenn er von den Papieren aufguckte, schien er an seinem Verstand zu zweifeln. Und dann fragte er mich, ob ich denn auch wirklich wüsste, was hier auf mich zukäme, und betete den Lehrplan runter: Grundsätze des Hoch- und Tiefbaus, Vermessungswesen, technisches Zeichnen, praktische Geometrie – Theorie und Praxis der Konstruktion von Dampfmaschinen ...«

Atamarie lächelte voller Vorfreude.

»Und, was hast du gesagt?« Roberta ahnte bereits Schreckliches.

Atamarie blinzelte. »Na, was schon? Ich hab ihm gesagt, ich interessierte mich für Flugmaschinen. Und dann auch ein bisschen von Cayley und Lilienthal erzählt, er sollte ja nicht denken, ich wäre so eine Art ... hm ... Luftikus!« Sie lachte schon wieder.

Roberta öffnete die Tür des Cafés. »Ein wahres Wunder, dass du nicht gleich rausgeflogen bist«, bemerkte sie.

Atamarie hob die Brauen. »Dann hätte Onkel Sean das College verklagt«, sagte sie gelassen. »Aber Professor Dobbins trug es sowieso mit Fassung. Er war ganz nett und lächelte sogar. Und meinte, er fände es immer schön, wenn seine Studenten hoch hinaus wollten. Dann konnte ich gehen – und den nächsten sprachlos machen. Der Student, der den Neuen die

Hochschule zeigen sollte, hat deutlich länger gebraucht, bis er wieder zu sich kam!«

Das Canterbury College of Engineering bestand seit zwölf Jahren und hatte mit zwei Teilzeitdozenten und zweiundzwanzig Studenten klein angefangen. Nach wie vor war der Studentenkreis überschaubar – und Atamarie würde als erste Frau ins College eintreten.

»Und wie war's sonst?«, fragte Roberta. »Mit Heather? Habt ihr was unternommen?«

Atamarie zuckte die Schultern. »Erst mussten wir ja mal ein Zimmer finden. Aber das war einfach, Heather und Chloé haben Bekannte in Christchurch, zwei ganz nette Frauen. Wohnen zusammen wie Heather und Chloé und haben einen Buchladen. Da krieg ich auch gleich die ganzen Fachbücher. Und das Haus ist hübsch und nah an der Universität. Das Zimmer schön groß – Herrenbesuch soll ich vorher ankündigen!«

Sie kicherte. Die letzte Regelung war großzügig, gewöhnlich war es Studenten vollständig verboten, andersgeschlechtliche Freunde oder Freundinnen mit aufs Zimmer zu nehmen. Aber Heather und Chloé waren aufgeschlossen und modern – und ihre Freundinnen offensichtlich auch.

»Du willst dir doch wohl nicht gleich einen Freund suchen!«, empörte sich Roberta.

Atamarie seufzte. »Robbie, ich bin das einzige weibliche Wesen, das Ingenieurwissenschaften studiert. Wenn ich nicht völlig vereinsamen will, muss ich mich zwangsläufig mit den Jungen anfreunden. Was ja nicht gleich heißen muss, das Bett mit ihnen zu teilen.«

Roberta lief umgehend rot an, als Atamarie so unverblümt von Geschlechtsverkehr sprach. Die beiden jungen Frauen waren aufgeklärt – auch Roberta hatte die Ferien schon in Parihaka verbracht und den lockeren Umgang der Maori-Frauen mit der Liebe mitbekommen. Trotzdem hätte sie sich vorsichtiger ausgedrückt. Und sie selbst hatte auch noch keinerlei praktische Erfahrungen mit dem anderen Geschlecht, während Atamarie schon mal mit hübschen Jungen in Parihaka Küsse tauschte. Roberta war romantischer veranlagt. Sie konnte sich durchaus verlieben, aber das behielt sie für sich …

»Ansonsten waren wir dann noch auf der Rennbahn. In Addington. Weil Rosie unbedingt hinwollte. Aber leider lief gerade kein Trabrennen. Lustig war's trotzdem. Lord Barrington hat uns in die Besitzerloge eingeladen, wir haben Sekt getrunken – und wir durften auf Pferde wetten.«

»Atamie!«

Roberta war entsetzt. Sie war im Rennbahnmilieu aufgewachsen und hatte es immer gehasst. Wetten und Whiskey, das hatte ihre Mutter ihr von klein auf vermittelt, konnten eine Familie ruinieren. Wobei sie aus Erfahrung sprach: Robertas leiblicher Vater war beidem verfallen gewesen.

»Nun hab dich nicht so! Lord Barrington hat drauf bestanden. Und Heather hat verloren, aber ich habe gewonnen. Zwei Mal. Wobei es ganz einfach war, ich hab immer auf das Pferd mit den längsten Beinen gesetzt und dem stromlinienförmigsten Körper. Alles pure Physik … na ja, beim dritten Mal hat's nicht so geklappt, der Gaul kam nicht in die Gänge, ich glaube, er war einfach faul. Aber es ist genug übrig, um den Kaffee zu bezahlen!«

Vergnügt bestellte Atamarie dazu noch einen großen Teller Kuchen.

»In einer Galerie waren wir auch noch … aber ich hab vergessen, wie der Künstler hieß. Heather war jedenfalls ganz begeistert. Kommst du übrigens heute Abend? Oder muss man sich nicht nur wie die Eulen anziehen, sondern auch mit den Hühnern ins Bett, wenn man Lehrerin werden will?«

Roberta sah ihre Freundin tadelnd an. »Eulen sind nachtaktiv«, quittierte sie die Neckerei. »Und natürlich komme ich.

30

Es ist ja eine Vernissage, kein Nachtclubbesuch! Wie heißt noch die Künstlerin?«

Atamarie zuckte die Achseln. Sie hatte sich auch das nicht gemerkt, aber damit war sie nicht allein in Dunedin. Es gab in dieser Stadt zwar recht viele reiche Leute, die sich Kunst leisten konnten, aber echten Enthusiasmus brachten nur wenige dafür auf. Dennoch waren die Vernissagen in Heathers und Chloé Coltranes Galerie sehr beliebt. Sie gehörten zu den wichtigsten gesellschaftlichen Anlässen in der Stadt, und die Einladungen waren heiß begehrt. Chloé war allerdings auch eine ausgesprochen begabte Gastgeberin und Heather als Künstlerin weit über Neuseeland hinaus bekannt. Die beiden Frauen lebten seit zehn Jahren zusammen, und viele ihrer Kunden nahmen an, dass es sich um Schwestern handelte. Das stimmte jedoch nicht, Chloé verdankte ihren Nachnamen einer unglücklichen Ehe mit Heathers Bruder.

Zwischen Atamarie und Roberta entstand eine kurze Gesprächspause, während der Kaffee serviert und Kuchen aufgetragen wurde. Roberta gab Zucker in ihre Tasse, während Atamarie ihren Gedanken nachhing. Wahrscheinlich überlegte sie schon, welches Kleid sie am Abend tragen würde – Kathleen hatte sicher etwas Neues für ihre beiden Enkelinnen. Sie pflegte stets zu behaupten, die Mädchen täten ihr einen Gefallen damit, die teuren Kleider anzunehmen. Schließlich machten sie damit ja Reklame für Lady's Goldmine.

Roberta kämpfte ein wenig mit sich, wagte dann aber, Atamarie die Frage zu stellen, die ihr schon tagelang auf den Nägeln brannte.

»Weißt du zufällig, ob ... ob dein ... hm ... Onkel auch kommt?«

Atamarie grinste. »Welcher?«, fragte sie dann hinterhältig.

Roberta lief sofort rot an. »Na ja, hm ... Kevin?«

Sie versuchte, ihre Stimme unbeteiligt klingen zu lassen, fast, als fiele es ihr schwer, sich an Kevins Namen zu erinnern. Aber im Grunde war das sowieso vergebene Liebesmüh. Atamarie kannte sie zu gut. Sie wusste genau, von welchem der beiden jüngeren Brüder ihrer Mutter die Rede war. Roberta war seit Monaten verliebt in Kevin, den Älteren der beiden, der nach einem irischen Heiligen benannt worden war wie sein Großvater. Aber natürlich durfte davon niemand etwas wissen. Es war ja Unsinn, auch nur zu hoffen, dass der erfolgreiche junge Arzt die Freundin seiner Nichte bemerken, geschweige denn ihr Avancen machen würde. Jedenfalls solange Atamarie und Roberta noch zur Schule gingen, war das höchst unwahrscheinlich gewesen. Aber nun, als Studentin … Robertas Eltern gehörten zur besseren Gesellschaft von Dunedin, in ihrem Gefolge würde die junge Frau sicher zu Konzerten und Bällen, Vernissagen und Theateraufführungen eingeladen werden. Kevin Drury traf man bei fast jedem dieser Anlässe. Gemeinsam mit einem Freund hatte er vor wenigen Jahren eine Arztpraxis in Dunedin eröffnet und warb immer noch um neue Patienten. Am liebsten natürlich gut betuchte Herrschaften und bevorzugt Frauen. Die liefen ihm auch in Scharen zu. Mit seinem lockigen schwarzen Haar und seinen wachen blauen Augen sah er ausgesprochen gut aus. Dazu war er ein verwegener Reiter, der kein Jagdspringen ausließ und sein Pferd mitunter sogar auf der Rennbahn selbst vorstellte.

Kevins Bruder Patrick war sehr viel unauffälliger. Er hatte Landwirtschaft studiert und gedachte, eines Tages die Farm seiner Eltern zu übernehmen. Vorerst arbeitete er allerdings als Berater für die Viehzüchtervereinigung und das Landwirtschaftsministerium in Otago. Die Gegend wandelte sich langsam wieder vom Zentrum der Goldgräberei zu einer landwirtschaftlich geprägten Region. Und nicht all die neuen Grundbesitzer und Schafzüchter kannten sich wirklich aus mit Weideführung und Wollerzeugung. Mancher träumte zwar vom Dasein als Schafbaron, hatte aber im Grunde nicht mehr aufzuweisen als Erfahrung – und Glück – beim Waschen von Gold.

»Kevin kommt bestimmt«, erklärte Atamarie. »Allerdings meint Heather, er habe schon wieder eine neue Freundin. Sie soll wunderschön sein, sie überlegt, sie zu bitten, ihr Modell zu stehen …«

Frauenporträts gehörten zu Heathers liebsten Motiven, und sie hatte damit schon große Erfolge erzielt. Heather verstand sich darauf, das Wesen einer Frau, ihren Charakter und ihre Erfahrungen in den Bildern einzufangen.

Roberta seufzte. »Kevin sieht ja auch sehr gut aus«, bemerkte sie, scheinbar beiläufig, aber es klang verzweifelt.

Atamarie lachte, legte die Hand auf den Arm ihrer Freundin und tat, als wollte sie Roberta schütteln. »Er mag ja der Prinz sein, Robbie, aber du bist auch alles andere als Aschenputtel! Wenn du dich ein bisschen zurechtmachst und nicht immer auf den Boden guckst oder rot anläufst und vollständig die Sprache verlierst, wenn du Kevin siehst, kannst du alle ausstechen.«

Roberta rührte weiter in ihrer Kaffeetasse. »Dazu müsste er mich erst mal angucken«, murmelte sie. »Aber er …«

»Dann mach's anders und werd einfach mal ohnmächtig!«, schlug Atamarie scherzhaft vor. »Das ist gut, du lässt dich hinfallen, und ich schreie: Wir brauchen einen Arzt! Dann kann er nicht anders.«

Roberta hätte jetzt eigentlich in Gelächter ausbrechen müssen, aber sie kaute nur auf ihrer Unterlippe. »Du nimmst mich nicht ernst«, sagte sie schließlich.

Atamarie stöhnte. »Vielleicht siehst du die Sache mit Kevin etwas zu ernst«, gab sie dann zu bedenken. »Was sehr bedenklich ist. Denn du … du willst doch nicht einfach nur ein paar Küsse, oder? Du suchst einen Mann, der dich wirklich liebt. Und was das angeht, bist du bei Kevin sicher an der falschen

Adresse. Er ist nett, und er ist witzig – ich hab ihn wirklich sehr gern, Robbie. Aber er sucht keine Frau, zumindest vorerst nicht, das hat er deutlich gesagt, als Grandma Lizzie ihn neulich drauf ansprach. Auf Dauer muss er natürlich heiraten, das erwartet man ja von einem niedergelassenen Arzt. Aber erst mal … Grandma Lizzie meint, er sei wie Grandpa Michael. Der hätte sich auch erst ›die Hörner abstoßen müssen‹, bevor er sich ernstlich für sie interessierte. Keine Ahnung, was sie damit meint, aber eins ist sicher: Kevin will erst mal nicht heiraten. Der sucht das Abenteuer!«

Heather Coltrane hatte nicht übertrieben, als sie von Kevin Drurys neuer Freundin sprach. Juliet, wie er die junge Frau kurz vorstellte, ohne sich mit einem Nachnamen aufzuhalten, war eine außergewöhnliche Schönheit. Wobei sich kaum feststellen ließ, zu welchen Volksgruppen ihre Vorfahren gehört haben mochten. Ganz sicher war sie keine Weiße, aber eine Maori-Abstammung stand ihr auch nicht im Gesicht geschrieben. Juliet hatte schwarzes Haar, das in dichten Locken über ihre Schultern fiel, goldbraun angehauchte Haut und volle Lippen, dazu aber erstaunlich leuchtend blaue Augen unter schweren Lidern.

»Sie wirkt eher wie eine Kreolin«, mutmaßte Heather. Sie war weit gereist und dabei Menschen aus verschiedenen Kulturkreisen begegnet. »Und findet ihr es nicht seltsam, dass er sie nur mit dem Vornamen vorstellt? Wo mag er sie getroffen haben?«

Heather begrüßte eben Robertas Mutter Violet und ihren Stiefvater Sean, die kurz nach Roberta und Atamarie die Galerieräume betreten hatten. Atamarie war gleich ungehemmt zu Kevin und seiner neuen Freundin herübergeschlendert und hatte kurz mit den beiden gesprochen, während Roberta vor Aufregung im Boden zu versinken schien. Sie hatte bei der Vorstellung kaum ein Wort herausbekommen, aber Juliet sah ohnehin nicht aus, als hätte sie vor, sich die Namen irgendwelcher Mädchen zu merken. Dafür sprach sie angelegentlich mit ein paar Herren, die sich sofort um sie versammelt hatten und sich jetzt darum rissen, sie mit Champagner und Hors d'œuvres zu verwöhnen.

»Als Herkunftsland des Champagners bevorzugt die Lady jedenfalls Frankreich«, bemerkte Chloé säuerlich und küsste Violet zur Begrüßung auf die Wange. »Das ist bestimmt schon das dritte Glas von dem teuersten Sekt, den wir haben. Wenn das so weitergeht, tanzt sie uns am Ende des Abends auf dem Tisch.«

»Ein bisschen Demimonde, nicht?«, fragte Violet stirnrunzelnd, und Sean lächelte.

Es klang, als erprobe sie da wieder mal ein neues Wort. Violet hatte als junges Mädchen ein mehrbändiges Lexikon geschenkt bekommen und daraus ihre gesamte Bildung bezogen. Über Jahre hinweg hatte sie immer wieder darin gelesen, bis ihr auch die ungewöhnlichsten Begriffe geläufig waren. Selbst solche, für die es im braven Dunedin selten Anwendungsmöglichkeiten gab.

Heather lachte. »Jedenfalls weit entfernt von einer Schafbaronesse. Lizzie und Michael werden nicht begeistert sein.«

Kevins und Patricks Eltern, Lizzie und Michael Drury, führten eine Schaffarm in Otago, und natürlich hofften sie, dass ihre Söhne irgendwann Frauen ehelichen würden, die den Hof mit ihnen führten. Aber Kevin schlug ja ohnehin aus der Art. Er hatte sich nie besonders für Farmarbeit interessiert und ganz sicher nicht für die Töchter der reichen Viehzüchter aus den Plains.

Die mysteriöse Juliet war jedenfalls das Gesprächsthema des Abends – die etwas düsteren Gemälde, welche die Vernissage heute zeigte, fielen deutlich gegen sie ab. Wobei es vor allem die Frauen waren, die sich für Juliets Herkunft interessierten. Die Männer hatten zu viel damit zu tun, sie zu bewundern: Juliets schlanke, aber kurvenreiche Figur war ähnlich faszinierend wie ihr fremdländisch wirkendes Gesicht. Kevin führte die junge Frau denn auch vor wie eine Trophäe. Er war unverkennbar stolz auf seine Eroberung, ohne dabei allerdings seine anderen Bewunderinnen zu vernachlässigen. Mit Juliet im Schlepptau wanderte er von einer der Dunediner Matronen zur anderen und plauderte charmant über dies und das, während Juliet geheimnisvoll lächelte und sich auf keinen Versuch einließ, sie auszuhorchen.

»Es wirkt einfach besser, wenn man sich schnürt«, seufzte Roberta, als Juliet an ihr vorbeitänzelte.

Dabei sah sie selbst an diesem Abend entzückend aus. Roberta trug ein aquamarinblaues Kleid, das raffiniert geschnitten war und allein durch seinen Faltenwurf die Figur der Trägerin betonte. Ein Korsett hätte das natürlich in noch stärkerem Maße getan, aber ohne den Panzer aus Fischgrät konnte Roberta durchatmen und sich mit natürlicher Anmut bewegen. Juliet, die obendrein einen der hochmodernen, sehr engen Röcke trug, vermochte dagegen nur zu trippeln. Was sie wieder rührend hilflos wirken ließ, wie Roberta bemerkte.

»Im Korsett wird man auch schneller ohnmächtig«, neckte dagegen Atamarie. »Wobei dir diese Option immer noch offensteht. Los, Robbie, dieses Bild da, von dem kriegt man unweigerlich Schwindelanfälle. Bau dich davor auf, und dann lass dich fallen!«

Die Bilder wirkten tatsächlich deprimierend, aber Roberta fühlte sich heute auch ohne düstere Landschaftsansichten schlecht. Unglücklich verfolgte sie Kevin und seine Eroberung mit Blicken. Atamarie zog sie schließlich energisch weg.

»Nun lächle endlich mal, Roberta! Schau, da ist Patrick, den haben wir noch gar nicht begrüßt.«

Patrick Drury, Kevins jüngerer Bruder, war ein aufgeschlossener, freundlicher Mensch, und ihm gegenüber war Roberta gewöhnlich nicht schüchtern. Sie wurde ihm bei Gesellschaften oft als Tischdame zugewiesen, da er bislang stets allein kam und bei den Gastgebern als umgänglich bekannt war. Wen auch immer man neben ihm platzierte, Patrick konnte sich unbeschwert unterhalten. Sein Beruf zwang ihn schließlich zur höflichen Konversation mit den unterschiedlichsten Menschen. Auf den Schaffarmen begegneten ihm vom britischen Adligen bis zum ungeschlachten Goldgräber alle. Bisher hatte Atamarie zudem das Gefühl gehabt, dass er gerade mit Roberta gern zusammen war und seine Augen neuerdings sogar aufleuchteten, wenn er sie sah. Früher hatte er sie zweifellos nur als kleines Mädchen wahrgenommen, aber jetzt begann er, die schöne junge Frau in ihr zu erkennen.

Bis jetzt war das jedenfalls so gewesen, aber an diesem Abend verhielt er sich anders. Obwohl er den jungen Frauen pflichtschuldig Champagner holte und auch ein wenig mit ihnen plauderte, wirkte er doch abgelenkt und schien sich nur aus Höflichkeit mit Atamarie und Roberta abzugeben. Roberta fiel das nicht auf, aber Atamarie bemerkte schnell, dass Patrick ein ähnliches Problem zu haben schien wie ihre Freundin: Auch er konnte die Augen nicht von Kevin und Juliet lassen. Die schwarzhaarige Schönheit schien ihn vollkommen zu faszinieren, aber hier hatte er sicher keine Chancen.

Patrick war längst nicht so gut aussehend wie Kevin. Statt des schwarzen vollen Haars seines Vaters Michael hatte er die dunkelblonden Locken seiner Mutter Lizzie geerbt und ebenso ihre sanften porzellanblauen Augen. Insgesamt war er kleiner und wirkte weniger imposant als Kevin – sicher kein Mann, den sich eine Frau wie Juliet lange genug ansehen würde, um seine inneren Werte zu erkennen.

Atamarie gab es schließlich auf, ein Gespräch zwischen Roberta und Patrick anzuregen. Die beiden würden sich höchstens gegenseitig herunterziehen. Sie lotste Roberta also weiter und schaute sich dabei nach einem Kellner um. Vielleicht besserte sich Robertas Stimmung, wenn sie noch ein Glas Sekt trank. Patrick folgte derweil seinem Bruder und dessen Freundin wie ein Hündchen.

In der Mitte der Galerie trafen Roberta und Atamarie auf Rosie, Heathers und Chloés Dienstmädchen. Die hellblonde junge Frau stand hölzern herum und hielt ein Tablett mit Sektgläsern in der Hand. Sie wirkte dabei so unbeteiligt, als versuche sie, einen Tisch zu imitieren.

Atamarie nahm ihr zwei Gläser Sekt ab und lächelte ihr zu.

»Was macht das Fohlen, Rosie?«, erkundigte sie sich – woraufhin Rosies eigentlich recht hübsches Gesicht sofort zu strahlen begann.

Rosie kam nur im Umgang mit Pferden aus sich heraus. Als Hausmädchen bewährte sie sich halbwegs – sie hatte ihrer Schwester Violet schon als Kind geholfen, Chloé als Zofe zur Hand zu gehen. Aber wirklich glücklich und überaus geschickt war sie nur mit Trabrennpferden. Chloé hatte sie angelernt, als sie noch gemeinsam mit ihrem früheren Mann ein Gestüt in den Fjordlands bewirtschaftete. Heute war von all den Pferden nur noch die Stute Dancing Rose geblieben, ehemals zum Trabrennen gezüchtet, aber jetzt nur noch vor Chloés und Heathers Chaise eingesetzt. Rosie fand das stets etwas traurig. Aber im letzten Jahr hatte Chloé ihr Pferd decken lassen, und jetzt stand ein Stutfohlen im Stall. Und Chloé wehrte sich auch längst nicht mehr so vehement, das Nachwuchspferd vielleicht noch mal auf der Rennbahn starten zu lassen. Schließlich hatte sie ihren früheren Mann seit Jahren nicht gesehen. Colin Coltrane war auf den Rennbahnen der Südinsel kein Begriff mehr, weder Chloé und Heather noch Rosie liefen Gefahr, ihn dort zu treffen. Warum sollte Rose's Trotting Diamond also nicht an frühere Erfolge anknüpfen? Rosie jedenfalls schien der Zeit entgegenzufiebern, wenn das Fohlen alt genug war, einen Sulky zu ziehen.

Während Atamarie gutmütig ihren Schwärmereien lauschte, sprach Roberta mit Kathleen Burton und ihrem Mann Peter. Der Reverend wirkte wie immer beruhigend auf die junge Frau. Roberta konnte sich noch genau erinnern, wie sicher sie sich damals in seinem und Kathleens Haus gefühlt hatte, nachdem ihre Mutter ihrem gewalttätigen Ehemann endlich entkommen war. Zudem bemerkte sie, dass der Reverend heute zu den wenigen anwesenden Männern gehörte, denen Kevin und Juliet keinen zweiten Blick wert schienen. Stattdessen befragte er Roberta und dann auch Atamarie freundlich nach ihren Studien. Er fand es aufregend, dass Atamarie Ingenieurwissenschaften studieren wollte, und regte Roberta jetzt schon an, nach Abschluss ihrer Ausbildung in seinem Pfarrsprengel zu unterrichten.

»Wir bauen gerade eine Schule, Roberta, es lohnt sich endlich, die Leute werden sesshaft und kriegen Kinder!«

Bislang hatte der Reverend sich hauptsächlich mit den seelischen, aber auch ganz praktischen Problemen der neu einwandernden und frustriert von den Feldern zurückkehrenden Goldsucher beschäftigt. Inzwischen war der Goldrausch in Otago jedoch abgeflaut. Es zog europäische Abenteurer in die Gold- und Diamantenminen Südafrikas. Die in Dunedin gestrandeten erfolglosen Digger hatten andere Arbeit gefunden, oft mithilfe des Reverends. Sie bauten nun ihre Häuser im Umfeld seiner Kirche, sein Sprengel vergrößerte sich, und er freute sich auf ganz normale Pfarrarbeit mit Sonntagsschule, Taufen und Eheschließungen.

Schließlich gesellten sich auch Heather und Chloé zu der Gruppe um Kathleen und den Reverend. Ihre wichtigsten Pflichten als Gastgeberinnen und Betreiberinnen der Galerie hatten sie schließlich erledigt. Alle Gäste waren mit Getränken versorgt, und Chloé hatte ihre einführende Rede zu der Künstlerin und ihren Werken gehalten.

»Der Verkauf lässt sich allerdings schleppend an«, meinte Heather bedauernd. »Dabei sind das kleine Kostbarkeiten.« Bewundernd studierte sie eins der akribisch gemalten Gemälde. Atamarie verdrehte die Augen. »Also, für Kostbarkeiten schillern sie mir zu wenig«, bemerkte sie. »Aber vielleicht solltet ihr Beerdigungsunternehmer ansprechen. Da könnte ich mir die Bilder gut vorstellen, in den Empfangsräumen oder …«

Die anderen lachten.

»Du verstehst nichts von Kunst«, rügte Heather ihre Nichte.

»Aber von kubischen Modifikationen von Kohlenstoff«, gab Atamarie die Neckerei ungerührt zurück. »Wie viele von diesen komischen Bildern muss man wohl malen, damit man sich so einen Ring kaufen kann?«

Sie wies auf Heathers Finger und lenkte damit auch Kathleens und Robertas Aufmerksamkeit auf den feinen Goldring mit dem glitzernden Diamanten.

Kathleen lächelte ihrer Tochter zu. »Was für ein wunderschönes Stück! Überhaupt siehst du großartig aus in dem neuen Kostüm! Nur schade, dass es nicht aus meiner Kollektion ist.«

Heather wurde ob der Schmeichelei unweigerlich ein bisschen rot. Sie war keine außergewöhnliche Schönheit mit ihrem feinen aschblonden Haar, das ziemlich unfrisierbar wirkte. In Europa hatte Heather es eine Zeitlang kurz getragen, aber hier galt so etwas auch für Künstlerinnen als zu extravagant. Man tuschelte schon genug über ihr Faible für weite, orientalisch geschnittene Hosenröcke und die dazu passenden gewagten Jacken und Blusen. Heathers Gesichtszüge waren früher zart und madonnenhaft gewesen, jetzt wirkten sie fast etwas herb, und ihre braunen Augen blickten nicht mehr sanft und fügsam wie ehedem, sondern klug und durchaus mal spöttisch in die Welt.

»Ich finde, er steht Chloé viel besser!«, spielte sie das Kompliment nun auch herunter. »Komm, Chloé, zeig mal deinen!«

Die dunkelhaarige Chloé wirkte insgesamt fraulicher und damenhafter als ihre Freundin. Sie trug heute ein rotes Empirekleid aus Kathleens Kollektion, dessen Farbe der Diamant in ihrem Ring widerzuspiegeln schien.

»Diamantringe!«, bemerkte der Reverend lächelnd. »Nobel, nobel, ich sehe schon, ich übe längst nicht genug Druck auf euch aus, wenn ich für meine Armenküchen sammle. Ihr scheint ja Geld im Überfluss zu haben.«

»Heather hat ein paar Bilder verkauft«, erklärte Chloé und wirkte dabei ein bisschen befangen. »Und da meinte sie ... also die Galerie besteht doch jetzt seit bald zehn Jahren ... Wir sollten das feiern.«

»Gibt's die wirklich schon so lange?«, fragte Kathleen verwundert, hielt dann aber inne, bevor sie laut nachrechnete. Es war offensichtlich, dass Heather und Chloé hier keine Geschäftsidee feierten, sondern eher eine große Liebe. »Jedenfalls sind die Ringe wunderschön«, sagte sie dann. »Und Diamanten sind ja jetzt auch durchaus erschwinglich, seit sie so viele davon finden, in ... wo war das noch, Peter, in Südafrika, nicht wahr?«

Peter Burton nickte, wurde dabei jedoch ernst. »Am Kap der Guten Hoffnung. Und ich fürchte, den Namen des Landes werden wir demnächst häufiger hören«, meinte er dann. »Es heißt, es würde dort Krieg geben ...«

»Krieg?«, fragte Atamarie interessiert. Bislang kannte sie Kriege eigentlich nur aus dem Geschichtsunterricht. Und natürlich aus den Erzählungen ihrer Eltern, die sich noch an die letzten Gefechte der Landkriege zwischen Maori und *pakeha* erinnerten. Ihr selbst erschien es allerdings ziemlich unvorstellbar, wirklich mit Gewehren oder gar Speeren aufeinander loszugehen. Kämpfe waren für sie eher mit Wortgefechten, Zeitungsartikeln und dem Verfassen unendlicher Mengen von Petitionen verbunden, mit denen man das Parlament für die eigenen politischen Ziele zu begeistern suchte. »Zwischen wem?«, erkundigte sie sich.

Roberta wäre diese Angelegenheit normalerweise gleichgültig gewesen – Politik interessierte sie nicht wirklich, trotz ihres und Atamaries früherem kindlichen Traum, erste Premierministerin Neuseelands zu werden. Aber nun lebte sie auf, denn Kevin Drury gesellte sich zu ihnen. Juliet war ebenfalls näher getreten, um einen Blick auf Heathers und Chloés Ringe zu werfen, schien davon aber nicht sonderlich beeindruckt. Sie trug auffälligeren Schmuck, der kaum weniger schillerte – allerdings zerrissen sich die Damen bereits die Mäuler darüber, ob es sich nicht lediglich um Strasssteine handelte. Ein Fauxpas in der calvinistisch geprägten Gesellschaft Dunedins, wo man eher wenig Schmuck trug – aber wenn, dann echten!

Kevin hatte die letzten Worte des Reverends gehört. Auch Patrick mischte sich nun in die Unterhaltung ein – offensichtlich ganz froh, endlich etwas beitragen zu können. Juliet hatte bislang kein Wort mit ihm gewechselt.

»Zwischen England und den Buren«, beantwortete er jetzt Atamaries Frage. »Letztere sind eigentlich Niederländer, aber seit sie in Südafrika siedeln, nennen sie sich Buren oder Afrikaaner. Sie beanspruchen da ein paar Gebiete, obwohl das Land eigentlich schon vor ein paar Jahrhunderten von England erobert worden ist.«

Der Reverend nickte. »Und bislang hat kein Hahn danach gekräht«, bemerkte er. »Erst seit sie massenhaft Diamanten und Gold fördern, beginnt man die Sache infrage zu stellen. Natürlich nur unter den edelsten Gesichtspunkten. Kann England es hinnehmen, dass sie die Eingeborenen schlimmer behandeln als Vieh? Dass die Zuwanderer in den Goldgräbergebieten kein Stimmrecht haben?«

Kathleen runzelte die Stirn. »Seit wann interessieren sich Goldgräber für Politik?«, fragte sie. »Die meisten können doch kaum lesen und schreiben, und wer an der Regierung ist, ist ihnen absolut egal.«

»Umgekehrt wird allerdings ein Schuh draus.« Kevin lächelte. »Die Politik interessiert sich für das Gold.«

Roberta beobachtete fasziniert, wie seine leuchtend blauen Augen spöttisch aufblitzten und Grübchen auf seinen gebräunten Wangen erschienen. Sie ließen sein sonst etwas kantiges Gesicht weich wirken – und seinen Blick unwiderstehlich.

Roberta bemühte sich, sein Lächeln ungeniert zu erwidern, und erinnerte sich jetzt auch an Atamaries Anregung vom Morgen. Sie musste Kevin irgendwie auf sich aufmerksam machen. Zum Beispiel, indem sie etwas sagte. Am besten etwas Kluges. Roberta zermarterte sich das Hirn.

»Aber Neuseeland hat doch nichts damit zu tun, wenn England in Südafrika kämpft, oder?«, fragte sie schließlich – und errötete, als alle sie ansahen.

»Das kommt ganz darauf an, was unserem Premierminister einfällt«, meinte Heather trocken. »Wobei Mr. Seddon für seine sonderbaren Ideen bekannt ist. Und seine Seitenwechsel …«

Seddon hatte den Frauen beim Kampf um das Wahlrecht so manche Nuss zu knacken gegeben.

»Mal ganz abgesehen davon, dass es jeden denkenden Menschen etwas angeht, wenn um Gold und Diamanten Kriege geführt werden«, sagte der Reverend, und Roberta errötete gleich wieder. Allzu klug war ihre Bemerkung also nicht gewesen.

»Ihr meint, sie könnten wirklich Neuseeländer nach Südafrika schicken, um da zu kämpfen?«, fragte Atamarie. Sie sah mehr den Aspekt des Abenteuers.

»Warum nicht?«, meinte Kevin und spielte beiläufig mit Juliets Fingern. Die junge Frau hatte ihm lasziv die Hand auf den linken Arm gelegt, und er seinerseits schob die rechte darüber. Kathleen registrierte, dass dies schon den ganzen Abend

44

so ging – Kevin und Juliet konnten die Hände nicht voneinander lassen. »Ob man Truppen aus England oder aus Neuseeland schickt, verschiffen muss man sie so oder so. Natürlich
kann man keinen zwingen. Aber Freiwillige …«

Roberta spürte plötzlich Angst in sich aufsteigen.

»Aber Sie … du … ihr …« Im letzten Moment dachte sie
immerhin daran, auch die anderen Männer in die Frage einzubeziehen. Wobei natürlich nur noch Patrick infrage kam, der
Reverend war sicher zu alt, um ins Feld zu ziehen. »Ihr würdet
doch nicht gehen?«

Sie atmete auf, als die Männer lachten, fühlte sich allerdings
peinlich berührt, als Juliet einstimmte.

»Nicht ohne meine Erlaubnis«, erklärte diese anzüglich und
zog Kevin an sich. »Es gibt süßere Schlachtfelder als das Kap,
um sich als Held zu zeigen …«

»Meinst du eigentlich, dass die ... Beziehung zu dieser Juliet deinem Renommee guttut?« Lizzie Drury betrat Kevins Praxisräume und war nahe daran, die Tür mit Schwung hinter sich zuzuwerfen. Dabei hatte sie eigentlich ruhig mit ihrem Sohn reden wollen. Aber nachdem sie den Stein des Anstoßes eben ganz selbstverständlich aus seiner Wohnung hatte kommen sehen, konnte sie sich nicht mehr zurückhalten. »Meine Güte, dem Mädchen sieht man die Halbwelt doch auf hundert Yard Entfernung an. Wo hast du es bloß aufgegriffen? Und wie kommst du auf den Gedanken, es mit zu ... zu solchen Einladungen zu nehmen wie gestern?«

Kevin wandte sich heftig zu Lizzy um. »Ich muss doch bitten, Mutter! Nicht in diesem Ton. Und nicht so laut, sicher kommen gleich Patienten ...«

Kevin lauschte besorgt in Richtung seiner über den Praxisräumen gelegenen Wohnung. Er lebte hier, sein Kollege Christian Folks hatte ein Haus in der Nähe.

»Patienten!« Lizzie rang die Hände. »Heute ist Sonntag, Kevin. Und falls es dich beruhigt, die junge Dame ist schon weg.«

Das Wort Dame klang eher wie eine Beleidigung als wie ein Ehrentitel. »So viel Benimm hat sie wenigstens, dass sie sich rausstiehlt, bevor das Hausmädchen kommt.«

Über Kevins selbstbewusste Miene zog eine leicht verlegene Röte. Es war ihm zweifellos nicht recht, dass seine Eltern

Juliets Abgang mitbekommen hatten. Schließlich kannte er seine Mutter und wusste, was sie von seinen diversen Frauenbekanntschaften hielt.

Lizzie ihrerseits hatte das Thema Juliet eigentlich nicht mehr ansprechen wollen, nachdem sie Kevins neue Freundin bei einer Abendeinladung kennengelernt hatte. Heute Morgen brannte es ihr jedoch so auf den Nägeln, dass sie das Hotelfrühstück gar nicht recht hatte genießen können. Sobald ein Besuch am Sonntagmorgen eben vertretbar war, hatte sie ihren Mann Michael zu dem hochherrschaftlichen Steinhaus in der Lower Stuart Street geschleppt, in dem Kevin und Christian ihre Praxisräume gemietet hatten.

»Juliet hatte … äh … sie hatte etwas in … in meiner Wohnung vergessen, und da …«

»Ich frag mal besser nicht, was«, meinte sein Vater belustigt. Michael hatte die gleichen strahlend blauen Augen und das Grübchenlächeln wie sein Sohn. Auch er hatte in jungen Jahren nichts anbrennen lassen – und auch ihm waren die Ausreden gerade Lizzie gegenüber nicht immer glatt von den Lippen gegangen.

Kevin versuchte, sich nicht einschüchtern zu lassen. »Juliet ist eine äußerst ehrbare junge Dame, die sich in Gesellschaft zu benehmen weiß«, verteidigte er seine Eroberung. »Sie erschien mir als durchaus adäquate Begleitung zu dem Empfang der Dunloes. Und Mr. Dunloe war ja auch sehr beeindruckt …«

»Was einiges über die Talente der jungen Frau aussagt«, kommentierte Lizzie bissig. »Mr. Dunloe mag beeindruckt gewesen sein. Mrs. Dunloe erschien mir eher peinlich berührt.«

Letzteres war ein wenig übertrieben. Claire Dunloe hatte zwar etwas indignierte Blicke auf Juliets auffälliges rotes Kleid und ihren Talmischmuck geworfen, aber ansonsten gab es eigentlich nichts anzumerken. Juliets Tischmanieren waren perfekt, sie wusste nichtssagend zu plaudern, und diesmal hatte sie sich auch mit dem Champagnerkonsum zurückgehalten. Aber dennoch hatte sie auf dem Empfang des Bankdirektors Dunloe und seiner Gattin Claire wie ein exotischer Fremdkörper gewirkt – wobei Lizzie eher an einen Feuerwerkskörper dachte. Diese junge Frau konnte für Zündstoff sorgen, da war sie sich sicher.

»Die Gesellschaft redet jedenfalls über sie«, meinte Lizzie. »Und so laut, dass es bis nach Tuapeka durchgedrungen ist.« Tuapeka, in dessen Nähe Lizzies und Michaels Farm lag, befand sich etwa vierzig Meilen von Dunedin entfernt und wurde seit dem Jahr 1866 Lawrence genannt. Lizzie und Michael konnten sich an die Namensänderung allerdings nie ganz gewöhnen. Nach Dunedin kamen die Drurys eher selten, aber eine Einladung des Bankdirektors mochten sie nun doch nicht ausschlagen. »Ich habe jedenfalls davon gehört, dass sie auf der Vernissage von Heather und Chloé gesungen hat!«

Kevin rieb sich die Stirn. Dieser Auftritt gehörte nicht zu seinen liebsten Erinnerungen, Juliet hatte es zweifellos übertrieben. Aber die Vernissage war unbestreitbar langweilig gewesen, die Bilder düster und die Leute wenig gesprächig. Dafür hatte es aber reichlich Champagner gegeben, dem Juliet schwer widerstehen konnte … Jedenfalls hatte sie sich, als die Unterhaltung nur noch dahinplätscherte, an die Musiker gewandt, und das Trio hatte sie schließlich beim Singen eines populären amerikanischen Schlagers begleitet. Die Reaktion der Dunediner Gesellschaft darauf war keineswegs ablehnend gewesen, wenn Kevin sich recht erinnerte. Auch er hatte vorher schon einige Gläser geleert. Allerdings … Überrascht hatten die Burtons und die Dunloes, die McEnroes und McDougals schon geguckt … Chloé, eine geschickte Gastgeberin, hatte die Situation schließlich gerettet, indem sie kurz mit der Sängerin sprach und sich dann mit deren Vorstellung an die Gäste wandte. Sie löste damit das Rätsel um ihren Namen und ihre Vorgeschichte, was allerdings für weiteren Gesprächsstoff sorgte: Juliet LaBree war gebürtige Amerikanerin und gehörte dem Ensemble einer in Wellington gastierenden Varietétruppe an. Zumindest noch einige Wochen zuvor ...

»Wie kommt die ehrbare junge Dame denn überhaupt von Wellington hierher?«, erkundigte sich Michael, wobei er eher interessiert klang als inquisitorisch. Juliet hatte durchaus Eindruck auf ihn gemacht – wie wohl auf so ziemlich jedes männliche Wesen, vom Straßenfeger bis zum Bankdirektor. Und egal, wie eifrig die Herren ihren Damen zustimmten, wenn es darum ging, dass sie sicher nicht in die allerfeinste Gesellschaft gehörte: Ein bisschen beneideten sie Kevin alle um seinen Fang.

Kevin biss sich auf die Lippen. »Juliet ... äh ... hatte wohl genug von der Truppe. Und es gefällt ihr in Neuseeland. Sie will sich lieber hier ein neues Engagement suchen ...«

»Ach ja?«, spottete Lizzie. »Dann sollte sie sich in Auckland oder Wellington danach umsehen. Und nicht ausgerechnet in Dunedin, Metropole der Church of Scotland, der Stadt mit den kleingeistigsten Bürgern der ganzen Südinsel. Was wollte sie hier singen, Kevin? Kirchenlieder?«

»Mit ihrer Stimme kann sie alles singen!«, behauptete Kevin. »Außerdem hat sich Dunedin in den letzten Jahrzehnten gewandelt – falls dir das noch nicht aufgefallen sein sollte, Mutter. Es hat hier einen Goldrausch gegeben!«

Lizzie lachte höhnisch. »Ich erinnere mich«, bemerkte sie. »In Tuapeka stehen immer noch die Ruinen der Bordelle.«

»Und du hast dort die Fahne der Moral hingetragen?«, gab Kevin zurück.

Lizzie blitzte ihren Sohn an. »Ich habe mich nie in Tuapeka ver...«

Sie hielt verschämt inne. Natürlich hatte sie ihren Söhnen nichts von ihrer unrühmlichen Vergangenheit in London und Kaikoura erzählt, aber Kevin war klug und konnte sich bestimmt manches zusammenreimen. Als Lizzie Michael auf die Goldfelder folgte, war sie jedoch längst ehrbar geworden – so weit man den Vertrieb von schwarz gebranntem Whiskey in einem Pub in Kaikoura als ehrbare Tätigkeit bezeichnen wollte.

Michael griff ein, um seine Frau zu schützen. »Kevin, deine Mutter und ich waren auch keine Engel, aber gerade das befähigt uns dazu, Juliet LaBree einzuschätzen. Sie läuft vor irgendetwas weg, Kevin. Glaub mir, ich kenne den Blick. Wahrscheinlich hat diese Truppe sie rausgeschmissen. Und jetzt war sie auf dem Weg nach Otago. Auf die Goldfelder bei Queenstown. Eine Menge Männer, eine Menge Pubs ...«

Kevin strich die Segel. »Na ja, und wenn ... Aber du musst mir doch zugestehen, dass sie hinreißend ist, Vater! Egal, was vorher geschehen ist, dies ist alles, was ich von ihr wissen muss. Schließlich will ich sie nicht gleich heiraten ...«

Er warf einen Blick auf die wuchtige Standuhr, die sein Sprechzimmer zierte. Lizzie und Michael waren noch zu einer Matinee geladen, wie er wusste. Eine Modenschau in Lady's Goldmine. Lizzie würde sich das nicht entgehen lassen.

Sie verstand nun auch den Wink. »Schon gut, Kevin, wir gehen ja schon«, meinte sie. »Aber so, wie ich Juliet LaBree einschätze, ist es ziemlich egal, was du möchtest. Die Frage ist allein, was sie will!«

Juliet LaBree wollte vor allem Ruhe. Wobei es ihr schwerfiel, das zuzugeben, sogar sich selbst gegenüber. Schließlich hatte sie ihr wildes Leben geliebt, sie hatte sich jahrelang nichts Schöneres vorstellen können, als sich von Stadt zu Stadt, von Theater zu Theater, von Mann zu Mann treiben zu lassen. Dies war auch das Leben gewesen, von dem sie immer geträumt hatte, durch ihre ganze Höhere-Töchter-Ausbildung hindurch. Juliet hatte sich nie für Bücher, fürs Reiten, für kleine Hausfeste und Picknicks begeistern können. Nicht nur ihr exotisches Äußeres unterschied sie von den braven Töchtern der umliegenden Plantagen im Terrebonne Parish, Louisiana. Juliet war lebenslustig, es trieb sie in Konzerte und Theateraufführungen. Nun war das nicht allzu weit entfernte New Orleans dafür auch eine ideale Stadt, und Juliets Eltern waren ebenfalls keine Kinder von Traurigkeit. Ihre Mutter war eine Kreolin aus der Karibik, irgendwann aus Jamaika nach New Orleans eingewandert – wobei sich Juliet keine Illusionen darüber machte, wie es sie dorthin verschlagen haben konnte. Zweifellos war sie nicht mit ihrer Familie gekommen, sondern mit einem Mann. Aber Juliets Vater war ihr wohl sofort verfallen gewesen, hatte sie auf seine Plantage geholt und fortan geliebt und verwöhnt, wie eine Frau es sich nur wünschen konnte.

Als Juliet dann zur Welt kam, wurde sie sein Augenstern, nichts war gut genug für seine schöne Tochter. Juliet erhielt die besten Lehrer – wobei sie sich allerdings nur für den Musikunterricht wirklich interessierte. Sie lernte Französisch, Gesellschaftstanz – und als sie siebzehn wurde, sollte es dann auch der perfekte Mann sein. Ihr Vater fand ihn zwei Plantagen weiter: in einer alten Familie, die den Bürgerkrieg mit nur geringen finanziellen Einbußen überstanden hatte – unermesslicher Reichtum. Aber der junge Mann war so blutleer, dass Juliet sich bei jedem Besuch auf seiner Plantage nervös nach Vampiren umsah, die hier zweifellos ihr Unwesen trieben. Zu ihnen passte auch das Herrenhaus – für Juliet eine Gruft.

Kurz vor der Hochzeit war sie dann nach New Orleans geflohen und gleich weiter nach Tennessee. Zunächst reichte das Geld, das sie mitgenommen hatte und das sie für die Kleider und Schmuckstücke erhielt, die sie versetzte. Wenn sie trotzdem in Clubs sang, so eher zum Vergnügen – in Memphis stieg sie bald zu einem kleinen Star auf. Aber dann gab es Schwierigkeiten mit einem Mafiaboss, Juliet musste die Stadt schnell verlassen, diesmal ohne Geld. Sie war nicht stolz auf das, was sie getan hatte, um sich anschließend nach New York durchzuschlagen. Schließlich bot sich die Möglichkeit einer Überfahrt nach Europa. Juliet sang auf dem Luxusliner, der reiche Reisende nach London brachte, dann wechselte sie nach Paris. Drei Jahre tingelte sie durch den halben Kontinent – und sie genoss jede einzelne Nacht und oft auch die Tage. Juliet verliebte sich selten, aber sie küsste oft, ihr Leben war ein einziger Rausch.

Und dann kam das Engagement, das sie nach Australien und Neuseeland führte. Eigentlich eine Operntruppe, aber nicht sehr professionell. Juliet war nett zu ihrem Leiter, aber der Mann hatte schließlich ein anderes Mädchen gefunden – eine lange Geschichte. Juliet hatte versucht, eine Szene zu machen, und war sofort geflogen. Wobei sie einen Teil der Einkünfte mitgehen ließ, man hatte sie ohnehin zu schlecht bezahlt. Auf der Nordinsel hatte sie daraufhin jedoch nicht mehr bleiben mögen. Sie war auf die Südinsel übergesetzt, nur um festzustellen, dass die Städte hier noch biederer waren als im Norden. Es gab praktisch keine Varietés – und wenn Pubs oder Hotels junge Frauen anheuerten, um zu singen und zu tanzen, so handelte es sich im Grunde nur um bessere Bordelle.

Juliet war heilfroh gewesen, als sie zufällig Kevin Drury kennenlernte – und stellte überrascht fest, dass er sie auch noch nach einigen Wochen des Zusammenseins nicht langweilte. Im Gegenteil, sie genoss die Sicherheit, die Kevin ihr bot, die er aber durchaus mit Vergnügen zu verbinden wusste. Er war außerordentlich gut aussehend und sehr erfahren – Kevin verstand es, Juliet zu befriedigen. Gleichzeitig war er entzückt von ihren Kenntnissen darüber, wie man Männer glücklich machte. Er stellte keine Fragen – und er war großzügig. Wenn sie einen Wunsch äußerte, so war er schon so gut wie erfüllt, zumindest im Rahmen von Kevins finanziellen Möglichkeiten.

Juliet fand schnell heraus, dass er wohlhabend war, wenn auch nicht reich. Seine Praxis florierte, aber natürlich war es kein Großunternehmen, und er musste die Einnahmen ja auch noch mit seinem Kompagnon teilen. Immerhin würde er später einiges erben, die Farm seiner Eltern galt als Musterbetrieb. Und Juliet merkte zu ihrer Verblüffung, dass ihre Ansprüche sanken. Man musste kein ganzes Lokal mehr für sie mieten, um mit ihr tanzen zu dürfen, sie brauchte keinen protzigen Schmuck, den sie später nur wieder versetzte. Natürlich waren die gesellschaftlichen Anlässe, zu denen Kevin sie mitnahm, provinziell. Eine Vernissage in Dunedin, ein Konzert in Christchurch … Juliet war glänzendere Auftritte gewohnt. Aber andererseits hatte sie nie zuvor derartig Furore gemacht wie in diesem Provinznest! In Memphis, New York, Paris und Berlin war sie eine Schönheit unter vielen gewesen. Hier dagegen lag ihr die Männerwelt zu Füßen.

Juliet begann davon zu träumen, sesshaft zu werden, ganz zu dieser besseren Gesellschaft zu gehören – und sie gründlich aufzumischen. Wenn sie hier erst mal Empfänge gab, würde die ganze Südinsel darüber reden. Der Salon der jungen Mrs. Drury würde Künstler und Musiker anziehen, die Zeitungen würden darüber berichten, welche Kleider sie zu welchem Anlass getragen hatte. Natürlich würde man ein repräsentativeres Haus brauchen. Aber wenn sie erst mal Kinder hatten, konnten sie sowieso nicht mehr in einer Mietwohnung leben. Allein die Angestellten, die man dann brauchte … Juliet stellte belustigt fest, dass schon die Planung ihr Spaß machte. Vielleicht sollte sie an ihre Eltern schreiben und von ihrer Hofhaltung am Ende der Welt erzählen ….

Der einzige Wermutstropfen in diesem schönen Traum lag darin, dass Kevin bislang keine Anstalten machte, sie um ihre Hand zu bitten. Juliet hatte sich inzwischen etwas umgehört, der junge Arzt galt als Frauenheld. An Familiengründung schien er vorerst nicht zu denken, was Juliet in einen Zwiespalt brachte. Wenn sie Kevin zur Heirat bewegen wollte, musste sie sich schwängern lassen – aber eigentlich wollte sie nicht gleich ein Kind. Juliet konnte sich gut vorstellen, noch ein oder zwei Jahre neben Kevin durch das bescheidene Dunediner Nachtleben zu tanzen, die Männerwelt der Stadt um den Finger zu wickeln, eifersüchtige Blicke der Matronen zu sammeln. Ein Kind würde das einschränken, zumindest ihren Start als glanzvolle Gastgeberin und Mittelpunkt jeder Gesellschaft verzögern.

Wenn es jedoch nicht anders ging …

Juliet war etwas nervös, seit sie im Treppenhaus mit Kevins Mutter zusammengestoßen war. Elizabeth Drury hatte nichts gesagt, aber die Blicke, die sie Juliet zugeworfen hatte, waren nicht zu missdeuten gewesen. Auch schon am Abend vorher, bei dem Dinner der Dunloes. Wobei diese Lizzie Drury nicht zu unterschätzen war. Juliet hätte fast darauf gewettet, dass diese kostbar gekleidete Matrone auch keine ganz lupenreine Vergangenheit hatte. Der Mann mochte ja als Goldgräber sein Vermögen gemacht haben, wie man sich erzählte. Aber ob die Frau ihm dabei die Schaufel gereicht oder nicht doch anderweitig zum Familieneinkommen beigetragen hatte?

Lizzie jedenfalls hatte diesen wissenden Blick – und garantiert ließ sie nichts unversucht, Kevin von seiner Liaison mit Juliet abzubringen. Die ersten Erfolge dabei meinte Juliet schon zu erkennen. Er war nicht mit ihr zu dieser Modenschau gegangen, die das unter den Frauen von Dunedin wohl meistdiskutierte Ereignis der Saison war. Und neuerdings führte er sie lieber allein aus, statt sie zu gesellschaftlichen Veranstaltungen mitzunehmen. Juliet ahnte den Anfang vom Ende, und sie war fest entschlossen, das nicht zuzulassen!

Als Kevin sie an einem Abend warten ließ, weil noch Patienten in der Praxis waren, schloss sie die Tür seiner Wohnung hinter sich und durchsuchte seine Nachttischschubladen. Als Arzt verließ sich Kevin bei der Vermeidung unerwünschten Nachwuchses nicht auf die Frau, was Juliet zumindest am Anfang sehr angenehm gefunden hatte. Natürlich verstand auch sie sich auf die gängigen Methoden, die fruchtbaren Tage zu errechnen und im Zweifelsfall Scheidenspülungen durchzuführen. Aber Kevin setzte lieber auf Overcoats. Juliet hatte früher schon Männer gekannt, die solche Schläuche vor der Liebe überzogen – und sich stets etwas davor geekelt, weil sie meist aus Schafdarm oder anderem tierischen Material hergestellt wurden. Kevin bevorzugte jedoch die modernen Modelle aus Gummi. Sie waren dick und sperrig, oft etwas lästig, aber sehr vertrauenerweckend. Bestimmt kam hier keine befruchtende Flüssigkeit durch, zumindest solange sie unbeschädigt blieben.

Juliet fand gleich ein ganzes Päckchen davon in Kevins Nachttischschublade. Und dahinter ein weiteres – anscheinend kaufte ihr Liebhaber die Overcoats en gros! Juliet überlegte, ob sie beide Packungen behandeln sollte, aber nein, eine musste genügen. Ihre letzte Periode war zwei Wochen her, die fruchtbaren Tage standen also kurz bevor. Zwei- oder dreimal Liebe sollten genügen …

Juliet griff entschlossen nach ihrer Hutnadel und stach sie in den ersten Gummischlauch. In spätestens zwei Monaten würde Kevin sie zum Traualtar führen.

KAPITEL 4

Atamarie hätte sich nie träumen lassen, dass sie Roberta noch mal um ihren langweiligen Studiengang beneiden würde. Und natürlich dachte sie auch jetzt noch nicht daran, lieber Kinder zu unterrichten, als Flugmaschinen zu bauen. Aber nach zwei Monaten allein in Christchurch war sie einfach tödlich gelangweilt. Jeden Tag nach Ende ihrer Seminare saß sie allein in ihrem Zimmer oder wanderte allein durch die Stadt – während Roberta von vergnüglichen Treffen und Ausflügen mit ihren Kommilitoninnen berichtete. Obwohl sie längst nicht so aufgeschlossen war wie Atamarie, hatte sie bereits Freundinnen gefunden und schien recht glücklich zu sein – abgesehen natürlich von ihrer hoffnungslosen Schwärmerei für Kevin Drury.

Atamarie dagegen fand keinen Anschluss, da nutzte ihr nicht mal die liberale Einstellung ihrer Vermieterinnen zu Männerbesuchen. Die anderen Studenten der Ingenieurwissenschaften hielten sich von ihr fern. Nachdem sie die einzige junge Frau am Anfang misstrauisch beäugt hatten, munkelten sie bald, Atamarie würde von den Dozenten vorgezogen. Anders konnten sie sich ihre hervorragenden Noten wohl nicht erklären. Atamarie war die mit Abstand Beste in ihrem Kurs. Hinzu kamen allgemeingesellschaftliche Probleme: Neuseeland hatte seine Universitäten zwar Frauen geöffnet, aber die Grundhaltung blieb englisch-viktorianisch: Ohne Anstandsdamen ließ man Jungen und Mädchen nicht aufeinander los. Eine Aufsicht über studentische Freizeitbeschäftigungen sah allerdings keine

Universität der Welt vor, und so blieb der Umgang miteinander schwierig. In Fakultäten, in denen der Frauenanteil größer war, schlossen sich die jungen Frauen meist zu Gruppen zusammen und blieben unter sich – sofern sich nicht eine verliebte und dann heimliche Treffen mit ihrem Freund organisierte.

Atamarie hatte allerdings keine Mitstreiterin, und das College für Ingenieurwissenschaften war zudem in einem eigenen Gebäude untergebracht. Es ergaben sich also auch keine zwanglosen Kontakte zu Studentinnen anderer Fakultäten. Sie blieb folglich von all dem Spaß ausgeschlossen, der ein Studium in der lebhaften Metropole Christchurch sonst zu krönen pflegte. Bootsfahrten auf dem Avon, Ruderregatten und Ausflüge in die Plains fanden ohne sie statt. Atamarie lebte nur für die gelegentlichen Wochenenden in Dunedin oder Besuche ihrer Verwandten und Freunde. Heather und Chloé kamen manchmal zum Pferderennen nach Addington, einem Vorort von Christchurch, und auch Sean hatte öfter in der Stadt zu tun. Ansonsten konzentrierte sich Atamarie auf die Hochschule – was ihre Noten noch schneller verbesserte und ihre Kommilitonen noch unfreundlicher gucken ließ.

Professor Dobbins war dagegen entzückt von seiner eifrigen Studentin, die stets zur Mithilfe bei Forschungsarbeiten und speziellen Projekten zur Verfügung stand. Das Studium selbst machte ihr schließlich immer noch Spaß, und so füllte sie auch die langen Abende zwangsläufig mit Lesen. Atamarie verschlang die Bücher von Lilienthal und Mouillard zur Theorie und zum Bau von Flugapparaten. Aber natürlich las sie auch Romane und vor allem Zeitungen. Romantische Geschichten fesselten sie stets weniger als das wirkliche Leben. Dabei stieß sie zwangsläufig erneut auf das Land, das der Reverend auf der Vernissage von Heather und Chloé erwähnt hatte: Südafrika, die Republik – oder Kolonie? – am Kap der Guten Hoffnung.

Atamarie lernte, dass dieses Gebiet ursprünglich von Niederländern besiedelt worden war. Die Niederländische Ostindien-Kompanie wünschte sich einen Vorposten zur Verproviantierung ihrer Schiffe auf dem Weg nach Java. Später waren die Siedler aber weiter ins Land vorgestoßen – und irgendwann machte die Ostindien-Kompanie Pleite, und das Land wurde weitgehend kampflos von den Briten okkupiert. Den Siedlern, die sich inzwischen Buren nannten, passte das erwartungsgemäß wenig, aber bislang hatten sie sich damit abgefunden, ohne größeren Ärger zu machen. Zumal die Engländer im Umgang mit ihnen durchaus Geduld zeigten. Atamarie fand es empörend, dass die Besatzer den Buren erlaubten, mit den schwarzen Einheimischen der Region umzuspringen wie mit Sklaven. Die Hottentotten, wie man sie unfreundlich nannte, hatten keinerlei Rechte. Nun setzten die Briten hier wohl auf langsamen Wandel – bis im Land zunächst Diamanten und dann Gold gefunden wurden!

Die Entdeckungen führten zu den üblichen Folgen – Abertausende verarmte, verzweifelte Europäer machten sich auf, um es auf den Goldfeldern zu Reichtum zu bringen. Das Ergebnis kannten die Neuseeländer aus eigener Erfahrung: Die Bevölkerung wuchs sprunghaft an, die Zentren der Goldfelder wurden zu einer Mischung aus Elendsquartieren und Lasterhöhlen. Die Buren, eher Landwirte als Händler und streng religiös, wussten damit wenig anzufangen. Schon bald klagten die Neusiedler über Repressalien, denen sie angeblich oder tatsächlich ausgesetzt waren – und die britische Krone griff die Beschwerden bereitwillig auf. Plötzlich war Schluss mit der gelassenen Duldung der Burenrepubliken Transvaal und Oranje. Die Engländer bestanden auf ihrem Recht, das gesamte Land zu beherrschen. Und Neuseelands Premierminister Richard Seddon griff das Thema begeistert auf. Als der Krieg unvermeidlich schien, hielt er eine ergreifende Rede vor dem Parlament, in der er die

Forderung stellte, dem Empire ein Kontingent an Kavalleristen zuzusprechen.

»Neuseeland wird kämpfen für eine Flagge, eine Königin, eine Sprache und ein Land!«, tönte Seddon. »Britannien!«

Atamarie verstand nicht recht, warum das nötig sein sollte. Tatsächlich mischte sich Britannien immer seltener in die Angelegenheiten Neuseelands ein, und sie fragte sich, warum man das umgekehrt nicht ebenso halten konnte. Natürlich war England das Mutterland, aber auf der Nord- und Südinsel war so vieles anders – Atamarie betrachtete ihre Heimat als weitgehend unabhängig. Außer ihr schienen jedoch alle begeistert von der Aussicht, die Rechte eines Landes, das man kaum kannte, in einem anderen Land, von dem man gerade zum ersten Mal gehört hatte, zu verteidigen. Das Parlament versprach die Unterstützung der Briten mit nur fünf Gegenstimmen, die Rekrutierungsbüros konnten sich vor Freiwilligen kaum retten, und sogar etliche Maori-Stämme boten Truppen an.

Auch mehrere von Atamaries Kommilitonen drängten zu den Fahnen, wurden allerdings nicht genommen. Zumindest vorerst bevorzugte man Leute, die bereits in Neuseelands kleiner Armee dienten.

»Mit den Dummköpfen wäre der Krieg auch nicht zu gewinnen gewesen«, äußerte sich Atamarie abfällig bei einem Besuch in Dunedin.

Es war Frühling, und Reverend Burton feierte sein jährliches Gemeindefest. Er wehrte sich allerdings dagegen, den Anregungen etlicher Mitglieder zu folgen, die Erlöse von Basar und Tombola für den Krieg zur Verfügung zu stellen.

»Das Abenteuer soll Seddon mal schön selbst finanzieren«, meinte er ärgerlich. »Von dem Gold und den Diamanten, die dabei letztlich herauskommen, kriegen wir ja auch nichts ab. Wobei ich das Blutgeld auch gar nicht wollte. Aber die Leute sind ja alle verrückt geworden.«

Misstrauisch beäugte er einige Gemeindemitglieder, die selbst auf seinem Fest britische Fahnen schwenkten.

»Neuseeland freut sich einfach, dass mal andere die Goldgräber abkriegen!« Sean lachte. »Alles, was jetzt nach Johannesburg strömt, bleibt Otago erspart. Aber ich verbitte mir doch Verallgemeinerungen! Nicht alle sind dafür. Kupe hat zum Beispiel im Parlament dagegen gestimmt.«

Atamarie hatte das gerade erst erfahren, war nun aber ausgesprochen stolz auf ihren Stiefvater.

»Die Frauenorganisationen sind gespalten«, fügte Violet hinzu. Sie leitete die Dunediner Vertretung der Women's Christian Temperance Union, einer Vereinigung, die viel zur Erlangung des Frauenwahlrechts beigetragen hatte. »Zum Teil zeigen sie sich patriotisch, zum Teil verurteilen sie das sinnlose Blutvergießen. Ich möchte meinen Sohn jedenfalls nicht zum Sterben in ein wildfremdes Land schicken. Aber viele brennen natürlich darauf, Frauen rüberzusenden, um zu zeigen, dass auch wir uns in gefährlichen Situationen bewähren.«

Der Reverend hob eine Braue. »Aber doch wieder nur als Krankenschwestern, oder? Ein Gewehr wird man ihnen kaum in die Hand drücken …«

»Eben«, meinte Violet couragiert, was einige Zuhörer zum Lachen reizte. Violet war klein, von schmaler Gestalt und sehr damenhaft. Mit einer Waffe in der Hand konnte sie sich niemand vorstellen. »Und was England angeht: Die Frauen da haben noch nicht mal das Wahlrecht. Die meisten Universitäten sind ihnen verschlossen … dafür lohnt es sich zu kämpfen, nicht für Diamanten und Gold!«

Atamarie klatschte Beifall, während Roberta wieder mal nur Augen für Kevin Drury hatte. Der Arzt war eben eingetroffen, gemeinsam mit Juliet LaBree. Die junge Frau trug ein aufreizend enges dunkelblaues Sommerkleid der neuesten Mode. Anscheinend war sie neuerdings Kundin in Lady's Goldmine.

»Ich fürchte, er wird sie heiraten«, vertraute Roberta Atamarie später ihre aktuellen Sorgen an. »Er ist jetzt so lange mit ihr zusammen, das geht doch gar nicht mehr anders. Und ich … ich begleite meine Eltern jetzt fast zu jeder Veranstaltung und versuche immer, mal was zu sagen. Wirklich. Aber er … er sieht ja nur sie …«

»Wirklich?«, wunderte sich Atamarie. Sie fand das Paar eigentlich längst nicht mehr so eng miteinander verbunden wie noch ein paar Wochen zuvor auf der Vernissage. Juliet folgte Kevin nicht mehr auf dem Fuße, um Schmeicheleien für seine Patientinnen anzubringen. Sie flatterte von einem Mann zum anderen und unterhielt sich angeregt – vor allem mit Junggesellen und Witwern. Nur von Patrick nahm sie keine Notiz, obwohl der ihr immer noch mit verliebtem Gesichtsausdruck folgte. Kevin war nicht mehr so eifersüchtig bemüht, Juliet von anderen Männern fernzuhalten. Es gab keine kleinen, lasziven Berührungen mehr, dafür schien Kevin neuen Bekanntschaften durchaus aufgeschlossen. Sein kurzes Geplänkel mit einer Gemeindehelferin über den Preis eines hässlichen, aber von einer Stütze der Gemeinde selbst gefertigten Kaffeewärmers, konnte man fast als Flirt bezeichnen. »Also ich finde, das lässt nach«, fügte Atamarie nun hinzu und zog Roberta unauffällig in Kevins Nähe.

»Kaffeewärmer, Onkelchen?«, neckte sie ihn vergnügt. »Willst du einen Hausstand gründen?«

Kevin wandte sich zu seiner Nichte um und schenkte sowohl ihr als auch Roberta sein unwiderstehliches Lächeln.

»Es geht mehr um Unterstützung für die Gemeinde«, meinte er dann. »Irgendwas muss ich kaufen. Falls ihr zwei also für eure Aussteuer sammelt – ich kann euch das Ding gern schenken.«

Atamarie winkte ab. »Aussichtslos, Onkel Kevin, jedenfalls vorerst, du weißt doch, wir studieren.«

Kevin nickte, ließ die Blicke jetzt aber deutlich interessierter über die beiden Mädchen wandern. Natürlich, sie waren keine Schulmädchen mehr, und sie hatten sich richtig herausgemacht. Seine Nichte war hübsch – und Roberta war eine aparte Schönheit. Das Mädchen wäre vor Schreck fast im Boden versunken, als er tatsächlich das Wort an sie richtete.

»Natürlich, die zukünftige Lehrerin. Aber wolltest du nicht auch einmal Ärztin werden?«

Roberta lief rot an. Ihre Schwärmerei für Kevin hielt schon jahrelang an, und anfänglich hatte sie oft davon geträumt, mit ihm zusammen als Ärztin zu arbeiten. Aber das hatte sich schnell gelegt.

»Ich kann kein Blut sehen«, gab sie zu. »Ich versuche, mich daran zu gewöhnen, die Kinder verletzen sich ja auch manchmal – aber letzte Woche … es war mein erster Versuch, vor einer Klasse zu stehen, und dann kriegte ein kleines Mädchen Nasenbluten …«

Roberta war umgehend schlecht geworden, obwohl es ihr gerade noch gelungen war, sich zu beherrschen.

»Nun ja, ich bin ja nicht weit«, meinte Kevin tröstend. »Wenn du wirklich die Schule in Caversham übernimmst – meine Praxis liegt nur ein paar Minuten entfernt. Du schickst mir die kleinen Patienten einfach rüber …«, er lächelte Roberta verschwörerisch zu, »… oder du bringst sie selbst. Dann bietet sich mir zwischendurch mal ein schöner Anblick …«

Roberta schaute so verklärt, als habe er ihr nicht einfach ein Kompliment gemacht, sondern mindestens die Welt zu Füßen gelegt. Nun aber schien Juliet ihren Freund im Gespräch mit den jungen Frauen erspäht zu haben. Scheinbar zufällig schlenderte sie näher.

»Komm, Kevin, sie beginnen mit der Tombola. Du musst ein Los für mich ziehen, ich habe bei so was kein Glück.«

Kevin ließ sich bereitwillig in Richtung der Lostrommel

führen – und Atamarie zerrte die fast erstarrte Roberta ebenfalls mit sich.

»Braucht ihr auch eine Glücksfee?«, fragte Kevin gut gelaunt. »Schön, dann spendiere ich jetzt den schönsten drei Damen der Veranstaltung je drei Lose. Womit ich meinen Beitrag zur Unterstützung der Gemeinde geleistet habe. Aber ich warne euch: Wenn ihr dieses Teeservice gewinnt, wird euch nie jemand heiraten!«

Der erste Preis der Tombola war ein außerordentlich scheußliches, mehr als fünfzigteiliges Teeservice.

»Möge es an uns vorbeigehen!«, lachte Atamarie und öffnete rasch ihre Lose. Drei Nieten.

Juliet zierte sich und tat, als sei sie zu ungeschickt, die Briefchen aufzufalten. Kevin half ihr schließlich und lachte sich kaputt, als sich das zweite Los als Gewinn entpuppte.

»Ein Kaffeewärmer. Wahrscheinlich das Ding, das ich eben angesehen habe. Viel Spaß damit, Juliet!«

Juliet blickte indigniert, ihr drittes Los war ebenfalls eine Niete.

Roberta hielt ihre Lose immer noch in der Hand, als könnte sie sich nicht entschließen, die Papierbriefchen aufzureißen, die Kevins Finger vorher berührt hatten.

»Nun mach schon!«, meinte Atamarie. »Selbst wenn du das Service gewinnst ... vor jeder Hochzeit steht ein Polterabend ...«

Roberta öffnete nacheinander zwei Nieten, aber dann hatte sie einen Gewinn – ein Stoffpferdchen.

»Na also, ein Pferd!«, freute sich Kevin. »Kann man immer gebrauchen. Wenngleich ich ja die lebenden bevorzuge ...«

»Die kann ich aber nicht mit in die Universität nehmen«, meinte Roberta – und schalt sich gleich ihrer dummen Bemerkung. Kevin durfte auf keinen Fall wissen, dass sie beschlossen hatte, das Stoffpferdchen von jetzt an immer mit sich herumzutragen, wie ein Kind seine Lieblingspuppe. Schließlich war es ja so etwas wie ein Geschenk von ihm ... Sie drückte es zwischen ihren Fingern.

»Warum nicht? Pferde sind kluge Tiere!«

Kevin nahm ihr mit einem Scherz die Befangenheit. Roberta war im siebten Himmel.

»Na also, es wird doch!«, meinte Atamarie gelassen, als Kevin mit seiner Juliet – oder eher Juliet mit ihrem Kevin – das Fest verließ. Die junge Frau hatte deutlich ungehalten gewirkt, nachdem ihr Freund so viel Zeit mit den Mädchen verbracht hatte, und dann gleich darauf gedrängt, aufzubrechen. »Das lässt nach mit dieser Juliet, bestimmt! Sie ist ja auch total langweilig. Worüber kann er sich mit der schon unterhalten?«

Juliet hätte nie geglaubt, dass es so schwierig werden könnte, schwanger zu werden. Aber seit sie Kevins Overcoats durchlöchert hatte, waren schon vier Monate vergangen, es war Februar, der Sommer neigte sich bald seinem Ende zu. Und Kevins Interesse an ihr ließ immer mehr nach, es war nicht zu leugnen. Früher hatte er sie mit zu Empfängen und Dinners genommen, heute höchstens noch zu läppischen Veranstaltungen wie diesem Gemeindefest damals. Wo er obendrein kaum Zeit mit ihr verbrachte, sondern mit anderen Frauen flirtete oder mit Männern über den Krieg am anderen Ende der Welt redete. Juliet begann inzwischen auch ihrerseits, sich nach Alternativen umzusehen. Junggesellen gab es nicht viele in Dunedin, zumindest keine passenden, aber zwei oder drei Witwer hatte sie in die engere Wahl gezogen. Natürlich kam keiner von ihnen in Sachen Attraktivität und Agilität an Kevin heran – auch nicht Patrick, sein Bruder, der sicher leicht zu haben wäre. Manchmal fiel es Juliet fast auf die Nerven, wie eifrig er um sie herumwuselte. Dunedin zu verlassen zog Juliet inzwischen nicht mehr in Betracht. Sie hatte sich an die Annehmlichkei-

ten der Stadt gewöhnt – die breiten Straßen, die Einkaufsmög-
lichkeiten, nicht zuletzt die Kollektion von Lady's Goldmine! –,
und sie beobachtete jetzt seit einem Dreivierteljahr das Klima
in Neuseeland. Viel Regen, auch im Sommer, und Schnee im
Winter – auf keinen Fall würde sie das in einem Goldgräber-
camp überleben! Nein, Juliet war fest entschlossen, sesshaft zu
werden. Und der beste Weg dorthin führte immer noch über
ein Kind.

Lasziv schälte sie sich jetzt aus dem goldfarbenen Abendkleid, in dem sie ihren Liebhaber an diesem Abend zu einem
Konzert begleitet hatte. Ausnahmsweise mal wieder ein gesell-
schaftlicher Anlass, auch die Dunloes waren da gewesen und
die Coltranes – mit ihrer bildschönen Tochter, die Kevin
anschmachtete wie ein verliebtes Schaf. Kevin bemerkte das
nicht, aber wenn ihn jemand darauf aufmerksam machte,
konnte es gefährlich werden. Die kleine Roberta wäre sicher
die Traumschwiegertochter für Kevins bärbeißige Mutter …
Juliet zwang sich, zu lächeln und die Hüften zu schwingen. Sie
musste aufpassen, in der letzten Zeit wurde sie füllig …

Kevin, der schon auf dem Bett gelegen hatte, erhob sich,
um ihr mit dem Korsett zu helfen. Er liebte es, sie daraus zu
befreien und ihr schwellendes Fleisch zu liebkosen.

»Unglaublich«, murmelte er jetzt, als er ihren Büstenhalter
öffnete. »Sie scheinen noch größer geworden zu sein …«

Er küsste ihre Brüste und saugte leicht daran, eine Zärtlichkeit, die ihr bisher immer gefallen hatte. Aber heute tat es fast
etwas weh. Ihre Brüste spannten, schienen härter als sonst …

Kevins Mund wanderte an ihrem Körper herab, er küsste
ihren Bauch und ihre Hüften, hob sie schließlich auf und trug
sie aufs Bett. Dann tastete er in der Nachttischschublade nach
einem Overcoat.

»Brauchen wir das heute überhaupt?«, murmelte er.

Keiner von ihnen liebte die dicken Gummischläuche, aber

beide kannten sich mit dem weiblichen Zyklus aus. Zwei oder drei Tage vor und nach der Menstruation war es sicher. Und jetzt ...

Juliet rechnete blitzschnell nach. Er hatte Recht. Sie brauchten es heute sicher nicht – aber eigentlich hätte auch die Blutung schon einsetzen müssen.

Kevin ließ das Gummi, wo es war, und fuhr fort, Juliet zu streicheln. Eigentlich reichte das, um sie feucht werden zu lassen, aber heute wollte es nicht recht gelingen. Kevin, ein geduldiger, fantasievoller Liebhaber, begann erneut, sich mit ihren Brüsten zu beschäftigen, ließ seine Finger Kreise auf ihrem Bauch beschreiben ... der sich ebenfalls härter anfühlte als sonst, und ...

Kevin hielt plötzlich inne. Dann drehte er die Gaslampe höher, die den Raum bisher in nur diffuses Licht getaucht hatte.

Sein Gesicht verlor den weichen, verträumten Ausdruck, den es stets bei der Liebe zeigte. An seine Stelle trat der prüfende Blick des Arztes.

»Juliet, die größeren Brüste ... und auch sonst, du ... Juliet, bist du schwanger?«

KAPITEL 5

»Nein, auf keinen Fall, ich werde sie nicht heiraten!«

Kevin hatte eigentlich gehofft, seiner Mutter damit aus der Seele zu sprechen, aber Lizzie saß nur mit verkniffenem Gesicht da und drehte ihr Weinglas. Michael hatte eben eine Flasche ihres geliebten Bordeaux geöffnet, schon damit sich alle erst einmal beruhigten. Kevin jedenfalls war äußerst aufgebracht, so sehr, dass er seine Praxis einen Tag nach seiner Entdeckung erst mal seinem Kompagnon überlassen hatte und hinauf nach Lawrence geritten war. Seine Eltern hatten sich die Enthüllung stoisch angehört, bis Michael schließlich die Frage nach Eheplänen stellte.

»Sie hat das doch geplant!«, erregte sich Kevin. »Keine Ahnung, wie sie es gemacht hat, aber irgendwie hat sie mich reingelegt. Dabei sagte sie, sie wolle kein Kind.«

»Das kann man sich ja nicht immer aussuchen«, begütigte Michael.

Lizzie sah ihren Sohn wütend an. »Natürlich hat sie das geplant«, erklärte sie dann. »Ich habe das von Anfang an befürchtet. Aber jetzt hat sie dich, Kevin. Selbstverständlich wirst du sie heiraten.«

»Was?«

Kevin und Michael stießen die Frage fast gleichzeitig aus. Dann brach der Sturm los.

»Ich heirate sie nicht!«, rief Kevin. »Ich lasse das nicht mit mir machen!«

»Man kann ihn doch nicht zwingen, Lizzie!« Michael schüttelte den Kopf.

Lizzie seufzte, funkelte die Männer dann jedoch an. »Natürlich nicht. Er kann sie auch verlassen. Und was macht sie dann? Allein mit dem Kind?«

»Ich könnte dafür zahlen«, meinte Kevin, nicht begeistert, aber halbwegs beruhigt.

»Da gibt es doch Regelungen«, fügte Michael hinzu. »Denk an Matariki.«

Matariki war mit achtzehn von Colin Coltrane schwanger geworden, hatte sich dann aber von ihm getrennt und Atamarie allein aufgezogen. Das war nicht immer einfach gewesen, teilweise hatte sie sich als Witwe ausgeben müssen, um ihre Stellung in der Gesellschaft zu halten. Aber letztendlich war es immer gut gegangen – auch dank Lizzies und Michaels Geld. Matariki war nicht auf eine Stellung angewiesen gewesen, ihre Eltern hatten sie unterstützt.

»Eben! Matariki musste auch nicht heiraten!«, trumpfte Kevin auf.

Lizzie rieb sich die Stirn und nahm einen tiefen Schluck von ihrem Rotwein. »Mit Matariki war es etwas anderes«, meinte sie dann.

»Ach ja?«, rief Kevin. »Weil sie ein Maori-Abkömmling war? Weil's bei denen nicht so zählt? Wie war das überhaupt mit dir und Matariki? Und ihrem Vater? Wer wollte da wen nicht heiraten?«

Lizzie blitzte ihren Sohn an. »Du riskierst eine Ohrfeige, Kevin«, bemerkte sie. »Egal, wie alt du schon bist. Aber wenn du es wissen willst: Ich wollte Kahu Heke, Matarikis Vater, nicht heiraten. Und Matarikis Schwangerschaft hatte mit ihrer Abstammung überhaupt nichts zu tun. Der Unterschied liegt einfach darin, dass … na ja, Matariki war von Colin schwanger, nicht Colin von Matariki …«

Kevin musste beinahe lachen. »Das wäre auch ein medizinisches Wunder gewesen«, meinte er zynisch.

»Und eine menschliche Katastrophe«, sagte Lizzie ernst. »Tut mir leid, wenn ich mich unklar ausdrücke. Aber sag selbst, Michael, hätten wir Colin Coltrane unser Enkelkind anvertraut? Wir waren doch heilfroh, dass Riki ihn dann doch nicht als Vater für Atamarie wollte. Und nun hat diese … Juliet … Kevins Kind im Bauch.«

»Was wir ihr vergolden könnten«, meinte Michael.

Lizzie schüttelte heftig den Kopf. »Und wie stellst du dir das vor? Kaufst du ihr ein Haus in Dunedin und stellst sie finanziell sicher, aber gesellschaftlich total ins Abseits? Soll das Kind als Ausgestoßener aufwachsen?«

Michael schoss das Blut ins Gesicht. Damals, als man ihn aus Irland deportierte, hatte er Kathleen in der gleichen Situation verlassen. Es war ihm gelungen, ihr seine Ersparnisse zuzustecken, aber gerettet hatte sie das nicht. Letztlich hatte sie das Geld als Mitgift in eine Ehe eingebracht: Kathleen finanzierte Ian Coltrane die Auswanderung nach Neuseeland, dafür gab er Sean seinen Namen. Und ließ Kathleen jahrelang spüren, dass er sie für eine Hure hielt.

»Sie könnte in eine andere Stadt ziehen«, meinte Kevin.

Lizzie nickte. »Und damit verlören wir sie und ihr Kind aus den Augen. Das könnte dir so passen, Kevin! Du kaufst dich frei, und der arme Wurm muss sehen, wo er bleibt. Weiß der Himmel, was diese Juliet mit ihm macht …«

Michael goss ihr neuen Wein ein. »Na, na, Lizzie«, meinte er dann begütigend. »Die Frau ist doch kein Unmensch. Sie mag sich das Kind ja nicht wirklich wünschen, aber wenn sie es erst hat …«

Lizzie sog scharf die Luft ein. Vor ihrem inneren Auge stand ein Verschlag in London, ein dreckiges Loch, das sie mit einer anderen Prostituierten teilte. Hannah, Mutter zweier Kinder.

»Ach ja? Das funktioniert, ja? Dann schafft sie es schon, ja? Was ihr euch schönredet …«

Lizzie hatte so lange nicht an Toby und Laura gedacht, aber jetzt meinte sie fast, ihre kleinen Körper wieder neben sich zu spüren, wenn sie nachts ängstlich und halb erfroren in ihre enge Koje krochen. Während Hannah in ihrem eigenen Bett mit ihrem Galan kicherte. Wie hatte der Kerl noch geheißen? Laurence oder Lucius? Oder war es erst Laurence und dann Lucius gewesen? Hannah hatte immer von Liebe gesprochen. Nur nie, wenn es um Toby und Laura ging.

Wir haben Hunger, Lizzie … holst du was zu essen? Lizzie hörte wieder die Stimmen der Kinder, ihr Weinen. Was mochte aus ihnen geworden sein, nachdem man Lizzie nach Australien geschickt hatte? Weil sie Brot gestohlen hatte, um die Kinder zu füttern. Und Hannah hatte sie nicht mal verteidigt. Im Gegenteil, sie hatte dem Richter ein trautes Familienleben mit Lucius und den Kindern vorgespielt.

»Aber eine Art Mutterinstinkt ist doch nicht zu leugnen«, dozierte Kevin mit seiner Arztstimme.

»Ja, bei Katzen«, höhnte Lizzie, »bei Pferden, Seehunden … Aber deine Juliet, die wird sich einen Dreck um dein Kind kümmern. Sie nimmt vielleicht dein Geld, aber was sie dann damit macht … Es kommt nicht infrage, Kevin, du musst sie heiraten.«

»Und wenn wir ihr Geld dafür geben, dass sie uns das Kind lässt?«, fragte Michael unwillig.

Er hatte keine rechte Lust auf ein weiteres Kind. Weder er noch Lizzie waren jung genug, um sich erneut auf das Abenteuer Erziehung einzulassen.

Lizzie zuckte die Achseln. »Das wird sie nicht machen, Michael. Dann könnte sie es ja auch gleich abtreiben.«

Kevin atmete tief ein. Abtreibung hatte man ihm während des Studiums als größtes Verbrechen geschildert.

»Nun guck mal nicht so, Kevin, sie weiß, dass es so etwas gibt, halte sie bloß nicht für naiv! Wenn du sie verlässt, wird sie's wahrscheinlich tun. Also ein weiterer Grund, sie zu heiraten. Wenn es für dich denn wirklich so eine große Sünde darstellt.«

Kevin presste seine Hände an die Schläfen. »Aber ich will nicht! Wenn ich sie heirate ... ich wollte doch überhaupt noch nicht heiraten. Und nun eine Frau wie sie ... Das war nie geplant, das war doch nur ein Spiel. Aber jetzt ... wenn ich Juliet heirate – dann, dann ist mein Leben verpfuscht.«

Lizzie und Michael konnten das nicht wirklich leugnen, auch wenn besonders Michael die Sache lockerer sah. Gut, Kevin würde sich mit einer nicht perfekt passenden Frau an seiner Seite abfinden müssen, aber immerhin war Juliet bildschön und schien ja auch noch andere Qualitäten zu haben ... Und Kevins gesellschaftliche Stellung wäre nicht gefährdet. Natürlich würde man ein bisschen tuscheln, und der eine oder die andere würde auch erraten, was den attraktiven jungen Arzt nun wirklich in die Ehe mit einer Halbweltdame trieb. Aber in der Dunediner Gesellschaft hatte so mancher eine schlimmere Vergangenheit als Juliet LaBree. Niemand würde zu indiskrete Fragen stellen.

»Du musst nur aufpassen, dass du sie kontrollierst«, riet Michael seinem Sohn. »Die Frau ist sonst imstande, dich zu ruinieren. Allein, was sie jetzt schon eingeheimst hat – leugne es nicht, Kevin, Jimmy Dunloe hat mich darauf angesprochen, dass du Schulden machst!«

»Laut Claire und Kathleen lässt Juliet allein in Lady's Goldmine ein Vermögen«, fügte Lizzie hinzu. »Das musst du eindämmen, Kevin, auch wenn es schwierig ist. Mach ihr klar, dass ein Arzt nun mal kein Plantagenbesitzer ist.« Juliets Herkunft von einer Baumwollpflanzung in Louisiana hatte sich inzwischen herumgesprochen. Wobei Kevin erleichtert gewesen war, als sie dies offenbarte. Wenigstens ihre Abstammung war über jeden Zweifel erhaben.

»Wenn ich sie heirate, muss ich ein Haus kaufen«, seufzte Kevin. Das war praktisch das Erste, was Juliet verlangt hatte, nachdem sie über den ersten Schreck hinweg war, als Kevin ihre Schwangerschaft diagnostizierte. Sie hatte angeblich nichts geahnt, und natürlich war sie ebenso entsetzt gewesen wie er – oder hatte doch zumindest so getan.

»Es geht schon los«, seufzte Lizzie. »Aber gut, beim Hauskauf können wir dich vielleicht noch unterstützen. Sofern es im Rahmen bleibt. Denk also gar nicht erst an einen Palast in der Upper Stuart Street. Besser irgendein nettes Cottage, zum Beispiel in Caversham ...«

Kevin hätte der Kopf schwirren sollen, als er seine Eltern schließlich verließ und im strömenden Regen zurück nach Dunedin ritt. Zusammengesunken und den Wachsmantel eng um sich gezogen saß er auf seinem Pferd und kämpfte gegen den Wind und die Gedanken an seine Zukunft. Er hätte Pläne schmieden sollen, aber tatsächlich konnte er nur dumpf vor sich hin brüten. Er wollte Juliet nicht heiraten! Je länger er darüber nachdachte, desto schrecklicher erschien ihm der Gedanke. Dabei hatte er bisher nie längere Überlegungen an Dinge wie die eine große Liebe verschwendet. Wenn er überhaupt mal an Ehe gedacht hatte, so an eine ruhige, angenehme Beziehung zu einer passenden Frau. Die Gesellschaft hatte feste Vorstellungen von einer Arztgattin. Man erwartete soziales Engagement, vielleicht tätige Mithilfe in der Praxis des Gatten, zumindest aufrichtige Teilnahme am Schicksal seiner Patienten. Kulturelle Interessen waren durchaus erwünscht, und Kevin wollte ja auch kein Dummchen an seiner Seite. Dazu wünschte er sich seine Frau aufgeschlossen und sinnlich – eine moderne, junge Frau, vielleicht studiert ... eigentlich hatte er immer an ein Mädchen wie Atamarie oder ihre Freundin gedacht – wie hieß sie noch mal?

Juliet LaBree passte nur begrenzt in dieses Bild, wobei er ihr durchaus die Fähigkeit zugestanden hätte, sich anzupassen. Er fragte sich nur, ob sie das wollte, und genau das bezweifelte Kevin. In den letzten Wochen hatte es oft Streit darüber gegeben, ob dieser oder jener Anlass wirklich so dringend ein neues Kleid forderte, ob die neue Kutsche wieder nur ein schlichter »Doktorwagen« sein sollte oder doch etwas Repräsentativeres, das sich besser für Wochenendausflüge eignete. Und nun sollte er ihr auch noch klarmachen, dass seine Eltern ihm vielleicht ein Cottage in Caversham finanzieren würden, aber sicher nicht das Stadthaus, in dem seine Praxis und seine Wohnung lagen. Das stand gerade zum Verkauf, und Juliet hatte es sofort ins Gespräch gebracht, als sie von ihrer Schwangerschaft erfuhr.

Kevin fürchtete sich nicht vor der Ehe mit einer nur mäßig geliebten Frau, aber er dachte mit Grausen an die vor ihm liegenden Streitgespräche. Es würde um das Haus gehen, die Einrichtung, eventuelle Dienstboten … Bisher hatte Kevin nur eine Zugehfrau, die seine Wohnung in Ordnung hielt, aber Juliet würde kaum selbst kochen und ihr Baby versorgen wollen. Und sie war vernünftigen Argumenten gegenüber nicht allzu zugänglich. Schon jetzt hatte es Tränen und Geschrei gegeben, Juliet warf ihm vor, ihr Leben zerstört zu haben, indem er sie geschwängert hatte. Mit diesem Vorwand würde sie mehr und mehr Forderungen stellen – und Kevin war das jetzt schon leid. Dazu kam Juliets flatterhaftes Wesen, in den letzten Wochen hatte er angefangen, ein bisschen an ihrer Treue zu zweifeln. Würde er das jetzt sein ganzes Leben lang tun müssen?

Kevin glich in vieler Hinsicht seinem Vater Michael. Beide waren charmant, schienen manchmal etwas leichtlebig und gingen Schwierigkeiten gern aus dem Weg. Das bedeutete jedoch nicht, dass sie nicht verlässlich waren – im Gegenteil. Michael hatte jahrzehntelang an seiner ersten Liebe festgehalten, und Kevin hatte zielstrebig seinen Berufswunsch und sein Studium verfolgt. Er war trotz aller Nebeninteressen ein hervorragender Arzt. Allerdings hatte Michael stets Lizzie gebraucht, um mit Problemen fertig zu werden – und Kevin war nie mit echten Hindernissen auf seinem Weg konfrontiert worden. Lizzie und Michael hatten sein Studium finanziert, die Dunediner Gesellschaft nahm ihn wohlwollend auf – bislang hatte Kevin niemals um etwas kämpfen müssen. Und auf diesem langen, deprimierenden Ritt durch den Regen wurde ihm klar, dass er das auch in Zukunft weder wollte noch konnte. Zumindest nicht im eigenen Haus und mit seiner eigenen Frau.

Der Regen ließ erst nach, als Kevin Dunedin erreichte. Als er Caversham durchquerte, hob sich seine Laune fast ein wenig. An sich ein nettes Viertel, Reverend Burtons Pfarrsprengel. Er konnte sich hier durchaus eine Praxis vorstellen – und Atamaries hübsche Freundin hätte es dann noch sehr viel näher, wenn eins ihrer Schulkinder Nasenbluten bekam ... Kevin hätte fast gelächelt, aber dann stellte er sich Juliet in einem dieser Cottages vor, beim Kochen oder bei der Gartenarbeit ... nein, es war undenkbar. Er konnte diesen Kampf nicht ausfechten. Vielleicht jedoch einen anderen.

Kevin schoss ein aberwitziger Gedanke durch den Kopf, als er ein tristes Gebäude passierte, dessen Büroeingang allerdings mit bunten Fahnen Englands und Neuseelands geschmückt war: REKRUTIERUNGSBÜRO DUNEDIN. Trotz des schlechten Wetters warteten drei Männer vor dem Eingang, das Büro hatte wohl noch nicht geöffnet. Kevin rief ihnen einen Gruß zu.

»Freiwillige für den Krieg am Kap?«, erkundigte er sich.

Die Männer – ihre schlichte Kleidung und ihre karierten Schiebermützen wiesen sie als Arbeitersöhne aus – grinsten ihm zu und salutierten. »Jawohl, Sir!«

»Wenn sie uns nehmen ...«, schränkte einer von ihnen ein.

Kevin dachte kurz darüber nach, was er über die neuesten Entwicklungen im Burenkrieg wusste. Die Kampfhandlungen hatten am 12. Oktober begonnen, aber Neuseeland hatte schon nach der aufrüttelnden Rede des Premiers begonnen, Freiwillige zu rekrutieren. Man hatte dann auch bald die ersten zweihundertfünfzehn Mann in Marsch gesetzt, nachdem das Verteidigungsministerium alle Anstrengungen gemacht hatte, das zugehörige Equipment, Trossfahrzeuge und Pferde zusammenzustellen. Schließlich hatte sich das Land mit Australien ein Ocean Race geliefert – jedes der Länder wollte den Engländern am Kap als Erstes zu Hilfe eilen. Neuseeland hatte knapp gewonnen, am 23. November waren die Schiffe in Kapstadt eingetroffen. Die Truppen waren dann gleich nach Norden geschickt worden und hatten Anfang Dezember zum ersten Mal gekämpft. Seitdem hielten sie sich wacker trotz schwerer Gefechte. Und nun stellte auch die Südinsel Truppenkontingente zusammen, nachdem die ersten Freiwilligen von der Nordinsel aus verschifft worden waren. In den nächsten Tagen sollte ein Truppentransporter von Lyttelton aus ablegen, mit einem von reichen Christchurcher Bürgern aufgestellten und finanzierten Regiment. Dunedin wollte sich nicht lumpen lassen, auch hier warb man gezielt Freiwillige an.

Im Rekrutierungsbüro regte sich nun etwas, jemand zog Jalousien hoch, und gleich darauf öffnete sich die Tür von innen.

Kevin überlegte nicht lange. Vielleicht eine verrückte Idee, häuslichen Kämpfen mit der Flucht in einen wirklichen Krieg entkommen zu wollen – aber im Moment der einzige Ausweg, der sich ihm bot. Außer seinen Eltern wusste bislang niemand von seiner Vaterschaft – Juliet konnte so tun, als habe sie die Schwangerschaft erst bemerkt, als Kevin bereits weg war. Kevin würde nicht als Schuft gelten, weil er sie verlassen hatte. Und Juliet – nun, einer Soldatenbraut vergab die Gesellschaft zweifellos eher einen Fehltritt als einer Lebedame. Man würde dann ja sehen, ob sie auf ihn warten wollte oder ob sich vielleicht noch ein anderer Vater für das Kind fand. Kevin jedenfalls wollte darüber vorerst nicht nachdenken.

Entschlossen betrat er das Rekrutierungsbüro.

Kevins Einberufung zu den Otago Mounted Rifles vollzog sich verblüffend einfach. Schon als der junge Mediziner seinen Beruf nannte, leuchteten die Augen des Offiziers, der die Rekruten einer ersten Musterung zu unterziehen hatte, auf. »Ärzte brauchen wir immer!«, erklärte er strahlend. »Können Sie zufällig auch schießen?«

Kevin zog die Brauen hoch. »Ich komme von einer Schaffarm, Sir«, antwortete er gelassen. »Da kann jeder schießen.«

Bis vor wenigen Jahrzehnten war das nicht unbedingt zutreffend gewesen, damals hatte kaum einer der *pakeha*- oder Maori-Viehhüter ein Gewehr getragen. Warum auch, Viehdiebe waren selten und niemals so dumm, dass sie sich auf ein Gefecht einließen, und jagdbares Wild gab es kaum. Vor Ankunft der Weißen hatte es in Neuseeland überhaupt keine Säugetiere gegeben außer den Hunden der Maori und einer Fledermausart. Die in den Ebenen heimischen Vögel waren eher träge, man fing sie in Fallen oder sammelte nachtaktive Exemplare während des Tages einfach ein. Dann aber brachte irgendein Schiff die ersten Kaninchen auf die Südinsel, die sich mangels natürlicher Feinde schnell zu einer Plage entwickelten. Kaninchenfleisch beherrschte seitdem den Speiseplan auf den Farmen und bald auch in den Maori-Dörfern – und jeder acht- bis zehnjährige Junge lernte, die Tierchen mit einem Schuss zu erlegen.

Der Sergeant nickte denn auch. »Reiten?«, fragte er hoffnungsvoll.

Kevin lächelte und wies auf seinen vor dem Büro angebundenen hochbeinigen Schimmel. »Mein Pferd meldet sich ebenfalls zum Dienst.«

Die Unterzeichnung der Papiere war dann nur noch eine Formsache. Man sammelte die Mounted Rifles in einem Camp bei Waikouaiti und kleidete sie ein – erstmalig in Khaki, Kevin grinste in sich hinein. Zumindest konnte sein Vater Michael ihm nicht vorwerfen, zu einem der im alten Irland verhassten Rotröcke geworden zu sein, wie man das englische Militär bislang genannt hatte. Die moderne Kriegführung verlangte Tarnkleidung, und Kevin bemerkte verblüfft, dass man in den neuen, an sich wenig kleidsamen Uniformjacken und -hosen buchstäblich mit der Umgebung verschmelzen konnte. Anschließend erhielten die Männer eine recht flüchtige Grundausbildung, an deren Ende sie ihre Offiziere selbst wählten – eine gängige Praxis in Freiwilligenregimentern. Kevin, als frischgebackener Stabsarzt, avancierte sofort zum Captain. Und dann ging es auch sehr schnell aufs Schiff – zwischen Kevins Meldung und seiner Einschiffung vergingen keine drei Wochen. Nun reichte ihm das aber auch schon, um sich wie auf Kohlen zu fühlen. Er war nur noch einmal kurz in seine Wohnung zurückgekehrt, um einige wenige persönliche Sachen zu holen und kurz mit seinem Teilhaber zu sprechen. Kevin erwies sich hier als sehr großzügig. Sollte Christian die Praxis haben – wenn er zurückkehrte, würde er sowieso neu anfangen. Als Bedingung bat er sich das Stillschweigen seines Freundes aus.

»Ich schreibe meiner Familie, sobald ich auf See bin, keine Sorge. Aber jetzt … ich … ich möchte das mit diesem Krieg nicht diskutieren. Ich brauche einfach … etwas Zeit für mich.«

Christian Folks lachte. »Du ziehst sozusagen in den Krieg, um allein zu sein? Interessante Idee. Aber musst du wirklich gleich ans Ende der Welt flüchten, nur um dieser Juliet zu entgehen? Mensch, und ich hab dich um sie beneidet!«

Folks selbst war kein geeignetes »Opfer« für Juliet. Er hatte gleich nach dem Studium eine Jugendfreundin geheiratet.

»Sie hat ihre Qualitäten«, sagte Kevin kryptisch. »Aber manchmal ... zum Teufel, ich will nicht drüber reden. Halt einfach drei Wochen die Klappe, ja? Egal, wer dich fragt. Sag einfach, ich ... sag von mir aus, ich wandere mit den Maori ...«

Christian tippte sich an die Stirn. »Die wandern im Sommer, Kevin, jetzt ist Herbst. Und deine Mutter glaubt mir das ohnehin nie. Mit welchem Stamm solltest du denn unterwegs sein?«

Lizzie und Michael lebten in hervorragender Nachbarschaft zum Stamm der Ngai Tahu, und als Jugendliche waren Kevin und Patrick wirklich manchmal mitgezogen, wenn die Maori wanderten. Der Stamm aus Lawrence tat das allerdings nur selten und nie mit der gesamten Bevölkerung. Der Hauptgrund für längere Wanderungen von Maori-Stämmen war Hunger. Wenn die Vorräte vom letzten Jahr aufgebraucht waren, zogen die Stämme in die Berge, um zu fischen und zu jagen. Die Ngai Tahu in Tuapeka hatten das jedoch nicht nötig. Sie hatten ihre Felder und ihre Schafzucht, und in sehr schlechten Jahren schürften sie einfach etwas Gold. Die Goldvorkommen in dem Fluss bei Elizabeth Station waren ein gut gehütetes Geheimnis zwischen den Drurys und den Ngai Tahu.

»Dann sag was anderes, mir ist es gleich. Solange mich bloß alle in Ruhe lassen!«

Kevin umarmte seinen Freund noch einmal kurz und verließ dann die Praxis. Er war nicht unglücklich darüber, inzwischen lockte ihn das Abenteuer.

Lizzie und Michael Drury erfuhren zunächst nichts von der Entscheidung ihres Sohnes, aber das beunruhigte sie nicht. Es war nicht ungewöhnlich, dass sie drei Wochen lang nichts von ihm hörten.

»Und er muss das ja auch erst mal verdauen«, meinte Michael zu seiner Frau, als die zweite Woche ohne ein Lebenszeichen verging.

»Vor allem muss er Miss Juliet klarmachen, dass mit der Geburt eines Kindes kein Stadthaus in der City von Dunedin verbunden ist«, meinte Lizzie hart. »Das wird ihm nicht leichtfallen. Das Mädchen hat ihn doch völlig unter der Knute. Hoffentlich schafft er es überhaupt und stellt nicht noch was an ...«

Auch Patrick bekam vom Verschwinden seines Bruders vorerst nichts mit. Er reiste mal wieder in den Bergen von Otago herum und inspizierte die Schafe, die am Ende des Sommers vom Hochland auf die Farmen geholt worden waren. Patrick beriet die Züchter, empfahl An- und Verkäufe und schlichtete mitunter zwischen Möchtegernschafbaronen und selbstbewussten Maori-Viehhütern. Kevin würde längst auf See sein, wenn er zurückkehrte.

Letztlich waren es vor allem Juliet und Roberta, die sich Sorgen um Michaels Verbleib machten. Roberta berichtete Atamarie aufgeregt brieflich von seinem Verschwinden. Sie wagte nicht, Christian nach dem Verbleiben seines Kompagnons zu fragen, und Patrick war ja fort.

Ich werde verrückt, wenn ich mir vorstelle, was ihm passiert sein kann, klagte Roberta in ihrem Brief. Atamarie fasste sich nur an die Stirn. Sie zumindest konnte sich absolut nicht vorstellen, was ihrem Onkel auf der Südinsel Neuseelands Furchtbares widerfahren könnte. Zumal nichts, das ein spurloses Verschwinden erklärte. Natürlich hätte er bei einem Unfall verletzt werden oder ums Leben kommen können, aber das hätte man doch in Dunedin gehört. *Immerhin ist er nicht mit Miss LaBree unterwegs,* schrieb Roberta weiter. *Die habe ich neulich gesehen, aber sie sah schlecht aus.*

Atamarie erkannte genau hier des Rätsels Lösung. Kevin

hatte Juliet offensichtlich verlassen, fragte sich nur, weshalb er dazu untertauchen musste. Atamarie machte sich jedenfalls keine Sorgen. Kevin, so beschied sie Roberta, würde schon wieder auftauchen. Und wenn Roberta Glück hatte, würde Juliet bis dahin verschwinden.

Juliet tobte vor Wut über Kevins Abgang, machte sich allerdings auch keine übertriebenen Sorgen. Sie konnte sich nicht vorstellen, dass ihr Freund seine Wohnung und seine Praxis verließ, um irgendwo gänzlich neu anzufangen. Schließlich hatte er weder seine Sachen mitgenommen noch sein Konto aufgelöst, die Bank gab Juliet nach wie vor auf seinen Namen Kredit. Wahrscheinlich brauchte er einfach ein bisschen Zeit, um mit der neuen Situation klarzukommen. Juliet hoffte bloß, dass es sich nicht zu lange hinzog. Schließlich wollte sie nicht mit dickem Bauch vor den Priester treten.

Als Kevins Brief schließlich eintraf, fiel die junge Frau dann aus allen Wolken. Blind vor Wut warf sie ein paar Sachen in einen Koffer und dachte über eine Mietdroschke nach. Aber das würde zu teuer, sie konnte sich unmöglich bis nach Lawrence kutschieren lassen.

Juliet überlegte kurz und machte sich dann auf den Weg zu dem kleinen Haus in Caversham, in dem sich Patrick eingemietet hatte. Es lag etwas ländlich und verfügte vor allem über geräumige Pferdeställe. Patrick besaß insgesamt drei Pferde – kein so rassiges wie Kevin, aber zwei zuverlässige genügsame Reitpferde, die ihn auf seinen langen Ritten sicher trugen, und ein Nachwuchspferd. Letzteres stand zurzeit im Stall, mit den anderen war Patrick unterwegs.

Juliet hatte Glück und traf den Jungen, der die Pferde während Patricks Abwesenheit pflegte, an. Ein rothaariger kleiner Ire, bestimmt verstand er sich auch aufs Kutschieren. Und natürlich war er Juliet sogleich verfallen.

Dennoch war er skeptisch, als sie ihr Anliegen vortrug. »Ja, ich weiß, dass Sie eine Bekannte von Mr. Patrick sind. Die … äh …«

»… Verlobte von seinem Bruder«, vervollständigte Juliet in bestimmtem Ton. »Aber Mr. Drury ist zurzeit abwesend, und ich muss dringend mit seinen Eltern sprechen. Ich würde Patrick bitten, mich zu fahren, aber der ist ja nun auch unterwegs. Also bitte, tu mir den Gefallen und spann dieses Pferd an. Ich … na ja, die Drurys werden dich auch bezahlen.«

Der Junge biss sich auf die Lippen. »Aber das Pferd ist noch ganz jung. Und die Reise ist ziemlich weit. Ich muss meiner Mutter Bescheid sagen. Und ich weiß auch nicht, ob es Mr. Patrick recht ist …«

»Mr. Patrick wird es ein Vergnügen sein, mir gefällig zu sein«, meinte Juliet hoheitsvoll. »Bei deinen Eltern können wir vorbeifahren. Meine Güte, nun mach nicht so ein Gewese darum! Du fährst das Pferd von einem Drury-Stall zum anderen, und zwischendurch wird weder dich noch den Gaul jemand entführen. Also schirr das Tier jetzt an.«

Der Junge, Randy, gab schließlich klein bei, aber die Reise nach Elizabeth Station gestaltete sich quälend langsam. Randy schien größte Sorgen zu haben, die junge Stute zu überfordern und ließ sie deshalb stundenlang Schritt gehen. Dabei war die Straße gut ausgebaut, und man hätte zügig durchfahren können, obwohl es wieder mal regnete. Juliet ging das langsam auf die Nerven. Regnete es eigentlich ständig in diesem Land?

»Das sind die Tränen der Maori-Gottheit«, bemerkte Randy, als sie sich schließlich darüber beschwerte. »Ganz lustig, die Maori sagen, ursprünglich waren Himmel und Erde ein Paar. Die Himmelsgottheit hieß Rangi und die der Erde Papa. Aber dann mussten sie sich trennen, und darüber weint Rangi nun fast jeden Tag.«

Juliet schlug die Augen gen Himmel. »Beherrsch dich,

Rangi«, murmelte sie dabei. »Es sind schon anderen die Liebsten weggelaufen, und die flennen auch nicht die ganze Zeit!«

Rangi antwortete natürlich nicht, sondern ließ den Regen weiter auf das ungenügende Dach von Patricks Chaise trommeln. Juliets eleganter, aber dünner Mantel war schon ganz durchnässt, und sie ärgerte sich, den Jungen nicht doch gezwungen zu haben, einen größeren Wagen anzuspannen. Er hatte eingewandt, dass es sich bei dem anderen Wagen um einen Zweispänner handle – aber das war Juliet gänzlich egal.

Missmutig überflog sie zum tausendsten Mal die knappen Zeilen, in denen Kevin ihr sein Verschwinden erklärte. Die Sache mit der Heirat sprach er dabei gar nicht an, stattdessen war von patriotischer Pflicht die Rede. Völliger Blödsinn, bisher hatte er nie sonderliche Sympathien für Neuseelands Mutterland gezeigt. Und auch dieses Land hier … Juliet blickte unglücklich hinaus in die regengeschwängerte Landschaft. Sie fuhren gerade an den alten Goldfeldern vorbei.

»Gabriel's Gully«, sagte Randy, der sich ebenfalls langweilte, und wies auf eine mit spärlichem Gras bewachsene Einöde, nur gelegentlich unterbrochen durch die traurigen Reste einer Siedlung, die wohl nur aus Holzverschlägen bestanden hatte. »Es wächst jetzt langsam wieder zu, aber jahrelang war es nur eine Schlammwüste. Die Goldgräber haben es so oft umgegraben, bis jede Wurzel ausgerottet war.«

»Und, sind sie wenigstens alle reich geworden?«, fragte Juliet mit mäßigem Interesse.

Im Grunde kannte sie die Antwort, sie war auf allen Goldfeldern der Erde gleich: Auf wenige Gewinner kamen Tausende gescheiterter Existenzen.

»Bei Mr. Patricks Eltern hat's immerhin für eine Farm gereicht«, meinte Randy. »Wir müssten jetzt auch bald da sein, Mr. Patrick sagt, sie wohnen nur ein paar Meilen von Lawrence entfernt. Wir können im Ort fragen.«

In Lawrence lebten die wenigen, die nach dem Goldrausch geblieben waren. Es war heute ein ländlich geprägter Ort, Versorgungsstation für die Farmer der Umgebung. Mehr als ein Pub, einen Gemischtwarenladen und ein Café hatte er nicht zu bieten, aber natürlich wusste jeder Einwohner, wo die Farm der Drurys lag. Neugierig starrten die wenigen Passanten, die trotz des Wetters unterwegs waren, die Frau in der Chaise an. Die exotische Schönheit, elegant, wenn auch nicht gerade praktisch gekleidet, würde am nächsten Tag sicher Stadtgespräch sein.

Randy ließ sich den Weg erklären und lenkte die junge Stute dann in die Berge, über immer noch gut ausgebaute, aber deutlich steilere und kurvigere Wege. Das Pferd wurde nun erkennbar müde und brachte die letzten Meilen nur quälend langsam hinter sich. Juliet wurde langsam mulmig zumute. Wie sollte sie zurück in die Stadt kommen, wenn das Pferd schon den Hinweg nicht schaffte?

Die Landschaft war hier bezaubernd schön, lichter Südbuchenwald, durchbrochen von Bächen, kleinen Teichen und Felshängen. Trotz des verhangenen Himmels erkannte man die Berge im Hintergrund, schneebedeckte Gipfel, schroff, aber imposant. Juliet hatte jedoch keinen Blick dafür. Sie war ein Stadtmensch – bisher auch eher ein Nachtschwärmer. Wenngleich sie in der letzten Zeit mehr Schlaf brauchte ... Vielleicht war die Idee mit der Schwangerschaft doch nicht ihre beste gewesen.

»Hier, hier ist der Wasserfall!«, rief Randy schließlich nach einer für Juliet fast endlosen Fahrt über Serpentinen. »Gleich da oben muss das Haus sein!«

Tatsächlich kam das Haus oberhalb des Wasserfalls und des kleinen Teichs, in den er sich ergoss, jetzt schnell in Sicht. Ein robustes, heimelig wirkendes Blockhaus – aber für Juliet eine Enttäuschung. Sie hatte mit einem repräsentativeren Haus gerechnet, ähnlich den Villen auf den Plantagen ihrer Heimat. Die Drurys galten schließlich als wohlhabend. Nun ja, vielleicht baute man hier einfach so … Juliet beschloss, sich nicht entmutigen zu lassen. Diese Leute mussten ihr helfen, eine Lösung für sich und dieses vermaledeite Kind zu finden. Wobei sie selbst bislang keine Idee hatte, wie die aussehen sollte.

Randy verhielt das Pferd vor dem Haus, machte aber keine Anstalten, Juliet aus der Chaise zu helfen. Stattdessen klopfte er schon mal an die Tür, er hatte wohl das dringende Bedürfnis, sich selbst und das Pferd ins Trockene zu bringen.

Drinnen hatte man sie schon bemerkt. Michael Drury – in abgetragenen Denimhosen und Holzfällerhemd ein deutlich weniger distinguierter Anblick als beim Dinner bei den Dunloes – öffnete die Tür.

»Was ist das denn … bei dem Wetter … Patrick?« Michaels erster Blick fiel auf die kleine Stute, die er natürlich gleich erkannte. »Meine Güte, das ist ja Lady! Ist der Weg hier herauf nicht noch ein bisschen weit für sie?«

Lizzie, die hinter ihm auftauchte, sah als Erstes den Jungen und wurde blass.

»Ist Patrick was passiert?«, fragte sie erschrocken. »Du bist doch sein Stalljunge. Was … was machst du hier?«

Randy grinste ihr beruhigend zu. »Nichts, Mrs. Drury, Mr. Patrick ist immer noch unterwegs. Aber die Lady meinte, es sei dringend, und da …«

»Das Pferd meinte, es sei dringend?«, wunderte sich Lizzie, aber dann sah sie auch schon Juliet, die ungeschickt aus der Kutsche kletterte. Ihr modisch enger Rock erlaubte wieder nur kurze Schritte.

Lizzie ging ihr entgegen – und schien sich überhaupt nicht für ihr weites, altmodisches Hauskleid zu schämen. Auch sie hatte in Dunedin imposanter gewirkt. Kaum fassbar, dass diese kleine, rundliche Person mit dem nachlässig aufgesteckten dunkelblonden Haar eine geschätzte Kundin in Lady's Goldmine war.

»Miss LaBree!«, begrüßte sie jetzt ihre Besucherin. »Du lieber Himmel, wo ist denn Kevin? Wie kann er Sie allein hierher schicken, noch dazu bei diesem Wetter! Aber jetzt kommen Sie erst mal rein. Und du auch, wie heißt du noch? Randy, nicht?«

Randy erklärte, zuerst das Pferd in den Stall bringen zu müssen. Er wirkte ein wenig zerknirscht, nachdem auch Michael angemerkt hatte, dass der Weg zu schwer für die junge Stute gewesen sei. Hoffentlich bekam er keinen ernstlichen Ärger mit Mr. Patrick.

Michael nahm sich schließlich des Jungen und des Pferdes an, während Lizzie Juliet hineinführte. Das Haus war drinnen nicht sehr viel repräsentativer, als es von außen wirkte. Zwar gab es ein paar hübsche, sicher aus England importierte Wohnzimmermöbel, aber das meiste waren einfach zusammengezimmerte rustikale Tische und Stühle. Lizzie wollte Juliet ihren Mantel abnehmen, aber die hielt sich nicht mit Vorreden auf.

»So, Sie wissen also angeblich nicht, wo Kevin ist«, kam sie gleich zum Thema. »Sollte Ihnen das hier entgangen sein?« Juliet schälte sich ohne Hilfe aus dem Mantel, nachdem sie Kevins zerknitterten Brief auf den Tisch geworfen hatte.

Lizzie nahm ihn auf und überflog die wenigen Zeilen. Erneut wurde sie blass und kämpfte mit einer Woge von Panik, die in ihr aufstieg. Krieg. Kevin zog in den Krieg, man würde auf ihn schießen … Lizzie ließ sich auf einen Stuhl sinken.

Juliet bemerkte nichts von ihrem Entsetzen. »War das Ihre Idee?«, fragte sie mit scharfer Stimme.

Lizzie funkelte die junge Frau an. Fast hätte sie hysterisch gelacht. »Dies zum Thema Mutterinstinkt«, bemerkte sie. »Wenn Sie nur einen Funken davon aufbrächten, Miss Juliet, dann wüssten Sie, dass keine normale Frau ihren Sohn in den

Krieg schicken würde! Um einer Hochzeit zu entgehen! Dieser dumme Junge! Wenn sie ihn nun totschießen …«

Lizzie raufte sich die Haare und brachte ihre ohnehin nachlässig aufgesteckte Frisur damit noch mehr durcheinander.

Juliet zog die Brauen hoch. Wie konnte die Frau sich derart gehen lassen? »Er ist Stabsarzt«, meinte sie gelassen. »Kein Mensch wird auf ihn schießen – um Kevin mache ich mir keine Sorgen.«

Lizzie blitzte sie wütend an. Ihre eigenen Sorgen reichten mühelos für zwei. Bevor sie jedoch etwas erwidern konnte, trat Michael ein. Randy kümmerte sich wohl noch um das Pferd.

»Miss LaBree.« Michael besann sich auf seine guten Manieren, wobei es ihm durchaus Spaß machte, der bildschönen Freundin seines Sohnes die Hand zu küssen. »Was führt Sie zu uns?«

»Das!«, sagte Lizzie hart und hielt ihm Kevins Brief hin. »Ich nehme an, auf dem Postamt liegt ein ähnliches Schreiben an uns. Wir haben das wohl unterschätzt mit Kevins Schwierigkeiten. Ich hielt es hauptsächlich für Torschlusspanik. Aber nun wissen wir es besser: Bevor er die Lady heiratet …«, sie wies auf Juliet, »… lässt er sich lieber erschießen.«

Auch Michael wurde ernst, als er den Brief las. Er fing sich aber deutlich schneller als seine Frau. »Nicht gerade schmeichelhaft für Sie, Miss Juliet«, lächelte er. »Aber sonst … reg dich nicht auf, Lizzie, er ist Arzt. Er wird in einem Hospital arbeiten, mit etwas Glück weit hinter den Linien. Fragt sich nur, was wir hier mit seiner ›Hinterlassenschaft‹ anstellen …«

»Sag nicht so was …«, murmelte Lizzie.

Juliet legte die Hand auf ihren Bauch. »Das zumindest wissen Sie …«, sagte sie bitter.

Michael nickte. »Kevin hat uns mitgeteilt, dass er Vater wird«, beschied er die junge Frau. »Und wir haben ihm geraten, Sie zu heiraten. Aber nun hat er ja eine andere Lösung gewählt, das Problem wenigstens hinauszuschieben. Was gedenken Sie nun zu tun, Miss LaBree?«

Juliet zuckte die Schultern. »Ich bin gänzlich mittellos«, erklärte sie knapp. »Ich habe mich darauf verlassen, dass Kevin ...«

»Kevin wird ja einen Sold erhalten, nehme ich an«, meinte Michael mit Gemütsruhe. »Sicher wird er das Geld Ihnen und dem Kind zugänglich machen, und Sie könnten damit ein bescheidenes Leben führen. Wenn er dann zurückkommt ...«

»Ich soll ... ich soll das Kind ... in Dunedin? Ohne Vater?« Juliet schaute ihn fassungslos an.

»Nun, Sie könnten anführen, dass Kevin Sie natürlich geheiratet hätte, hätte er von dem Nachwuchs gewusst. Das hat er eigentlich ganz geschickt eingefädelt, Lizzie, das muss man ihm lassen ...«

Michael zwinkerte seiner Frau zu, deren Panik langsam abebbte. Lizzie kam wieder zum Denken. Michael – und diese impertinente Juliet – hatten Recht. Als Arzt war Kevin nicht sehr gefährdet, und dieser Krieg ... England schickte hunderttausend Soldaten gegen eine Handvoll aufmüpfiger Bauern. Ein großes Blutbad sollte das also eigentlich nicht werden – zumindest nicht auf Seiten der Briten.

»Michael, nun lass mal«, unterbrach sie ihren Mann. »Ich kann schon verstehen, dass sich Miss Juliet nur ungern einem solchen gesellschaftlichen Spießrutenlaufen unterzieht. Ein anderes Angebot, Miss Juliet: Sie können hier auf Elizabeth Station bleiben und das Kind zur Welt bringen. Der Krieg kann ja nicht lange dauern – womöglich ist er schon vorbei, bevor Kevin ankommt. Bei der Übermacht der Engländer ...«

Michael, dem es eben sichtlich Spaß gemacht hatte, Juliet ein bisschen zu piesacken, runzelte die Stirn. »Die hatten sie auch gegenüber den Iren!«, bemerkte er stolz. »Und trotzdem haben wir ihnen jahrelang widerstanden, wir ...«

Lizzie winkte ab. »Den Iren haben sie keine Truppen aus dem halben Empire entgegengeschickt«, sagte sie kurz. »Und verzeih, Liebster, aber mit ein paar Schnapsbrennern in den Bergen konnten sich die Briten eher abfinden als mit einem Land voller Gold- und Diamantminen in den Händen religiöser Fanatiker. Nach dem, was man hört, ist sogar die Church of Scotland liberal gegen diese Buren. Die sind imstande, die Minen zu schließen, weil es nicht gottwohlgefällig ist, reich zu werden, ohne sich auf den Feldern abzuschinden. Darauf lässt England es nicht ankommen.«

Lizzies und Michaels kurzer politischer Schlagabtausch gab Juliet Zeit, sich eine Entgegnung zurechtzulegen, aber sie war, was selten vorkam, gänzlich sprachlos. Hierbleiben? Monatelang in dieser Einöde ...

»Was meinen Sie also, Miss Juliet?«, kam Lizzie schließlich auf ihre Besucherin zurück.

Juliet spielte mit der Bordüre ihrer Kostümjacke. »Hier? Aber hier kann man doch kein Kind zur Welt bringen ... ohne Ärzte, ohne Hebamme ...«

Lizzie lächelte. »Meine drei sind alle hier zur Welt gekommen. Ein paar Meilen weiter liegt ein Maori-Dorf. Die Hebamme ist hervorragend, viel besser als jede *pakeha* ...« Juliet starrte sie entsetzt an. Es wurde immer schlimmer. Monatelange Isolation mit Lizzie und Michael hätte sie schon als schlimm genug empfunden. Aber nun auch noch Eingeborene?

»Kevin kann Sie dann abholen, wenn er zurückkommt«, sprach Lizzie weiter. So langsam erschlossen sich auch ihr die Chancen von Kevins unkonventioneller Lösung. Juliet würde vielleicht bis zur Geburt des Kindes auf Elizabeth Station bleiben. Aber ganz sicher keinen Monat darüber hinaus. Dann konnte sie sich um das Kind kümmern. Nicht gerade ihr sehnlichster Wunsch, aber vielleicht fanden sich ja noch andere Möglichkeiten. Matariki und Kupe hatten zum Beispiel keine Kinder, vielleicht würden sie ihre Nichte oder ihren Neffen in Parihaka großziehen. Mitleidlos betrachtete Lizzie die junge Frau, die hier mit ihrer Verzweiflung kämpfte. Juliet knetete ihr Ohrläppchen. Auf Elizabeth Station würde ihr schon nach ein paar Tagen die Decke auf den Kopf fallen. »Sie können es sich ja auch noch mal überlegen«, fügte Lizzie hinzu. »Sie müssen nicht gleich hierbleiben.«

Sie hielt es durchaus für möglich, dass Juliet in Dunedin doch noch eine hässliche und verbotene, aber immerhin endgültige Lösung für das Problem finden würde. Lizzie stand Abtreibungen nicht so negativ gegenüber wie ihr Sohn und der streng katholisch erzogene Michael. In ihrem ehemaligen Gewerbe schwebte der Schatten der Engelmacherin immer über ihr und den anderen Mädchen. Und manche Kinder – Lizzie dachte wieder an Toby und Laura – wurden ihrer Meinung nach besser nie geboren.

Michael schien die gleichen Gedanken zu hegen, betrachtete die Sache aber mit weniger Wohlwollen.

»Unsinn, Lizzie, Juliet … ich nenne Sie jetzt einfach Juliet, Miss LaBree, nicht wahr? Sie bleiben natürlich gleich hier, wir lassen Sie doch nicht wieder abreisen, bei diesem Wetter und allein in der Begleitung von Randy … nein, nein, das kommt nicht infrage.« Er wandte sich Juliet zu und brachte sogar ein halbwegs warmes Lächeln zustande. »Kopf hoch, junge Frau! Sie kriegen jetzt Ihr Baby, und wenn Kevin zurückkommt, und das ist sicher bald der Fall, kann er Sie immer noch heiraten.«

Während Michael sprach, wurde die Haustür von draußen geöffnet, aber keiner der drei reagierte darauf. Es konnte schließlich nur Randy sein, der nun endlich mit dem Abwarten des Pferdes fertig war. Doch dann schob sich stattdessen ein großer Mann in Breeches und Wachsmantel ins Zimmer, der eben seinen triefenden Südwester vom Kopf nahm.

Patrick Drury war auf dem Weg von Otago nach Dunedin recht nah an Lawrence vorbeigekommen und hatte sich in Anbetracht des Wetters entschlossen, bei seinen Eltern zu übernachten. Zu seiner Überraschung fand er Lady im Stall vor – und Randy.

Nun stand er im Wohnzimmer seiner Eltern und blickte von einem zum anderen. Das Regenwasser tropfte noch von seinem Mantel, und er glättete nervös sein feuchtes Haar.

»Das muss er nicht!«, sagte Patrick ruhig. »Kevin kann bleiben, wo der Pfeffer wächst. Ich werde Miss LaBree heiraten!«

KAPITEL 7

Landvermessung gehörte nicht gerade zu Atamaries Lieblings-
fächern. Es war allerdings wichtiger Bestandteil des Ingenieur-
studiengangs, und natürlich hatte es in Neuseeland einen großen Stellenwert. Nach wie vor waren nur Teile des Landes
vermessen und erschlossen. Viele Absolventen des Studiengangs würden wahrscheinlich ihr ganzes Berufsleben damit
verbringen, sie zu kartografieren und waren damit auch zufrieden. Atamarie dagegen strebte buchstäblich nach Höherem, nach wie vor faszinierte sie vor allem die Luftfahrt. Den
Berechnungen zur Landvermessung widmete sie sich nur lust-
los, aber dennoch erfolgreich: Wie in jedem Fach fiel es ihr
auch hier leicht, die anderen Studenten zu übertrumpfen. Und
diesmal zahlte sich ihr Engagement obendrein außerhalb der
Unterrichtsstunden aus: Professor Dobbins hielt im Herbst des
Jahres 1900 eine besondere Überraschung für die Strebsamsten
unter seinen Studenten bereit.

»Stellen Sie sich vor, noch in diesem Jahr wird ein neuer
Nationalpark etabliert!«, eröffnete er Atamaries Klasse. »Auf
der Nordinsel, am Mount Egmont.«

Atamarie horchte auf. In der Nähe des Mount Egmont lag
auch Parihaka. Allerdings kannte sie den Berg unter seinem
Maori-Namen: Mount Taranaki. Der Name Mount Egmont
war eine Erfindung von Captain James Cook, der sich natürlich nicht die Mühe gemacht hatte, die Einheimischen nach
ihrer Bezeichnung für den imponierenden Vulkan zu fragen.

»Bevor das allerdings so weit ist, steht noch einiges an Vermessungsarbeit an«, führte der Professor aus. »Und viel Geld möchte der Staat dafür natürlich nicht ausgeben. Deshalb hat man sich an die Universitäten gewandt, bevorzugt natürlich an unsere!« Die Studenten trommelten anerkennend. Dobbins lachte. »Nun, ich nehme den Ruf natürlich gern an, zumal er mir erlaubt, meine begabtesten Studenten zu Feldstudien heranzuziehen. Wir werden eine mehrwöchige Expedition organisieren. Landvermessung in bislang unerschlossenen Regionen. Da oben herrscht schließlich …« Er blätterte in seinen Notizen.

Atamarie meldete sich. »Auf dem Berg selbst wächst nicht viel«, meinte sie. »Da liegt ja auch meistens Schnee. Die Vermessung wird höchstens durch die schroffe Landschaft behindert, man muss ganz schön klettern. Rund um den Taranaki gibt es Regenwald. Es regnet dort andauernd, eine der feuchtesten Gegenden des Landes.« Sie lächelte. »Die Maori sagen, Rangi weine über den Streit der Götter …«

Dobbins runzelte die Stirn. »Der Streit welcher Götter, Miss Turei? Aber Sie scheinen sich ja gut auszukennen. Waren Sie schon einmal da?«

Atamarie berichtete, dass sie den Berg sogar schon einmal bestiegen habe, gemeinsam mit einer *tohunga*, die den Kindern von Parihaka die Geschichte des unglücklich verliebten Vulkans erzählt und etliche Rituale durchgeführt habe, um zwischen den Göttern Frieden zu stiften.

»Und um den Regenwald herum ist Farmland«, führte sie dann weiter aus. »Recht fruchtbar, eben Vulkanerde. Aber es gibt immer wieder Streit darum. Kann sein, dass die *pakeha*-Farmer auch wegen der Vermessung Ärger machen. Abgeben werden sie jedenfalls nichts.«

Dobbins lächelte. »Das war ja sehr erhellend, Miss Turei, vielen Dank. In dem Zusammenhang freut es mich besonders, dass ich mich entschlossen habe, Ihnen die Teilnahme an der Expedition zu ermöglichen. Natürlich nur, falls Sie Lust haben – und wenn Ihre Eltern es erlauben. Ansonsten werden nur Studenten der älteren Jahrgänge dabei sein. In Ihrem Fall haben wir natürlich überlegt ...« Der Professor hielt inne. Es war sicher nicht ratsam, die Frauenfrage anzuschneiden. Er hatte auch lange darüber nachgedacht und mit seinen Kollegen diskutiert, ob es akzeptabel sei, ein einziges Mädchen mit einer Gruppe männlicher Studenten auf eine Expedition zu schicken. Dann hatte er sich aber zu der Ansicht durchgerungen, dass ihn nur Atamaries wissenschaftliche Ausbildung anging, nicht die Wahrung ihrer Tugend. Das Mädchen, beziehungsweise seine Eltern, mussten selbst entscheiden, ob es die Reise ohne Anstandsdame antreten wollte. »Aber wenn Sie sich nun auch noch als ortskundig erweisen ...«

Atamarie zuckte die Schultern. »Ich fahre sehr gern mit! Wenn Sie jedoch wirklich Ortskundige suchen, fragen Sie in Parihaka. Die Maori siedeln seit Jahrhunderten um den Mount Taranaki, sie kennen sich da aus.«

»Und erschießen Sie womöglich von hinten, wenn Sie eine Vermessungsstange auf einem heiligen Berg aufstellen«, feixte einer der Studenten.

Atamarie warf ihm einen wütenden Blick zu, sagte sich dann aber, dass wahrscheinlich nur der Neid aus ihm sprach. Der Sprecher wäre wohl auch gern mitgefahren.

»Die Maori unterstützen die Einrichtung der National-parks«, kam ihr nun aber auch Dobbins zu Hilfe. »Miss Turei hat Recht. Wenn es Widerstand gibt, so höchstens von ortsansässigen Farmern. Aber deren Land betrifft es ja gar nicht. Es wird wirklich eine praktisch kreisrunde Fläche um den Mount Egmont sein. Ein guter Anlass, die Vermessung von Kreisflächen noch mal zu wiederholen. Mr. Potter, erzählen Sie uns doch gerade mal, was Sie darüber wissen ...«

Atamarie wusste zumindest, dass der Herbst nicht der allerbeste Zeitpunkt war, den Mount Taranaki zu besuchen oder
gar zu besteigen. In den oberen Regionen konnte es jetzt schon
schneien, und ansonsten lag der Berg meist unter einer dicken
Wolkendecke. Im Wald unterhalb des Berges würde man wohl
nicht frieren, aber Atamarie rechnete mit sehr nassen drei
Wochen. Die Erlaubnis ihrer Eltern machte ihr dagegen kein
Kopfzerbrechen. Der Begriff Anstandsdame gehörte nicht zum
Wortschatz der Maori, und auch ihre Großeltern waren selbst-
ständige junge Frauen gewohnt. Lizzie machte sich nur Sorgen darüber, ob Atamaries Zelt auch dicht und ihr Schlafsack
einigermaßen warm sein würde – und Matariki verschwendete
nicht mal an diese Dinge einen Gedanken, sondern lud gleich
das ganze Expeditionskorps ein, in Parihaka Station zu machen.

Tatsächlich waren es dann wirklich nur die Widrigkeiten
des Herbstes, die Dobbins und seine Studenten aufhielten.
Den größten Teil des Weges nach Blenheim konnten sie zwar
bequem im Zug zurücklegen, aber die Überfahrt mit der Fähre
zur Nordinsel gestaltete sich noch unruhiger, als das sonst der
Fall war. Atamarie beobachtete nicht ohne Schadenfreude, dass
ihre Kommilitonen fast alle mit grünen Gesichtern über der
Reling hingen. Lediglich ein junger Mann hielt sich ähnlich
tapfer wie sie selbst, vielleicht, weil ihn die Technik des Dampf-
schiffes mehr interessierte als der Zustand seines Magens.

»Das Schlingern müsste man ausgleichen können«, bemerkte er irgendwann zu dem mäßig interessierten, dafür schwer
seekranken Professor Dobbins. »Mittels Stabilisatoren. Zum
Beispiel, indem man seitlich des Schiffes so eine Art Flossen
anbrächte …«

Atamarie mischte sich ein. »Es wäre ja schon hilfreich, wenn
wenigstens die Passagierräume nicht so betroffen wären. Man
könnte sie drehbar lagern, sodass sie immer in der horizontalen
Position blieben.«

»Hat man schon versucht«, informierte sie der junge Mann. »Henry Bessemer 1875. Funktionierte bloß nicht.«

Atamarie zog einen enttäuschten Flunsch, von dem sie wusste, dass er auf die meisten jungen Männer unwiderstehlich wirkte. Gewöhnlich interessierte sie das zwar nicht sehr, aber diesem aufgeweckten Studenten wäre sie gern aufgefallen. Leider hatte er nur Sinn für seine Idee zur Beruhigung der Schiffslage – er schaute aufmerksam über die Reling, als suche er schon Möglichkeiten, seine »Flossen« anzubringen.

»Für die Stabilisatoren gibt's auch schon ein Patent, Pearse«, bemerkte Dobbins und hielt sich die Hand vor den Mund. »O Gott, je mehr Sie darüber reden, desto schlechter geht es mir ... Aber schlagen Sie in Christchurch mal nach, ich glaube, das war vor zwei Jahren ...«

Der Student seufzte und blickte bekümmert. »Ich werde bloß keine Gelegenheit dazu haben«, meinte er und wandte sich ab. »Ich bekomme doch keinen Bibliotheksausweis mehr.« Er ging ein paar Schritte übers Deck, als wollte er das Gespräch hier beenden. Dobbins schien das recht zu sein, er beugte sich eben in eindeutiger Absicht über die Reling.

Atamarie folgte dem Studenten, den er Pearse genannt hatte, und schaute ihn jetzt genauer an. Er hatte braunes kurzes Haar, ein rundes Gesicht und schien nur wenig älter zu sein als sie selbst.

»Sind Sie denn schon fertig mit dem Studium?«, fragte sie ihn verwundert. »Sie sehen noch so jung aus. Haben Sie früher angefangen als die anderen?«

Der junge Mann schüttelte den Kopf. »Schön wär's ... Nein, ich hab gar nicht richtig studiert. Nur ein paar Vorlesungen gehört. Meistens im zweiten Jahr, der Professor war so nett, es mir zu erlauben. Obwohl ich eigentlich nur als Labordiener am Institut war. Meine Eltern können sich das Studium nicht leisten. Aber so hatte ich immerhin ein paar Monate in Christchurch. Und jetzt die Expedition … das ist schon sehr freundlich von Professor Dobbins, mir das zu ermöglichen. Das Institut zahlt auch ein wenig. Aber danach hilft mir nichts mehr, ich muss zurück nach Temuka.« Temuka war eine kleine Stadt nördlich von Timaru an der Ostküste der Südinsel. »Als ich einundzwanzig wurde, habe ich da in der Nähe hundert Acre Land erhalten. Also werde ich Farmer …« Der junge Mann wirkte unglücklich.

»Tut mir leid«, murmelte Atamarie. »Also das mit dem Studium. Hundert Acre Land in Canterbury sind bestimmt sehr … hm …« Ihr fiel kein rechtes Wort ein. Entmutigt schwieg sie.

Pearse lachte und warf ihr einen Seitenblick zu. »Sie könnte das also auch nicht locken. Eine echte Abwechslung. Die Mädchen in den Canterbury Plains kriegen bei Erwähnung der Quadratmeterzahl meistens gleich leuchtende Augen. Die richtige Bezeichnung wäre übrigens ›flach‹. Das Land ist sehr flach.«

Atamarie lachte. Sie freute sich an der Unterhaltung, die jetzt fast zu einem Flirt wurde. »Ich komme aus Otago, da haben wir deutlich mehr Berge. Wenn Sie sich also aus Verzweiflung irgendwo herunterstürzen wollen …«

»Nicht aus Verzweiflung«, bemerkte der Mann. »Höchstens … Aber verzeihen Sie, ich habe mich noch gar nicht vorgestellt. Pearse, Richard Pearse.«

»Atamarie Parekura Turei«, nannte Atamarie ihren Namen.

Pearse nickte. »Ich weiß. Man kennt Sie am College. Das einzige Mädchen. Und die Beste des Jahrgangs. Wie stellen Sie sich das vor mit den rotierenden Räumen?«

Atamarie schaute konzentriert ins Wasser. »Vergessen Sie's, das ist zu kompliziert. Aber ich könnte mir auch noch Tanks vorstellen. Die man unter Deck anbringt und mit Wasser füllt. So als Gegengewicht.«

»An der Seite!«, meinte Pearse eifrig. »U-förmig. Das Wasser könnte dann von einer Seite zur anderen fließen und würde die Rollbewegung der Wellen ausgleichen.«

Atamarie nickte interessiert, hätte das Gespräch aber auch gern auf die leichtere Ebene der Tändelei zurückgeführt. Schließlich lächelte sie.

»Melden Sie's als Patent an! Wenn dann demnächst jeder Dampfer der Welt damit ausgestattet wird, machen Sie ein Heidengeld und können weiterstudieren.«

»Ach was, es war Ihre Idee!«, meinte Pearse höflich. »Und wahrscheinlich ist es auch vor uns schon jemandem eingefallen. So war's jedenfalls mit all meinen bisherigen Versuchen, etwas zu erfinden. Ich hab kein Glück.« Er senkte den Kopf.

»Kommt schon noch!«, ermutigte ihn Atamarie und wies übers Meer nach Norden, wo sich nun endlich die Küste abzeichnete. »Schauen Sie, da ist Wellington. In einer halben Stunde sind unsere Seekranken erlöst. Wissen Sie, ob wir heute noch weiterreisen?«

Pearse zuckte die Schultern. »Eher unwahrscheinlich bei dem Zustand, in dem sich die meisten von uns befinden. Aber vielleicht erholen sie sich ja schnell. Und sonst … hier gibt es auch eine Universität …«

Atamarie lachte ihm zu. »Wir können hingehen und fragen, ob sie Stipendien vergeben. Ich frage zuerst. Und danach sind sie froh, wenn ein junger Mann kommt!«

Die Gruppe blieb noch eine Nacht in Wellington, um die weitere Ausrüstung zusammenzustellen, die Studenten waren bei Familien anderer Hochschulabsolventen untergebracht. Atamarie verbrachte einen enervierenden Abend mit einer blonden Medizinstudentin niederländischer Abstammung. Weder Petronella noch ihre Eltern hatten je einen Maori gesehen und erwarteten nun eigentlich eine vierschrötige dunkelhaarige Gestalt anstelle des zierlichen blonden Mädchens.

»Sie sind gar nicht tätowiert«, meinte Mrs. van Bommel halb erleichtert, halb enttäuscht. »Ich dachte, so wenigstens um die Augen …«

»Ich bin nur zu einem Viertel Maori«, gab Atamarie Auskunft. »Und *moko* macht man auch gar nicht mehr so oft bei meinem Stamm. Außerdem wird bei Frauen sowieso höchstens die Mundpartie tätowiert. Zum Zeichen, dass die Götter der Frau, nicht dem Mann, den Lebensatem eingegeben haben.«

Mrs. van Bommel und ihre Tochter waren hingerissen von der Geschichte und bedrängten Atamarie, mehr von den Sagen und Überlieferungen ihres Volkes zu erzählen. Dabei hatte die eigentlich gehofft, sich noch mit Dobbins und den anderen Studenten treffen zu können – und vor allem mit Richard Pearse. Da war jedoch nichts zu machen, die van Bommels dachten gar nicht daran, ihren Hausgast allein in das Nachtleben von Wellington zu lassen, obwohl das eigentlich recht bieder wirkte. Atamarie hätte sich auch nicht verlaufen. Während des Kampfes um das Frauenwahlrecht hatte sie hier jahrelang mit ihrer Mutter gelebt und kannte sogar das Parlamentsgebäude von innen. Leider auch wieder eine Geschichte, die beide van-Bommel-Frauen ausgesprochen spannend fanden. Schließlich bewunderten sie Atamarie trotz ihrer »falschen« Haar- und Hautfarbe rückhaltlos.

»So ein seltsamer Studiengang für eine junge Frau – und auch noch allein unter all den jungen Männern! Dass es dich da nicht gruselt! Stellen sie dir nicht nach? Also, ich hätte Angst …«

Petronella van Bommel schüttelte sich, und Atamarie verdrehte mal wieder die Augen.

»Die stellen mir nicht nach, im Gegenteil, die reden nicht mal mit mir«, beschied sie ihre Gastgeberin und freute sich, dass dies seit heute offenbar nicht mehr stimmte.

Der Gedanke an Richard Pearse' freundliches Lächeln und seine klugen Reden ließ ihr Herz sofort schneller schlagen. Langsam brachte sie echte Begeisterung für die Expedition auf, die Teilnahme daran hatte sie bisher zwar als Ehre betrachtet, zu dieser Jahreszeit aber auch als lästige Pflicht.

Am nächsten Tag ging es dann weiter über die neue und teilweise noch nicht vollendete North Island Main Trunk Line. Atamarie setzte sich zu Professor Dobbins und Richard Pearse – ein Platz, den ihr niemand streitig machte. Allerdings würde bestimmt wieder über ihr Strebertum geredet werden. Und das, obwohl nichts ihr ferner lag, als sich bei dem Professor einzuschmeicheln. Atamarie ging es allein um seinen Assistenten, der sie gleich in den siebten Himmel katapultierte, indem er ihr freundlich zulächelte und für sie zur Seite rutschte.

»Ich habe Sie gestern Abend vermisst, Miss Turei«, meinte er. »Ich dachte, Sie gingen mit uns essen.«

Atamarie verzog das Gesicht und schilderte Familie van Bommel und ihr Interesse an der Kultur der »Eingeborenen«. »Wenn überhaupt, dann hätte ich Petronella mitbringen müssen«, sagte sie. »Aber das hätten ihre Eltern sicher auch nicht erlaubt. Zwei junge Frauen und zwölf Männer ist ja keine viel bessere Relation als eine Frau und zwölf Männer.«

Richard überlegte. Anscheinend fiel ihm jetzt erst auf, dass es für eine Frau eher ungewöhnlich war, mit einem ganzen Kurs männlicher Studenten unterwegs zu sein.

»Und Ihre Eltern denken sich nichts dabei?«, fragte er verwundert. »Also ... äh ... nicht, dass Sie hier gefährdet wären ...«

Atamarie winkte ab und erzählte von Matariki und Parihaka. »Unter Maori ist das Prinzip der Anstandsdame eher unbekannt«, lachte sie. »Und meine Mutter ist zwar auch *pakeha*-erzogen, aber sie vertraut mir. Im Übrigen bin ich auf der Universität jeden Tag mit lauter Männern zusammen. Und da wäre es viel einfacher, sich heimlich mit einem von ihnen zu treffen als hier, wo wir alle dauernd zusammenstecken.«

Das stimmte natürlich, hätte allerdings keine besorgte *pakeha*-Mutter der Sorte van Bommel wirklich beruhigt. Richard nahm es allerdings ohne weitere Bemerkungen hin – aber nun ergriff auch der Professor das Wort. Dobbins pries die Bahnlinie der Nordinsel als Wunder der Ingenieurskunst. Sie führte zunächst am Rand des Rangitikei Rivers entlang, und der Professor wurde nicht müde, die Studenten auf diverse Probleme des Schienenbaus in der teils sehr zerklüfteten Berglandschaft hinzuweisen.

Dobbins erklärte den Unterschied zwischen Oberbau und Unterbau beim Verlegen der Gleise und die Feinheiten des Brückenbaus speziell hier in den Bergen. Wofür der Großteil der Studenten aber zu seinem Leidwesen wenig Interesse aufbrachte. Eher kämpften sie mal wieder mit der Übelkeit. Wenn die Strecke über extrem schmale Brücken führte, die gerade Platz für die Schienen boten, konnte einem schon mulmig werden. Nur Richard Pearse und Atamarie diskutierten angeregt die Vor- und Nachteile der Hängebrücke zur Überwindung großer Stützweiten und besprachen mit heiligem Ernst die Konstruktion von Bogen- und Fachwerkbrücken.

Beide waren traurig, als die Bahnlinie in Palmerston endete. Die restliche Strecke würden die Expeditionsteilnehmer reiten müssen. Richard schaute eher unglücklich auf sein Leihpferd.

»Wie lange werden wir wohl unterwegs sein?« Trotz seines offensichtlichen Unwillens schwang er sich geschickt in den Sattel.

»Ungefähr drei Tage«, erklärte Atamarie, der die Strecke natürlich nicht fremd war. »Also, wenn wir schnell sind. Aber wenn Sie mich fragen ...«, sie ließ den Blick über die Menge der anderen Studenten schweifen, die sich den Tieren teilweise mit so viel Respekt näherten, dass man fast von Angst sprechen konnte, »… wird es sich länger hinziehen.«

Tatsächlich erwiesen sich einige Studenten als höchst unsichere Reiter, und der Wagen, auf dem Dobbins alle möglichen Vermessungsutensilien mitführte, hielt zudem noch auf. Die geliehenen Pferde entsprachen auch nicht unbedingt Atamaries Vorstellungen von flotten Reitpferden, wieder eine Einschätzung, der Richard zustimmte. Er war zwar kein begeisterter, als Farmkind jedoch recht sicherer Reiter. Ein Pferd mit etwas mehr Feuer wäre ihm lieber gewesen.

»Sie kommen von einer Schaffarm?«, fragte Atamarie, als es wieder mal nicht vorwärtsging.

Professor Dobbins hatte den Wagen versehentlich in ein Schlammloch gelenkt. Der Dozent war sicher ein genialer Ingenieur, Landvermesser und auch Konstrukteur – aber mit Ben Hur hatte er nicht viel gemeinsam. Richard lachte nachsichtig, als Atamarie ihm diese Erkenntnis mitteilte.

»Ich kann das auch nicht viel besser«, gab er zu. »Ja, ich komme vom Land, aber ich bin nicht sehr begabt im Umgang mit Tieren. Wir haben mehr Ackerland als Schafe. Mein Vater arbeitet hart, aber Viehzucht liegt ihm nicht. Ich weiß bis heute nicht, warum er überhaupt unbedingt Farmer werden wollte, das ist wohl Tradition in unserer Familie – und in Temuka konnte er für wenig Geld viel Land erwerben. Das hat ihn gereizt. In Cornwall hatte die Familie nie so viel. Und wir sind eine große Familie, die ernährt werden will. Neun Kinder insgesamt …«

Atamarie staunte. »Neun Kinder! Das ist ja fast eine Rugby-Mannschaft!«

»Eher ein Orchester«, lächelte Richard. »Meine Eltern sind sehr kulturell interessiert, jedes Kind musste ein Instrument lernen. Ich spiele zum Beispiel Cello.«

Atamarie war bereit, ihn dafür zu bewundern. Außer ein

paar dilettantischen Versuchen auf Maori-Blasinstrumenten hatte sie selbst keinerlei musikalische Ausbildung.

»Richtig gut?«, erkundigte sie sich.

Richard schüttelte den Kopf. »Richtig gut«, gestand er, »bin ich eigentlich nur in Mathematik und Physik. Und Maschinenbau, ich wäre gern Erfinder.« Letzteres kam sehr leise heraus, fast als schäme er sich seiner Träume.

Atamarie war jedoch weit davon entfernt, Richard auszulachen. »Können Sie ja werden«, meinte sie gelassen. »Um ein Patent anzumelden, braucht man keinen Hochschulabschluss. Und Sie können da anfangen, wo Sie sind. Landmaschinen zum Beispiel – da kann man bestimmt noch was verbessern! Oder Abschlepptechnik.«

Sie wies lächelnd auf Dobbins und einen seiner Studenten aus dem dritten Jahr, die das Problem mit dem festgefahrenen Wagen gerade ausführlich theoretisch erläuterten.

»Das hier schreit nach einem Hebel. Kommen Sie, wir machen uns mal nützlich. Wenn Sie auch schon Karren in den Schlamm gesetzt haben, müssten Sie doch wissen, wie man sie wieder rauskriegt.«

Atamarie spannte schließlich zwei weitere Pferde mittels behelfsmäßiger Geschirre vor den Planwagen, während Richard zwei Studenten anwies, an genau bestimmten Stellen Hebel anzusetzen. Die Männer hievten das Gefährt sehr schnell aus dem Morast, und ein beschädigtes Rad wechselte Richard auch mühelos selbst. Atamarie stellte fest, dass er nicht nur über theoretisches Wissen, sondern auch über äußerst geschickte Hände verfügte. Große, sehr kräftige Hände, die ihr genauso gut gefielen wie sein offenes, freundliches Gesicht mit den nussbraunen Augen und sein dickes, lockiges Haar.

Am Ende waren Atamarie und Richard gleichermaßen schlammverschmiert, ernteten aber ein Lob von Professor Dobbins, während die anderen Studenten sie immer misstrauischer beäugten. Auch Richard war wohl ein Außenseiter. Er behandelte alle höflich, hatte sich allerdings niemandem näher angeschlossen. Bis jetzt. Und verheiratet schien er auch nicht zu sein, jedenfalls trug er keinen Ring.

Atamarie ließ ihr Pferd vergnügt neben Richards hertrotten, während er über Fahrzeugtechnik dozierte. Er hatte tatsächlich einige Ideen zur Verbesserung von Landmaschinen und schien begeistert, dass Atamarie ihm das zutraute. Für Atamarie verging der Tag so wie im Flug, trotz Aufenthalten und Dauerregen. Eigentlich hätte man inzwischen schon die Berge sehen müssen, aber der Mount Taranaki versteckte sich hinter tief hängenden Wolken.

»Wozu braucht man hier eigentlich einen Nationalpark?«, brummte einer der anderen Studenten, der erkennbar die Lust am Regenritt verlor. »Hier sieht's doch auch nicht viel anders aus als in den Plains.«

Tatsächlich ritten sie vorerst hauptsächlich durch landwirtschaftlich genutztes Gebiet – hügeliges Grasland, der Region Otago auf der Südinsel nicht unähnlich. Gelegentlich passierten sie abgeerntete Felder, aber das meiste Land gehörte Schafzüchtern. Die Tiere waren auch oft zu sehen, sie standen in kleineren oder größeren Gruppen stoisch im Regen. Die Feuchtigkeit lief an ihrer dicken Wolle mühelos ab.

»Die haben's gut«, meinte Richard. Sein Mantel war bereits völlig durchnässt, und Atamarie ging es nicht anders. »Wo schlafen wir denn eigentlich?«

Der Gedanke, jetzt noch ein Zelt aufzustellen, war ihm deutlich zuwider. In dieser Nacht hatten die Reisenden aber Glück. Schon am frühen Abend fand sich eine Farm, deren Besitzer den verfrorenen Wissenschaftlern gern einen Scherschuppen öffnete. Die Stadtkinder unter den Studenten rümpften zwar die Nase über den Geruch nach Mist und Lanolin, aber im Grunde waren alle froh, dass kein Zelt aufzubauen war. Die

Frau des Farmers kochte sogar für die jungen Leute, der Farmer erlaubte, dass sie ein Feuer anzündeten, und die Familie kam abends vorbei, um zu plaudern.

»Und das soll nun ein Nationalpark werden, da oben am Taranaki?«, fragte der Farmer freundlich. »War ja ursprünglich Maori-Land, nicht? Und dann hat die Regierung es annektiert, aber es wächst wohl nicht viel. Obwohl ... diese Musterfarm von den Maori, wie hieß sie noch ... die Leute da haben ganz schön was draus gemacht ...«

»Parihaka«, antwortete Atamarie ungezwungen. »Aber Regenwald haben die auch nicht kultiviert. Fruchtbar ist mehr das Land drumrum. Und jetzt haben es hauptsächlich *pakeha*-Farmer ...«

Tatsächlich war Parihaka nicht viel von den vielen hundert Hektar geblieben, die sie damals gebraucht hatten, um das Essen für über zweitausend Einwohner und allwöchentlich Hunderte von Besuchern anzubauen. Die Regierung hatte neue Siedler angeworben und ihnen einfach das Land der Maori verkauft. Jetzt gehörten den Maori-Farmern nur noch Bruchteile ihrer früheren Felder, die sie allerdings nach neuesten Methoden der Landwirtschaft bearbeiteten. Die weißen Nachbarn machte das oft neidisch.

»Die Maori haben ja auch nichts gegen den National-park. Im Gegensatz zu den weißen Siedlern. Die sollen nicht so begeistert sein, es gab wohl Proteste ...« Der freundliche Gastgeber der Gruppe entkorkte eine Whiskeyflasche und bot sie Dobbins an. »Richten Sie sich insofern lieber auf ein Zeltlager ein, Professor. Eher unwahrscheinlich, dass Ihnen da jemand Unterschlupf bietet. Wer ist denn überhaupt auf die Idee gekommen, diese Vermessungen ausgerechnet im Herbst vorzunehmen?«

Zwei der Studenten hatten inzwischen ebenfalls Flaschen aus ihrem Gepäck geholt und ließen sie zur allgemeinen Begeisterung kreisen. Atamarie fühlte sich fast an das Beisammensein der jungen Leute in Parihaka erinnert oder an die Feste an den Feuern der Ngai Tahu. Hier allerdings war die Atmosphäre angespannter. Die Studenten aus dem zweiten und dritten Jahr bildeten jeweils eigene Grüppchen und konkurrierten miteinander um die Gunst des Professors. Dobbins seinerseits unterhielt sich aus Gründen der Höflichkeit mit dem Farmer, mit dem er allerdings wenig gemeinsam hatte. So konnte bei ihm wieder Atamarie punkten, die sich blendend mit ihrem Gastgeber verstand. Sie erzählte von Parihaka und der Schafzucht ihres Großvaters, die dem Farmer zu ihrer Überraschung ein Begriff war.

»Michael Drury? Mensch, Mädchen, die Welt ist klein! Ich hab einen Abkömmling von seinem besten Widder!« Wie um die Beinaheverwandtschaft zu bekräftigen, goss er Atamarie auch einen Whiskey ein und war dann kaum davon abzuhalten, die junge Frau hinaus auf die Felder zu schleifen, um ihr das Wundertier zu zeigen. »Dem Landessieger – Heribert. Sie wissen schon ...«

Atamarie wusste. Ein Porträt dieses Schafbocks, in Öl verewigt von ihrer Tante Heather, hing im Wohnzimmer der Drurys.

Schließlich kam das Thema auf Wollgewinnung und Schafschur, und der Professor und Richard fanden sich zu theoretischen Exkursen über den möglichen Einsatz von Elektrizität bei der Entwicklung von Schafschermaschinen zusammen. Atamarie fand das zwar auch recht interessant, aber inzwischen machte sie der Whiskey ein bisschen mutiger. Richard Pearse gefiel ihr immer besser, und eigentlich wurde es Zeit, dass er sie als Frau wahrnahm. Schließlich waren sie jetzt seit zwei Tagen zusammen, fachsimpelten und erzählten. Atamarie beschloss, selbst die Initiative zu ergreifen. Sie tat, als friere sie, und lehnte sich wie beiläufig an ihren neuen Freund.

Pearse bemerkte das nach einigen Minuten und lächelte ihr zu. Atamarie hoffte, dass er den Arm um sie legen würde, aber dann machte ihr der Farmer einen Strich durch die Rechnung.

»Tja, das war wirklich ein netter Abend«, meinte er. »Aber nun muss ich mich verabschieden, ich muss früh raus morgen. Und Sie haben auch einen langen Tag vor sich. Machen Sie es sich nur im Stroh gemütlich, es ist ja weit genug vom Feuer entfernt, und das geht auch schon aus. Ach ja, und Miss ... wie war noch Ihr Name? Mary? Meine Frau erwartet Sie im Haus, sie hat das Gästezimmer für Sie gerichtet ...«

Atamarie wollte das Angebot ablehnen, aber hier ließen die gastfreundlichen Farmer nicht mit sich reden. Auf keinen Fall sollte die junge Frau gemeinsam mit zwölf Männern im Scherschuppen nächtigen! So ergab sie sich schließlich in ihr Schicksal und war damit auch gar nicht so unzufrieden. In dieser Nacht hätte sie ohnehin nicht mit Pearse das Lager teilen können. Das musste sich langsam entwickeln, schließlich war sie nicht in einem Maori-Dorf, in dem ein Mädchen und ein Junge, die sich gemeinsam zurückzogen, höchstens mit ein paar Neckereien rechnen mussten. Sie würde in Verruf kommen, wenn sie sich Richard an den Hals warf, und er würde das auch nicht mitmachen, er war zweifellos ein Gentleman.

Atamarie tröstete sich mit dem gemütlichen Bett, das sicherlich viel bequemer war als das Strohlager im Schuppen. Es gab sogar warmes Wasser, und Atamarie nahm sich viel Zeit, sich von den Schlammresten zu befreien und außerdem ihr Haar zu waschen. Sie würde am kommenden Morgen besonders hübsch aussehen. Vielleicht sah sie dann ja endlich das ersehnte Aufleuchten in Richards Augen, wenn sein Blick sie streifte.

Am nächsten Tag regnete es nicht gar so intensiv. Zwischendurch klarte es sogar auf, und die Poukai-Gebirgskette, beherrscht von dem schneebedeckten Gipfel des Mount Taranaki, kam in Sicht. Der Anblick war atemberaubend, die meisten Expeditionsteilnehmer verloren sich völlig in der Betrachtung der majestätischen Gipfel vor dem tiefblauen Himmel. Ein glasklarer Fluss tanzte von den Bergen herab, sprang über Felsen und durchzog das grüne Vorland, über das Dobbins an diesem Tag seine Gruppe führte. Selbst Richard Pearse unterbrach beim Durchreiten des lebhaften Gewässers die Unterhaltung, die er mit Atamarie über Automobile führte. Das erste dieser neuartigen Fahrzeuge war vor kurzem in Neuseeland eingeführt worden, aber beide hatten es noch nie gesehen, sondern nur theoretisch die Technik studiert.

»Die Gegend ist außerordentlich ansprechend!«, sagte Richard und wies auf den Mount Taranaki. »Vor allem dieser Berg ist faszinierend. Ein Vulkan, nicht wahr? Ist da noch mit Ausbrüchen zu rechnen? Wir sollten vielleicht anregen, Seismografen aufzustellen und die Erdaktivität zu beobachten ...«

Atamarie seufzte. Sie hatte mit etwas euphorischeren Reaktionen auf den Anblick des heiligen Berges gerechnet und vielleicht auch mit etwas Romantik. Andere Menschen regte der Taranaki schließlich zu regelrecht lyrischen Äußerungen an, und Atamarie hätte sich gut vorstellen können, dass ein verliebter junger Mann zum Beispiel Vergleiche zwischen seiner Angebeteten und der Göttin Pihanga anstellte. Aber auf Schmeicheleien dieser Art hoffte sie eigentlich schon den ganzen Tag.

Sie hatte sich morgens im Spiegel betrachtet und war zufrieden mit ihrem Aussehen gewesen. Ihre Haut war rosig nach dem Ritt durch den Regen am Tag zuvor und dem darauf folgenden erholsamen Schlaf. Sie duftete nach den Rosenblättern, die ihre aufmerksame Gastgeberin zwischen die Laken ihres Bettes gestreut hatte, ihr frisch gewaschenes blondes Haar glänzte. Atamarie tat es fast leid, es auszukämmen und zu flechten, aber natürlich musste die Frisur für den langen Ritt praktisch sein. Ihr Reitkleid war noch feucht und schmutzig, also entschloss sie sich, das neuere und hübschere Ersatzkleid anzuziehen. Wobei es sich nicht wirklich um Kleider handelte, sondern eher um Oberteile und weite Hosenröcke. Kathleen Burton hatte sie für ihre Enkelin entworfen, die absolut nicht im Damensitz reiten wollte. Nachdem weite Hosen inzwischen auch für Radsportlerinnen durchaus en vogue waren, hatte es sich nicht als schwierig erwiesen, die Schneiderin zu überzeugen.

Das neue Kleid war dunkelblau und schmeichelte Atamaries zierlicher Figur und ihrem samtigen, dunklen Teint. Die Farmarbeiter, an denen sie vorbeischlenderte, reagierten auch gleich mit anerkennenden Pfiffen, und in den Augen einiger Studenten war ein lüsternes Glitzern zu erkennen, auch wenn sie schnell den Blick niederschlugen. Selbst Dobbins rang sich ein leutseliges »Hübsch sehen Sie aus, Miss Atamarie!« ab – nur Richard Pearse blieb ungerührt. Schließlich kommentierte er immerhin den Schnitt des Rockes: »Sehr praktisch, und sehr … elegant … wenn ich das so sagen darf. Es ist sehr geschickt, wie der Schnitt den Faltenwurf nutzt. Kennen Sie übrigens Nähmaschinen? Ich durfte letztes Jahr einer Demonstration der kleinen Geräte beiwohnen – hochinteressant!«

In den nächsten Stunden unterhielt er Atamarie mit Geschichten über den mechanischen Nadeleinfädler, den er als Junge für seine Mutter erfunden hatte, und beide stellten fest, dass sie schon als Kinder gern herumexperimentiert hatten. Richard hatte seiner Schwestern ein Zoetrop gebaut, und auch der Gedanke an bewegliche Bilder fesselte sowohl ihn als auch Atamarie. Es war äußerst unterhaltsam, mit ihm zu reisen.

Aber dennoch – so langsam wünschte sie sich mehr von Richard als lange Gespräche. Es hätte so romantisch sein können, nebeneinander durch die Landschaft zu reiten, die mehr und mehr einem Zauberland glich. Sie wirkte völlig unberührt, selbst die Schafe ließen sich an diesem Tag kaum blicken. Die grünen Hügel, aus denen graue und weiße Felsen aufragten, schienen frisch gewaschen, die Wäldchen, die das Grasland auflockerten, verwöhnten das Auge mit unzähligen Schattierungen von Grün. Atamarie erzählte ihrem verwundert lauschenden Freund, dass für die Maori jeder dieser Bäume Persönlichkeit habe, und forderte ihn bei der mittäglichen Rast auf, wenigstens einmal einen zu berühren und zu versuchen, seine Seele zu erspüren. Richard blickte sie daraufhin nur freundlich irritiert an – und wechselte das Thema. Er referierte über Motorsägen.

Ansonsten verhielt er sich allerdings sehr ritterlich. Er hatte erstklassige Manieren, versorgte sie mit Broten und Tee – und breitete Ideen zu isolierenden Werkstoffen, mit deren Hilfe man Getränke sicher über längere Zeit warm halten konnte, vor ihr aus. Atamarie fand das alles interessant – aber war sie selbst wirklich derart langweilig?

Am Ende des Tages fand sich leider keine Farm, die Dobbins' Gruppe aufgenommen hätte, aber Atamarie machte es Mut, dass sie wieder ein Lagerfeuer entzündeten. Vielleicht kam sie Richard ja an diesem Abend näher. Tatsächlich konnte sie ihm erst einmal helfen, sein Zelt aufzubauen. Der geniale Erfinder schaffte es einfach nicht, die Stangen so zusammenzufügen, wie die Gebrauchsanweisung das vorsah.

»Da dürfen Sie nicht bei denken, das müssen Sie einfach nachmachen!«, lachte Atamarie und steckte das Gestänge in Windeseile zusammen.

»Aber so ist es statisch nicht ideal!«, wandte Pearse ein. »Mal ganz abgesehen davon, wie schwer die Stangen sind. Ich könnte mir da eine ganz andere Bauweise vorstellen – rund vielleicht. Und mit biegsamem Gestänge ... Bambus ...«

Diese Idee entwickelte er dann beim Essen – und schien es

hinterher durchaus angenehm zu finden, dass Atamarie sich an ihn lehnte, während er mit Dobbins über Seismografen sprach. Er schenkte ihr auch mitunter ein Lächeln und zog seine Hand nicht zurück, als sie vorsichtig tastend über seine Finger fuhr, während sie seine Teetasse füllte. Aber er hielt auch keinen Augenblick in seiner Unterhaltung mit Dobbins inne.

Atamarie kam zu dem Ergebnis, dass Richard vielleicht nur schüchtern war. Und natürlich waren auch ihre eigenen Annäherungsversuche nicht besonders geschickt. Atamarie war noch Jungfrau – trotz all der in Parihaka unter den freizügigen Maori-Jungen und -Mädchen verbrachten Sommer. Dabei war sie nicht prüde. Allerdings wirkte die Erziehung in der Mädchenschule nach und auch die wenigen, aber klugen Ratschläge ihrer Großmutter Lizzie: »Tu es nur, wenn du es wirklich willst. Nicht, weil der Junge es möchte und dich vielleicht sogar unter Druck setzt. Liebe kann wunderschön sein, aber vergiss die Vorstellung, dass du dich jemandem schenken musst. Du bist keine Pralinenschachtel! Im Gegenteil, betrachte den anderen als Geschenk, und nur, wenn du meinst, dass die Götter dich wirklich gesegnet haben, indem sie dich mit genau diesem Mann zusammengeführt haben – dann gib dich ihm auch hin.«

Die wenig spirituell veranlagte Atamarie ersetzte die Götter in Gedanken durch eine Lostrommel: Sie wollte nur mit einem Mann schlafen, wenn sie ihn wirklich als Hauptgewinn empfand. Bisher war sie leider nur Trostpreisen begegnet – bis jetzt! Richard Pearse, das spürte sie, war ein Seelenverwandter. Endlich jemand, mit dem sie reden konnte, der ihre Interessen teilte – und dem es dabei absolut nichts auszumachen schien, dass sie ein Mädchen war.

Atamarie seufzte und rollte sich allein in ihrem klammen Schlafsack in ihrem kleinen, ungemütlichen Zelt zusammen. Eine ganz klare Verschwendung – ein paar Yards weiter fror ihr Geschenk der Götter wahrscheinlich genauso wie sie. Vielleicht hätte sie den Geistern ihrer Ahnen doch öfter mal ein Opfer bringen oder wenigstens einen *haka* tanzen sollen …

Am nächsten Abend erwartete die Gruppe eine unangenehme Überraschung. Nach einem langen Ritt, diesmal durch fruchtbares Farmland, erreichten sie die Farm an der Ostseite des Taranaki, die als ihr erster Stützpunkt für die Vermessung des Nationalparks eingeplant gewesen war. Allerdings hatte es sich der Farmer inzwischen anders überlegt. Dobbins und seine Studenten meinten seinem wütenden Sermon entnehmen zu können, dass die Regierung wohl eine Zufahrtsstraße zum Park plane, die quer durch sein Farmgelände führe oder es doch zumindest stark in Mitleidenschaft ziehe. Damit war Mr. Peabody nicht einverstanden, und Dobbins und seine Leute mussten es jetzt ausbaden.

»Und dass Sie mir ja nicht auf meinem Land Ihre Zelte aufbauen! Hauen Sie ab in den Wald! Und machen Sie sich drauf gefasst, dass ich jede dieser ›Berechnungen‹ genau kontrolliere! Keinen Fingerbreit von meinem Land bekommt der Staat!«

»Dabei hat der Staat ihm den Gefallen getan, eben sein Land von den Maori zu stehlen«, kommentierte Atamarie bitter. »Würde ihm jetzt recht geschehen, wenn er es ihm auch wieder abnähme.«

»Keine politischen Statements, Miss Turei«, tadelte Dobbins missmutig. Er hatte sich erkennbar auf eine trockene Scheune oder gar ein richtiges Zimmer auf der Farm gefreut. Schließlich war er nicht mehr der Jüngste, und nach einer Nacht im feuchten Zelt schmerzten ihn alle Knochen. »Reiten wir weiter, bis in den Regenwald – wahrscheinlich werden wir dort heute Nacht auch noch interessante Insekten kennenlernen, für die Naturkundler unter Ihnen ...«

Die Studenten reagierten mit unglücklichem Gelächter. Nur Atamarie runzelte die Stirn.

»Professor Dobbins, wir können doch einfach nach Parihaka reiten«, schlug sie vor. »Meine Mutter hat uns ausdrücklich eingeladen. Sie freut sich. Die freuen sich da alle!«

Ein Teil der Studenten schien das für eine sehr gute Idee zu halten, aber der Professor blickte skeptisch. »Ich weiß nicht, Miss Turei. Ihre Mutter wird sich bestimmt freuen, Sie zu sehen. Aber gleich eine ganze Gruppe von dreizehn Leuten mit vierzehn Pferden ...«

»... die obendrein mitten in der Nacht eintrifft ...«, fügte Richard rücksichtsvoll hinzu.

Immerhin hatte er schon eine Karte entfaltet und den Weg nach Parihaka eingesehen. Es war noch weit, vor Mitternacht würden sie auf keinen Fall ankommen, schließlich mussten sie den halben Berg umreiten.

Atamarie schüttelte jedoch lachend den Kopf. »Das ist Parihaka, Professor! Früher hatten sie da bei jedem Vollmond zweitausend Besucher. Und Maori-Stämme kommen immer gesammelt zu Besuch. Wenn sie wandern, tun sie's gemeinsam, Männer, Frauen und Kinder. Dreizehn Gäste – da lachen sie drüber in Parihaka! Und je schneller wir aufbrechen, desto früher sind wir da!«

Professor Dobbins stimmte schließlich zu – bevor noch jemand auf die Idee kam, abstimmen zu lassen. Dann hätte sich die Mehrheit sicher für den Ritt nach Parihaka entschieden, wo mit einem Dach über dem Kopf zu rechnen war. Für einige der jungen Männer aus Dunedin war dies der erste Campingausflug ihres Lebens, und sie hatten eigentlich bereits nach einer Regennacht im Zelt genug davon.

Die Gruppe ritt also durch die Nacht, geführt von Richard mit seiner Karte und Atamarie, die ihren Kommilitonen zeigte, wie man sich an den Sternen orientierte. Zum Glück hatte es aufgeklart, und der Mond beschien die Wege mit seinem sanften Licht. An sich brauchte man nur in Richtung Meer zu reiten, Parihaka lag zwischen dem Vulkan und der Tasmansee.

»Welcher Maori-Stamm ist es denn eigentlich?«, fragte Richard.

Dieses Mal waren auch die anderen Studenten interessiert. Einige von ihnen hatten tatsächlich noch nie mit Maori Kontakt gehabt und waren dementsprechend gespannt. Andere, wie Richard, kannten Stämme in der Umgebung ihrer Farmen. Ihre Eltern hatten Maori-Viehhüter angestellt oder auch Hauspersonal. In einem *marae* übernachtet hatte jedoch noch niemand.

»Es ist kein einzelner Stamm, es ist Parihaka!«, erklärte Atamarie, verwundert darüber, dass kein einziger der jungen Männer die Geschichte kannte. »Es wurde von Te Whiti, das ist ein alter Häuptling und Prophet, nach den Landkriegen gegründet, eigentlich, um Flüchtlinge aufzunehmen. Aber dann entwickelte es sich zu einer Art ... tja, wie kann man das nennen ... Musterdorf, sagen manche. Aber es war auch fast etwas wie ein Heiligtum. Also einerseits wollte man den *pakeha* zeigen, dass Maori sich sehr gut und sehr ordentlich selbst verwalten konnten. Parihaka hatte Schulen, ein Krankenhaus, eine Bank, eine Poststation ... alles nach *pakeha*-Muster. Aber andererseits hielt man eben die alten Bräuche in Ehren, was Musik und Kunst und Religion anging. Und Te Whiti predigte. Er setzte sich für die Rechte der Maori ein, gegen Landnahme ohne Bezahlung oder gar gegen den Willen der rechtmäßigen Besitzer. Aber er wollte auch Frieden. Er wollte, dass Maori und *pakeha* voneinander lernen. Das kam sehr gut an, ein paar Jahre lang kamen bei jedem Vollmond viele Tausend Besucher nach Parihaka, um ihn zu hören. Und fast jeder Maori-Stamm der Insel baute sein eigenes *marae* in Parihaka …«

»*Marae* sind Häuser?«, fragte Dobbins.

»Eigentlich Wohnbereiche«, berichtigte Atamarie. »Also Versammlungsplätze, Wohnhäuser, Vorratshäuser … in Parihaka war's in der Regel ein Versammlungshaus für jeden Stamm. Einfach, um Präsenz zu zeigen, oder, wie meine Mutter sagt, den Geist von Parihaka zu atmen und dann mit in jeden Winkel der Insel zu nehmen. Ich war da noch nicht geboren, aber meine Eltern sagen, es sei wunderschön gewesen. Alles Frieden und Liebe. Viel Arbeit, aber auch Tanz und Musik … meine Mutter meint, jeder Abend sei ein Fest gewesen.«

»Aber dann kamen die Landvermesser«, erinnerte sich Dobbins.

Als der Kampf um Parihaka tobte, waren die Zeitungen auch auf der Südinsel voll davon gewesen.

Atamarie nickte. »Die Regierung wollte *pakeha*-Farmer in der Gegend ansiedeln und verkaufte ihnen bedenkenlos das Land der Maori-Stämme, die hier seit Jahrhunderten ansässig waren. Te Whiti und seine Leute protestierten dagegen – friedlich und teilweise sehr einfallsreich …«

Dobbins lächelte. »Ich erinnere mich, dass sie Grasland umpflügten, nicht wahr? Was es unbrauchbar für Schafhaltung machte …«

»Und sie begannen, das Land der Stämme einzuzäunen«, fügte Atamarie hinzu. »Aber letztlich machten sie die Regierung damit natürlich nur wütend, und am Ende wurde Parihaka gestürmt und zerstört. Te Whiti und seine Anhänger waren eine Zeitlang im Gefängnis … es muss sehr traurig gewesen sein, ein paar Leute sind sogar gestorben. Aber später, als Te Whiti wieder frei war, ging er zurück nach Parihaka, und es kamen auch viele frühere Bewohner zurück. Meine Eltern haben Land gekauft, die kann man nicht wieder vertreiben.

Und jetzt wird Parihaka ... Na ja, vielleicht könnte man es ein ›spirituelles Zentrum‹ nennen. Sie geben Kurse in traditionellen Handwerkstechniken, feiern die alten Feste ... Für einen Besuch ist es schön, aber leben möchte ich da nicht! Der Webstuhl ist schon erfunden, in Parihaka musste ich mich jedoch mit Techniken abquälen wie in der Steinzeit ...«

Professor Dobbins lachte, als Atamarie von ihren Versuchen erzählte, Webrahmen und Reusen zu verbessern.

»Noch eine Erfinderin also. Mr. Pearse und Miss Turei. Ich bin gespannt, welche Techniken Sie in den nächsten Jahren noch revolutionieren!«

Während des Rittes nach Parihaka regnete es nicht mehr – Matariki hätte das wahrscheinlich auf freundliche Geister geschoben, die immer wieder gern dafür sorgten, dass Parihaka sich in besonderer Schönheit präsentierte. Die Reiter kamen von den Hügeln herunter auf das Dorf zu und sahen es in der Ebene vor sich liegen, über ihm ragte der majestätische Vulkan auf, dahinter sahen sie die im Mond- und Sternenlicht glitzernde Tasmansee. Parihaka war immer wieder ein beeindruckender Anblick – viele seiner Bewohner hatten sich auf Anhieb in den Ort verliebt. Dobbins und seine Studenten bemerkten jedoch nicht in erster Linie die Schönheit seiner Lage, sondern starrten verblüfft auf die Straßenbeleuchtung der Hauptwege im Dorf.

»Donnerwetter!«, wunderte sich Dobbins. »Der Ort ist ja fortschrittlicher als die halbe Südinsel. Und es scheint auch noch jemand wach zu sein. Wie war das noch? Es gibt jeden Abend ein Fest?«

Nach wie vor gab es keine feste Einzäunung rund um Parihaka, es sollte ein offenes Dorf sein, keine Festung. Atamarie öffnete also einfach das leichte Holztor und ließ ihre Gäste ein. Gleich auf dem ersten Versammlungsplatz brannten auch noch Feuer, und ein paar Nachtschwärmer saßen zusammen. Sie begrüßten die Gäste, ohne größere Überraschung erkennen zu lassen. Eine Whiskeyflasche fand sich auch gleich.

»Setzt euch erst mal und nehmt einen Schluck, wir schauen, ob wir was zu essen auftreiben!«, meinte eine junge Frau vergnügt in fließendem Englisch. »In der Bäckerei müssten sie eigentlich schon arbeiten, damit es morgen frisches Brot gibt. Ganz sicher haben sie noch was von heute ...«

Etwas schwankend lief sie in Richtung der Wirtschaftsgebäude, während ihre Freunde den Neuankömmlingen Platz am Feuer machten.

Kurze Zeit später erschien dann ein deutlich nüchterneres, aber ebenso erfreutes Begrüßungskomitee, darunter Atamaries Mutter. Matariki Parekura Turei war eine schlanke, nicht sehr große Frau mit langem, welligem schwarzem Haar, das sie nach Maori-Art offen trug. Sie hatte große hellbraune Augen, die oft fast golden schimmerten und der hellen Hautfarbe der Halb-Maori zu besonderem Glanz verhalfen.

»Ach, das ist schön, dich wieder mal zu Hause zu haben, Atamie!«, freute sich Matariki und zog Atamarie nach *pakeha*-Art in die Arme, bevor sie nach Maori-Tradition Stirn und Nase an die ihre legte und den *hongi* mit ihr tauschte. »Kupe ist wieder mal in Wellington, und ich fühle mich einsam. Warte, wir zeigen deinen Freunden gerade die neuen Gästehäuser, und dann kommst du mit zu mir.«

Das neue Parihaka bestand aus schmucklosen, schnell wieder aufgebauten Hütten, aber auch wieder aus mit kunstvollen Schnitzereien versehenen Versammlungshäusern. Für Gäste gab es moderne Wohnhäuser mit funktionalen Mehrbettzimmern und sogar fließendem Wasser.

»Sie lassen ein bisschen an Geist vermissen«, erklärte Matariki bedauernd. »Wir hätten eigentlich bevorzugt, unsere Gäste im Stil der alten Maori in Gemeinschaftshäusern unterzubringen. Aber die meisten bevorzugen Komfort vor Tradition ... Und es sind ja auch viele *pakeha*. Wir möchten nicht, dass sie meinen, wir könnten mit moderner Technik nichts anfangen.«

Professor Dobbins und seine Studenten konnten auf den Segen der Geister verzichten. Sie versicherten Matariki, während der ganzen Reise nicht so bequem genächtigt zu haben.

»Bleiben Sie ruhig so lange, wie Sie mögen!«, lud Matariki sie ein. »Das Land können Sie auch von hier aus vermessen, ist doch egal, ob Sie im Osten anfangen oder im Westen. Am besten machen Sie's vom Wetter abhängig: Wenn es gut aussieht, bleiben Sie ein paar Tage im Wald, und wenn es eher schlecht ist, schlafen Sie hier. Morgen Abend würden wir Sie aber auf jeden Fall gern zum traditionellen *hangi*-Fest begrüßen. Wir nutzen die Vulkanaktivität für unsere Öfen, das wird Sie vielleicht auch als Techniker interessieren.«

Atamarie war sich sicher, dass zumindest Richard dazu gleich zehn Verbesserungsmöglichkeiten einfallen würden, aber an diesem Abend war jeder der Expeditionsmitglieder zu müde, um an etwas anderes zu denken als Schlaf. Atamarie rollte sich zufrieden auf ihrer Matte im Haus ihrer Eltern zusammen. Matariki und Kupe begeisterten sich zwar für Maori-Traditionen, hatten allerdings beide *pakeha*-Erziehung genossen. Gemeinsame Übernachtungen mit dem ganzen Stamm im Versammlungshaus hatten keinen Reiz für sie, sie bevorzugten ein bisschen Privatsphäre. Daher bewohnten sie ein eigenes kleines Blockhaus nahe der Schule, das wunderschön im Maori-Stil mit Schnitzereien verziert war.

»Geht es denn gut, bisher?«, fragte Matariki nur noch kurz, bevor sie ihre Tochter ins Bett schickte. »Diese Exkursion ... kommst du zurecht mit all den jungen Männern?«

Atamarie lächelte ihre Mutter glücklich an. »Wunderbar«, seufzte sie. »Es ist der schönste Ritt ... also der schönste Ausflug, den ich je gemacht habe!« Sie gähnte.

Matariki erwiderte das Lächeln nachsichtig, wunderte sich allerdings ein bisschen. Drei Tage Regen, und ihre eher wenig naturverbundene Tochter sprach vom schönsten Ausflug ihres Lebens? Sie beschloss, sich die anderen Expeditionsteilnehmer am kommenden Morgen genauer anzusehen. Offensichtlich war einer darunter, der für Atamarie die Sonne aufgehen ließ ...

Die Leute von Parihaka stellten Dobbins und seinen Studenten bereitwillig Führer in das Gebiet des künftigen Nationalparks. Wie der Professor schon in Christchurch gesagt hatte, unterstützten die Maori das Projekt.

»Hier brauchen Sie sich auch keine Gedanken über wild gewordene Farmer zu machen, wenn Sie mal einen Quadratmeter Feld einbeziehen«, erklärte Matariki. »Alles Land zwischen Vulkan und Parihaka gehört uns – das hat uns sogar die Regierung unter Seddon großzügig zugestanden. Sprich, es ist weit weniger fruchtbar als das Land zwischen Dorf und Meer. Das gehört jetzt zum Teil weißen Farmern. Früher haben wir es ebenfalls bearbeitet, aber heute wohnen ja auch nicht mehr ganz so viele Leute hier.«

Letzteres klang etwas traurig, aber Dobbins versicherte Matariki, dass Parihaka immer noch etwas ganz Besonderes sei. Er war äußerst beeindruckt von den Läden, der Bank und der Bäckerei – die Studenten kauften bereits Andenken für ihre Familien zu Hause. Atamarie freute sich, als ihre Mutter den Besuchern für den Abend ein traditionelles *powhiri* ankündigte, eine Begrüßungszeremonie für willkommene Stämme.

»Kann ich wohl mittanzen?«, fragte sie Matariki, bevor sie sich auf ihr Pferd schwang.

Atamarie war ganz professionell ausgestattet mit Fernrohr, Karten und Vermessungsstäben, trug wieder ihr altes Reitkleid, hatte ihr Haar geflochten und suchte Regenschutz unter einem breitkrempigen, ledernen Hut. Matariki wunderte sich erneut.

Natürlich hatte ihre Tochter gelernt, einen *haka* zu tanzen, und war als kleines Mädchen auch begeistert mit den anderen herumgesprungen. In den letzten Jahren riss sie sich aber eigentlich nicht um den Auftritt im traditionellen *piu-piu*-Röckchen mit knappem Oberteil aus Hanf und flirrenden *poi-poi*-Bällen. Ein erneutes Indiz dafür, dass sie sich für einen der jungen Männer in der Gruppe interessierte. Aber bisher konnte Matariki nicht erkennen, dass einer der Expeditionsteilnehmer ihre Tochter mit glühenden Blicken verfolgte. Zuvor beim Frühstück hatte Atamarie mit dem Professor und dessen offenbar liebstem Schüler zusammengesessen, einem schmalen jungen Mann mit dicken braunen Locken. Aber geflirtet hatte sie nicht mit ihm. Matariki war gespannt, wie sich der Abend gestalten würde.

»Natürlich kannst du mitmachen«, meinte sie gutmütig. »Ich schau mal, ob ich ein Tanzkleid für dich finde. Aber nicht, dass du dich wieder beklagst, wenn du darin frierst!«

Das Wetter blieb an diesem Tag klar, und die Studenten erkundeten fasziniert den Regenwald. Die Vegetationszonen am Fuß des Vulkans wechselten erstaunlich plötzlich – eben befand man sich noch in einer lichten Landschaft mit Feldern und Wiesen, gelegentlich einer Gruppe von Nadelbäumen, die ganz europäisch wirkte, und dann betrat man ein märchenhaftes Halbdunkel, beherrscht von baumhohen Farnen, Schlingpflanzen und Flechten.

»Würd mich nicht wundern, wenn hier eine Schlange rumhängt«, scherzte einer der Studenten und sah zu einem der gewaltigen Kamahi-Bäume auf, deren Luftwurzeln bizarre Formationen bildeten. »Oder Affen ... wie im Dschungelbuch.«

Ihr Führer lächelte nachsichtig. »Mr. Kipling beschreibt den Dschungel in Indien«, bewies er Bildung. »Aber hier ist die Vegetation gänzlich anders, viele Gewächse in Aotearoa sind endemisch. Wie zum Beispiel der Rimu. Er braucht dringend

Schutz, die *pakeha* haben viele Bäume gefällt für ihre Häuser und Möbel. Früher gab es ganze Wälder davon, und die einzelnen Bäume konnten Hunderte von Jahren alt werden.« Er zeigte auf einen der gerade gewachsenen hohen Bäume mit seinen recht breiten Nadeln. »Und mit Schlangen oder Affen brauchen Sie auch nicht zu rechnen, hier gibt es nur Vögel und Insekten ... ach ja, und eine Schneckenart.« Er erschlug eine Mücke.

Professor Dobbins dozierte, dass der Gipfel des Taranaki einer der symmetrischsten der Welt sei und wie man diese sehr spezielle Landmarke bei der Vermessung nutzen könnte. Atamarie und ihre Kommilitonen kletterten auf Hügel, bezeichneten Landmarken und trugen sie in Karten ein. Leider sah die junge Frau dabei nicht viel von Richard. Der ging hauptsächlich dem Professor zur Hand und sammelte die Resultate der einzelnen Gruppen. Atamarie arbeitete gemeinsam mit einem ziemlich eingebildeten jungen Mann aus dem dritten Jahr. Porter McDougal nahm das Mädchen an seiner Seite erst zur Kenntnis, nachdem Atamarie ihm einen groben Fehler nachwies. Danach betrachtete er sie wie ein lästiges Insekt, ließ aber immerhin zu, dass sie ihren Teil an der Arbeit tat. Im Laufe des Tages überließ er ihr auch gern die schwierigeren, mit Aufstiegen und Durchqueren dichten Buschwerks verbundenen Aufgaben. Im Wald behagte es ihm erkennbar nicht, wahrscheinlich war er bislang kaum aus Christchurch herausgekommen.

»Morgen steigen wir höher, da ist die Vegetation nicht so dicht«, tröstete ihn Atamarie, als sie schließlich zurück nach Parihaka ritten: das Mädchen schmutzig, mit Rissen im Kleid und zerkratzten Fingern von den teilweise stacheligen Pflanzen, der junge Mann wie aus dem Ei gepellt. »Mehr Büsche und Gras. Aber die Hänge sind teilweise noch steiler.«

»Wir erwarten dann auch etwas mehr sportlichen Einsatz

von Ihnen, Mr. McDougal«, bemerkte der Professor, der die Unterschiede in Atamaries und Porters Aufzug natürlich bemerkte. »Und nun tun Sie mal nicht so, als wären Sie jetzt schon komplett erschöpft. Nehmen Sie sich besser ein Beispiel an der jungen Dame. Und wollen Sie nicht heute Abend sogar noch tanzen, Miss Turei?«

Atamarie freute sich über das Lob und war entsprechend euphorisch, als sie wieder in Parihaka eintrafen. Die Bewohner öffneten dort auch schon die ersten Erdöfen und die Siedlung war von aromatischem Duft erfüllt.

Matariki erwartete ihre Tochter mit dem traditionellen Tanzkleid. Sie beobachtete wohlgefällig, wie die junge Frau ihr Haar löste, es mit einem breiten Stirnband in den Farben von Parihaka zurückhielt und in das freizügige Kostüm schlüpfte.

»Wem der Herren möchtest du denn jetzt imponieren?«, erkundigte sie sich beiläufig und fühlte sich bestätigt, als Atamarie, ganz gegen ihre sonstigen Gewohnheiten, rot anlief.

Dann berichtete sie aber freiheraus. Sie hatte nie große Geheimnisse vor Matariki gehabt, und für die Halb-Maori war es selbstverständlich, dass ihre Tochter sexuelle Erfahrungen machte.

»Ich kann wunderbar mit ihm reden! Er hat genau die gleichen Wünsche und Berufsvorstellungen wie ich. Er ist Erfinder, Mommy! Ich könnte ihm helfen, wir könnten zusammen arbeiten …«

Matariki lachte. »Also dein Geschenk der Götter. Aber wo ist das Problem?«

Atamarie seufzte. »Bis jetzt hat er nicht einmal versucht, mich zu küssen. Er hält Abstand, er … Ich fürchte, er interessiert sich nicht für mich.«

Matariki schmunzelte. »Kind, du bist hier nicht auf dem Neujahrsfest in Parihaka, sondern auf einer wissenschaftlichen Expedition. Da ist Händchenhalten nicht erwünscht. Es ist ganz richtig von dem jungen Mann, sich zurückzuhalten. Vielleicht wartet er einfach, bis dies hier zu Ende ist.«

Atamarie nagte an ihrer Unterlippe. »Schon …«, räumte sie ein. »Das hab ich mir natürlich auch bereits überlegt. Es ist nur … also er … irgendwie … er guckt mich nicht richtig an.«

Matariki runzelte die Stirn. Sie würde sich den jungen Mann an diesem Abend wirklich genauer ansehen müssen.

Eine *powhiri*-Zeremonie war eine gewichtige Angelegenheit, die mehrere Stunden dauern konnte. Diesmal zog sie sich allerdings nicht ganz so lange hin, weil die Besucher nicht viel dazu beizutragen hatten. Während sonst beide Seiten tanzten und beteten, zeigten an diesem Abend nur die Leute von Parihaka, was sie zu bieten hatten.

»*Powhiri* dient der Begrüßung, aber auch der Einschüchterung«, erklärte Matariki dem Professor und damit zwangsläufig auch Richard. Sie hatte zwischen den beiden Männern Platz genommen. »Man heißt die Besucher, die ja meistens nicht einzeln, sondern als ganzer Stamm mit bis zu den Zähnen bewaffneten Kriegern eintreffen, willkommen, aber man zeigt ihnen auch, was man selbst an Waffentechnik und Verteidigungsbereitschaft zu bieten hat.« Sie wies lächelnd auf die jungen Männer, die eben einen martialischen *haka* aufführten, in dessen Verlauf sie mit den Speeren auf den Boden stampften, Scheinangriffe durchführten und den Gegnern Grimassen schnitten.

»Kenn ich vom Rugby«, bemerkte einer der Dunediner Studenten, und Matariki lachte.

»Ja, das ist eine schöne neue Sitte, ein Beweis für Te Whitis These, dass Maori und *pakeha* einander etwas zu bieten haben: Wir haben von den Engländern das Rugby-Spiel gelernt und sie von uns den *haka*, um die gegnerische Mannschaft einzuschüchtern.«

Schließlich folgte die Begrüßung durch die älteste Priesterin, die mit einem kehligen Schrei, dem *karanga*, ein spirituelles Band zwischen Himmel und Erde, Gastgebern und Gästen knüpfte.

»Ab jetzt wird's friedlich«, kommentierte Matariki, und tatsächlich traten nun die jungen Mädchen auf, um den *haka powhiri* zu tanzen. Matariki hielt ein Auge auf ihre Tochter, die trotz fehlender Übung und der strapaziösen Exkursion an diesem Tag recht gut mithielt. Die Flügel der Liebe … Matariki lächelte, wandte ihre Aufmerksamkeit dann aber Richard zu. Und stellte schnell fest, was Atamarie mit ihrer seltsamen Bemerkung gemeint hatte.

Richard Pearse sah dem Tanz mit Interesse und auch Wohlgefallen zu. Er hatte zuvor erzählt, dass er aus einer sehr musikalischen Familie käme, und ganz offensichtlich genoss er den Abend und die fremden Weisen. Aber seine Augen leuchteten nicht auf, wenn sein Blick Atamarie streifte. Matariki erkannte keine Lüsternheit wie in den Augen einiger anderer Studenten, jedoch auch keine Anbetung. Bis jetzt war Richard Pearse nicht erkennbar verliebt in Atamarie.

Aber das konnte ja noch kommen. Matariki war optimistisch, auch bei ihr hatte es lange gedauert, bis aus ihrer ersten freundschaftlichen Sympathie für ihren Mann Kupe Liebe wurde. Und seit ihrer ersten katastrophalen Verliebtheit in Colin Coltrane hielt sie sehr viel davon, sich in Liebesdingen nicht nur von sexueller Anziehung, sondern eher von gleichen Interessen und gleicher Gesinnung leiten zu lassen. Das jedenfalls schien bei Atamarie und Richard gegeben. Matariki lächelte den beiden zu, als Atamarie kurz darauf, noch erhitzt vom Tanz, zu der Studentengruppe stieß und sich neben Richard niederließ. Sie hatte sich nicht umgezogen und würde zweifellos bald erbärmlich frieren. Matariki beschloss, ihr später eine Decke zu holen. Aber das übernahm dann gleich Richard.

»Sie haben wunderschön getanzt, Miss Atamarie!«, erklärte er mit seiner freundlichen Tenorstimme. »Und dabei wirklich wie eine Maori ausgesehen, sonst kommen Sie ja eher nach dem *pakeha*-Anteil Ihrer Familie mit Ihrem blonden Haar.«

Atamarie nickte und freute sich. Immerhin hatte er gemerkt, dass sie blond war. Ein Fortschritt! Gleich darauf schüttelte sie allerdings den Kopf über sich selbst. Sie verlor schon genauso den Verstand, wenn Richard in ihrer Nähe war, wie Roberta bei Kevin Drury. Richard ritt seit Tagen neben ihr her. Ihre Haarfarbe konnte ihm nicht entgangen sein.

»Aber Sie müssen jetzt frieren, Miss Atamarie. Gestatten Sie, dass ich Ihnen eine Decke hole.«

Richard stand beflissen auf, und Atamarie sagte sich, dass dies nun wirklich ein Fortschritt war. Nur zu dumm, dass sie ihm jetzt wieder ihre Reize verhüllen musste. Sie ließ die Decke lasziv über ihre Schultern gleiten, während sie von dem *hangi* nahm, das in den gleichnamigen Öfen zubereitet worden war und eben auf großen Blättern aufgetragen wurde.

»Es schmeckt immer wieder wunderbar«, meinte sie und leckte sich die Lippen.

In den Romanen, die Roberta las, sollte auch diese Geste aufreizend wirken. Richard zeigte allerdings keine besondere Reaktion, sondern widmete sich eher der Technik der Erdöfen.

»Es schmeckt hervorragend. Aber es ist doch sehr mühsam, immer erst diese Gruben zu graben. An sich müsste es möglich sein, die Erdwärme auch an die Oberfläche zu holen. Man bräuchte so eine Art Wärmepumpe …«

Atamarie gab es schließlich auf, ihm imponieren zu wollen, und widmete sich dem Vertilgen riesiger Mengen Fleisch und Gemüse. Nach dem langen Tag war sie hungrig wie ein Wolf.

Die anderen Maori-Mädchen und -Jungen begannen inzwischen, die traditionellen Instrumente der Maori an die Feuer zu holen und Musik zu machen.

Richard beobachtete fasziniert die verschiedenen Flöten und griff schließlich nach einer Tumutumu, einer Art Streichinstrument, dem er sogar ein paar recht annehmbare Töne entlockte. Atamarie nahm sich eine Nguru und spielte eine Melodie dazu.

»Das ist ja hübsch!«, lächelte Richard. »Man spielt die Flöte wirklich mit der Nase?«

Atamarie nickte. »Und ich finde immer, man sieht unglaublich beschränkt dabei aus«, erklärte sie provozierend.

Zum Essen hatte sie Bier getrunken, und die Whiskeyflasche kreiste auch schon wieder. Atamaries Hemmungen schwanden, wenn schon nicht die von Richard.

Dann jedoch sorgte der junge Mann für eine Überraschung.

»Sie können gar nicht beschränkt aussehen, Miss Atamarie. Ich glaube, Sie sind einer der klügsten Menschen, die ich je getroffen habe. Aber haben Sie mal überlegt, ob sich die Klangfarbe der Flöte nicht verändert und das Spiel ein bisschen einfacher wird, wenn man die Grifflöcher etwas weiter auseinanderlegen oder wenn man das Ding gar mit einem Kernspalt versehen würde?«

Matariki, die eben wieder zu der Gruppe kam, bemerkte zu ihrer Verblüffung, dass Richard Pearse' Augen endlich leuchteten. In seinem Blick standen die lang vermissten Sterne, als er Atamarie beim Blasen der Nguru und dann auch der komplizierteren Putorino beobachtete.

»Komisch«, bemerkte sie einer Freundin gegenüber, der sie eben von Atamaries offenbar unerwiderter Schwärmerei erzählt hatte. »Und dabei fand ich bis jetzt immer, beim Hineinpusten in diese Flöten sähe man ungeheuer beschränkt aus ...«

KAPITEL 9

Richard Pearse zeigte an diesem Abend zwar mehr Begeisterung für Atamarie, er blieb jedoch Gentleman. Mehr Zärtlichkeiten als leichte Berührungen ihrer Finger oder ihrer Schulter, bei denen Atamarie nicht sicher war, ob sie ihn ebenso elektrisierten wie sie selbst, rang er sich nicht ab. Andere Studenten waren weniger zurückhaltend. Aufgefordert von den freizügigen Maori-Mädchen, die sich nach dem Tanz zu ihnen gesellten, verschwanden sie mit Atamaries Freundinnen in den Feldern oder Hügeln rund um Parihaka.

Am Morgen zog dies eine scharfe Rüge des Professors nach sich, obwohl es im Dorf selbst offensichtlich niemanden störte. »Es geht nicht, dass Sie die Gastfreundschaft dieser Leute derart missbrauchen!«, schimpfte Dobbins. »Und überhaupt sind wir nicht zum Vergnügen hier! Es ist neun Uhr, meine Herren, und Sie kommen gerade erst aus den Federn! Um diese Zeit wollte ich schon halb auf dem Mount Taranaki sein!«

»Aber sie waren doch gar nicht in den Federn, sondern in den Feldern«, kicherte Atamarie. »Das nennt man Feldforschung.«

Sie war aufgekratzt, nachdem sie während des ganzen Frühstücks mit den Mädchen zusammengesessen und auf Maori gründlich geklatscht hatte. Danach wusste sie mehr über die intimsten Geheimnisse ihrer Kommilitonen als wahrscheinlich deren Mütter, und überlegte, als sie auf ihr Pferd stieg, wie sich diese Kenntnisse gegen ihren aufgeblasenen Arbeitspartner Porter verwenden ließen. Dann musste sie sich jedoch auf das Tier und die Wege konzentrieren. Diesmal ging es weiter hinauf, durch den Gürtel des Regenwaldes über tussockbewachsene Ebenen, die dann alpiner Vegetation wichen. Die Pferde mussten hier ganz schön klettern, und Atamarie war froh, dass ihre Mutter ihr eine kräftige kleine Cobstute geliehen hatte, Matarikis eigenes Pferd. Atamarie selbst war keine so passionierte Reiterin wie Matariki, aber sie kam gern rasch vorwärts, und ein Leihpferd wurde am Berg schnell müde.

Auch Porter schimpfte über seine Stute, die über keine besonders gute Kondition verfügte, versuchte aber nichtsdestotrotz, sie auf jeden Hügel hinaufzutreiben, den Atamarie viel schneller zu Fuß erklettert hätte, um von dort aus Vermessungen vorzunehmen.

»Wer weiß, was hier im Gebüsch sitzt«, meinte er übel gelaunt, als sie ihm das vorhielt.

Atamarie kicherte. »Also in dem Gebüsch, in dem Sie heute Nacht mit Pai waren, haben Sie sich nicht so gefürchtet. Und da wird es viel gefährlicher gewesen sein. Die meisten Tiere hier sind nämlich nachtaktiv. Haben Sie eigentlich mehr Angst vor Vögeln oder vor Schnecken?«

Porter sah schließlich ein, dass ihm nichts anderes übrig blieb, als zu klettern, die Landschaft wurde jetzt auch sehr viel schroffer. Atamarie betrachtete fasziniert Fels- und Lavaformationen, die in ihren Karten als Humphries Castle, Lion Rock oder Warwick Castle verzeichnet waren. Zum Teil boten sie wunderschöne Ausblicke aufs Meer oder auf die Flusslandschaft weiter unten.

»Die Götter sind uns wohlgesinnt«, alberte Atamarie herum, als sie Richard und dem Professor erste Ergebnisse brachte. »So ein klares Wetter um diese Jahreszeit!«

»Aber es ist kalt«, nörgelte Porter.

Der Professor sah ihn strafend an. »Wir sind auf einem Berg, Mr. McDougal«, bemerkte er. »Da ist es meistens kalt, Sie sollten sich mit Klimazonen noch einmal ausdrücklich befassen, ich werde in Ihrer Abschlussprüfung darauf zurückkommen. Jetzt machen Sie erst mal weiter, aber vorsichtig, die Hänge sind ganz schön steil, und es gibt Abgründe, wie unser Führer mich warnte. Nehmen Sie ihn im Zweifelsfall mit – oder nein, er ist schon mit einer anderen Gruppe unterwegs. Also aufpassen.«

Richard Pearse lächelte Atamarie aufmunternd zu. »Sie fallen schon nirgendwo hinunter, Miss Atamarie«, meinte er gelassen. »So elegant, wie Sie sich bewegen …«

Atamarie strahlte über das Kompliment, während der Professor die Stirn runzelte. Er schien zu überlegen, ob er den Flirtversuch tadeln sollte, überlegte es sich dann aber anders.

»Sie könnten eigentlich auch ein bisschen klettern, Richard«, forderte er seinen Lieblingsstudenten auf. »Machen Sie sich mal selbst ein Bild von der Landschaft, nicht dass da Fehler passieren, und wir tragen die brav in unsere Karten ein. Ich würde ja auch gehen, aber Bergsteigen ist für mich nun wirklich zu anstrengend. Während Sie … vielleicht begleiten Sie Miss Turei ja sogar ganz gern …«

Atamarie lächelte glücklich, während Richard leicht errötete. Dann fasste er sich aber und antwortete höflich wie gewohnt.

»Es ist doch wohl für jeden ein Vergnügen, Miss Atamarie zu begleiten – wohin auch immer. Also, Porter, schlagen wir uns um das Privileg, ihr vielleicht bei irgendeinem Aufstieg die Hand zu reichen …«

Porter McDougal sah nicht aus, als ob er das für ein Privileg hielte, folgte den beiden aber tapfer den nächsten Berg hinauf. Lion Rock, ein Felsen zwischen See und Berg und ideal, um alle Landmarken zu überschauen.

Porter McDougal interessierten sie wenig, er schaute lieber

übers Meer – der Ausblick vom Lion Rock über eine von pittoresk geformten Felsen begrenzte Bucht war hinreißend. Atamarie dachte kurz daran, dass dies wohl die ideale Kulisse für einen ersten Kuss wäre, aber Richard machte nur eine Notiz in einer der Karten und begann, seine Aufzeichnungen mit denen Atamaries zu vergleichen. Immerhin freute sie sich, dass er sie immer wieder nach den Namen der Berge und Flüsse auf Maori fragte und sie gewissenhaft eintrug, wenn Atamarie sie wusste. Richard mochte den Geist von Parihaka ebenso wenig spüren wie Atamarie, aber er konnte zuhören und hatte schon in der kurzen Zeit im Maori-Dorf begriffen, worauf es ihnen bei der Wahrung ihres Erbes ankam.

Dann sah Atamarie jedoch etwas, das sie zuerst an eine Luftspiegelung, dann an Geister denken ließ – bevor ihr das Blut in den Adern gefror. Auf einem Felsen gegenüber des Lion Rock erhob sich ein großes vogelartiges Wesen. Es wirkte statisch, flach, aber dennoch blitzte eine Art Gesicht auf, bevor es sich zu drehen und zu wenden begann. Es sah fast aus, als verbeuge es sich vor dem Himmel oder tanze einen *haka*. Und tatsächlich, Atamarie meinte fast, Wort- oder Liedfetzen zu vernehmen, die der Wind herübertrug. Und sie bildete es sich nicht ein, auch Richard hob lauschend den Kopf. Gerade rechtzeitig, um zu sehen, wie sich das Ding in Bewegung setzte und in offensichtlicher Selbstmordabsicht auf die Klippe zubewegte.

»Richard, sieh!«

Atamarie griff entsetzt Richards Arm – aber dann, als das Gebilde über die Klippe hinaussprang und gleich darauf vom Wind erfasst wurde, erkannte sie, worum es sich handelte: einen Drachen, einen überdimensionaler *manu* in traditioneller Form. Diese Drachen stellten eine Art Zwischending zwischen Mensch und Vogel dar, eine beliebte Version des Maori-Kites. Aber dieser hing nicht an Schnüren. Es gab niemanden, der ihn fliegen ließ …

»Ein Segelflugzeug!«, sagte Richard verblüfft. »Aber so kann es nicht funktionieren, es wird abstürzen. Die Flügelspannweite passt in den Dimensionen nicht zu …«

»Wäre aber gut, wenn es trotzdem flöge«, bemerkte Porter, der schon nach seinem Fernrohr gegriffen hatte. »Da hängt nämlich ein Mann dran!«

Atamarie sah es jetzt auch. Ein Windstoß nahm den Drachen auf und ließ ihn tatsächlich segeln. Der Mann hing an seinem Drachen wie ein Gekreuzigter – und womöglich hatte er sich sogar festgebunden.

»Er hebt ab!«, rief Atamarie, wider Willen fasziniert. »Es geht doch, er hebt ab … Er … ob er lenken kann?«

Richard schüttelte den Kopf. »Er kann nicht mal wirklich segeln. Die Flügel sind zu klein, und die Form ist nicht ideal. Für Kinderdrachen ist sie gut, aber sie trägt das Gewicht des Mannes nicht. Zumal, wenn er sich bewegt, dann gerät das Ding gleich ins Trudeln … Und die Startgeschwindigkeit …«

Atamarie hörte nicht hin – sie rannte schon den Berg hinunter, als sie sah, dass Richard Recht hatte. Der Drachen war gut gestartet, vielleicht dank eines günstigen Windstoßes, doch er hielt sich nicht in der Luft. Der Auftrieb reichte nicht – aber immerhin hatte ihn der günstige Start ein kleines Stück von der Klippe weggetrieben. Und auch jetzt fiel das Fluggerät nicht wie ein Stein, sondern trudelte – ganz wie Richard gesagt hatte. Mit sehr viel Glück konnte der Mann den Sturz ins Meer überleben.

Atamarie warf einen raschen Blick zurück auf Richard und Porter, die beide wie hypnotisiert auf den abstürzenden Flieger starrten.

»Was macht ihr denn? Kommt, wir müssen den Mann retten!«, rief sie den beiden zu.

Richard erwachte daraufhin aus seiner Starre und machte sich ebenfalls an den Abstieg.

Porter ließ es eher ruhig angehen. »Der ist sowieso tot, wenn er unten ankommt«, meinte er.

Atamarie tippte sich noch im Laufen an die Stirn. Woran sollte der Mann in der Luft wohl sterben? Gefährlich war nur der Aufprall aufs Wasser – und die Wellen in der Bucht. Sie rannte den Hang in gefährlichem Tempo hinunter, aber es musste schnell gehen. Wenn der Flieger wirklich an das Gestell gebunden war, würde er womöglich ertrinken, bevor er sich befreien konnte. Und selbst wenn er freikam – die Brandung konnte ihn gegen die Klippen schleudern. Gut, dass er wenigstens in Richtung Bucht abgehoben hatte, nicht aufs offene Meer. Die Felsen rundum würden den Wellengang dämpfen. Und vielleicht konnte man dem Mann helfen, indem man ihm ein Seil zuwarf oder etwas Ähnliches.

Die drei Studenten waren auf halber Höhe des Berges, als der trudelnde Drachen wirklich ins Wasser eintauchte. Relativ langsam, wie Atamarie vorausberechnet hatte. Der *birdman*, wie man diese vogelähnliche Drachenform auf Englisch nannte, tauchte mit dem Arm zuerst ein, wobei der Flügel abbrach. Atamarie fragte sich, aus welchem Material der Drachen hergestellt war. Der Konstrukteur hatte kaum die traditionelle Aute-Rinde verwendet. Aber dann konnte sie nur noch hilflos zusehen, wie er um sein Leben kämpfte, während sie selbst und die beiden anderen den Berg herunterrannten und über den felsigen Strand hetzten. Das Wegbrechen des Flügels hatte seinen linken Arm befreit, und nun versuchte er verzweifelt, die Seile zu lösen, die ihn an den Drachen fesselten. Der schwamm zumindest oben, das Material musste natürlich leicht sein, aber die Brandung spielte unbarmherzig damit und warf das große, sperrige Ding hin und her. Der darangebundene Mann tauchte dabei mal unter Wasser, mal kam er wieder in Sicht. Das sollte eigentlich reichen, um zwischendurch Luft zu holen, aber Atamarie sah nun nicht mehr, ob er sich rührte.

Richard befreite sich rasch von seiner Jacke, als die drei das Ufer erreichten. Keine direkte Steilküste, aber doch auch kein sanft abfallender Strand, mehr oder weniger hohe Felsen bildeten die Uferlinie.

»Ich kann gut schwimmen!«, keuchte Richard. »Ich hol ihn her. Aber dann müsst ihr uns helfen ...«

Ohne das zu präzisieren sprang er von einem der Felsen ins Wasser, aber Atamarie verstand auch ohne Erklärung, worum es ging. Ins Wasser hineinzukommen war einfach, aber herauszukommen war fast unmöglich, ohne Verletzungen zu riskieren. Ein Rettungsschwimmer, der einen anderen zog, hatte überhaupt keine Chance. Atamarie beobachtete prüfend die Küste, während Richard sich dem Verunglückten mit kräftigen Schwimmstößen näherte. Porter schaute ihm nur interessiert nach.

»Wir brauchen Seile!«, rief Atamarie ihn aus seinen Gedanken. »Wir müssen was tun! Nun machen Sie schon!«

Porter trug einen Rucksack mit Bergsteigerausrüstung. Nichts für wirklich alpines Klettern, aber doch eine Notfallausrüstung, falls mal jemand stürzte und gerettet werden musste oder zwei verwegene Landvermesser sich gegenseitig bei einem Aufstieg sichern wollten.

Jetzt wühlte Atamarie sich durch die Seile und Haken und zerrte sie aus dem Rucksack. Richard hatte den Drachen inzwischen erreicht. Das wurde auch Zeit. Der darangebundene Mann hatte aufgehört, mit dem Arm zu rudern und zu kämpfen. Er schien bewusstlos.

»Pearse muss ihn losschneiden«, erkannte Porter. »Hoffentlich hat er ein Messer ...«

Atamarie sah auf, aber sie war allenfalls flüchtig besorgt. Richard war ein Landkind, er würde kaum ohne Taschenmesser auf eine Campingtour gehen.

Und tatsächlich hing das Werkzeug in einer Ledertasche an

Richards Gürtel. Trotz des Seegangs zog er es mit einer Handbewegung heraus und schnitt den Verunglückten in Windeseile frei.

Atamarie sah erleichtert, dass er rasch das Siegeszeichen in ihre Richtung machte. Der Mann schien also am Leben. Richard zog ihn Richtung Ufer.

Atamarie hatte sich inzwischen für eine Vorgehensweise entschieden. Sie wies auf eine Uferstelle ein Stück weiter, eine winzige Bucht.

»Wir lassen sie nicht gegen einen Felsen schwimmen, das wird nichts«, erklärte sie Porter resolut. »Wir spannen ein Seil, an dem sie sich festhalten und ans Ufer hangeln können. Hier, zwischen diesen zwei Felsen, schlagen Sie hier einen Haken ein und da! Na los, Porter, sie sind in ein paar Minuten hier! Wenn ich es selbst mache, brauche ich Stunden!« Porter guckte skeptisch, aber Atamarie drückte ihm entschlossen den Hammer in die Hand. Und zum Glück war er, allem Phlegma zum Trotz, außerordentlich kräftig. Er fixierte den ersten Haken mit zwei Hammerschlägen an einem der Felsen. Atamarie brüllte ihn an, als er über den Platz für den zweiten diskutieren wollte. »Quatschen Sie nicht, hämmern Sie! Und wenn Sie sich auf den Felsvorsprung da stellen, fallen Sie dabei auch nicht ins Wasser!« Atamarie war kurz davor, aus der Haut zu fahren, als er langsam und bedächtig einen Fuß auf dem Felsvorsprung platzierte. »Herrgott, Porter, der Mann ist am Ertrinken!«, schrie sie. »Und Richard kann sich alle Knochen brechen, wenn er hier an den Felsen geschleudert wird. Also hauen Sie jetzt diesen verdammten Haken in den Fels, und dann spannen Sie ein Seil!«

Während Porter murrend arbeitete, schlang sich Atamarie das zweite Seil um die Hüfte. Es wäre besser gewesen, auch für die entscheidende Hilfestellung einen Mann anzustellen, Porter hatte viel mehr Kraft als sie. Aber sie konnte nicht riskieren, dass dieser eingebildete Dummkopf den Verletzten womöglich losließ! Also band sie das Ende des Seiles an dem Tau fest, das jetzt sicher zwischen den Felsen gespannt war. Es würde sie aufrecht im Meer halten, ein paar Yards vom felsigen Ufer entfernt. Schließlich befestigte Atamarie noch eine weitere Schlaufe für Richard, bevor sie ins Wasser glitt. Die Wellen zerrten an ihrem Rock, bereit, sie gegen das Ufer zu schleudern, aber das Seil hielt sie in sicherer Position.

Und Richard verstand auch sofort, was sie vorhatte. Er hielt den Bewusstlosen mit einem Arm fest, mit der anderen Hand fasste er behände nach der Schlinge und klammerte sich daran. Atamarie griff mit beiden Armen nach dem Verletzten – einem Maori-Jungen mit langem schwarzem Haar. Sie hielt ihn fest an sich gedrückt, bestimmt konnte sie ihn sichern, bis die Männer ihr halfen. Und nun hangelte sich tatsächlich auch Porter am Seil entlang und half Richard, sich hochzuziehen.

Richard atmete schwer, als er auf den Felsen fiel, aber er gönnte sich keine Pause. Stattdessen seilte er sich sofort ebenfalls an und glitt neben Atamarie wieder ins Wasser – während Porter argumentierte, man könnte das Mädchen und den Verletzten doch gleichzeitig hochziehen.

»Unmöglich«, keuchte Richard. Er war völlig außer Atem und am Ende seiner Kräfte. »Mensch, Porter, noch nie was von Auftrieb gehört? Archimedisches Prinzip! Atamarie kann den Mann im Wasser aufrecht halten, aber wenn du sie zusammen rausziehst, ist er zu schwer für sie. Zumal so nass, wie er ist, der glitscht ihr doch aus den Händen. Ich nehme ihn jetzt, und du hilfst dem Mädchen raus. Dann holt ihr beide uns.«

Ein paar anstrengende Minuten später lagen Richard und der Drachenflieger auf einem Felsen, Richard hustend und Wasser spuckend, der Junge bewegungslos.

»Ich sag's doch, er ist tot«, meinte Porter.

Atamarie war nah daran, ihn zu ohrfeigen. Dann drehte

sie den Maori-Jungen auf den Bauch und versuchte, ihm das Wasser aus den Lungen zu pumpen. Und tatsächlich begann er trotz ihrer eher ungeschickten Bewegungen zu würgen und Wasser zu spucken.

»Na also, wird doch!«, meinte Atamarie. »Maori sind ein Seefahrervolk, so schnell sind wir nicht umzubringen.«

»Na, viel hat da aber nicht mehr gefehlt«, brummte Richard. »Schütteln wir ihn noch ein bisschen, vielleicht kommt er dann zu sich. Ich denke, ihm fehlt sonst nichts, aber er kann sich natürlich irgendwo den Kopf gestoßen haben …«

Tatsächlich öffnete der Junge jetzt die Augen. Verwirrt blickte er in Atamaries von der Anstrengung gerötetes, aber vor Stolz strahlendes Gesicht und auf ihr nasses blondes Haar.

»Ha… Hawaiki?«, fragte er schwach.

Atamarie verdrehte die Augen. »Also, so einfach geht das nicht«, meinte sie dann. »Wenn ich meine Mutter da richtig verstanden hab, musst du zuerst ans Cape Reinga und dann ein Seil knüpfen und an diesem Pohutukawa-Baum befestigen, dich abseilen und … Oder nimmst du gleich wieder einen *manu?* Als Geist mag das gehen, da wiegt man ja nichts …«

Der junge Mann schien nicht recht zu wissen, ob er über Atamaries Spötterei lächeln oder Empörung über die Schmähung seines Glaubens äußern sollte.

»Er wollte nach Hawaii fliegen?«, fragte Porter. »Das nenne ich optimistisch! Bis Hawaii sind es doch Hunderte von Meilen. Lilienthal war schon ganz stolz, wenn er hundert Fuß schaffte.«

»Lilienthal flog fast tausend Fuß«, korrigierte Richard. »Durchaus auch mit so einem Gleiter. Aber mit gewölbten Tragflächen. Der Auftrieb ist dann …«

Der Maori-Junge lauschte verständnislos, Porter gänzlich desinteressiert.

»Hawaiki«, korrigierte Atamarie. Für sie war die Theorie der Lilienthal'schen Fluggeräte nichts Neues. »Das ist für Maori so was wie das Paradies. Aber es ist ganz schön aufwendig für die Seelen der Verstorbenen, sich dahin durchzuschlagen. Sie müssen erst bis in den Norden wandern, sich dann in einen Abgrund abseilen ... Jedenfalls hat er gedacht, er sei tot ...«

»Rawiri«, sagte der Junge jetzt und deutete auf sich. »Und du ...«

Atamarie lächelte ihm zu. Und erinnerte sich an jenen Tag des Matariki-Festes, als sie mit einem Jungen gemeinsam seinen Drachen hatte fliegen lassen. Rawiris Kindergesicht stand ihr deutlich vor Augen. Er war für einen Maori schon damals sehr schlank und hochgewachsen gewesen. Seine großen dunklen Augen hatten geleuchtet und waren von langen Wimpern umschattet gewesen – wie heute immer noch. Rawiri hatte einen sanften Ausdruck, man konnte sich kaum vorstellen, dass er mit anderen jungen Männern Kriegs-*haka* tanzte oder Rugby spielte. Tätowiert war er nicht, sein Gesicht beherrschten keine martialischen *moko*, sondern volle, weiche Lippen.

»Du wolltest damals schon fliegen!«, lachte sie. »Und ich auch. Erinnerst du dich? Und ... war das der erste Versuch?«

»Könnt ihr vielleicht mal verständlich reden?«, maulte Porter.

Atamarie und Rawiri hatten ihre Kommunikation zwar auf Englisch begonnen, die letzten Sätze aber auf Maori getauscht.

Rawiri bemühte sich jetzt, sich aufzurichten. »Verzeihung«, sagte er. Wie alle, die in Parihaka aufwuchsen, sprach er beide Sprachen fließend. »Ihr ... ihr habt mich gerettet. Danke. Aber wo ... wo ist der *manu*?«

»Der Drachen«, übersetzte Atamarie.

Richard wies aufs Meer hinaus. »Den konnte ich nicht auch noch retten«, meinte er. »Hätte sich aber sowieso nicht gelohnt. In der Form trägt er dich nicht, du musst dich mehr an Vögeln orientieren als an Götterstatuen.« Richard erinnerte sich daran, die Gestalt des *birdman* in den Versammlungshäusern in Parihaka gesehen zu haben. »Und inzwischen bevorzugt man auch Doppeldecker, jedenfalls bei den Seglern ...«

»Aber die Götter ...«, seufzte Rawiri. »Der *manu* war den Göttern der Luft geweiht. Er sollte nicht im Meer versinken, er ...«

»Dann hätten die Götter der Luft besser darauf aufpassen müssen«, meinte Atamarie respektlos. »Womit war er eigentlich bespannt?«

»Mit Segeltuch«, gab Rawiri Auskunft und schaute noch trauriger drein als zuvor schon. »Und es war ziemlich teuer ...«

»Und schwer«, kommentierte Richard. »Völlig ungeeignet, vor allem bei Regen. Lilienthal nahm schließlich Schirting, das ist ein gewachster Baumwollstoff, der ...«

»Vielleicht wird das Ding ja angeschwemmt«, überlegte Atamarie mit Blick auf die Bucht. Das Argument mit den Kosten leuchtete ihr ein. »Ist eigentlich recht wahrscheinlich, und wenn die Windrichtung so bleibt wie jetzt, dann müsste er ...« Sie fokussierte die Küste.

»Ich hätte Aute-Rinde nehmen sollen oder Raupo-Blätter. Sie streicheln das Gesicht des Himmelsgottes ... Diese *pakeha*-Materialien – wahrscheinlich mögen es die Götter nicht, für sie zu singen.«

»Singen?«, fragte Richard verwirrt.

»Die Götter lenken ihre *manu* durch *karakia*, Gesänge und Gebete«, informierte ihn Rawiri.

Atamarie seufzte. »Materialmäßig scheinen sie da aber keine großen Unterschiede zu machen. Meine Vorfahren kamen jedenfalls mit der *Elizabeth Campbell* nach Aotearoa, und das war ein Segelschiff. Grundsätzliche Bedenken gegen Segeltuch bestehen bei den Göttern also sicher nicht, sonst wären die ganzen *pakeha* sonst wo gelandet ...«

Richard, den das Gerede über Götter nicht interessierte, hatte inzwischen bereits die Seilkonstruktionen abgebaut und das Material wieder ordentlich in Porters Rucksack verstaut. Und Porter wurde es jetzt auch zu bunt mit der Maori-Mythologie.

»Verdammt, ist das kalt«, äußerte er. »Friert ihr eigentlich nicht?«

Atamarie kam erst jetzt wieder zu Bewusstsein, dass ihr Kleid völlig durchnässt war. Über die Anstrengung der Wiederbelebung und der Aufregung über Rawiris Rettung hatte sie die Kälte ganz vergessen, aber jetzt wurde sie ihr wieder bewusst.

»Stimmt, wir sollten schleunigst zusehen, dass wir ins Lager kommen. Vielleicht hat der Professor sogar trockene Sachen im Wagen. Für euch jedenfalls ...« Sie warf den jungen Männern einen neidischen Blick zu. Ein Ersatzkleid für seine einzige Studentin schleppte Dobbins ganz sicher nicht mit sich herum.

»Kannst du aufstehen?« Sie wandte sich an Rawiri.

Der nickte. Es war wirklich glimpflich für ihn ausgegangen, abgesehen von ein paar Prellungen und Kratzern, die er wohl dem verzweifelten Kampf mit dem Gestell seines erst trudelnden Drachens verdankte, war nichts passiert.

Rawiri war auch schon fast wieder trocken. Trotz der Kälte hatte er sich für den Flug nur in den traditionellen Maori-Kilt aus gehärteten Flachsfasern gekleidet. Sein Oberkörper war frei, und Atamarie registrierte, dass er über beeindruckende Muskeln verfügte, obwohl er schlank und sehnig war. Richard imponierte ihr da allerdings noch mehr. Er hatte sein nasses Hemd inzwischen ausgezogen und ließ breite Schultern und starke Brustmuskeln sehen. Wahrscheinlich hatte er im Sommer auf der Farm seiner Eltern gearbeitet. Dafür sprach auch die Sonnenbräune.

Atamarie blickte verschämt zu Boden, als er sich ihr zuwandte – hoffentlich hatte er ihre interessierten Blicke nicht bemerkt!

Aber Richard wollte nur höflich sein wie immer. »Du musst frieren, Atamarie … hier, nimm meine Jacke.« Das war rührend, Richards Jacke war das einzige noch trockene Kleidungsstück, Porter hatte nicht daran gedacht, die seine vor dem Rettungsversuch auszuziehen. Richard hätte sich jetzt vor der Kälte schützen können. Atamarie sah die Gänsehaut auf seinen Armen. »Oh, Verzeihung, jetzt habe ich dich gedutzt, aber …« Atamarie lächelte. »Ich dich vorhin auch. Lass uns dabei bleiben. Komm!«

Sie hielt Richard geziert die Hand hin, damit er ihr aufhalf – schließlich kniete sie immer noch neben Rawiri. Dann hüllte sie sich zufrieden in seine Jacke.

Ein paar Stunden später saßen beide am Feuer in Parihaka und ließen sich Fisch und Süßkartoffeln schmecken. Dazu gab es diesmal heißen Tee. Rawiri und seinen Rettern wollte einfach nicht wieder warm werden, der Rückweg in den nassen Kleidern hatte sich endlos hingezogen. Natürlich hatte es auch schon am Taranaki ein Lagerfeuer gegeben, an dem sie versucht hatten, sich halbwegs zu trocknen. Aber was bei den Denimhosen der Männer schon schwierig war, erwies sich bei Atamaries Röcken als gänzlich hoffnungslos. Schließlich entschieden sie sich für einen raschen Heimritt, aber natürlich war Atamarie völlig durchgefroren, als sie sich endlich umziehen konnte. Immerhin erwies sich Porter McDougal zum ersten Mal an diesem Tag als echte Hilfe: Er fand noch eine Flasche besten Whiskeys in seinem Gepäck und füllte ihn unerwartet freigebig in die Teebecher seiner Kommilitonen.

Richard und Atamarie ließen als Gegenleistung unkommentiert, dass er sich vor den Studenten und Maori-Mädchen als Held des Tages präsentierte. Seinen Berichten zufolge hatte er Rawiri fast im Alleingang gerettet.

Rawiri trug jetzt *pakeha*-Kleidung, die erheblich besser

wärmte, und saß neben Atamarie und Richard. Fasziniert lauschte er ihrer Unterhaltung – während Matariki belustigt feststellte, dass ihre Tochter ihrem Ziel wohl näher rückte. An diesem Abend war dieses Leuchten in Richard Pearse' Augen, auf das ihre Tochter in den letzten Tagen gewartet hatte. Überhaupt schienen Sterne zwischen den beiden im Raum zu stehen, auch Atamarie strahlte vor Glück, und schließlich hielten sich die zwei sogar an den Händen und wanderten über die umliegenden Hügel.

»Ich finde die Gesprächsthemen nur ein bisschen ungewöhnlich«, meinte Matarikis Freundin Emere. »Ich wollte ja nicht lauschen, aber als ich vorhin vorbeiging, redeten sie über die Systematik der Flugtechnik, was immer das ist, und dass die physikalischen Grundlagen des Fliegens nach Lilienthal eigentlich auch motorbetriebene Fluggeräte zulassen müssten. Also, für mich klingt das nicht nach Schmetterlingen im Bauch.«

Matariki lachte. »Atamarie hat Schmetterlinge immer nur unter dem Gesichtspunkt der Flügelform betrachtet …«, bemerkte sie. »So gesehen ist der junge Mann doch ein Seelenverwandter.«

Atamarie und Richard wanderten derweil beseelt über die mondbeschienenen Hügel rund um Parihaka und sprachen darüber, ob man beim Hinunterrennen dieser Erhebungen einen ausreichenden Bodenanstellwinkel der Tragflächen eines Gleitfliegers erreichen könnte, ob sich Lilienthals Sturz am Gollenberg hätte verhindern lassen, indem man die Thermische Ablösung geschickter ausgesteuert hätte, und ob man größere Flugdistanzen wirklich nur mittels erhöhten Anstellwinkels und damit verringerter Geschwindigkeit erreichen könnte.

Als Richard die junge Frau schließlich vor dem Haus ihrer Eltern verließ, drückte er einen schüchternen Gute-Nacht-Kuss auf ihre Wange.

»Du bist das wundervollste Mädchen, das ich je getroffen habe«, flüsterte er. »Du … du … ich hätte nie gedacht, dass jemand die Gedanken und Gefühle eines anderen derart teilen kann … Atamarie …«

Atamarie hob sich auf die Zehenspitzen und erwiderte die Liebkosung. Sie war mutiger als er und küsste seine Lippen.

»Eines Tages«, flüsterte sie, »werden wir gemeinsam fliegen …«

Sie tanzte nur so durch den Garten und dann durch das Haus ihrer Eltern, als sie sich schließlich trennten.

»Er liebt mich!«, sang sie und umarmte ihre Mutter, als sie Matarikis ansichtig wurde. »Oh, Mommy, er liebt mich! Wir sind füreinander bestimmt. Er ist der einzige Mann, mit dem ich so viel gemeinsam habe!«

Rawiri, der junge Drachenkonstrukteur, dachte nicht mehr an die Niederlage, die er an diesem Tag erlitten hatte. Gut, die Götter hatten seine Kunst auch diesmal nicht zu schätzen gewusst, sie hatten seinem Flug ihren Segen versagt. Wahrscheinlich hatte er nicht die richtigen Töne getroffen, als er gesungen hatte, um den Wind zu beschwören wie damals der Gott Tawhaki, der den Menschen mithilfe eines *manu aute* das Wissen brachte. Und vielleicht hatten auch die Leute aus Christchurch Recht – dieser *pakeha* mit den braunen Locken und das seltsame Mädchen, das Maori war, aber andererseits auch nicht. Es war gut möglich, dass die Götter die Form seines Drachens ablehnten, er würde da etwas anderes versuchen müssen.

Und vielleicht steckte auch noch mehr dahinter – vielleicht genügten *karakia* nicht, vielleicht brauchte man mehr von jenem Wissen, das Tawhaki den Menschen offenbart hatte. Die *pakeha* schienen manchmal einfach besseren Gebrauch von diesem Geschenk zu machen – Rawiri schwirrte immer noch der Kopf, wenn er an Richards Vorträge über Auftrieb und Thermische Ablösung, Anstellwinkel und energetische Starthilfe dachte. Er hatte nicht gewagt, nachzufragen, jedenfalls nicht bei diesem *pakeha*, dem er sein Leben verdankte. Aber vielleicht würde er am kommenden Morgen das Mädchen fragen. Dieses wunderschöne Mädchen mit seinem hellen Haar, das ihm wie ein Gruß aus dem Paradies erschienen war, in dem Moment, in dem er von den Toten auferstand. Atamarie – Sonnenaufgang. Sie hatte als Kind schon dieses Leuchten in den Augen gehabt, wenn sie vom Fliegen sprach. Damals war es ihm kaum aufgefallen, aber jetzt ... die Götter mochten seinem Flug heute den Segen versagt haben, aber sie hatten ihm Atamarie geschickt.

Ein Mädchen, das er lieben konnte. Ein Mädchen, das seine Träume teilte. Rawiri wandte das Gesicht den Sternen zu und dankte den Göttern für Atamarie.

Irgendwann würden sie gemeinsam fliegen.

STARKE FRAUEN

Afrika
East London, Wepener

Neuseeland
Dunedin, Lawrence

1900 – 1901

KAPITEL 1

Während sein Bruder in Neuseeland die Hochzeit mit Juliet LaBree plante, verschiffte man Kevin Drury mit dem nächsten neuseeländischen Truppenkontingent zunächst nach Albany im Westen Australiens. Der Ort lag an der Großen Australischen Bucht und beherbergte früher eine berüchtigte Sträflingskolonie. Kevin fand das interessant, hatte er doch noch die Erzählungen seiner Eltern im Ohr, die ihr Leben außerhalb Europas schließlich auch als Sträflinge in Australien begonnen hatten. Lizzie und Michael hatte es allerdings nach Van-Diemens-Land verschlagen, eine Insel vor Australien, und ihre Schilderungen der Haftbedingungen differierten. Während Michael sie als äußerst hart empfunden hatte, war Lizzie eigentlich ganz zufrieden gewesen – sie war nur geflüchtet, weil ihr Arbeitgeber ihr nachstellte. Beim Anblick von Albanys einladender Küste, den Stränden und bewaldeten Hängen war Kevin fast geneigt, seiner Mutter Recht zu geben. So schrecklich konnte es hier nicht gewesen sein, zumal auch das Klima angenehm schien. Albanys weiße Häuser und die majestätische Princess-Royal-Festung lagen im hellen Sonnenschein. In dem gepflegten Naturhafen lagen bereits verschiedene Truppentransporter vor Anker, auch die Australier schickten weitere Truppen nach Südafrika.

Kevins Einheit blieb lediglich kurze Zeit in Albany, die Besatzung ergänzte nur die Vorräte und führte kleinere Reparaturen am Schiff durch. Kevin, der sich etwas mit dem mitreisenden Tierarzt Vincent Taylor angefreundet hatte, fand gerade Zeit für einen Streifzug durch den Ort zwecks Auffüllens der Whiskeyvorräte – und eine kleine naturkundliche Exkursion ins Inland, von der Vincent nicht abzubringen war. Ihn faszinierte die Tierwelt Australiens, während Kevin zumindest den Schlangen, Spinnen und Stechinsekten wenig abgewinnen konnte. Im Grunde war er froh, als er den Ausflug in den Busch lebend hinter sich gebracht hatte.

»Afrika ist da aber auch nicht ohne!«, neckte ihn sein neuer Freund. »Löwen, Nashörner, Geparden …«

Kevin lachte. »Die kommen mit ziemlicher Sicherheit nicht in mein Sanitätszelt. Was man von den niedlichen Tierchen hier nicht sagen kann. Diese schwarzen Schlangen – wie heißen sie noch? – sind doch fast überall und ungeheuer giftig. Kannst du dir nachher übrigens mein Pferd noch mal ansehen? Ich hatte das Gefühl, es ginge ein bisschen unklar. Kann aber auch an mir gelegen haben: Die Furcht, auf eine Schlange zu treten, hat sich übertragen …«

Für die Überfahrt nach Afrika besorgte Vincent Kevins Pferd auf jeden Fall einen Platz an Deck, wo er auch sein eigenes unterbrachte.

»Vielleicht scheuen sie da eher mal, und bei Sturm wird es auch ungemütlich. Aber die Verschläge unter Deck sind unzumutbar, ich habe mich schon beschwert. Viel zu stickig für die Tiere, vor allem bei der Hitze, die wir zu erwarten haben. Aber die Heeresleitung sagt natürlich: Was den Menschen recht ist, muss den Vierbeinern billig sein. Die Mannschaften liegen auch dicht an dicht wie die Heringe. Nur dass so ein Pferd sich nicht freiwillig gemeldet hat …«

Vincent selbst schien auch nicht mit allzu großer Begeisterung dabei zu sein. Ihn trieben wirtschaftliche Gründe in den Krieg und – wie er Kevin nach dem vierten Whiskey in der dritten Nacht auf dem Indischen Ozean gestand – eine unglückliche Liebe.

»Ich hab sie wirklich nicht wegen ihres Geldes geheiratet, bestimmt nicht, obwohl ich nicht Nein gesagt habe, als ihr Daddy mir die Praxis finanzieren wollte. Wahrscheinlich hätte ich die Großzügigkeit mal hinterfragen sollen. Später dachte ich, er war einfach froh, dass er sie los war. Hat sich sozusagen freigekauft …« Vincent nahm sich noch einen Whiskey. »Jedenfalls hat sie mir derart Hörner aufgesetzt, da wär jeder Zuchtwidder neidisch geworden. Erst hab ich's gar nicht gemerkt, ich hab sie ja angebetet, sie war ein wunderschönes Mädchen, eine Schafbaronesse … Aber schließlich redete die halbe Stadt darüber. Mary Ann ließ keinen Mann aus, vom Viehhüter bei ihrem Vater bis zum Kaufmann um die Ecke. Ich schätze, das war auch krankhaft … bei Stuten nennt man so was Dauerrosse …« Vincent kippte seinen Whiskey in einem Zug hinunter.

»Bei Frauen eher Nymphomanie«, lachte Kevin. »Das hat aber wohl nichts mit Follikelzysten zu tun …«

Vincent, ein großer blonder junger Mann, der jungenhaft lachen konnte, zuckte die Schultern. »Vielleicht doch, schwanger wurde sie jedenfalls nicht. Zum Glück! Das machte die Scheidung sehr viel einfacher. Leider hat Daddy nicht sehr verständnisvoll reagiert, als er seine umtriebige Prinzessin wiederbekam. Ich war die Praxis los, aber mein Ruf war eh ruiniert … Da erschien mir das hier als gute Idee. Bringt ja auch ein bisschen Geld in die Kasse, man gibt vom Sold doch praktisch nichts aus. Und eins kannst du mir glauben: Löwen, Geparden und Nashörner schrecken mich nicht. Nicht mal Schlangen. Verglichen mit Mary Ann sind Braunschlangen niedlich.«

Die mehr als vierwöchige Seereise verging ohne besondere Vorkommnisse. Kevin und Vincent waren, wie alle Offiziere, verhältnismäßig komfortabel untergebracht, die beiden Männer teilten eine Erste-Klasse-Kabine. Vincent kümmerte sich schwerpunktmäßig um die Pferde, versorgte sie mit ausreichend Wasser und hielt die Männer dazu an, sie zu striegeln und abzuwaschen, wenn es heiß war. Auch die einfache Zuwendung tat den Tieren gut, Vincent verbrachte viel Zeit damit, von einem zum anderen zu gehen, sie zu kraulen und mit ihnen zu reden.

Kevin sah das mit einer gewissen Besorgnis. Er hatte gehört, dass die Buren nicht zimperlich mit ihren Tieren umgingen und vor allem den großen Pferden der Engländer einen regelrechten Hass entgegenbrachten. Sie selbst hatten nur Ponys, die sich zwar offensichtlich hervorragend bewährten, aber den Vollblütern der englischen Kavallerie im Kampf unterlegen waren. Deshalb verlegten sie sich gezielt darauf, die Pferde ihrer Gegner zu verletzen und zu töten. Vincent mochte bald mehr Patienten haben als Kevin, und es würde ihm nicht leichtfallen, seine gehätschelten Lieblinge im Kugelhagel sterben zu sehen.

Kevin selbst nutzte die Reise, um sich über die Ausrüstung der Feldlazarette zu informieren, außerdem oblagen ihm Erste-Hilfe-Kurse für die Mannschaften.

»Im Veld mögen Sie oft mit verwundeten Kameraden auf sich selbst gestellt sein«, gab Kevin weiter, was man ihm bei der Einweisung im Ausbildungslager erzählt hatte. »Veld nennt man in Südafrika Buschland, mehr oder weniger große Ebenen, die kaum oder gar nicht besiedelt sind. Feindliche Stoßtrupps ziehen sich gern dahin zurück, und man wird Ihnen nicht gleich ein Feldlazarett hinterherschicken, wenn Sie hineinreiten, um sie zu verfolgen. Also passen Sie gut auf, dieser Kurs könnte Ihnen oder Ihren Kameraden das Leben retten …«

Kevin ließ die Leute Gliedmaßen schienen und Druckverbände anlegen. Er fand diese Ausbildung sinnvoll – viel mehr als die Schießübungen, zu denen die Mannschaften im Ausbildungslager herangezogen worden waren. Die hatten den jungen Männern von den Farmen allenfalls ein müdes Lächeln entlockt – während die Arbeiter aus der Stadt viel zu wenig lernten, um in einer Schlacht überleben zu können. Kevin hatte sich ein paar dieser Komplettversager gemerkt und stellte zu seiner Freude fest, dass sich vier davon beim Erste-Hilfe-Kurs besonders bewährten. Er war entschlossen, sie als Hilfskrankenpfleger anzufordern, sobald die Lazarette bemannt wurden. Bei seinen vorgesetzten Offizieren lief er da offene Türen ein, alle zeigten sich zumindest vorerst als vernünftige Männer – die Leute hatten eine gute Wahl getroffen.

»Es ist euch aber klar, dass wir es vor Ort mit englischen Berufsoffizieren zu tun haben werden«, meinte ein Sergeant in geselliger Runde. »Da haben nicht alle den meisten Verstand. Von diesem Buller zum Beispiel, dem Oberbefehlshaber, hört man die verrücktesten Dinge. Anscheinend reist er mit einer ganzen Hotelküche, requiriert gallonenweise Weine aus den örtlichen Gütern und führt Herden von Schlachttieren mit sich, damit bloß keiner verhungert. Dafür verheizt er dann schon mal an einem Tag ein paar Tausend Leute, um einen läppischen Hügel zu erobern, um den sich danach keiner mehr schert. Wir werden auf unsere Männer aufpassen müssen.«

Ansonsten hörte man vom Kriegsverlauf allerdings nur Positives. Nach den Anfangserfolgen der Buren, die zuerst etliche Städte wie Kimberley, Ladysmith und Paardeberg besetzt hatten und erstaunlich lange hielten, war die englische Offensive jetzt in Gang gekommen. Die meisten besetzten Städte waren wieder befreit worden, und die Engländer drangen in die Zentren der Burenrepubliken vor. Auch die Neuseeländer feierten ihre ersten Siege. Nachdem ihr Einsatz zunächst ziemlich improvisiert erfolgte und das erste Kontingent in Jasfontein schwere Verluste erlitt, fingen sie sich schon Tage darauf und kämpften wie die Löwen. Am 15. Januar hatten die Neuseeländer beherzt einen Angriff der Buren gegen ihr Camp zurückgeschlagen. Der Hügel, auf dem das Gefecht stattfand, erhielt zum Gedenken den Namen New Zealand Hill.

»Kann ja nicht sehr kultiviert sein, das Land, wenn wir schon die Berge benennen müssen«, bemerkte Vincent skeptisch, nachdem die Offiziere diesen Erfolg auf dem Schiff noch einmal weidlich begossen. »Wenn man sich überlegt, dass bei uns jeder gleich zwei Namen hat …«

Die meisten Berge, Seen und sonstigen Landmarken auf Neuseeland waren sowohl unter ihrem Maori- als auch ihrem *pakeha*-Namen bekannt.

»Die ersten Siedler werden ihren Bergen wohl auch Namen gegeben haben«, meinte Kevin. »Nur dass sich bei den Buren keiner drum schert. Die wissen ja nicht mal, wie die Stämme sich selbst ursprünglich nannten. Oder glaubst du, die hätten sich Hottentotten oder Kaffern getauft?«

»Wäre interessant zu wissen, wo sie in diesem Krieg stehen.« Vincent zog die Brauen hoch. »Unterstützen sie die Buren oder die Engländer?«

»Sie halten sich wohl raus«, erklärte der Sergeant, der etwas mehr über die Lage in Südafrika wusste als die anderen Offiziere. Er war einer der wenigen Berufssoldaten und hatte vor diesem Einsatz in Neuseelands kleiner Armee gedient. Feindberührung hatte es allerdings nie gegeben, selbst die berüchtigten Maori-Kriege waren inzwischen Jahrzehnte her. Sergeant Willis hatte sich sofort freiwillig gemeldet, als er darauf hoffen konnte, dass ihm nun endlich Kugeln um die Ohren flogen. »Die Engländer wollen jedenfalls, dass sich alle Eingeborenen raushalten«, führte er weiter aus. »Deshalb kommen von uns auch keine Maori-Regimenter … obwohl die Jungs den Rekrutierungsbüros die Türen einrennen. Anscheinend will man es nicht noch komplizierter machen, als es sowieso schon ist.«

Nach fünf Wochen ziemlich ereignisloser Überfahrt, in der sich die Offiziere die Zeit mit endlosen Diskussionen, die Mannschaften eher mit der Organisation von Boxkämpfen vertrieben, erreichte das neuseeländische Truppenkontingent die kleine Stadt East London. Ursprünglich hätten sie in Beira anlanden sollen, wie die Truppenkontingente zuvor, aber noch auf See erreichte Major Jowsey, den Anführer der Truppen, der Funkspruch, die Reiter würden eher im Oranje-Freistaat gebraucht, einer der aufständischen Burenrepubliken. Hier hatte es im Süden und Osten Unruhen und vor allem Anschläge auf die Eisenbahnlinie gegeben.

East London wirkte jedoch friedlich – und sehr viel beschaulicher als sein großer Namensvetter. Es lag an einer außerordentlich schönen Küste, an der sich Sandstrände mit Hügeln und rötlichen Felsen abwechselten. Die Stadt bestand aus einem Fort und einer Ansammlung gepflegter, weiß getünchter Häuser, im Umland wohl auch Farmen. Das Klima war subtropisch, die Straßen gesäumt von Palmen und bunten Blumen. Außerdem mündete hier der Buffalo River, was den Ort zur einzigen Flusshafenstadt Südafrikas machte.

Dennoch war der Hafen eher klein, und Vincent wurde nervös, als es jetzt ans Ausladen der Pferde ging. Er wurde jedoch angenehm überrascht. Sämtliche Helfer sprachen akzentfreies, fließendes Englisch. Auch die meist zierlichen dunkelhäutigen Arbeiter, die beim Aufbau der Rampen zum Entladen des Schiffes halfen, konnten sich problemlos verständigen.

»Ich dachte, hier sprächen sie Niederländisch«, sagte Kevin zu einem der englischen Offiziere, die die neuen Truppen in Empfang nahmen. »Und die Eingeborenen habe ich mir dunkelhäutiger vorgestellt ...«

Der Colonel lachte. »East London ist englischen Ursprungs«, klärte er den jungen Arzt dann auf. »Ursprünglich ein Militärposten als Stützpunkt gegen die Eingeborenen. Xhosa – ein wehrhaftes Volk, wenn auch nicht ganz so aggressiv wie die Zulu. Nach dem Krimkrieg kamen dann deutsche Siedler. Aber die konnten auch schon Englisch, sie hatten vorher in der Britisch-Deutschen Legion gedient. Der Ort ist eine der wenigen von Anfang an englischen Gründungen, hierhin verirrt sich kaum ein Bure. Die wohnen überhaupt nicht gern an der Küste. Bure heißt Bauer, und das kann man wörtlich nehmen. Sie leben lieber auf dem Land, sie mögen keine Fremden, und sie gehen nur gerade so lange zur Schule, bis sie die Bibel lesen können. Die Seefahrt und der Handel hat sie nie sehr interessiert. Nachdem die Ostindien-Kompanie pleite war, lag der Handel am Kap eher in der Hand der Hugenotten, die zwischendurch einwanderten, oder der Juden. Und nun eben der Engländer. Das Handelszentrum ist außerdem eher Durban. East London ist nett, aber verschlafen …«

»Und die Eingeborenen hatten da gar keine Einwände? Gegen all die Einwanderer, die Besitzwechsel?« Kevin schaute immer noch zu den erstaunlich hellhäutigen und sehr freundlichen Arbeitern hinüber.

»Die Eingeborenen sind sehr verschieden, je nach Stamm. Im Aussehen und im Umgang. Bei Kapstadt waren sie wohl immer sehr kooperativ – allerdings wurden sie da schon von den Niederländern fast ausgerottet. Die kleinen braunen Leute, die hier so eifrig herumwuseln, sind Inder, Hilfstruppen für die Armee. Sie arbeiten auch als Krankenpfleger, wir werden Ihnen einige zuteilen. Sehr willig, fleißig und anstellig.«

Kevin runzelte die Stirn. »Sie meinen, es gibt gar keine einheimischen Schwarzen mehr? Aber geht es nicht bei diesem Krieg auch um darum, die Skalverei zu beenden?«

Der Colonel lächelte. »In gewisser Hinsicht«, murmelte er. »Und natürlich gibt es noch Einheimische. Aber die Xhosa hier und die Zulu in der Gegend von Durban sind keine sehr brauchbaren Arbeitskräfte. Schwarz wie die Nacht und ursprünglich mal große Krieger. Wir könnten sie sofort dazu rekrutieren, Buren zu massakrieren. Da haben sie ihre Traditionen, das machen sie gern. Fragen Sie mich nicht, warum unsere Führung davor zurückschreckt – aber wahrscheinlich haben sie Angst, dass sie dann gleich mit den Engländern weitermachen. Farmarbeit dagegen … Zuckerrohrschneiden auf den Plantagen bei Durban … dafür sind die sich zu gut! Das tun sie höchstens, wenn man sie praktisch versklavt, was bei den Buren ja durchaus noch üblich ist, wie Sie schon sagten, auch deshalb führen wir Krieg.« Das Lächeln des Colonels wurde zu einem ironischen Grinsen. Auch er musste wissen, dass es bei diesem Krieg eher um Bodenschätze ging als um Menschenrechte. »Hier jedenfalls zwingen wir niemanden unters Joch, wir lassen die Leute machen, was sie wollen. Die meisten leben im Inland und betreiben ihre eigene Landwirtschaft und Viehzucht.«

Kevin nickte und gesellte sich jetzt zu Vincent, der das Abladen der Pferde überwachte. Der junge Tierarzt war hochzufrieden mit dem Zustand seiner Schützlinge und schäkerte mit seiner eigenen Stute, Colleen. Kevin führte seinen Schimmel Silver selbst vom Schiff.

»Wann geht es denn wohl weiter?«, fragte er und war angenehm überrascht, dass den Truppen ein paar Tage zur Eingewöhnung gegeben werden sollten.

»Aus dem Desaster mit dem ersten Kontingent, vom Schiff praktisch gleich in die Schlacht, haben sie wohl gelernt«, meinte Sergeant Willis zufrieden und setzte für den nächsten Tag ein Exerzieren mit Pferden an.

Vincent widersprach jedoch. Für die Tiere sei es besser, sich nach der Schiffsreise langsam und ohne Reiter die Beine zu vertreten, erklärte er. Das könnten sie auch in den großen Paddocks rund um die Kaserne.

»Hier nennt man die Krals«, erklärte Kevins neuer Freund

Colonel Ribbons, offensichtlich ein Einheimischer. Wie er später erzählte, kam er aus Kapstadt. »Wie auch die Dörfer der Eingeborenen …«

»Das lässt ja tief blicken über den Stellenwert der Schwarzen in diesem Land«, stichelte Vincent. »Nicht auszudenken, was unsere Maori uns erzählen würden, wenn wir auf die Idee kämen, unsere Viehpferche *marae* zu nennen.«

Ribbons zuckte die Schultern. »Man lebt hier eben nicht sehr friedlich zusammen«, bemerkte er. »An sich streitet jeder mit jedem, zumindest global. Rein persönlich bestehen manchmal sehr enge Beziehungen zwischen schwarzen und weißen Familien. Die meisten Burenregimenter haben schwarze Fährtenleser – und die sind hervorragend und völlig loyal! Ebenso wie die auf englischer Seite. Offiziell gibt es zwar keine schwarzen Hilfstruppen, aber manche Offiziere können ja keinen Schritt tun ohne ihre ›Boys‹. In der Offiziersmesse bedienen auch ein paar. Wie wär's, wenn ich Sie da jetzt hinführe? Wir trinken ein Bier auf die glückliche Überfahrt – und wenn Sie morgen oder übermorgen Lust haben und Ihre Pferde wieder fit sind, dann nehme ich Sie auch gern mal mit hinaus ins Veld. In der Umgebung hier gibt's viele interessante Tiere …«

Die ersten Tage in Südafrika gestalteten sich für Kevin und Vincent tatsächlich eher wie ein Urlaub denn wie ein Krieg. Natürlich stellten Kevin und zwei weitere Ärzte ihre Feldlazarette zusammen, und Vincent versorgte die Pferde. Er war zurzeit der einzige Tierarzt in ganz East London, seine Kollegen waren mit den Kampftruppen unterwegs. Insofern konsultierten ihn auch die Farmer der Umgebung, und er berichtete stolz von Kälbergeburten und geretteten Kolikpferden.

»Nur die Buren haben kein Interesse«, meinte er fast etwas traurig, als er am dritten Tag ihres Aufenthaltes tatsächlich mit Colonel Ribbons und Kevin in den Busch ritt.

»Die Buren?«, fragte Kevin. »Ich dachte, die gäb's hier gar nicht.«

Ribbons nickte. »Kaum. Nur ein paar, wir nennen sie Kap-Buren, weil die meisten rund um Kapstadt leben. Sie führen mit den Engländern eine friedliche Koexistenz, in Ausnahmefällen heiratet man auch mal untereinander …«

Kevin musste lachen. »In Ausnahmefällen?«

Ribbons blieb jedoch ernst. »Ein Burenmädchen, das in eine englische Familie einheiratet, ist ein Unding für diese Leute, fast so schlimm, als nähme es sich einen schwarzen Liebhaber. Wobei die Väter gar nicht besonders auf ihre Töchter aufpassen müssen, die halten sich ganz von allein zurück, als wären wir Engländer der Teufel persönlich. Eher verliebt sich mal ein aufmüpfiger junger Mann in ein englisches Mädchen. Aber auch das gibt Schwierigkeiten. Mein Schwager ist Bure, ein Weinbauer, deshalb erlebe ich das in der eigenen Familie. Wir haben überhaupt nichts gegen Pieter, aber seit Joan mit ihm verheiratet ist, sehen wir sie kaum noch. Er selbst kommt fast nie vorbei, ich schätze, seine Familie macht ihm die Hölle heiß, wenn er seine Schwiegereltern besucht. In seinem Dorf akzeptieren sie Joan inzwischen, solange sie ja kein Wort Englisch spricht. Aber in der Kirche zum Beispiel wird Pieter gemieden. Er würde so gern irgendein Amt übernehmen – Kirche ist sehr wichtig für Buren –, aber da gibt es keine Chance. Und wie gesagt: Die Kap-Buren sind die gemäßigten, sie nehmen auch jetzt im Krieg nicht Partei. Die anderen …«

»Sie wollten jedenfalls nicht, dass ich ihr Pony behandle«, meinte Vincent bedauernd, er schien kaum auf die Geschichte gehört zu haben. »Ihr englischer Nachbar wollte mich einführen, er sieht das arme Vieh schon tagelang mit dickem Bein auf seinem Kral. Einschuss, muss man Angussverbände machen, mit Karbolsäure. Der Bure behandelt es, indem er draufpinkelt. Das ist grundsätzlich auch nicht falsch, aber auch damit müsste man angießen, und die Wunde auch erst mal sondieren. Wenn die richtig tief ist, kommt da ja gar nichts an, von der … hm … Flüssigkeit.«

Kevin und Ribbons lachten.

»Die Buren haben ihre Hausmittel«, meinte Ribbons. »Und davon sind sie nicht abzubringen, machen Sie sich keine Hoffnung. Es gibt auch kaum Ärzte. Da sterben nicht nur die Pferde an Krankheiten, die man längst behandeln kann. In den Krieg nehmen sie ihre Frauen mit – im Ernst, die lenken ihre Ochsenkarren hinter den Truppen her und verarzten ihre Männer – bis hin zur Amputation. Ein zähes Volk, auch die Frauen. Und gläubig … Im Zweifelsfall beten sie.«

Kevin fand die Buren inzwischen immer interessanter, er konnte kaum erwarten, einmal persönlich mit ihnen zusammenzutreffen. Vorerst aber lernte er einige vierbeinige Bewohner des Landes kennen. Kurz hinter East London begann das sogenannte Buschveld, ein sanft hügeliges Land, hauptsächlich grasbewachsen, dem neuseeländischen Tussock nicht unähnlich. Es gab aber auch immer mal Baumgruppen, teilweise in bizarren Formen, und niedriges Buschwerk. Kevin war völlig verblüfft, als er eine kleine braune Antilope heraustreten sah – und gleich danach eine ganze Gruppe.

»Impala«, stellte Ribbons vor, »die Buren nennen sie Rooibok.«

Und dann geriet Silver fast in Panik, als sich zwischen zwei Bäumen eine friedlich kauende Giraffe herausschob, das Maul noch voller Blätter.

»Unglaublich!«, begeisterte sich Vincent. »Gibt's hier auch Löwen?«

»Nashörner.« Ribbons lächelte. »Aber dafür müssen wir noch weiter ins Inland und brauchen ein bisschen Glück. Sie sind übrigens ziemlich schnell, wir sollten ihnen nicht zu nahe kommen, sonst greifen sie an.«

Kevin konnte seinem Pferd nachfühlen, dass es vorerst keine große Lust auf Begegnungen mit den größeren Tieren im Veld verspürte. Er wusste, dass die Giraffe ihm nichts tun würde, aber ein bisschen unheimlich war es ihm doch, so ganz ohne den Schutz von Zäunen zwischen den exotischen Tieren herumzureiten. Kevin tastete nach seinem Gewehr, wann immer sich im Buschwerk etwas rührte, während Vincent in heller Begeisterung verschiedene Antilopenarten identifizierte. Kevin erschienen die Tiere zum Teil recht wehrhaft. Silver erschrak zu Tode, als ein männliches Gnu in der Größe eines ausgewachsenen Bullen auf die Reiter zugaloppierte, um sein Revier zu verteidigen.

Schließlich passierten sie dann auch noch einen echten Kral, ein Dorf der Eingeborenen. Kevin erschien er primitiver als die neuseeländischen Maori-Dörfer, aber natürlich war es hier sehr viel wärmer, man musste nicht allzu massiv bauen. Das Dorf bestand aus mehreren runden Hütten, auch die Siedlung selbst bildete einen Kreis. Als Einzäunung nutzten die Menschen Dornbuschwälle, das schien zu reichen, um die Wildtiere fernzuhalten.

»Als Verteidigung gegen andere Eingeborene mit Speeren half es wohl auch halbwegs«, meinte Ribbons. »Aber nicht gegen Feuerwaffen. Früher waren das übrigens halbe Heerlager, viel größer als diese kleinen Dörfer. Aber jetzt trumpfen die Schwarzen nicht mehr auf, die sind froh, wenn wir sie in Ruhe lassen.«

Das schien zu stimmen, die Leute im Kral beäugten die Reiter zwar skeptisch, versuchten aber sonst, sie zu ignorieren. Kein Vergleich zu den Maori, die auch *pakeha* gegenüber sehr gastfreundlich waren.

»Ein Paradies!«, schwärmte Vincent am Abend.

Kevin schwieg. Zweifellos war Südafrika schön, er fühlte sich jedoch nicht richtig wohl in diesem Land. Vielleicht war

es wirklich gut, wenn die Briten es jetzt endgültig befriede-
ten. Aber womöglich würde das auch alles noch schlimmer
machen.

»Morgen geht's los, wir sollen helfen, Wepener zu befreien«, eröffnete Major Jowsey seinen Offizieren am nächsten Tag. »Und falls einer noch nie was von dem Kaff gehört hat ...« Die Männer lachten, natürlich war der Ort keinem von ihnen ein Begriff. »Es handelt sich um eine kleine Ansiedlung knapp dreihundert Meilen nördlich von hier am Jammerdrif, das ist ein Nebenfluss des Caledon ...« Weiteres Gelächter und Aufstöhnen. Anscheinend interessierte sich niemand wirklich für die Geografie Südafrikas. Major Jowsey, ein kleiner agiler Mann mit großem Schnäuzer, ließ sich davon jedoch nicht entmutigen, sondern entfaltete jetzt sogar eine Landkarte. »Ein zentraler Punkt für die örtliche Landwirtschaft«, erklärte er und wies auf den winzigen Ort an der Grenze zu Basutoland. »Es gibt oder gab da mal die größte Getreidemühle Südafrikas.«

»Sprich, das ist alles Burenland!«, brachte Kevin sein neues Wissen ein, als der Major gerade nicht weiterwusste. »Farmen, Felder, Rinderzucht ... da hat der Feind seine Ansiedlungen. Reiten Sie also bloß nicht auf den nächsten Bauernhof zu, wenn Sie versprengt sind oder verletzt, sondern seien Sie vorsichtig. Die Einheimischen sagen, die Frauen schießen da genauso scharf wie die Männer!«

Die Männer lachten wieder, aber der Major nickte. »Hören Sie auf den Doktor, er hat ganz Recht. Wepener liegt am Rand des Oranje-Freistaats, also ein Rebellennest. Zurzeit wird es allerdings von einer britischen Garnison gehalten, zweitausend Mann, und die Buren belagern es. Das geht jetzt schon eine Woche so, und wir gehören zu den Truppen, die den Ort entsetzen sollen. Die Leute dort warten auf uns. Also reiten wir morgen bei Tagesanbruch, und wir reiten schnell!«

Das galt auch für Kevin, der angewiesen wurde, sein schon auf Karren gepacktes Feldlazarett vorerst zurückzulassen.

»Beladen Sie zwei Pferde mit dem Nötigsten«, meinte Jowsey, »wir gehen davon aus, dass auch die anderen Regimenter Ärzte, Verbandsmaterial und Medikamente dabeihaben. Es muss ja Abteilungen geben, die näher dran sind. Für uns kommt es vorerst hauptsächlich auf Geschwindigkeit an, der Ort muss befreit werden.«

Der Ritt führte die Neuseeländer dann zunächst tagelang durch Buschveld, und selbst Silver gewöhnte sich nach einigen Stunden an die allgegenwärtigen Antilopenherden. Danach ging es in gebirgiges Gelände, das den Pferden mehr abverlangte. Am Abend schlugen die Männer ihre Zelte auf Bergen und Hügeln auf, die zum Teil weite Ausblicke über die Ebenen des Kaps boten. Das Gebiet schien weitgehend unbewohnt. Wahrscheinlich gab es Einheimische, aber die ließen sich nicht blicken.

»Von jetzt ab wird's gefährlich«, meinte der Major dann aber am Morgen des sechsten Tages, als sie die Berge hinter sich ließen. Vor ihnen lagen fruchtbare Ebenen – Bauernland, Burenland.

»Der Oranje-Freistaat«, dozierte Ribbons, der den Neuseeländern als ortskundiger Führer beigesellt worden war. »Von den Buren gegründet, nachdem die Briten die Kapkolonie annektiert hatten – und die Sklaverei verboten! Das passte den Weißen nicht, sie wanderten in Scharen ab ins Inland. Auf Ochsenkarren, es muss eine furchtbare Strapaze gewesen sein.

Sie sprechen heute noch vom Großen Treck. Das Gebiet hier war auch keineswegs unbewohnt, hier gab es die Zulu, die Basotho, die Batswana ... und keiner von ihnen wollte sein Land abgeben. Es gab blutige Kämpfe, manch andere Bauernkolonie hätte aufgegeben. Aber nicht die Buren, die schlugen sich durch – und England hat ihren Staat am Ende anerkannt ...«

»Bis sich Gold fand«, grinste Kevin.

Ribbons runzelte die Stirn, zwinkerte aber dabei. »Die offizielle Lesart ist, dass wir nicht dulden können, wie sie mit Ausländern und Einheimischen umgehen. Und es gab Provokationen und ...«

»... und Diamanten«, meinte Vincent trocken. »Schon gut, wir kommen zweifellos als Befreier.«

Die Buren waren eher als Eroberer in diese Region gekommen, aber immerhin hatten sie ein gutes Gespür für wertvolles, fruchtbares Weide- und Ackerland bewiesen. Hier gab es nur wenig naturbelassene Freiräume für Antilopen und Gnus, und wahrscheinlich hatte schon lange niemand mehr ein Nashorn gesichtet. Stattdessen reihten sich gepflegte Felder aneinander, auf denen Getreide und Gemüse angebaut wurden. Zum Teil standen sie vor der Ernte, und ein- oder zweimal sahen die Reiter auch Menschen, die darin arbeiteten: hauptsächlich Schwarze und gelegentlich weiße Frauen, Mädchen oder kleine Jungen.

Von den vorbeireitenden Garnisonen nahm keiner von ihnen Notiz, was Kevin an das Eingeborenendorf im Veld erinnerte. Die Schwarzen hoben erst gar nicht die Köpfe, die Weißen warfen den Uniformierten bestenfalls hasserfüllte Blicke zu.

»Meine Güte, der Kleine macht ja den Eindruck, als wollte er gleich auf uns schießen!«, bemerkte Vincent, als sie ein Weizenfeld passierten, auf dem fünf große schwarze Männer von einem höchstens zehnjährigen weißen Jungen beaufsichtigt wurden. Das Kind blitzte die Reiter mit unverhohlener Wut an.

»Wir haben Glück, dass er's nicht tut«, antwortete Ribbons ernst. »Wahrscheinlich hat ihm seine Mommy die Flinte weggenommen, weil sie genau das befürchtet – und ihr Söhnchen denn doch noch etwas behalten möchte. Ganz abgesehen von der Flinte, die wir ihm wegnehmen würden. Eigentlich hätten die Leute sie schließlich abgeben müssen, diese Gebiete hier sind längst in englischer Hand, und wir haben die Waffen eingesammelt. Aber machen Sie sich da keine Illusionen, die sind immer noch bis an die Zähne bewaffnet, ich würde keinem raten, allein auf eine dieser Farmen zu gehen. Und was die Schwarzen angeht – ich sagte ja, die sind loyal. Vielleicht auch deshalb, weil ihnen sonst nichts übrig bleibt. Ihre Stämme sind zerschlagen, ihr Land gehört den Weißen … Wenn sie nicht verhungern wollen, bleiben sie, wo sie sind, und gehorchen dem Baas, wie man die weißen Herren hier nennt. Und seinen Kindern.«

Inzwischen kamen auch die ersten Farmen in Sicht – und erinnerten Kevin und Vincent fast an zu Hause. Natürlich nicht an die feudalen Herrenhäuser der Schafbarone, aber die durchschnittliche Burenfarm war mit den kleineren Anwesen in den Plains vergleichbar. Schlichte Holzhäuser mit Veranden, die hier allerdings größer waren als in Neuseeland, weil das tägliche Leben häufiger draußen stattfand. Insgesamt bauten die Buren auch etwas wuchtiger und stabiler, und sie gingen sparsamer mit leuchtenden Farben um. Manchmal wurde Lehm verbaut statt Holz, da orientierte man sich wohl an den Praktiken der Einheimischen. Der Baustil war aber durchweg schmucklos und funktional, exotisch wirkten nur die Rundhütten etwas abseits vom Wohnhaus. Dort lebten die schwarzen Arbeiter.

»Die Häuser bei East London sind aber schöner«, bemerkte Vincent.

Er hatte dort etliche Farmen besucht und berichtete nun,

dass sie größer und origineller gestaltet waren. Sie wiesen auch mal einen Rundbogen oder Giebel auf, der die schlichte Fassade auflockerte.

»Am schönsten sind die am Kap«, rühmte Ribbons seine Heimat. »Das sind oft Weingüter, und da lassen sich die Besitzer nicht lumpen. Nun erwartet man von einem Winzer ja auch etwas Lebensfreude. Hier dagegen: Die Leute rühren keinen Schluck Alkohol an. Ihr Führer, dieser Ohm Krüger, hat sogar an der Tafel des deutschen Kaisers Milch verlangt! Sie beten und arbeiten und sind fest davon überzeugt, Gott habe sie in dieses Land geführt wie einst die Juden nach Israel. Und sie klammern sich daran mit Zähnen und Klauen. Das wird noch schwierig mit diesem Krieg ...«

Kevin sollte sehr bald einen Vorgeschmack darauf erhalten. Nach vier Tagen scharfen Rittes hatten sie Wepener endlich erreicht, der Befehlshaber der englischen Streitkräfte sammelte seine Armee auf einem freien Feld mit Blick auf eine Hügelkette.

Darin hatten sich offenbar die Belagerer der Stadt festgesetzt, die man nun in die Zange nehmen wollte. Die Entsatzarmee bestand neben Neuseeländern und Engländern auch aus schottischen und australischen Einheiten, und ihre jeweiligen Führer mussten sich erst etwas zusammenraufen, bevor sie ernsthaft zum Angriff bliesen. Vorerst ließen sie ihre Männer ein Lager aufbauen und warten.

Kevin bekam von den Schlachtvorbereitungen nicht allzu viel mit, er wurde gleich dem kommandierenden Stabsarzt, einem Dr. Barrister zugeteilt. Dr. Barrister trug das Rangabzeichen eines Majors, schien aber nicht viel Wert darauf zu legen. Zumindest hielt sich sein Befehlston in Grenzen, er begrüßte Kevin freundlich und zeigte sich begeistert von den Vorräten auf seinen zwei Packpferden.

»Immer gut, wenn die Leute mitdenken!«, lobte er. »Wir werden alles Verbandszeug brauchen, das wir kriegen können. Die Truppen wurden hier so schnell zusammengezogen, dass die Wagen mit der Ausrüstung kaum nachkamen. Die Feldküche ist allerdings voll ausgestattet, da legt unser geschätzter Oberbefehlshaber Redvers Buller ja größten Wert drauf: Niemand soll mit leerem Bauch sterben.«

Es war offensichtlich, dass Barrister nicht viel von Buller hielt, aber der sollte in absehbarer Zeit ohnehin von einem Lord Roberts und dessen Adjutanten Kitchener abgelöst werden.

»Dann haben wir ja auch gar keine Zelte«, bemerkte Kevin. »Wo sollen wir behandeln, unter freiem Himmel?«

»Wir haben ein Zelt«, antwortete Barrister. »Das habe ich der Küchenbesatzung abgeluchst. Aber es reicht natürlich nicht, allenfalls für die Erstversorgung. Ansonsten requirieren wir eine Farm.«

»Wir machen was, Sir?«, erkundigte sich Dr. Tracy, ein australischer Kollege.

Barrister lachte. »Auch neu im Krieg, was? Also, hören Sie zu. Das Requirieren des Eigentums geschlagener Gegner ist bei feindlichen Auseinandersetzungen zwischen verschiedenen Nationen eine gängige Praxis. Man geht einfach hin und nimmt sich, was man braucht. Im Falle unserer Farm ist das auch gar nicht so schlimm, die Leute kriegen ihr Haus ja wieder. Also machen wir uns auf den Weg und suchen uns das nächstgelegene Anwesen. Ich gehe davon aus, dass jeder von Ihnen schon mal geschossen hat.«

Die Ärzte – Kevin, ein vierschrötiger Schotte namens McAllister und der eher feingeistig wirkende Australier – schauten ihn beleidigt an. Der Australier sah zwar nicht aus, als könnte er schießen, aber natürlich musste auch er die Grundausbildung durchlaufen haben.

»Glauben Sie denn, dass wir schießen müssen?«, fragte er jetzt allerdings indigniert.

Barrister zuckte die Schultern. »In diesem Krieg sollten Sie sich immer auf alles gefasst machen. Das ist eigentlich in jedem Krieg der Fall, aber diese Buren setzen da noch eins drauf. Also immer Vorsicht bewahren. Wir nehmen auch gleich den ganzen Stab mit, die Soldaten unter den Pflegern sollen sich bewaffnen und die Inder versuchen, bewaffnet zu gucken!«

Die vier indischen Krankenpfleger, die wohl schon länger unter Barrister dienten, quittierten die Bemerkung mit freundlichem Gelächter. Das Klima war offenbar gut.

Kevin fühlte sich gleich etwas wohler. »Also los, Leute, weiß einer, wo die nächste Farm ist?«

Die nächste Farm war gleich hinter dem übernächsten Hügel, ein äußerst gepflegtes und auch sehr schön gelegenes Anwesen. Es lag an einem Fluss und erinnerte Kevin ein wenig an sein Elternhaus. Allerdings betrieb man hier Ackerbau, keine Schafzucht, es gab Scheunen und Silos statt Scherschuppen, und gleich hinter dem Nutzgarten und den Hausweiden, auf denen jetzt aber weder Pferde noch Rinder grasten, begannen die Felder. Bislang waren nur wenige abgeerntet, dabei wäre das bitter nötig gewesen. Zurzeit arbeitete auch niemand draußen, die Besitzer hatten sich wohl aus Angst vor der aufmarschierenden Armee verschanzt.

»Vielleicht sind sie ja geflohen, das wäre das Beste«, meinte Barrister – hielt seine jungen Ärzte aber energisch zurück, als sie einfach auf den Hof reiten wollten. »Absteigen, wir lassen die Pferde draußen!«, befahl er. »Und Helme auf, Gewehre angelegt, allgemeine Gefechtsbereitschaft. Gehen Sie langsam vor, immer unter dem Feuerschutz eines Kameraden.«

»Man möchte meinen, wir stürmten eine Festung«, bemerkte Kevin dem rothaarigen Schotten gegenüber, als die beiden sich hinter einem Baum verschanzten. »Ich werde mir ganz schön blöd vorkommen, wenn die Häuser tatsächlich unbewohnt sind.«

Der Schotte schnaubte. »Das hat Ihr Vorgänger auch gesagt«, bemerkte er. »Und dann haben sie im Haus aus allen Rohren gefeuert. Das war eine ganz ähnliche Situation bei Ladysmith wie hier. Die Sanitätskompanie hatte drei Mann Verluste.«

Kevin schluckte und spürte zum ersten Mal, seit er in Afrika war, sein Herz rasen. Er sprintete zur nächsten Deckung hinter einer Scheune. Auch die anderen Soldaten und Ärzte arbeiteten sich so näher an das Haus heran, schließlich nah genug, um zwei Gewehrläufe zu sehen, die von zwei Fenstern rechts und links der Eingangstür auf die Männer zielten.

»Keinen Schritt näher!«, hörten sie eine Frauenstimme. Sie klang jung, aber äußerst entschieden. »Wenn hier noch einer näher rankommt, schießen wir!«

Die Frau sprach Englisch, korrekt, aber mit starkem Akzent.

Barrister hob die Stimme. »Seien Sie doch bitte vernünftig, Miss, mein Name ist Barrister, Major Barrister, Commander der fünften Feldambulanz. Wir werden auf Ihrer Farm ein Feldlazarett einrichten. Dabei wollen wir Sie nicht mal vertreiben, wenn Sie uns nur Ihre Scheunen zur Verfügung stellen … und vielleicht einen oder zwei Wohnräume für die Ärzte.«

»Sie werden gar nichts!« Das Mädchen unterstrich seine Bemerkung durch eine Salve aus seinem Gewehr. Es schoss in Richtung Barrister auf den Boden, die Kugeln peitschten in den roten Sand.

»Dagegen können Sie sich nicht wehren, Miss, es ist unser Recht.«

»Recht?« Die Frau schoss nun deutlich gezielter. Barrister zog sich hinter einen Baum zurück. »Sie haben hier überhaupt kein Recht! Nicht auf diese Farm, nicht auf dieses Land … Verschwinden Sie!«

Barrister hob die Hand, und die ersten Pfleger eröffneten das Feuer.

Kevin hielt seine ursprüngliche Idee, hier die militärischen Nieten einzusetzen, plötzlich für gar nicht mehr so gut. Und hatte auch ohnehin keine Lust, sich ein Feuergefecht mit einer jungen Frau zu liefern. Er sah sich das Anwesen genauer an und versuchte, sich ein Bild von dem Haus zu machen. Vorn gab es keine Veranda, aber es war unwahrscheinlich, dass die Farm keine hatte. Wahrscheinlich lag sie hinten, mit Blick auf den Fluss. Also musste es auch eine Hintertür geben.

»Kommen Sie!« Kevin rief den Schotten an, dem er von allen noch am meisten Treffsicherheit und Courage zutraute. »So gibt das nichts, wir gehen da von hinten rein.«

»Was gibt Ihnen die Sicherheit, dass da nicht auch jemand mit dem Gewehr hockt?«, fragte McAllister, folgte seinem Kollegen aber bereitwillig.

Kevin zuckte die Schultern. »Nichts. Aber solange Barrister vorne mit dem Mädchen diskutiert, wird keiner damit rechnen, dass wir von hinten kommen. Hoffe ich jedenfalls. Und die Hauptbefehlshaberin hört sich auch nicht so an, als hätte sie schon in vielen Schlachten Erfahrung gesammelt.«

McAllister schien dazu etwas sagen zu wollen, überlegte es sich dann aber anders. Die Rückseite des Hauses war jedenfalls leicht zu erreichen. Im Schatten der Scheune schlichen sich die beiden Ärzte um die Vorderfront herum und nutzten dann die Deckung hinter einer Hecke. Hinter dem Haus lag ein mit stacheligen Sträuchern eingefriedeter Garten. Und tatsächlich eine Veranda, von der eine breite Flügeltür ins Haus führte.

»Na also!«, raunte Kevin. »Kommen Sie, wir schleichen uns von links und rechts ran. Mit ein bisschen Glück ist die Tür nicht verschlossen. Wir öffnen beide Flügel gleichzeitig, dann haben wir einen Überraschungseffekt. Und Deckung hinter den Türen, falls da auch noch jemand sitzt, der sofort schießt.«

»Aber wir kommen vom Hellen ins Dunkle«, gab McAllister zu bedenken. »Bis sich die Augen umgestellt haben, können die uns haben. Lassen Sie uns erst durch die Fenster reinschauen, ob es wirklich ungefährlich ist.«

Auf beiden Seiten der Veranda gab es Fenster ins Innere.

»Eine Küche«, flüsterte McAllister, als beide Männer zu den Fensteröffnungen robbten und ins Innere des Hauses spähten. »Aber niemand drin.«

»Und eine Art Speisezimmer«, antwortete Kevin. »Auch leer. Sollen wir Position einnehmen?«

Der Schotte nickte. »Sie scheinen Recht zu haben, die konzentrieren sich auf den Vordereingang. Also los! Auf drei! Eins … zwei …«

Die Männer stießen vorsichtig die Tür auf und ließen helles Sonnenlicht in den mit einem groben Holztisch und schlichten Stühlen möblierten Raum. Augenscheinlich eine große Familie, Kevin registrierte neun Sitzgelegenheiten. Das Esszimmer grenzte an eine ebenfalls große Küche, in einem verglasten Schrank stand blau gemustertes Keramikgeschirr.

»Sehr gut, dann Deckung und langsam in die vorderen Räume vorarbeiten«, meinte McAllister. »Rechnen Sie damit, dass wir auf Leute stoßen, die möglichst nicht schreien sollten, wenn wir den Überraschungsmoment ausnutzen wollen.«

Kevin verkniff sich die Frage, wie er sie daran hindern wollte. Schließlich durfte es sich kaum um Männer, sondern um Frauen und sicher auch Kinder handeln.

Die Ärzte hielten die Waffen schussbereit vor sich, als sie sich nun durch die Tür schoben, die das Esszimmer von weiteren Räumlichkeiten trennte.

»Nicht … nicht schießen!« Eine gepresst klingende weibliche Stimme, aber nicht forsch wie die der jungen Frau vorn, sondern eher völlig verängstigt. »Bitte nicht schießen, Baas!«

Kevin spähte in den dunklen Korridor, der ihm eben noch

völlig leer erschienen war – und hätte beinahe wirklich abgedrückt, als er in den auf ihn gerichteten Gewehrlauf sah. Die junge Frau hatte in ihrer Panik wohl vergessen, ihn zu senken. Oder sie hielt die Waffe einfach so, wie es ihr gezeigt und befohlen worden war. Dies war keine selbstbewusste Burentochter, sondern ein ängstliches schwarzes Geschöpf mit kurzem krausem Haar und riesigen runden Augen, halb tot vor Angst.

»Nicht totmachen Nandé.«

Kevin ließ sein Gewehr sinken. »Niemand tut dir was«, beruhigte er leise. »Aber du musst die Waffe auch runternehmen. So, siehst du?« Er hielt den Lauf demonstrativ Richtung Boden.

Die junge Frau ließ ihre Waffe gleich fallen. Eine Jagdflinte, wie Kevin feststellte.

»Was sollte denn das?«, fragte Kevin, dem der Schreck noch in den Gliedern steckte. »Himmel, Mädchen, beinahe hätte ich dich erschossen, du …«

»Du sagst uns jetzt erst mal, wer noch im Haus ist!« McAllister fasste die junge Frau grob am Arm, stieß sie zurück ins Esszimmer und zwang sie auf einen der Stühle. »Wer hat dir gesagt, du sollst den Hintereingang bewachen?«

»Mejuffrouw Doortje, die Baas … Aber ich …«

»Das ist dieser weibliche Feldwebel, der da vorn auf den Stabsarzt schießt?«, vergewisserte sich McAllister.

»Hm?«

Die junge Frau wirkte überfordert. Sie sprach offensichtlich nur gebrochen Englisch.

»Die Frau vorn mit dem Gewehr?«, fragte Kevin freundlicher.

Die Buren mochten harte Brocken sein, aber mit diesem verängstigten, kaum achtzehnjährigen Geschöpf so umzuspringen fand er grausam.

»Sein drei Frau«, gab Nandé bereitwillig Auskunft. »De Baas Doortje und Bentje und Johanna. Und de kleine Baas Thies und Mees …«

»Thies und Mees sind kleine Jungen?«, versuchte Kevin aus der Antwort schlau zu werden.

Nandé nickte.

»Wie viele Gewehre?«, fragte McAllister und wies auf seine Waffe. »Wie viele davon?«

Das Mädchen hielt zwei Finger hoch. »Und die.« Es zeigte auf seine eigene Waffe.

Kevin nickte. Das entsprach den Beobachtungen vor dem Haus. Sie würden also nur zwei Frauen mit Gewehren zu überwältigen haben – oder eine Frau und ein Kind. Aber daran mochte er kaum denken.

»Hör zu«, sagte er schließlich zu dem schwarzen Mädchen, das immer noch zitterte. »Wir tun dir nichts. Sofern du den Mund hältst. Bleib hier und rühr dich nicht von der Stelle.«

»Wenn du uns in den Rücken fällst, bist du tot!«, drohte McAllister und hängte sich das Gewehr des Mädchens über die Schulter.

»Tut mir leid, Drury«, flüsterte er, als die Männer sich wieder möglichst lautlos in den Korridor schoben. »Ich weiß, sie wirkt harmlos. Aber ich habe hier schon gesehen, wie sich Kinder in Hyänen verwandelten. An den paar Drohungen stirbt sie nicht. Wenn wir das Haus jedoch stürmen müssen oder wenn's hier drin zum Schusswechsel kommt …«

Bisher konnte von Schusswechsel noch nicht die Rede sein. Barrister versuchte es wohl weiterhin mit gutem Zureden, immer wieder unterbrochen von Gewehrsalven aus dem Haus. Für Kevin und McAllister vereinfachte das ihr Vorgehen, sie brauchten nur den Schüssen zu folgen, um zu wissen, wo die Schützen sich verschanzten. Schließlich lehnten sie an der Wand vor der Tür zum Eingangsbereich. Sie konnten Barristers Stimme hören, auch wenn sie die Worte nicht verstanden – und die Antwort von Mejuffrouw Doortje: eine Gewehrsalve. Unter Mangel an Munition schien man in diesem Haus nicht zu leiden.

»Jetzt rein!«, wisperte McAllister, während der Lärm der Schüsse noch nachklang. »Sie nehmen den einen Feldwebel, ich den anderen. Und nicht drohen! Angreifen und entwaffnen, die sind sonst womöglich bereit, sich erschießen zu lassen.«

Kevin wunderte sich schon wieder, war aber bereit, der Aufforderung nachzukommen, sobald McAllister die Tür aufstieß. Inzwischen hatten sich seine Augen an das Halbdunkel im Haus gewöhnt – der Korridor hatte keine Fenster gehabt, und ansonsten waren, bis auf einen kleinen Spalt für die Gewehre, sämtliche Fensterläden geschlossen. Mit einem Blick erfasste Kevin die Menschen im Raum. Am Fenster die junge Frau mit dem Gewehr: eine schlanke Person, gekleidet in ein dunkles Hauskleid mit heller Spitzenschürze, das Haar von einer Haube bedeckt. Sie richtete ihre Konzentration auf die Männer vor dem Haus. Das andere Gewehr lag in den Händen eines vielleicht zehnjährigen Jungen, der ebenfalls angespannt auf die Angreifer zielte. Dahinter, in einer Ecke des Raumes, stand eine ältere Frau, die drei jüngere Kinder in den Armen hielt.

»Keine Bewegung!«, brüllte der Schotte, allerdings ging der Ruf sofort in den Schreien der Kinder unter.

Beide Schützen fuhren herum – aber Kevin hatte die jüngere Frau schon erreicht und schlug ihr mit dem eigenen Gewehrkolben die Waffe aus der Hand. McAllister ging bei dem Jungen ähnlich vor, Kevin hatte jedoch keine Zeit, ihm auch nur einen Blick zuzuwerfen. Schließlich zeigte sich sein Opfer keineswegs gewillt, sich zu ergeben. Unbeeindruckt von dem Gewehrlauf direkt vor ihrer Brust hämmerte die junge Frau mit den Fäusten auf Kevin ein, der die Waffe daraufhin losließ und sie mit beiden Händen abwehrte. Eins der anderen Kinder – auch ein Mädchen, vielleicht dreizehn Jahre alt, versuchte sofort, das Gewehr aufzuheben. Kevin wehrte es rüde mit einem Fußtritt ab. So langsam verstand er McAllister. Aber immerhin gelang es ihm jetzt, der jungen Frau einen Arm auf den Rücken zu drehen und sie damit kampfunfähig zu machen. Der kleine Junge, dem McAllister das Gewehr abgenommen hatte, weinte vor Wut. Der Schotte hielt die anderen derweil mit seiner Waffe in Schach.

»Alles klar, Major Barrister!«, rief er nach draußen. »Sie können reinkommen. Wir haben sie unter Kontrolle.«

Gleich darauf füllte sich der Raum mit englischen Stabsärzten und Soldaten. Die junge Frau, die Kevin festhielt, stieß Wutschreie und Beschimpfungen aus und begann, nach ihm zu treten und zu beißen.

»Gut gemacht, McAllister und … Drury, nicht wahr? Sehr gut gemacht. Aber vielleicht sollte Ihnen jemand diese kleine Furie abnehmen …«

Kevin lächelte. Die kleine Furie fühlte sich eigentlich ganz gut an in seinem Arm, wenn sie nur ein bisschen friedfertiger gewesen wäre. Er wollte die junge Frau nicht unsittlich berühren, aber wenn er nicht verletzt werden wollte, musste er sie an sich drücken und spürte unversehens ihre breiten, muskulösen Schultern, ihre recht großen, aber festen Brüste, die schlanke Taille und die wohlgeformten Hüften. Ein sehr weiblicher, aber auch sehr kräftiger Körper, sicher an schwere Arbeit gewöhnt, eine Sklavenhalterin hätte Kevin sich anders vorgestellt. Er war gespannt auf ihr Gesicht, vorerst jedoch sah er nur ihren Hinterkopf. Unter der sorgfältig geplätteten reinweißen Haube leuchtete flachsfarbenes Haar hervor. Die junge Frau duftete zudem betörend. Nicht nach Parfüm wie Juliet und die anderen Mädchen in Dunedin und nicht erdig und frisch wie die Maori-Mädchen. Mejuffrouw Doortje duftete nach frisch gebackenem Brot – wenn man den Geruch nach Schweiß und Pulverdampf ignorierte.

»Vielleicht ist sie ja jetzt bereit, sich ein bisschen zivilisierter zu verhalten«, meinte Kevin. »Dann könnte ich sie loslassen. Kommen Sie, Mejuffrouw Doortje, was auch immer das heißen mag. Geben Sie mir Ihr Ehrenwort. Wir tun Ihnen doch nichts …«

»Woher wissen Sie meinen Namen?«

Die junge Frau entwand sich ihm in dem Augenblick, in dem Kevin den Griff lockerte, drehte sich zu ihm um und blitzte ihn an. Sie hatte ein großflächiges Gesicht, das jedoch nicht grob wirkte, Nase und Mund waren fein modelliert, die Wangen vor Wut und Anstrengung gerötet, sie schien leicht erregbar. Wahrscheinlich errötete sie aber ohnehin schnell, ihr Teint war sehr hell. Doortjes Augen waren tiefblau, Kevin fühlte sich an das Delfter Porzellan im Speisezimmer der Familie erinnert.

Bevor er antworten konnte, schob sich ein schwarzer Schatten sehr vorsichtig durch die offene Tür.

»Baas …?« Das schwarze Mädchen.

»Nandé!«

Die Burenfrau in Kevins Griff brüllte die Schwarze an und fügte etwas hinzu, das wie eine wilde Beschimpfung klang. Nandé ließ daraufhin beschämt den Kopf hängen und kaute auf ihren vollen dunkelroten Lippen. Sie hatte tiefschwarze Haut. Kevin überlegte, ob man Rotwerden bei ihr überhaupt sehen konnte.

»Was hat sie gesagt?«, fragte er jetzt etwas ziellos in die Runde, nachdem Mejuffrouw Doortje gar nicht aufhören wollte, die Schwarze zu beschimpfen.

»So etwas wie ›dreckige Verräterin‹«, übersetzte der Australier Tracy peinlich berührt. »Den Rest erspare ich Ihnen … die junge Dame drückt sich etwas … hm … unflätig aus.«

»Sie sprechen Afrikaans?«, fragte Barrister verwundert.

Die Verstärkung aus Australien und Neuseeland schien ihn freudig zu überraschen. Erst Kevins Vorstoß mit McAllister, und jetzt unerwartete Begabungen bei diesem eher weichlich wirkenden jungen Arzt.

»Niederländisch, Sir. Ich habe zwei Semester in Leiden studiert.«

Mejuffrouw Doortje schleuderte jetzt auch ihm ein paar Beschimpfungen entgegen.

Stabsarzt Barrister seufzte. »Nun halten Sie aber mal den Mund, Miss, so kommen wir ja nicht weiter. Es wird langsam Zeit, dass wir uns über dieses Haus unterhalten. Ist dies Ihre Mutter?«

Er blickte auf die ältere Frau, die immer noch die Kinder im Arm hielt – es blieb unklar, ob sie die drei damit schützen oder an wilden Angriffen auf die Männer hindern wollte. Zumindest das älteste Mädchen schaute fast so hasserfüllt wie seine ältere Schwester. Die ältere Frau blickte dagegen mit sehr hellen Augen ins Leere.

»Meine Mutter spricht kein Englisch!«, warf Doortje ein. »Und sie ist blind. Wenn Sie ihr etwas tun …«

Tracy hatte sich jetzt aber auch schon in ihrer eigenen Sprache an die offensichtliche Hausherrin gewandt. Sie antwortete unwillig, aber anscheinend höflich.

»Dies ist Mevrouw Bentje VanStout«, stellte er vor. »Mit ihren Töchtern Dorothea …«, er wies auf Kevins Fang, »… und Johanna …«, Tracy, ganz Gentleman, verbeugte sich leicht vor der Jüngeren, »… und ihren Söhnen Thies und Mees. Zu ihrem Gatten äußert sie sich nicht, er ist wohl im Veld. Sonst gehören noch zwei schwarze Familien zu dem Anwesen, aber bis auf diese junge Dame …«, Nandé schaute völlig verblüfft, als er sich auch vor ihr verneigte, »… haben sich wohl alle versteckt, als das Heer hier vorbeizog. Vielleicht kommen sie ja wieder, wir könnten Hilfe gebrauchen …«

»Was sagt sie zu dem Feldlazarett?«, fragte Barrister.

Die Frau stieß ein paar hasserfüllte Worte aus.

Über Tracys schmales Gesicht flog leichte Röte. »Ich weiß nicht, ob ich das ...«

»Die sollen alle verrecken!«, schrie die ältere Frau.

Barrister rieb sich die Stirn. »Schön, die Lady spricht also doch etwas Englisch. Egal, wir werden wohl ohnehin hauptsächlich mit Ihnen zu tun haben, Miss Dorothea ...«

»Doortje«, sagte das Mädchen widerwillig. »Und erwarten Sie von mir keinerlei Kooperation. Weder meine Geschwister noch ich werden Ihnen in irgendeiner Weise entgegenkommen, wir ...«

»Das wissen wir schon«, bemerkte Barrister. »Sie haben sich da vorhin sehr deutlich ausgedrückt. Zeigen Sie mir jetzt trotzdem die Farm? Wie ich Ihnen schon sagte, beabsichtigen wir nicht, Sie mehr als nötig zu behelligen. Uns interessieren Ihre Scheunen – Stroh für provisorische Krankenbetten ... Vielleicht ein paar frische Lebensmittel, wenn Sie etwas entbehren können. Ist das ein Backhaus da hinten? Es roch eben wunderbar nach frischem Brot ...«

»Nehmen Sie es sich und ersticken Sie dran!«, schleuderte ihm Doortje entgegen.

Barrister zupfte an seinem Ohrläppchen, blieb aber höflich. »Ich nehme an, Sie haben kein Vieh mehr?«

»Natürlich nicht! Unsere letzten Kühe hat Ihr sogenanntes Entsatzheer requiriert – und die Ponys.«

»Lüge«, meinte McAllister zu Kevin, als sie ihrer widerwilligen Führerin jetzt nach draußen folgten, um sich die Gebäude der Farm anzusehen. »Das Entsatzheer hat garantiert keine Ponys requiriert, die Kavallerie hat ihre eigenen Pferde, und die Küchen- und Nachschubwagen sind längst bespannt. Die Farmpferde dürfte Mijnheer VanStout mitgenommen haben. Die Buren reiten alle. Fußtruppen gibt es bei denen nicht. Na ja, streng genommen gibt es überhaupt keine Truppen. Die Kerle nehmen einfach ihr Pferd und schließen sich einem Kommando an. Sie wählen einen Anführer, und los geht's in den Krieg. Das ist alles fürchterlich undiszipliniert, jeder kommt und geht, wann er will. Aber sie sind todesmutig – und sie überraschen einen immer wieder. Deshalb hatten sie am Anfang auch ihre Erfolge. Aber letztlich – den Krieg gewinnen wir.«

Kevin nickte, fragte sich allerdings, wie lange es dauern würde, bis auch die letzten dieser Kommandos aufgäben. Dies klang schließlich nicht, als habe da ein Land dem anderen den Krieg erklärt, sondern eher, als führte ihn ein großes Heer gegen tausend kleine Gruppen. Und was sollte das Empire mit einem Land anfangen, in dem sich ihm schon kleine Kinder so vehement entgegenstellten?

In den nächsten Tagen sollten sich noch einige der Angaben von Doortje VanStout als unwahr erweisen. So ertappten ein paar der vor der Schlacht noch unbeschäftigten Hilfspfleger zum Beispiel Nandé mit einem Eimer frischer Milch. Offensichtlich waren die schwarzen Arbeiter der Familie also keineswegs geflohen, sondern hüteten irgendwo im hügeligen Veld das versteckte Milchvieh.

Kevin, dem die Männer von ihrer Entdeckung berichteten, verriet die Buren jedoch nicht an Barrister. Er konnte verstehen, dass die Leute ihren Besitz bewahren wollten – und schließlich litt bei den Engländern ja keiner Hunger. Im Gegenteil, dem Lazarett wurde sofort ein Küchenwagen zur Verfügung gestellt, nachdem sich herausstellte, dass die VanStout-Frauen tatsächlich nicht bereit waren, auch nur die kleinste Handreichung für die Ärzte zu tun. Barrister versuchte es daraufhin noch einmal mit einem Friedensangebot. Er lud die Familie VanStout zu einem Essen mit seinen Offizieren ein. Doortje nahm es ihm allerdings schon übel, dass er dazu augenzwinkernd die Küche der VanStouts requirierte.

»Lassen Sie unseren Koch mal zaubern, der kann das! General Buller zählte ihn jedenfalls zu seinen Lieblingen. Aber in so einem Küchenwagen kann sich sein Genie nicht entfalten ...«

Doortje, Johanna und ihre Mutter nahmen das schweigend hin, räumten mit verkniffenen Gesichtern ihren blitzsauberen Wirkungsbereich und verzogen sich zum Fluss, um zu waschen.

Die kleinen Jungen zog es schon eher in Richtung Küche, sie schnupperten den Bratendüften nach, sicher lief ihnen das Wasser im Munde zusammen. Auf der Farm der VanStouts musste niemand hungern, aber Fleisch gab es zweifellos schon lange nicht mehr. Die Frauen mochten zwar auch Schweine und Ochsen in Sicherheit gebracht haben, aber mit der englischen Armee um die Ecke würden sie kaum ein Schlachtfest wagen. Und so gut Doortje auch schießen mochte – Kevin traute der couragierten Burin da einiges zu –, sie würde sich bestimmt nicht mit einem Jagdgewehr erwischen lassen.

Die Lammbratendüfte waren unwiderstehlich, aber dennoch erschien niemand von den VanStouts zur verabredeten Zeit an der festlich gedeckten Tafel.

»Es war ein Versuch«, seufzte Barrister und entkorkte eine Flasche Wein. »Aber ich hätte es mir gleich denken können. Diese Dorothea ist ein harter Brocken … und Mutter und Schwester sind es nicht minder.«

»Die Schwester ist obendrein eine Giftspritze«, bemerkte Tracy, der die VanStouts mitunter belauschte. »Sie hat ihre Augen überall, und wenn die kleinen Jungen oder einer der Schwarzen auch nur einen Ansatz von Entgegenkommen uns gegenüber zeigt, trägt sie es Doortje sofort zu. Die rügt das dann spätestens bei ihren Gottesdiensten. Die kleine Nandé fürchtet den Engel mit dem Flammenschwert schon hinter jedem Hügel.«

»Dabei ist die ein ganz nettes Ding«, meinte Kevin, dem die schwarze junge Frau oft leidtat.

Inzwischen hatte sich auch Nandés Bruder wieder auf der Farm eingefunden, und die zwei arbeiteten von Sonnenaufgang bis Sonnenuntergang auf den Feldern. Doortje trieb sie gnadenlos an, schenkte sich selbst und ihrer Familie allerdings auch nichts. Johanna blieb meist bei ihrer Mutter in der Küche, um der Blinden zur Hand zu gehen, aber die kleinen Jungen mussten bei der Ernte helfen. Das Hilfsangebot zweier bislang unbeschäftigter neuseeländischer Pfleger, die beide vom Land kamen und sich den weiblichen Wesen gegenüber ritterlich zeigten, wehrte sie dagegen empört ab. Nandé hätte es sicher angenommen. Sie wirkte völlig erschöpft, wenn sie abends vom Feld kam, aber man erwartete von ihr, jetzt noch beim Familienessen zu servieren, Wasser zu schleppen und andere Hausarbeiten zu erledigen. Bevor sie selbst etwas zu essen bekam, wurde es oft späte Nacht – und wahrscheinlich musste sie es sogar gesondert zubereiten. Die VanStouts teilten nie das Essen mit ihren schwarzen Arbeitern. Sie ließen sie sicher nicht hungern, aber eine gemeinsame Küche wäre völlig undenkbar gewesen.

»Na, na!«, lachte McAllister und drohte Kevin mit dem Finger. »Da verliebt sich doch nicht gerade jemand in schwarzes Kraushaar? Aber ich warne Sie, man sagt, diese Zulu-Frauen wären nicht sehr leidenschaftlich …«

Die Ärzte wussten inzwischen, dass Nandé eine reinblütige Zulu war. Ihr Name war auch keine Verballhornung von Nancy oder Suzanne, wie Kevin zuerst gedacht hatte. Tatsächlich, so hatte sie ihm anvertraut, war sie nach der Mutter des legendären Königs Shaka Zulu benannt worden.

Kevin hob ehrlich erstaunt eine Braue. »Ich? Verliebt in Nandé? Ich bitte Sie, die kleine Schwarze ist doch noch ein Kind …«

Dr. Tracy, der eigentlich nie zotige Bemerkungen machte, sich inzwischen aber oft als scharfer Beobachter erwiesen hatte, lächelte.

»Natürlich«, bemerkte er. »Dr. Drurys Haltung ist da über jeden Zweifel erhaben.« Tracy nahm einen langsamen Schluck aus seinem Weinglas, bevor er fortfuhr. »Aber Sie haben ein Auge auf die junge Miss Doortje geworfen.«

Kevin hätte sich fast an seinem Lammbraten verschluckt. Er

hustete und hoffte, dass die anderen Männer die Röte, die über sein Gesicht flog, darauf zurückführten.

»Doortje?«, fragte McAllister ungläubig. »Das stelle ich mir vor wie eine Liebesbeziehung zu einem Rasiermesser!«

»Colonel! Wie sprechen Sie von einer jungen Dame?«

Major Barrister kämpfte mit seiner Erheiterung, tadelte seinen Untergebenen aber dennoch.

Kevin war froh, dass er vorerst nichts sagen musste. Er hätte die Anziehung ja auch nicht erklären können, die Doortje VanStout auf ihn ausübte. Natürlich hatte er sie berührt, und ihr Körper hatte ihm gefallen. Auch ihr Gesicht war schön und ihr Haar. Aber das konnte nicht alles sein, was ihn so unwiderstehlich anzog. Eher war es … ihre unbändige Energie? Ihre Leidenschaft? Wenn sie eines Tages so lieben könnte, wie sie heute hasste – Doortje VanStout musste ein Wirbelsturm an Sinnlichkeit sein. Oder waren es ihre Sturheit, ihre tiefen Überzeugungen, die Kevin zwar nicht teilte, die ihn aber faszinierten. Er selbst hatte sich immer für ziemlich oberflächlich gehalten, und seine früheren Beziehungen … Juliet war nicht mehr als ein Schmetterling, der von einer Blüte zur anderen taumelte. Aber Doortje … sie war zweifellos standhaft, treu … bodenständig.

Kevin schüttelte über sich selbst den Kopf. Wann war bodenständig je ein weibliches Attribut gewesen, das ihn anzog? Wahrscheinlich war er einfach nur blind verliebt!

»Die junge Dame ist zweifellos eine Herausforderung«, bemerkte Tracy.

Er wollte wohl noch etwas sagen, aber dann hörten die Männer Hufschläge. Ein Pferd verhielt vor dem Haus – möglicherweise wechselte der Reiter ein paar Worte mit den VanStouts oder jemandem von den Mannschaften. Auf jeden Fall galoppierte er gleich wieder an und verhielt sein Pferd vor der hinteren Veranda, auf der Barrister und seine Offiziere tafelten.

Der Reiter, ein junger Australier, stieß seine Botschaft hervor, noch ehe er absteigen konnte.

»Major! Vor Wepener hat es erste Feindberührung gegeben, zwei Verwundete. Sie möchten bitte das Lazarettzelt bemannen und sich im Feldlazarett auf Arbeit einstellen. Die Schlacht wird morgen beginnen.«

Major Barrister hob die Tafel sofort auf und teilte seine Ärzte ein. Er selbst würde sich an die Front begeben und Erste Hilfe leisten.

»Dabei unterstützt mich die ersten zehn Stunden Dr. Tracy, dann lösen uns Dr. McAllister und Dr. Drury ab. Ich möchte, dass jeder der neuen Ärzte zunächst neben einem erfahrenen Frontarzt Dienst tut. Später ist die Einteilung egal, vielleicht reicht uns dann auch ein Arzt vor Ort, und die anderen können hier operieren. Sehen wir mal, wie blutig es wird …«

»Was soll das werden, ein Schnellkurs in Chirurgie?«, fragte Kevin McAllister, während Barrister und Tracy abritten. Die beiden sollten die vorbereiteten Betten und Operationsräume im Behelfskrankenhaus noch einmal überprüfen und sich dann aufs Ohr legen. Am kommenden Tag würden sie nicht viel Schlaf bekommen. »Ich geb's ja zu, dass ich da nicht allzu erfahren bin, aber ob Sie mir das in zehn Stunden beibringen können …«

McAllister lachte bitter. »Das lernen Sie hier schnell – auf die sehr harte Tour, besonders für die Betroffenen. Ich bin überzeugt, ich habe die ersten zehn Amputationspatienten umgebracht … Aber darum geht's hier gar nicht, eher um … Sie werden lernen, Blut zu sehen, Dr. Drury. Wie heißen Sie übrigens mit Vornamen? Ich bin Angus, kannst Gus zu mir sagen …«

Kevin dachte noch über Gus McAllisters seltsame Worte nach, als er aus Richtung des Hauses Klirren und das Splittern von

Holz hörte. Alarmiert sprang er von seinem Strohsack – das klang, als würde das Haus geplündert. Stürzten sich irgendwelche marodierenden Kommandos auf das Feldlazarett? Er griff nach seinem Gewehr.

Angus McAllister kam ihm allerdings schon entgegen, als er durch die Scheune hastete. Der Schotte hatte wohl ein besseres Gehör und war ebenfalls gleich in Unterhose und Hemd herausgestürmt. Jetzt grinste er über beide Ohren.

»Kein Krieg, Kevin. Nur deine künftige Liebste. Miss Doortje zerschlägt das Familienporzellan. Und die Stühle im Esszimmer. Entweiht von britischen Fingern und Hintern. Unmöglich, dass ein VanStout noch mal davon isst oder sich gar draufsetzt.« Er lachte. »Und nun hat sie auch noch einen Schotten in Unterhose gesehen. Ich hoffe, sie beruhigt sich, bevor sie sich die Augen aussticht …«

Kevin fasste sich an die Stirn. Aber er konnte nicht verhindern, dass er mit Doortjes Bild vor Augen einschlief. Ein blonder Racheengel, der wutentbrannt auf unschuldiges Geschirr und Möbel einprügelte – und ihn dann mit der gleichen Leidenschaft küsste …

Am nächsten Morgen hörte man zunächst Gefechtslärm. Auch in den letzten Tagen waren immer mal wieder Schüsse gefallen, allerdings eher sporadisch. Es hatte mehr nach Übungsschießen geklungen denn nach einem Schusswechsel oder gar einer Schlacht. Jetzt aber folgten Granatenexplosionen auf Gewehrsalven, schon auf der Farm der VanStouts war es laut, an der Front musste der Lärm infernalisch sein.

Im Lazarett traf dann zunächst Dr. Willcox ein, Barristers Vertreter. Er hatte in den letzten Tagen im Sanitätszelt an der Front die Stellung gehalten und kleine Verletzungen oder Blasen an den Füßen der Soldaten behandelt. Gestern war es denn erstmals ernst geworden, aber beide Verwundeten hatten die

Nacht überstanden. Einer war nur leicht verletzt, den anderen hatte Willcox sofort operiert – er war schon fertig gewesen, als Barrister und Tracy eintrafen. Nun begleitete er die beiden Verletzten ins Lazarett.

»Und der nächste Transport folgt wahrscheinlich in höchstens einer Stunde«, erklärte Willcox. »Die Schlacht tobt seit Sonnenaufgang. Die ersten Verwundeten kamen rein, als ich abritt ... Machen Sie sich bereit.«

Willcox klang äußerst ernst, aber die beiden ersten Patienten stellten nun wirklich noch keine Herausforderung dar. Beide waren gut versorgt und ordentlich verbunden, sie lagen recht bequem auf einem Strohlager in einem der drei Kastenwagen, auf denen die Verwundeten transportiert wurden. Die Pfleger brauchten sie nur auf die Strohsäcke umzubetten.

Dann jedoch kam der zweite Transport – und Kevin erhielt einen Vorgeschmack darauf, wie es an der Front zugehen musste. Es war fast undenkbar, dass nur zwei Ärzte und ein paar Pfleger diese vielen Verletzten erstversorgt hatten – und die Qualität der Behandlung war natürlich auch danach. Wunden waren nur flüchtig abgedeckt worden, Gliedmaßen, die amputiert werden mussten, hatte man abgebunden, die Patienten aber kaum weiterbehandelt. Die Männer lagen dicht aneinandergedrängt auf kaum gepolsterten Wagen, einige schrien, stöhnten und weinten.

»Die hier zuerst!«, bestimmte Dr. Willcox und wies auf einen Mann mit blutigem Beinstumpf und einen anderen mit völlig zerfetztem Arm. Ersterer war bewusstlos, der Zweite wimmerte. »Haben Sie schon mal jemandem ein Bein abgenommen, Drury? Ich seh schon, nein. Aber Sie wissen, wie man eine Säge bedient? Werden Sie jetzt nicht grün, Drury, greifen Sie sich OP-Besteck und assistieren Sie mir ...«

Kevin kämpfte sein erstes Entsetzen ziemlich schnell nieder. In seiner Praxis hatte er allenfalls mal eine Fingerkuppe amputiert, und auch während seiner Assistenzarztzeit in einem Dunediner Krankenhaus hatte er wenig operiert, Kevin mochte den Umgang mit Menschen und hatte die Allgemeinmedizin der Chirurgie vorgezogen. Im Operationssaal hatte er sich jedoch stets sehr geschickt angestellt und auch im Studium in der Pathologie. Als er sich erst an das blutige Geschäft gewöhnt hatte – es gab hier keine Assistenten, die das Blut stets gleich abtupften, wenn der Chirurg schnitt –, arbeitete er schnell und effizient.

Willcox war zufrieden mit ihm. »Lassen Sie sich bloß von den Schreien nicht irritieren, wenn uns die Opiate ausgehen«, meinte er nur. »Wir sind eigentlich gut sortiert, aber im Eifer des Gefechtes dosiert man nicht immer sehr genau, und es muss ja auch schnell gehen ...«

Es ging unglaublich schnell. Auf dem Operationstisch der beiden Ärzte folgte ein Patient dem anderen, die Pfleger wechselten sie so schnell aus, dass den Ärzten keine Atempause blieb. Am zweiten Tisch arbeitete McAllister allein mit einem indischen Pfleger. Die beiden kümmerten sich um die leichteren Fälle – und um eine Art Selektion. Letzteres erkannte Kevin erst, als er sich beim zehnten oder fünfzehnten Patienten fragte, warum es ihnen zumindest vorerst gelang, alle zu retten.

»Die hoffnungslosen Fälle kriegen wir nicht auf den Tisch«, antwortete Willcox knapp und wies mit dem Kinn auf McAllister. Neben seiner eigentlichen Arbeit bestimmte der die Reihenfolge der Operationen. Und ließ die schwersten Fälle liegen ...

»Aber das ist unmenschlich!«, erregte sich Kevin. »Wir müssten die eigentlich zuerst ...«

Willcox schüttelte den Kopf. »Junger Mann, wenn wir versuchen, den da zu retten ...«, er zeigte auf einen Lungenschuss, »dann stehen wir dafür mindestens zwei Stunden am Tisch, und inzwischen sterben uns drei andere. Für eine Chance von vielleicht zehn Prozent, dass dieser eine durchkommt. So geht das nicht im Krieg. Mir tut es auch leid …«

Der Mann mit dem Lungenschuss war noch sehr jung, womöglich hatte er mit dem Mindestalter für Freiwillige geschwindelt und sich älter gemacht. Willcox musterte ihn bedauernd. »Man hätte ihn gleich drüben sterben lassen sollen. Aber Barrister hat manchmal ein weiches Herz.«

Für Kevin vergingen die ersten zehn Stunden wie im Flug, er operierte immer noch, als bei Einbruch der Dunkelheit der letzte Transport Verwundeter eintraf. Begleitet von Dr. Tracy, der es sich nicht nehmen ließ, gleich an Kevins Stelle an den OP-Tisch zu treten.

»Sie sollen sofort an die Front reiten, Drury. Barrister operiert noch und kann Hilfe brauchen. Wir machen eine Art fliegenden Wechsel. McAllister kann dann in zwei Stunden nachkommen. Bis dahin müsste da unten Ruhe sein.«

»Aber Sie sollten sich ausruhen«, meinte Kevin mit Blick auf seinen Kollegen.

Dr. Tracy hielt sich immer noch aufrecht wie ein Gentleman, aber er sah entsetzlich aus. Seine am Vorabend noch blitzsaubere Uniform mit den perfekten Bügelfalten war verdreckt und blutdurchtränkt. Sein Gesicht wirkte hager und eingefallen, die Augen lagen tief in den Höhlen, und sein Blick hatte sich verändert. Dr. Tracy sah aus, als hätte er in einen Abgrund geblickt.

»Das müssten wir alle«, sagte Tracy kurz, und Kevin fragte sich, ob er selbst vielleicht genauso aussah wie sein Kollege. Aber er fühlte sich eigentlich noch recht wach – wahrscheinlich würde er seine Müdigkeit erst bemerken, wenn er sich entspannen konnte.

»Und ich möchte jetzt mal jemanden retten«, fügte Tracy hinzu. »Wenn ich … wenn ich noch mehr Tote sehe, dann …«, er straffte sich und schluckte herunter, was er offenbar sagen wollte, »… dann … dann könnte ich die Contenance verlieren …«, vollendete er den Satz dann doch.

Jetzt griff er nach dem Skalpell. Kevin ließ ihn arbeiten.

Kevin seinerseits kontrollierte auf dem Weg zum Pferdestall noch kurz den Zustand seiner Patienten. Die Pfleger – die indischen wie auch die frisch angelernten Neuseeländer – machten ihre Arbeit gut. Zwei der Anfänger hatten zunächst zwar mit Übelkeit kämpfen müssen, aber inzwischen hatten sich alle gefangen. Die Verwundeten lagen auf sauberen Strohsäcken, die Pfleger gingen von einem zum anderen, sprachen Mut zu und flößten den Männern Wasser und Suppe ein. Einer der neuen Hilfspfleger saß neben dem sterbenden jungen Mann mit dem Lungenschuss, sprach auf ihn ein und betete. Kevin lobte ihn – und fragte sich, ob es keinen Geistlichen gab, der dafür eigentlich zuständig wäre.

Bei einem der anderen Pfleger erkundigte er sich nach den VanStouts. Vielleicht hatte all das Leid, das sie heute hier gesehen hatten, ja doch an das Herz dieser Familie gerührt, und sie standen zumindest den Ärzten und Pflegern endlich etwas freundlicher gegenüber. Die Pfleger zuckten jedoch nur die Schultern. Die VanStouts hatten sich den ganzen Tag lang nicht blicken lassen.

»Dabei sind sie auch nicht auf dem Feld«, wusste einer der Inder zu berichten.

Der Koch, dessen Helfer eben einen großen Topf Eintopf in die Scheune schleppten, sog scharf die Luft ein.

»Die beten!«, erklärte er und füllte rasch eine Schale Suppe für Kevin. Der merkte jetzt erst, wie hungrig er war. »Schon stundenlang. Ich verstehe ja nichts von dem Kauderwelsch, aber wenn Sie mich fragen, dann geht's um den Sieg der Buren … Kann man das nicht unterbinden, Doktor? Also mich macht es ganz verrückt.«

Kevin lächelte müde zwischen zwei raschen Löffeln Suppe. »Darauf zielt es wahrscheinlich ab. Beachten Sie es am besten gar nicht. Verbieten können wir's jedenfalls nicht, da müssen Sie einfach auf Gott vertrauen. Der erhört ja nicht jeden ... Das hier schmeckt übrigens großartig – wo lag noch mal das Restaurant, in dem Sie früher gearbeitet haben? Melbourne?«

Kevin unterhielt sich noch etwas mit dem Koch, während die Pfleger nacheinander zum Essen eintrafen, alle ebenso hungrig wie der junge Arzt. Dann verließ er das Hospital widerstrebend – und erblickte zu seiner Verwunderung einen der Schwarzen, den Bruder Nandés. Der Mann schob sich im Schutz der Dunkelheit heran und schaute sich um, bevor er einen Eimer Wasser in den Eingang der Scheune stellte. Seine Herrschaft schien nichts davon zu wissen, dass er hier aushalf.

»Der versorgt uns schon den ganzen Tag mit Wasser«, meinte einer der neuseeländischen Pfleger. »Eine enorme Erleichterung, wir hatten hier ja alle Hände voll zu tun. Und die Zulu-Frau brachte vorhin einen halben Eimer Milch. Ich glaub, die sind für uns, die Neger. Die mögen die Buren auch nicht.«

Kevin dachte bei sich, dass sie wohl auch keinen besonderen Grund hatten, die Engländer zu mögen. Die hätten die Burenrepublik mit ihren abstrusen Gesetzen schließlich nicht anerkennen müssen. Bei der Übernahme des Landes hätten sie gleich für die Schwarzen kämpfen müssen – nicht jetzt erst für Gold. Aber dann dachte er nur noch an Doortje. Als er am Haus vorbeiritt, hörte er ihre klangvolle Stimme. Sie sprach in ihrer Sprache, Niederländisch oder Afrikaans, wie immer man es nannte, und sie schien aus der Bibel oder einem Gebetbuch vorzulesen. Im Licht der Gaslampen sah er ihre schlanke Silhouette, ihre adrette Haube über dem flachsblonden Haar. Sie schien sie niemals abzunehmen, er musste jemanden fragen, ob das Gründe hatte. Kevin stellte sich vor, wie er die Bänder löste und ihr Haar in weichen Wellen über ihren Rücken fiel. Wie Gold, aber ohne den metallischen Schimmer, den das Haar seiner Nichte Atamarie so besonders machte. Doortjes Haar war wie das Gold der Weizenähren ...

Kevin dachte, dass es sich um dieses Gold zu kämpfen lohnte.

Im Heerlager der Engländer herrschte Ruhe, als Kevin todmüde dort eintraf. Es war genau, wie er es sich vorgestellt hatte, mit der Entspannung kam die Erschöpfung. Vor dem Lazarettzelt saßen ein paar Pfleger und rauchten, daneben lagen unzählige von in Planen gewickelten länglichen Bündeln. Kevin ahnte, was das war – hier hatte es mehr als zwei Tote gegeben.

»Dr. Barrister?«, fragte er die Pfleger kurz.

Einer wies nach drinnen. »Operiert noch. Ein paar schwere Fälle, die bis jetzt durchgehalten haben. Gehen Sie rein ...«

Barrister war ebenso schmutzig und blutverschmiert wie Tracy, er wirkte erschöpft, aber nicht so ausgebrannt wie sein junger Kollege.

»Kommen Sie, Drury, helfen Sie mir. Ein Bauchschuss, keine große Überlebenschance. Aber wenn er bis jetzt nicht gestorben ist ... dann versuchen wir's wenigstens mal. Konnten Sie was für den Lungenschuss tun?«

Kevin schüttelte den Kopf. »Dr. Willcox ...«

»... wird es auch heute Nacht noch versuchen, falls der Junge noch lebt. Aber wir sollten wenigstens zwei Stunden Schlaf bekommen. Das geht morgen genauso weiter ... die Buren in Wepener denken nicht ans Aufgeben, die kämpfen bis zur letzten Patrone. Und ihre Position ist wohl exzellent, es kann noch zwei oder drei Tage dauern, bis wir die Stadt zurückerobern.«

Kevin nahm sich ein Skalpell. »Aber letztlich gewinnen wir?«, vergewisserte er sich.

Barrister nickte. »Keine Frage. Die Leute könnten ebenso

gut aufgeben. Aber das tun sie nicht. Und wir haben sie im Übrigen auch im Rücken. Die meisten von den jungen Männern hier …«, er wies auf das Lazarettzelt, »… wurden nicht beim Angriff auf die Stadt getroffen. Eher von marodierenden Kommandos, die aus dem Nichts zu kommen schienen. Es sind jetzt ganze Heeresteile dazu abgestellt, die umliegenden Hügel zu sichern. Viele von Ihren Leuten übrigens. Es heißt, die reiten genauso verrückt wie die Buren. Weiß nicht, ob das ein Kompliment sein soll, aber sie nennen sie jetzt schon Rough Riders. Und sie scheinen erfolgreich zu sein, ich hatte kaum welche auf dem Tisch …«

Trotz all ihrer Bemühungen starben Kevin und Barrister in dieser Nacht noch drei der aufgeschobenen schweren Fälle – und Kevin begann Tracy zu verstehen. Wenn der ganze Tag so frustrierend verlaufen war … nun, am nächsten Morgen würde er es sehen. Kevins zehn Stunden Dienst an der Front würden bei Sonnenaufgang beginnen. Zwei Stunden vor Sonnenaufgang fiel er völlig erschöpft auf einen Strohsack neben seinen letzten Patienten.

Lizzie und Michael wollten Patricks und Juliets Hochzeit auf Elizabeth Station feiern, und Patrick hätte nichts dagegen gehabt. Er liebte die Farm – irgendwann würde er sie ja auch einmal erben, Kevin zeigte schließlich kein Interesse –, und er war auch dem in der Nähe lebenden Maori-Stamm eng verbunden. An einem Fest auf Elizabeth Station würde diese zusätzliche »Familie« teilnehmen, und für die Freunde und Familienangehörigen aus Dunedin würden sich Unterkünfte in Lawrence finden.

Juliet wehrte sich allerdings vehement gegen die Hochzeit am »Ende der Welt«, wie sie Lawrence nannte. Sie wünschte sich eine Feier in einem feudalen Dunediner Hotel und möglichst eine Trauung in der St. Paul's Cathedral. Mit Letzterem kam sie nicht durch, Patrick bestand darauf, dass Reverend Burton die Trauung vornahm. Juliet zog zwar alle Register, einschließlich Tränen, weil sie sich angeblich vor dem Reverend und seiner Gattin schämte. Schließlich hatten die beiden sie schon als Kevins Freundin gekannt und mochten sich die Sache mit dem Kind ausrechnen können. Patrick schüttelte allerdings nur den Kopf.

»Liebes, sie werden sowieso davon erfahren. Die Burtons und die Drurys sind eng befreundet. Sean ist Kathleens Sohn und mein Halbbruder. Und du beabsichtigst doch zweifellos, dein Brautkleid in Lady's Goldmine zu erwerben, oder? Willst du Kathleen sagen, du probierst es nur für deine Schwester an?

Nein, Liebes, wir heiraten in Caversham, und der Reverend wird uns trauen. Darüber gibt es keine Debatten.«

Über die Sache mit dem Hotel ließ Patrick allerdings mit sich reden, und er verteidigte Juliets Einstellung sogar gegenüber seinen Eltern: »Sie ist die Braut. Sie hat ein Recht auf eine Feier in Dunedin. Mit all ihren Freunden ...«

»Ich hör immer Freunde«, schmollte Lizzie. »Also, vor einem Jahr kannte hier noch niemand Juliet LaBree, und ich sehe auch jetzt noch keine Schlangen von Gratulanten, Trauzeugen und Brautjungfern.«

Patrick biss sich auf die Lippen. »Komm, Mutter! Sie ist die Braut. Es soll der schönste Tag ihres Lebens werden. Das hat sie verdient!«

»Verdient?«, fragte Lizzie jetzt heftiger. »Womit? Indem sie sich schwängern ließ, ohne zu fragen, ob der Vater des Kindes sie wirklich liebt? Womöglich sogar, um ihn an der Nase herumzuführen? Dafür verdient sie eher Prügel. Sie sollte froh und dankbar sein, dass du dem Kind einen Namen gibst!«

»Du magst sie nicht ...«, meinte Patrick resigniert.

Lizzie seufzte. »Ich hätte mir eine sympathischere Frau für dich gewünscht, Patrick. Eine ... herzlichere und liebevollere. Aber ich werde schon mit ihr auskommen. Und sie mit mir. Wenn die Welt glauben soll, dass das Kind von dir ist, muss sie die nächsten Monate bei uns in Tuapeka verbringen. Das ist ihr doch klar, oder?«

Patrick nickte. »Und eben deshalb ...«, begann er.

»Bis das Kind kommt, wird sie zweifellos jede Kröte schlucken müssen, die aus unserem Bach hüpft«, kam ihm Michael unerwartet zu Hilfe. »Insofern sollten wir ihr vorher eine Hochzeit in Dunedin gönnen. Komm, Lizzie, gib deinem Herzen einen Stoß! Mit den Maori feiern wir dann ein paar Tage später nach. Aber lass Miss LaBree noch einmal Ballkönigin sein, wenn ...«

Er schwieg mit einem flüchtigen Seitenblick auf Patrick. Sein Sohn nickte eifrig und merkte gar nicht, dass Michael seinen Satz nicht beendete. Aber Lizzie verstand. Michael hatte aus Rücksicht auf Patrick geschwiegen. Für Juliet war diese Hochzeit eine Enttäuschung. Sie bekam nichts von dem, was sie gewollt hatte. Nur einen Mann, den sie nicht liebte, und ein Kind, von dem noch niemand wusste, ob sie es lieben würde.

Die Drurys mieteten also den Festsaal des Leviathan Hotels in Queens Gardens. Patrick engagierte Musiker nach Juliets Wünschen – »Deine Mutter hätte wahrscheinlich eine Kammermusikgruppe genommen und dein Vater einen Fiedler aus dem Irish Pub!« –, und Kathleen entwarf das schneeweiße Hochzeitskleid sowie lindgrüne Kreationen für die Brautjungfern Roberta und Atamarie.

»Für die diesjährigen Brautmoden brauchen wir darüber hinaus keine Reklame mehr zu machen«, meinte Claire zufrieden, als sie Juliet zum ersten Mal in ihrer Robe sah. »Jedes einzelne Mädchen in Dunedin wird nur noch davon träumen, vor dem Traualtar einmal so schön auszusehen!«

»Aber ein bisschen schlanker in der Bauchregion wäre schon wünschenswert«, bemerkte Kathleen trocken. »Man wird's allerdings nicht sehen, sie schnürt sich gnadenlos … Das arme Baby kriegt wahrscheinlich Atemnot.«

»Baby?«, quietschte Claire wie ein Backfisch. »Du meinst, sie ist schwanger?«

Kathleen nickte. »Sicher. Und nicht erst seit vorgestern. Ich will ja nicht klatschen, aber ob das mit Kevins plötzlichem Drang zu den Fahnen des Empire zu tun haben könnte?«

Claire kicherte. »Du willst überhaupt nicht klatschen. Natürlich nicht, Kate. Das steht der Frau eines Reverends auch wirklich nicht zu … Komm, wem erzählen wir's noch?«

Kathleen und Claire erzählten es natürlich niemandem, und außer der aufmerksamen Schneiderin fiel es auch nur wenigen Hochzeitsgästen auf, dass Juliet fülliger wirkte als früher. Ihr Kleid kaschierte das hervorragend. Es war eine mondäne Kreation, Kopfschmuck, Rock und Ärmel der fedrigen Form der Rata-Blüte nachempfunden, während das Oberteil eng anlag und Juliets hohe Brüste betonte. Kathleen ließ sich in den letzten Jahren immer mehr von der reichen Flora der Süd- und Nordinsel inspirieren. Im letzten Jahr hatte ihr Hochzeitskleid Weiße Kamelie Furore gemacht. Die zarte Blütenform hatte die Sinnlichkeit der Braut unterstützt – aber andererseits galten die weißen Kamelien als Sinnbild des Kampfes für das Frauenwahlrecht.

»So eins will ich auch mal, wenn ich heirate!«, erklärte Atamarie.

Nun aber gab es Begeisterungsrufe, als Patrick Juliet in ihrem Rata-Blüten-Kleid durch die Mitte der kleinen Kirche von Caversham führte. Der Reverend warf den Jublern einen strafenden Blick zu. Er wusste genau, dass die Kirche an diesem Tag auch deshalb bis zum letzten Platz gefüllt war, weil die Damenwelt Dunedins schon vor den Herbstmodenschauen einen Blick auf die Kreationen seiner Frau werfen wollte.

»Entwickelt sich der Rata nicht zuerst als Schmarotzer?«, raunte Lizzie ihrem Mann zu.

Auch Michael guckte daraufhin strafend.

Patrick strahlte dagegen über das ganze Gesicht. Er trug einen hellgrauen Anzug, der ihn stattlich wirken ließ.

»Wenn auch nicht so imponierend wie Kevin«, wisperte Claire ihrem Mann zu. »Wer weiß, ob Miss Juliet da nicht enttäuscht ist ...«

James Dunloe, den alle Jimmy nannten, hätte beinahe gegrinst, bemühte sich aber um einen missbilligenden Blick auf seine Gattin.

Vergnügt und uneingeschränkt begeistert von ihrer Rolle wirkten die Brautjungfern. Beide schienen auch aus anderen Gründen vor Glück zu strahlen, wobei sich Atamarie denken konnte, warum Roberta zufrieden war. Hatte sie doch lange genug befürchtet, eines Tages Kevin und Juliet zum Traualtar folgen zu müssen. Die aktuelle Entwicklung tröstete sie dann fast über ihre Sorge um Kevin hinweg. Seine Meldung zur Armee hatte sie schwer getroffen, auch wenn Atamarie sie tröstete. Guck mal, hatte sie gesagt, da sieht er garantiert monatelang keine einzige Frau. Und wenn er zurückkommt – er wird dich mit ganz anderen Augen betrachten!

Die Hochzeit machte Roberta zumindest wieder Hoffnung.

Atamarie hatte dagegen noch keine Zeit gehabt, der Freundin von den neuesten Entwicklungen in ihrem Leben zu berichten. Sie war gerade erst aus Taranaki zurückgekehrt und nur kurz vor der Hochzeit eingetroffen. Die Mädchen hatten genug mit dem Ankleiden und Frisieren zu tun gehabt, Geschichten austauschen würden sie erst später.

Nun lauschten sie aufmerksam, wie Juliet und Patrick die Trauformel sprachen. Er bewegt, aber mit fester Stimme, sie fast unbeteiligt.

»Ein Wunder, dass sie überhaupt noch ein Wort rauskriegt«, raunte Violet ihrem Gatten zu. »So fest, wie sie geschnürt ist. Aber zugenommen hat sie trotzdem. Ich frage mich …«

Sean Coltrane lächelte. »So gesehen folgt Kevin vielleicht einer gewissen Familientradition«, bemerkte er. Auch Michael hatte Kathleen schließlich vor Jahren schwanger zurückgelassen. Wenn auch aus gänzlich anderen Gründen. »Aber Patrick kriegt, was er will. Hoffentlich macht es ihn glücklich.«

An diesem Tag war Patrick auf jeden Fall der glücklichste Mann der Welt. Er genoss das Fest im Leviathan und schwenkte Juliet erst zu Walzerklängen herum, dann zu modernerer Musik. Der

Braut wurde allerdings bald schwindelig, was kein Wunder war. Juliet war so eng geschnürt, dass sie kaum etwas von dem exzellenten Essen herunterbrachte.

»Und immerhin auch kaum Champagner«, flüsterte Chloé ihrer Partnerin Heather zu. »Also wird sie heute wohl nicht singen.«

»Eigentlich schade«, meinte Heather. »Sie macht das doch ganz hübsch. Wenn sie künftig nur Kindern Schlaflieder vorsingt, ist das Talent völlig verschwendet.«

Chloé zog die Augenbrauen hoch. »Glaubst du wirklich, sie kriegt so bald Kinder? Also, wenn du mich fragst, weiß sie genau, wie man das verhindert. Und schließlich verdirbt es die Figur!«

Heather runzelte die Stirn und betrachtete Juliet mit dem forschenden Blick der Malerin. »Wenn sie keine Kinder will – warum gibt sie dann ihre Kunst auf und heiratet Patrick? Täusche ich mich übrigens, oder ist sie schon etwas dicker geworden?«

Atamarie und Roberta hatten keinen Blick für die möglichen Figurprobleme der Braut. Sie hatten sich ein paar Mal zum Tanz auffordern lassen, aber im Grunde wollten sie lieber reden. Schließlich organisierte Atamarie eine Flasche Champagner, und die Mädchen zogen sich auf den Balkon des Festsaals zurück. Hier war es zwar kalt, aber sie waren ungestört. Nur die fröhliche Musik – die Band spielte inzwischen Märsche von Sousa – drang zu ihnen hinaus und untermalte ihre Unterhaltung.

»Und dann ist er einfach weg?«, fragte Roberta.

Atamarie hatte ihr eben von der Rettung Rawiris und dem traumhaften Abend erzählt, an dem sie mit Richard Pearse durch die Hügel geschlendert war und über ihren Traum vom Fliegen gesprochen hatte.

»Er denkt genauso wie ich! Er fühlt wie ich! Und dann hat er mich geküsst!«

»Aber am nächsten Tag war er weg?«, wiederholte Roberta.

»Na ja, nicht direkt weg«, schränkte Atamarie ein. Sie hätte die Liebesgeschichte so gern weitererzählt, aber tatsächlich war der nächste Tag eine Enttäuschung geworden. »Es war mehr so, dass Professor Dobbins meinte, wir würden nicht fertig. Wir kämen nicht so schnell voran, wie es geplant war – ist ja auch kein Wunder, mit solchen Muttersöhnchen wie diesem Porter, die für jeden Hügel Steigeisen brauchen. Und dreiunddreißig-tausend Hektar Land, hügelig … da muss man sich schon ran-halten, wenn man es in ein paar Wochen schaffen will. Jeden-falls hat er die Gruppe geteilt. Wir machten von Parihaka aus weiter, aber die Studenten aus dem dritten Jahr mussten auf die andere Seite des Taranaki. Unter Richards Führung.« Sie verzog den Mund.

»Und das musste nun unbedingt Richard sein?«, erkundigte sich Roberta. »Konnte das kein anderer machen? Ich meine … dein Richard war doch nicht mal ein richtiger Student, wenn ich das richtig verstanden habe. Kann es sein, dass dieser Pro-fessor Dobbins – dass er euch auseinanderbringen wollte?«

Atamarie schüttelte den Kopf. »Nöö, glaub ich nicht. Im Gegenteil, ich hatte den Eindruck, der fand das ganz süß mit uns …«

»Süß?«, fragte Roberta streng.

Sie konnte sich nicht vorstellen, dass ein Universitätsprofes-sor dieses Wort gebraucht hätte.

Atamarie lachte. »Na ja, nicht ›süß‹, aber vielleicht … hm … passend. Jedenfalls hatte ich das Gefühl, er war ganz wohl-wollend. Während er nicht so glücklich guckte, wenn Porter und die anderen mit den Maori-Mädchen in die Büsche gin-gen … Er hat ja auch gesehen, dass meine Mutter gesehen hat …«

»Deine Mutter fand das gut?«, quietschte Roberta. »Dass du mit Richard in die Büsche …«

»Ich war ja nicht mit Richard in den Büschen«, seufzte Atamarie bedauernd. »Nur spazieren. In den Hügeln. Hab ich doch gesagt. Wegen der Aufwinde. Und dem Neigungswinkel. Ich dachte, dass sich der eine für Flugversuche eignen würde, aber Richard meinte, dass man da für reinen Gleitflug nicht die nötige Geschwindigkeit erreichen würde. Höchstens mit einem Doppeldecker. Lilenthal …«

»Atamie!« Roberta stöhnte. »Ich möchte kein technisches Seminar. Erzähl einfach weiter von diesem Richard. Hat er wenigstens deine Hand gehalten?«

Atamarie nickte. »Doch. Und er hat mich ja auch geküsst. Auf den Mund.« Sie verschwieg ihre eigenen Anstrengungen, ihn dazu zu bewegen. »Richard ist ein Gentleman.«

»Der am nächsten Tag einfach weg war«, wiederholte Roberta. »Konntest du nicht mit auf die andere Seite vom Berg?«

Atamarie schüttelte den Kopf. »Nein, das wollte der Professor nicht erlauben. Ich war doch die Jüngste in der Gruppe und das einzige Mädchen …«

»Aber er hat gefragt?«, erkundigte sich Roberta. »Dein Richard, meine ich …«

»Jaa …« Tatsächlich hatte Atamarie gefragt. Und die erwartete Abfuhr erhalten. Richard Pearse schien gar nicht daran gedacht zu haben. Er war viel zu aufgeregt über seine Berufung zum Leiter der Expedition. Das war natürlich auch eine Ehre, schließlich hatte er zusammengenommen kaum mehr Seminare besucht als Atamarie. »Aber er ist ein Genie«, erklärte Atamarie, als Roberta noch einmal darauf zurückkam, ob Richard nicht einfach um ihretwillen hätte bleiben können. »Der Professor weiß das. Er hat eine große Zukunft!«

Roberta runzelte die Stirn. Sie sah an diesem Abend entzückend aus, sie war ganz begeistert gewesen, als Kathleen ihr in das mattgrüne Brautjungfernkleid geholfen hatte. In der letzten Zeit kleidete sie sich zu trist, sie wusste es ja. Aber ohne Atamarie, die ihr immer wieder zuredete, Farbe zu wagen, größere Ausschnitte zu zeigen und überhaupt mehr mit der Mode zu gehen, ließ sie sich vom Geist der Lehrerakademie beeinflussen. Die Mädchen dort kleideten sich unauffällig, schon ganz auf ihren künftigen Stand vorbereitet. Keine von ihnen plante in absehbarer Zeit zu heiraten, es war immer noch üblich, dass eine verheiratete Lehrerin aus dem Schuldienst austrat. Und viele der Studentinnen wirkten auch jetzt schon altjüngferlich. Zwar nahmen sie an den harmlosen Vergnügungen teil, zu denen die Akademie-Studenten sich trafen, aber sie flirteten nie mit den wenigen männlichen Absolventen. Die hatten allerdings auch für Roberta keinen Reiz. Von den dreien in ihrem Jahrgang war einer bereits verheiratet, einer wirkte unmännlich und der dritte war knochenmager und so linkisch, als habe er gerade erst das vierzehnte Lebensjahr vollendet. Es war der Mühe nicht wert, sich für sie schön zu machen – zumal einen dann die ganze Akademie anstarrte. Roberta hasste es, aufzufallen.

»Und wann hast du ihn dann wiedergesehen?«, nahm sie jetzt die Befragung Atamaries wieder auf. »Ich seid doch gemeinsam zurückgefahren, oder? Seht ihr euch noch?«

Atamarie zupfte an einer Strähne ihres goldblonden Haars. »Nicht direkt, also … ja, wir sind natürlich zusammen zurückgefahren. Es war wieder so schön, wir haben die ganze Zeit geredet, auf der Fähre und im Zug …«

»Geredet?«, fragte Roberta. »Mehr nicht? Nachdem ihr euch vorher schon geküsst hattet?«

»Na ja, so vor den anderen und vor dem Professor …« Atamarie wand sich vor Verlegenheit.

Roberta alarmierte das. Sie konnte das Gefühl zwar verstehen, auch sie selbst hätte nie gewagt, im Beisein ihrer Dozenten das Wort an einen Kommilitonen zu richten. Aber Atamarie war da völlig anders. Schüchternheit lag ihr gänzlich fern, und sie fand eigentlich immer einen Weg, das zu bekommen, was sie wirklich wollte. Ein bisschen Alleinsein mit Richard Pearse konnte sie kaum vor unüberwindliche Hindernisse gestellt haben.

»Aber er hat mich zum Abschied geküsst«, meinte Atamarie trotzig. »In Christchurch, bevor wir uns getrennt haben. Er war ganz süß, ein bisschen schüchtern, aber ganz … ganz hinreißend. Er hat mir gesagt, wie sehr er die Zeit mit mir genossen hat. Und dass wir uns unbedingt wiedersehen müssten …«

Tatsächlich hatte Richard Pearse vor allem von seiner Farm in Temuka gesprochen, auf die er jetzt zurückkehren musste. Er hatte allein den Gedanken daran gehasst, und Atamarie hatte ihn getröstet. Ich kann dich ja mal besuchen kommen, hatte sie hoffnungsvoll gesagt. So zum … also wir könnten vielleicht einen Drachen bauen …

Richard hatte ihr daraufhin sein sanftes, schüchternes, jetzt fast etwas verzweifeltes Lächeln geschenkt. Du bist immer willkommen, Atamarie!, hatte er gesagt. Und sie dann wirklich geküsst. Sehr zärtlich. Auf die Wange.

Diesmal hatte es vorher kein *hangi*, kein Bier und keinen Whiskey gegeben. Atamarie hatte einfach mit ihm vor der Hochschule gestanden. Und da hatte sie es nicht gewagt, ihren Vorstoß zu wiederholen. Sie blieb unbefriedigt zurück, seine Lippen hatten die ihren nicht einmal gestreift.

»Wir werden uns schreiben«, erklärte sie entschlossen.

Roberta schürzte die Lippen. Sie wusste nicht viel von Liebe, aber nach Leidenschaft hörte sich das nicht an.

Patrick und Juliet bezogen die Hochzeitssuite im Leviathan Hotel, und wie Juliet halb gehofft und halb gefürchtet hatte, war Patrick sehr rücksichtsvoll. Juliet hatte nichts gegen ihren neuen Ehemann, im Gegenteil, Patricks Ergebenheit schmeichelte ihr, und seine hilflose Nachgiebigkeit ließ sie fast zärtliche Gefühle für ihn empfinden. Leidenschaft oder gar Liebe brachte sie ihm bislang nicht entgegen, aber sie bewahrte doch einen gewissen Optimismus. Dieser Mann war Kevins Bruder! Es konnte kaum sein, dass er so gar nicht zu dessen Wildheit und Fantasie fähig war. Juliet war bereit, sich überraschen zu lassen. Sie fand es zwar seltsam, dass Patrick sie vor der Hochzeitsnacht nicht anrührte, aber vielleicht sparte er sich seine Energie ja auf.

Dann war es allerdings ganz so, wie sie erwartet hatte. Patrick hob sie lachend auf und trug sie auf starken Armen in ihr Zimmer. Er legte sie aufs Bett und hatte sogar daran gedacht, Rosenblätter darauf ausstreuen zu lassen. Dann begann er sie zärtlich zu küssen und an den Verschlüssen ihres Kleides zu nesteln.

»Du bist doch nicht zu müde, Liebste?«, fragte er freundlich, als sie vorerst keine Anstalten machte, ihm dabei zu helfen.

»Ach was«, murmelte Juliet. »Wenn du mich nur von diesem Korsett befreist – ich kann mich einfach nicht mehr bewegen.«

»Warum musstest du dich auch so fest schnüren?« Patrick kämpfte mit den seidenbezogenen Knöpfen ihres Mieders. »Du weißt, ich hätte dich genauso gern in einem Reformkleid geheiratet ...«

»Warum nicht gleich in einem Zirkuszelt?«, stieß Juliet rüde hervor und zerrte ihrerseits an einem der Knöpfe. Was sollte die ganze Vorsicht, sie würde das Kleid ohnehin nie wieder tragen. Kevin hätte es ihr längst vom Körper gerissen.

Patrick lachte nervös, dann machte er sich daran, die Bänder des Korsetts zu lösen. Juliet atmete auf, als es ihm endlich gelang. Entspannt lag sie nackt vor ihm, während Patrick der Anblick den Atem zu rauben schien. Juliet hätte bei dem

Gedanken fast hysterisch gekichert. Einer von ihnen beiden kriegte anscheinend immer keine Luft.

»Du bist so wunderschön«, flüsterte Patrick andächtig. »Ich weiß gar nicht, ich weiß nicht ...«

Juliet seufzte. Es konnte nicht sein, dass sie da eine männliche Jungfrau geheiratet hatte!

Aber dann ergriff Patrick doch endlich die Initiative. Er begann ihren Körper zu küssen und mit Fingerkreisen zu liebkosen. Es war durchaus angenehm, Juliet überließ sich seiner Zärtlichkeit – und ihrer eigenen Müdigkeit nach dem anstrengenden Tag. Aber dann riss sie sich zusammen. Sie durfte auf keinen Fall dabei einschlafen! Also erwiderte sie die Berührungen, intensivierte sie, versuchte, Patrick zu wilderen Küssen, dann zu härterem, stärkerem Stoßen zu bewegen. Aber es blieb vergeblich. Patrick war ein langsamer, rücksichtsvoller Liebhaber. Eine schüchterne Jungfrau hätte diese Hochzeitsnacht genossen, aber Juliet war erfahren und verwöhnt, sie spielte gern, tauschte gern die Rollen, wollte lachen, schreien, sich aufbäumen. Patricks Zärtlichkeit erregte sie nicht. Als es so weit war, spielte sie ihm den Höhepunkt vor. Es war nichts Neues für sie, sie hatte das schon bei vielen Männern gemacht. Aber in ihren dunkelsten Albträumen hatte sie nie geglaubt, es jemals für ihren Ehemann tun zu müssen!

»Das war sehr schön«, flüsterte Patrick. »Du machst mich sehr glücklich, meine wunderschöne Geliebte. Wir werden ein herrliches Leben haben.«

Juliet antwortete nicht, aber sie haderte mit ihrem Schicksal und ihren Hoffnungen. Sie hatte sich Sicherheit gewünscht, und danach hörte sich das auch an. Nach Sicherheit, aber auch nach Langeweile.

Nicht nach Leidenschaft.

Kevin erwachte von den ersten Granateneinschlägen des Tages. Die Schüsse in den wenigen Stunden seiner kurzen Nacht hatte er verschlafen – er hätte glatt geleugnet, dass es Kampfhandlungen gegeben hatte, wären da nicht die zwei schottischen Soldaten gewesen, die mit Streifschüssen aufs Verbinden warteten.

»Wir wollten Sie nicht wecken, Doktor«, meinte einer von ihnen, »wir lagen ja nicht im Sterben.«

»Im Gegensatz zu den Mistkerlen, die uns angegriffen haben!«, erklärte der andere mit deutlicher Genugtuung. »Reines Glück, dass McDuff so 'ne schwache Blase hat, die Wachen hätten die überrumpelt. Aber er ist hinten raus aus dem Zelt ...«

»Und mein Gewehr war dabei. Ist ja nicht das erste Mal, dass wir gegen die Kerle kämpfen!« Das schottische Regiment schien den Krieg von Anfang an mitgemacht zu haben. »Den einen hab ich gleich vom Pferd geschossen, und dann waren bei uns auch alle wach ...«

Tatsächlich hatten zwei burische Kommandos gegen drei Uhr in der Nacht das Lager der Briten angegriffen. Trotz aller Wachen und Patrouillen. Die Australier hatten sie aber ebenso erfolgreich zurückgeschlagen wie die Schotten. Auf britischer Seite gab es keine Toten zu beklagen, aber drei Buren waren tot oder sterbend zurückgeblieben. Kevin kam gerade dazu, wie der eben eingetroffene Dr. Willcox zwei Pfleger zusammenstauchte. Sie hatten weder Kevin noch Barrister geweckt, als der schwer verletzte Feind gebracht worden war. Nun war er tot – und Kevin sah zum ersten Mal einen der gefürchteten Buren. Sehr imponierend wirkte er nicht – vor allem trug er keine Uniform und auch keine Stiefel. Stattdessen eine jetzt blutverschmierte Lederjacke, Kordsamthosen und dicke, weiche Lederschuhe. Er hatte blondes Haar, sein Gesicht war breitflächig, sein Körper gedrungen und kräftig.

»Wir hätten zwar sowieso nicht viel für ihn tun können, aber so geht es natürlich nicht!«, schimpfte Willcox auf die Pfleger. »Auch wenn ein Feind verletzt ist, behandeln wir ihn, das ist unsere humanitäre Pflicht gegenüber Kriegsgefangenen. Jetzt bringt den Mann raus und schaut, ob er irgendwelche Papiere bei sich hat – vielleicht findet ihr ja heraus, wie er hieß. Dann wird das gefälligst protokolliert, damit nach dem Krieg die Familie verständigt werden kann. Wir kämpfen hart, Jungs, aber wir sind keine Tiere! Wenn die anderen gegen alle Regeln verstoßen, ist das schlimm genug!«

Willcox begrüßte Kevin, und die Ärzte hatten gerade noch Zeit, sich die frisch Operierten von der vergangenen Nacht anzusehen, bevor die ersten neuen Verwundeten hereinkamen. Einer der Schwerverletzten war gestorben, aber immerhin hatten Barrister und Kevin noch zwei gerettet. Willcox setzte sie gleich in Marsch zum Feldlazarett auf der Farm der VanStouts.

»Der Fahrer soll langsam fahren, damit sie nicht zu sehr durchgeschüttelt werden«, wies er die Pfleger an. »Jetzt geht das ja noch. Wenn gleich wieder Dutzende transportiert werden müssen …«

Der Gefechtslärm aus Richtung Wepener ließ nichts Gutes ahnen. Kevin und Willcox standen schon am Operationstisch, bevor die Küche noch ein Frühstück bringen ließ, sie schlangen Brot und Kaffee zwischen zwei Patienten herunter. Wobei die viel schneller aufeinander folgten als im Feldlazarett auf der Farm. Die Ärzte an der Front übernahmen nur die Erstversorgung – und die Selektion. Kevin war entsetzt, als Willcox gleich die ersten beiden Fälle als hoffnungslos einordnete und zum Sterben auf Strohsäcke im Feldlazarett betten ließ.

»Aber man könnte es doch immerhin versuchen«, meinte er. »Das ist ein Lungenstreifschuss, wenn ich es richtig einordne, der hat doch eine Chance ...«

Willcox sah ihn mitleidig an. »Der hätte eine Chance, wenn wir mehr Zeit und Ärzte hätten. Aber so nimmt er anderen den Platz weg. Tut mir leid, Drury. Wenn er bis heute Abend durchhält, versuche ich es in der Nacht ...«

Kevin sah nun auch, wo die Militärgeistlichen waren, die er auf der Farm vermisst hatte. Sie wurden hier gebraucht, sie trösteten die Verwundeten, die zur Farm geschickt wurden, und erteilten den anderen die Sterbesakramente. Kevin fragte sich bald, wie sie dabei ihr eigenes Wort verstanden. Der Lärm im Lazarettzelt war infernalisch – die Verwundeten stöhnten und schrien, Kevin und Willcox kamen nicht nach mit der Behandlung mit Opiaten. Dazu kam der nicht abreißende Gefechtslärm, Kevin war schon nach wenigen Stunden völlig zermürbt. Seine Uniform klebte ihm am Körper, durchtränkt von Schweiß und Blut.

»Kommen wir wenigstens weiter?«, fragte er einen Leichtverletzten, dem er nur den Weg zu den Wagen zum Lazarett wies.

Der zuckte die Achseln. »Ich denk schon. Der Haubitzenbeschuss zeigt Wirkung, und so langsam geht denen im Fort auch die Munition aus. Die Kommandos von außen scheinen wir im Griff zu haben, die sehen wohl ein, dass sie keine ganze Armee besiegen können. Aber ob wir heute schon in die Stadt kommen ...« Der Mann schien sehr froh, dem Gefecht entkommen zu können.

Kevin war fast überrascht, als auch dieser Tag zu Ende ging. Mit der Dämmerung verebbten die Schüsse, und in den letzten Stunden waren weniger Verletzte hereingekommen. Willcox und er hatten begonnen, schwere Fälle gleich zu operieren, Kevins Bilanz an Toten würde nicht so groß sein wie am Tag zuvor die von Tracy. Dennoch konnte er sich jetzt gut in seinen Kollegen einfühlen. Er hatte an diesem Tag zu viel Blut gesehen und zu vielen Menschen nicht helfen können.

Tracy erschien dann bald zur Ablösung. Auch im Feldlazarett war es ruhiger geworden, er hatte sich umziehen können und wirkte schon wieder wie aus dem Ei gepellt. Außerdem optimistischer. Es hatte ihm gutgetan, erfolgreich operieren zu können.

»Und morgen wird es wohl auch vorbei sein«, berichtete Willcox, der mit ein paar höheren Offizieren der Heeresleitung gesprochen hatte. »Die Verteidigung hält sich noch, sie kämpfen bis zur letzten Patrone, wenn nicht bis zum letzten Blutstropfen. Aber im Grunde sind sie besiegt, spätestens nachmittags marschieren wir in Wepener ein.«

»Also alles für nichts«, meinte Tracy, frustriert trotz der guten Nachrichten. Kevin sattelte eben sein Pferd, um zur Farm der VanStouts zurückzureiten. Tracy folgte ihm nach draußen und zündete sich eine Zigarette an. »Die Buren hatten den Ort, dann hatten wir den Ort, dann wieder die Buren, jetzt wieder wir. Für jeden dieser Wechsel sind Hunderte gestorben. Und am Ende werden wir ihn den Buren wieder zurückgeben, wir können ihn ja nicht ewig besetzt halten. Das ist alles verrückt. Der ganze Krieg ist verrückt.« Er rauchte mit raschen, tiefen Zügen.

Kevin wollte eben fragen, warum sich sein Kollege bei dieser Einstellung zum Krieg freiwillig gemeldet habe, als Sergeant Willis ihn anrief.

»Doktor? Gut, dass Sie noch da sind, ich kann Willcox gerade nicht finden. Aber da ist was, das Sie sich ansehen sollten … wir haben da welche gefangen genommen.«

»Verletzte?«, fragte Tracy.

Kevin machte Anstalten, sein Pferd anzubinden.

»Ja ... ja und nein. Ich würde sagen so eine Art burisches Feldlazarett. Drei Verletzte und zwei Frauen.«

Willis führte die Ärzte zu einem Planwagen, der nach Kevins Dafürhalten unverhältnismäßig streng bewacht wurde. An einer Stelle war die Plane aufgeklappt, und drei englische Soldaten richteten ihre Gewehre auf die Menschen drinnen. Zwei Frauen in mittlerem Alter, ihre adrette Kleidung war blutverschmiert. Außerdem ein Mann, der den Arm in einer Schlinge trug und seine Bewacher hasserfüllt anblickte. Er war sicher im Kampf verwundet worden, trug aber für einen Soldaten ähnlich seltsame Kleidung wie der Tote, den Kevin am Morgen vorgefunden hatte. Ehemals weiße Kordsamthosen, kombiniert mit Weste und einer Art Frackjacke, dazu einen Hut mit herabhängender, breiter Krempe. Der Mann trug einen Vollbart, er war braunhaarig und hatte helle Augen, aus denen er Kevin jetzt wütend ansah. Die Frauen kümmerten sich um zwei weitere Männer, die auf Strohsäcken und Decken ruhten.

»Die Männer sind beide schwer verletzt«, meinte Willis. »An dem einen haben die Frauen wohl rumgeschnitten, Kugel aus der Schulter geholt oder so was. Der andere blutet wie verrückt, und das kriegen sie nicht in den Griff.« Kevin machte Anstalten, den Planwagen zu erklettern. Der leicht verletzte Mann stellte sich ihm sofort in den Weg und schleuderte ihm ein paar Worte Afrikaans entgegen. »Lasst den Kerl wegschaffen!«, befahl Willis.

Zwei der Wachsoldaten ließen sich das nicht zweimal sagen. Allerdings mussten sie wirklich beide zufassen, um den sich wehrenden Mann vom Wagen zu zerren. Ihn einfach nur mit der Waffe zu bedrohen nutzte nichts, er schien bereit, sich erschießen zu lassen. Auch die Frauen wehrten ab, als Kevin sich jetzt den Verletzten zuwandte, aber sie wurden wenigstens nicht gewalttätig. Auf Kevins freundliche Ansprache und seine Vorstellung als Stabsarzt und möglicher Helfer antworteten sie nicht.

»Verstehen sie kein Englisch?«, fragte er Willis.

Der schnaubte. »Vorhin verstanden sie es noch ganz gut«, bemerkte er.

Tracy war inzwischen dazugekommen und übersetzte. Den Frauen rang er allerdings auch keine Entgegnung ab.

Kevin untersuchte die Männer flüchtig. »Der eine braucht vor allem Ruhe«, erklärte er dann. »Die Operation zum Entfernen der Kugel hätte man professioneller ausführen können, und der Umschlag, den die Damen gemacht haben, wirkt auf mich nicht gerade vertrauenerweckend. Aber gut, auch Hausmittel wirken, die Ladys mögen da ihre Erfahrungen haben. Bei dem anderen ist die Oberschenkelarterie getroffen. Nicht zerfetzt, würde ich sagen, man kann ihn mit ziemlicher Sicherheit retten. Aber er muss operiert werden, und das möglichst bald. Vorher sollte man das Bein besser abbinden ...« Das hatten die Frauen zwar versucht, aber es rann trotzdem Blut aus der Wunde. »Ich schlage vor, wir machen das gerade, und dann bringen wir die ganze Gruppe ins Feldlazarett. Da kann operiert werden, und die Frauen können sich hinterher wieder um ihren Patienten kümmern.« Kevin wandte sich an eine der beiden. »Ist er ein Verwandter von Ihnen?« Er erinnerte sich an Colonel Ribbons Erzählungen, dass die Burenfrauen ihre Männer oft ins Feld begleiteten.

Die ältere der beiden Frauen blitzte ihn an. »Sie mein Sohn nicht anfassen!«, sagte sie – in schlechtem Englisch, aber fest entschlossen. »Ich mich kümmern, mein Sohn.«

Kevin biss sich auf die Lippen. »Aber Mrs. ... Mevrouw ... wenn wir Ihren Sohn nicht operieren, wird er sterben. Dr. Tracy, können Sie noch mal übersetzen? Ich glaube, sie versteht mich nicht.«

Tracy seufzte. Dann wiederholte er Kevins Worte auf Niederländisch. Die Reaktion der Frau änderte sich nicht.

»Hände weg von mein Sohn!«, schleuderte sie beiden Ärzten noch einmal auf Englisch entgegen, gefolgt von einem Sermon Afrikaans.

Tracy hob hilflos die Hände. »Sie versteht Sie sehr wohl«, meinte er. »Aber das interessiert sie nicht. Sie wird auf keinen Fall einem Engländer oder sonst wem erlauben, ihr Fleisch und Blut anzurühren. Und ansonsten ist sie auch davon überzeugt, den Jungen retten zu können. Mit Gottes Hilfe ...«

»Kann man ihr nicht klarmachen, dass Gott uns zur Hilfe geschickt hat?«, fragte Kevin und zog den Kopf ein, als die Frau ihn mit einer weiteren Schimpfkanonade bedachte.

Tracy rieb sich die Stirn. »Ich muss das nicht übersetzen, oder?«

Kevin schüttelte den Kopf. »Können wir sie zwingen?«, fragte er Willis.

Der nickte und wandte sich an den verbleibenden Wachsoldaten. »Private, halten Sie die Frauen fern, während die Ärzte ihre Arbeit tun. Oder Moment, ich hole Ihnen Verstärkung. Nicht dass sie Ihnen die Augen auskratzen.«

Es brauchte tatsächlich zwei Soldaten, um die Frauen vom Lager des Schwerverletzten wegzuzerren. Sie sahen dann schimpfend und wehklagend zu, wie Kevin und Tracy eine fachgerechte Aderpresse und einen Druckverband anlegten. Der Patient war noch recht jung, er mochte höchstens zwanzig Jahre alt sein. Kevin fand sein blasses Gesicht unter dem flachsblonden Haar und dem blonden, noch spärlichen Bart sympathisch. Er meinte fast, dass es ihn an Doortje erinnerte.

»Das hält bis ins Lazarett«, wandte er sich schließlich an die Soldaten, als die Verbände saßen. »Also lassen Sie die Leute zur VanStout-Farm schaffen, ich komme dann gleich nach. Wir müssen das heute Nacht noch operieren, wenn wir zu lange abbinden, verliert der Mann sein Bein. Ach ja, und passen Sie auf, wenn Sie die Frauen loslassen. Nicht dass sie die Verbände wieder abreißen.«

Kevin konnte sich täuschen, aber er meinte fast, ein erfreutes Aufblitzen in den Augen der Frauen zu sehen, als er die VanStout-Farm erwähnte. Dann fuhr der Planwagen aber ab, gelenkt von einem der englischen Soldaten. Der andere bewachte die Frauen.

Tracy hielt Kevin eine Schachtel Zigaretten hin und gab ihm Feuer. Kevin ertappte sich dabei, den Tabakrauch genauso heftig zu inhalieren wie Tracy zuvor.

»Verstehen Sie das?«, fragte er bitter. »Die Frau will ihren Sohn lieber sterben, als von einem Engländer retten lassen. Vielleicht hätte ich ihr sagen sollen, dass ich Neuseeländer bin.«

Tracy schüttelte den Kopf. »Bei Australiern machen sie zumindest keinen Unterschied«, meinte er beiläufig.

Kevin wunderte sich. »Hatten Sie denn gestern schon burische Patienten?«, erkundigte er sich.

Barrister und Tracy hätten doch sicher ähnlich gehandelt wie er und die Verwundeten ins Lazarett geschickt. Ob sie wollten oder nicht.

»Nein, aber ich …« Tracy schien zu schwanken, ob er Kevin Genaueres berichten wollte, sprach dann aber weiter, nachdem er einen erneuten, tiefen Zug von seiner Zigarette genommen hatte. »Für mich ist das alles hier ziemliches Neuland. Ich habe seit dem Studium keine Thorax-Operationen gemacht, geschweige denn Gliedmaßen amputiert. Ich bin seit fünf Jahren Spezialist für Augenheilkunde. Und ich … na ja, wir hatten auf dieser Farm drei Tage lang nichts zu tun. Da habe ich Mrs. VanStout angeboten, ihr den Star zu stechen.«

Kevin schaute ihn ungläubig an. »Und sie hat abgelehnt?«, fragte er.

Tracy nickte. »Sie hat grauen Star, problemlos operabel, sie

würde die volle Sehkraft wiedererlangen«, sinnierte er. »Aber ja,
sie hat abgelehnt. Gott hat verfügt, dass sie erblindet, und ganz
sicher wird sie keinem dreckigen Engländer erlauben, daran
etwas zu ändern.«

Kevin rieb sich die Stirn. »Das ... das ist unfassbar. Was ...
was sagt denn die Tochter dazu?«

»Die reizende Mejuffrouw Doortje?«, spottete Tracy. »Die
kannte dazu ein paar passende Bibelverse. Alles aus dem Alten
Testament. Bei Jesus Christus scheinen sie es ein bisschen als
Schwäche zu betrachten, dass er vor den Wunderheilungen
nicht nach der Staatsangehörigkeit der Kranken fragte. Jedenfalls keine Chance. Und mit denen da kriegen Sie auch noch
Spaß, Drury!« Er wies auf den Planwagen, der eben aus dem
Feldlager rollte. »Ehrlich gesagt bin ich fast froh, dass ich mich
nicht mit ihnen rumärgern muss.«

Als Kevin auf die Farm der VanStouts ritt, stand der Planwagen vor dem Haupteingang – von den Insassen war allerdings ebenso wenig zu sehen wie von den Wachsoldaten. Kevin
hoffte, dass er beide in den improvisierten Operationsräumen
und Krankensälen wiederfinden würde, aber tatsächlich traf er
da nur die Soldaten in heftiger Diskussion mit den Doktoren
Barrister und McAllister.

Kevin begrüßte seinen Oberstabsarzt und seinen Kollegen.
»Sie haben's schon gehört«, meinte er mit Blick auf die Soldaten.
»Wir müssen noch mal operieren. Anriss der Oberschenkelarterie. Wenn wir uns nicht ranhalten, wird der Patient verbluten. Wo ist er denn?« Kevin sah sich um.

»Es war wirklich nicht unsere Schuld«, rechtfertigte sich der
Soldat, der den Planwagen aus dem Lager gelenkt hatte. »Ich
dachte doch ... die Frauen schienen sich ja zu kennen, und es
würde sicher niemand was dagegen haben, wenn sie die Krankenpflege selbst übernähmen ...«

»Welche Frauen?«, wunderte sich Kevin.

»Die Leute aus dem Planwagen und die VanStouts«, präzisierte McAllister. »Wenn ich die Männer hier richtig verstanden habe, haben sich unsere Gastgeberinnen der Neuankömmlinge angenommen. War wohl eine herzliche Begrüßung, der Private meint herausgehört zu haben, sie wären vielleicht verwandt. Jedenfalls haben sie die Männer von ihren Schwarzen ins Haus tragen lassen – und jetzt verschanzen sie sich in einem der Kinderzimmer. Messer zwischen den Zähnen und zu allem bereit …«

»Was?«, fragte Kevin entsetzt. »Und das haben Sie zugelassen?«

Der Soldat zuckte die Schultern.

»Es war zweifellos ein Fehler«, gab der Ranghöhere zu. »Aber wie gesagt, wir haben uns nichts Böses dabei gedacht … Diese Frauen von der Farm, die haben doch immerhin das Hospital hier zugelassen und …«

»Schon gut«, seufzte Kevin. »Wie kriegen wir sie da jetzt wieder raus?«

McAllister zuckte die Schultern. »Gar nicht«, sagte er kurz. »Sie haben zwar keine Feuerwaffen, aber sie haben Küchenmesser. Und sie drohen, sich eher selbst zu entleiben, bevor sie zulassen, dass ein englischer Arzt ihre Männer berührt. Vorher würden sie allerdings kämpfen … Und ich bin überzeugt, das täten sie. Männer ohne Gewehre hereinzuschicken wäre fahrlässig. Und mit Gewehren? Wie es aussieht, müssten wir erst die Frauen erschießen, bevor wir uns um die Männer kümmern können. Ob es das wert ist?«

»Es geht ums Prinzip!«, erklärte Kevin. »Wir sind die englische Armee, verdammt noch mal! Wir können uns doch nicht von ein paar Frauen auf der Nase herumtanzen lassen! Können wir sie nicht überrumpeln?«

McAllister schüttelte den Kopf. »Nein. Das hat einmal

geklappt, ein zweites Mal fallen die nicht darauf rein. Sie haben auch den Raum schon geschickt ausgesucht. Die einzige Möglichkeit, sie rauszuholen, wäre, zu stürmen. Und dann können wir dem Oberkommando hinterher erklären, warum wir drei oder vier Frauen erschießen mussten.«

Kevin biss sich auf die Lippen. »Aber es muss eine Möglichkeit geben«, sagte er verzweifelt – und hielt inne, als Barrister nun endlich das Wort ergriff.

»Es geht um's Prinzip, Dr. Drury, das haben Sie schon ganz richtig erkannt«, bemerkte der Oberstabsarzt. Seine langen Finger fuhren nervös durch seinen kurzen Schnauzbart. »Aber vielleicht weniger um militärische Prinzipien. Wir sind Ärzte, Drury, zu uns kommen die Menschen, wenn sie geheilt werden wollen. Wenn sie nicht geheilt werden wollen, bleiben sie weg. Oder gehen zu Wunderheilern und Gesundbetern. Im Zivilleben zwingen wir da keinen. Aber jetzt wollen Sie den Patienten mit Gewalt auf Ihren Operationstisch zerren? Das geht nicht, Drury, das müssen Sie einsehen. Sosehr es mir leidtut, der Staff Corporal hier sagt, der Junge sei wohl noch keine zwanzig. Aber er ist in der Obhut seiner Mutter, und sie muss entscheiden. Uns sind da die Hände gebunden.«

Kevin wollte etwas erwidern, aber im Grunde sah er ein, dass sein Vorgesetzter Recht hatte. Ebenso wie Angus. Es wäre unfair, das Leben von Soldaten oder Krankenpflegern zu gefährden, indem man sie zwang, diese zu allem entschlossenen, mit Messern bewaffneten Frauen zu überwältigen. Wenn da nur nicht das Gesicht dieses Jungen gewesen wäre.

»Ich würde zustimmen, Dr. Barrister, wenn es wirklich die Entscheidung des Patienten wäre«, sagte er langsam. »Aber diesen Mann da drin hat keiner gefragt. Will er wirklich sterben?«

Barrister zuckte die Schultern. »Fragen Sie ihn, wenn Sie können, Drury. Oder sprechen Sie mit den VanStouts. Wir können jederzeit operieren. An uns liegt es nicht.«

»Und dann bauten sie das Lager auf. Sie banden die Köpfe der Pferde und Ochsen aneinander, reihten die Planwagen hintereinander auf, um den Männern Deckung zu geben. Sie mussten einen Kreis bilden, und alle, Frauen und Kinder, sammelten Holz und Dornbüsche und verschlossen damit die Zwischenräume. Die Männer verankerten die Wagen im Boden und legten Musketen bereit. Die Frauen und Kinder luden sie nach, wenn die Männer gefeuert hatten ... O ja, Thies, Waffen und Munition hatten sie, unsere Großväter! Sie wussten ja, dass sie um ihr Land würden kämpfen müssen, aber sie wussten auch, dass Gott mit ihnen war. Und so lasen sie noch einmal die Bibel und sprachen ein Gebet, bevor die Kaffern kamen. Noch als sie auf die Wagenburg zustürmten, riefen unsere tapferen Vorfahren Gott an, aber nicht in Angst, sondern voller Zuversicht, denn Er hatte sie hierher geleitet ... Nein, Mees, die Kaffern hatten keine Gewehre, das hätte Gott nicht zugelassen! Die hatten nur Messer und Speere. Aber was für Speere! Lang und scharf wie Rasierklingen, und ihre Schilde waren riesig und mit Fellen bespannt. Und wie sie aussahen! Hunderte und Aberhunderte riesige Schwarze, fast nackt, bekleidet nur mit Lendenschurzen und Federn und die Körper grässlich bemalt!« ...

Doortje VanStout schloss die Bänder unter ihrer frischen weißen Haube. Dabei horchte sie mit halbem Ohr auf die Erzählung ihrer Mutter, die mit den jüngeren Geschwistern im

Wohnzimmer saß und von dem Großen Treck erzählte. Von Wagenburgen und Schlachten, von vielen Toten und schließlich vom Sieg. Von dem Land, das Gott den Buren verheißen und dann auch geschenkt hatte. Nur bezahlt mit dem Blut, das damals ganze Flüsse rot färbte.

Doortje hätte diese Geschichten auch erzählen können, und irgendwann, wenn sie eigene Kinder hätte, würde sie es tun. Das verlangte die Tradition von ihr, das Wissen um die Landnahme musste lebendig gehalten werden. So lebendig, wie Bentje VanStout sie hier eben schilderte. Dabei war Doortjes Mutter nicht beim Treck dabei gewesen, nicht einmal Bentjes Eltern. Und ihre Großeltern mussten noch Kinder gewesen sein, als die »Voortrekker« am Kap aufbrachen, um das Innere des Landes in Besitz zu nehmen. Fortgetrieben von den Engländern, die Kapstadt erobert hatten und den Buren nun alles nehmen wollten: ihre Sprache, ihre Gesetze, ihre Kirche – und vor allem ihre Sklaven! So hatte Gott das nicht gewollt. Und so war man denn aufgebrochen, über die Berge, den Hausrat auf Ochsenkarren geladen, das Vieh von den Sklaven nebenher getrieben, bewacht von Reitern, die den Treck umkreisten. Des Nachts hatte man Wagenburgen gebildet, um sich gegen wilde Tiere zu schützen. Und gegen die Schwarzen, die nicht einsehen wollten, dass Gott die Siedler geschickt hatte. Er strafte sie dafür grausam: Allein in der Schlacht am Blood River waren dreitausend Zulu-Krieger gefallen. Während der Herr seine Hand über die Buren hielt. Kein einziger Toter und nur drei Verwundete!

Doortje erinnerte sich dunkel, am Anfang einmal gefragt zu haben, warum Gott nicht gleich die Engländer hätte vernichten können. Oder die Zulu-Kaffern erst gar nicht erschaffen. Nützlich waren die ohnehin nicht, nur wenige eigneten sich zur Arbeit auf den Farmen, und auch die machten nur Unsinn. Sie grollte Nandé immer noch wegen ihres Versagens bei der Verteidigung der Farm. Bentje hatte darauf eine Antwort gehabt, auch wenn Doortje sich an den Wortlaut nicht mehr erinnerte. Sicher war es auch eine dumme Frage gewesen – über die man besser nicht länger nachdachte. Genauso wenig wie darüber, warum die Engländer auch jetzt wieder siegten. Denn das taten sie, Tante Jacoba und Kusine Antina hatten es gesagt. Die Engländer hatten das Kommando aufgerieben, zu dem Ohm Jonas und Vetter Cornelis gehört hatten, und nun fehlte von Tante Jacobas Mann jede Spur, Antinas Gatte Willem war schwer verletzt, und Cornelis lag im Sterben. Wenn man dem englischen Arzt glauben konnte. Tante Jacoba und Kusine Antina meinten allerdings, es gehe ihm schon besser. Die Blutung hatte jedenfalls aufgehört. Und gleich würden sie noch einmal alle zusammen für ihn beten.

Doortje tastete die Spitze rund um ihre Haube ab und überprüfte, ob ihr Haar züchtig darunter verborgen war. Gerade zur Gebetsstunde wollte sie ordentlich aussehen – das musste sie; bevor ihre Mutter erblindet war, hatte sie das Mädchen oft genug zurück auf sein Zimmer geschickt, um eine nicht perfekt geglättete Haube auszutauschen oder eine fleckige Schürze. Doortje war es schwergefallen, das zu lernen, sie arbeitete sehr viel lieber auf dem Feld als im Haus, und wenn sie ehrlich sein sollte, steckte sie den Kopf am liebsten in Bücher. Aber das war natürlich sündig – wenn auch mitunter nützlich. Doortjes Vater hatte darauf bestanden, dass seine Kinder Englisch lernten, die Sprache des Feindes. Es sei leichter, einen Feind zu besiegen, den man kenne, predigte er, und Doortje leuchtete das ein. Es war allerdings nicht einfach, eine Sprache gleichzeitig sprechen und hassen zu lernen. Keinem anderen der Geschwister war das wirklich gelungen, aber Doortje war natürlich auch lange Zeit die einzige Schülerin gewesen, die Adrianus VanStouts halbherzigen Unterrichtsstunden vor der Abendandacht beigewohnt hatte. Und sie hatte sich angestrengt, ihrem Vater zu gefallen – enttäuschte sie ihn doch sowieso bei jedem Blick, den er auf sie warf.

Adrianus VanStout hatte sich einen Sohn gewünscht, aber tatsächlich hatte Bentje nur ein Mädchen zur Welt gebracht und war dann jahrelang nicht mehr schwanger geworden. Doortje hatte jeden Tag mitanhören müssen, wie ihre Eltern darum beteten, endlich mit weiteren, möglichst männlichen Kindern gesegnet zu werden. Erst als Doortje schon acht Jahre alt war, kam Johanna zur Welt. Wieder ein Mädchen. Etwa um diese Zeit hatte Adrianus die Hoffnung dann wohl fast aufgegeben und die sorgfältige, streng puritanische Erziehung, die er eigentlich seinen Söhnen angedeihen lassen wollte, auf Doortje konzentriert. Doortje lernte die Geschichte ihres Landes, sie lernte, wer ihre Feinde waren und wie man sie bekämpfte. Sie lernte, wie sie sich als Burenkriegerin zu verhalten hatte, lernte hart zu sein gegen sich und andere – niemand hatte Doortje VanStout jemals weinen sehen, seit ihre Schwester geboren worden war.

Aber dann hatte Gott doch noch ein Einsehen gehabt und seinem treuen Diener Adrianus zwei Söhne geschenkt. Mees und Thies bildeten seitdem den Mittelpunkt der Familie. Mutter und Schwestern umhegten sie, und der Vater wurde nicht müde, sie zu würdigen Erben zu erziehen. Bis er vor ein paar Monaten in den Krieg gezogen war, hatte er die Jungen jeden Tag unterrichtet – beide konnten bereits schießen und sprachen auch schon etwas Englisch.

Doortjes Erziehung sah Adrianus inzwischen als beendet an. Sie konnte schreiben, die Bibel lesen und sich annehmbar auf Englisch ausdrücken. Dazu selbstverständlich schießen und einen Haushalt führen. Mehr wurde von einem Burenmädchen nicht verlangt, im Gegenteil, es galt fast als sündig, sich um weitere Bildung zu bemühen. Doortje konnte sich jedoch nicht damit abfinden. Immer wieder schlich sie sich nach der Abendandacht zu dem Bücherregal, in dem neben der Familienbibel auf Niederländisch auch zwei englische Bücher standen, und quälte sich mit einer Funzelkerze durch die seltsame Sprache von William Shakespeare. So eignete sie sich ein immer größeres Vokabular an. Cornelis hatte allerdings gelacht, als er sie zum ersten Mal sprechen hörte.

»Doortje, so reden die Engländer nicht! Diese Bücher wurden vor dreihundert Jahren geschrieben. Inzwischen hat sich die Sprache völlig verändert ...«

Danach hatte er ihr heimlich weitere Bücher geliehen. Modernere Bücher von Dickens und Kipling. Cornelis' Familie, die Pienaars, lebte in Transvaal und hatte den Großen Treck mitgemacht. Ein weiterer Zweig der Familie war jedoch am Kap geblieben und baute dort Wein an. Eine Todsünde in den Augen des Adrianus VanStout.

»Gott wird sie eines Tages dafür strafen«, wiederholte Doortje ein bisschen besorgt die Worte ihres Vaters und hoffte, dass es die Familie ihres Vetters Cornelis nicht gleich mittreffen würde. Sie mochte Cornelis gern, auch wenn der manchmal verbotene Sachen dachte oder gar tat.

»Na, bisher lässt er die Trauben ganz üppig wachsen!«, bemerkte Cornelis denn auch diesmal respektlos zu ihren Vorwürfen. »Die Kap-Buren sind reicher als wir!« Der junge Mann wusste das aus eigener Erfahrung, er hatte seine Verwandten am Kap mehrmals besucht.

Auch Cornelis' Eltern hielten es für wichtig, dass er Englisch lernte, vertraten dabei aber einen praktischeren Ansatz. Cornelis lernte nicht nur aus einem verstaubten Lehrbuch, er sollte Engländer kennenlernen und mit ihnen sprechen. Cornelis sprach jetzt fließend Englisch – und gab sein Wissen gern an Doortje weiter. Allerdings war er auch verderblichen Einflüssen ausgesetzt gewesen ...

Doortje riss sich aus ihren Gedanken und band eine blütenweiße Schürze um, dann wandte sie sich zur Tür. Bentje erzählte den Kindern gerade, wie Andries Pretorius den flüchtenden Zulu-Kriegern nachgesetzt hatte.

»Er nahm hundertfünfzig Reiter auf Ponys mit. Ja, hundertfünfzig gegen die vielen Tausend Kaffern! Und damit trieb er die Kerle in den Fluss. Und Gott lenkte die Kugeln ihrer Gewehre, sie schossen auf die Heiden wie die Hasen, und der Fluss färbte sich rot von ihrem Blut ...«

Doortje dachte kurz darüber nach, ob es nicht vielleicht einfach der Anblick der Ponys gewesen war, der die Kaffern vertrieben hatte. In einem von Cornelis' Büchern war von den alten Griechen die Rede gewesen, die ihre Pferde nicht ritten, sondern nur vor Wagen spannten. Als sie die ersten Reiter sahen, hielten sie die miteinander verbundenen Gestalten von Mensch und Tier für Götter: Zentauren. Vielleicht waren die Zulu ja ähnlich abergläubisch gewesen. Aber das geschah ihnen natürlich recht, wenn sie Heiden waren ...

Doortje verdrängte entschlossen Cornelis' Argumentation, dass die Zulu auch von Gottvater und Gottsohn nie etwas gehört hatten, bevor die Weißen kamen. Ihre Mutter sah das schließlich als Indiz für ihre Minderwertigkeit. Gott hatte sich nicht die Mühe gemacht, sich ihnen zu offenbaren ...

Und nun war es wirklich Zeit, sich wieder zu ihrer Familie zu gesellen. Zufrieden mit ihrem Aussehen betrat Doortje die gute Stube.

»Wollen wir jetzt die Andacht halten?«

Bentje VanStout hob den Kopf, und Doortje sah in ihre blinden Augen, wie immer fast erschrocken von ihrem leeren Blick. Ihre Mutter war früher mit leuchtenden, blitzenden Augen durch die Welt gegangen, denen keine Kleinigkeit entging. Aber dann strafte Gott sie mit Blindheit – für welche Sünde auch immer. Doortje versuchte, nicht an den Engländer zu denken, der gesagt hatte, er könne das heilen ... Ihre Mutter hatte zweifellos Recht, sich Gottes Ratschluss zu unterwerfen und das Angebot des Feindes abzulehnen.

»Ja, ja sicher, Kind«, antwortete Bentje nun. »Ich habe meine Geschichte fast beendet. Ich wollte nur noch von dem Land erzählen, das unsere Vorfahren dann in Besitz nahmen … Johanna, du kennst die Geschichte schon. Sag doch bitte Tante Jacoba und Kusine Antina Bescheid. Vielleicht kann wenigstens eine von ihnen zur Andacht kommen …«

Doortje griff nach der Familienbibel. »Ich werde später ins Krankenzimmer gehen und auch Willem und Cornelis ein paar Verse vorlesen«, erklärte sie.

Sie hatte zuerst daran gedacht, die ganze Andacht an den Betten der Kranken zu halten, aber das Zimmer, in dem sonst ihre Brüder Thies und Mees schliefen, war einfach zu klein. Etwas dunkel war es auch. Aber gut zu verteidigen. Solch ein schwerer Fehler wie beim Kampf um die Requirierung ihrer Farm durfte ihr nicht noch einmal unterlaufen. Ihr Vater würde sich sicher jetzt schon seiner Tochter schämen!

Bentje erzählte ihre Geschichte zu Ende, während Doortje nach einer passenden Bibelstelle für die Andacht suchte. Aber dann blickte sie auf. Von der Tür her war ein Klopfen zu hören, danach vom Fenster. Unwillig erkannte Bentje das kantige Gesicht des englischen Doktors und seine dunklen Locken. Nein, kein Engländer, wo kam er noch her? Australien? Neuseeland, richtig, wo immer das auch lag … Jedenfalls schien sein Anliegen dringend zu sein. Er gestikulierte heftig, als er sah, dass Doortje ihn bemerkte.

»Miss … äh … Mejuffrouw Doortje …« Doortje musste fast lächeln. Der Neuseeländer sprach das niederländische Wort zu komisch aus. »Bitte! Kann ich kurz mit Ihnen reden?«

Doortje erhob sich widerstrebend. Eigentlich waren die Frauen übereingekommen, die Männer einfach zu übersehen, aber wenn sie jetzt nicht reagierte, würde der Mann die

Andacht stören. Und Jacoba und Antina brauchten so dringend Trost ...

»Ja?«

Doortje öffnete die Tür und blickte den Arzt kalt an. Sie sah ihm zum ersten Mal wirklich ins Gesicht und bemühte sich, nicht zu bemerken, wie gut aussehend er war, mit seinen klaren Zügen, den leuchtend blauen Augen und den vollen Lippen. Allerdings wirkte er auch erschöpft, unter seinen Augen lagen dunkle Ringe, und um seinen Mund hatten sich Fältchen eingegraben.

»Mejuffrouw Doortje, Sie sind doch eine kluge Frau«, begann Kevin etwas hilflos. »Sie müssen erkennen, in welchem Zustand dieser junge Soldat ist, den wir vorhin hergebracht haben ...«

»Mein Vetter Cornelis«, bemerkte Doortje. »Sein Leben liegt in Gottes Hand ...«

»Ihr Vetter!«, meinte Kevin fast erleichtert. »Dann ... dann empfinden Sie doch vielleicht etwas Zuneigung für ihn. Über den ... hm ... Patriotismus hinaus. Vielleicht ... Miss Doortje, Sie müssen uns erlauben, Ihren Vetter zu operieren. Wenn nicht, wird er sterben ... Er wird verbluten.«

»Mein Vetter befindet sich auf dem Weg der Besserung«, behauptete Doortje. »Meine Tante sagt, in den letzten Stunden habe er keinen Tropfen Blut mehr verloren.«

Kevin seufzte. »Natürlich nicht. Sonst wäre er schon tot. Miss Doortje, Dr. Tracy und ich haben das Bein abgebunden. Im Moment fließt kein Blut in die offene Arterie. Aber es fließt auch kein Blut in die anderen Adern. Das heißt, sein Fuß und sein Bein werden absterben. Noch ein paar Stunden, dann können wir es nur noch amputieren.«

»Er kann auch mit einem Bein leben«, bemerkte Doortje, aber es fiel ihr schwer, unbeteiligt zu tun.

Cornelis war eher ein Bücherwurm als ein Bauer. Aber er

hatte auch nicht Priester werden wollen, nicht mal Kirchendiener wie Martinus. Er ritt gern, er ging gern über das Veld und beobachtete die Tiere – einmal hatte er ihr gestanden, dass er gern Tierarzt geworden wäre. Aber seine Eltern würden ihn natürlich nicht studieren lassen. Trotzdem hatte er sich liebevoll um die Ponys gekümmert, den Rindern beim Kalben geholfen … mit nur einem Bein würde das schwierig werden.

»Er wird auch dann sterben, Miss Doortje, wenn wir ihn nicht operieren«, sagte Kevin eindringlich. »Das Bein fällt ja nicht einfach ab, es verfault langsam. Das wäre Ihrem Vetter nicht zu wünschen, es ist ein sehr viel schlimmerer Tod als Verbluten. Er müsste jetzt schon starke Schmerzen haben. Ist er bei Bewusstsein?«

Doortje biss sich auf die Lippen. Wenn sie ehrlich sein sollte, hatte sie es bis jetzt vermieden, an Cornelis' Lager zu treten. Es war zu schmerzlich, ihn so bleich und krank zu sehen. Er war immer ihr Freund gewesen.

»Ich glaube nicht«, sagte sie, zum ersten Mal mit normaler Stimme. »Ich glaube, er ist noch bewusstlos.«

Kevin nickte. »Das ist besser für ihn. Aber es bleibt nicht so, Miss Doortje. Zumindest halte ich das für unwahrscheinlich, so viel Blut hatte er noch nicht verloren, dass er jetzt langsam hinüberdämmert. Er wird aufwachen, und er wird unter Schmerzen sterben. Lassen Sie ihn mich operieren, Doortje, bitte!«

Doortje sah den jungen Arzt prüfend an. Er schien es wirklich ernst zu meinen. Aber konnte sich ein Untertan der englischen Krone um einen Buren sorgen? Eher nicht. Doortje verhärtete sich erneut, wie sie es gelernt hatte.

»Ich bestimme nicht über meinen Vetter, Doktor. Seine Mutter ist bei ihm, reden Sie mit ihr.«

Kevin hätte das Mädchen am liebsten geschüttelt. Es sah so hübsch aus, es war so klug – und eben verurteilte es seinen

Vetter zum Tode, aus reinem Starrsinn, aus unsinnigem Patriotismus – und mit Verweis auf einen archaischen Glauben …

Verzweifelt wies er auf die Bibel in Doortjes Hand. »Lesen Sie das gelegentlich?«, fragte er provozierend. »Also auch die Passagen, die nicht von ›Auge um Auge, Zahn um Zahn‹ handeln? Es geht mitunter um Barmherzigkeit. Um Liebe zu seinem Nächsten. Um Hilfe für Hilfsbedürftige. Glauben Sie wirklich, Ihr Vetter will sterben? Denken Sie mal darüber nach …«

Kevin wandte sich ab, bevor Doortje etwas erwidern konnte. Aber nun rief auch ihre Mutter von drinnen. Die junge Frau folgte dem Ruf, obwohl sie sich ganz schwindlig fühlte. Die Stube war von Öllampen erhellt, aber Doortje tastete wie blind nach ihrer Bibel. Sie schlug sie an irgendeiner Stelle auf. Das Buch Jonathan. *So rettete der Herr Israel an demselben Tag …*

Das schien passend zu sein. Irgendwie ging es um den Krieg der Israeliten gegen die Philister, und Israel schien eben in einer ungünstigen Lage. Genau wie die Buren zurzeit. Das sah gut aus … Doortje begann zu lesen.

»Und Saul beschwor das Volk und sagte: Verflucht sei jeder, der vor dem Abend etwas isst, bis ich mich an meinen Feinden gerächt habe! Und das ganze Volk kostete keine Speise, obwohl die Zeit der Honigernte gekommen war und Honig auf der Fläche des Feldes floss. Jonathan aber hatte nicht gehört, dass sein Vater das Volk mit einem Schwur belegt hatte. Und er streckte die Spitze seines Stabes aus, den er in seiner Hand hatte, und tauchte sie in die Honigwabe und führte seine Hand wieder zu seinem Mund, und seine Augen wurden wieder hell …« Doortje hielt verstört inne. Seine Augen wurden wieder hell? Gott heilte einen Blinden, indem er ihn einen Schwur brechen ließ? Ihre Hände verkrampften sich um die Bibel. »Einer von dem Volk aber fing an und sagte: Dein Vater hat das Volk feierlich beschworen und gesagt: Verflucht sei jeder, der heute etwas essen wird. Und so ist das Volk matt geworden. Da antwortete Jonathan: Mein Vater bringt das Land ins Unglück.« Doortjes Stimme erstarb. Das konnte nicht sein, diese Stelle … Sie ließ die Bibel sinken, hob sie dann hastig wieder auf und schlug sie an einer anderen Stelle auf. »Liebe den Herrn mit deinem ganzen Herzen und stütze dich nicht auf deinen Verstand. Auf all deinen Wegen erkenne ihn nur, dann ebnet er selbst deine Pfade. Sei nicht weise in deinen Augen, fürchte den Herrn und weiche vom Bösen! Das ist Heilung für deinen Leib, Labsal für deine Gebeine. Ehre den Herrn! Amen.«

Der Vers war noch nicht zu Ende, aber Doortje meinte, dass es nun genug sei. Ihre Zuhörer wirkten auch glücklich und getröstet. Trotz der seltsamen Lesung vorher. Die zweite Stelle war richtig gewesen. Sie durfte nicht meinen, sie sei klüger als Gott, sie musste auf ihn vertrauen.

Doortje VanStout atmete tief durch. »Wollen wir noch ein paar Gebete sprechen? Mutter?«

Bentje VanStout begann, ein Gebet zu intonieren. Aber dann wurde sie von einem Ruf aus dem Krankenzimmer unterbrochen. Antina, die bei Cornelis geblieben war, rief nach Jacoba.

»Tante Jacoba! Dein Sohn wacht auf!«

Jacoba bekreuzigte sich. »Danke dem Herrn!«, flüsterte sie.

Bentje und die anderen wiederholten den Ruf. »Danke dem Herrn!«

Nur Doortje blieb stumm.

Doortje verbrachte fast die gesamte folgende Nacht mit der verzweifelten Suche nach dem ersten Bibelzitat. Aber sie fand es nicht, sosehr sie im Schein der Ölfunzel auch blätterte. Nun mochte es daran liegen, dass sie abgelenkt war. Immer wieder hörte sie Stöhnen und gelegentlich auch Schreie aus dem Krankenzimmer, oder sie wechselte ein paar Worte mit Jacoba oder Antina, wenn sie zur Küche gingen, um Tee zu kochen oder einen Umschlag zu bereiten.

»Das lindert den Schmerz«, behauptete Jacoba, die mit fortschreitender Nacht immer verhärmter und verzweifelter wirkte.

Doortje dachte daran, was der Arzt aus Neuseeland gesagt hatte. Gewöhnlich würden die Kräuter den Schmerz lindern, aber nicht in diesem Fall, nicht, wenn eine Gliedmaße bereits abstarb … Sie versuchte, nicht auf die anderen Frauen zu achten, aber sie nahm ihren jüngsten Bruder in den Arm, als er in die Stube kam, weil er nicht schlafen konnte.

»Der Cornelis stöhnt so. Ihm tut das Bein weh. Kann Gott nicht machen, dass das aufhört?«

Doortje biss sich auf die Lippen. Und dann, irgendwann nach Mitternacht, hielt sie es nicht mehr aus.

»Ich kann ein bisschen bei ihm wachen, Tante Jacoba«, bot sie sich an, als sie das Krankenzimmer betrat. »Du solltest dich hinlegen, du siehst erschöpft aus.«

»Aber ich … ich kann ihn doch nicht verlassen …«

Jacoba wirkte, als würde sie gleich zusammenbrechen. Der Tag auf dem Schlachtfeld war lang gewesen, sie war dem Kommando gefolgt, hatte gesehen, wie man es aufgerieben hatte. Und wie ihr Mann starb. Jonas Pienaar war Anführer der Truppe gewesen.

Doortje wusste noch genau, wie er sie zusammengerufen hatte. Ihr eigener Vater und ihr Verlobter waren da schon fort gewesen. Sie hatten sich gleich aufs Pferd geschwungen, als der Krieg erklärt worden war. Aber die Pienaars hatten gewartet. Bis es brenzlig wurde für das Land. Bis sich das Glück auf die Seite der Briten schlug. Glück? Oder Gott? Oder einfach nur die Tatsache, dass hunderttausend Soldaten aus allen Teilen des Empire an Südafrikas Küste landeten? Letzteres hatte Cornelis gesagt …

Doortje trat an sein Bett. »Nicht wahr, Cornelis, dir macht

es nichts aus, wenn ich etwas bei dir bleibe? Deine Mutter sollte sich ausruhen …«

Der Kranke nickte. Doortje war entsetzt von seinem Anblick, er war totenblass, das Gesicht wirkte spitz und eingefallen, aber seine Augen schienen zu glühen. Sicher hatte er Fieber.

»Geh, Tante Jacoba«, forderte Doortje seine Mutter nochmals auf. »Leg dich in meinem Zimmer hin!«

Antina hatte ihrer Erschöpfung bereits nachgegeben. Sie lag auf einer Matte neben dem Lager ihres zum Glück ruhig schlafenden Mannes und schnarchte leise.

Doortje setzte sich auf Cornelis' Bett, als Jacoba widerstrebend gegangen war. Er stöhnte auf. Doortje sah sich nach einem Stuhl um, aber es passte keiner mehr in das kleine Zimmer.

»Ist es sehr schlimm?«, fragte sie.

Cornelis nickte wieder. Er schien nicht sprechen zu können oder zu wollen, vielleicht fürchtete, er zu schreien. Doortje wollte seine Hand nehmen – und sah Fetzen der Zudecke in seinen Fingern. Er zerriss sie, verzweifelt in seinem Schmerz.

»Ich sterbe«, stieß er dann mühsam aus. »Für nichts.«

Doortje strich über sein schweißfeuchtes Haar. Der Abritt des Kommandos – sie erinnerte sich genau, wie wütend Jonas Pienaar auf seinen Ältesten gewesen war. Cornelis war als Letzter erschienen und hatte versucht, die Männer umzustimmen.

»Wir können Wepener nicht halten. Es sind zu viele – ihr habt doch gesehen, wie viele Truppen sie zusammenziehen. Wir …«

»Wir können ihnen in den Rücken fallen!«, erklärte sein Vater. »Wir werden wie Hornissen sein, die über sie herfallen.«

»Aber ein paar Hornissenstiche vertreiben sie nicht«, wandte Cornelis ein.

Er sah aus wie die anderen Buren in seinen braunen Kordhosen, der dicken Jacke über der Weste und mit dem Burenhut auf dem Kopf, während sein Vater sich in eine Art Generalsuniform gewandet hatte. Doortje fragte sich, woher er das Jackett wohl hatte – und die Melone, die er auf dem Kopf trug. Und sie wusste nicht, ob sie ihn imposant oder einfach lächerlich finden sollte.

»Natürlich können wir ein paar Briten umbringen«, räumte Cornelis ein. »Aber wozu?«

»Wozu?« Jonas zog seinen altmodischen Säbel – natürlich würde er mit seinem Gewehr schießen, aber diese Waffe schien er für unabdingbar zu halten, wenn er als Offizier durchgehen wollte. Jetzt fuchtelte er damit vor dem Gesicht seines Sohnes herum. »Du fragst, wozu wir dieses Schlangengezücht umbringen sollen? Ganz einfach: Damit sie uns nicht umbringen! Und damit sie keine Kinder mehr zeugen, die unsere Kinder umbringen! Tod den Engländern! Mit Gottes Hilfe werden wir sie vom Angesicht unseres verheißenen Landes tilgen!«

Die Männer des Kommandos, knapp hundert an der Zahl, jubelten ihrem Anführer zu. Sie hatten Jonas Pienaar mit überwältigender Mehrheit gewählt und fühlten sich nun in ihrer Wahl bestätigt.

»Also willst du uns nun dabei helfen, Cornelis Pienaar, oder bleibst du auf deinem Acker wie ein Feigling und Kaffer, während wir unser Land befreien?«, fragte Willem DeWees, der Gatte seiner Kusine Antina.

Doortje hatte in Cornelis' gequältes Gesicht gesehen und sich gefragt, was es da zu überlegen gab. Sie selbst wäre sofort mit den Männern gezogen, schon als ihr Vater ging, hatte sie wieder mal bedauert, dass es ihr als Mädchen verwehrt war, in die Schlacht zu ziehen. Aber andererseits hatte sie Cornelis nie für einen Feigling gehalten.

»Er hat keinen Acker mehr, wenn er jetzt kneift!«, erklärte Jonas Pienaar. »Und er ist nicht mehr mein Sohn! Jacoba?«

Er wandte sich an seine Frau, die ihren Planwagen bereithielt, dem Kommando zu folgen.

Jacoba blitzte ihren Sohn an. »Du wirst unser Land und unser Haus nie wieder betreten!«

Cornelis hatte den Kopf gesenkt und sein Pony einfach in die Gruppe der anderen eingereiht. So war er in den Krieg gezogen. Und jetzt lag er hier.

Doortje fasste einen Entschluss.

»Du wirst nicht sterben«, sagte sie leise. »Warte – und tu keinen Mucks. Weck Antina nicht auf. Und um Himmels willen nicht deine Mutter.«

Kevin schrak auf, als jemand ihn anstieß. Er hatte trotz seiner Sorge um den sterbenden Buren tief geschlafen, zu Tode erschöpft nach dem endlosen Tag. Nun glaubte er an ein Trugbild, als er das Gesicht des Mädchens über sich aufragen sah. Nicht gefasst, kühl, wütend oder spöttisch wie sonst, sondern erregt und verängstigt, blass und sehr jung. Doortjes strenge Frisur unter der Haube hatte sich gelöst, die aufgesteckten Zöpfe hingen herunter, und ihr Haar befreite sich jetzt auch aus den Flechten. Sie würde wunderschön sein, wenn sie es ihr Gesicht einmal lose umspielen ließe …

»Doortje …«, flüsterte Kevin. »Ver… Verzeihung, Meju…«

»Brechen Sie sich nicht die Zunge ab«, sagte Doortje kühl. »Retten Sie nur meinen Vetter.«

Während Kevin die anderen Ärzte weckte, führte Doortje ein paar kräftige Pfleger ins Haus. Sie hatte wohl gehofft, Cornelis unbemerkt herausbringen zu können, aber dafür hatte ihre Kusine Antina einen zu leichten Schlaf. Sie erwachte und lamentierte, was Cornelis' Mutter und Bentje und Johanna VanStout weckte. Aber die schlaftrunkenen Frauen waren natürlich leicht zu überwältigen. Zwei Pfleger hielten sie fest, die anderen trugen den Verletzten hinaus. Kevin hörte die Protestschreie und Verwünschungen der Burenfrauen – und empfand Bedauern für Doortje, auf die sich all das jetzt natürlich konzentrierte. Kevin schalt sich dafür, sie nicht in der Scheune behalten zu haben, man hätte behaupten können, die Engländer hätten auch sie überrumpelt. Aber dann vergaß er die Frauen im Haus und widmete sich ganz der Aufgabe, seinen Patienten zu retten. Die Operation selbst übernahmen die erfahrenen Chirurgen Barrister und McAllister, Kevin oblag nur die Narkose, aber es war schwierig genug, den Äther so zu dosieren, dass ihm der durch den Blutverlust geschwächte Mann nicht wegstarb. Am Ende sah es jedoch gut aus, Barrister hatte sogar das Bein retten können.

»Zumindest vorerst«, schränkte der Stabsarzt ein. »Wir müssen sehen, wie es sich entwickelt. Mit etwas Pech müssen wir morgen noch mal dran.«

Im Haus herrschte Stille, als Cornelis endlich verbunden auf seinem Strohsack lag. Die Morgendämmerung zog bereits auf, und Kevin wusste, dass er sich eigentlich hinlegen sollte, wenn er vor der Ankunft der ersten Verwundeten noch etwas Ruhe bekommen wollte. Aber dann sah er einen vagen Lichtschein im Vorderzimmer und wandte sich doch noch einmal dem Haus zu. Doortje würde wissen wollen, wie die Operation verlaufen war.

Und tatsächlich. Als Kevin durch ein Fenster spähte, sah er sie am Tisch sitzen. Im Licht eines Kerzenstummels studierte sie die Bibel. Kevin öffnete langsam und möglichst lautlos die Tür – er wollte sie nicht erschrecken, aber auch um Himmels willen keine der anderen Chimären wecken.

»Sie werden sich die Augen verderben«, wisperte er und wies auf ihr Buch. »Bei so schlechtem Licht sollten Sie nicht lesen.«

Doortje wirkte nicht überrascht. Sie musste zumindest mit einem Ohr nach draußen gelauscht haben, vielleicht hatte sie ihn erwartet.

»Wenn Gott mich mit Blindheit strafen will, dann …« Sie brach ab. »Was ist mit Cornelis?«, fragte sie statt fortzufahren.

»Er lebt, und wir hoffen, dass er sein Bein behalten wird. Betonung auf hoffen. Bitte gehen Sie nicht mit dem Messer auf uns los, falls wir doch noch amputieren müssen. Wenn es gelungen ist, so war es Rettung in letzter Minute, das Gewebe war schon sehr lange nicht durchblutet. Jedenfalls hätten Sie jetzt mal einen wirklichen Anlass zum Beten.«

Kevin hätte sich gern neben die junge Frau gesetzt, aber er wusste nicht, wie sie darauf reagieren würde, und blieb deshalb lieber stehen. Doortje sah zu ihm auf. Sie wirkte blass, erschöpft, fast ebenso mitgenommen wie ihr Vetter.

»Das tue ich schon die ganze Zeit«, sagte sie. »Wir … wir sind nicht so wie Sie … wir betrachten Gott nicht als letzte Chance. Wir … wir … Er ist immer bei uns.«

Kevin zuckte die Achseln. »Ihre Leute in Wepener wird er heute verlassen«, bemerkte er. »Sie kämpfen zwar noch, wider alle Vernunft, aber heute wird es vorbei sein. Dann kriegen Sie auch bald Ihre Farm wieder. Und denken hoffentlich nicht allzu böse von uns. Immerhin konnten wir Ihren Vetter retten. Vielleicht hat uns also Ihr Gott geschickt ...«

Kevin biss sich auf die Lippen. Aber der erwartete Ausbruch blieb aus. Doortje schwieg.

Der Morgen brachte noch einmal einen Ansturm von Verwundeten, aber nur wenige sehr schwere Fälle. Den Belagerten war wohl wirklich die Munition ausgegangen, sie versuchten jetzt, die Angreifer mit Säbeln, Messern und Holzknüppeln zurückzuschlagen. Gegen Mittag versiegten die Transporte von der Front dann ganz. Die letzten leicht Verletzten, die noch kamen, um sich verbinden zu lassen, berichteten von einem siegreichen Einzug in die Stadt.

»Aber zu erobern gab's da nicht viel«, erzählte ein junger Neuseeländer. »Die Leute in der Garnison waren halb verhungert, die Mühle hatten sie zum Teil abgerissen, um die Palisaden zu verstärken, die Häuser sind zerschossen ... Man muss im Grunde die ganze Stadt wieder aufbauen – das können die Buren dann nach dem Krieg machen.«

»Die Buren kriegen den Ort also zurück?«, wunderte sich Kevin. Er hatte Tracy am Tag zuvor schon danach fragen wollen, war aber abgelenkt worden. »Wozu dann das Ganze?«

Barrister, der mitgehört hatte, verdrehte die Augen. »Natürlich kriegen sie ihn zurück, Drury. Was sollte denn das Empire mit diesem Grenzkaff? Und wir haben ja auch nicht vor, die Buren zu vertreiben. Sie müssen sich nur englischen Gesetzen unterstellen, einen Gouverneur anerkennen – vielleicht auch mal Englisch lernen, das wird ja Amtssprache. Bis sie das einsehen, sprich kapitulieren, werden wir Festungen wie Wepener bemannen und halten. Aber sobald hier Frieden ist, ziehen wir ab. Sprechen Sie jetzt nicht aus, was Sie sich bei all dem denken. Ich könnte Ihnen da sonst noch ganz andere Dinge erzählen. Hier geht es immerhin noch um einen Ort. Vor ein paar Wochen verbluteten unsere Männer und ebenso viele Buren an einem Hügel. Einem idiotischen kleinen Berg, den niemand braucht. Das ist der Krieg, Drury. Es geht, wie Sie gestern selbst mehrmals bemerkten, ums Prinzip. Sie können übrigens zu Ihrem Lieblingspatienten gehen, er ist wach. Und vielleicht bewegen Sie ja auch Ihr Lieblingsflintenweib dazu, einzutreten und ihren Vetter zu besuchen. Miss Doortje schleicht um die Scheune herum wie ein Geist ...«

Kevin wusste nicht recht, um wen er sich zuerst kümmern sollte. Sein Herz zog ihn zu Doortje, die sicher schwere Zeiten durchmachte. Die Frauen im Haus hatten nur Verachtung für sie übrig, und mit den Engländern mochte sie auch nicht reden. Doortje hatte schließlich nicht die Seiten gewechselt. Sie war zweifellos fest entschlossen, die Engländer weiter zu hassen. Allerdings würde es ihr sicher nicht helfen, wenn Kevin jetzt zu ihr ging. Sie stand unter der Beobachtung ihrer Familie, und man würde ihr jedes Gespräch mit dem Arzt vorwerfen. Also wandte er sich lieber Cornelis zu. Der junge Mann sah an diesem Morgen deutlich besser aus und sorgte für eine Überraschung, als Kevin sich ihm vorstellte. Er lächelte freundlich.

»Dann verdanke ich also Ihnen meine Rettung. Ihnen und Doortje. Ich ... ich hatte wirklich gedacht, dass es zu Ende geht ... Danke. Vielen Dank.«

Kevin erwiderte das Lächeln. »Ich hatte jetzt eigentlich eher mit Beschimpfungen gerechnet«, bemerkte er. »Schließlich waren wir nicht sicher, ob wir nicht gegen Ihren Willen handeln ...«

Cornelis Pienaar schaute ihm direkt in die Augen, und Kevin erkannte in seinem wasserblauen Blick tiefen Schmerz.

»Ich bin neunzehn Jahre alt«, sagte der Bure. »Ich ... ich würde gern aufs College gehen. Ich wäre gern Lehrer oder Arzt, am liebsten Tierarzt. Aber wenn es sein muss, dann bestelle ich auch das Land meiner Familie. Sterben … das hatte ich so in sechzig Jahren eingeplant … Aber ich weiß, ich bin feige. Ich bin eine Schande für mein Volk. Sie werden das auch so sehen, Sie sind schließlich Freiwilliger. Sind Sie doch, nicht wahr? Die Engländer sind alle Freiwillige …«

Kevin zuckte die Schultern. »Die Neuseeländer und Australier sind Freiwillige«, schränkte er ein. »Und wenn Sie mich fragen – wir laufen alle vor etwas weg. Wir könnten also darüber streiten, wer hier feige ist. Ihre Kusine jedenfalls ist es nicht. Danken Sie ihr – und wenn es Ihre Mutter tröstet: Die Ladys haben unseren Leuten ganz schön Angst gemacht. Das gesamte englische Heer hatte nicht den Mumm, Sie gegen ihren Willen aus diesem Haus zu holen.«

Cornelis nickte. Die Trauer in seinen Augen schien noch zuzunehmen. »Das verstehe ich«, murmelte er. »Ich kenne meine Mutter.«

Doortje wagte an diesem Tag nicht, Cornelis zu besuchen, und wechselte auch kein Wort mit Kevin. Er bat schließlich Nandé, ihr zu bestellen, dass ihr Vetter über den Berg war. Das schwarze Mädchen berichtete, dass sich dafür der Zustand des anderen verwundeten Buren, Baas Willem, dramatisch verschlechtere.

Kevin begab sich daraufhin noch einmal zum Haus und versuchte, mit den Frauen zu reden. Johanna VanStout schickte ihn mit wilden Verwünschungen in eher schlechtem Englisch fort.

»Da kann man nichts machen«, meinte Barrister. »Diesmal ist es ja wohl auch der klare Wille des Betroffenen. Und Ihre Miss Doortje wird kein weiteres Mal einen Vorstoß wagen, schon weil ihr der Mann kaum so am Herzen liegt wie ihr Vetter. Haben Sie mal nachgefragt, ob die beiden vielleicht ein Paar sind?«

Kevin empfand die Bemerkung wie einen Stich ins Herz. Bisher hatte er keinen Herzschlag lang darüber nachgedacht, ob Doortje VanStout vielleicht bereits vergeben war. Stattdessen verliebte er sich jeden Tag mehr in die spröde Burin. Es wurde zweifellos Zeit, dass er hier wegkam. Das Hospital würde aufgelöst werden, sobald die schweren Fälle transportfähig wären. Willcox und Tracy bereiteten in Wepener schon Räume vor, in denen die Männer weiterbehandelt werden konnten.

Immerhin hatte die Verschlechterung von Willem DeWees' Zustand zur Folge, dass die Frauen im Haus sich weniger um Doortje kümmerten. Am Abend schien sie sogar fast wieder in Gnaden aufgenommen zu sein, die Bibellesung durfte sie zumindest wieder vornehmen.

Kevin sprach dafür mit Cornelis, der gegen Abend erneut zu Bewusstsein kam und sich gern mit ihm unterhielt. Er schüttelte lächelnd den Kopf, als Kevin vorsichtig nach seiner Beziehung zu Doortje fragte.

»Für Adrianus VanStout käme ich als Schwiegersohn nie infrage«, gab er dann viel umfassender Auskunft, als Kevin gehofft hatte, »selbst wenn Doortje und ich einander liebten. Aber wir sind von Kindheit an wie Bruder und Schwester, an eine andere Verbindung hätte ich nie gedacht. Ich liefe sonst aber auch Gefahr, mit der Flinte von VanStouts Land gejagt zu werden. Nein, nein, ein VanStout-Mädchen würde niemals mit einem Feigling und Bücherwurm wie mir verheiratet werden. Und ein Kirchenamt habe ich auch nicht, und unsere Farm ist nicht besonders groß. Martinus dagegen ist jetzt schon Beisitzer, er wird in den Ältestenrat berufen werden, sobald er eine Familie gegründet hat. Seine Farm ist angrenzend und ...«

»Martinus?«, unterbrach ihn Kevin.

Der Verwundete nickte und versuchte, eine bequemere Lagerung zu finden. Kevin half ihm und war froh, dass er sein Gesicht nicht sah, während er weitererzählte. »Doortjes

Verlobter. Alter Voortreckker Adel, sein Urgroßvater ist mit Doortjes Urgroßvater getreckt. Irgendwie sind sie auch weitläufig verwandt ... jedenfalls stand es schon immer fest, dass Doortje und Martinus heiraten. Es war für dieses Jahr geplant. Aber Martinus und Adrianus waren natürlich die Ersten, die in den Krieg zogen. Doortje wäre gern mitgegangen – wie meine Mutter und Tante Antina. Aber für ein so junges Mädchen allein schickt sich das natürlich nicht, und Tante Bentje konnte nicht wegen ihrer Blindheit. Sie brauchte auch Hilfe hier zu Hause. Also blieben alle hier, und jetzt warten sie darauf, dass Adrianus und Martinus wiederkommen.«

Kevin biss sich auf die Lippen. »Martinus ist wahrscheinlich auch ein verwegener Reiter und hervorragender Schütze ...«

Cornelis lächelte. »Sie hören sich an, als wären Sie eifersüchtig, Doktor!«

Kevin antwortete nicht. Aber dann dachte er, dass er die Frage auch einfach stellen konnte. Wenn man ihm seine Gefühle ohnehin ansah ...

»Mijnheer Pienaar ... Doortje ... also dieser Martinus ... Liebt sie ihn?«

Das Feldlazarett auf der VanStout-Farm blieb noch fast eine Woche lang bestehen. So lange dauerte es, bis die letzten Schwerverwundeten transportfähig oder gestorben waren – außerdem warteten die Einheiten und Stabsärzte auf neue Einsatzbefehle.

Doortje VanStout ging Kevin aus dem Weg – sehr viel hatte sich nicht geändert zwischen ihr und den Besatzern. Sie suchte auch Cornelis nicht auf, ebenso wenig wie seine Mutter.

»Was machen wir denn bloß mit Ihnen, wenn wir abziehen?«, sorgte sich Kevin um seinen burischen Patienten, zu dem er mittlerweile ein freundschaftliches Verhältnis entwickelt hatte.

Cornelis war aufgeschlossen und beantwortete all die Fragen, die Südafrika und seine Menschen für Kevin aufwarfen.

Er schilderte die Buren von einer völlig anderen Warte als Ribbons und die Engländer vom Kap. So kam nun auch Kevin in den Genuss ausgiebigster Berichte von der Landnahme der »Voortrekker«.

»Sie waren ungemein tapfer – wie sie da mit ihren Ochsenkarren und ihrem Hausrat ins Nichts zogen, es war ja niemals jemand auf der anderen Seite der Berge gewesen. Die Natur war feindlich … die Tafelberge, die Wüste … da musste man erst mal drüber weg. Und dann die Eingeborenen …«

»… die sich aus unerfindlichen Gründen ihr Land nicht wegnehmen lassen wollten!«, spottete Kevin.

Cornelis zuckte die Achseln. »So sehen Sie das. Aber für diese Leute … Die Voortrekker sahen sich als Nachfolger der Israeliten, sie erwarteten Gottes verheißenes Land. Von den Angriffen der Zulu waren sie völlig überrascht – fast etwas beleidigt. Und sie fühlten sich von allen Seiten verfolgt. Am Kap die Engländer, im Inland die Schwarzen … Also bildeten sie eine Wagenburg und schlugen um sich.«

»Mit größtem Erfolg, habe ich gehört«, warf Kevin ein. »Über dreitausend tote Schwarze an einem einzigen Tag …«

»Vorher auch mal ein paar Hundert Buren, die man in einen Hinterhalt gelockt hatte. Da waren beide Seiten nicht zimperlich. Man darf sich die Zulu auch nicht wie ein naives Völkchen mit ein paar verstreuten Dörfern hier und da vorstellen. Das war ein Königreich mit gut funktionierendem Gemeinwesen und überaus schlagkräftiger Armee. Genauso todesmutig wie die Trecker. Ihr Pech war, dass die Buren Feuerwaffen hatten, und sie nicht. Wird doch bei Ihnen nicht anders gewesen sein, in Ihrem Neuseeland. Sie haben auch Neger, oder?«

Kevin schüttelte den Kopf. »Unsere Maori sind Polynesier. Und im Großen und Ganzen friedlich. Sie hatten nichts gegen die weißen Einwanderer. Zumindest zunächst nicht. Später hat es natürlich Konflikte gegeben …«

Cornelis grinste. »Ein schönes Wort ...«

»Ein wahres Wort«, verteidigte Kevin sein Land. »Es gab Schießereien, es gab Tote auf beiden Seiten – aber niemals in diesem Ausmaß! Das waren regionale Probleme. Den Maori ist sicher oft Unrecht geschehen, aber es wird jetzt schon versucht, das gerichtlich aufzuarbeiten. Ich will nicht sagen, dass alles perfekt ist. Aber die Maori sitzen in unserem Parlament, sie haben das Wahlrecht, natürlich besitzen sie Land ... Ehen zwischen Maori und *pakeha* sind nicht gerade die Regel, aber auch keine so gewaltige Ausnahme ...«

»Ehen?«, fragte Cornelis verblüfft. »Zwischen Schwarz und Weiß?«

Kevin nickte. »Vor allem gab es niemals Sklaverei. Wie Sie hier dagegen mit den Schwarzen umgehen ...«

Cornelis hob eine Augenbraue. »Vielleicht sind Ihre Maori ja zivilisierter. Unsere Schwarzen sind wie Kinder, naiv. Sie brauchen Führung. Und sie sind uns treu ergeben. Allein mit unserem Kommando zogen vierzig Kaffern ...«

Kevin rieb sich die Stirn. »Kinder?«, fragte er langsam. »Und vorher hatten sie ein Königreich, ein Land, Städte, eine Armee ... Wird ein Mensch erst zum Erwachsenen, wenn er eine Muskete besitzt?«

Cornelis Pienaar war deutlich gebildeter und aufgeklärter als die anderen Buren, die Kevin bislang kennengelernt hatte. In Bezug auf die Behandlung der Schwarzen war mit ihm aber ebenso wenig zu reden wie mit Doortje und ihrer Familie. Allen Widersprüchen zum Trotz war er von der Minderwertigkeit der dunkelhäutigen Menschen überzeugt und traute den Schwarzen auch nicht wirklich. Kevin wies Cornelis immer wieder darauf hin, dass dies ein Widerspruch in sich sei, schließlich werde er ja sonst nicht müde, die Ergebenheit der schwarzen Diener zu betonen. Nach ein paar Unterhaltungen mit Pienaar war Kevin davon überzeugt, dass die Buren ihre dunkelhäutigen Arbeiter fürchteten.

»Das ist kein Mut, was die antreibt, sondern eine Art Angstbeißerei«, erklärte er seinem Freund Vincent.

Der Tierarzt war am Tag nach der Kapitulation von Wepener mit drei verletzten Pferden bei Kevin erschienen und hatte um Hilfe gebeten.

»Bei denen stecken Kugeln in großen Muskeln, Kevin. Man muss sie herausschneiden. Aber allein krieg ich es nicht hin, sie halten ja auch nicht ruhig. Kannst du ... könntest du versuchen ...«

Kevin wollte die »Amtshilfe« zunächst entschieden ablehnen, aber dann sah er das abgehärmte Gesicht des jungen Tierarztes und entschied sich anders. Vincent wirkte nach den drei Tagen im Feld um Jahre gealtert. Sein Anblick erinnerte Kevin an Dr. Tracy nach dem ersten Tag im Sanitätszelt. Irgendetwas schien in Vincent gestorben zu sein, sein freundlicher, vertrauensvoller Gesichtsausdruck war Verwirrung und Verständnislosigkeit gewichen.

»Es war entsetzlich«, erzählte Vincent, als Kevin erst mal eine Flasche Whiskey öffnete. »Sie ... sie ... bisher hatte ich immer gedacht, Menschen führten Krieg ... na ja, gegen Menschen. Natürlich wird mal ein Pferd getroffen, aber ... aber man schießt doch auf die Reiter ... Während diese Buren ... man möchte doch meinen, sie liebten Pferde. Sie reiten alle ... sie haben diese Ponys fabelhaft im Griff. Aber unsere Pferde ... sie scheinen sie regelrecht zu hassen. Sie schießen auf sie, sie stechen auf sie ein ... fünf von meinen Pferden sind tot, Kevin ...« Kevin nahm an, dass er von den Pferden des Neuseelandkontingentes sprach. Vincents eigene Stute stand angebunden am Zaun und schien gänzlich gesund zu sein. »Und so viele von den anderen. Ganz sinnlos. Diese Leute sind ... sie sind ...«

Kevin verzichtete darauf, ihm von den ebenso sinnlosen Verlusten an Menschenleben zu berichten. Vincent hätte vermutlich eingewandt, dass die Soldaten schließlich freiwillig kämpften. Bevor er sich auf solche Diskussionen einließ, teilte er seinem Freund lieber seine Überlegungen zu den Buren mit.

»Angstbeißer. Wie manche Hunde.«

Vincent lächelte schwach. »Das mag ja sogar sein. Aber was hilft es uns? Wir können sie nicht alle erschießen. Und ehrlich gesagt, mir steht der Sinn zurzeit nicht nach ›vertrauensbildenden Maßnahmen‹.«

Kevin schüttelte den Kopf. Er dachte an Doortje, die er sich viel lieber als verängstigtes kleines Tier vorstellte, das aus reiner Verzweiflung um sich biss, denn als gierig, boshaft und angriffslustig. Aber das konnte er seinem Freund unmöglich erzählen.

»Es hilft uns gar nichts«, meinte er nur. »Aber es macht mir Angst. Für diese Leute wird doch der Krieg nie zu Ende sein. Aber komm, jetzt operieren wir erst mal deine Pferde. Obgleich ich nicht weiß, was Barrister dazu sagen wird …«

Zwei der drei Pferde überlebten die unkonventionelle Behandlung. Vincent erschien ein wenig glücklicher, als er die Tiere zwei Tage später besuchte und Kevin auch gleich über die neuen Einsätze des Neuseelandkontingents berichtete.

»Wir bleiben nicht zusammen. Die Neuseeländer werden Major Robin unterstellt, auch ein Teil der Australier. Das neue Regiment hat jetzt einen Namen, Rough Riders. Die Engländer waren wohl ganz begeistert von unserer Kavallerie.«

Kavallerie konnte man die zusammengewürfelte Truppe berittener Neuseeländer, die mit Kevin nach Südafrika gekommen waren, natürlich auch nennen. Größtenteils waren es junge Männer aus den Plains, auf dem Pferd groß geworden und geübte Schützen. Exerzieren in Reih und Glied lag ihnen dagegen nicht, und Befehle befolgten sie auch eher ungern.

Man musste anerkennen, dass die britische Führung das sofort erkannt hatte und eine Chance darin sah, kein Defizit. Im Grunde waren die ungeschlachten Kiwis, wie man die Neuseeländer nannte, den Buren gar nicht unähnlich, es würde ihnen sehr viel leichterfallen, deren Strategie und Denkweise zu begreifen, als britischen Berufssoldaten. Insofern wurden die Rough Riders auch keiner Entsatz- oder Angriffsarmee zugeteilt, sondern zur Bewachung der Eisenbahn in der Provinz Transvaal abgestellt. Ihre Aufgabe war der Kampf gegen marodierende Burenkommandos, die Kontrolle einsamer Farmen, die oft als Unterschlupf für burische Kämpfer dienten, und die allgemeine Befriedung ihres Gebietes.

»Halten Sie uns den Rücken frei!«, lautete der Befehl des Field Marshalls Lord Roberts, der inzwischen gemeinsam mit General Kitchener das Oberkommando übernommen hatte.

Vincent war den Rough Riders als Tierarzt zugeteilt, Kevin Drury und Preston Tracy als Ärzte. Sie führten ihr improvisiertes Lazarett auf zwei Packpferden mit sich. Beide trennten sich ungern von Barrister, Willcox und McAllister, die mit der Truppe Richtung Bloemfontein ritten.

Barrister bescheinigte den Männern hervorragende Arbeit. »Sie haben beide bewiesen, dass Sie Blut sehen können. Jetzt kommen Sie auch allein zurecht!«

»Und vielleicht sieht man sich auch bald wieder«, meinte McAllister unbekümmert. »Der Krieg soll zwar demnächst vorbei sein, aber man weiß ja nie. Und womöglich bleiben Sie sogar hier, Kevin. Wäre doch romantisch, wenn Sie nach dem Sieg zu Ihrer Doortje zurückkehren würden ...«

Kevin tat, als lache er darüber, aber tatsächlich war ihm eher zum Heulen zumute, wenn er an Doortje dachte. Sie hatte ihn auch in den letzten Tagen gemieden, und so langsam fand er sich damit ab, dass sie sich nichts aus ihm machte. Ihm lag immer noch Cornelis' Antwort auf seine Frage nach Doortjes Gefühlen für ihren Verlobten im Magen: »Das spielt keine Rolle, Doktor. Doortje und Martinus – die sind von einem Stamm, von einem Blut. Nicht buchstäblich natürlich, aber sie gleichen sich in ihren Ansichten, ihrem Glauben, ihren Wünschen, ihren Träumen. Ich würde das nicht ›Liebe‹ nennen, aber daran denken wohl auch weder Doortje noch Martinus. Sie passen vortrefflich zusammen, sie werden wunderbare Kinder haben ...«

Cornelis' Blick hatte etwas Sehnsuchtsvolles bekommen. Kevin tat der junge Mann fast leid. Cornelis war anders, und er stand zu seinen Überzeugungen. Aber er wünschte sich offensichtlich nichts mehr, als trotzdem dazuzugehören.

Kevin ging noch einmal zu ihm, bevor die Ärzte abritten, um sich in Wepener mit ihrer Truppe zu vereinigen.

»Ich kann Sie hier wirklich so liegen lassen?«, fragte er zweifelnd. »Wir können Sie mit nach Wepener nehmen, da würden Sie weiterversorgt werden.«

Cornelis schüttelte allerdings den Kopf. »Das ist sehr freundlich, aber nein. Sobald Sie weg sind, wird meine Familie sich um mich kümmern. Meine Mutter wird mich in Gnaden wieder aufnehmen.« Er seufzte. »Sie wird behaupten, Sie hätten mich gegen meinen Willen operiert, egal, wie oft ich das leugne. Und Antina ... vielleicht ist sie ein bisschen weicher geworden, seit Willem gestorben ist.«

Der zweite burische Verwundete war nach langem Todeskampf dem Wundbrand erlegen. An eine Sinnesänderung bei seiner Frau glaubte Kevin jedoch nicht. Antina DeWees hatte sich noch an seinem Grab in Beschimpfungen gegen die Engländer und ihre Verbündeten ergangen.

»Dann bestellen Sie Doortje noch mal Grüße von mir«, meinte Kevin resignierend. »Ich dachte, wir könnten vielleicht noch einmal reden, aber sie ...«

»Sie kann nicht«, tröstete ihn Cornelis. »Die anderen würden ihr das nie verzeihen. Aber ich bin sicher, sie … sie denkt freundlich an Sie.«

Kevin seufzte. Er konnte Cornelis nicht sagen, dass ihm das nicht genügte.

Und dann, als er auf sein Pferd stieg, sah er Doortje mit ihrer Schwester Johanna und Nandé am Brunnen stehen. Das schwarze Mädchen lächelte den Abreitenden schüchtern zu, Johanna tat, als sähe sie sie gar nicht, und Doortje … sie hob nur einmal schüchtern den Blick. Kevins Herz schlug höher, als er keinen Hass darin sah, eher Bedauern.

»Auf Wiedersehen, Miss Nandé!«, grüßte Kevin, freundlich, aber provokant. Die Burenfrauen mussten es als Affront empfinden, dass er das schwarze Mädchen ansprach. »Und Johanna und Mejuffrouw Doortje. Ich hoffe, wir sind Ihnen nicht allzu lästig gefallen …«

Doortje sah aus, als ränge sie mit sich. Dann schluckte sie, und ihr Gesicht verzog sich zu einem Lächeln.

»Verrenken Sie sich nicht die Zunge. Sagen Sie einfach Doortje. Und sonst … wir mussten es nehmen, wie Gott es uns gab.«

Kevin meinte fast, ein Zwinkern in ihren Augen zu erkennen. Er erwiderte ihr Lächeln.

»Alles geschieht, wie Gott es will«, bemerkte er mit Predigerstimme. »Und ich hoffe, Sie nehmen es ihm nicht übel, falls wir uns irgendwann wiedersehen.«

Damit setzte er sein Pferd in Gang, aber als er sich noch mal umwandte, sah er, dass Doortje ihm nachschaute. Obwohl Johanna böse auf sie einsprach. Und irgendetwas in ihrer Haltung und ihrem Blick gab ihm Hoffnung. Was wusste Cornelis, was wusste der ach so perfekte Martinus von Doortje VanStouts geheimsten Wünschen und Träumen?

Kevin ertappte sich dabei, vor sich hin zu pfeifen. Als er von Gott sprach, hatte er weniger den gestrengen Patriarchen des

Alten Testamentes vor Augen gehabt. Eher dachte er an den beleidigten Taranaki oder an Rangi, die Gottheit, die immer noch um Papa weinte.

Lizzie Drury war eigentlich ein friedfertiger Mensch und auch durchaus langmütig. Sie hatte früh gelernt, aus den Widrigkeiten ihres Lebens das Beste zu machen. Aber das Leben hatte sie nicht auf ihre Schwiegertochter Juliet vorbereitet.

»Sie könnte wenigstens irgendetwas tun!«, ärgerte sich Lizzie einige Wochen nach Juliets Einzug Michael gegenüber.

Es war Winter, und die Schafe standen am Haus. Sie mussten also versorgt werden, und beide Drurys hatten damit alle Hände voll zu tun. Dazu waren viele Mutterschafe früh gedeckt, ihre Lämmer kamen bereits zur Welt und sorgten für zusätzliche Aufregung. Lizzie schleppte fast immer ein verstoßenes oder verwaistes Lamm mit sich herum, bis es dann kräftig genug war, um ihr blökend überallhin zu folgen. Gewöhnlich entlockten diese Lämmer jedem weiblichen Wesen ein hingerissenes »Ach, wie niedlich!«. Matariki und Atamarie hatten sich bei ihren Besuchen auf der Farm stets kaum von ihnen trennen können. Auch hinter Lizzies Maori-Freundin Haikina tapsten meist ein oder zwei Lämmer her. Ihr Stamm züchtete fast ebenso erfolgreich wie Michael. Lediglich Juliet schien die Tierkinder widerwärtig zu finden, aber sie konnte auch den Hofhunden – wohlerzogenen und sehr menschenfreundlichen Border Collies – nicht das Geringste abgewinnen.

»Nun verlangt ja auch keiner von ihr, beim Ablammen zu helfen!«, meinte Lizzie wütend, als Michael ihr vorhielt, dass es nun mal Leute gab, die ihr Haus nur ungern mit Vierbeinern teilten. »Sie braucht weder den Lämmern die Flasche zu geben noch die Welpen zu erziehen, aber sie könnte mal das Abendessen kochen, wenn wir den ganzen Tag draußen sind. Oder wenigstens das Haus putzen – ich wäre ja schon mit Ausfegen zufrieden … Stattdessen sitzt sie herum und klagt über Langeweile.«

Juliet hatte widerwillig die Tatsache akzeptiert, dass ihr Kind nur als Patricks Baby durchgehen konnte, wenn man den Geburtstermin offiziell etwas nach hinten verschob. Falls nicht, würde sie dem Klatsch ausgesetzt sein, und, was Lizzie schlimmer fand, das Kind würde sich Spöttereien anhören müssen, wenn es größer war. Da Patrick seinen Job unmöglich aussetzen und Juliet auf eine mehrmonatige Hochzeitsreise begleiten konnte, wie es der jungen Frau vorschwebte, bestand die einzige Möglichkeit darin, dass Juliet die nächsten Monate auf Elizabeth Station verbrachte. Und dann noch mal zwei bis vier, hatte Patrick mit leisem Bedauern geraten. Ein Neugeborenes sei als solches zu erkennen. Es müsse mindestens zwei Monate alt sein, bevor man halbwegs glaubwürdig schwindeln könne.

Juliet hatte ihn spöttisch gefragt, woher er so viel über neugeborene Babys wisse – und war ernst und gelassen auf Schafzucht verwiesen worden. Patrick und seine Familie redeten so selbstverständlich über Schwangerschaften und Geburten, dass es Juliet das Blut ins Gesicht trieb. Die Südstaatenschönheit war alles andere als prüde, aber den Vorgang der Geburt hatte man bei ihrer Aufklärung ausgelassen. Und danach … danach gab es selbstverständlich Nannys.

Nun aber wurden Juliet die Monate lang, zumal sie mit der Familie ihres Mannes nicht das Geringste gemeinsam hatte. Musik und Kunst interessierten die Drurys wenig. Sie besuchten zwar Heathers und Chloés Vernissagen, wenn sie gerade in Dunedin waren, und Lizzie ging dann auch gern in ein Konzert. Ahnung davon hatte sie jedoch nicht, sie fand

Musik generell »schön«, egal, was in Dunedin geboten wurde. Gesprächsstoff im Sinne von Musikkritik, die Juliet gern übte, gab das nicht. Über Mode konnte man auch nicht reden. Lizzie war zwar eine treue und begeisterte Kundin von Lady's Goldmine, aber sie interessierte sich vor allem dafür, welche Schnitte kleine Fettpolster kaschierten. Was im letzten Jahr in Paris en vogue gewesen war und was möglicherweise im nächsten Jahr in London Furore machen würde, war ihr gleichgültig. Blieb noch die Literatur, und beim ersten Blick auf den Schrank der Drurys hatte Juliet da Land gesehen. Die Regale waren mit Büchern prall gefüllt. Allerdings las Michael allenfalls mal ein Werk über Schafzucht, wobei er Bücher mit vielen Zeichnungen bevorzugte. Lizzie las gern, aber langsam. Für einen Roman, den Juliet in einer Woche auslas, brauchte sie Monate. Dementsprechend wenig schöngeistige Literatur füllte denn auch ihren Schrank. Lizzie hortete hauptsächlich Bücher über Weinbau.

»Ich finde es besonders bedenklich, dass Juliet so selten aus dem Haus geht«, meinte Michael. Er wollte eigentlich nicht in Lizzies Sermon gegen die junge Frau einstimmen, grundsätzlich hatte er nichts gegen seine Schwiegertochter. Im Stillen fand er Juliet auch immer noch entzückend. Er genoss es, wenn sie mitunter spielerisch mit ihm flirtete. Aber ihr Stubenhockertum machte ihm Sorgen. »Das kann doch nicht gut für das Baby sein, wenn sie nur unglücklich herumsitzt.«

»Meine Rede!«, sagte Lizzie, wenngleich es ihr weniger auf Juliets Glück oder Unglück ankam. »Sie muss raus, sie muss sich bewegen. Ich habe auch schon an die Reben gedacht, die beschneide ich doch gerade. Vielleicht würde ihr das ja Spaß machen, Wein trinkt sie schließlich sehr gern. Aber nein, erst wollte sie es sich gar nicht ansehen, und als sie dann doch herauskam, trug sie Handschuhe, dünne Kalbslederschühchen und eine Mantille, die allenfalls für einen Opernbesuch geeignet wäre. Dabei hatte es gefroren … Ich hab sie gleich wieder reingeschickt. Mit frischer Luft ist dem Kind auch nicht gedient, wenn die Mutter eine Lungenentzündung bekommt.« Michael seufzte. »Das ist hier einfach nichts für sie. Sie kennt das Landleben nicht, sie …«

»Sie kommt von einer großen Plantage in Louisiana«, merkte Lizzie giftig an. »Das ist durchaus ländlich gelegen, und sie erinnert sich auch noch recht gut daran, wie viele Hektar das Anwesen umfasste. Ich erinnere mich, dass du ziemlich schockiert warst, als sie dir vorhielt, was für eine Klitsche das hier ist gegenüber dem Königreich ihres Daddys. Wenn sie nie einen Handschlag getan hat, dann lag das sicher nicht daran, dass keine Gelegenheit dazu bestand. Aber die Leute da lassen ja nur ihre Schwarzen für sich schuften und jammern der Sklaverei nach …«

»Lizzie mag sie einfach nicht«, klagte Michael. Die Maori feierten wieder einmal Matariki, die *manu aute* tanzten den Sternen entgegen, und Michael lag neben seinem Maori-Freund Tane auf dicken Matten vor einem Zelt und blickte hinauf in den Himmel. Mit jedem Schluck Whiskey wurde das Sternenlicht heller, und die beiden Männer hatten für einen reichlichen Vorrat gesorgt. Michael und Tane kannten einander seit Jahrzehnten. Erst waren sie gemeinsam beim Walfang gewesen, dann auf einer Schaffarm, und schließlich hatte Tane Michaels Whiskeybrennerei bei Kaikoura übernommen. Tanes Stamm unterhielt enge Verbindungen zu den Ngai Tahu, die in Michaels und Lizzies Nachbarschaft lebten. Einmal im Jahr wanderte Tanes *iwi* nach Otago, und die Männer feierten ein feuchtfröhliches Wiedersehen. Diesmal waren Tanes Leute zum Neujahrsfest gekommen, die Begrüßungsrituale hatten sich den ganzen Tag hingezogen, aber jetzt fanden die Freunde Gelegenheit, sich auszutauschen. Michaels bildschöne, aber etwas schwierige neue Schwiegertochter weckte natürlich Tanes besonderes Interesse. »Dabei meint man doch, die beiden müssten einiges gemeinsam haben«, fuhr Michael fort. Tane gegenüber nahm er kein Blatt vor den Mund, der stämmige Maori kannte sowohl seine als auch Lizzies Vergangenheit. »Ich meine … ich will nichts gegen Juliet sagen, aber sie hat sich ja auch einige Jahre in einem … hm … Milieu über Wasser gehalten, das …«

»Sie hat rumgehurt?«, fragte Tane mit Gemütsruhe. »Seit wann nennst du Freudenmädchen nicht mehr beim Namen?«

Michael wand sich. »Na ja, so würde ich es vielleicht nicht nennen. Eher … hm … Lebedame oder so. Aber sie hat … ich denke, sie hat sich von Männern aushalten lassen.«

Tane nickte. »Warum?«, erkundigte er sich dann aber. »Hatte sie keinen Stamm wie Lizzie?« Lizzie war ein Findelkind gewesen, hatte aber überall Freunde gefunden. »Oder hat sie sich in den falschen Mann verliebt? Hat ihr Vater sie womöglich … so angesehen und berührt, wie man es mit Kindern nicht tut?«

Tane belieferte die Bordelle seiner Region nach wie vor mit Whiskey, und er war ein freundlicher Bär von einem Mann. In den letzten Jahren musste ihm so manches Freudenmädchen sein Herz ausgeschüttet haben. Er wusste, warum Frauen sich verkauften.

Michael schüttelte den Kopf. »Nicht dass ich wüsste. Sie kommt aus reichem Haus. So was wie …« Er fragte sich, wie er dem Maori die amerikanischen Baumwollplantagen beschreiben konnte. »So was wie eine Schafbaronesse«, fiel ihm dann ein. »Von vorn bis hinten verwöhnt. Aber sie wollte Sängerin werden … Also lief sie weg. Und es hat ihr wohl auch gefallen …«

Tane lachte. »Und da wunderst du dich, dass Lizzie sie nicht mag. Michael, Lizzie hat es gehasst, sich zu verkaufen! Die meisten Mädchen hassen es. Aber diese Juliet hat es freiwillig gemacht, sie hat alles aufgegeben, was Lizzie und ihre früheren Freundinnen sich über alles gewünscht haben, ein Zuhause, eine Familie, um in Bars zu singen und mit Männern herumzuziehen. Wobei sie wahrscheinlich auch noch hart arbeitenden richtigen Huren die zahlungskräftigen Kunden wegnahm. Und nun schnappt sie sich euren Patrick. Passt eigentlich gar nicht. Wenn, dann hätte ich sie eher in Kevins Nähe vermutet …«

Michael seufzte. »Auf welchem Gebiet bist du noch mal *tohunga*, mein Freund? Hellseherei?«

Tane grinste und entkorkte eine weitere Flasche. »Sagt Lizzie nicht immer so was wie ›Im Whiskey liegt die Wahrheit‹?«

»Im Wein«, berichtigte Michael. »Aber du hast Recht, im Wein mag sie liegen, beim Whiskey schwimmt sie jedoch oben … Also gut, ich erzähl's dir. Der Stamm weiß es sowieso. Verrat's nur keinem *pakeha* …«

Tane pfiff durch die Zähne, als Michael ihm von Juliets Schwangerschaft von Kevin berichtet hatte.

»Und Patrick macht das jetzt glücklich?«, fragte er verwundert. »Wo ist der überhaupt? Er kommt doch sonst immer zum Fest. Und wo ist das Mädchen? So langsam werde ich neugierig …«

Michael nahm einen tiefen Schluck aus der neuen Flasche. Die Maori hatten inzwischen zu singen begonnen, das Sternbild Matariki stand gut sichtbar hoch am Nachthimmel. Es war kalt und trocken, zudem war Vollmond – ideales Wetter für das Fest. Die beiden Stämme würden die ganze Nacht musizieren und tanzen, auch aromatische Essensgerüche wehten zu den Männern hinüber. Michael sah sich kurz nach Lizzie um, aber die war sicher bei den Frauen und feierte mit. Sie sprach gut Maori und galt den Ngai Tahu als eine Frau mit sehr viel *mana*, also hohem Ansehen bei den Stämmen. Michael wandte sich beruhigt wieder seinem Freund zu. Lizzie sollte nicht hören, wenn er Schlechtes über Juliet sagte.

»Juliet wollte nicht mitkommen«, antwortete er schließlich. »Sie ... hält nichts von den Stämmen ... wobei man das verstehen kann, in ihrem Land ...«

»In Amerika hielten sie Afrikaner als Sklaven, und es musste erst ein Krieg geführt werden, damit sie aufhörten, die armen Kerle mit Peitschen auf ihre Felder zu treiben.« Tane war nicht sehr gebildet, kam aber genug herum, um sehr viel mehr über die Welt zu wissen, als Michael ihm zutraute. »Inzwischen ist das jedoch über dreißig Jahre her, es ist keine Entschuldigung dafür, jeden wie Dreck zu behandeln, dessen Haut eine andere Farbe hat ...«

»Das tut sie ja nicht«, meinte Michael gequält. »Es ist nur, dass es für sie nicht so selbstverständlich ist, zusammen zu feiern und ...«

»Und wo ist Patrick?«, unterbrach Tane sein Gestammel.

»Patrick ist bei ihr geblieben«, gab Michael zu. »Er wollte sie nicht allein lassen. Er meint, von der Farm aus könnte man die Sterne ja auch sehen, und die *manu aute* ... Wenn das Kind da ist, wird er ihm einen bauen und ihn fliegen lassen ...«

Tane schnaubte. »Das glaube ich nicht. Sie wird Gründe finden, ihr weißes Goldstück von den Kindern der Ngai Tahu fernzuhalten. Noch mal, Michael, damit es wirklich bei mir ankommt: Patrick ist extra von Dunedin hergeritten, um mit uns zu feiern, aber sie hat es ihm ausgeredet?«

Michael nickte, brachte aber deutlich mehr Verständnis für Patrick auf. »Auch ich«, sagte er schulterzuckend, »habe eine Frau mit sehr viel *mana* ...«

In der ersten Zeit seines Zusammenseins mit Lizzie hatte es immer wieder Konflikte gegeben, weil sie dazu neigte, eigene Entscheidungen zu treffen, die ihr gemeinsames Leben bestimmten.

Tane grinste. »Hat diese Juliet *mana*? Bei welchem Stamm? Den Leuten in Dunedin? Hätte sie *mana*, so brauchte sie ihr

Kind nicht zu verstecken und sich im Bett eines Mannes zu verkriechen, den sie nicht liebt. Und hätte sie *mana*, dann hätte Kevin sie nicht verlassen. Der braucht nämlich eine Frau mit *mana*, genau wie du, mein Freund!«

Er knuffte seinen alten Kumpel freundschaftlich. Dabei übersahen die beiden, dass sich Lizzies Freundin Haikina genähert hatte. Sie lachte und ließ sich neben den Männern auf den Boden fallen.

»Ich soll euch sagen, ihr sollt euch zu den Feuern bewegen. Es gibt Essen. Aber erst tanzt du den *haka* mit, Tane, deine Mutter sagt, wir sollen dich nicht füttern, bevor du getanzt hast. Du wirst dick!« Sie klopfte auf Tanes imponierenden Bauch.

»Dies zu Frauen mit *mana*«, stöhnte Tane.

Haikina grinste. »Ich höre schon, ihr diskutiert das Prinzip ... am Beispiel einer gewissen Juliet, nicht?«

Haikina sprach sehr gut Englisch. Nach dem Besuch einer Missionsschule war sie Lehrerin.

»Du kannst sie auch nicht leiden«, meinte Michael fast weinerlich. »Wie Lizzie ...«

Haikina lachte. »Die meisten Frauen können sie nicht leiden. Wir mögen nämlich *mana* haben, Michael, aber wir nutzen es nicht, um Männer an der Nase herumzuführen. Darin ist Juliet allerdings *tohunga* – und euren Patrick, den lässt sie tanzen wie einen *manu* an seiner Schnur ...«

Die Monate bis zur Geburt von Juliets Kind vergingen quälend langsam. Patrick war unglücklich, weil er seine junge Frau höchstens am Wochenende sah, und auch da schaffte er es nicht immer, nach Lawrence zu reiten. Schließlich beriet er wieder Farmer und verbrachte die Arbeitswoche oft auf Stations in einer ganz anderen Gegend.

»Auch so gesehen ist es gut, dass du hier bei meinen Eltern bist«, tröstete er Juliet, als die sich wieder einmal über die Einsamkeit auf Elizabeth Station beklagte. »In unserem Haus wärst du ganz allein, und wenn dann das Kind käme …«

Bis zur Geburt waren es noch etwa vier Wochen, aber Juliets Leib war bereits stark gerundet. Patrick hatte ihr deshalb schon seit längerem nicht mehr beigelegen – ohne zu warten, bis sie selbst es sich verbat. Juliet war seitdem eher noch unleidlicher. Sie genoss die Liebe mit Patrick nicht so sehr wie damals mit Kevin, aber es fehlte ihr doch etwas, und sie hasste es, unförmig und unbeweglich zu sein wie ein gestrandeter Wal.

»Na, hier ist die Versorgung ja auch nicht die allerbeste«, griff sie jetzt eines ihrer Lieblingsthemen wieder auf, die Frage nach der Geburtshilfe.

Nach endlosen Wortgefechten hatte man sich darüber auf einen Kompromiss geeinigt: Juliet würde keine Maori-Hebamme haben, aber auch keinen Arzt aus der Stadt. Stattdessen würde die *pakeha*-Hebamme aus Lawrence kommen – sofern sie nicht gerade eine andere Entbindung hatte. Juliet hielt ihrem Mann und ihren Schwiegereltern immer wieder vor, dass eine einzige Geburtshelferin doch keinen ganzen Landkreis abdecken könne, ohne dass man gefährliche Engpässe riskiere.

Patrick und Lizzie dachten dagegen eher an den zu fälschenden Geburtstag des Kindes – auch in Lawrence war man schließlich fähig, die Monate von der Hochzeit zur Geburt zusammenzurechnen. Allerdings wusste dort niemand, dass Juliet vorher mit Kevin zusammen gewesen war, insofern würde der Klatsch nicht allzu bösartig ausfallen. Lizzie hätte trotzdem eine Maori-Frau vorgezogen. Denen war die Vaterschaft der Kinder weitgehend egal.

Letztendlich ging dann aber alles sehr gut – zumindest in den Augen der Drurys, die Geburten realistisch sahen. Wie die meisten Erstgebärenden lag Juliet viele Stunden in den Wehen. Die Hebamme hatte reichlich Zeit, zu ihr zu kommen und war auch nicht anderweitig beschäftigt. Dazu hatte sich das Kind einen Samstag ausgesucht, um zur Welt zu kommen – Patrick war schon auf dem Weg nach Lawrence, als die Wehen einsetzten. Er kam fast gleichzeitig mit der Hebamme auf Elizabeth Station an – wo er eine gelassene Lizzie und eine völlig hysterische Juliet vorfand. Juliet hatte seit Stunden Wehen und war überzeugt, noch an diesem Tag sterben zu müssen.

»Ich habe ihr jetzt schon dreimal gesagt, dass sich die Geburt bei Menschen nun mal länger hinzieht als bei Schafen oder Pferden«, beschied Lizzie ihren Sohn, der gleich bereit schien, sich ebenfalls aufzuregen. »Sie glaubt es mir bloß nicht, keine Ahnung, in welcher Welt sie bisher gelebt hat! Jedenfalls brauchst du mir keine Vorwürfe zu machen, ich habe getan, was ich konnte. Sie hat ein ordentliches Zimmer, ein sauberes Bett – ich habe ihr Tee gekocht und sogar eine Flasche Wein aufgemacht, in der Hoffnung, dass es sie etwas beruhigt. Und jetzt ist Sharon ja auch da, sie ist also in besten Händen.«

Aus Juliets Zimmer erklang eben ein Aufschrei. Patrick wurde blass. »Kann ich … kann ich wohl zu ihr?«

Sharon Freezer, die Hebamme, trat aus Juliets Zimmer und hörte seine bange Frage.

»Aber klar«, antwortete sie für Lizzie. »Gehen Sie nur, vielleicht können Sie Ihre Frau ja beruhigen. Es ist alles in bester Ordnung, das Kind liegt richtig, der Muttermund weitet sich langsam. Es kann noch fünf, sechs Stunden dauern, eine Aussicht, die Ihre Gattin allerdings ziemlich … hm … bestürzt hat. Sie ist ein wenig überempfindlich. Aber vielleicht bessert sich das ja, wenn Sie ihr etwas Trost spenden. Bekomme ich solange einen Tee, Lizzie?«

Lizzie und Sharon tranken Tee, während Patrick sich mit nimmermüder Geduld seiner Gattin widmete. In seiner Hilflosigkeit berichtete er Juliet von sämtlichen Entbindungen, die er je mitangesehen hatte – von Mutterschafen über Stuten bis hin zu Hütehündinnen. Dabei sparte er nicht mit drastischen Einzelheiten. Juliet fühlte sich binnen kürzester Zeit erst gelangweilt, dann angeekelt, schließlich bis zur Panik verängstigt. Immerhin schrie sie nicht mehr, sondern wimmerte nur noch vor sich hin, als die Wehen schließlich stärker wurden. Patrick vermerkte die kürzeren Abstände zwischen den Kontraktionen mit der freudigen Gelassenheit des geborenen Züchters, wahrscheinlich hätte er sein Kind auch selbst auf die Welt holen können. Juliet fand allerdings schon seine Anwesenheit am Wochenbett entwürdigend – wie sollte sie diesen Mann jemals wieder bezaubern und umgarnen können, nachdem er sie einmal so unförmig und verschwitzt, wimmernd und schreiend gesehen hatte? Schließlich verlangte sie dringend nach der Hebamme, und Sharon warf Patrick umgehend hinaus, als sie feststellte, dass es nun wirklich ernst wurde.

»Habt ihr euch schon einen Namen überlegt?«, fragte Michael, um seinen Sohn abzulenken.

Patrick zuckte die Schultern. »Alles, nur nicht Kevin«, grinste er. »Ich mag Joseph, Joe lässt sich gut rufen. Oder Harold, Harry. Aber Juliet hätte wohl gern was aus ihrer Heimat, was Französisches: Baptiste oder Laurent …«

»Wie?«, fragte Lizzie, wurde dann aber von einem gellenden Schrei aus Juliets Zimmer unterbrochen.

Patrick wollte sofort hineinstürzen, aber Lizzie hielt ihn zurück.

»Klang schrecklich, aber auch erleichtert«, konstatierte sie. »Pass auf, es ist gleich vorbei …«

Tatsächlich wiederholte der Aufschrei sich nicht. Stattdessen öffnete sich nur wenige Minuten später die Zimmertür. Sharon trat strahlend heraus, ein winziges, in Tücher gewickeltes Baby im Arm.

»Hier haben Sie Ihre Tochter, Mr. Drury! Und ist sie nicht das entzückendste Baby, das Sie je gesehen haben?«

Patrick schaute ungläubig, nahm ihr das Bündel aber bereitwillig ab. Er grinste unwillkürlich, als er in das winzige Antlitz sah.

»Ein Mädchen?«

Sharon nickte. »Und schauen Sie mal, wie süß!«

Lizzie musste sich auf die Zehenspitzen stellen, um einen Blick auf ihre Enkelin zu werfen, war dann aber genauso hingerissen wie die Hebamme. »Sie hat ja richtig lange Haare! Und das wird ein dunkler Teint, nicht? Ach, man sollte es geradezu zur Pflicht machen, dass sich verschiedene Menschentypen mischen – so ein hübsches Kind habe ich seit Matariki nicht mehr gesehen!«

Michael blickte etwas skeptisch auf das Baby. Er war auf all seine Kinder stolz gewesen, hatte aber nie begreifen können, wie man beim ersten Blick auf diese roten, verschrumpelten Wesen mit ihren verkniffenen Gesichtchen auf Familienähnlichkeit oder gar spätere Schönheit schließen konnte.

»Wie soll sie denn jetzt heißen?«, fragte er.

Um die Namensgebung für das kleine Mädchen entbrannten in den nächsten Tagen regelrechte Grabenkämpfe. Patrick schien es ziemlich gleich zu sein, er war einfach nur begeistert von dem Kind und erleichtert, dass alles gut gegangen war. Deshalb war er auch bereit, Juliet jeden Wunsch von den Augen abzulesen – speziell wenn er sich so billig erfüllen ließ wie die Auswahl eines Namens. Lizzie dagegen kämpfte erbittert gegen jeden Vorschlag ihrer Schwiegertochter.

»Celine, Laetitia, Monique! Wenn ich das schon höre, das ...«

»Ein bisschen exotisch natürlich«, meinte Patrick. »Aber nur, weil wir das noch nie gehört haben ...«

»Es spricht für dich, mein Sohn, dass du das noch nie gehört hast«, bemerkte Michael, der in dieser Sache weitgehend Lizzies Position vertrat. »Aber so ungewöhnlich sind die Namen eigentlich nicht, sie …«

»Dein Vater will ausdrücken, dass er jeweils mindestens drei Huren kannte, die sich für die ›Künstlernamen‹ Claudine, Michelle oder Clarisse entschieden hatten«, präzisierte Lizzie. »In New Orleans mögen auch ganz normale Mädchen so heißen. Aber hier … das kannst du deiner Tochter nicht antun!«

Patrick biss sich auf die Lippen. Er kannte tatsächlich keine Freudenmädchen. In Dunedin sorgte die Church of Scotland dafür, dass Prostitution nur im sehr Verborgenen blühte.

»Warum nicht ein guter irischer Name?«, fragte Michael. »Warum nicht zum Beispiel …«

»Alles außer Kathleen«, warnte Lizzie und nahm das Baby hoch, das zu greinen begann. Juliet kümmerte sich, abgesehen von der eifrigen Suche nach dem passenden Vornamen, kaum um ihre Tochter und weigerte sich auch, sie zu stillen. »Sie sieht ja nicht unbedingt irisch aus, aber von mir aus könnt ihr sie gern Mary oder Bridget nennen. Hauptsache ein Name, der sie nicht kompromittiert und den man ohne Zungenverrenkungen aussprechen kann.«

Der Konflikt wurde schließlich dahingehend gelöst, dass Juliet sich auf Michaels Namenwahl einließ, aber auf einer französischen Schreibweise bestand. Schon der Standesbeamte in Dunedin, dem man die kleine Marie Brigitte im Alter von drei Monaten vorstellte, verschrieb sich zwei Mal bei ihrer Eintragung.

Reverend Burton schaffte die Eintragung in die Familienbibel ohne Fehler, runzelte dabei aber die Stirn.

»Wie wollt ihr sie denn rufen?«, erkundigte er sich bei den Eltern, die beide gekommen waren, um das Kind zur Taufe anzumelden.

»Marie«, antwortete Juliet.

Patrick sagte gleichzeitig Bridey, worauf Juliet ihn anblitzte. Kathleen, die sich eben über das Kind beugte, sah ein dunkles, glattes Gesichtchen im Schein der Sommersonne.

»Jedenfalls ist sie wunderschön!«, erklärte sie. »In Irland sagt man: ›Schön wie ein Maientag‹. Komm, kleine May! Lass mich dich mal halten! Und groß ist sie, Juliet, für ein Kind von drei Monaten ...«

Der Rufname May oder Mae sollte sich tatsächlich einbürgern. Patrick gefiel er, und aussprechen konnte ihn nun wirklich jeder. Juliet hielt an Marie fest, aber allzu oft nannte sie ihr Kind sowieso nicht beim Namen. Vorerst wanderte die kleine May vom Arm einer begeisterten Dunediner Matrone zum anderen. Ausnahmslos jeder war entzückt von dem Kind, und Juliet sonnte sich in der Aufmerksamkeit der Gesellschaft. Mays Taufe sollte in Dunedin gefeiert werden, und Juliet fühlte sich, als sei sie nach einjährigem Gefängnisaufenthalt endlich in die Welt zurückgekehrt. Patrick und Juliet Drury präsentierten der Stadt stolz ihre erstgeborene Tochter, und niemand zweifelte das angegebene Geburtsdatum an – zumindest nicht laut. Juliet zog nun auch endlich zu Patrick in das Haus am Stadtrand, was Patrick uneingeschränkt glücklich machte. Für Juliet dämpfte nur Lizzies Anwesenheit die Begeisterung. Ihre Schwiegermutter bestand darauf, zumindest bis zur Taufe bei den beiden zu wohnen.

»Du musst dich doch erst mal eingewöhnen, Juliet!«, begründete Lizzie ihren Entschluss. »Und dich mit der Kleinen vertraut machen. Bis jetzt hast du sie kaum jemals selbst gewickelt oder gefüttert. Ich sehe ja ein, dass du nicht stillst, aber ...«

Tatsächlich sah Lizzie das keineswegs ein, aber sie hatte miterlebt, dass Juliets Milch ohnehin schnell versiegte. Seit der Geburt hatte die junge Frau sich ein strenges Fastenprogramm verordnet, sie wollte unbedingt ihre alte Figur wiederhaben, bevor sie sich in der Stadt Dunedin zeigte. Das gelang dann auch fast, und die Frauen der Gesellschaft, allen voran Kathleen und Claire, zollten ihr dafür durchaus Respekt.

»Aber es wäre doch gar nicht nötig gewesen, sich derart zu kasteien«, meinte Claire bei Juliets erstem Besuch in Lady's Goldmine. Die junge Mutter suchte ein passendes Kleid für die Taufe. »Man kann heute durchaus Reformkleider tragen, gerade so kurz nach einer Entbindung. Es ist doch auch nicht gesund, sich so eng zu schnüren.«

Juliet verzog verächtlich die Lippen. »Ich werde nicht herumlaufen wie eine fette Kuh«, bemerkte sie – mit einem Seitenblick auf Lizzie, die es zum Glück nicht hörte.

Claire und Kathleen, beide von Natur aus sehr schlank, trugen meist ein Korsett, Lizzie hatte dagegen aufgegeben. Sie bevorzugte locker fallende Reformkleider, die ihr sehr gut standen. Lizzie war eine eher kleine Frau, die jetzt, da sie älter wurde, leicht gedrungen wirkte. Die weiten Kleider streckten ihren Körper – und sie waren bequem. Lizzie fühlte sich wohl darin und strahlte das auch aus. Dazu waren die Reformkleider aus Kathleens Kollektion natürlich mondäne Kunstwerke. Lizzie wirkte darin keineswegs hausbacken oder gar fett.

»Dies steht Ihnen jedenfalls hervorragend!«, lobte Claire das leuchtend blaue Seidenkleid, für das Juliet sich entschieden hatte. »Ich weiß nicht, gibt es ein Taufkleid in Ihrer Familie? Sonst könnte unser Lehrmädchen vielleicht eins für Ihr Töchterchen schneidern. Es ist noch etwas Stoff übrig, und die Kleine hat gestalterische Ambitionen ...«

Juliet nickte geschmeichelt – und strahlte, als Marie Brigitte Drury schließlich als erstes Baby von Dunedin in einer Goldmine-Kreation über das Taufbecken gehalten wurde. Die Kleine sah umwerfend niedlich aus, und die junge Schneiderin heimste Lob ein. Juliet war hochzufrieden – bis Patrick zwei Tage nach dem Fest die Rechnung erhielt.

»Juliet, ich fass es nicht! So viel Geld für ein Kleid? Davon ... davon hätte ich ein Pferd kaufen können!«

Lizzie, die sich eigentlich zur Abfahrt vorbereiten wollte, es aber nicht übers Herz brachte, sich von ihrer Enkelin zu trennen, lachte.

»Das kosten diese Kleider nun mal!«, nahm sie Juliet ausnahmsweise in Schutz. »Lady's Goldmine ist äußerst exklusiv. Aber keine Angst, Patrick, das muss ja nicht zur Gewohnheit werden. Eine Taufe ist eine besondere Gelegenheit, und das hier ist auch ein Versehen. Juliets und Mays Kleider gehen selbstverständlich auf meine Rechnung. Ich darf dir das doch schenken, nicht wahr, Juliet? Als kleine Wiedergutmachung dafür, dass ich dir ein Jahr lang das Leben zur Hölle gemacht habe?«

Lizzie lächelte ihrer Schwiegertochter zu, bereit zur Versöhnung.

Patrick nickte, auch er beruhigte sich. »Das ist sehr lieb, Mutter. Juliet nimmt sicher gern an. Aber in der nächsten Zeit müssen wir uns wirklich einschränken. Die Hochzeit habe ich inzwischen abbezahlt. Aber jetzt die Tauffeier ... ich verdiene nicht so viel, Juliet. Lady's Goldmine können wir uns nicht leisten.«

Juliet fixierte ihren Gatten mit einem Blick, der Verwirrung, aber auch aufkommenden Ärger ausdrückte.

»Aber ... wo soll ich denn sonst ...?«

Patrick lachte. »Liebes, in Dunedin gibt es ein halbes Dutzend Kaufhäuser oder mehr. Und du wirst in jedem einzelnen Kleid, das es dort zu kaufen gibt, entzückend aussehen.«

»Aber ich ... Kevin ...«

Lizzie verschlug es fast die Sprache. Diese Frau wagte tatsächlich, Kevin zu erwähnen? Auch Patrick wirkte betroffen, und seine Augen blitzten wütend auf. Aber dann senkte er den Blick.

»Kevin ...«, begann er.

Lizzie fiel ihm ins Wort. »... Kevin hätte sich das auf Dauer auch nicht leisten können. Und nun hör auf, darauf herumzureiten, Juliet. Du hast eben ein neues Kleid erhalten, du siehst wunderschön darin aus, und Kathleens Kleider sind zeitlos, du wirst es jahrelang tragen können. In der nächsten Zeit wirst du sowieso kaum Zeit haben, darin herumzustolzieren. Du hast ein kleines Kind, Juliet, du kannst nicht mehr kommen und gehen, wann du willst, vor allem nicht bis in die Nacht. Die nächsten Vernissagen und Konzerte finden ohne dich statt, gewöhn dich lieber schon mal daran.«

Sie drückte Juliet May in die Arme, die sie bislang gewiegt hatte. Das Kind erwachte und begann empört zu schreien.

»Wir könnten natürlich auch auf der Farm leben ...«, murmelte Patrick. »Mein Vater würde es sicher begrüßen, wenn ich ihm bei den Schafen zur Hand ginge, wir könnten vergrößern. Die Farm läuft gut ...«

Tatsächlich verdienten die Drurys ordentlich mit ihrem Zuchtvieh – aber ein Teil ihres Reichtums stammte aus der Goldquelle im Fluss. Sie war längst nicht ausgebeutet, weil sich sowohl die Drurys als auch die Maori nur in Grenzen bedienten. Im letzten Jahr hatte in stillem Einvernehmen keiner von ihnen geschürft – das Risiko, Juliet könnte das Gold entdecken, schien sowohl Lizzie als auch dem Stamm als zu groß. Lizzie hoffte, dass ihr Sohn das Geheimnis ebenfalls für sich behielt. Nicht auszudenken, wenn Juliet Bescheid wüsste und die Sache womöglich weitertratschte. Es würde einen neuen Goldrausch auslösen können – und damit die Zerstörung von Michaels Weideland und der Heimat der Ngai Tahu.

Juliet schüttelte entsetzt den Kopf, während Lizzie im Stillen lächelte. Patrick war so völlig ohne Arg, er hatte den Vorschlag ganz ernst gemeint. Aber Juliet war damit erst mal ausgebremst. Sie würde alles auf sich nehmen, um nur nicht wieder auf dem Land leben zu müssen. Wie sich das auf Dauer entwickelte – Patrick sollte die Farm schließlich erben –, wollte sie sich vorerst nicht ausmalen.

Patrick hatte sich von seinem Zusammenleben mit Juliet das Paradies erhofft. Er hatte nächtelang davon geträumt, sie jeden Abend zu sehen, mit ihr zu reden, sie des Nachts in die Arme zu schließen und glücklich zu machen. Auch auf das Kind hatte er sich gefreut, er wäre sogar bereit gewesen, Juliet bei der Pflege der Kleinen zur Hand zu gehen. Es gefiel ihm, May das Fläschchen zu geben und ihren winzigen roten Mund beim gierigen Saugen zu beobachten, und es machte ihn glücklich, wenn das Kind ihn anlächelte. Nun musste er jedoch feststellen, dass sich nichts so entwickelte, wie er erhofft hatte. Juliet war offensichtlich weder willens noch fähig, Hausarbeit zu leisten. Am ersten Abend, als er heimkam, begrüßten ihn zwar einladende Essensdüfte und ein sauberes Haus – aber auch Mrs. O'Grady, die Mutter seines Pferdeburschen Randy. Die resolute Irin hielt die vergnügte und satte May im Arm und musterte Patrick mit einem Ausdruck zwischen Entschuldigung und Entrüstung.

»Tut mir leid, Mr. Patrick … Ihre Mutter hatte mir ja gesagt, ich solle nicht mehr kommen …«

Mrs. O'Grady hatte Patrick bis zu Juliets Einzug das Haus geputzt. Mitunter überraschte sie ihn auch mit einem Eintopf auf dem Herd, wenn er spät heimkehrte – eine Mischung aus Arbeitsverhältnis und guter Nachbarschaft. Nun, da eine Frau im Haus war, wollte Patrick das Geld für Mrs. O'Grady aber selbstverständlich sparen. Lizzie hatte ihr das mitgeteilt, und zwischen den beiden Frauen hatte darüber auch Einvernehmen geherrscht. Mrs. O'Grady fand es schon seltsam, dass sich Juliets Schwiegermutter zwei Wochen lang bei Patrick und Juliet eingenistet hatte. Ihr selbst lag es fern, sich in den Haushalt der jungen Ehefrau einzumischen.

»Aber Randy sagte, das Baby schreie die ganze Zeit, und da bin ich mal vorbeigekommen, um zu schauen, ob ich helfen kann …«

Juliet hatte die Frau daraufhin umgehend wieder eingestellt – und diesmal mit sehr viel weitreichenderen Aufgaben. Mrs. O'Grady hatte gekocht, das Kind gewickelt und gefüttert, das Haus geputzt und den Tisch gedeckt. Juliet las derweil in einem Band Noten, den sie bestellt und an diesem Tag per Post erhalten hatte.

Als Patrick ins Wohnzimmer kam, lächelte sie ihn an.

»Lieber, wir brauchen unbedingt ein Klavier! Ich kann Partituren lesen, aber es wäre doch schöner, sie nachzuspielen. Ich könnte abends Konzerte für dich veranstalten …« Juliets Augen blitzten verführerisch.

Patricks Zorn verflog. Er konnte Juliet nicht böse sein. Aber andererseits musste sie verstehen …

Patrick erklärte Juliet seine wirtschaftliche Situation an diesem Abend bis ins kleinste Detail, und er tat es auch am nächsten, als Mrs. O'Grady ihm wieder mit dem Kind im Arm die Tür öffnete. Die resolute Irin zeigte sich diesmal allerdings wesentlich weniger freundlich als am Abend zuvor und machte ihm unmissverständlich klar, dass sie sich gern um seinen Haushalt kümmern wolle, nur nicht unbezahlt. Dennoch hatte sie wieder auf Mays anhaltendes Schreien reagiert und war herübergekommen. Das kleine Mädchen hatte ihr Herz längst erobert.

»Sagen Sie Ihrer Frau, sie muss sich um das Kind kümmern!«, herrschte sie Patrick jetzt an. »Wenn's Ihnen egal ist, dass Ihr Haus verkommt, das geht mich nichts an. Aber das Kleine kann ich nicht weinen hören …«

»Schreit nicht jedes Kind mal?«, meinte Patrick hilflos, woraufhin Mrs. O'Grady ihn böse anblitzte.

»Mal schon, aber nicht fünf Stunden am Stück. Und als ich's

dann aufnahm, war die Windel durchnässt, und hungrig war es auch ...«

»Ich brauche wenigstens eine Nanny!«, jammerte Juliet, als Patrick sie mit Mrs. O'Gradys Anschuldigungen konfrontierte. »Und einen Kinderwagen, ich muss auch mal raus hier. Ich werde verrückt, wenn ich immer allein bin.«

Patrick legte ein weiteres Mal seinen Verdienst vor ihr offen – und kaufte dann doch am nächsten Tag einen Kinderwagen. Das stellte zumindest Mrs. O'Grady zufrieden: May schrie nicht mehr den halben Tag, denn Juliet ging mit ihr aus.

Die junge Frau schlenderte durch die Straßen der Stadt, und spätestens, wenn May zu weinen begann, stattete sie irgendjemandem einen Besuch ab. Zumindest in der ersten Zeit funktionierte das hervorragend. Kathleen und Claire, Heather und Chloé, Violet und Laura, die Gattin von Dr. Folks, fanden May reizend. Sie freuten sich, wenn Juliet ihnen erlaubte, die Kleine zu wickeln und zu füttern, oder sie baten ihre Dienstboten, sich um das Kind zu kümmern.

»Wir haben uns wohl ein bisschen lange in der Stadt aufgehalten«, sagte Juliet entschuldigend, wenn sie mit dem schreienden Baby vor der Tür stand. Dann machte sie Konversation, bis es Zeit war, nach Hause zu gehen. Natürlich war dann immer noch nicht gekocht oder geputzt, aber sie konnte sicher sein, dass Patrick sich nicht aufregte. Schließlich setzte sie durch, dass Mrs. O'Grady wenigstens wieder zweimal die Woche zum Putzen kam.

Glücklich wurde mit diesem Arrangement jedoch keiner. Juliet langweilte sich jeden Tag, sie hatte schließlich früher schon festgestellt, dass sie mit den Damen der Dunediner Gesellschaft wenig gemeinsam hatte. Am liebsten besuchte sie noch Claire Dunloe, die ein Klavier besaß. Die hatte nichts dagegen, wenn Juliet darauf spielte, und sie redete auch gern und kundig über Musik und Kunst. Claire war als Arzttochter in Liverpool aufgewachsen und hatte eine entsprechende Mädchenerziehung genossen. Allerdings versuchte sie Juliet bald auf diplomatische Weise zu vermitteln, dass sie ihre Gastgeberin von der Arbeit abhielt. Claire und Kathleen führten Lady's Goldmine gemeinsam, und Claire oblagen die Beratung der Kunden und der Verkauf. Kathleen entwarf die Kleider und kümmerte sich um die Schneiderinnen, die sie nähten. Meist arbeitete sie mit ihnen in einem Hinterzimmer. Wenn Claire Besuch empfing, musste Kathleen im Laden einspringen, oder die Frauen überließen das Geschäft ein paar Stunden einer Angestellten. Ein- oder zweimal die Woche war das kein Problem, aber öfter gefiel es weder Claire noch Kathleen.

»Ich habe auch den Eindruck, sie missbraucht uns als Kindermädchen«, meinte Kathleen eines Nachmittags, als Juliet endlich gegangen war. »Sie kann's doch gar nicht abwarten, bis deine Paika ihr das Baby abnimmt.«

Paika war Claires Hausmädchen. Die junge Maori-Frau liebte Kinder.

»Nicht nur euch«, bemerkte Heather, die sich gerade in einem neuen kanariengelben Kleid vor dem Spiegel drehte. »Bei uns schaut sie auch mindestens einmal die Woche vorbei. Nicht dass es mich stört, die Kleine ist reizend, und im Moment schläft sie ja auch meist, nachdem irgendjemand sie gewickelt hat. Aber in ein paar Monaten läuft sie. Dann patscht sie euch hier die Kleider an und wirft mir die Staffeleien um. Wobei unsere Rosie auch nicht so begeistert davon ist, sich um sie zu kümmern, wie deine Paika. Rosie mag Pferde, Kinder versorgt sie nur, wenn sie muss. Na ja, und ich weiß ja nicht, wie es euch geht, aber wir finden Juliet keine sooo anregende Gesellschaft, dass wir deshalb einen Kindergarten eröffnen würden …«

Juliet musste also bald erleben, dass sich die Frauen der Dunediner Gesellschaft zurückzogen. Sie saß wieder stundenlang zu Hause und ließ ihre schlechte Laune an Patrick aus, wenn er heimkam. Dabei bemühte er sich von Herzen, sie glücklich zu machen. An einem der seltenen Wochenenden, die Juliet und Patrick in Lawrence verbrachten, ertappte Michael seinen Sohn sogar beim Goldwaschen.

»Es macht euch doch nichts aus, oder?«, fragte Patrick mit schiefem Lächeln.

Michael seufzte. »Doch, Patrick«, meinte er schließlich. »Es macht uns etwas aus. Wenn du schon fragst, will ich auch ehrlich antworten. Du bist unglücklich, und du lebst über deine Verhältnisse. Und du bringst uns alle in Gefahr. Wo willst du das Gold verkaufen, Patrick? In Dunloes Bank? Oder bei einem Goldhändler? Der wird Fragen stellen. Ich verkaufe es meist in kleinen Mengen in unterschiedlichen Städten, wo ich gerade Schafe verkaufe oder ausstelle. Das geht dann durch als ›Wir schürfen ein bisschen zum Vergnügen, und letzte Woche waren wir unglaublich erfolgreich. Wo? Ach, irgendwo am Lake Sowieso, ich merk mir die Stellen nicht.‹ Und die Maori schicken verschiedene Leute rum, kein Goldaufkäufer erinnert sich an irgendeinen Maori, der kleine Summen einlöst. Aber dich kennen die Farmer und die Bankiers, du berätst doch auch über Darlehen und Anleihen. Wenn du plötzlich mit Gold auftauchst, und dann immer wieder ...«

»Es ist nur dieses eine Mal, ich ... Juliet will ein Klavier ...«

Patrick ließ die Goldpfanne sinken und setzte sich ins Gras neben den Bach. Ein paar Augenblicke lang fand er Frieden in der Betrachtung des Wasserfalls vor der Kulisse der grün bewachsenen Berge, dem Wald und den Weiden.

Michael rieb sich die Stirn und ließ sich neben seinem Sohn nieder. »Wir werden ihr eins schenken«, meinte er dann. »Das lässt sich machen, kein Problem. Aber ich fürchte, sie wird dann gleich den nächsten Wunsch äußern. Du musst ihr Grenzen setzen, Patrick, sosehr du sie liebst.«

Michael nahm seinem Sohn die Goldpfanne aus der Hand und warf den Inhalt zurück in den Bach. In dem schwarzen Sand, bis zu dem Patrick die Steine und die Erde vom Grund des Baches ausgewaschen hatte, leuchtete es golden auf, als er aufs Wasser traf.

Patrick biss sich auf die Lippen. »Aber sie tut mir leid«, gestand er dann. »Sie ... sie findet keine rechten Freunde in Dunedin, sie ist einsam, das alles überfordert sie ...«

Michael hob die Hände. »Sie hat gewusst, worauf sie sich einließ, als sie dich geheiratet hat. Nun muss sie sich damit abfinden. Und wenn sie sich langweilt und keine Hausarbeit machen will, dann muss sie sich das Geld eben selbst verdienen, das sie braucht.«

Patrick sprang auf und warf seinem Vater empörte Blicke zu. »Aber sie ... sie kann doch nicht ...«

»Sie hat sich bis jetzt ganz gut durchgeschlagen«, meinte Michael gnadenlos. »Sie ist gebildet, sie hat Umgangsformen ... vielleicht braucht ein Hotel eine Empfangsdame. Als Verkäuferin in Lady's Goldmine könnte ich sie mir auch vorstellen. Vielleicht können Kathleen und Claire jemanden brauchen. Demnächst kann sie auch Klavierstunden geben. Tu nicht so, als beschränkten sich ihre Fähigkeiten auf das eine, Patrick. Damit setzt du sie herab!«

Patrick errötete. »Ich frage jetzt nicht, wie du ›das eine‹ definierst, Vater«, sagte er eisig und wandte sich ab.

Michael, der nie mehr als eine Sonntagsschule besucht hatte, hätte das Wort »definieren« nicht erklären können. Allerdings machte ihm die Vernarrtheit seines Sohnes langsam Sorgen.

»Ich frage mich, wie das enden soll ...«, sagte er frustriert zu Lizzie, Haikina und ihrem Mann Hemi, die zum Essen heruntergekommen waren.

Die beiden waren mit Patrick gut befreundet und hatten ihn sehen wollen – im Maori-Dorf war er schließlich seit seiner Hochzeit nicht mehr aufgetaucht. Über den Besuch hatte er sich nun sehr gefreut, allerdings ließ ihm Juliet kaum Zeit, mit seinen Freunden zu reden. Obwohl alle Englisch sprachen und sich redlich Mühe gaben, sie in die Unterhaltung einzubeziehen, gab sie nur kurze, mürrische Antworten. Sie hüllte sich, obwohl der Herbst in diesem Jahr recht warm war, in einen Schal, nippte nur am Wein und nahm lediglich Höflichkeitshappen von den Lammkoteletts, die Michael auf der Veranda vor dem Farmhaus grillte. Schließlich zog sie sich mit der Ausrede, sie habe Kopfschmerzen, zurück. Patrick reagierte besorgt und folgte ihr bald.

»Es wird sich schon einspielen«, tröstete Haikina. »Er ist einfach blind verliebt, das kennt man doch, dass junge Paare ein paar Monate lang nicht voneinander lassen können ...«

»Nicht voneinander lassen?«, fragte Hemi. »Sie sagte Kopfschmerzen. Ist das nicht das *pakeha*-Wort für ›Heute lass ich dich ganz gewiss nicht ran‹?«

Haikina und Michael lachten. Lizzie dagegen blickte starr und mit einem Ausdruck zwischen Wut und Trauer über das Tal vor ihrem Haus, den Wasserfall und den Bach.

»Oh, es wird bald enden«, sagte sie schließlich. »Ihr braucht ihr doch nur ins Gesicht zu sehen. Sie hat diesen unsteten Blick. Es wird sehr bald enden. Und es wird Patrick das Herz brechen ...«

Juliet freute sich an ihrem Klavier, aber sehr lange vermochte es sie nicht zu fesseln. Sie war keine Künstlerin, für die das Erarbeiten einer Komposition die Vervollkommnung eines Vortrags zum Selbstzweck werden konnte. Juliet lebte durch ihr Publikum, sie brauchte ein Gegenüber, dem sie mit ihrer Stimme schmeicheln, das sie aufwühlen und betören konnte. Patrick reichte ihr da nicht, der war ein zu kritikloser Bewunderer. Ob May mit ihren Fingerchen ziellos, aber vor Freude quietschend auf der Tastatur herumhämmerte oder Juliet einen ausgefeilten Vortrag zu Gehör brachte, schien ihm gänzlich egal zu sein, er begeisterte sich für beides gleichermaßen. Mrs. O'Grady erwies sich erst recht als Kunstbanausin, sie fand das Klavierspiel enervierend. Lediglich Randy schien gern zuzuhören, er pfiff beim Pferdeputzen lebhaft und falsch mit.

Irgendwann erbarmten sich Heather und Chloé, nachdem Patrick sie schüchtern um Hilfe gebeten hatte. Sie luden wieder einmal zu einer Vernissage und baten Juliet um musikalische Begleitung.

»Es passt auch«, bemerkte Chloé ihrer Mutter Claire gegenüber. »Mit der Ausstellung lehnen wir uns weit aus dem Fenster für das gute, alte Dunedin. *Schönheit und Liebe – Weibliche Aktmalerei.* Wenn Juliet dazu ein bisschen das Klavier anstöhnt, macht das auch weiter nichts aus. Was meinst du, soll ich dem üblichen Publikum Einladungen schicken, oder machen wir es besser in einem kleineren Kreis?«

Die Ausstellung machte natürlich Furore – Dunedin war zur einen Hälfte hingerissen, zur anderen schockiert, und das Presseecho war gewaltig. Zeitungen der gesamten Südinsel, von Christchurch bis zur Westküste, schickten Reporter vorbei, um über die Sache zu berichten. Die meisten waren natürlich Freiberufler, die öfter aus der Region Otago berichteten, aber ein Blatt aus Queenstown sandte den Leiter seines Kulturressorts. Das war allerdings Zufall, der Mann weilte aus familiären Gründen gerade in Dunedin. Nun begeisterte er sich für die Ausstellung – und mehr noch für Juliet, die das Klavier natürlich nicht »anstöhnte«, sondern einwandfreien New Orleans Blues vortrug. Sie trug eins ihrer älteren Kleider, in das sie sich hatte hineinhungern müssen, aber ihr Anblick in dem roten, sehr engen Teil mit dem raffiniert geschnittenen tiefen Ausschnitt, war grandios.

Pit Frazer, der Journalist, wich ihr auch nach dem Auftritt nicht von der Seite, was nicht schwer war, da Juliet zu Patrick Abstand hielt. Rosie, die als Kindermädchen engagiert gewesen war, hatte vor Mays anhaltendem Geschrei kapituliert. Die junge Frau hatte einfach kein Händchen für Babys und gab die Kleine dankbar an Patrick weiter, bei dem sie sich sofort beruhigte, als er sie auf den Arm nahm und mit sich herumtrug. Sie schlief nicht ein, sondern beobachtete mit aufmerksamen Kulleraugen die Gäste. Anscheinend gefiel es ihr, Musik zu hören und von einem begeisterten Ausstellungsbesucher zum anderen gereicht zu werden. Gerade schäkerte sie mit Roberta Fence.

Juliet streifte die junge Frau kurz mit einem abschätzenden Blick. Früher war sie in Kevin verliebt gewesen. Machte sie sich jetzt womöglich an Patrick heran? Aber da schien keine Gefahr zu bestehen. Roberta kleidete sich immer altjüngferlicher und wusste bei dieser Ausstellung kaum, wo sie hinblicken sollte. Die Akte waren für Juliet nicht sonderlich anstößig, aber aus

Sicht des Dunediner Lehrerinnenseminars standen sie wohl für Sodom und Gomorrha. Das Baby war da eine willkommene Ablenkung, Roberta schien ganz wild darauf, es in den Arm zu nehmen und zu schaukeln. Patrick beobachtete sie dabei gönnerhaft, aber auch etwas besorgt, er gab May nicht gern aus der Hand.

Juliet zog die Aufmerksamkeit von den beiden ab. Der Journalist aus Queenstown hatte ohnehin mehr zu bieten. Sie blühte auf, als er fachkundig über die Musik der Südstaaten sprach. Seiner Meinung nach hatte »dieser Teil der Welt« bislang nichts weiter zustande gebracht als *Waltzing Mathilda*. Juliet und Pit zogen genüsslich über das Kunstbanausentum der Neuseeländer und Australier her – wobei sie die gesamte Kultur der Maori, ihre Instrumente und ihr vielfältiges Liedgut einvernehmlich außen vor ließen.

»Es gibt ja auch kaum Auftrittsmöglichkeiten für wirkliche Künstler«, klagte Juliet ihm schließlich ihr Leid, während er seine Hand wie zufällig auf ihren Arm legte und seine Finger dann angelegentlich hinauf zu ihrer Schulter wandern ließ. »Mal reisende Ensembles oder so, ein oder zwei Theater, die nur Klassiker spielen … und von den komischen christlichen Gruppierungen trotzdem misstrauisch beäugt werden. Für die Church of Scotland ist man doch schon verdammt, wenn man mal ein rotes Kleid trägt.«

Pit lachte. »Eine Verdammung, die ich gern mit Ihnen teilen würde«, flirtete er.

Heather, die eben vorbeikam, warf ihm einen ungläubigen Blick zu. »Sie wünschen sich ein rotes Kleid, Mr. Frazer?«, fragte sie anzüglich. »Ich glaube, ich habe noch eins. Ein Reformkleid, recht weit geschnitten. Vielleicht passen Sie ja hinein.«

Juliet kicherte, aber Heathers Blick auf sie war eher ungnädig. »Vielleicht singst du noch ein Lied?«, fragte sie – freundlich, aber in unterschwelligem Befehlston.

Heather hatte Frazers Hand auf Juliets Schulter bemerkt, und sie wollte ganz sicher keinen Eklat auf ihrer Vernissage.

»Ich dachte eher an den Ort der Verdammnis«, berichtigte sich Frazer jetzt, leicht errötend. »Mit Ihnen würde ich auch die Hölle teilen.«

Juliet schnurrte wie eine Katze. »Da wäre es ohnehin zu warm für ... Kleider ...«, raunte sie ihm zu und spielte mit dem Träger ihrer ärmellosen Robe.

Dann begab sie sich jedoch zum Klavier – schließlich wollte sie es sich auf keinen Fall mit Heather verderben.

Frazer wartete mit einem Glas Sekt, als sie geendet hatte. »Unglaublich ... Ihre Stimme ist ... glasklar, und doch geheimnisvoll ... verheißungsvoll ...«

Juliet sonnte sich in seinem bewundernden Blick, hörte seinen Schmeicheleien aber kaum zu – bis zu seiner nächsten Bemerkung.

»Sie müssen unbedingt auftreten! Sie können sich nicht in einem Vorort von Dunedin vergraben. Hören Sie, wir haben da etwas ganz Interessantes in Queenstown. Daphne's Hotel. Ursprünglich war das ein Pub wie jeder andere. Auch ein bisschen – na ja, sehr freizügig ... Aber in der letzten Zeit ... die Betreiberin hat eine Bühne gebaut, es gibt Gesangsdarbietungen und ... hm ... Tanz. Der Pub wandelt sich zum Restaurant, die Herren nehmen ihre Damen mit hin, wenn ich die Wandlung vielleicht so umschreiben darf.«

»Es ist ein Nachtclub?«, fragte Juliet interessiert.

Frazer überlegte kurz. Dann nickte er. »Es ist zumindest auf dem Weg dorthin. Queenstown zivilisiert sich, wissen Sie. Es gibt nicht mehr nur Abenteurer und Goldgräber, stattdessen wieder mehr große Viehzüchter – das Gold wird jetzt in Minen gefördert, die Betreiber sind auch nicht arm und ungebildet. Und man versucht, die Stadt für Besucher attraktiv zu machen. Sie ist ja wunderschön, die Berge, die Seen ...«

Juliet interessierte sich nicht für Berge und Seen. »Und der Betreiber dieses Clubs engagiert Künstler?«

Frazer zuckte die Achseln. »Ich denke schon. Es ist übrigens eine Betreiberin. Daphne O'Hara. Irin wohl, obwohl sie sich nicht so anhört ...«

Juliet zog einen Flunsch. Eigentlich hatte sie genug von Iren. Aber das klang trotzdem vielversprechend. »Vielleicht sollten wir ... morgen noch mal darüber reden ...« Sie verschränkte ihre Finger beiläufig in seinen, nur bemerkt von Chloé Coltrane, die sich daraufhin sofort in ihre Richtung schob. »Ich denke, ich muss noch mal singen. Aber morgen ... wir könnten einen Kaffee zusammen trinken. Sie wohnen im Leviathan?«

Daphne O'Hara zeigte sich sehr interessiert am Gastauftritt einer Sängerin aus New Orleans. Pit Frazer hatte bereits vorgearbeitet und ihr telegrafiert, er überraschte Juliet gleich mit der guten Nachricht, als sie in sein Hotel kam. May schob sie an diesem Tag nicht mit sich herum, Mrs. O'Grady war zum Putzen gekommen, und Juliet hatte ihr die zusätzliche Sorge um das Kind leicht aufdrücken können. Die resolute Irin war immer noch bis über beide Ohren vernarrt in das kleine Mädchen. Sie würde May füttern, schaukeln und dann mit ihrer grässlich unmelodischen Stimme in den Schlaf singen. May schienen die falschen Noten dabei nicht das Geringste auszumachen. Offensichtlich liebte das Kind Mrs. O'Grady. Aber eigentlich schrie es ohnehin nur, wenn es in Juliets oder Rosies Obhut war. Weder die eine noch die andere zollten ihm die Aufmerksamkeit, die es brauchte.

»Das ist wundervoll!«, gurrte Juliet. Ihre Hand streifte Frazers, als sie nach dem Telegramm auf dem Tisch griff. »Sieht aus, als hätte ich endlich einmal Glück ...«

Frazer lächelte und öffnete eine Flasche Champagner. »Ich könnte Sie noch viel glücklicher machen ...«

Juliet trug ein unauffälliges Kostüm, als sie Claire Dunloe zwei Tage später besuchte. Im Laden war nicht viel los, und Claire fand keinen plausiblen Grund, ihre Besucherin nicht zu einem Tee einzuladen. Kathleen hätte sich anschließen können, schützte aber wichtige Änderungsarbeiten vor. Juliet langweilte sie – und auch ihr war der Flirt mit dem Journalisten aus Queenstown nicht entgangen. Kathleen wusste, dass es lächerlich war, aber selbst noch nach so vielen Jahren fühlte sie sich Michaels Familie irgendwie verbunden. Es gab ja auch vielfältige Gemeinsamkeiten in ihrer Geschichte. Da war nicht nur ihre alte Liebe zu Michael, sondern auch noch die kurze Affäre zwischen Matariki und Kathleens Sohn Colin, aus der Atamarie hervorgegangen war. Kathleen und Lizzie würde nie eine echte Freundschaft verbinden, aber was Juliet Drury-LaBree anging, waren die Frauen einer Meinung. Auch Kathleen hatte vor langer Zeit einen Mann geheiratet, den sie nicht liebte, um ihrem Kind einen Namen zu geben. Sie verstand, dass es Juliet hart ankommen musste, aber sie fuhr nun wirklich gut mit Patrick, der Mann trug sie schließlich auf Händen! Kathleen selbst hatte ihre Pflicht gegenüber einem Mann erfüllen müssen, der sie ausnutzte und misshandelte. Juliet fand sie schlichtweg undankbar. Jedenfalls blieb sie lieber im Laden, als Konversation zu machen. Wenn es wirklich etwas Neues geben sollte, würde Claire es ihr nachher schon erzählen.

Claires Hausmädchen Paika übernahm die kleine May sofort und verschwand giggelnd mit ihr in der Küche. Claire hoffte, dass sie darüber noch Zeit fand, Tee zu kochen, sonst würde dieser Besuch sich stundenlang hinziehen. Zu ihrer Überraschung schien es Juliet an diesem Tag jedoch eilig zu haben. Sie antwortete nur kurz auf Claires Gesprächsbeiträge und schien auf heißen Kohlen zu sitzen. Als der Tee serviert wurde, schüttete sie den Inhalt ihrer Tasse rasch hinunter.

»Mrs. Dunloe, ich … hm … ich wollte fragen, ob ich meine Tochter nicht kurz bei Ihnen lassen kann«, kam sie schließlich mit ihrem wahren Anliegen heraus. »Ich hätte noch ein paar Besorgungen zu machen, und … und Ihr Mädchen …«

»Paika macht das gern, sicher.«

Claire antwortete freundlich, aber ihr Blick wanderte forschend über ihr Gegenüber. Bisher hatte Juliet das Kind nie bei ihr gelassen. Was für Besorgungen mochten das auch sein, bei denen die Kleine nicht gern gesehen war? Nach wie vor kaufte Juliet nicht in Kaufhäusern, sondern exklusiven Geschäften. Da kümmerte man sich um die Kundinnen – und wenn es sein musste, auch um ihren Nachwuchs.

Dazu kam ihr ungewöhnlicher Aufzug. Ein hochgeschlossenes elegantes Kostüm – ein Reisekostüm? Claires Neugier wurde zu Argwohn.

»Was liegt denn an?«, fragte sie beiläufig. »Müssen Sie zur Galerie? Ein weiterer Auftritt bei einer Vernissage? Ihr Vortrag hat uns allen hervorragend gefallen, Miss Juliet. Eine wunderschöne Stimme und ein ganz eigener Musikstil. Ich denke, Heather und Chloé waren auch sehr zufrieden.«

Claire erkannte ein Aufblitzen in Juliets Augen, als das Wort Auftritt fiel. Geschmeichelt? Schuldbewusst?

»Es hat mir sehr viel Freude gemacht«, antwortete Juliet gemessen.

Keine Antwort auf Claires Frage. Claires Argwohn wurde zur Gewissheit.

»Miss Juliet«, sagte sie leise. »Bitte, tun Sie ihm das nicht an …«

Juliet konnte ihr Erschrecken nicht verbergen. Sie wollte auffahren, überlegte es sich dann jedoch anders. Claire hatte sie durchschaut, und es war zu spät, jemand anderen zu finden, der auf May aufpassen konnte. Die Kutsche nach Queenstown würde in einer halben Stunde abfahren. Juliet biss sich auf die

Lippen. Nervös hob sie die Hand zu ihrem Haar, das perfekt unter einem eleganten kleinen Hut aufgesteckt war.

»Ich kann Patricks Glück nicht mein Leben opfern«, erklärte sie dann theatralisch. »Es tut mir leid, aber das wäre zu viel …«

Claire sah sie fast spöttisch an. Die Bankiersgattin war eine der wenigen Frauen, die Juliets Schönheit und selbstbewusstes Auftreten nicht einschüchterte.

»Was ist denn Ihr Leben, Miss Juliet?«, fragte sie. »Ein neuer Tingeltangel? Ein neuer Mann?« Sie hielt inne. »Aber das geht mich nichts an, Juliet. Das müssen Sie selbst wissen, ich will Ihnen da nicht reinreden. Nur … nur Patrick …«

»Soll ich bei ihm bleiben? Die nächsten zwei Jahre das Kind wickeln? Mir womöglich noch eins machen lassen?« Juliets Stimme klang schrill. »Nur damit der heilige Patrick kriegt, wofür er bezahlt hat? Mit einer Unterschrift?«

»Mit einem Namen«, sagte Claire ruhig. »Sie mögen das geringschätzen. Aber Ihrem Kind wird es Wege ebnen, wenn es Drury heißt und nicht LaBree. Zumal Sie das Kind ja auch noch hierlassen wollen. Aber das interessiert mich alles nicht, Juliet. Machen Sie, was Sie wollen. Aber machen Sie Patrick nicht das Leben kaputt! Sie …«

Juliet lachte nervös und warf einen Blick auf die Standuhr in einer Ecke des elegant eingerichteten Wohnzimmers. »An ein bisschen Liebeskummer wird er schon nicht gleich sterben.«

Claire seufzte. »Sie verstehen mich nicht. Andere Menschen bedeuten Ihnen gar nichts, nicht wahr? Und Regeln bedeuten Ihnen auch nichts … Sie scheinen gar nicht zu wissen, dass es welche gibt … Aber Sie müssen das jetzt verstehen! Es geht nicht darum, ob Sie Patrick verlassen, Juliet. Was das angeht: Da kann ihm gar nichts Besseres passieren. Aber gehen Sie um Himmels willen nicht so! Sprechen Sie mit ihm, beantragen Sie die Scheidung!«

Juliet runzelte die Stirn. »Was ändert das?«, fragte sie.

Claire rieb sich die Stirn, aber dann wurde sie wütend. »Für Sie offenbar gar nichts!«, schleuderte sie Juliet entgegen. »Sie verwandeln sich in den nächsten Minuten wieder in die wunderschöne, ungebundene Juliet LaBree. Wo immer Sie hingehen, niemand kennt Sie, niemand weiß etwas von Ihrer Ehe und Ihrem Kind. Aber Patrick, der wird hierbleiben. Jeder weiß von Ihnen …«

Juliet zuckte die Schultern. »Klatsch verebbt, Mrs. Dunloe. Natürlich wird man über ihn reden und ihn vielleicht auch auslachen. Aber in einem Jahr ist das vorbei.«

»Man wird ihn wahrscheinlich eher bedauern«, berichtigte Claire. »Aber vorbei ist es nie, wenn Sie jetzt nicht bleiben und die Sache ordentlich beenden. Himmel, Juliet, Patrick wird niemals mehr heiraten können! Oder doch erst nach einem komplizierten Verfahren. Glauben Sie mir, ich habe das selbst mitgemacht. Mein Gatte ist auch von einem Moment zum anderen verschwunden. Nach China angeblich. Vorher hat er mir noch kurz das Haus über meinen Kopf hinweg verkauft. Das war schlimmer als Klatsch und Liebeskummer. Aber das Schlimmste war, dass ich nicht frei war. Ich war weder Ehefrau noch Witwe – und in den Kreisen meines heutigen Gatten kann man auch nicht einfach so zusammenleben.« Claires ungnädiger Blick wurde weicher, als sie ihn über ihr elegantes, aber doch behagliches Wohnzimmer in Jimmy Dunloes Stadthaus schweifen ließ. Sie führte zweifellos genau das Leben, das sie sich gewünscht hatte. »Wir setzten schließlich eine Scheidung durch, auch dank Jimmys Beziehungen, aber es war schwierig. Und teuer. Wir gaben Anzeigen in allen Zeitungen des Landes auf, mittels derer wir meinen früheren Mann suchten. Er meldete sich nie, schließlich galt er als verschollen. Und irgendwann sprach mich dann ein Richter frei. Aber das wünsche ich niemandem, Juliet. Also bitte, legen Sie Ihre Karten auf den Tisch, geben Sie Patrick seinen Namen zurück!«

Claires Stimme klang flehend.

Juliet blickte auf die gepflegte, schon etwas ältere Dame in ihrem gediegenen Rock aus Cashmerewolle und ihrer sorgfältig geplätteten weißen Bluse. Claires Geschäftskleidung. Langweilig. Ebenso langweilig wie ihr Anliegen.

»Meine Kutsche fährt in zwanzig Minuten«, meinte Juliet und versuchte, zumindest etwas Bedauern in ihre Stimme zu legen. »Jetzt ist es also zu spät. Und Patrick ... ich denke, es würde ihm auch nur wehtun. Aber es ist gut, dass wir darüber gesprochen haben, Mrs. Dunloe. Ich werde das ... im Auge behalten. Eventuell schreibe ich ...«

Juliet stand auf. Sie verabschiedete sich höflich, bevor sie ging. Aber sie ging.

Claire war zu erregt, um sofort zurück in den Laden zu gehen. Sie würde mit der Sache herausplatzen, und das ging nicht, wenn Kunden da waren. Also nahm sie noch einen Schluck Tee, ging in die Küche und nahm Paika das Baby ab.

»Dich hat sie schon vergessen«, murmelte sie. »Aber lass mal. Ohne sie bist du besser dran.« Sie küsste das Kind auf die Wange und wandte sich dann an die junge Maori. »Ich muss noch mal weg, Paika. Sag bitte Mr. Dunloe, ich sei erst beim Reverend und dann bei Mr. Drury – es kann spät werden ...«

UM DER
LIEBE WILLEN

Afrika
Transvaal, Karenstad

Neuseeland
Dunedin, Christchurch, Temuka

1900 – 1902

KAPITEL 1

Die Belagerung und Entscheidungsschlacht um Wepener sollte die einzige größere Kampfhandlung sein, an der Kevin Drury im Burenkrieg teilnahm. Nachdem die neuseeländischen Rough Riders die Farm der VanStouts verlassen hatten, gestaltete sich ihr Krieg eigentlich eher wie ein anhaltender Campingausflug durch Transvaal, unterbrochen von vereinzelten Scharmützeln mit eher kleinen Burenkommandos. Die Reiter zogen durchs Land, meist entlang der Eisenbahnlinien, schließlich hatten die Buren hier ja mit Anschlägen gedroht. Tatsächlich passierte aber vorerst nicht viel – solange die Buren noch vereinzelte Städte hielten und ihre Führer zwischen den einzelnen Landesteilen hin und her reisten, hätten sie sich damit ja eigene Nachschub- und Fluchtwege verbaut. Zudem zogen auch die Hauptheere der Briten entlang der Schienen. Die Rough Riders patrouillierten deshalb eher im Veld – und Kevin fühlte sich manchmal mehr in eine Traumwelt versetzt als in einen Krieg.

Die Landschaft um den Ort Waterval Boven war gänzlich anders als alles, was er aus Neuseeland kannte. Vincent schwelgte in der Beobachtung von Elefanten und Zebras – Kevin war weniger erbaut, als er am Rand eines harmlos wirkenden Flusses ein Krokodil entdeckte. Zum Glück sah er das Reptil, bevor dieses ihn seinerseits ausmachte. Und obwohl ihr einheimischer Führer, ein Schwarzer namens Mzuli, versicherte, das Fleisch dieser Wesen sei ausgesprochen wohlschmeckend, verzichteten die Soldaten doch auf eine Jagd und zogen sich lieber vorsichtig zurück. Überhaupt schienen die wilden Tiere Kevin gefährlicher als die Buren, trotzdem stellte er sich die Frage, ob die Rough Riders eher Jäger oder Gejagte waren. Tatsächlich gelang es ihnen nur selten, ein Burenkommando auszumachen. Wenn die Afrikaaner Quartier auf einer der einsam gelegenen Farmen nahmen und unvorsichtig genug waren, ihre Ponys gut sichtbar auf eine der Hausweiden zu stellen, machten die Neuseeländer auch mal zehn oder fünfzehn Gefangene, häufiger griffen allerdings Burenkommandos die Rough Riders an. Beim allerersten dieser Gefechte verlor Kevins Einheit einen Mann, aber dann waren die Neuseeländer gewarnt, hielten ihren Schlaf leicht und stellten Wachen auf.

Sehr bald lernten sie auch, sich in dem fremden Land zu orientieren und die Geräusche der Wildtiere vom Hufschlag der Burenponys zu unterscheiden. Wenn ein Wachhabender erst Alarm gab, stand die Verteidigung dann schnell, aber in aller Regel schossen die Kontrahenten eher in die Luft als aufeinander. Die Nacht im Veld war stockdunkel, es gab genügend Deckungsmöglichkeiten im Buschwerk oder hinter gewaltigen Bäumen. Wenn bei einem Schusswechsel unter diesen Bedingungen jemand getroffen wurde, so war es reiner Zufall. Kevin und Preston Tracy hatten denn auch wenig Arbeit, Vincent gar keine. Den Pferden bekamen die ausgedehnten, aber ruhigen Ritte durch das unberührte Veld und das lange, aber recht trockene Gras, an dem sie sich nachts gütlich taten. Wenn die Männer an einer Farm vorbeikamen, requirierten sie Hafer und stockten ihre eigenen Lebensmittelvorräte auf. Wobei sie immer mit Widerstand rechnen mussten. Die Begegnungen mit den streitbaren Farmersfrauen waren die gefährlichsten Momente dieser Mission.

Die langen warmen Nächte verbrachten die Ärzte an Lagerfeuern, erzählten einander ihre Lebensgeschichten und tranken

Whiskey. Und dann sollte der Krieg plötzlich vorbei sein. Bloemfontein und Pretoria waren gefallen, der Burenpräsident Ohm Krüger auf der Flucht nach Europa. Am 1. September wurde Transvaal offiziell als britische Kolonie annektiert, Queen Victoria verlängerte die Feiern zu ihrem dreiundsechzigjährigen Thronjubiläum und schlug Lord Roberts, einen der Oberbefehlshaber des Krieges, in London zum Ritter. Lord Kitchener sollte derweil den Abzug der britischen Truppen organisieren.

Kevins und Tracys Regiment lagerte bei Kriegsende zwei Tagesritte von Pretoria entfernt mitten im Veld. Die Ärzte und die etwa dreißig Mann starke Truppe, in deren Begleitung sie ritten, erfuhren erst ein paar Tage später vom offiziellen Ende der Kampfhandlungen.

»Wir haben Frieden?«, wunderte sich Kevin. »Und was war das dann gestern, Preston?«

Tatsächlich war er eben dabei, die Verbände eines Verletzten zu wechseln, als der Bote mit der Nachricht vom Kriegsende eintraf. Am Abend zuvor hatte ein Burenkommando das Lager in der Dämmerung angegriffen und mit außergewöhnlicher Härte gekämpft. Die Neuseeländer hatten zwei der Männer getötet und vier verletzt gefangen genommen, sie selbst hatten drei Leicht- und einen Schwerverletzten zu verzeichnen. Vincent verarztete ein Pferd mit einem Streifschuss.

»Na ja, die Buren wussten sicher auch noch nichts vom Friedensschluss«, meinte Preston. »Wahrscheinlich müssen wir noch aufpassen, bis wir Pretoria erreichen – die letzten versprengten Kommandos kämpfen womöglich noch ein paar Wochen.«

Am Abend feierten die Rough Riders dann aber erst mal ihren Sieg. Der Whiskey floss in Strömen, und bei ihrem letzten Rundgang durch ihr improvisiertes Lazarett nahmen Kevin und Preston auch für die leicht verletzten Buren eine Flasche mit.

»Es ist Frieden, Leute!«, verkündete Kevin, schon leicht angetrunken und sehr zufrieden. Der schwer verletzte junge Lance Corporal, um dessen Leben sie noch am Tag zuvor gebangt hatten, war endlich außer Gefahr. »Wir sind wieder Freunde ...« Er hielt den Männern die Flasche hin. Die schauten ihn verständnislos an. Kevin seufzte. »Demnächst könnt ihr Englisch lernen statt Schießen!«, verkündete er vergnügt und versuchte, seine Botschaft noch mal in Zeichensprache an die Männer zu bringen.

Schließlich verließ er sich auf die bewährte völkerverbindende Kraft des Whiskeys, füllte jedem eine Ration in sein Kochgeschirr – und wich erschrocken zurück, als der erste Gefangene ihm den Schnaps ins Gesicht schüttete.

»Preston?« Kevin, weit entfernt davon, beleidigt zu sein, rief seinen Kollegen. »Wir brauchen hier mal einen Dolmetscher, die Jungs scheinen etwas schwer von Begriff.«

Preston, der sich als vollkommener Gentleman wie stets beim Whiskeygenuss zurückgehalten hatte, näherte sich vorsichtiger. So entging er der Blechtasse, die ein anderer Gefangener nach ihm warf, der dem Australier gleichzeitig hasserfüllte Worte entgegenschleuderte.

Kevin blickte irritiert. »Versteht er denn nicht?«, fragte er. »Der Krieg ist zu Ende.«

»Nicht für ihn«, übersetzte Preston. »Oder zumindest nicht für sein Volk. Persönlich macht er sich da wohl keine Hoffnungen, schließlich ist er Gefangener.«

»Aber da kommt er doch auch bald frei!« Kevin fand immer noch, die Buren sollten sein Hochgefühl mit ihm teilen. »Mensch, Jungs, die inhaftieren euch noch für ein paar Wochen, aber dann lassen sie euch zurück auf eure Farmen! Da seid ihr dann ein bisschen netter zu euren Angestellten und ...«

Die Gefangenen überschütteten den Arzt mit einer Schimpftirade.

Preston zog ihn zurück. »Kommen Sie, Kevin, an die ist jedes Wort verschwendet«, bemerkte er. »Und der Whiskey erst recht ... den werden wir auch noch für uns selbst brauchen. Die Kerle haben genau gewusst, dass der Krieg vorbei ist. Deshalb auch der tollkühne Angriff. Sie dachten, wir würden nicht mehr zurückschießen, und bevor wir begreifen, dass sie nicht kommen, um mit uns zu feiern, ist die Hälfte von uns tot.«

»Sie haben gewusst, dass ...?« Kevin wirkte ernüchtert.

Preston nickte. »Haben sie. Das geben sie ganz offen zu. Sie sehen sich an keinen Friedensvertrag gebunden. Ohm Krüger hätte vielleicht aufgegeben, meinen sie, aber General de Wet noch lange nicht. Für die Kommandos fängt der Krieg erst an!« Preston Tracy nahm einen langen Schluck aus der Whiskeyflasche. »Wir sollten hier noch eine Wache aufstellen«, schlug er dann vor. »Den verwundeten Gefangenen geht es ja schon wieder ganz gut, nicht dass sie was anstellen. Und draußen geben wir besser auch Bescheid. Sämtliche Wachtposten müssen in dieser und den nächsten Nächten bemannt werden. Auf dem ganzen Weg nach Pretoria. Ich bin gespannt, wie da die Lage ist.«

Das Kontingent der Rough Riders sollte gar nicht erst zum Aufbruch in die Hauptstadt Transvaals kommen. Stattdessen traf am nächsten Morgen eine weitere Einheit Neuseeländer ein, durchweg kriegserfahrene Männer, die schon mit dem ersten Kontingent nach Südafrika gekommen waren. Ein Major Colin Coltrane befehligte die vierzig Leute und führte sie in so geordneter Form heran, als nähere sich hier ein richtiges Kavallerieregiment, statt eines zusammengewürfelten Haufens verwegener Reiter in Uniform.

»Und ab jetzt übernehme ich auch hier den Befehl!«, erklärte Coltrane dem verblüfften Captain, der bisher die Leitung der Truppe innegehabt hatte, mit der Kevin und die anderen Ärzte ritten. »Was ist das hier überhaupt für eine verhuschte Einheit? Sie sind der Befehlshaber? Warum nimmt dann keiner vor Ihnen Haltung an?«

Der Mann, im Zivilleben Zimmermann in den Fjordlands, lief umgehend rot an. Er war von seinen Leuten zum Anführer gewählt worden und führte die Einheit eher wie ein Expeditionskorps als wie ein Militärkommando. Wer etwas zu sagen hatte, tat das, und keiner schlug dabei die Hacken zusammen. Major Coltrane machte den Männern nun klar, dass dies ab sofort anders gehandhabt werden würde.

»Dies hier ist die britische Armee, Mann! Und so werden wir uns von jetzt an auch verhalten. Dies ist kein Angelausflug, dies ist ein Krieg! Sie stehen ja immer noch nicht stramm, Captain, hat Ihnen noch niemand gezeigt, wie das geht?«

Captain Jones und seine Männer verbrachten die nächste halbe Stunde mit Haltungsübungen und die folgenden Stunden mit ausgiebigem Exerzieren zu Fuß und zu Pferde.

»Was ist das denn für einer?«, fragte Vincent verwirrt, als er sich am Abend zu Kevin und Preston Tracy ans Feuer setzte. »Und was macht er hier? Ich dachte, der Krieg sei vorbei.« Der Tierarzt kam eben von seinem letzten Rundgang um die Pferdekoppeln zurück und war gleich auf einen Wachtposten der Neuen gestoßen, der ihn unfreundlich aufforderte, Namen und Dienstgrad zu nennen. Dazu erfragte er ein Codewort, das Vincent gar nicht kannte. »Meine Güte, wenn die zweite Wache mich nicht gekannt hätte, wäre ich womöglich erschossen worden. Von einem ganz jungen Kerl, der sich vor Angst vor seinem Major fast in die Hose macht.«

Vincent suchte nach der Whiskeyflasche, er brauchte jetzt erkennbar eine Stärkung.

Kevin kramte sie unter einem Holzstoß hervor. »Hier. Aber hinterher gleich wieder verstecken, der Whiskey wird von jetzt an vielleicht rationiert.«

Vincent schaute ungläubig.

»Der Krieg ist keinesweg vorbei, aber das war ja schon nach dem letzten Angriff zu befürchten«, erklärte Preston. Er hatte Notdienst gehabt und gleich ein paar Blasen verarztet, die sich die Rough Riders beim Exerzieren im Stechschritt zugezogen hatten. Natürlich hatten sie sich wortreich bei ihm beklagt und nicht nur die neuesten Nachrichten verbreitet, sondern auch einige Bemerkungen zu ihrem neuen Anführer fallen lassen. »Tatsächlich sind lediglich die Städte befriedet, die Burenkommandos kämpfen weiter und machen jetzt ihre Drohungen wahr. In den letzten drei Nächten gab es drei Angriffe auf die Eisenbahnlinie zwischen Johannisburg und Kapstadt. Jeweils mehrere hundert Yards Schienenstränge wurden gesprengt, in Abständen von etwa fünfzig Meilen. Lord Kitchener tobt. Er lässt sämtliche Einheiten verstärken und neue Patrouillen bilden. Keine Rede mehr vom Abzug der Truppen.«

»Und deshalb müssen wir jetzt exerzieren und den Whiskey rationieren?«, fragte Vincent unwillig. »Unter dem Kommando von Kerlen wie diesem Coltrane?«

Preston zuckte die Achseln. »Man setzt wohl auf die Erfahrung von Berufssoldaten. Was die jeweils daraus machen, ist zweifellos Ermessenssache. Und unser Coltrane … er ist wohl Neuseeländer. Das meinen jedenfalls die Aussies. Die Kiwis sagen, er sei Ire. Aber ohne jeden Zweifel ist er englischer Offizier mit Diplom der Sandhurst Academy. Danach gab es wohl einen Karriereknick. Angeblich war er aus dem Dienst ausgeschieden und ist jetzt als Freiwilliger wieder dabei.«

»Nach dem, wie er aussieht, muss er jedenfalls schon etliche Kämpfe hinter sich haben«, bemerkte Vincent und bediente sich am Whiskey.

Tatsächlich war das Gesicht des Majors voller Narben. Etliche Zähne fehlten, Nase und Kiefer standen schief nach sicher mehreren Brüchen. Das machte auch das Alter des Mannes schwer einschätzbar. Zumal die weißen Strähnen in seinem blonden Haar kaum auffielen – blondes Haar mit einem fast metallisch goldenen Schimmer.

Kevin Drury biss sich auf die Lippen. »Also, wenn ich mich nicht irre, dann hat er sich die Blessuren nicht im Krieg zugezogen, sondern eher bei Schlägereien mit Gaunern und Buchmachern«, erklärte er dann. »Ich kann falschliegen, Coltrane ist ja ein häufiger Name, und ich war damals noch ziemlich klein. Aber die Haarfarbe hat er jedenfalls gemeinsam mit dem Kerl, der meine große Schwester geschwängert und dann sitzen gelassen hat, nachdem meine Eltern keine überhöhte Mitgift rausrücken wollten. Stattdessen hat er dann eine reiche Erbin geheiratet und unglücklich gemacht. Sie hat ihm eine Trabrennbahn oder so was in den Fjordlands finanziert, die er später runtergewirtschaftet hat. Es soll auch was mit Wettbetrug gewesen sein … Aber ursprünglich hat er eine ganz renommierte Militärakademie besucht. Das Diplom ist echt.«

Vincent und Tracy staunten.

»Die Welt ist klein«, bemerkte Letzterer.

Vincent und Kevin lachten. »Neuseeland ist ein Dorf!«, beschied Vincent den Australier. »Jedenfalls die Südinsel. Aber was machen wir jetzt? Ich meine, nachdem wir das alles wissen?«

Tracy zuckte die Schultern. »Was sollen wir denn machen? Mitgiftjagd ist ja nicht gerade gentlemanlike, aber auch nicht direkt verboten. Und der Wettbetrug dürfte die Heeresleitung auch nicht interessieren. Zumindest nicht, wenn er ein guter Offizier ist. Schauen wir uns also erst mal an, wie er sich macht. Und wenn wir mit ihm nicht klarkommen, suchen wir uns ein anderes Kommando.«

Bisher war es den Ärzten mehr oder weniger freigestellt gewesen, welcher Gruppe der Rough Riders sie sich anschlossen. Major Colin Coltrane sollte aber auch damit rasch aufräumen. Gleich am nächsten Tag inspizierte er die Kranken-station.

»Sie sind die Stabsärzte? Keiner richtigen Einheit angeglie-dert? Dann gehören Sie jetzt zu diesem Regiment – ich mache das noch offiziell, solange wir so nah bei Pretoria sind. Wir werden auch weitere Verstärkung bekommen. Wie es aussieht, vergrößern die Buren zurzeit ihre Kommandos.«

»Vergrößern?«, fragte Tracy. »Wie denn? Sie haben doch keine Einberufungsregelungen, und da der Krieg ohnehin offi-ziell vorbei ist …«

»Da schließen sich mehrere Kleingruppen zusammen«, gab Coltrane Auskunft. »Und durch den Friedensschluss haben sie auch Kontingente frei, die ganzen Besatzungen der Städte, die jetzt frei sind. Die hat man ja nicht durchweg zu Kriegsgefan-genen erklärt.«

Aus Coltranes Tonfall ging hervor, dass er das für einen Feh-ler hielt. Ansonsten war seinem zerstörten Gesicht nur schwer eine Regung anzusehen. »Machen Sie sich also auf Arbeit gefasst. Wir bekämpfen die Kerle jetzt ohne Gnade!«

Für die Rough Riders bedeutete das erst mal, ihrem Namen alle Ehre zu machen. Colin Coltrane machte Schluss mit den gemächlichen Patrouillenritten mit einem Patt zwischen Gejagten und Jägern. Die Jäger sollten nun definitiv die Neu-seeländer sein, und dazu mussten sie ein größeres Gebiet kon-trollieren und sich schneller darin bewegen. In den nächsten Wochen verbrachten die Männer täglich elf bis zwölf Stun-den auf ihren Pferden. Zur Jagd auf kleineres und größeres Wild, das bislang regelmäßig den Speisezettel bereichert hatte, kamen sie dabei nicht mehr. Coltrane verbot auch das Abfeu-ern der Gewehre, um den eigenen Standort nicht zu verraten. Die Verpflegung bestand folglich aus Schiffszwieback und Tro-ckenfleisch, meist im Sattel rasch heruntergeschlungen. Nach ein paar Tagen beschwerte sich Vincent, dass die Pferde bei diesem Leben an Gewicht verloren.

»Das Gras hier ist nicht sonderlich gehaltvoll«, argumentierte er. »Wenn die Tiere sich davon ernähren sollen, brauchen sie längere Fresszeiten.«

Coltrane verzog das Gesicht, sah das Argument aber ein. Seine Strategie fiel allerdings gänzlich anders aus, als Vincent erhofft hatte.

»Ich bitte um Freiwilligenmeldungen für Sonderkommandos zur Requirierung von Verpflegung«, donnerte er beim nächsten Aufmarsch vor dem morgendlichen Abritt. Die Rough Riders ritten nun artig in Viererreihen, gefolgt vom Küchenwagen und den Ärzten mit ihren Maultieren. »Sie werden sich von der Eisenbahnlinie entfernen und gezielt Burenfarmen anreiten. Da requirieren Sie Hafer für die Pferde – machen eventuell auch Quartier für die Nacht, wenn die Farmen nicht allzu weit weg liegen. Das machen Sie auch von den Heuvorräten abhängig. Das Kommando hat Sergeant Beavers.«

»Der?«, fragte Vincent seine Freunde unwillig. »Das ist der Knabe, der mich in der ersten Nacht fast erschossen hätte, weil ich das Codewort nicht wusste. Ein unangenehmer Zeitgenosse …«

Kevin zuckte die Achseln. »Na ja, ein Sensibelchen sollte man auch nicht unbedingt sein, wenn man Burenfrauen Hafer abluchsen will«, meinte er. »Wollen Sie nicht mitreiten, Preston? Um eventuell zu übersetzen?«

Preston Tracy nickte, trabte zu Colin Coltrane auf und meldete sich zum Dienst. Coltrane blickte ihn abschätzend an. Dann nickte er.

»Ein Arzt dabei ist immer gut. Was die Verständigung angeht, verlasse ich mich allerdings ganz auf Beavers. Der macht den Weibern schon klar, was wir wollen.«

Das Kommando trennte sich also von der Haupteinheit, die an diesem Tag einen ersten Erfolg verbuchen konnte. Sie erwischten einen sehr jungen Buren, wohl einen Späher, der sie kurz darauf zum Versteck seines Kommandos führte.

Kevin, den man angewiesen hatte, das Lazarettzelt aufzubauen und nahe der Bahnlinie auf eventuelle Verwundete zu warten, wunderte das.

»Die sind doch sonst so stur«, meinte er zu Vincent. Auch den Tierarzt hatte Coltrane nicht beim Angriff dabeihaben wollen, obwohl Vincent seinen Schützlingen gern nahe blieb. Ein verletztes Pferd konnte man schließlich nicht so leicht auf einen Maultierkarren laden wie einen verletzten Soldaten. »Und jetzt redet Coltrane ein paar Worte mit dem Kerl, und er verrät seine Kumpane?«

Vincent biss sich auf die Unterlippe. »Hast du den Jungen gesehen, als sie abgeritten sind? Ich bin ihm nicht sehr nahe gekommen, aber es sah aus, als könnte er sich kaum auf dem Pferd halten. Bei freundlichen Worten hat es Coltrane jedenfalls nicht bewenden lassen.«

Das Lager der Buren war nicht sehr weit, die Ärzte konnten den Gefechtslärm gut hören. Anscheinend lieferten sich Coltrane und die Rough Riders eine regelrechte Schlacht mit dem Burenkommando. Kurz darauf trafen auch ein paar leicht Verwundete ein.

»Die, die's schwerer getroffen hat, bringen sie sofort auf die Farm«, berichtete ein Corporal mit einem Streifschuss. »Sind aber nur zwei, wir haben die Kerle kalt erwischt. Dieser Coltrane ist ein Schinder, aber auf Kriegsführung versteht er sich. Hat den Angriff genau geplant, wahrscheinlich wäre überhaupt keinem von uns was passiert, wenn der Knabe, den er ... na ja, den er überredet hatte, uns zu dem Lager zu führen, nicht abgehauen wäre. Im letzten Moment, bevor wir anritten, gab er seinem Gaul die Sporen und jagte mitten rein in den

Kral, in dem sie sich verschanzt hatten. Coltrane hat ihn vom Pferd geschossen, aber damit waren wir natürlich verraten.«

Vincent warf Kevin einen vielsagenden Blick zu. Vom Pferd geschossen ... Der Späher war fast noch ein Kind gewesen.

»Gab's denn noch ... hm ... weitere Tote?«, fragte Kevin.

Der Mann nickte. »Dutzende!«, gab er stolz Auskunft. »Der Major meinte, erschießen sei besser als gefangen nehmen. Wo sollten wir auch hin mit den Kerlen? Jedenfalls war's ein großer Sieg.«

»Und das Sondereinsatzkommando war auch erfolgreich«, verkündete ein anderer Mann, dem Vincent eben die Hand verband. »Sie haben eine Farm ausgeräuchert und für die Nacht Quartier gemacht. Da sollen Sie auch Ihr Feldlazarett aufbauen, Dr. Drury. Dr. Tracy ist ja auch schon da.«

Die Männer konnten alle noch reiten und hatten genaue Angaben zur Lage der Farm. Die war aber ohnehin kaum zu übersehen, zumindest Teile der Häuser hatten gebrannt. Inzwischen waren die Flammen zwar gelöscht, aber immer noch stieg Rauch aus den Trümmern. Das Wohnhaus, wie Kevin gleich darauf feststellte.

»Ging nicht anders, die Weiber hatten sich verschanzt!«

Beavers machte gerade bei Coltrane Meldung. Der Major war eben mit seinem Regiment und trotz des Massakers noch fünfzig Gefangenen auf der Farm eingetroffen.

Kevin und Vincent hörten nicht länger zu. Sie hatten Preston Tracy im Eingang zur Scheune entdeckt und brannten darauf, dessen Version zu hören. Beide erschraken beim Anblick des jungen Arztes. Prestons Gesicht war bleich und verzogen vor Ekel und Entsetzen. Er sah deutlich schlimmer aus als nach der Schlacht um Wepener.

»Kennen Sie sich mit Brandwunden aus?«, fragte er Kevin, bevor er sich auch nur einen Gruß abrang. »Ich hab da nie mit zu tun gehabt ... und hier sind zwei Kinder.«

In der Scheune bot sich Kevin und Vincent ein schreckliches Bild. Auf Strohsäcken lagen zwei Kinder. Eines weinte bitterlich vor Schmerzen, das andere war nicht bei Bewusstsein. Eine alte Frau, vielleicht die Großmutter, wiegte es in den Armen. Kevin verstand auch nicht viel von Brandverletzungen – allerdings immerhin mehr als der Augenarzt. Er sah sofort, dass zumindest dieses kleine Mädchen nicht mehr zu retten war, und Vincent bestätigte das. Der Tierarzt hatte erstaunlicherweise die meisten Erfahrungen mit Brandwunden. Er hatte nach einem Brand in einem Pferdestall in Blenheim die Tiere behandelt.

»Ich hoffe, es kommt nicht mehr zu Bewusstsein«, flüsterte er mit Blick auf das entsetzlich verbrannte Kind. »Haben wir Morphium für den kleinen Jungen?«

Kevin beeilte sich, die Maultiere zu entladen und dem Kind erst mal Schmerzmittel zu geben. Die alte Frau, deren Hände und Arme ebenfalls Brandblasen aufwiesen, lehnte allerdings jede Hilfe ab. Sie wurde hysterisch, als Vincent ihr das sterbende Kind aus den Armen nehmen wollte. Die Ärzte baten Tracy nicht um eine Übersetzung, die Anschuldigungen der Frau waren nicht misszuverstehen.

»Was ist denn um Himmels willen hier geschehen?«, fragte Kevin schließlich.

Preston, Vincent und Kevin arbeiteten einige Stunden lang, um die Verletzten zu versorgen – beide schwerer verwundeten Neuseeländer würden überleben, verletzte Buren gab es erstaunlicherweise nicht. Tracy war kein weiteres Wort zu entlocken. Er schien noch mehr an Farbe zu verlieren, als Kevin und Vincent den verbrannten Jungen behandelten – viel mehr als die zerstörte Haut abzutragen und saubere Verbände anzulegen, konnten sie jedoch nicht tun. Die alte Frau ließ nach wie vor niemanden an sich heran, das jüngere Kind starb, ohne das Bewusstsein wiedererlangt zu haben.

Jetzt schlief der kleine Junge unter Morphiumeinfluss, die Großmutter saß bei ihm und starrte ins Leere. Die Ärzte zogen sich erschöpft mit einer Whiskeyflasche zurück. Die Rationierung traf sie bislang nicht – Preston Tracy hatte bezüglich Whiskeymarken spezielle Vorlieben, und sein Dünkel kam den Männern jetzt zugute. Statt sich aus den allgemeinen Vorräten zu bedienen, hatten sie sich stets ihrer eigenen gehorteten Flaschen bedient. Jetzt trank Preston in kräftigen Zügen – er suchte erkennbar Vergessen im Alkohol.

»Es war grauenvoll«, erzählte er dann mit leiser, fast tonloser Stimme. »Es waren drei Frauen, wohl drei Generationen, die eine war noch ganz jung. Und drei Kinder, das dritte so acht, neun Jahre alt ...« Der verletzte kleine Junge mochte um die fünf sein, das verstorbene Mädchen war fast noch ein Baby gewesen. »Natürlich alle bewaffnet, also die Frauen und das ältere Kind. Schossen aus allen Rohren, als wir kamen – das kennt man. Aber diesmal wär's eigentlich egal gewesen, die Frauen hatten sich tief drinnen im Haus verschanzt, und wir wollten ja vor allem Hafer. Wir hätten in den Stall gehen und uns nehmen können, was wir wollten. Stattdessen ... stattdessen haben sie das Haus in Brand gesetzt. Und auf die Leute geschossen, die rauskamen. Die jüngere Frau haben sie erschossen. Aber die Kinder flohen wieder rein. Die anderen Frauen ihnen nach. Dann kam das älteste Kind raus ... seine Kleider brannten ... und sie haben wieder geschossen! An den Brandverletzungen wär der Kleine nicht gestorben, ihr könnt gucken, er liegt hinter der Scheune. Aber sie ... sie schossen ein achtjähriges Kind in die Brust! Dann brach das Haus zusammen, und schließlich kroch die alte Frau mit dem kleinen Jungen heraus. Und ich hab mir zwei oder drei vernünftige Leute genommen, die genauso entsetzt waren wie ich, und nach Überlebenden gesucht. Das kleine Mädchen haben wir noch rausgeholt ...« Tracy zitterte.

»Ich hätte das nicht sagen sollen mit den Pferden ...«, murmelte Vincent.

Kevin füllte die Becher seiner Kollegen mit Whiskey. »Dann hätte er einen anderen Grund gefunden«, tröstete er Vincent. »Dieser Beavers ist ein Mistkerl. Und Coltrane auch, der kannte den doch, der wusste, wem er das Kommando übergab. Aber das wird Folgen haben. Das werden wir melden ...«

»Davon«, sagte Tracy und leerte seinen Becher in einem Zug, »werden die Kinder auch nicht wieder lebendig.«

Das Regiment blieb zwei Tage auf der abgebrannten Farm, deren Namen die Neuseeländer nie erfuhren. Dann wurden die Gefangenen in Lager abtransportiert, auch die alte Frau und das überlebende Kind. Beiden ging es schlecht, die Frau fieberte, nachdem sie anhaltend sowohl Behandlung als auch Nahrung verweigerte. Die Wunden des Kindes schienen zu heilen, aber es würde viel Zeit brauchen, bis es ganz gesundete.

»Und sehr viel Morphium«, meinte Tracy und gab dem Jungen noch eine Dosis vor dem Transport. »Ob sie das in den Lagern ausreichend haben?«

Colin Coltrane, der den Abtransport überwachte, schaute ihn unwillig an. »Die Versorgung in englischen Gefangenenlagern ist vorbildlich«, erklärte er steif. »Wahrscheinlich sind diese primitiven Leute nie so gut untergebracht gewesen, von der Verpflegung und medizinischen Versorgung ganz zu schweigen. Also jammern Sie nicht, Stabsarzt, dem Kind wird schon nichts passieren.«

Tracy antwortete nicht, und auch Kevin und Vincent bemühten sich, nicht mehr an ihren kleinen Patienten zu denken, als die Gewaltritte der Rough Riders schließlich weitergingen. Vorerst fanden sie keine Möglichkeiten, an höherer Stelle Meldung über Beavers und Coltrane zu machen, aber bald erübrigte sich das auch von selbst, weil Kitcheners neue Einsatzbefehle ihr Verhalten im Nachhinein rechtfertigten. Obwohl die Briten keinesfalls abzogen, sondern eher mehr und mehr

Soldaten einsetzten, um entlang der Bahnlinien zu patrouillieren und möglichst weite Teile des Landes von Burenkommandos zu säubern, rissen die Angriffe nicht ab. Meist waren die Schienen das Ziel der Kampfgruppen, aber mitunter auch Verpflegungs- oder Munitionsdepots der Briten. Für jedes Kommando, das aufgerieben wurde, schienen sich neue zu bilden oder von anderen abzuspalten. Der angerichtete Schaden war immens, und die Truppen des Empire weitgehend machtlos. Das Land war einfach zu groß, um es zu kontrollieren.

»Und unübersichtlich ist es auch«, meinte Kevin, als sie am Abstieg in ein Tal lagerten, das durch seine Schönheit und Vielfalt bestach. Ein tiefblauer See lag im Schatten schroffer Felsformationen, bewaldete Hänge schützten das Ackerland an seinen Ufern. Die zugehörige Farm lag inmitten hoher Bäume. »Hier kann man sich überall verstecken. Wenn man die Kommandos nicht gerade auf frischer Tat ertappt, findet man sie nie.«

»Und verhungern werden sie auch nicht.« Vincent warf einen regelrecht neidischen Blick auf die Felder unter ihnen. Den Rough Riders ging schon wieder der Proviant aus, sie lebten seit Tagen von Notrationen. »Die finden doch auf jeder Farm Aufnahme, wir können nicht jede kleine Klitsche kontrollieren.«

Zu diesem Ergebnis kam binnen kürzester Zeit auch Lord Kitchener und zog daraus grausame Konsequenzen. Mit der sehnlichst erwarteten nächsten Lieferung an Verpflegung kamen neue Einsatzbefehle. Von nun an wurden die Farmen und Felder der Buren niedergebrannt und verwüstet.

»Sie können kämpfen!«, erklärte Kitchener. »Aber sie werden nichts zu fressen haben.«

»Und woher kriegen wir dann unseren Nachschub?«, fragte Kevin angeekelt, als er die zweite Farm an einem Tag in Flammen aufgehen sah. Die Frauen und Kinder hatte man vorher überwältigt, sie warteten jetzt auf ihren Abtransport in ein Gefangenenlager. »Die Verpflegung für die Truppen wurde doch von den Farmen requiriert, oder täusche ich mich da?«

Tracy zuckte die Achseln. »Die Truppen lassen sie schon nicht verhungern«, meinte der Arzt. »Aber was ist mit diesen Gefangenenlagern? Haben Sie mal mitgezählt? Allein wir haben in der letzten Woche fünfzig Frauen und Kinder gefangen genommen. Wenn man das hochrechnet auf all die Einheiten, die unterwegs sind – das werden Tausende! Und hier brennen wir die Ernte nieder, die sie eigentlich ernähren sollte.«

Kevin dachte mit vagem Bedauern und größter Sorge an die Farm der VanStouts. Ob man auch Doortjes Zuhause zerstört hatte? Was war mit ihrem Vater und ihrem Verlobten? Nach dem, was Cornelis über sie erzählt hatte, schien es eher unwahrscheinlich, dass die Männer die Waffen niedergelegt hatten.

Das taten die Buren auch jetzt nicht, die Vernichtung ihrer Lebensgrundlage schien sie nur noch wütender zu machen. In den seltenen Fällen, da Coltranes Regiment ein Kommando stellte, kämpften die Männer mit dem Mut der Verzweiflung. Oft wurden hier gar keine Gefangenen gemacht, die Buren verteidigten sich bis zum Tod.

Kitchener ergriff daraufhin weitere Maßnahmen, die seine Verzweiflung offenbarten und das Empire nebenbei ein Vermögen kosteten, wie Kevin anmerkte. Entlang sämtlicher Bahnlinien Transvaals wurden Blockhäuser errichtet, Rundhütten aus Wellblech, die mit jeweils sieben Soldaten bemannt wurden. Zwischen den Hütten zogen die Briten Stacheldraht und bauten darüber hinaus daraus Barrieren – Fallen, in die man die Burenkommandos treiben und damit an der Flucht hindern konnte.

Vincent erregte sich darüber, nachdem Coltranes Regiment das erste Kommando gefangen hatte. Die Buren trieben ihre

Ponys rücksichtslos gegen die Zäune, die meisten schreckten davor zurück, aber zum Teil versuchten die Tiere zu springen. Gelang ihnen das nicht, musste Vincent sie wieder zusammenflicken – und oft genug erschießen.

»Sie treiben auch Rinderherden gegen die Zäune«, bemerkte Tracy, der irgendwo eine Zeitung aufgetrieben hatte. Die Männer lagerten zurzeit bei Witbank in der Nähe von Pretoria, der Nachschub war ausnahmsweise gesichert. »Die Bullen rennen den Stacheldraht nieder, und prompt sind General de Wet und seine Leute wieder weg.«

»Und hinterher krepieren die Bullen im Veld«, brummte Vincent. »Ich weiß, die Buren kämpfen ungemein tapfer, aber ich kann diese Leute nicht leiden!«

Die anderen Ärzte lachten.

»Und ich kann Coltrane nicht leiden«, erklärte Tracy später, als es Nacht wurde. Es regnete, was in Südafrika selten vorkam, und die Ärzte hatten sich mit ihrer kleinen Krankenstation in einem der Blockhäuser eingerichtet. Patienten gab es bislang kaum, lediglich die an diesem Abschnitt der Bahnlinie stationierten Soldaten konsultierten die Ärzte mit kleineren Wehwehchen. Allerdings konnte sich das schnell ändern. Einige der Blockhäuser waren mit Fernsprechern ausgestattet, und eben war die Meldung durchgekommen, Coltrane und seine Männer verfolgten ein Burenkommando.

»Der Kerl ist wie ein Bluthund, eiskalt und erbarmunglos. Diese Frauen und Kinder auf den Farmen … Wir sollen doch eigentlich nur die bestrafen, die Männer an der Front haben und aktiv unterstützen. Aber die Letzte, deren Haus er niedergebrannt hat, war Witwe. Und das Haus kaum mehr als eine Hütte. Wie soll sie das je wieder aufbauen? Das alles schürt doch nur den Hass …«

Kevin zuckte die Schultern. »Es ist Krieg, Preston«, sagte er müde.

Tracy zog die Augenbrauen hoch. »Ein Krieg gegen Frauen und Kinder? Wir machen uns damit übrigens ziemlich unbeliebt beim Rest der Welt. Die internationalen Zeitschriften berichten sehr unfreundlich, sie nehmen zum Teil ganz deutlich Partei für die Buren.«

Vincent hob die Hand. »Seid mal still!«, sagte er leise. »Da draußen ist irgendwas.«

Tatsächlich traten die Pferde vor der Hütte nervös von einem Huf auf den anderen, und Kevin erkannte Silvers Wiehern.

»Den Gäulen gefällt das Wetter nicht«, meinte er. »Wenn Silver mal zurück nach Neuseeland kommt, muss er sich erst wieder an unseren weinerlichen Himmelsgott gewöhnen.«

Und dann wiederholte sich das Wiehern. Es klang fordernd, aber auch sehnsüchtig und lockend – was Kevin aufmerksam machte. Silver war Wallach, aber spät kastriert, er interessierte sich durchaus noch für Stuten. Vor dem Blockhaus stand allerdings nur eine, Vincents Colleen, die Silver seit Monaten kannte. Ganz sicher würde er sich kein werbendes Wiehern für sie abringen. Kevin erhob sich alarmiert. Silvers sehnsüchtiger Ruf ließ nur einen Schluss zu: Das Tier witterte fremde Stuten! Auch Vincent hatte das Wiehern des Pferdes richtig gedeutet. Er griff nach seinem Gewehr.

»Gehen wir raus und sehen wir uns das an!«

Kevin folgte, ebenso wie drei der Soldaten, die das Haus bemannten. Außerhalb der Hütte war es stockdunkel, und Kevin tastete nach seiner Taschenlampe. Der Soldat neben ihm schüttelte allerdings den Kopf. Besser kein Licht! Wenn sich draußen wirklich etwas tat, musste man den Feind nicht aufmerksam machen. Die Soldaten spähten angestrengt in die Nacht – aber Kevin brauchte nur Silver anzusehen, um zu wissen, wo er suchen musste. Das Pferd spitzte eifrig die Ohren und schaute nach Westen. Kevin folgte seinem Blick. Die

Bahnlinie machte hier eine Biegung, das nächste Blockhaus konnte man nicht sehen. Aber wenn man wusste, wonach man auszuschauen hatte, erkannte man im Dunkeln die Silhouette eines Ponys und hörte ein klickendes Geräusch.

»Nur einer?«, wisperte Vincent.

Einer der Soldaten schob sich neben die beiden, die im Schatten des Blockhauses sichere Deckung hatten.

»Der Erste schneidet den Draht durch«, erklärte der Soldat, ein Corporal. »An der Biegung. Wenn er fertig ist, kommen die anderen mit dem Dynamit.« Er schob sich tiefer in den Schatten des Blockhauses.

»Sollen wir den nicht gefangen nehmen?«, fragte Vincent.

Der Corporal schüttelte den Kopf. »Nein. Wir legen uns hier auf die Lauer und warten, bis sie alle drin sind. Warum einen fangen, wenn wir fünf oder sechs kriegen können? Oder mehr. Das ist doch garantiert das Kommando, hinter dem Major Coltrane her ist.«

Kevin und Vincent tauschten kurze Blicke. Für sie wurde es damit umso dringlicher, die Männer festzusetzen. Es konnte ihnen das Leben retten, wenn sie den Ärzten und den verhältnismäßig gelassenen Wachsoldaten in die Hände fielen, statt Coltrane und seinen Scharfschützen.

Gebannt, die Gewehre im Anschlag, verfolgten die Männer, wie sich der erste Bure mit einer Zange durch die Stacheldrahtbarriere kämpfte und dann ein Handzeichen gab, auf das hin sich weitere seiner Landsleute in Bewegung setzten. Der Corporal hatte inzwischen in der Hütte Bescheid gegeben, und auch die Besatzung des nächsten Blockhauses hinter der Schienenbiegung war alarmiert. Sobald die Buren sich an den Schienen zu schaffen machten, würden sie eingreifen. Die Gewehre lagen griffbereit. Schließlich waren es acht Männer, die durch die Zaunlücke krochen und sich damit in den gefährlichen Bereich zwischen zwei Stacheldrahtverhaue wagten.

»Zwei sichern mit Gewehren, die müssen wir ausschalten«, wisperte der Corporal. Er wies auf die Waffen der Ärzte. »Könnt ihr damit umgehen?«

Kevin und Vincent nickten.

»Dann gut. Kommt mit!«

Die Männer pirschten sich lautlos an, die Buren waren so konzentriert auf ihre Arbeit, dass sie nichts zu bemerken schienen. Nur die beiden Wachen behielten die Umgebung im Blick.

»Waffen weg! Ergebt euch!«

Kevin erschrak fast selbst, als der Ruf eines Soldaten aus dem nächsten Blockhaus ertönte. Gleichzeitig blitzten Taschenlampen auf, die den Schienenstrang zwar nicht gerade hell erleuchteten, die Schützen der Buren aber blendeten. Sie feuerten trotzdem in Richtung der Engländer, die das Feuer sofort erwiderten. Die Sicht für sie war deutlich besser, die bewaffneten Buren fielen sofort. Der Corporal neben Kevin schaltete zudem einen Mann aus, der nach einem ihrer Gewehre griff. Ein weiterer versuchte, eine der Minen zu zünden, aber aus Richtung des zweiten Blockhauses blitzte Mündungsfeuer auf, bevor Kevin noch selbst reagieren konnte. Der Mann brach über dem Dynamit zusammen. Drei wollten fliehen – einer, indem er den Stacheldraht auf der anderen Seite der Schienen zu durchklettern versuchte, zwei rannten die Schienen entlang. Die Soldaten hinderten sie am Weiterlaufen, indem sie vor ihnen auf den Boden schossen. Zudem schnitten ihnen jetzt britische Soldaten den Weg ab. Sie hatten keine Chance, widerstrebend blieben sie schließlich stehen, offensichtlich bereit, sich zu ergeben. Lediglich einer, ein schlaksiger junger Mann, hatte sofort alles Werkzeug weggeworfen und die Arme gehoben – ganz sicher gedachte er, sich nicht der »heiligen Sache der Buren« zu opfern.

Kevin trat näher an ihn heran und leuchtete ihm mit der Taschenlampe ins Gesicht.

»Cornelis!«, rief er verblüfft. »Cornelis Pienaar?«

»Dr. Drury!« Cornelis' Stimme klang erfreut.

Der junge Bure machte spontan ein paar unsichere Schritte auf Kevin zu, der bemerkte, dass er stark hinkte. Und dann brach urplötzlich um sie herum die Hölle los! Schüsse peitschten durch die Nacht, ihr Lärm mischte sich in den Hufschlag galoppierender Pferde. Kevin riss Cornelis mit sich zu Boden und drückte seinen Kopf hinunter, als ein Burenpony in Panik über die beiden Liegenden hinwegsprang.

»In den Kessel! Treibt sie in den Draht!«

Englische Rufe, Kevin wagte, kurz aufzusehen, und erblickte weitere Ponys, die mit ihren Reitern über die Schienen stolperten. Ihnen folgten die größeren Pferde mit den Rough Riders, die vom Sattel aus schossen. Und nicht nur auf die fliehenden Buren! Entsetzt sah Kevin die Männer des Sprengtrupps fallen, die sich bereits ergeben hatten. Die Besatzungen der Blockhäuser schrien – sie befürchteten nicht zu Unrecht, für Buren gehalten und ebenfalls niedergeschossen zu werden. Kevin blieb liegen und hielt auch den benommenen Cornelis dazu an. Die Schreie und Schüsse entfernten sich jetzt, aber der Gefechtslärm riss nicht ab. Kevin ahnte, was sich abspielte. Ein paar hundert Yards hinter dem Blockhaus war eine der Fallen vorbereitet – die Buren würden einen scheinbaren Fluchtweg von Stacheldrahtbarrieren versperrt finden. Sie konnten sich dann ergeben oder zum Kampf stellen. Dieses Kommando kämpfte.

Cornelis schien das auch zu wissen. Er seufzte.

»Kevin! Alles in Ordnung?« Kevin erkannte Vincents besorgte Stimme. Er hatte ihn während des Gefechtslärms nicht kommen hören, aber jetzt richtete der Tierarzt die Taschenlampe auf seinen immer noch am Boden liegenden Freund. »Oder hat dich das Pferd erwischt? Du lagst genau im Weg, du ...«

Kevin richtete sich auf. »Nein, das Pony ist sauber über uns weggesprungen«, erklärte er. »Die Briten sollten es requirieren, das Tier hat Potenzial für Steeplechase-Rennen. Aber ich dachte, ich bleib lieber in Deckung. Zumal ...«

Er wies auf Cornelis, der sich nun auch aufrappelte. Kevin half ihm hoch.

Vincent leuchtete ihn an. »Ist das nicht dein Patient von der VanStout-Farm?«, fragte er verdutzt. Kevin nickte. »Was machen Sie hier?«, fragte Vincent Cornelis. »Ihr Bein ist doch kaum verheilt!«

Der junge Mann sah ihn an, sein Ausdruck eine Mischung aus Trotz und Scham. »Ich bin Bure«, sagte er müde. »Ein Bure lacht über ein lahmes Bein. Zumindest hindert es ihn nicht am Reiten, wenn ihn Gott und Vaterland zu den Waffen rufen.« Cornelis lächelte schief.

»Dann ist dies das Kommando des Adrianus VanStout?«, fragte Kevin verblüfft. »So weit nördlich von Wepener?«

Cornelis schüttelte den Kopf. »Dies war das Kommando von Martinus DeGroot«, sagte er müde. »Adrianus VanStout ist vor zwei Monaten gefallen. Martinus hat das Kommando übernommen – und mich rekrutiert. Gleich einen Monat, nachdem Sie mich zusammengeflickt hatten.« Er rieb sich den Schmutz aus dem Gesicht.

Langsam verstummte der Gefechtslärm. Die Buren waren entweder entkommen oder, wahrscheinlicher, von Coltranes Brigade getötet oder gefangen genommen worden. Wahrscheinlich waren die Briten eben dabei, sie zu entwaffnen.

»Aber waren Sie nicht Kriegsgefangener?«, wunderte sich Vincent. »Lass uns zum Blockhaus gehen und das Lazarettzelt aufbauen, Kevin. Gleich kommen ganz sicher Verwundete – wenn auch wieder nur Engländer ...«

Kevin biss sich auf die Lippen. Er sah, wie der Corporal, mit dem sie eben das Sprengkommando aufgehalten hatten, die erst gefangen genommenen und dann niedergeschossenen Männer auf Lebenszeichen untersuchte. Er schüttelte in Kevins Richtung den Kopf. Unnötig, dass der Arzt sie sich noch ansah.

»Meine Mutter und meine Tante haben mich rausgeschmuggelt«, gab Cornelis Auskunft. »Gleich nach Ihrem Abzug ...«

»Frisch operiert?«, fragte Kevin entsetzt. »Mit der geflickten Arterie, die jederzeit wieder hätte reißen können?«

Cornelis zuckte die Achseln. Aber dann gab er einen heiseren, erschrockenen Ton von sich und taumelte auf einen der Gefallenen zu. Der Mann, der versucht hatte, durch den Stacheldraht zu entkommen. Vergebens natürlich, aber die Wunden, die er sich dabei zugezogen hatte, hätten ihn nicht getötet. Der große, hellblonde junge Mann war an einem Schuss in den Rücken gestorben.

»Martinus ...«, flüsterte Cornelis ungläubig.

Kevin starrte ihn an. »Der ... Martinus?«, fragte er tonlos.

Cornelis nickte.

Kevin und Vincent halfen ihm, den Körper von Doortje VanStouts Verlobtem aus dem Drahtverhau zu befreien.

Einen Monat später stand Kevin Drury vor Major Robin, dem die gesamten Regimenter aus Neuseeland schon seit Anfang des Krieges unterstellt waren. Der Major und zwei weitere Militärs als dessen Beisitzer hatten sich seine Klageführung über Colin Coltrane angehört und anschließend den Major dazu gehört.

»Major Coltrane ist sich keiner Schuld bewusst«, erklärte Robin kurz. »Er näherte sich im vollen Galopp, zudem war es Nacht. Die Reiter konnten nicht erkennen, ob sich die Saboteure auf den Gleisen bereits ergeben hatten oder nicht ...«

»Sie hatten die Arme erhoben ...«, bemerkte Kevin.

»Wie gesagt, wenn es so war, dann haben Major Coltrane und seine Leute das übersehen. Der Mann, den sie in den Rücken geschossen haben, befand sich doch auch mitten in einem Fluchtversuch, oder?« Robin schob Akten auf dem Tisch vor sich hin und her.

Kevin seufzte. »Der Mann hing im Stacheldraht. Wir waren noch nicht dazu gekommen, ihn daraus wieder zu befreien, aber kampffähig war er nicht mehr, und irgendeine Chance, zu entkommen, bestand auch nicht. Es war völlig überflüssig, ihn zu erschießen. Und ganz sicher war es ebenso überflüssig, dreiundzwanzig der dreißig flüchtenden Reiter zu erschießen ...«

»Die Leute lieferten den Rough Riders ein Feuergefecht«, meinte einer der Beisitzer, ein Lieutenant. »Major Coltrane blieb nichts anderes übrig, als zurückzuschießen. Nachdem er sie aufgefordert hatte, sich zu ergeben, versteht sich ...«

»Und dann waren sie alle tot?«, fragte Kevin. »Kein einziger Verletzter? Mein Kollege und ich haben uns die Leichen angesehen. Zum Teil schienen die tödlichen Kugeln von recht geringer Entfernung aus abgefeuert ...«

Robin hob die Arme. »Dr. Drury, Sie sind doch schon monatelang hier – Sie kennen die Buren. Da kämpfen viele bis zum Tod, und so mancher unserer Soldaten hat es schon mit dem Leben bezahlt, wenn er sich über einen Verletzten beugte und helfen wollte. Da blitzt schnell ein Messer auf – also hält man die Waffe bereit, wenn man einigermaßen erfahren ist. Und feuert sie dann auch ab. Aus nächster Nähe. Den Männern unterstellen zu wollen, sie hätten gezielt Fangschüsse abgegeben ...«

»... zumal Sie auch nicht dabei waren«, fügte der zweite Lieutenant hinzu.

Kevin rieb sich die Stirn. »Aber all die anderen Übergriffe, die Brandstiftungen ...«

»Alles im Rahmen der Befehle der Heeresleitung«, meinte Robin. »Lord Kitcheners Strategie mag uns da nicht gefallen – ich bin sicher, dass auch Major Coltrane nicht gern Krieg gegen Frauen und Kinder führt. Aber er verhält sich völlig korrekt. Ihre Anschuldigungen sind haltlos, Dr. Drury, sehen Sie es ein!«

Kevin schluckte und nahm Haltung an. »Wie Sie meinen, Sir«, sagte er gallig. »Allerdings ... ich weiß, dass es mir nicht zusteht, und wenn's sein muss, bestrafen Sie mich, aber ich kann es mit meinem Gewissen nicht weiter vereinbaren, unter Major Coltrane ...«

»Colonel Coltrane«, verbesserte einer der Lieutenants. »Major Coltrane wurde eben befördert.«

Kevin rieb sich die Schläfe. »Ich weigere mich, weiter unter

Colin Coltrane zu dienen«, sagte er kurz. »Versetzen Sie mich, oder sperren Sie mich ein, mir ist es gleich. Aber das kann ich nicht länger mitmachen.«

Die britischen Offiziere sogen scharf die Luft ein – während Major Robin gelassen blieb. Kevins Verhalten mochte für die britische Armee unmöglich sein, aber er hatte bei seinen Kiwis schon ganz andere Verstöße gegen die Dienstordnung erlebt. Es erschien ihm als Verschwendung, die oft tapferen und gerade in diesem Guerillakrieg unschätzbar wertvollen Renitenzler nur aus Gründen der Disziplinierung in Haft zu nehmen.

Jetzt lächelte er. »Wie's der Zufall will, hatte ich auch selbst schon an einen anderen Posten für Sie gedacht.« Er blitzte seine Beisitzer an, als einer von ihnen aufbegehren wollte. Bis vor einer Minute war von einer Versetzung von Stabsarzt Drury schließlich nicht die Rede gewesen. Aber die kleine Improvisation bot Robin die Möglichkeit, Drurys Bitte nachzukommen, ohne ihn in seiner Renitenz zu bestärken. Wenn die Briten nur ein bisschen diplomatischer gewesen wären ...»Gerade jemand wie Sie, der dem Feind gegenüber noch gewissermaßen freundliche Gefühle hegt ...«

Kevin versteifte sich. »Ich will keineswegs fraternisieren ...«

Robin, ein kräftiger Mann mit schon leicht ergrautem Haar, schüttelte den Kopf. »Das unterstellen wir Ihnen auch gar nicht. Im Gegenteil, wir wissen Ihr Mitgefühl vor allem für die Burenfrauen und -kinder durchaus zu schätzen. Deshalb möchte ich Ihnen auch einen Posten anbieten, auf dem Sie tätige Hilfe leisten können. Stabsarzt Drury: Sie haben von jetzt an die Leitung eines der Flüchtlingslager in Transvaal.«

»Flüchtlingslager?« Dr. Barrister lachte, aber es klang alles andere als fröhlich. Nicht einmal spöttisch wäre richtig gewesen. Am ehesten traf es vielleicht resigniert. »Da sollten Sie aber mal Emily Hobhouse hören! Die spricht von Konzentrationslagern, wenn nicht Todeslagern.«

»Ich hörte, die Lady übertreibe«, meinte Kevin.

Er hatte in Robins Befehlsstand gehört, dass sein früherer Vorgesetzter ein Militärhospital in Pretoria leitete, und hatte ihn sofort aufgesucht. Dr. Barrister zeigte sich erfreut über das Wiedersehen und lud ihn gleich ins Offizierskasino zum Essen ein. Kevin genoss ein ausgezeichnetes, wenn auch etwas exotisches Dinner, bei dem unter anderem ein Steak aus Löwenfleisch serviert wurde.

»Die Lady scheint mir persönlich ganz vernünftig«, erklärte Dr. Barrister und nahm einen Schluck Wein. »Ich habe mit ihr gesprochen, ich kenne die Familie. Und die Zahlen sind ja auch nicht zu leugnen: fast achthundert Tote, allein im letzten Monat. Die Zustände sollen verheerend sein. Und ›Flüchtlingslager‹ trifft es ganz sicher nicht, die Frauen kommen ja nicht freiwillig, im Gegenteil, die werden unter Bewachung und unter sehr unschönen Bedingungen dorthin gekarrt. Dann schon eher ›Vertriebenencamp‹. Aber es ist ja auch völlig gleich, wie man die Lager nennt, laut Miss Hobhouse herrschen dort menschenunwürdige Bedingungen. Wobei das nachvollziehbar ist – diese Camps liegen sozusagen am Ende der Versorgungskette. Da kommt nur das an Nahrung und Medikamenten an, was die Truppen, die Militärdienststellen, die Hospitäler und die Bevölkerung der Städte nicht brauchen. Und die Versorgung ist allgemein schlecht: Es zahlt sich nun mal nicht aus, die Getreidefelder eines ganzen Landes niederzubrennen!«

Kevin biss sich auf die Lippe. »Sie meinen also, ich sollte den Posten lieber ablehnen?«

Barrister verneinte entschieden. »Dann riskieren Sie Disziplinarmaßnahmen«, gab er zu bedenken. »Obwohl die Lager ja neuerdings unter ziviler Leitung stehen, also streng genommen gehen Sie da nicht als Stabsarzt hin. Trotzdem: Nach der Sache mit diesem Coltrane kriegen Sie bei der Army kein Bein mehr auf den Boden. Und grundsätzlich hat Robin ja Recht, irgendjemand muss den Job machen. Also besser, man schickt einen, der noch Mitgefühl aufbringt, allgemein oder persönlich … Hören Sie irgendetwas von unserer streitbaren Mejuffrouw VanStout?«

Kevin schüttelte den Kopf. »Wir haben nicht gerade Adressen getauscht«, meinte er mit schiefem Lächeln.

Barrister seufzte. »Ich fürchte, das hätte auch nichts genützt, Miss Doortje dürfte keine Adresse mehr haben. Sie sagen doch selbst, ihr Vater und ihr Verlobter seien bei den Kommandos gewesen …«

»Sie sind tot«, erklärte Kevin.

Barrister nickte. »Ja. Aber das ändert nichts daran, dass die Familie auffällig geworden ist. Wenn es so gelaufen ist, wie es eigentlich immer der Fall ist, wurde ihre Farm abgebrannt.«

Kevin beugte sich interessiert vor. »Das heißt, Doortje ist in einem der Lager?«

Barrister zuckte die Achseln. »Wenn sie nicht bei der Räumung umgekommen ist … Sie kennen sie doch, Drury, die ergibt sich nicht so leicht.«

Kevin straffte sich. »Dann ist meine Entscheidung klar. Ich übernehme die Leitung des Lagers – ja, ich weiß, wahrscheinlich wird Doortje ganz woanders sein. Aber wenn sie den Krieg überlebt, dann will ich ihr immer noch in die Augen schauen können. In meinem Lager wird niemand sterben!«

»Von mir aus kann ich Ihnen den Mann gern zuteilen …«

Lord Alfred Milner, der neue zivile Leiter der Konzentrationslager in Transvaal, zeigte sich Kevins Wunsch, Cornelis Pienaar als Übersetzer und Kontaktmann zu den Gefangenen mit an seine neue Wirkungsstätte zu nehmen, durchaus aufgeschlossen. Er war überhaupt äußerst freundlich, anscheinend schien sich niemand um leitende Aufgaben in den Camps zu reißen. Milner war froh über jeden qualifizierten Freiwilligen, und Kevin konnte sich sogar das Camp aussuchen, in dem er tätig werden wollte. In drei neuen Anlagen fehlte ein Lagerleiter.

»Ist billiger, als ihn nach St. Helena zu schicken«, fuhr Milner fort. Die meisten männlichen Kriegsgefangenen wurden inzwischen in Camps außerhalb Afrikas deportiert. »Aber ob Sie ihm damit einen Gefallen tun?«

Kevin hob verwundert die Brauen. »Ich denke doch, Sir. Mr. Pienaar und ich haben uns immer gut verstanden, er ist einer der wenigen einsichtigen Leute auf der Seite der Buren. Sicher kommt er gern mit und wird segensreich tätig werden.«

Milner zuckte die Achseln. Er hatte Kevin in seinem hellen, mit schweren, teuren Möbeln eingerichteten Büro in Pretoria empfangen und bot freigebig Whiskey und Sandwiches an. Kevin betrachtete das unwillig. Wenn die Versorgungsmängel in den Camps wirklich derart groß waren, sollte hier nicht Luxus demonstriert werden.

»Ich bezweifle nicht, dass der junge Mann willig ist«, bemerkte der Lord. »Aber Sie machen sich ja keine Vorstellung von der Stimmung in den Camps! Diese Burenweiber ... ja, ja, nach dem, was die Zeitungen schreiben, sterben sie wie die Fliegen und können sich vor Schwäche kaum auf den Beinen halten. Aber in Wirklichkeit haben sie noch ganz gut Kraft, Gift zu versprühen. Wann immer sie eines Reporters habhaft werden, geben sie Statements ab, in denen sie ihre Männer auffordern, weiterzukämpfen. Sie wehren sich gegen alles und jedes: medizinische Versorgung, Schulunterricht für die Kinder ... Und wenn jemand auch nur ein bisschen ausschert und der Lagerleitung ein wenig entgegenkommt, dann wird er zur Zielscheibe geballten Hasses.« Milner nahm einen Schluck von seinem Whiskey. »In Chrissiesmeer wollten wir vor ein paar

Wochen ein paar Kriegsgefangene unterbringen. Es erwies sich als gänzlich unmöglich. Die Weiber beschimpften die Leute als Feiglinge, weil sie sich ergeben hatten, statt sich erschießen zu lassen. Und darauf hätten sie sich nicht beschränkt, wir mussten die Männer schließlich wegbringen, sonst hätte man sie umgebracht. Überlegen Sie sich gut, ob Sie Ihren Mijnheer Pienaar dem aussetzen wollen …«

Kevin seufzte. »Mein Mijnheer Pienaar mit seiner liberalen Einstellung wird wahrscheinlich überall auffallen, auch in den Männercamps. Ich kann's also immerhin versuchen. Wobei es vielleicht hilfreich wäre, wenn er mit Leuten aus seiner engeren Heimat zusammen wäre. Können Sie mir sagen, wohin die Buren aus der Gegend um Wepener geschickt worden sind? Und ob das Lager zufällig unter denen ist, die für mich noch zur Auswahl stehen?«

Die Umgebung des Ortes Karenstad erinnerte Kevin eher an seine Heimat als die Savannen und das Buschland, das er mit den Rough Riders durchquert hatte. Der Ort lag im Vorgebirge, es war längst nicht so heiß wie in den Ebenen, und Kevin erschien die Luft herrlich frisch, die zerklüfteten Berge aufregend und die saftigen Wiesen einladend. In den Bächen gab es sicher Fische, Kevin und Vincent fühlten sich mal wieder wie auf einem Angelausflug, als sie an einem davon biwakierten. Der Zufall – und Kevins Entscheidung für das Lager in der Nähe von Ventersburg – hatte die Freunde wieder zusammengeführt. Vincent hatte, ebenso wie Kevin und Tracy, gegen Coltrane ausgesagt, und Major Robin hatte die beiden gleich mit versetzen lassen. Tracy verschlug es nach Pretoria an Barristers Krankenhaus, Vincent landete als Tierarzt in Karenstad. Die Männer ritten also zusammen nach Ventersburg, während Cornelis Pienaar einem Gefangenentransport zugeteilt worden war.

»Es ist absolut unmöglich, dass er mit Ihnen reitet!«, hatte Milner erklärt, als Kevin vorschlug, seinen künftigen Verbindungsmann zu den Gefangenen gleich mitzunehmen. »Die Frauen würden sofort davon ausgehen, dass er allein auf Ihrer Seite ist. Wenn er mit einem normalen Transport kommt, hat er wenigstens eine kleine Chance.«

»Eigentlich hübsch hier«, meinte Kevin, als sie sich dem Ort Karenstad näherten, und blickte bedauernd auf die Ruine eines Farmhauses. Es war sicher einmal in ähnlichem Stil erbaut worden wie das Blockhaus seiner Eltern, aber heute konnte man nichts mehr davon erkennen. Wie überall in den aufständischen Burenrepubliken war ein Großteil der Farmen niedergebrannt, die Felder, auf denen vorher meist Mais angebaut worden war, waren verwüstet. »Gefällt mir besser als das Veld ...«

Vincent lachte. »Du gehst nur davon aus, dass es hier weniger Löwen und Nashörner gibt«, neckte er seinen Freund. »Aber schau, an Antilopen mangelt es nicht.«

Eine Herde der Tiere zog eben über eine grasbewachsene Ebene, die früher wohl ein Maisfeld gewesen war. Die Natur eroberte die Anbauflächen bereits zurück.

»Dann frage ich mich, weshalb sie in den Lagern kein Fleisch haben«, brummte Kevin. »Man könnte hier doch auf die Jagd gehen.«

Aber je näher die Männer dem Ort kamen, desto weniger Wildtiere sahen sie. Kein Wunder, Karenstad war umgeben von Bahnlinien, die obendrein mit Stacheldrahtverhauen gesichert waren. Das musste die Tiere abschrecken.

Und auch die Männer waren alles andere als erbaut von ihrer neuen Wirkungsstätte. Karenstad war kaum mehr als eine Ansammlung von Blechhütten. Der ursprüngliche Ort war ein Eisenbahnknotenpunkt und Lager für militärische Lieferungen. Im Krieg wuchs die Bevölkerung durch Flüchtlinge schnell an. Die Umgebung war hart umkämpft gewesen, die meisten Farmen waren nicht erst kürzlich, sondern schon zu Beginn der Kampfhandlungen zerstört worden. Karenstad füllte sich also mit Menschen, was den englischen Militärs bald lästig wurde: Hunderte von Buren, die in der Nähe eines englischen Munitionsdepots kampierten, erschienen ihnen auch gefährlich. Also requirierte man die Häuser des Dorfes für die Besatzung des Nachschublagers, und außerhalb von Karenstad entstand ein Konzentrationslager. Zunächst pferchte man die ortsansässigen Familien hinein, dann auch Vertriebene von auswärts. Im Ort selbst wimmelte es von Engländern. Mehrere Kavalleriebrigaden waren hier stationiert, dazu kamen Einheiten, die sich für Einsätze in anderen Landesteilen verproviantierten. In und um Stadt und Lager herrschte folglich ein ständiges Kommen und Gehen, die Soldaten galoppierten rücksichtslos über den unbefestigten Boden.

»Meine Güte, staubt das!«, bemerkte Vincent und hustete. Tatsächlich lag eine Staubwolke wie ein Nebelschleier über dem Ort. »Ganz schlecht für die Pferde!«

Kevin kniff die Augen zusammen. »Auch ganz schlecht für die Menschen«, fügte er hinzu. »Und das Lager liegt kein bisschen windgeschützt, die Leute müssen dort ständig kurz vorm Ersticken sein. Ich muss zusehen, dass man hier Schrittreiten vorschreibt.«

Vincent lachte. »Na dann viel Glück«, meinte er. »Ich bin gespannt, ob sich die Rough Riders und die anderen Kavalleriekommandos bremsen lassen, nur weil sie eine Staubwolke produzieren. Wo sie doch zweifellos alle sehr kriegswichtige Aufgaben haben ...«

Kevin verzog verärgert den Mund. »Du kannst mich ja unterstützen, deine Schützlinge trifft es sicher auch! Wetten, dass die Offiziersunterkünfte geschützter liegen als die Pferdeställe?«

Das Lager selbst lag in eigentlich schöner Umgebung, die

Zelte waren rechts und links eines Flusses aufgestellt. Leider schien das Gewässer dazu zu neigen, über die Ufer zu treten. Kevin, der sich vom Nordufer her näherte, war entsetzt über den Schlamm und das Wasser, das die Leute notdürftig über improvisierte Gräben aus ihren Zelten leiteten.

»Der Nordteil des Lagers muss dringend verlegt werden!«, erklärte er kategorisch, kaum dass er die förmliche Begrüßung des bisherigen Lagerkommandanten, eines Schotten im Rang eines Lieutenant, hinter sich gebracht hatte.

Lieutenant Lindsey residierte in einem Steingebäude, das auch die Verwaltung beherbergte. Die Gefangenen waren durchweg in Zelten untergebracht. Das gesamte Lager wirkte provisorisch angelegt, aber Lindseys Domizil schien recht komfortabel. Es war mit robusten, mit Schnitzereien verzierten Möbeln eingerichtet. Kevin fühlte sich an die Farm der VanStouts erinnert. Die Möbel mussten aus einem der Burenhäuser konfisziert worden sein.

»Na, dann versuchen Sie's mal!«, höhnte Lindsey und stellte eine Flasche Whiskey und zwei Gläser auf den Tisch. »Aber erst mal nehmen Sie einen Schluck, es empfiehlt sich immer, ein Glas zu trinken, bevor man da rausgeht. Schützt vor Ansteckung. Sagt man jedenfalls.«

»Ansteckung mit was?« Kevin runzelte die Stirn.

Lindsey kam allerdings gleich auf seine Evakuierungspläne zu sprechen. »Ich wollte das Lager schon verlegen, als der Fluss das erste Mal über die Ufer trat. Hätte man übrigens gleich sehen können, das war doch immer Sumpfgebiet ... Aber die Leute wollen ja nicht. Sie klammern sich an ihren Standort, als wär's ihr Elternhaus. Dabei wohnen sie erst ein paar Monate dort ... Und schimpfen Sie mich auch nicht gleich an, wenn Sie das Hospital sehen. Ja, es ist halb leer, obwohl die Leute krank sind. Wenn überhaupt wer kommt, dann Frauen mit ihren sterbenden Kindern. Aber die sind dann auch im letzten

Stadium, da kann unser Doktor nichts mehr machen. Was sie wiederum darin bestärkt, dass unsere ganze Medizin nur Teufelswerk ist.«

»Im letzten Stadium wovon?«, fragte Kevin.

Lindsey zuckte die Schultern. »Typhus?«, riet er.

Kevin rieb sich die Stirn.

»Also schön«, sagte er dann. »Als Erstes sehe ich mir das Krankenhaus an, danach die Zelte. Wie viele haben Sie hier? Neunzig? Und wie viele Gefangene?«

Zu Kevins Verblüffung zog Lindsey erneut die Schultern hoch. »Weiß nicht«, meinte er. »Wechselt ja ständig.«

»Sie führen keine Bücher?«, erkundigte sich Kevin.

Lindsey verdrehte die Augen. »Was soll ich denn noch alles machen? Ich kümmere mich hier um dieses Lager, dann noch um das für die Schwarzen eine Meile flussaufwärts. Helfer gibt's kaum, und alles konzentriert sich auf mich. Kann ich was dafür, wenn sie uns nur eine Krankenschwester aus Pretoria schicken, und die hängt an der Whiskeyflasche? Hab ich die Rationen ausgerechnet? Ständig beschwert sich einer, dass das Fleisch sehnig und knochig ist, dass es kein Gemüse gibt … Soll ich Möhren pflanzen?«

Kevin sah den Lieutenant an. »Warum nicht?«, bemerkte er. »Eine durchaus sinnvolle Beschäftigung. Vielleicht könnte man die Frauen dazu anregen?«

Lindsey lachte. »Ich kann nur wiederholen: Versuch macht klug! Aber jetzt kommen Sie. Ich will heute noch weg, mit dem nächsten Zug nach Bloemfontein. Zurück zu meinem alten Regiment, ein paar Buren jagen. Ich danke dem Himmel, wenn ich wieder auf dem Pferd sitze. Das beschwert sich auch nicht dauernd über die Haferration.«

Das Krankenhaus war einer der wenigen festen Bauten des Lagers, allerdings auch aus Wellblech zusammengestückelt.

Es musste im Sommer unerträglich heiß sein, auch jetzt noch umschwirrten Fliegen die wenigen Patienten. Verwunderlich war es nicht, in den beiden Krankensälen stank es zum Himmel. Es gab unzählige Typhuskranke, und die Versorgung war völlig unzureichend. Teilweise saßen Angehörige bei den Kranken und übernahmen es wohl auch, sie zu säubern. Aber besonders die älteren Patienten, viele davon Frauen, jedoch auch der eine oder andere Greis, lagen in ihrem eigenen Kot. Dem einzigen Arzt, einem Dr. Greenway, war das sichtlich peinlich.

»Ich tue, was ich kann, Dr. Drury«, verteidigte er sich. »Aber ich habe zurzeit siebenundzwanzig Patienten hier und keine Krankenschwester. Wenn sich nicht eine Mutter findet, die mir hilft, weil ihr eigenes Kind hier liegt, koche ich sogar selbst!«

»Kann man keine Frauen zur Mitarbeit bewegen?«, wunderte sich Kevin.

Der Doktor schnaubte, desgleichen Lindsey.

»Die machen nichts«, sagte der Arzt bitter. »Nichts, womit sie uns nur im Entferntesten helfen – auch wenn sie sich selbst damit schaden. Sie haben auch eine Art Konkurrenzhospital in einem ihrer Zelte eröffnet. Da behandeln sie mit alten Hausmitteln. Und beschweren sich, wenn wir sie daran hindern. Gestern wollte mich eine Frau umbringen, weil ich ihr keine tote Ziege liefern konnte. Im Ernst, sie war der festen Überzeugung, ihr an Lungenentzündung erkranktes Kind nur heilen zu können, indem sie es in die Haut einer frisch geschlachteten Ziege hüllte! Meine Medizin lehnte sie ab, ebenso wie ein Bett im Krankenhaus. Das Kind ist heute Morgen gestorben. Es ist ein Trauerspiel, Dr. Drury, eine einzige Tragödie.«

»Haben Sie nur diese zwei Räume?«, fragte Kevin.

Er war große Krankensäle gewöhnt, aber unangenehm berührt von der Überlegung, dass Menschen hier in diesen stinkenden Gemeinschaftsunterkünften sterben mussten. In dem Krankenhaus in Dunedin, in dem er seine Assistentenzeit absolviert hatte, standen wenigstens Wandschirme zur Verfügung, um Schwerkranken einen Hauch von Intimität zu gewähren.

Dr. Greenway schüttelte den Kopf. »Nein, es gibt noch vier kleinere Bereiche. Wenn Sie sie sehen möchten …«

Er führte Kevin in eine Art Flur und zog einen Vorhang zur Seite, der den Blick in ein improvisiertes Zweibettzimmer freigab. Es war sicher längere Zeit nicht geputzt worden, aber Kevin hielt sich mit Kritik zurück. Man konnte kaum erwarten, dass der Arzt auch noch zu Putzeimer und Besen griff.

»Keins belegt?«, erkundigte er sich stattdessen.

Dr. Greenway biss sich auf die Lippen. »Doch. Zwei. Aber die Frau in dem einen ist schon gestorben. Ich will die Kinder bloß nicht gleich von ihr trennen … wir lassen sie zum Friedhof schaffen, wenn wir jemanden gefunden haben, der die Waisen aufnimmt. Und das andere … Noch so ein Drama, und es macht die Haltung der Leute uns gegenüber fast verständlich.« Der Arzt rieb sich die Stirn.

»Ich verstehe nicht«, hakte Kevin nach.

»Er versucht, Ihnen taktvoll klarzumachen, dass unsere eigenen Leute am Zustand der Mädchen schuld sind«, bemerkte Lieutenant Lindsey. »Eine Sauerei sondergleichen, die Sache müsste unbedingt untersucht werden! Aber die Frauen sagen ja nichts – und die Kerle, die den Transport gemacht haben, waren mir nicht unterstellt. Sonst säßen die alle im Gefängnis, bis die Frauen aussagen, da können Sie sich drauf verlassen!«

Der Offizier redete sich in Rage, was Kevin fast etwas wunderte. Bisher hatte er schließlich keine besonderen Sympathien für seine burischen Schützlinge erkennen lassen.

»Was ist denn passiert?«, erkundigte sich Kevin. »Ich würde die Frauen gern sehen, wenn Sie es erlauben …«

Dr. Greenway zuckte die Schultern. »Von mir aus, Sie sind ja Arzt. Aber die Frauen lassen am liebsten niemanden an sich heran. Die eine ist total verstört, die andere kratzt und beißt, wenn man sie untersuchen will. Dabei wäre das sinnvoll, sie hat immer noch Blutungen ...«

Kevin sah ihn an. »Das soll heißen, die Frauen sind vergewaltigt worden? Hier? Im Lager?«

Lindsey schüttelte den Kopf. »Auf dem Transport. Wobei die Männer, die sie hierher brachten, behaupteten, sie seien es nicht gewesen. Angeblich ein Kavallerieregiment, das sie zeitweise begleitete. Das wird manchmal gemacht, wenn wir Burenkommandos in einem Gebiet vermuten, durch das wir die Frauen und Kinder bringen müssen. Dann bitten die Transportkommandos Truppen um Schutz.«

»Schutz?«, fragte Kevin bitter.

Lindsey zuckte die Schultern. »Ich kann Ihnen nur sagen, dass so was selten passiert. Zumindest kriegen wir es nicht mit. Eine Vergewaltigung sieht man der Frau ja nicht zwangsläufig an. Aber in diesem Fall wurden die Mädchen obendrein zusammengeschlagen. Wahrscheinlich, weil sie sich wehrten. Jedenfalls mussten wir sie hier einweisen, in ihrem desolaten Zustand konnten wir sie nicht in die normalen Zelte schicken. Auch wenn sie unter ihresgleichen vielleicht glücklicher wären.«

Kevin straffte sich. »Ich möchte sie sehen. Vielleicht kann man sie doch zu einer Aussage überreden. Sprechen die Frauen Englisch? Wenn nicht ... wir kriegen morgen einen Dolmetscher.«

»Sie sprechen gar nicht«, sagte Greenway und führte seinen Kollegen ein paar Schritte weiter zum nächsten abgetrennten Raum. »Die eine ist katatonisch. Und die andere sieht einen gar nicht erst an.«

Der Arzt zog den Vorhang zur Seite und ließ Kevin eintreten.

»Ladys, ich bedaure, Sie so kurz nach der Visite wieder stören zu müssen ...« Greenway wählte seine Worte bedacht höflich und vorsichtig. Kevins Vorbehalte gegen ihn schwanden. Der Mann tat sicher, was er konnte, um in diesem Hospital menschenwürdige Zustände zu schaffen. Kevin warf einen Blick auf die primitiven Feldbetten, auf denen die Frauen ruhten – zerknittertes gräulich weißes Bettzeug, klumpige Kissen. Das Mädchen auf dem vorderen Bett lag auf dem Rücken. Seine hellblauen Augen starrten zur Decke, eines davon war fast zugeschwollen. Die rechte Wange war aufgerissen, die Lippen zerschlagen. Obwohl es so entstellt war, kam das Mädchen Kevin bekannt vor. »... aber wir haben einen neuen Lagerkommandanten«, sprach Greenway weiter. »Dr. Kevin Drury wird sich in Zukunft gemeinsam mit mir um Sie kümmern. Er ...«

Kevin blickte auf das zweite Bett. Die Frau darin hatte das Gesicht zur Wand hin abgewandt. Man sah nur ihre recht schmale Gestalt unter der Decke und eine Haube, unter der volles hellblondes Haar hervorquoll. Ob es Zufall war, dass sie sich regte, als Greenway Kevins Namen nannte?

Der Lagerarzt postierte sich neben dem vorderen Bett und dozierte über das Krankheitsbild wie ein Assistenzarzt bei der Visite. »Johanna VanStout, vierzehn Jahre alt, multiple Prellungen und Schlagverletzungen ...«

Kevin erstarrte. Die Frau auf dem anderen Bett wandte sich in diesem Augenblick zu ihm um. Kevin blickte in hasserfüllte tiefblaue Augen, ein verschwollenes Gesicht, aufgeschlagene Lippen. Aber für ihn war sie trotzdem schön ...

»Doortje!«, rief er fassungslos. »Me... Mejuffrouw VanStout ...«

Über Doortjes zerschlagenes Gesicht zog ein hässliches Lächeln. Sie konnte sich offenbar kaum rühren, aber in ihren Augen stand lodernde Wut.

»Sie brauchen sich die Zunge nicht zu verrenken, Herr Stabsarzt Dr. Drury«, sagte sie höhnisch. »Das mit der Jungfrau war einmal ...«

KAPITEL 4

»Und was hast du jetzt vor?«, fragte Atamarie ihre Freundin Roberta.

Eigentlich eine müßige Frage, Roberta würde natürlich genau das machen, worauf ihr Studium sie vorbereitet hatte. Die frisch gebackene junge Lehrerin würde sich eine Stelle suchen und unterrichten. Ein vorgezeichnetes, ziemlich langweiliges Leben ... Atamarie nippte frustriert an ihrem Champagner. Alkoholische Getränke kamen im Hause von Violet Coltrane selten auf den Tisch, aber an diesem Abend hatte sich wohl ihr Mann Sean durchgesetzt. Robertas erfolgreicher Abschluss ihres zweijährigen Studiums musste gefeiert werden. Die Coltranes hatten Freunde und Familie eingeladen, es gab ein großes Dinner, Champagner als Aperitif und die passenden Weine. Es war ein schöner Abend, und Atamarie hatte Ferien. Sie wusste selbst nicht recht, warum sie derart schlecht gelaunt war.

Roberta, die absolut keinen Alkohol gewohnt war, hatte schon nach den ersten Schlucken leicht gerötete Wangen und glänzende Augen. Sie sah wunderhübsch aus in ihrem neuen Kleid aus nachtblauer Seide und wirkte glücklich, aber auch erregt – Atamarie hatte sie seit langem nicht mehr so aufgedreht und wach erlebt. Während der beiden Studienjahre hatte sie schließlich nichts anderes getan, als sich dem Bild einer altjüngferlichen Grundschullehrerin weitestmöglich anzugleichen.

»Na, ich denke, das steht schon seit Jahren fest«, lächelte Reverend Burton, bevor Roberta antworten konnte. »Die Stelle an unserer Schule ist für dich reserviert, Roberta. Wir freuen uns schon alle auf dich.«

Roberta errötete noch tiefer, und bei Atamarie läuteten jetzt die Alarmglocken. Das war mehr als Freude über ein bestandenes Examen! So sah ihre Freundin immer aus, wenn sie kurz davor stand, mit einer Neuigkeit herauszuplatzen. Offensichtlich hatte sie ihrer Familie etwas mitzuteilen, hielt aber noch damit zurück. Atamaries Neugier war geweckt. Es war eine Sache, wenn Roberta etwas vor ihren Eltern verbarg, seit wann hatte die Freundin jedoch Geheimnisse vor ihr?

Kathleen Burton, eine genaue Beobachterin, warf ihrem Mann einen missbilligenden Blick zu. »Nun dräng sie mal nicht, Peter«, mahnte sie. »Wer weiß, vielleicht hat sie schon andere Pläne. Womöglich will sie gar heiraten …«

Patrick Drury, an diesem Abend Atamaries Tischherr, schien schmerzlich zusammenzuzucken. Seine gescheiterte Ehe machte ihm schwer zu schaffen, zumal Juliet noch nichts von sich hatte hören lassen. Nun machte sich niemand außer ihm auch nur die geringsten Sorgen um die selbstbewusste Sängerin, aber Patrick ließ mitunter durchblicken, dass er stundenlang über ihr Verschwinden nachgrübelte und sich ausmalte, was ihr wohl passiert sein könnte. Atamarie lächelte ihm und seiner Tochter aufmunternd zu. Die kleine May saß auf Patricks Schoß, schaute aufmerksam auf das Prickeln in seinem Champagnerglas und brabbelte glücklich vor sich hin.

Atamarie verkniff sich die Bemerkung, dass sie offenbar die Vorlieben ihrer Mutter teilte. Heather Coltrane, die Atamarie gegenübersaß, schien diesen Gedanken zu teilen – Atamarie registrierte ein über ihr Gesicht fliegendes Lächeln, und gleich darauf flüsterte sie Chloé etwas zu, woraufhin beide lachten.

Roberta schüttelte entschieden den Kopf. »Nein, natürlich

nicht! Dafür habe ich nun wirklich nicht studiert!« Atamarie fragte sich gespannt, was es dann wohl zu verbergen gab und warum Roberta bei jedem Wort stärker errötete. »Aber ich … also ich dachte …« Roberta holte tief Luft. »Ich hab gestern einen Vertrag unterschrieben«, verkündete sie dann. »Ich gehe nach Südafrika. Für ein bis zwei Jahre.«

»Südafrika?« Patrick Drury wirkte verblüfft. »Willst du Buren erschießen?«

Roberta lachte nervös. »Nein. Ganz im Gegenteil, ich … habt ihr denn noch nie von Emily Hobhouse gehört?«

Violet, ihre Mutter, sah prüfend in die Runde. Kathleen und der Reverend erwiderten den Blick gelassen. Natürlich wussten sie von Miss Hobhouse' Protesthaltung, sie beobachteten den Krieg ebenso kritisch wie Sean und Violet. Auch Heather und Chloé entging nichts, was mit Frauenrechten zu tun hatte. Lediglich Patrick und Atamarie hatten erkennbar keine Ahnung.

»Miss Hobhouse setzt sich für die Abschaffung der Konzentrationslager in Südafrika ein«, erklärte Violet schließlich. »Lager, in denen die Frauen und Kinder der burischen Kämpfer zusammengepfercht werden, um ihre Männer zu demoralisieren und zur Aufgabe zu bewegen …«

»Wozu es ja auch an der Zeit wäre«, bemerkte Patrick. »Dieser Guerillakrieg …«

»Das ist eine andere Frage«, unterbrach ihn Sean. »Aber Miss Hobhouse argumentiert ganz richtig, dass es des Britischen Empire nicht würdig ist, einen Krieg gegen Frauen und Kinder zu führen.«

»Ist das denn so schlimm mit den Lagern?«, fragte Atamarie und trank einen weiteren Schluck Champagner. Sie musste Robertas Ankündigung erst mal verdauen. Wobei sie keine Sekunde lang an rein altruistische Gründe für ihre Entscheidung glaubte. Bisher hatte sich Roberta jedenfalls nie über

Flüchtlingslager in Südafrika aufgeregt. »Ich hab gehört, sie müssen in Zelten wohnen. Aber das …«

»Es ist kein Campingurlaub, Atamarie, auch wenn die Heeresleitung es gern so darstellt«, sagte der Reverend streng. »Diese Frauen und Kinder verhungern, sterben an Infektionskrankheiten … Miss Hobhouse hat Recht, die Lager sind eine Schande für England!«

»Aber nun soll sich ja was ändern«, riss Roberta das Wort ungewohnt entschlossen an sich. Normalerweise hätte sie es nicht gewagt, den Reverend zu unterbrechen. Es war ihr zweifellos wichtig, ihre Mission darzustellen. »Emily Hobhouse hat Geld gesammelt. Und der Fund for South African Women and Children sendet Krankenschwestern und Lehrerinnen in die Lager. Dazu natürlich Lebensmittel und Medizin und all das. Ich fahre gleich nächste Woche – von Dunedin aus mit der *Beauty of the Sea*.«

»Das ist hoffentlich kein Truppentransporter?«, fragte Heather und nahm sich eins der Appetithäppchen, die Violet zuvor auf den Tisch gestellt hatte.

Heather war hungrig, und Robertas Eröffnung beeindruckte sie nicht sehr. Die Künstlerin war in jüngeren Jahren selbst weit gereist.

Roberta schüttelte den Kopf. »Nein, das ist ein ganz normales Passagierschiff. Wir sind ja auch nicht so viele. Nur zwei Krankenschwestern und ich. Dann kommen noch ein paar von der Nordinsel, aber die meisten wohl aus England.«

Violet nickte, sichtlich hin und her gerissen zwischen Stolz auf ihre Tochter, aber auch Enttäuschung darüber, jetzt erst in ihre Pläne eingeweiht zu werden.

»Und warum hast du niemandem etwas davon gesagt?«, fragte sie streng. »Versteh mich richtig, ich habe nichts dagegen. Im Gegenteil, aber wir …«

»Wir hätten noch Spenden sammeln können«, meinte der

Reverend. »Geld- und Sachspenden, die Leute sind immer großzügiger, wenn jemand sich persönlich für eine Sache engagiert.«

Roberta biss sich auf die Unterlippe. »Ich … ich hab mich ziemlich spät entschlossen …«

Atamarie sah ihr an, dass sie schwindelte. Wahrscheinlich trug sich Roberta schon seit Wochen, wenn nicht Monaten mit dem Gedanken, irgendwie nach Südafrika zu kommen. Miss Hobhouse' Initiative war kaum der Auslöser für diese Idee gewesen …

Atamarie stürzte sich auf Roberta, kaum dass der Nachtisch verspeist war und die Gäste sich zum Rauchen, mit Kaffeetassen oder mit Likörgläsern in Seans und Violets großer Wohnung verteilten. Sie zog die Freundin in Robertas Zimmer, wo sie sicher ungestört waren.

»Gib es zu, es geht um Kevin Drury!«, begann sie die Unterredung. »Und du hast nichts gesagt, damit ich es dir nicht noch ausrede!«

Roberta war inzwischen wieder gelassener geworden und hatte eben ganz ruhig über ihren geplanten Einsatz am Kap geplaudert. Jetzt aber schoss ihr erneut das Blut ins Gesicht.

»Das stimmt nicht!«, behauptete sie. »Es ist nur … die Zustände sind da wirklich schrecklich. Ich möchte helfen … und was von der Welt sehen …«

Vorerst senkte sie jedoch den Blick, in dem keine Spur von Abenteuerlust zu erkennen war.

Atamarie verdrehte denn auch die Augen. »Sicher«, spottete sie. »Du bist total verrückt nach Löwen und Nashörnern. Wolltest immer schon mal einen Elefanten reiten … Gib dir keine Mühe, Robbie! Du bist weder mutig noch naturverbunden. Du bist nur verliebt. Aber wie kannst du immer noch in ihn verliebt sein?«

Roberta blitzte sie an. »Du bist doch auch noch verliebt!«, behauptete sie. »In deinen Richard. Obwohl du ihn schon wieder zwei Monate lang nicht gesehen hast …«

Atamaries Beziehung zu Richard Pearse entwickelte sich tatsächlich nur schleppend, aber darüber wollte die junge Frau an diesem Abend nicht reden.

»Das ist ganz was anderes!«, beschied sie ihre Freundin. »Richard ist … na ja, er ist langsam. Aber Kevin … Mensch, Robbie, er hat dich nie bemerkt! Er erinnert sich wahrscheinlich kaum noch an dich. Und überhaupt: Südafrika ist ein Riesenland! Du wirst in einem dieser Lager arbeiten, Kevin ist Stabsarzt beim Militär. Wie willst du ihn finden?«

Roberta biss erneut auf ihre Unterlippe. Hier lag eindeutig der Schwachpunkt ihres Plans.

»Ich muss ihn gar nicht finden«, sagte sie leise. »Ich … ich will ihm nur nahe sein. Und wer weiß …«

Atamarie griff sich an die Stirn. »Jetzt kommt gleich wieder die Sache mit dem Geschenk der Götter«, spottete sie.

Roberta zuckte die Schultern. »Du glaubst doch auch dran«, bemerkte sie dann. »Also warum helfen wir den Göttern nicht ein bisschen auf die Sprünge?«

Roberta reiste schließlich mit gewaltigen Gepäckmengen, nachdem sie eine anstrengende Woche hinter sich hatte. Der Reverend hatte es doch noch geschafft, seine Gemeinde zu einer Spendenaktion zu mobilisieren, und kaufte Milchpulver und Medikamente, die allein eine große Kiste füllten. Violet hielt einen flammenden Vortrag vor der Ortsgruppe der Women's Christian Temperance Union, die daraufhin Kleider, Windeln und Spielzeug für die Kinder in den Lagern sammelte. Sean sprach seine Klienten an und Kathleen die Dunloes, die in Dunedin schließlich Gott und die Welt kannten und beste Verbindungen hatten. Von ihnen kamen vor allem Geldspenden.

Dabei war die Einstellung der meisten Neuseeländer zu Hilfslieferungen für die Buren ambivalent. Neuseeland unterstützte England zwar immer noch mit ganzem Herzen im Burenkrieg, und kritische Stimmen gegen die Kämpfe wurden nach wie vor ungern gehört, für Frauen und Kinder fand sich aber leicht Unterstützung – zumal eine junge, sympathische Bürgerin von Dunedin persönlich dafür eintrat. Roberta musste also mit zu Spendenaufrufen und Wohltätigkeitsdinners. Sie war völlig erschöpft, als Atamarie sie schließlich zum Schiff begleitete. Der Dampfer *Beauty of the Sea* lag leuchtend weiß und einladend im tiefblauen Wasser des Dunediner Naturhafens. Atamarie wäre am liebsten mitgefahren.

»Reden halten und all das liegt mir einfach nicht«, berichtete Roberta von ihrem letzten Auftritt am Abend zuvor. Heather und Chloé hatten einen Empfang in ihrer Galerie gegeben und zugunsten der Burenfamilien zwei Bilder versteigert. »Das strengt mich mehr an, als sechs Stunden zu unterrichten.«

Atamarie seufzte, dann lachte sie. »Also früher wollten wir mal Premierministerinnen werden. Da hättest du noch viel mehr reden müssen. Dieses Lehramtsstudium hat dich einfach für die Welt verdorben. Da liefen alle rum, als gingen sie zur Beerdigung, und reden durfte man wahrscheinlich auch nur, wenn man vorher den Arm hob. Du musst mal wieder lauter werden!«

Roberta errötete. Für die Auftritte vor den Wohltätigkeitskomitees war sie prompt wieder in ihre Lehrerinnenuniform geschlüpft, und tatsächlich hatte sie am Rednerpult kaum ein Wort herausgebracht. Atamarie musterte ihre Reisegarderobe mehr als kritisch. »In dem Aufzug wird Kevin dich jedenfalls nie bemerken«, tadelte sie und schaffte es mühelos, gleichzeitig drei Kofferträger mit all den Spenden zum Kai zu dirigieren. Die Arbeiter sahen die junge Frau an, als sei ihr Anblick schon Trinkgeld genug. Roberta beobachtete ihre Freundin fast neidisch. Atamarie hätte vor Hunderten von Zuhörern hemmungslos die Stimme erhoben, aber der Mann, den sie liebte, beachtete sie auch nicht! Roberta schämte sich, weil der letzte Gedanke ihr Trost bot. »Jetzt reist du jedenfalls nach Afrika!«, redete Atamarie inzwischen weiter. »Wetten, dass die Afrikaner nicht so steif sind wie die Church of Scotland? Ich stell mir die Schwarzen eher vor wie die Maori. Bestimmt mögen sie bunte Kleider und lachen und tanzen gern!«

Atamarie ließ ihr blondes Haar im Wind fliegen. In den Ferien sah sie keine Notwendigkeit dafür, es in einen strengen Knoten zu zwingen. In ihrem rot-grün gemusterten Sommerkleid sah sie aus wie eine bunte Blüte.

Roberta schüttelte den Kopf. »Atamie, nach dem, was ich über diese Buren gehört habe ... verglichen mit denen ist die Church of Scotland ein Karnevalsverein! Und mit Schwarzen werde ich gar nichts zu tun haben. Miss Hobhouse berichtet nur von Weißen in den Lagern ...«

Die jungen Frauen hatten die Gangway zum Schiff jetzt erreicht und sahen zu, wie das Gepäck an Bord gebracht wurde. Roberta wollte sich hier mit Sean und Violet treffen – die beiden holten noch weitere Spenden in der Stadt ab, hatten aber versichert, pünktlich da zu sein, um ihre Tochter zu verabschieden.

Atamarie wunderte sich. Sie wusste nicht viel über den Burenkrieg, die kritischen Bemerkungen des Reverends und Violets waren stets eher an ihr vorbeigerauscht, und am Canterbury College interessierte man sich bestenfalls dafür, wie die eingesetzten Waffen funktionierten. Beim Stichwort Afrika dachte Atamarie an wilde Tiere und schwarze Menschen. Und es musste dort auch welche geben! Atamarie erinnerte sich dunkel daran, dass der Krieg zumindest offiziell auch geführt wurde, um ihnen ein besseres Leben zu ermöglichen.

»Und wo sind die ganzen Neger?«, fragte sie schließlich. »Die Diener oder Sklaven von den Weißen? Die haben doch auch auf den Farmen gewohnt, die jetzt niedergebrannt wurden? Sind sie weggelaufen? Na ja, egal, du wirst mir ja schreiben. Aber nicht so nichtssagende Briefe, bitte! Erzähl mir alles! Und ich drücke dir natürlich die Daumen, dass du Kevin findest. Schon, damit du begreifst, dass …«

Roberta hob die Hand und unterbrach damit energisch Atamaries erneute Vorhaltungen.

»Vielleicht kümmerst du dich erst mal um deine eigene große Liebe«, sagte sie streng. »Da mag es auch Dinge geben, die du dir nicht eingestehst. Atamarie, Kevin mag mich vielleicht nicht wollen, aber er kann ja auch nicht … also weil … er ist ja schon ziemlich weit weg, und es ist lange her, und Juliet …« Roberta verhaspelte sich. Atamarie griff sich an die Stirn und seufzte theatralisch. Roberta schluckte und spielte mit dem Stoffpferdchen, das sie immer bei sich trug, seit Kevin es damals für sie gewonnen hatte. »Aber dein Richard«, fuhr sie dann ernsthaft fort, »der wohnt keine hundert Meilen von Christchurch entfernt. Und bemerkt hat er dich auch. Du hast doch angeblich stundenlang mit ihm geredet und sogar seine Hand gehalten und ihn geküsst. Wenn er dich jetzt nie besucht, dann …«

Atamarie wollte etwas erwidern, aber dann sahen die jungen Frauen den Wagen mit Violet und Sean kommen und beendeten ihre Unterhaltung sofort. Robertas Eltern hätten ihre Tochter zweifellos für verrückt erklärt, wenn sie auch nur ansatzweise etwas von der Sache mit Kevin gewusst hätten …

Nun lud Sean eine weitere Seekiste voller Sachspenden aus, und Roberta nahm tränenreich Abschied von ihrer Mutter. Danach umarmte sie ihren Stiefvater und schließlich Atamarie.

»Ich schreibe bestimmt, Atamie! Jeden Tag!«, versicherte sie. »Und sei nicht böse …«

Atamarie lachte und drückte die Freundin an sich. »Jeden Tag wäre vielleicht ein bisschen anstrengend«, sagte sie herzlich.

»Jede Woche reicht völlig. Und ich bin natürlich nicht böse. Es ist genauso, wie du sagst: Es muss was geschehen in der Sache mit Richard und mir ...«

Atamarie plante bereits ihre Reise nach Timaru, während sie dem ablegenden Schiff nachsah und Roberta hinterherwinkte. Ihre Freundin hatte völlig Recht: Zwischen ihr und Richard lagen keine Tausende von Seemeilen. Und sie war mindestens so mutig wie Roberta. Wenn die ihrem Kevin bis nach Südafrika folgte, konnte Atamarie auch auf alle Konventionen pfeifen und Richard besuchen. Sie würde sich Richards Farm einmal ansehen. Wenn sie dann mit ihm allein war, zeigte sich bestimmt, ob er sie noch liebte.

KAPITEL 5

»Miss VanStout, Doortje, ich kann Ihnen nur immer wieder versichern, wie leid es mir tut und wie sehr ich die Taten meiner ...
Himmel, es waren ja nicht mal meine Landsleute!« Kevin rieb
sich die Stirn. Seit Tagen versuchte er, auf Doortje VanStout
einzuwirken, aber sie weigerte sich, ihn auch nur anzusehen.
»Jedenfalls bedaure ich zutiefst, was Ihnen und Ihrer Schwester angetan wurde ...« Johanna VanStouts Reaktion auf jedwede Ansprache war noch frustrierender. Das Mädchen schien
die Worte der Ärzte gar nicht zu hören. »Wir würden die
Sache auch gern zur Anzeige bringen, aber dazu müssten
Sie eine Aussage machen. Beschreiben Sie die Leute, nennen
Sie Namen und Dienstgrade, falls Sie etwas mitbekommen
haben. Bitte sprechen Sie mit uns, Miss VanStout!«

Kevin schluckte. »Doortje, sprechen Sie mit mir!«

Doortje VanStout beachtete Kevin nicht. Sie packte langsam
ihre wenigen Sachen zusammen, Dr. Greenway hatte ihre Entlassung aus dem Lagerhospital verfügt. Auch Johanna konnte
gehen, bewegte sich allerdings wie eine Schlafwandlerin.

»Ich denke, es ist besser, die beiden kommen zu ihrer Familie, statt hier weiter Trübsal zu blasen«, meinte der Arzt. »Vielleicht kann man ihnen ja ein Einzelzelt zuweisen.«

Letzteres klang allerdings resigniert, Greenway wusste
schließlich genauso gut wie Kevin, wie es um die Belegung des
Lagers stand: Karenstad war hoffnungslos überfüllt.

Tatsächlich brauchte Kevin denn auch mehrere Stunden,

um überhaupt herauszufinden, wo man die blinde Mevrouw VanStout und ihre kleinen Söhne untergebracht hatte. Zu seinem Entsetzen existierten keinerlei Belegungspläne, niemand wusste genau, wie viele Familien und Einzelpersonen in Karenstad lebten und wo jede einzelne Familie zu finden war. Lediglich die Anzahl der Toten wurde registriert, und es waren erschreckend viele. Überhaupt schien alles, was den Tod anging, in diesem Lager noch am besten organisiert. Es gab einen Totengräber, einen Tischler, der primitive Särge zusammenhämmerte, und einen Fotografen, der Porträts der verstorbenen Kinder anfertigte. Die Väter sollten sie sehen können, wenn der Krieg vorüber war – so manche der Bilder mochten jetzt schon in die Hände der noch kämpfenden Burenkommandos geraten … Lord Kitchener musste herzlos oder einfach dumm sein, wenn er annahm, dass dies die Männer zur Kapitulation zwingen würde. Im Gegenteil, die Zustände in den Lagern schürten die Wut.

Nun führte Kevin die schweigenden VanStout-Schwestern über die schlammigen Wege zwischen den langen Reihen ehemals weißer runder Zelte. Jedes davon war für fünfzehn Personen ausgelegt, allerdings für Soldaten, die hier nur schliefen. An Familien, die kochen und sich auch tagsüber dort aufhalten mussten, war bei der Raumaufteilung nicht gedacht worden. Nichtsdestotrotz verlangte die Lagerorganisation Vollbelegung der Zelte, was obendrein bedeutete, mehrere Familien gemeinsam unterzubringen. Mindestens zwei, häufiger drei Frauen und ihre Kinder oder in ihrem Haushalt versorgte Greise teilten sich ein Zelt – meist zunächst mit stoischem Gleichmut. Im Laufe der Monate baute sich dann aber fast immer Spannung auf, die sich mitunter in heftigen Streitigkeiten entlud. Wenn das Wetter eben erträglich war, flohen die Menschen nach draußen. Auch die provisorischen Küchen waren außerhalb der Zelte aufgebaut.

»Wir wollten Gemeinschaftsverpflegung anbieten«, wandte sich Kevin beschämt an Doortje. »Aber das nahmen die Leute nicht an, irgendjemand hat ihnen erzählt, die Engländer mischten zerstoßenes Glas in den Brei, um ihre Kinder zu ermorden.«

Doortje warf ihm einen angewiderten Blick zu. »Braucht's das zusätzlich?«, fragte sie böse und wies auf eine wehklagende Mutter, deren verstorbenes Kind man eben aus einem der fliegenumschwirrten Zelte trug.

Es waren die ersten Worte, die Doortje seit ihrer Wiederbegegnung im Hospital gesprochen hatte, aber Kevin konnte sich nicht daran freuen. Das Kind war an Typhus gestorben, eine Einweisung ins Hospital hatte die Mutter verweigert. Und damit gab es nun ein weiteres Zelt, in dem sich die Krankheit vielleicht festsetzte – oder aus dem heraus die Fliegen sie weitertrugen. Der Insektenbefall war auch ein Problem, das Kevin nicht in den Griff bekam. Die Fliegen wurden von ungewaschenem Essgeschirr und schmutzigen Körpern angelockt, was man nur verhindern konnte, indem man den Frauen genügend Wasser zur Verfügung stellte. Aber an Trinkwasser haperte es, und Waschwasser konnte zwar aus dem Fluss geholt werden, aber die Wege waren weit und die Frauen oft zu schwach. Seife und Reinigungsmittel gab es kaum, schon Lindsey hatte wiederholt Beschwerde geführt, die Versorgungsstellen reagierten jedoch einfach nicht. Entsprechend schlecht war es um die Hygiene im Lager bestellt, die Frauen konnten weder sich selbst und ihre Kinder noch die Kleidung sauber halten. Letztere war auch bald verschlissen, wenn man wochenlang Tag und Nacht darin lebte. Kevin hörte, dass sich in Karenstad niemand zum Schlafen auszog.

»Die Leute schlafen auf dem Boden«, erklärte Cornelis, ebenso entsetzt wie Kevin, nachdem man ihm eine Unterkunft zugewiesen hatte. »Die meisten haben nicht mal eine Zudecke.

Da wird es kalt, wenn man sich auszieht – von der Scham vor den fremden Leuten im Zelt ganz abgesehen …«

Kevin nickte und beantragte Decken und Zeltbahnen, um die Zelte zu teilen und den einzelnen Familien wenigstens ein Mindestmaß an Intimität zu ermöglichen. Vincent half schließlich mit ein paar Pferdedecken aus und riet, sie vor der Verteilung nicht zu waschen.

»Es heißt, Flöhe mögen keinen Pferdeschweiß«, behauptete er. »Vielleicht also eine kleine Hilfe gegen all das Ungeziefer.«

Kevin teilte diese Hoffnung nicht. Er hatte erschrocken festgestellt, dass alle Neuzugänge in den Lagern verfloht und verlaust waren. Ob das Ungeziefer in den Ritzen der Leiterwagen saß, in denen die Leute transportiert wurden, oder vielleicht in den Decken, mit denen sie gepolstert waren, wusste er nicht. Vielleicht holten die Buren sich die Schädlinge auch im Veld. Kevin ordnete jedenfalls an, die Wagen gründlich zu reinigen, aber das Unheil war natürlich längst geschehen: In ganz Karenstad wimmelte es von Ungeziefer.

»Wir hätten aber immerhin Flohpulver«, sagte Kevin zu Cornelis. »In großen Mengen. Es scheint nur niemand zu wissen, wie man es richtig einsetzt. Dr. Greenway hat es unter Verschluss gehalten, nachdem zwei Frauen es ihren Kindern ins Essen gerührt hatten … Ich verstehe diese Menschen nicht … sie leben doch in der gleichen Welt wie wir, sie können lesen und schreiben, aber sie …«

»Sie lehnen diese Welt ab«, sagte Cornelis kurz. Der junge Mann war von den Zuständen in den Lagern noch schockierter als Kevin selbst und natürlich auch mehr betroffen. Seine patriotische Haltung hatte sich bislang stets in Grenzen gehalten, aber nun entwickelte auch er Wut auf die Briten. »Der Bure lernt lesen und schreiben, um die Bibel zu lesen, und er bestellt sein Land, wie seine Väter es ihm vorgemacht haben. Das Land ernährt ihn, seine Frauen halten das Haus sauber und die Kinder gesund, mit Hilfsmitteln, die ihnen von ihren Müttern überliefert wurden. Wenn trotzdem eines stirbt, so ist das gottgewollt. Nur das hier ...«

Kevin winkte ab. »Das hier ist sicher nicht gottgewollt, da sind wir uns einig. Aber vielleicht schaffen Sie es ja, den Frauen zu erklären, wie man Flohpulver dosiert und einsetzt. Von mir aus finden Sie dazu einen Bibelspruch ...«

Cornelis grinste. »Und ich will des Tages ein Besonderes tun mit dem Lande Gosen, da sich mein Volk aufhält, dass kein Ungeziefer da sei; auf dass du innewerdest, dass ich der Herr bin auf Erden allenthalben.‹ Buch Mose.«

Kevin nickte. »Wunderbar, ich dachte mir, dass es sich um eine göttliche Erfindung handelt. Also holen Sie sich das Zeug ab und machen Sie sich an die Arbeit.«

Cornelis verschwand Richtung Hospital, während Kevin aufatmete. Es war eine kluge Entscheidung gewesen, Cornelis Pienaar mitzunehmen. Der junge Mann fügte sich besser ein, als Kevin gehofft hatte. Er brauchte keine großen Erklärungen bezüglich der Gefahr, in der er im Lager schwebte, Cornelis kannte schließlich seine Landsleute. Insofern übertrieb er ganz von selbst sein Hinken und tat so, als sei auch sein rechter Arm fast gänzlich unbrauchbar. An der Front konnte man ihn folglich nicht mehr einsetzen, und da er verwundet und bewusstlos in die Hände der Briten gefallen war, wie er angab, verzieh man ihm auch, den letzten Kampf überlebt zu haben. Tatsächlich wurde Cornelis sogar etwas bemuttert – zumindest bis Kevin Bentje VanStout ausfindig machte. Doortjes Mutter argwöhnte, dass es eine weitere Verwundung gab, sie verdächtigte Cornelis der Fraternisierung mit dem Feind. Doortje selbst weigerte sich sogar, ihren Vetter zu sehen. Kevin nahm an, dass sie sich schämte – und seine Wut auf Doortjes und Johannas Peiniger nahm nur noch zu.

»Wir sind gleich da«, wandte er sich jetzt an die Frauen.

»Ihre Mutter ist in einem Zelt näher am Fluss, aber Sie sollten sich dort nicht auf Dauer einrichten, wir werden die Siedlung verlegen. Der Karenspruit tritt bei jedem Regen über die Ufer und dann …«

»Wir werden uns hier so lange einrichten, bis unsere Männer kommen und uns befreien«, sagte Doortje ruhig. Sie schien sich langsam wieder zu fangen, beim Anblick der Zustände im Camp regte sich ihr Widerspruchsgeist. Aber Kevin traf ihre Bemerkung bis ins Mark. Offensichtlich wusste sie nichts von ihres Vaters Tod und dem des Martinus DeGroot. »Wo ist nun meine Mutter?«

Kevin fand Bentje VanStout vor ihrem Zelt, umgeben von ein paar Kindern.

»Und ihr müsst nicht glauben, dass die Kinder sich verkrochen und die Köpfe unter die Decken steckten! Nein, sie bewegten sich tapfer im Lager und brachten ihren Vätern Wasser und Essen, damit sie sich stärken konnten für den Kampf, und wenn die Kaffern angriffen, standen sie hinter ihnen und luden ihre Waffen nach …«

Kevin rieb sich die Stirn. Bentje VanStouts blinde Augen schauten ins Nichts, aber sie schienen vor Stolz und Eifer zu strahlen, als sie ihrem kindlichen Publikum die Geschichte vom Großen Treck, die den Hass nur noch mehr schürte, erzählte. Die Augen vieler Kinder glänzten dagegen fiebrig. Auch Bentjes jüngster Sohn, der sich in ihre Arme schmiegte, schien nicht gesund.

»Mutter!«

Kevin wandte den Blick ab, als Doortje und Johanna ihre Mutter begrüßten. Aber ihm blieb nicht verborgen, dass Johanna an Bentje genauso vorbeischaute wie bislang an den Doktoren. Irgendetwas in dem Mädchen schien zerbrochen zu sein. Kevin seufzte.

»Doortje«, sagte er sanft, bevor er sich verabschiedete. Beinahe hätte er es nicht gewagt, Doortjes Blicke waren zu bitterböse gewesen, als sie die primitive Unterkunft ihrer Mutter und ihrer Brüder in Augenschein nahm, in der sich nun auch sie und Johanna einrichten sollten. Kevin versuchte zu erklären, aber wo sollte er da anfangen? Er empfand tiefste Scham, aber auch verzweifelte Liebe für die junge Frau, die den Kopf trotz allem schon wieder hoch trug. »Doortje, wenn das mit Johanna anhält ... dann müssen Sie sie wieder ins Hospital bringen. Etwas stimmt da nicht, vielleicht ... vielleicht braucht sie mehr Untersuchungen ... andere Medikamente ...«

Kevin wusste nicht wirklich, was man in diesem Fall verordnen konnte, aber Johanna brauchte zumindest dauernde Aufsicht. Sie tat nichts von selbst, in den ersten Tagen im Hospital hatte man sie sogar füttern müssen. Inzwischen löffelte sie ihr Essen wieder allein, wenn man ihr eine Suppenschale und einen Löffel in die Hand drückte. Stellte man es einfach auf den Tisch, ließ sie es stehen.

»Sie hat alles, was sie braucht«, beschied ihn Doortje kurz. »Ist es nicht das, was man über diese Lager sagt? Es geht uns besser als auf unseren Farmen. Die Versorgung ist hervorragend, wir fühlen uns wohl ...«

Kevin wandte sich ohne ein weiteres Wort ab.

In den nächsten Tagen hörte Kevin nichts von der Familie VanStout – und kämpfte den Drang nieder, bei Doortje nach dem Rechten zu sehen. Nun hatte er auch sonst genug zu tun, wobei ihn immer tiefere Verzweiflung überkam. Was immer er versuchte, um die Zustände im Lager zu ändern, scheiterte entweder an den britischen Versorgungsstellen oder Vorschriften – oder an den Gefangenen, die nicht bereit waren, auch nur im Geringsten zu kooperieren. Kevin beschwerte sich über die Essensrationen, die er als völlig unzureichend erkannte. Es gab keine Fettzuteilungen, das Fleisch war sehnig und von Knochen durchsetzt. Man hätte Eintopf daraus kochen können, aber leider fehlte jegliches Gemüse, lediglich geringe Mengen Reis oder Kartoffeln wurden geliefert, manchmal auch nur Mehl, aus dem man dann Fladenbrot herstellen konnte. Milch für die Kinder gab es nicht, höchstens Kondensmilchzuteilungen, die mit Wasser verdünnt wurden, wenn es ausreichend Trinkwasser gab. Hier gelang Kevin immerhin ein Durchbruch – wieder mithilfe des Tierarztes Vincent und einiger Kavalleristen. Oberhalb des Militärlagers gab es sowohl Brunnen als auch klare Bäche, die im Gegensatz zu dem meist schlammigen Wasser im Fluss gutes Trinkwasser lieferten. Es wurde in pferdebespannten Wasserwagen in den Ort gebracht – und Vincent leitete jeden Tag ein paar davon um ins Lager der Frauen. Allerdings mussten die Familien es sich abholen – und das war nicht möglich, wenn etwa die Mutter krank im Zelt lag. Cornelis schleppte den halben Tag Eimer zu den bedürftigen Familien, aber das Lager umfasste fast tausendfünfhundert Menschen. Es war aussichtslos, sie alle versorgen zu wollen.

Andere Vorstöße Kevins scheiterten. So traf seine Suche nach freiwilligen Helferinnen für das Krankenhaus auf taube Ohren. Ob es Renitenz war, Angst vor Ansteckung oder Argwohn gegenüber der modernen Medizin – es meldete sich keine einzige Frau, dafür stieg der Krankenstand. Cornelis konnte immer mal wieder eine Frau überreden, sich selbst oder ihre Kinder Dr. Greenways Fürsorge anzuvertrauen. Mit der Sorge für vierzig Patienten war der Arzt jedoch heillos überfordert. Schließlich half der Garnisonsarzt aus dem Ort mit ein paar Krankenpflegern aus: Drei erfahrene und willige Inder wechselten ins Lager. Viel ausrichten konnten sie allerdings nicht. Die Frauen reagierten zum Teil hysterisch, wenn Männer – und obendrein farbige – den Versuch machten, sie anzurühren.

»Wo sind denn eigentlich die Schwarzen?«, fragte Kevin eines Abends. Er hatte Dr. Greenway nach der Visite in sein

Haus gebeten. Beide Ärzte sanken erschöpft und mutlos in die Sessel in Lindseys ehemaligem Wohnzimmer, das einst luxuriös gewesen war, mittlerweile jedoch ungepflegt wirkte. Kevin konnte nicht auch noch putzen. Die Whiskeyvorräte erschienen immerhin fast unerschöpflich. Kevin war schon dazu übergegangen, das Zeug medizinisch einzusetzen. Er erinnerte sich an die Erzählungen seiner Mutter von der Überfahrt von London nach Australien – der Schiffsarzt hatte befohlen, die fieberkranken Männer mit Gin abzureiben. »Die ganze Dienerschaft dieser Leute hier, die gehörten doch zu ihren Haushalten. Soviel ich weiß, gab es keine Stämme, zu denen sie zurückkehrten. Und auch da gab es Frauen ...«

Greenway nahm einen tiefen Schluck.

»Hat Ihnen das niemand gesagt?«, erkundigte er sich. »Die Schwarzen haben ein eigenes Lager eine knappe Meile flussaufwärts. Und auch das ist Ihnen unterstellt.«

»Was?«, fragte Kevin entsetzt. »Und das sagen Sie mir erst jetzt?«

Greenway hob entschuldigend die Hände. »Ich dachte, Lindsey hätte es Ihnen gesagt. Oder die Einsatzleitung ...«

»Und Sie haben sich nicht gewundert, dass ich mich nicht darum kümmere?« Kevin leerte sein Glas in einem Zug und goss sich neuen Whiskey ein.

Greenway zuckte die Schultern. »Lindsey hat sich auch nicht darum gekümmert. Ich glaube, er war nur ein einziges Mal da. Und ich ... Himmel, Sie wissen, was ich hier zu tun habe ...«

Kevin nickte und bemühte sich, ruhig zu bleiben. »Wie sind die Zustände?«, fragte er heiser.

Greenway schluckte. »In mancher Hinsicht besser, in mancher schlechter als hier ... es ist ... anders.«

»Inwiefern anders?« Kevin wollte es jetzt wissen.

»Die Schwarzen bekommen keine Lebensmittel zugeteilt.

Sie müssen dafür arbeiten – oder dürfen arbeiten, je nachdem, wie man es sieht. Wenn die Familie einen Ernährer hat, wenn die Frauen Gemüse anbauen – dann sind sie fein heraus. Es gibt da auch mehr Männer, viele sind freiwillig gekommen, nicht gezwungenermaßen wie die Buren. Teilweise kooperieren sie. In der Nähe der Schwarzen haben Burenkommandos keine Chance, deshalb siedelt man sie gern an der Bahnlinie an. Schlecht ist es für Familien, die nur aus Frauen und Kindern bestehen. Besonders in Camps, in denen Leute aus verschiedenen Herkunftsstämmen untergebracht sind. Da sind die einen den anderen oft nicht grün, und zu verschenken hat ja sowieso keiner was. Also hungern die Familien – die Sterberate in den Camps der Schwarzen ist höher als die in denen der Weißen.«

»Was sicher auch an der fehlenden ärztlichen Versorgung liegt«, bemerkte Kevin. »Ich reite morgen flussaufwärts. Ich muss mir das ansehen.«

»Dr. Drury …« Kevin und Greenway fuhren beide herum, als sie Cornelis' Stimme hörten. Im Camp war längst Nachtruhe, was auch in aller Regel eingehalten wurde. Schließlich gab es nur vereinzelt Gaslampen und kaum Kerzen. »Verzeihen Sie mein Eindringen, ich habe gerufen, aber Sie haben es nicht gehört.«

Kevin nickte nachsichtig. Ein Klopfen oder leises Rufen an der Tür war im Wohnzimmer nicht zu vernehmen.

»Was liegt an?«

Cornelis senkte den Kopf. »Ich wollte darum bitten, dass man uns ein paar Taschenlampen zur Verfügung stellt. Wir müssen … das Lager absuchen, ein Mädchen ist verschwunden.«

Kevin sprang auf, aber Greenway rieb sich nur die Stirn. »Wenn sie im Lager ist, junger Mann, findet sie sich morgen auch noch. Ich weiß, die Frauen wollen das nicht wissen, aber es gibt … nun, es gibt auch unter diesen sehr … hm … christlich orientierten Frauen einige, die ... nun ja, die sich gegen Essen oder Seife ...«

Cornelis sah auf, sein Blick war hart. »... prostituieren, meinen Sie?«, fragte er böse. »Das mag sein, Sir. Aber nicht in diesem Fall. Das Mädchen ist Johanna VanStout.«

Kevin meinte fast, Schwindel zu spüren. Er hatte so etwas befürchtet, verdammt, er hätte das Mädchen im Hospital lassen sollen!

Resigniert griff er nach seiner Jacke. »Ich komme mit«, sagte er. »Und Sie alarmieren bitte die Wachleute, Dr. Greenway, die sollen Suchtrupps bilden. Ich werde außerdem im Ort anrufen, vielleicht erreiche ich meinen Freund.« Die Fernsprechleitung war eine Neuerung, die den Menschen im Lager zwar wenig nützte, aber immerhin nichts kostete und Kevin die Kommunikation mit den Militärdienststellen und Versorgungslagern im Ort erleichterte. Vincent erreichte er darüber auch fast immer, der Tierarzt stand für Notfälle auf Abruf. »Dr. Taylor kann sicher weitere Männer organisieren. Aber ich glaube, es bringt nicht viel, im Lager zu suchen. Gehen wir ... gehen wir zum Fluss ...«

Johanna VanStouts Leiche wurde am nächsten Tag unterhalb des Lagers angespült, ein Soldat entdeckte sie bei einer Patrouille. Der Körper wies keinerlei Spuren von Fremdeinwirkung auf, was Bentje VanStout nicht hinderte, das Wachpersonal im Lager des Mordes anzuklagen.

»Einer von den verdammten Tommys hat sie gestoßen! Ganz sicher hat sie einer gestoßen! Wir sind gläubige Christen! Meine Tochter hätte nie ...«

Bentje schluchzte und schrie, wobei ihr der Verlust ihrer Tochter fast weniger nahezugehen schien als der Verdacht, das Mädchen habe sich selbst getötet.

»Aber das ist ausgeschlossen, Mevrouw VanStout. Das Ufer

fällt hier überall sanft ab, niemand kann irgendwo herunter-gestoßen werden.« Kevin sprach hilflos auf die Frau ein, die sich, umringt von ihren Zeltnachbarn, ihrem Kummer hingab. Schließlich wandte er sich an Doortje. »Miss VanStout, kön-nen Sie es Ihrer Mutter nicht erklären? Es ist eine Tragödie, ich weiß, aber Johanna wurde nicht umgebracht … Es war kein Mord, sie …«

Doortje wandte ihm ihr schneeweißes, aber tränenloses Gesicht zu. »Johanna war zu schwach, um mit der Schande zu leben«, sagte Doortje hart. »Das mag Gott ihr verzeihen. Aber wenn er dem vergibt, der sie getötet hat … nicht gestern Nacht, Dr. Drury … Mutter … aber in jener Nacht auf dem Veld … Wenn er dem vergibt, dann …« Die junge Frau ballte die Fäuste.

Kevin zwang sich zur Ruhe und wünschte sich nichts mehr, als Doortje VanStout in die Arme zu nehmen.

»Der steht wohl noch nicht so schnell vor seinem Gott«, sagte er schließlich, so hart, wie er es fertig brachte. »Es sei denn, Sie wären bereit, endlich gegen ihn auszusagen. Dann hängt er.«

Doortje biss sich auf die Lippen. Und schwieg.

KAPITEL 6

Atamarie war im Stillen davon überzeugt, dass Richard Pearse sie noch liebte, aber sie musste zugeben, dass die Belege dafür zu wünschen übrig ließen. Seit Richard nach der Exkursion im Herbst des Vorjahres die Universität verlassen hatte, hatte sie ihn nur einmal gesehen. Er hatte etwas in Christchurch zu besorgen gehabt und bei der Gelegenheit Professor Dobbins besucht – und das Patentamt! Atamarie hatte sich wie verrückt für ihn gefreut, als der Professor ihr unter dem Siegel der Verschwiegenheit verriet, dass Richard es endlich geschafft hatte. Das Patent, das er beantragt hatte, betraf ein Fahrrad, ein besonders leichtes Modell mit Bambusrahmen, Gangschaltung und Rücktrittbremse.

Dobbins erzählte Atamarie, Richard sei bei ihm vorstellig geworden. »Hat er Ihnen das nicht geschrieben?«, erkundigte sich der Professor verdutzt, als sie ihre Begeisterung kundtat. »Sie stehen doch in Briefkontakt mit ihm, oder ... oder habe ich da etwas missverstanden?«

Atamarie beeilte sich, Dobbins zu versichern, dass Richard regelmäßig schrieb – obwohl er das erst in den letzten Monaten wieder getan hatte. Nach der Exkursion zum Mount Taranaki hatten sie nur zwei Briefe gewechselt, Richards waren darüber hinaus nur kurz und nichtssagend gewesen. Nun hatten damals natürlich auch Erntearbeiten angestanden, vielleicht hatte er einfach keine Zeit gehabt und sicher auch nicht viel zu berichten. Er wusste ja, dass sie sich nicht für Farmarbeit interessierte, und er selbst tat es auch nicht. Jedenfalls hatte Atamarie schon befürchtet, er habe sie vergessen. Bis sie dann ein ziemlich euphorischer Brief erreichte, in dem Richard von seiner neuen Werkstatt schwärmte. Er hatte sie in seiner Scheune eingerichtet und konzentrierte sein Trachten jetzt ganz auf die Erkundung neuer Techniken. Atamarie antwortete freundlich – und konnte sich von da an nicht mehr über mangelnde Post beklagen. Richard schilderte anschaulich seine Pläne für das Fahrrad und berichtete akribisch über jeden Versuch, jeden Fortschritt und Rückschritt. Atamarie kommentierte die Sache kundig und äußerte Verbesserungsvorschläge. Die integrierte Luftpumpe für die Reifen des Leichtbaurades ging auf ihre Anregung zurück.

»Ich nehme an, er wollte mich überraschen«, meinte sie schließlich.

Atamarie wand sich unter Dobbins' forschendem Blick. Der Professor rieb sich die Wange, eine Geste, die er immer zeigte, wenn er sich unsicher fühlte. Gab es etwas, über das er reden wollte? Missbilligte er Atamaries Beziehung zu Richard? Aber das Canterbury College war kein Lehrerseminar! Und in Taranaki schien Dobbins ihr Verhältnis zu Richard doch eher gutgeheißen zu haben.

»Kommt er … heute noch mal hier vorbei?«

Atamarie wusste, dass sie sich mit der Frage Blöße gab, aber wenn Richard jetzt schon in Christchurch war, wollte sie ihn auch sehen! Schlimm genug, dass er sich bei ihr nicht gemeldet hatte.

Dobbins nickte. »Sicher, Miss Turei«, meinte er, und es klang wieder etwas widerstrebend. »Ich habe ihm gesagt … äh … er will … er wird Sie nachher abholen. Ein bisschen mit Ihnen feiern.«

Atamarie strahlte, und tatsächlich erwartete Richard sie dann am Tor der Hochschule. Er begrüßte sie zwar nur mit einem Kuss auf die Wange, aber das war in aller Öffentlichkeit auch sicher besser. Und er freute sich erkennbar über ihre Anteilnahme, lud sie zum Essen ein und hielt nach zwei Flaschen Wein auch wieder ihre Hand, als er sie nach Hause brachte. Das Patent auf das Fahrrad imponierte ihm allerdings wenig, er sprach den ganzen Abend nur über sein neuestes ehrgeiziges Projekt: ein Flugzeug.

»Und kein Segelgleiter, Atamarie, ein Propellerflugzeug. Es muss ...«

»Es muss auch ohne Wind gehen!«, lachte Atamarie. »Habe ich schon immer gesagt. Einfach- oder Doppeldecker?«

Sie diskutierten noch über die Vor- und Nachteile, als sie am Avon entlang zu Atamaries Wohnung schlenderten. Atamarie war vollkommen glücklich – oder jedenfalls fast vollkommen. Andere Pärchen, denen sie begegneten, taten schließlich mehr als nur Händchenhalten. Die Männer legten die Arme um die Mädchen, und die Mädchen schmiegten sich an die Körper der Männer. Atamarie schob sich näher an Richard, der die Anregung auch sofort verstand. Er zog sie an sich, während er von Antriebsenergien redete und der Größe des Propellers.

»Fünfundzwanzig Pferdestärken. Ich denke an fünfundzwanzig Pferdestärken. Meinst du, das ist genug? Oder ist es übertrieben? Nicht dass die Maschine außer Kontrolle gerät ...« Etwas ratlos verhielt Richard vor Atamaries Haus.

Atamarie legte ihm die Arme um den Hals. »Ein bisschen außer Kontrolle ist gar nicht so schlecht«, meinte sie, sah zu ihm auf und öffnete die Lippen.

Richard Pearse zögerte kurz, aber dann küsste er sie. Und Atamarie tanzte anschließend die Treppen hinauf. Er liebte sie! Natürlich liebte er sie. Und es war sehr rücksichtsvoll, sie nicht mit in sein Hotel zu nehmen. In der kleinen Familienpension wäre das aufgefallen! Zu peinlich, wenn man sie beim Hineinschleichen erwischt hätte.

Obwohl … nein, daran dachte sie besser nicht! Atamarie kontrollierte ihren in jeder Hinsicht sehr erfinderischen Geist. Sie gestand sich nicht ein, dass Richard vielleicht Gründe gehabt hatte, sie nicht um diese Nacht zu bitten.

Aber nun, da die Universität für den Sommer geschlossen hatte, reichte es ihr. Atamarie war entschlossen, ihren Freund zu besuchen. Von Christchurch nach Timaru gab es eine Eisenbahnverbindung, und von Timaru aus würde sie schon irgendwie weiterkommen. Bis zu Richards Farm bei Temuka waren es von der Bahnstation aus etwa dreizehn oder vierzehn Meilen. Bestimmt fand sich eine Mitfahrgelegenheit. Natürlich hätte Richard sie auch abholen können – Atamarie überlegte, ihm zu schreiben. Aber womöglich fand er dann Ausflüchte, wie etwa die Sache mit der Anstandsdame. Wie es aussah, lebte Richard allein auf seiner Farm, Atamarie würde sich also kompromittieren, wenn sie ihn besuchte, erst recht über Nacht. Der jungen Frau selbst war das allerdings egal – in Bezug auf ihre Sexualität sah sie sich als Maori und hielt sich nur an die Moralvorstellungen der *pakeha*, um nicht anzuecken. In Christchurch hätte sie sich folglich in der Öffentlichkeit zurückgehalten, aber auf einer einsamen Farm im ländlichen Distrikt Waitohi würde sie machen, was sie wollte. Atamarie freute sich auf die Zweisamkeit – und sie war überzeugt, dass Richard das genauso sah, wenn er seine Hemmungen erst mal überwunden hatte. Diesmal würde niemand sie stören, wenn sie ihre Liebe endlich lebten!

Atamarie stieg also in Christchurch in den Zug nach Dunedin – Timaru lag auf dem Weg, sie würde von dort aus gleich zu ihren Großeltern weiterfahren können. Es war ein ungewöhnlich klarer Tag, und die schneebedeckten Südalpengipfel schienen so nah, dass man sie greifen konnte. Atamarie machte sich allerdings keine Illusionen. Zwischen der Bahnlinie und den Bergen lagen Meilen um Meilen Grasland, die Weiten der Canterbury Plains. Jetzt, im Sommer, stand das Tussock-Gras hier kniehoch, und es wogte im Wind wie ein grünbraunes Meer. Atamarie dachte an ihre Zugfahrt mit Richard und die Brückenbauten auf der Nordinsel. Der Schienenstrang für den Southerner war einfacher anzulegen gewesen, weshalb die Bahnlinie auch zu den ältesten Neuseelands zählte.

Atamarie erreichte am späten Nachmittag Timaru. Sie war gespannt auf die Stadt, ausgestiegen war sie hier noch nie. Allerdings hatte sie davon gehört, dass die Gegend hügelig sein sollte – ungewöhnlich für die sonst flachen Plains. Sie ist auf einem Lavageröllfeld gebaut, hatte Richard über seine Heimatstadt erzählt, als sie die Taranaki-Region vermessen hatten. Allerdings differierte das hiesige Vulkangestein von dem in Taranaki. Bei Regen sollte es bläulich schimmern, was dem Stadtbild etwas Unwirkliches geben musste. Viele Häuser waren aus dem lokalen Blaustein erbaut. Heute schien jedoch die Sonne, und die kleine Stadt wirkte ganz gewöhnlich, vertraut und anheimelnd wie viele Orte auf der Südinsel. Atamarie schlenderte am Hafen entlang und ein bisschen durch den Ort. Schließlich hatte sie die kluge Idee, in einem Gemischtwarenladen eine Möglichkeit zu erfragen, Richtung Temuka, in dessen Nähe Richards Farm lag, weiterzureisen. Die Betreiberin, eine rundliche, freundliche Lady, warf einen etwas befremdeten Blick auf ihren Rucksack, lächelte ihr dann aber zu.

»Na, da haben Sie aber Glück, Mädchen. Sehen Sie da draußen den Wagen? Das ist ein Nachbar von Pearse. Der kann Sie mitnehmen. Sein Name ist Toby Peterson – bleiben Sie einfach hier, wir fragen ihn gleich, wenn er zum Bezahlen reinkommt.«

Toby Peterson, ein großer, magerer Mann in der typischen abgetragenen Arbeitskleidung der Farmer, lud eben Futtersäcke auf die Ladefläche seines Leiterwagens. Atamarie hoffte, dass er sie auf dem Bock mitfahren ließ. Sie trug ein hübsches Reisekostüm und hätte sich damit ungern auf die staubigen Säcke gesetzt. Nun musste sie aber erst noch der neugierigen Kaufmannsfrau Rede und Antwort stehen. Natürlich kannte sie Pearse – und sie brannte vor Verlangen, etwas über dieses bildschöne Mädchen zu erfahren, das ihn ganz allein besuchte und dabei unkonventionelles Gepäck mit sich herumschleppte.

»Sie gehören aber nicht zur Familie«, begann sie das als freundliche Kommunikation getarnte Verhör. »Sind ja viele, die Pearse-Kinder, aber so'n blondes Haar wie Sie haben die alle nicht.«

Atamarie erwog kurz die Option, sich als Kusine auszugeben, aber was sollte das? Auch Vetter und Kusine kompromittierten sich, wenn sie die Nacht allein miteinander verbrachten. Die junge Frau schüttelte also den Kopf und erzählte offen und ehrlich, woher sie Richard kannte.

»Ich studiere Ingenieurwissenschaften, wissen Sie? Wie Richard.«

Zu Atamaries Überraschung erfolgte kein Kommentar zu ihrem für ein Mädchen ungewöhnlichen Studiengang. Stattdessen begann die Frau, über Richard zu reden.

»Ja, ja, die Rosinen hat er schon immer im Kopf gehabt, der Dicky Pearse ... wir kennen die Pearses ganz gut, Sarah Pearse hat hier gearbeitet, wissen Sie. Und Digory hat diesen Hof in Trewarlet, ein großes Anwesen, auf der Waitohi-Ebene, sehr fruchtbar ... Tja, er kam hier einkaufen, und es ...«, sie kicherte, »... funkte, und nun haben sie neun Kinder! Wie das Leben so spielt.«

Atamarie nickte, obwohl sie es so ungewöhnlich nun auch nicht fand, dass sich ein Landwirt und eine Verkäuferin in einem Gemischtwarenladen kennenlernten. In den ländlichen Gebieten der Südinsel herrschte nach wie vor Frauenmangel, und gut zwanzig Jahre zuvor musste das noch schlimmer gewesen sein. Die junge Sarah hatte sich ihren Ehemann zweifellos aussuchen können und sich natürlich für einen Landwirt entschieden, der mehr Äcker oder Weiden besaß als andere. Allerdings differierte die Geschichte der Kaufmannsfrau ein bisschen von Richards Erzählungen. Nach dessen Schilderung hatte sie die Farm der Pearses eher für ein mittelgroßes Anwesen gehalten, auf keinen Fall für Großgrundbesitz. Das passte auch nicht zu den offensichtlichen finanziellen Verhältnissen der Familie. Wenn ihr wirklich die halbe Waitohi-Ebene gehörte, hätte sie Richard das Studium finanzieren können.

»Und Richard hat die Farm nun übernommen?«, fragte Atamarie etwas verwirrt.

Die genauen Umstände, warum der begnadete Techniker nun unbedingt Farmer werden sollte, hatte sie bis jetzt nicht vollständig verstanden.

Die Kaufmannsfrau lachte. »Nein, nein, Kindchen, so alt sind die Pearses ja noch nicht. Dem Dicky haben sie eine eigene Farm geschenkt, ein bisschen außerhalb von Temuka. Sehr großzügig, vierzig Hektar, und ein Haus steht auch schon drauf. Nun müsste er sich nur noch eine Frau nehmen und ein gottesfürchtiges Leben führen.«

Die Frau sah Atamarie forschend an, als prüfe sie, ob sie wohl für diese Stellung infrage kam. Atamarie blickte unschuldig zurück.

»Aber ich denke, Richard wäre lieber Ingenieur geworden«, meinte sie. »Erfinder ...«

Erneutes Gelächter. »Ja, sag ich doch ... nur verrückte Ideen, die Eltern wären da fast dran verzweifelt. Schon in der Schule ... träumte sich durch den Unterricht und baute dauernd kleine Apparate, die keiner verstand. Sein Bruder, Tom, der ist da ganz anders. Zielstrebig, klug, studiert Medizin in Christchurch, wissen Sie? Der wird mal Doktor!« Das klang so stolz, als sei der fabelhafte Tom Pearse ihr eigener Sohn.

Atamarie wurde langsam einiges klar. Womöglich war es nicht das Studium an sich, bei dem Richards Eltern ihn nicht unterstützen wollten oder konnten, sondern eher die Wahl des Fachs. Vierzig Hektar Land – wenn man das verkaufte, sollten doch drei Studienjahre in Christchurch zu finanzieren sein! Sie fragte sich, warum Richard selbst noch nicht auf die Idee gekommen war.

Nun kam allerdings Toby Peterson in den Laden und unterbrach die Mitteilungsfreude der Kaufmannsfrau. Atamarie beobachtete ihn verstohlen von der Seite und befand, dass er vertrauenswürdig wirkte. Die Kaufmannsfrau hatte da auch keinen Zweifel, sie legte dem Mann die junge Frau sofort ans Herz.

»Die kleine Lady will zu Dicky, Tobbs. Ist auch so 'ne Inge… Ingeneurin. Kannste sie mitnehmen?«

Der Mann bedachte Atamarie mit einem breiten Grinsen. »Wenn sie mir nicht wegfliegt!«, scherzte er gutmütig. »Oder was in meinem Wagen explodieren lässt … Mit Erfindern haben wir so unsere Erfahrungen, Missy. Nicht dass Sie mir den Hund verschrecken.«

Der Hund war ein vergnügt wirkender Collie, der gleich an Atamarie hochsprang. Sie streichelte ihn, woraufhin er sich an sie schmiegte.

»Er ist nicht schussfest«, bemerkte Mr. Peterson.

Atamarie lachte. »Ich verspreche, nicht zu schießen und nichts explodieren zu lassen«, erklärte sie und hob die Schwurhand. »Und fliegen kann ich auch nicht, sonst brauchte ich ja keine Mitfahrgelegenheit.«

Mr. Peterson nickte ihr zu. »Dann klettern Sie schon mal auf den Bock«, meinte er. »Ich zahle hier noch, und dann geht's los. Sind ungefähr vierzehn Meilen bis zu Richards Farm, wir schaffen's leicht vor dem Dunkelwerden.«

Die Straßen nach Temuka waren staubig, nachdem es einige Tage nicht geregnet hatte, aber sie waren viel befahren, und man kam rasch vorwärts. Mr. Peterson erwies sich auch als angenehmer Reisebegleiter. Er erzählte Atamarie alles über den Distrikt Waitohi, in dem man – wieder entgegen Richards Berichten – hauptsächlich Schafzucht betrieb.

»Doch, ein paar Felder bewirtschaften wir auch, die Pearses sogar hauptsächlich, die haben's nicht so mit den Schafen. Dabei bietet es sich an bei dem vielen Land. Ich hab's Cranky auch schon zehnmal gesagt.«

»Cranky?«, fragte Atamarie mit gerunzelter Stirn.

Peterson fasste verlegen an seine Hutkrempe. »Oh, sorry, nicht böse sein, aber so nennen wir Dick. Manche sagen auch Mad Pearse, aber das ist ein bisschen unfair. Er kann ja durchaus was. Letztes Jahr war mein Pflug kaputt, dazu hat er sich eine großartige Neuerung einfallen lassen. Hat zwei Wochen gehalten … Aber dann hab ich ein paar Schafe verkauft und konnte einen neuen anschaffen. Den alten hab ich Dick gegeben, er sammelt die Dinger. Versucht, was Großes draus zu machen – mit Motoren und so. Mit Pferden hat er's ja auch nicht so … Jedenfalls ist die ganze Farm voller Schrott … Aber sonst ist er ein netter Kerl. Was haben Sie denn mit ihm vor? Was Ernstes?«

Atamarie musste lachen. Die Offenheit des Farmers war erfrischend. Sie fand das viel angenehmer als die vorsichtigen Vorstöße der Kaufmannsfrau.

»Weiß ich noch nicht«, gestand sie. »Haben wir noch nicht drüber gesprochen.«

Peterson kicherte. »Das glaub ich Ihnen sofort. Über was Normales redet der nie. Wenn er überhaupt redet, dann nur über technischen Kram. Dem steckt der Kopf in den Wolken …«

»Er will ja auch mal fliegen«, verteidigte Atamarie ihren Freund. »Da ist das keine schlechte Grundvoraussetzung.«

Peterson schüttelte den Kopf. »Aber auch nicht besonders zukunftsträchtig. Denken Sie an meine Worte, der Mann wird sich irgendwann totschlagen mit seinen verrückten Maschinen. Wenn Gott den Menschen hätte fliegen lassen wollen, hätte er ihm Flügel gegeben.«

Atamarie schüttelte den Kopf. So heftig, dass Peterson besorgt zu ihr hinübersah. Er konnte ja nicht wissen, dass es jetzt auch um ihren eigenen Traum ging.

»Die Menschen werden einmal fliegen, Mr. Peterson«, sagte sie eifrig. »Man tut es doch schon, denken Sie an die Segelfliegerei von Lilienthal, an die Fesselballone, die *manu aute* der Maori ... Die Legende sagt, sie wären damit schon vor Hunderten von Jahren geflogen. Wir müssen nur noch rauskriegen, wie es ohne Wind geht. Und da spricht alles für Verbrennungsmotoren. Wie im Auto ...«

Peterson winkte ab. »Da gibt's ja auch erst eins«, brummte er. Im letzten Jahr war auf der Südinsel zum ersten Mal ein Auto gefahren und gebührend bewundert worden. »Ob sich das durchsetzt?«

Atamarie lächelte. »Da würde ich drauf wetten!«, sagte sie.

Die junge Frau brach abrupt ab, als sie vor ihnen etwas Großes, Sperriges einen Hügel herunterrollen sah. Das Ding wurde von vier Pferden gezogen, die allerdings zu Tode erschrocken schienen.

Peterson gab einen kurzen Ton der Überraschung von sich, brüllte dann »Festhalten!« und lenkte sein eigenes Gespann blitzschnell von der Straße. Der Wagen holperte bedrohlich, und der Collie versteckte seinen Kopf in Atamaries Röcken. Sie selbst klammerte sich am Sitz fest, blickte aber nichtsdestotrotz fasziniert auf das mit Leinwand bespannte dreirädrige Monstrum, das ihnen entgegenrumpelte. Die Pferde konnten sich jetzt befreien, Atamarie nahm an, dass ein Mechanismus in der Flugmaschine ihre Leinen löste, sobald das Gerät genug

Fahrt aufgenommen hatte. Die Tiere flohen kopflos ins Feld, während die drachenähnliche knatternde Maschine eine Art Hüpfer machte. Dann brach sie aber seitlich aus und landete krachend in einer Ginsterhecke.

Toby Peterson verhielt sein Gespann.

»Ich sag ja, das hat keine Zukunft«, bemerkte er mit Gemütsruhe, während Atamarie vom Bock sprang und auf das Fluggerät zurannte.

Eine der mit Segeltuch bespannten Tragflächen war abgerissen – aber Atamarie stellte mit einem Blick fest, dass sie ohnehin nur mittels Draht mit dem Fahrgestell verbunden gewesen war. Das ließ sich leicht reparieren. Richards Anblick machte ihr wesentlich größere Sorgen. Der Erfinder hing mit blutüberströmtem Gesicht kopfüber in seinem Sitz.

»Richard … Richard, hörst du mich? Ist es schlimm? Mr. Peterson! Kommen Sie uns doch helfen!«

Richard rührte sich allerdings schon, er war offenbar nicht schwer verletzt, das Hauptproblem schien darin zu liegen, sich aus seiner misslichen Lage zu befreien.

»Nur Kratzer«, wehrte er denn auch ab, als Peterson nun gelassen näher kam.

»Nur die Ruhe, kleine Lady, die Hecke federt das Schlimmste ab«, meinte er, als die aufgeregte junge Frau versuchte, dem Flieger aus dem Sitz zu helfen. Richard kam schwankend hoch. »Ist ja auch nicht das erste Mal«, fügte Peterson hinzu.

»Was?«, fragte Atamarie entsetzt und stützte ihren Freund. »Du hast das schon mal gemacht? Bist du verrückt?«

Richard wischte sich das Blut am Ärmel seines Overalls ab. Er sah beängstigend aus, aber die einzige ernstere Verletzung schien seinen Fuß zu betreffen, er konnte kaum auftreten.

»Ich muss das mit der Steiggeschwindigkeit besser hinkriegen und vor allem den Motor in den Griff bekommen«, murmelte er. »Der stottert, der …«

Atamarie griff sich an die Stirn, desgleichen Peterson.

»Cranky«, sagte der Farmer gelassen. »Das war jetzt grundfalsch. So begrüßt man keine Lady. Richtig wäre: ›Miss Turei, was für eine Überraschung! Entschuldigen Sie meinen etwas unangemessenen Aufzug, aber ich bin natürlich hocherfreut, dass Sie hergefunden haben.‹ So macht man das, Cranky, wenn man Damenbesuch bekommt!«

Richard schien Atamarie jetzt erst zu bemerkten. »Atamie ... du ... oh, ich hab gar nicht ... also ich hab dich gar nicht gesehen. Aber ich freue mich natürlich, dass du da bist ... das ist ... ganz großartig ... du ...«

Atamarie hörte gar nicht zu. »Warum stottert er wohl?« Aufmerksam betrachtete sie den Motor. »Kann's an der Zündung liegen?«

Peterson verdrehte die Augen. »Ich sehe jetzt, was Sie verbindet«, bemerkte er. »Und ich würde Sie ja gern Ihren romantischen Tändeleien überlassen, aber ich fürchte, deine Mutter bringt mich um, Dick, wenn ich mich nicht weiter um dich kümmere. Der Fuß ist doch womöglich gebrochen. Also wo willst du hin, Dick? Zum Doktor oder zu deiner Mom?«

Richard schien eine Möglichkeit schlimmer zu finden als die andere. Atamarie war ebenfalls alles andere als begeistert. Sie hielt den Fuß nicht für gebrochen und hätte Richard am liebsten rasch selbst verarztet, um dann vielleicht endlich zum romantischen Teil des Besuchs überzugehen, wobei sie natürlich nichts dagegen gehabt hätte, vorher noch den Motor auseinanderzunehmen. Es war offensichtlich ein Eigenbau, und Atamarie brannte auf eine Analyse des Problems.

»Kannst du den Fuß denn bewegen?«, fragte sie.

Richard nickte und machte es gleich vor.

»Gut, dann deine Mom!«, entschied Peterson. »Steigen Sie auf, Miss, ich helfe Dicky hoch. Oder halt, zuerst sollten wir die Pferde einfangen.«

Atamarie half dabei, sich an die nervösen Pferde heranzuschmeicheln. Richards Farm war nicht mehr weit, sie konnten die Tiere zu Fuß zum Stall führen und von den Geschirren befreien. Atamarie erschrak ein wenig, als sie einen ersten Blick auf den Hof werfen konnte. Er wies keinerlei Ähnlichkeiten mit anderen Bauernhöfen auf. Die Scheunen und Ställe wirkten vernächlässigt und teilweise reparaturbedürftig, ein paar Schweine und Hühner suchten sich ihren Weg zwischen verrosteten Pflügen und Eggen, Fahrradteilen und abenteuerlichen Segeltuch- und Aluminiumkonstruktionen. Eine Scheune war offenbar zum Hangar umfunktioniert, Richard schien hier seine Flugzeuge zu bauen. In einer Ecke waren säuberlich neue Zylinder und Kurbelwellen aufgereiht, dazu jedoch alte Zigarettendosen und gusseiserne Abwasserrohre. Atamarie versuchte, die Konstruktionen zu verstehen, zu denen Richard sie zusammenschraubte.

Peterson und sein Hund trieben unbeeindruckt die Schweine und die Hühner in den Schober, zwei Ziegen folgten meckernd.

»Ist das einzige Gelass, das sich hier richtig verschließen lässt«, begründete der Farmer die Maßnahme. »Wenn sich jetzt noch etwas Futter fände …«

Eine der Hennen setzte sich direkt auf eines der Rohre. Atamarie bezweifelte, dass Richard die Einquartierung recht war.

»Das ist mir ziemlich egal, ob ihm das recht ist«, brummelte Peterson. »Aber das Viehzeug kriegt manchmal den Drang zum Wandern, und eine halbe Meile weiter ist mein Haus und der Garten meiner Frau. Sie hatte die Ziegen von Dicky schon zweimal zu Besuch, seitdem ist sie gar nicht mehr gut auf ihn zu sprechen. Die fressen nämlich lieber Gemüse als Gras und wissen genau, wo es wächst.«

Atamarie seufzte. Auf der Nordinsel war ihr Richard immer gut organisiert erschienen, er hatte rund um die Vermessung penible Ordnung gehalten. Aber hier schien ihm alles über den Kopf zu wachsen. Obwohl es ihre Pläne über den Haufen warf, war sie nun gespannt auf seine Familie. Auch solche hoffnungslosen Farmer?

Richard lamentierte, sein Fuß sei eigentlich schon wieder ganz in Ordnung, aber Peterson hörte nicht darauf und machte ihm die ganze Fahrt zu den Pearses hindurch Vorwürfe wegen seiner Tiere.

»Ist ja alles schön und gut mit deinen Erfindungen. Aber so kann man keine Farm führen! Hast du übrigens schon Erntearbeiter angestellt? Die meisten sind mittlerweile vergeben, Dick. Und ich kann dir auch nicht endlos aushelfen, ich muss meine eigene Ernte einbringen.«

Richard antwortete nicht, er schaute nur ziemlich verzweifelt drein, aber das mochte auch damit zusammenhängen, dass jetzt das Haus seiner Eltern in Sicht kam. Kein protziges, aber ein ordentlich gestrichenes und gut in Stand gehaltenes mittelgroßes Farmhaus, daneben ein Windrad, Scheunen und Mäh- und Dreschmaschinen, die wohl schon für die Ernte vorbereitet wurden. Digory Pearse war eindeutig ein besserer Farmer als sein Sohn. Er schien auch seine Einfahrt im Auge zu behalten. Im Gegensatz zu Richards Farm bellten Hunde, und der Farmer trat gleich vor die Tür. Richards Vater war größer und vierschrötiger als sein Sohn, sein Gesicht härter und kantiger. Die Locken und die eher weichen Züge musste Richard wohl von seiner Mutter haben. Und vielleicht auch die eher verträumte und langmütige Art. Digory machte rein äußerlich den Eindruck, eher zum Aufbrausen zu neigen. Er wechselte nur ein paar Worte mit Peterson, um dann sofort zu explodieren.

»Du hast was? Schon wieder? Ich fasse es nicht, Dick, du steckst dein ganzes Geld in diesen Unsinn, und letztlich wirst du dich damit totschlagen! Diesen Cecil Woods schnappe ich mir auch nächste Woche, der unterstützt dich ja noch in dem Wahnsinn!«

»Cecil Woods?«, fragte Atamarie interessiert. »Hat der nicht den ersten Verbrennungsmotor in Neuseeland gebaut?«

Richard nickte und wollte etwas erwidern, aber sein Vater nahm die junge Frau jetzt wahr.

»Wer sind Sie denn? Womöglich dieses Maori-... äh ... dings ... äh ...mädchen, das ihm zusätzlich Flausen in den Kopf gesetzt hat? Wie 'ne Einheimische sehen Sie ja nicht aus, aber sonst ...«

»Dies ist Atamarie Parekura Turei«, stellte Richard sie würdevoll vor. »Wir kennen uns von der Expedition nach Taranaki.«

»Und sie ist das einzige Mädchen, von dem Richard je geschwärmt hat!« Eine deutlich freundlichere Stimme, in der aber auch Neugier mitschwang. Sarah Pearse kam hinter ihrem Mann aus dem Haus und bedachte alle Anwesenden mit einem gewinnenden Lächeln. Tatsächlich hatte sie die gleichen braunen Locken und sanften Augen wie ihr Sohn. »Ich freue mich sehr, Sie kennenzulernen! Digory, nun erschreck die junge Frau nicht, bitte sie lieber herein. Oh, Himmel, Dicky, was ist dir denn passiert?« Peterson half Richard eben vom Bock, und seine Mutter sah sein verschrammtes Gesicht und bemerkte sein Hinken. »Nicht wieder ein Versuch, mit dieser Höllenmaschine in die Luft zu gehen! Komm, Dicky, ich schau mir das gleich an, wir verbinden deinen Fuß, und ... warten Sie, Mr. Peterson, ich geben Ihnen was für Joan mit, als kleine Entschuldigung für die Sache mit den Ziegen ... wir haben heute Marmelade eingekocht ... Jenny, so hol doch gerade ein Glas ...«

Letzteres richtete sich an ein schlaksiges, vielleicht zwölf- oder dreizehnjähriges Mädchen, das der Szene bislang vom Eingang des Farmhauses aus zugesehen hatte. Ebenso wie mindestens fünf weitere Kinder. Atamarie lächelte ihnen zu.

Sarah Pearse schien eine jener ungemein tüchtigen Frauen zu sein, die alles gleichzeitig tun konnten. Sie dirigierte Peterson mit Richard ins Haus und fand für jedes der Kinder irgendeine Aufgabe, die mit der Bewirtung der Gäste zu tun hatte. Sehr schnell hatte sie Peterson und ihren Gatten mit selbstgemachter Brombeerlimonade auf die Terrasse dirigiert und fand nun Zeit, sich um Richard zu kümmern.

»Kommen Sie mit!«, forderte sie Atamarie auf, während sie ihren Sohn auf einen Stuhl zwang und erst mal die Wunden in seinem Gesicht musterte. »Das machen wir jetzt sauber, Sie können die Schüssel mit dem Wasser halten ...«

Atamarie tat brav, was sie befahl. Anscheinend testete Richards Mutter sie hier auf Zimperlichkeit, aber was das anging, hatte sie nichts zu befürchten. Atamarie interessierte sich zwar nicht sehr für Medizin, aber sie konnte Blut sehen. Insofern machte es ihr auch nichts, als sich das Wasser in der Schüssel langsam rot färbte, während Sarah Pearse die Wunden ihres Sohnes mit einem Stück Gaze auswusch. Richard zuckte zusammen, als sie dann eine Salbe auftrug. Atamarie verzog gleichfalls das Gesicht. Sie kannte das Zeug, ihr Großvater pflegte seine Pferde und Schafe damit zu behandeln – es brannte wie Feuer.

Sarah Pearse zog ihrem Sohn jetzt Schuh und Strumpf aus, um seinen inzwischen geschwollenen Fuß zu bandagieren. Bei all dem redete sie unausgesetzt auf ihn ein.

»Du musst mit diesem Unsinn aufhören, Dicky, die ganze Nachbarschaft redet ja schon davon, und es tut mir weh, wenn sie dich den ›verrückten Dick‹ nennen. Schau, du hast diese schöne Farm, du könntest etwas daraus machen ... und was für ein hübsches Mädchen du da erobert hast.« Richards Mutter warf Atamarie ein warmes Lächeln zu. »Sie müssen mir unbedingt mehr von sich erzählen, Atamarie. Ich darf Sie doch so nennen, oder? Ich habe Sie mir ganz anders vorgestellt, ich dachte, Sie seien Maori. Aber das wäre mir auch recht, wissen Sie? Wenn mein Richard nur überhaupt ein Mädchen findet, ich denke ... ich denke, eine Frau würde ihn ... sozusagen ... erden.«

Richard warf Atamarie einen verzweifelten Blick zu, aber die war noch zu sehr damit beschäftigt, erfreut die Nachricht zu verdauen, dass Richard von ihr geschwärmt hatte, um sich erste Sorgen darüber zu machen, dass Mrs. Pearse sie wohl schon halb als Hausfrau auf Richards verwahrloster Farm sah. Darüber hinaus war Atamarie ganz sicher niemand, der einen anderen erdete.

»So, und nun bleiben Sie natürlich zum Essen, Atamarie ... keine Widerrede, ich möchte Sie kennenlernen. Ein Bett finden wir auch für Sie, Sie können ja heute auf keinen Fall mehr zurück nach Timaru. Dicky, dich behalten wir auch hier heute Nacht. Wenn's sein muss, reitet Joe noch eben rüber und füttert deine Tiere.«

Atamarie schluckte. Mrs. Pearse mochte sie verkuppeln wollen, aber sicher ganz und gar nach Art der *pakeha*. Wenn das so weiterging, würde es auch diesmal nichts werden mit der Liebe – und der Erforschung des Motors auf Richards Farm ... Atamarie war sich nicht sicher, was von beidem sie mehr reizte. Aber jetzt lächelte sie erst mal brav Mrs. Pearse an, bedankte sich für die Einladung und half dann beim Tischdecken und Auftragen der Speisen. Wie erwartet war Sarah Pearse eine hervorragende Köchin, die stets Nahrungsmittel für ein ganzes Regiment auffuhr und insofern auch von Überraschungsgästen nicht aus der Fassung zu bringen war. Atamarie bemerkte jetzt erst, wie hungrig sie war. Wohlgefällig beobachtete Mrs. Pearse, wie sie ihren Teller mit Kartoffelbrei, Bohnen und Braten füllte und vollständig leer aß.

Richard nahm sich dagegen nur wenig und ergriff während des ganzen Essens kaum das Wort. Der erfolglose Flugversuch schien ihn entmutigt zu haben – oder auch das lebhafte Tischgespräch, das sich zunächst wieder mal um die »Rosinen in seinem Kopf« drehte und dann zu anderen unangenehmen Themen wie Ernte und Neueinsaat wechselte. Mr. Pearse examinierte seinen Sohn dabei ähnlich wie vorher Peterson, gab sich mit dessen Schweigen zu seinen Fragen nach Erntehelfern und Maschinenwartung aber nicht zufrieden. Wortreich kommentierte er Richards Versäumnisse, während seine Frau versuchte, Atamarie Näheres über ihre Familie zu entlocken. Was sie hörte, schien ihr durchaus zu gefallen, wobei die Farm ihres Großvaters sie deutlich mehr interessierte als Matarikis Stellung als Schulleiterin und Kupes Position als Parlamentsabgeordneter.

»Das ist ja schön, dass Sie praktisch auch auf einer Farm aufgewachsen sind!«, freute sich Sarah Pearse. »Aber Sie erben das Land nicht, oder?«

Atamarie schnappte nach Luft. Das fand sie nun doch eine etwas zu indiskrete Frage für die erste Begegnung. Sie war fast versucht zu behaupten, man würde die Farm zur Finanzierung ihres Ingenieurstudiums verkaufen müssen, aber dann biss sie sich auf die Zunge. Es brachte nichts, frech zu werden, ihr war ja an einem guten Verhältnis zu den Pearses gelegen. Also erzählte Atamarie gelassen von ihren beiden Onkeln.

»Mein Onkel Kevin hat kein Interesse an Schafen«, betonte sie mit einem Seitenblick auf Richard. »Aber Patrick hat Landwirtschaft studiert und wird die Farm einmal übernehmen. Kevin ist Arzt …«

Mit der letzten Bemerkung brachte sie das Gespräch unversehens auf Richards wunderbaren Bruder Tom, von dem Sarah und Digory daraufhin gleichermaßen schwärmten. Richard verschaffte das eine Atempause. Digory hörte vorübergehend auf, ihm seine Versäumnisse vorzuwerfen. Wobei Atamarie nicht ganz verstand, wo hier eigentlich die Probleme lagen. Digory Pearse sprach von Erntehelfern und Maschinenwartung – also gar nicht mal von so viel Eigenleistung. Sie selbst hätte sich durchaus zugetraut, all die organisatorischen Aufgaben nebenbei zu erledigen, an denen Richard offenbar scheiterte. Aber ihrem Freund schien ja weder die Farmarbeit noch die Kontaktpflege zu seinen Nachbarn zu liegen. Atamarie entnahm dem Gespräch mit seinem Vater, dass ihm Peterson wohl noch von allen am besten gesinnt war. Die anderen beklagten sich über den Lärm, den seine Maschinen machten, das Unkraut auf seinen Feldern, dessen Samen der Wind auf die ihren herüberwehte, und die ausgebrochenen Tiere.

»Fred Hansley meinte neulich, der Burenkrieg sei zu uns rübergekommen!«, erregte sich Digory Pearse inzwischen erneut – das Gespräch hatte von Toms überragenden Leistungen unmittelbar zu Richards Versagen gewechselt. »Und er will dir seinen Heuwender nicht wieder leihen. Die ›Verbesserungen‹, die du letztes Jahr daran vorgenommen hast …«

»Er wollte sie sich ja nicht erklären lassen«, verteidigte sich Richard verzweifelt. »Es war ganz einfach und viel effektiver, das ganze Ding lief runder, man musste nur …«

»Du wirst sehen müssen, wo du einen anderen Heuwender auftreibst, oder du musst das Heu mit der Hand wenden«, unterbrach ihn sein Vater.

Richard schob sein Essen von einer Seite des Tellers zur anderen. Schließlich atmeten alle auf, als Sarah Pearse die Tafel aufhob. Sie zumindest schien recht zufrieden. Atamarie Turei kam als Gattin für ihren Sohn offenbar infrage. Ihre etwas eigenwilligen Studien würde sie sicher gern gegen ein hübsches Haus und ein paar nette Kinder eintauschen …

Atamarie ihrerseits war froh, als sie in ein kleines, aber äußerst gepflegtes Gästezimmer flüchten konnte – früher wahrscheinlich der Raum des wunderbaren Tom. An der Wand hingen diverse Siegerschleifen von Landwirtschaftsausstellungen, Plaketten und Pokale kündeten von sportlichen Erfolgen. Atamarie fragte sich, ob man Richard erlaubt hatte, seine kleinen Erfindungen in seinem Zimmer auszustellen. Ihr Freund tat ihr zunehmend leid, gut für ihn, dass wenigstens sie die Prüfung durch seine Mutter bestanden hatte. Sie beglückwünschte sich zu ihrer Diplomatie: Sie hatte ihren Traum vom Fliegen nicht erwähnt.

KAPITEL 7

Am nächsten Morgen gab es ein reichhaltiges Frühstück mit ähnlich deprimierenden Tischgesprächen wie am Abend zuvor. Schließlich fuhr Mr. Pearse seinen Sohn und Atamarie zurück zu Richards Farm und begann gleich wieder mit einer Schimpftirade, als seine Pferde vor dem Fluggerät scheuten, das immer noch in der Hecke hing. Er fuhr damit fort, als er sein Gespann auf den Hof lenkte. »Hier sieht's aus wie auf dem Schrottplatz! Wirf endlich dieses Zeug weg! Und sieh zu, dass du das mit der Ernte organisiert kriegst ... Soll ich Sie jetzt gleich mit zum Bahnhof nehmen, Miss Turei?«

Atamarie erschrak, als sie sich angesprochen fühlte. Bisher hatte Digory Pearse nicht einmal das Wort an sie gerichtet. Dann schüttelte sie aber entschlossen den Kopf.

»Nein, vielen Dank, ich bleibe noch hier. Richard ... also, wir sind ja noch gar nicht zum Reden gekommen, er ... er hat mir noch nicht mal das Flugzeug richtig gezeigt.«

Digory schnaubte. »Um sich das anzusehen, mussten Sie nicht aus Christchurch anreisen«, meinte er. »Aber gut, Sie müssen's wissen. Sputen Sie sich nur, der Zug geht um zwölf. Wenn Sie jetzt noch dieses Ungetüm aus der Hecke holen wollen, ist das kaum zu schaffen.« Digory Pearse fixierte die junge Frau mit einem Blick zwischen Frage und Missbilligung.

Atamarie straffte sich und hielt seinem Blick stand. »Dann fahre ich eben erst morgen«, sagte sie gelassen. »Ich denke, hier ist sowieso noch einiges zu tun.«

Ohne Digorys Erwiderung abzuwarten, griff sie nach ihrem Rucksack und wandte sich Richtung Haus. Richard folgte ihr aufatmend. Als er den Haustürschlüssel unter der mistverklebten Fußmatte hervornestelte und für Atamarie aufschloss, wirkte er jedoch wieder beklommen.

»Meine Eltern werden denken …«

Atamarie warf einen Blick ins Haus, das ebenso unaufgeräumt und schäbig wirkte wie der Hof. Aber dann hatte sie nur noch Augen für Richard, der so verängstigt und geschlagen wirkte, dass sogar sein Zaudern an ihr Herz rührte. Atamarie wandte sich zu ihm um, schaute spitzbübisch zu ihm auf und schlang ihm die Arme um den Hals.

»Lass sie doch!«, sagte sie ruhig.

Atamarie küsste Richard in seiner verwahrlosten Küche und freute sich, als er den Kuss erwiderte. Dann räumte sie auf – während er zwei Pferde anschirrte, um das Flugzeugwrack aus der Hecke zu befreien. Es war nicht sonderlich schwierig, das Fluggerät wog nicht viel, das Schwerste daran war der Motor.

»Der muss leichter werden«, konstatierte Atamarie, als das, was vom Flieger übrig war, schließlich wieder im Hangar stand. Die Tiere hatte Richard kurzerhand hinausgejagt. »Oder die Tragflächen größer. Aber das mit den Rädern ist eine gute Idee. Dagegen das Anschleppen mit den Pferden …«

»Hat man bei Segelfliegern aber schon gemacht!«, bemerkte Richard. »Und hier … man muss die Zeit überbrücken, bis der Motor anspringt.«

»Aber der Motor könnte das Flugzeug doch gleich in Bewegung setzen, wie beim Automobil«, wandte Atamarie ein. »Und dann erst abheben. Das müsste man auch steuern können.«

Die beiden diskutierten das Problem ausgiebig, bis sich die Tür öffnete und ein wutschnaubender Mr. Peterson Richards Schweine und Ziegen hereintrieb.

»Verdammt, Dick, ich hab's dir schon hundertmal gesagt! Sperr das Viehzeug ein, es war schon wieder in meinem Garten. Joan ist ernsthaft verärgert. So geht das nicht ...«

Richard nickte, stimmte zu und bedankte sich bei seinem Nachbarn. Dann kam er gleich wieder auf das Thema der Hochspannungsmagnetzündung zurück.

»Mit dem Anschluss für den Unterbrecherkontakt, wie Woods ihn gestaltet, bin ich einfach noch nicht zufrieden. Die Konstruktion der Zündkerze ...«

Atamarie runzelte die Stirn. »Richard«, sagte sie dann. »Ich glaube, wir müssen uns erst mal mit der Konstruktion eines Schweinestalls befassen.«

Am Abend ihres ersten Tages auf der Farm hatten Atamarie und Richard sichere Verschläge für seine Tiere gebaut. Genauer gesagt hämmerte die junge Frau die Boxen zusammen, während Richard eine bahnbrechende neue Verschlusstechnik entwickelte, basierend auf dem System von Knarren und Ratschen. Die Ziegen würden das Schloss sicher nicht wieder selbst öffnen können wie die herkömmlichen schlichten Riegel.

»Genial«, bemerkte Atamarie. »Bau morgen noch ein paar davon und schenk sie Peterson. Vielleicht besänftigt ihn das. Und er könnte sein Gartentor damit verschließen.«

Während Richard die Tiere fütterte, suchte sie in seinem verunkrauteten Gemüsegarten nach irgendetwas Essbarem, fand schließlich ein paar Möhren und Kartoffeln sowie reichlich Bohnen und kochte daraus einen Eintopf. Es schmeckte nicht besonders, erst recht nicht verglichen mit Mrs. Pearse' reichhaltigen Mahlzeiten, aber Richard schien sowieso kaum zu wissen, was er aß. Eigentlich hörte er erst auf, sich über die Vorteile des einfachen Flugdrachensystems gegenüber dem Doppeldecker auszulassen, als Atamarie schließlich aufstand, mit leichten, selbstverständlichen Bewegungen ihr Haar löste und Anstalten machte, ihre Bluse zu öffnen.

Richard starrte sie mit großen Augen an. »Atamie … du … ich … Bist du sicher, dass du das wirklich willst?«

Atamarie lächelte. »Wonach sieht es denn aus?«, fragte sie.

Richard wandte sich ab. »Atamarie, du kennst mich nicht«, sagte er leise.

Atamarie runzelte die Stirn. »Ich kenne dich gut!«, behauptete sie. »Du bist … du bist wie ich!«

Pearse schüttelte den Kopf. »Das bin ich nicht, Atamie, glaub's mir. Ich … werde dich enttäuschen …«

Atamarie schmiegte sich an seinen Rücken. »Wie du alle enttäuscht hast?«, fragte sie sanft. »Ich bin nicht wie deine Eltern. Ich will keine Farm. Ich will nicht mal heiraten. Nur dich, Richard … Dick … ich will nur dich.«

Richard wandte sich zu ihr um. »Du weißt nicht, worauf du dich einlässt«, murmelte er.

Atamarie lächelte. »Du meinst das Durcheinander hier? Das bringen wir schnell in Ordnung. Du bist halt nicht zum Farmer geboren. Aber mit ein bisschen Hilfe …«

»Ich bin nicht gut für dich, Atamie. Ich bin für niemanden gut.« Richards Stimme klang belegt, resigniert.

Atamarie schüttelte den Kopf. »Und ob du gut für mich bist«, flüsterte sie. »Du bist auserwählt! Du bist mein Geschenk der Götter.«

Richard lächelte nun auch, schwach, aber fast hoffnungsvoll. »Wenn du es so siehst«, murmelte er und zog sie in die Arme.

Atamarie sah es so und dachte an die Weisheit, die der Gott Tawhaki den Menschen geschenkt hatte, oder die Schönheit der Erde, die sie dem Gott Tane verdankten. An die Büchse der Pandora dachte sie nicht.

Richard Pearse erwies sich als ausgesprochen zärtlicher, sehr langsamer und bedächtiger Liebhaber. Atamarie hatte befürchtet, ihn im Bett erneut ermutigen zu müssen und dabei irgendwann nicht weiterzuwissen. Aber Richard führte Atamarie mit genau der Geduld, Fürsorglichkeit und Sanftmut zur Erfüllung, die sie sich von ihm erhofft hatte. Atamarie fragte sich kurz, wo er hier Erfahrungen gesammelt hatte. In Christchurch, während seines kurzen Studiums? Die Landmädchen der Waitohi-Ebene gingen sicher nicht mit den Söhnen ihrer Nachbarn ins Bett, zumindest nicht ohne vorheriges Eheversprechen. Woraus sich die Frage ergab, weshalb Richard trotz des großen Hofes noch keine Frau oder wenigstens Verlobte hatte. Wollten die Mädchen ihn nicht heiraten, oder hatte er einfach noch keine gefragt? Wollten sie ihn nicht, weil sich die anderen Männer über ihn lustig machten, oder hatten seine düsteren Bedenken sie verschreckt? Atamarie entschied schließlich, dass er einfach auf die eine und einzige Seelenverwandte gewartet hatte, die er jetzt in ihr gefunden hatte! In dieser Nacht schlief sie glücklich in seinen Armen ein und hätte am Morgen gar nichts dagegen gehabt, sich noch einmal zu lieben. Richard war allerdings schon vor Tau und Tag auf den Beinen und strotzte vor Tatendrang.

»Ich muss mir den Vergaser noch mal anschauen!«, erklärte er seine Hast. »Dieses Stottern ... es könnte am Ventil liegen, das Luft-Kraftstoff-Gemisch ist nicht konstant ...«

Atamarie runzelte die Stirn und räkelte sich. »Ist dir das eingefallen, als ...«

Richard lächelte. »Als wir uns geliebt haben? Aber nein, natürlich nicht, Atamie. Erst ... hm ... später ... ich ... äh ... brauch nicht viel Schlaf. Aber meinst du nicht auch? Die Tatsache, dass ein fetteres Gemisch ...«

Atamarie seufzte und stieg aus dem Bett. An sich fand sie Vergaser ja sehr spannend, aber so früh am Morgen – und nach dieser Nacht ... Aber Richard hatte jetzt keinen weiteren Blick mehr für sie. Als sie sich angezogen hatte und in die Küche gekommen war, hatte er zwar bereits Kaffee gekocht, war aber weit davon entfernt, gemütlich mit ihr zu frühstücken. Stattdessen schüttete er rasch eine Tasse des starken schwarzen Gebräus herunter und machte sich dann auf den Weg in die Werkstatt. Atamarie schüttelte sich gleich nach dem ersten Schluck. Für sie war das Zeug ungenießbar. Und überhaupt, sie brauchte Brot und Butter. Mehl müsste irgendwo sein, und Eier würden die Hühner ja legen ...

Auf dem Weg in den Stall stellte sie fest, dass Richard vergessen hatte, die Tiere zu füttern. Atamarie schüttelte den Kopf und holte es nach. Sie würde hier einiges in Ordnung bringen müssen.

In den nächsten Tagen organisierte Atamarie die Abläufe auf Richard Pearse' Farm. Sie versorgte das Vieh, besuchte die Nachbarin Joan Peterson, entschuldigte sich für die ausgebrochenen Tiere und handelte ihr Gemüse, Butter und Milch ab.

»Aber auf die Dauer müssen Sie natürlich selbst Ihren Garten in Schuss bringen ... also, falls Sie bleiben!«, meinte die eifrige Farmersfrau und bot gleich Saatgut und Setzlinge an.

Atamarie hielt sich bedeckt in Bezug auf die kaum verbrämte Frage nach ihren und Richards Zukunftsplänen. Sie nahm die Sachen dankend an, machte sich aber nicht die Mühe, den Garten zu bestellen. Richard würde sich ja doch nicht weiter darum kümmern, und sie selbst würde sicher nicht bleiben. So innig ihre Beziehung zu Richard sich auch gestaltete: Bevor sie an Familiengründung dachte, wollte sie ihr Studium beenden. Und dann auch ganz sicher nicht auf einer Farm leben. Aber das würde sich später regeln. Vorerst musste Richards Ernte eingebracht und seine chaotische Haushaltsführung in den Griff bekommen werden.

Atamarie erkundigte sich also gleich bei Peterson nach Erntehelfern, die gab es jedoch wirklich nicht mehr. Richard war viel zu spät dran, die anderen Farmer schnitten bereits ihr

Korn und zerrissen sich die Mäuler über die Versäumnisse von Cranky-Dick. Atamarie bedankte sich für die Auskunft und ging dann andere Wege. Ohne große Mühe fand sie einen in der Nähe siedelnden Maori-Stamm und versuchte, die Männer dazu zu überreden, für Richard zu arbeiten. Mit den Frauen kam sie sofort ins Gespräch, sie halfen ihr gern mit Süßkartoffeln und anderem Gemüse aus – im Tausch gegen das Saatgut und die Setzlinge von Joan Peterson. In Bezug auf die Farmarbeit war allerdings Rücksprache mit den Stammesältesten nötig – und zu ihrer Überraschung erwiesen sich die Ngai Tahu als erstaunlich gut informiert über Richard Pearse, seine Träume, aber auch seine Probleme. Waimarama, eine der alten Frauen, nannte ihn *birdman*.

»Er war einmal hier«, erklärte sie. »Nach Matariki in diesem Jahr. Er hatte die Drachen gesehen. Damals kam er aus tiefer Dunkelheit. Aber durch die *manu* fand er wieder zum Licht. Er sucht die Berührung der Götter. Aber er weiß nicht, was er tut.«

Atamarie lächelte nachsichtig. »Aber doch, *tupuna*, natürlich weiß er, was er tut. Was Technik angeht, ist er *tohunga*.«

Waimarama nickte freundlich. »Das ist er zweifellos, Kind. Aber Rangi wird selbst bestimmen, wem er sein Herz öffnet …«

Atamarie lachte. »Die Himmelsgottheit sollte sich doch freuen, wenn eins ihrer Kinder zu Besuch kommt«, meinte sie. »Dann müsste sie nicht dauernd weinen.« Nachdem das Wetter am Tag zuvor schön gewesen war, hatte sie heute durch fadenartigen Sommerregen zum Maori-Dorf reiten müssen. »Wir würden Rangi auch Grüße von Papa bringen.«

Waimarama schaute leicht missbilligend, hob dann jedoch wie segnend die Hand. Atamaries Äußerung hätte man blasphemisch nennen können, aber die alte *tohunga* hatte viel Geduld mit aufmüpfigen jungen Menschen.

»Vielleicht weint Rangi auch um deinen Freund. Um die

Dunkelheit, die um ihn ist«, meinte sie gelassen. »Du spürst sie nicht, aber sie bedroht ihn, auch deshalb strebt er in Rangis Licht …«

Atamarie verstand kein Wort von den Ausführungen der *tohunga*, aber sie atmete auf, als der Ältestenrat ihrer Bitte nachkam. Gleich am nächsten Tag erschienen drei stämmige junge Maori-Männer auf Richards Farm, die zwar nur gebrochen Englisch sprachen, aber gern bereit waren, sich um seine Ernte zu kümmern. Richard hieß sie willkommen und verschwand in der Scheune, während Atamarie ihnen die Erntemaschinen erklärte. Zum Glück waren Mäh- und Dreschmaschinen nichts Neues für Hamene, Koraka und Kuri. Sie hatten wohl schon auf anderen Farmen gearbeitet und begannen gleich, die Pferde einzuspannen.

Natürlich klatschten die Nachbarn jetzt über Richards neue Kontakte zu den Maori. Die Maori-Männer machten auf den Feldern auch manches anders als die *pakeha*, und die anderen Farmer regten sich darüber auf. Richard ließ ihre Kritik allerdings an sich abprallen und redete seinen Helfern nicht herein. Er arbeitete zwar mit und schuftete genauso hart wie alle anderen Farmer, aber mit den Gedanken war er nicht bei Weizen und Mais, sondern bei Zündkerzen und Vergasern seiner Motorkonstruktion. Richard lebte für seine Erfindungen – er merkte gar nicht, dass sein Pferd den Pflug in Schlangenlinien übers Feld bewegte, während er die Nase in ein wissenschaftliches Magazin steckte. Seine Nachbarn machten sich darüber lustig – während die Maori es gleichmütig bis fast ehrfürchtig hinnahmen.

»Dick *tohunga!*«, erklärte einer der Erntehelfer ernsthaft dem verblüfften Toby Peterson. »Baut Maschinen. Muss reden viel mit Geister …«

Atamarie war Richards Unvermögen als Farmer egal, sein

allgemeines Verhalten gab jedoch auch ihr manchmal Rätsel auf. Sie liebten sich jede Nacht, oft stundenlang, Richard schien nicht genug von ihr bekommen zu können, und Atamarie teilte seine Leidenschaft. Unter Richards Liebkosungen vergaß sie ihre Erschöpfung. Nach der Liebe schlief sie in seinen Armen zufrieden und glücklich wie ein Kind ein und wäre für Stunden im Tiefschlaf verblieben, wenn Richard sich nicht Nacht für Nacht schlaflos im Bett herumgewälzt hätte. Fast immer stand er dann irgendwann frühmorgens auf, verließ Atamarie und verzog sich in die Scheune zu seinen Motoren.

In den ersten Nächten ärgerte sie das ein bisschen – erstens mochte sie nicht allein schlafen, und zweitens hätte sie an der Entwicklung des Motors gern Anteil gehabt. Aber dann begann sie, sich Sorgen zu machen. Richard schien über ungeheure Energien zu verfügen, irgendwann jedoch musste auch er einmal schlafen! Atamarie fand das unheimlich und tröstete sich nur mit der Annahme, dass er sich vielleicht tagsüber auf den Feldern zu einem Nickerchen zurückzog. Die Maori-Helfer bestätigten das zwar nicht, aber sie hatten ihren Arbeitgeber ja auch nicht ständig im Blick.

So übernahm Atamarie widerwillig die Aufgaben einer Farmersfrau und schwieg. Sie war nicht sehr geschickt, was traditionell weibliche Arbeiten wie Waschen und Kochen betraf, aber was dies anging, war Richard anspruchslos. Atamaries oft recht unzulänglichen Versuche in der Haushaltsführung nahm er ohne Tadel hin – zeigte jedoch auch keine Begeisterung, wenn ihr einmal etwas gut gelang wie etwa die Hühnerpastete, die sie notgedrungen zubereitete, nachdem er geistesabwesend eine Henne mit einem Erntewagen überfahren hatte. Richard schaufelte das Essen in sich hinein und ging dann wortlos wieder an seine Arbeit. Atamarie konnte nur hoffen, dass sich das besserte, wenn die Ernte vorbei war und sie sich wieder gemeinsam der Konstruktion seiner Flugmaschine widmen

konnten. Sie hatte auch schon eine Menge Ideen zu Tragflächen und vor allem zum Propeller. Bislang war man immer
davon ausgegangen, der müsste hinten an der Maschine sitzen,
aber man könnte ihn genauso gut vorn anbringen! Am liebsten
hätte Atamarie Richard diesen Einfall sofort unterbreitet, sie
befürchtete jedoch, er könnte dann alles stehen und liegen lassen und wieder in der Scheune verschwinden. Zu Beginn der
Ernte hatte er das einmal getan, nachdem Atamarie eine Frage
zur Luft-Kraftstoff-Vermischung im Vergaser gestellt hatte,
die ihn auf eine im wahrsten Sinne des Wortes zündende Idee
brachte … Kurz darauf war sein Vater erschienen und hatte
eine gewaltige Szene gemacht. Wie sich herausstellte, hatte
Richard ihn mit dem Heueinfahren allein gelassen, obwohl es
nach Regen aussah …

Atamarie wollte auf jeden Fall vermeiden, dass sich dies
wiederholte. Also tröstete sie sich damit, dass zumindest ihr
Liebesleben nichts zu wünschen übrig ließ. Richards Begeisterung ließ nicht nach, eher liebte er sie noch wilder und eksta-
tischer. Wenn er sie küsste, zärtliche Worte flüsterte und sie
gemeinsam zum Höhepunkt kamen, fühlte sie sich glücklich,
und sie redete sich ein, dass dies auf ihr gesamtes Leben mit
Richard zutraf.

Erst als die junge Frau eines Nachmittags Zeit fand, einen
Brief an Roberta zu verfassen und nach all ihrer Schwärmerei
für Richard auch etwas über ihren Alltag erzählen wollte, wurde
ihr klar, wie einsam sie war. Den ganzen Tag gingen Leute auf
ihrer Farm ein und aus. Gerade jetzt während der Ernte hatten die Farmer der Waitohi-Ebene viel Kontakt zueinander, sie
halfen einander mit Maschinen aus und sprangen auch mal
bei der Heuernte eines Nachbarn ein, wenn Regenwolken auf-
zogen. Zu Atamarie waren sie durchaus freundlich, sie schienen jedoch keine Persönlichkeit in ihr zu sehen, mit der man
gern die Zeit verbrachte und kommunizierte, sondern lediglich

eine Art Rädchen im Getriebe. Sie sprachen nicht mal über die »wilde Ehe«, in der sie mit Richard lebte – obwohl man darüber zweifellos hinter ihrem Rücken tuschelte. Mitunter bekam sie Bemerkungen mit wie »Aber ihm bekommt's ...« oder »Nicht mehr halb so verdreht wie früher ...« und »... sonst ja ein hübsches Mädchen ...« Alle schienen erleichtert darüber zu sein, dass Richard Pearse endlich »funktionierte«. Vor allem die Matronen des Ortes durften in ihrer Meinung bestätigt worden sein: Es hatte nur eine Frau gefehlt, um den seltsamen jungen Mann auf den richtigen Weg zu bringen. Auch wenn es eine etwas exotische Frau war, die nicht ganz in das Bild passte, das man von einer guten Ehefrau in dieser Gegend hatte.

Ob es nicht eigentlich Atamarie war, die »funktionierte«, während Richard nur so tat, interessierte niemanden. Nun mochte das für eine *pakeha*-Frau auf dem Land normal sein, aber Atamarie ärgerte es. Als Maori-Frau erwartete sie, dass man ihre Leistung anerkannte, aber diese Leute leugneten ihr *mana!*

Atamarie betrachtete ihre Umwelt zunehmend misstrauisch, nachdem sie das einmal begriffen hatte, aber vorerst begehrte sie nicht auf. Mit jedem Tag Plackerei rückte schließlich das Ende der Ernte näher, und dann würde sie wieder mit Richard zusammen, statt neben ihm herarbeiten. Atamarie liebäugelte mit Motor und Gestell des Fliegers. Wenn man die Tragflächen beweglich machte, müsste man das Ding eigentlich noch besser lenken können. Wenn es erst mal flog ...

Und dann waren endlich die letzten Felder abgeerntet. Richard entlohnte seine Maori-Erntehelfer – und sogar sein Vater fand ein paar lobende Worte, als er die gefüllten Scheunen und Kornböden inspizierte.

»Und heute Abend wird gefeiert!«, meinte Richards Bruder Warne vergnügt. Warne war noch ein Schuljunge, aber er hatte fleißig bei der Ernte geholfen. »Ab sieben in der Remise von

Hansley! Und ihr werdet's nicht glauben: Ich geh mit Martha Klein!«

Atamarie zwinkerte dem Jungen zu. Sie mochte Warne, er schien einer der wenigen Menschen in Temuka zu sein, der sie vorbehaltlos akzeptierte und mit dem sie herumalbern und lachen konnte. Warne war klug wie wohl alle Kinder der Pearses und noch viel zu jung, um Atamarie und ihr Verhältnis zu Richard als unpassend zu begreifen.

»Dann läuten ja wohl bald Hochzeitsglocken!«, neckte sie den Kleinen. »Sofern du ihr beim Tanzen nicht zu oft auf die Füße trittst!«

Warne kicherte und erklärte mit ernstem Gesicht, er müsse jetzt erst mal Blumen pflücken. Vielleicht auch einen Kranz daraus winden, den Martha sich ins Haar stecken könnte.

»Allerdings kann ich das nicht so gut«, schränkte der Junge ein.

Atamarie griff die Idee, sich Blumen ins Haar zu winden, auf. Sie pflückte ein paar der Mittagsblumen, die am Rand der Straßen wuchsen, und hoffte, dass sie bis zum Abend frisch blieben. Ihr helles Lila passte gut zu dem hübschen, mit Blumen bedruckten Sommerkleid von Lady's Goldmine, das Atamarie für besondere Gelegenheiten in ihren Rucksack gepackt hatte. Bisher hatte sie es nie getragen, und sie hoffte auf uneingeschränkte Bewunderung, als sie Richard darin gegenübertrat. Sie hatte ihr Haar gewaschen und trug es jetzt offen, nicht geflochten oder aufgesteckt wie sonst. Die goldblonden Locken fielen ihr fast bis zur Hüfte, und der Blütenkranz ließ sie wie eine Fee aussehen. Atamarie war sehr mit sich zufrieden, aber ihre gute Laune schwand sofort, als sie Richard in Arbeitskleidung in die Küche kommen sah.

»Gibt's heute nichts zu essen, Atamie?«, fragte er – nicht vorwurfsvoll, sondern überrascht. Bisher hatte Atamarie stets etwas vorbereitet, wenn er vom Feld kam, egal, wie lange sie selbst mitgearbeitet hatte. »Ich kann mir eben selbst was machen, aber sonst ...« Richard schaute auf und bemerkte erst jetzt ihren Feststaat. »Wie siehst du denn aus?«

Atamarie schlug sich mit der Hand an die Stirn. »Das sollte ich eher dich fragen! Hast du's vergessen? Heute Abend ist Erntefest. Wir gehen aus. Und dein Bruder meinte, es würde gegrillt. Also braucht keiner zu kochen. Aber umziehen solltest du dich. Und waschen. Mach, Richard! Sonst fallen wir auf ...«

Richard runzelte die Stirn. »Du willst da hin?«, fragte er, sichtlich unwillig. »Ich hätte nicht gedacht, dass du ...«

»... dich noch für etwas anderes interessierst als Motoren und Aufwinde?«, gab Atamarie zurück, jetzt doch etwas verärgert. Er hätte wenigstens etwas zu ihrem hübschen Kleid sagen können. »Doch, Richard, stell dir vor, ich gehe ganz gern tanzen. Ich ziehe mich gern hübsch an, und ich führe meinen Mann gern in der Öffentlichkeit vor. Sofern er sauber ist und ordentlich angezogen.«

»Ich dachte, wir gehen noch in die Scheune und bauen den Motor aus«, meinte Richard enttäuscht.

Atamarie griff sich an die Stirn. »Du willst an deinem Flugzeug rumschrauben, während die anderen feiern? Dann darfst du dich auch nicht wundern, wenn sie dich Cranky-Dick nennen! Mensch, Richard, der Motor läuft dir nicht weg! Aber die Musik spielt nur heute, heute können wir gut essen, tanzen, ein bisschen mit den Nachbarn plaudern – auch wenn wir uns zugegebenermaßen nicht viel zu sagen haben. Manchmal muss das einfach sein. Solange du hier lebst, musst du so tun, als ob du dazugehörst. Und so schrecklich ist das doch auch nicht. Im Gegenteil, wir werden Spaß haben! Also los, Richard, beeil dich! Ich kann ja in der Zeit schon mal anspannen. Hoffentlich mache ich mich dabei nicht dreckig ...«

Tatsächlich gelang Atamarie das Kunststück, die Pferde einzuspannen, ohne anschließend nach Stall zu riechen, und auch Richard machte einen guten Eindruck, als er schließlich gewaschen und in seinem einzigen guten Anzug – Atamarie kannte das Kleidungsstück schon aus Taranaki – aus dem Haus kam.

»Na also!«, lachte Atamarie und schmiegte sich an ihn, nachdem sie neben ihm auf dem Bock des Leiterwagens Platz genommen hatte. Eine elegantere Chaise für Besuche oder Kirchfahrten besaß Richard nicht. Dieser kleine Luxus schien ihm nicht wichtig genug, um Geld dafür auszugeben. »Und jetzt lach auch mal! Es ist ein wunderschöner Abend, Richard! Schau, den Sternenhimmel – da ist Sirius ... Ob wir da auch mal hinfliegen, Richard? Hinauf zu den Sternen?« Sie legte ihren Kopf an seine Schulter.

»Ich wäre schon froh, über den nächsten Hügel zu kommen«, bemerkte Richard. »Wo ist jetzt dieses Erntefest? Ich hab mir nicht gemerkt, wer dieses Jahr dran ist ...«

Die Farmer in der Waitohi-Ebene organisierten das Erntefest reihum, jedes Jahr stellte ein anderer Farmer eine Scheune oder Remise zur Verfügung. Diesmal hatte Familie Hansley ihre Wagen und Erntemaschinen nach draußen geschafft, und die Frauen der Farmer waren den ganzen Tag damit beschäftigt gewesen, die Remise auszufegen und festlich zu schmücken. Atamarie gab es einen kleinen Stich, dass man sie nicht zur Mitarbeit gebeten hatte, aber natürlich war Richard einer der Letzten gewesen, die mit der Ernte fertig waren, und die Frauen mochten angenommen haben, dass ihre Arbeitskraft auf dem Hof gebraucht wurde. Atamarie beschloss also, die Sache nicht überzubewerten, und gesellte sich gleich zu den Frauen, um ihnen zu versichern, wie schön und einladend der Raum wirkte.

Dabei fiel ihr auf, dass sie mit ihrem Kleid und ihrer Frisur ziemlich aus dem Rahmen fiel. Alle anderen Farmersfrauen, auch Richards Mutter und seine Schwestern, trugen zwar Sonntagskleidung, aber doch dunkle, unauffällige Sachen, kein buntes Kleid wie Atamarie. Es gab hier noch keine Reformkleider, alle schnürten sich, und alle trugen ihr Haar züchtig aufgesteckt. Die älteren Frauen versteckten es teilweise sogar noch unter Hauben. Blumenschmuck entdeckte sie nur im Haar der ganz jungen Mädchen – Warnes kleine Freundin Martha mochte höchstens zwölf oder dreizehn Jahre alt sein.

Atamaries Aufnahme in die Gruppe der Frauen gestaltete sich insofern eher frostig. Die Matronen ließen die Blicke missbilligend über ihr offenes Haar und das weite Kleid schweifen, die jüngeren Frauen beobachteten sie geringschätzig, und die Mädchen gafften sie ganz offen an. Atamarie tat, als bemerke sie das nicht. Sie sprach mit Joan Peterson und Richards Mutter – beide waren freundlich, aber kurz angebunden.

»Dann suche ich mal Richard«, murmelte Atamarie, um einen Grund zu haben, sich zu entfernen, stellte aber gleich fest, dass sie damit auch wieder falschlag.

Zumindest bis zum offiziellen Beginn des Tanzes standen hier nur Männer mit Männern und Frauen mit Frauen zusammen. Richard unterhielt sich mit Peterson und Hansley und versuchte offensichtlich, die beiden doch noch für die Neuerungen zu begeistern, die er im letzten Jahr ungefragt an Hansleys Heuwender vorgenommen hatte.

»Auf die Dauer wird sich in der Landwirtschaft sowieso alles ändern!«, meinte er gerade, als Atamarie zu ihnen stieß. Für die Frauen gab es nur Teepunsch, aber die Männer tranken Bier, und Richard schien das erste Glas auf nüchternen Magen gleich zu Kopf zu steigen. Oder waren es Atamaries eben geäußerte Träume von der Reise zu den Sternen, die ihm Mut machten, eigene Utopien zu entwickeln? »Es wird viel mehr mit Maschinenkraft gearbeitet werden«, fuhr er fort. »Auch das Zugtier hat sich überlebt. In ein paar Jahrzehnten wird es keine Pferde und Maultiere mehr auf den Feldern geben, dann ziehen Kraftfahrzeuge die Pflüge, oder es gibt gleich motor-getriebene Pflüge und Mäh- und Dreschmaschinen.«

Richards Augen leuchteten auf, als er daran dachte. Die anderen Farmer lachten dagegen lauthals.

»Die scheuen dann auch nicht vor abhebenden und landen-den Flugmaschinen!«, höhnte Peterson. »Was wichtig ist, denn davon werden wir dann ja wohl alle eine haben. Träum weiter, Cranky!«

»Also, ich halte es durchaus für möglich, dass irgendwann jeder Haushalt einen Flugapparat hat«, kam Atamarie ihrem Freund zu Hilfe. Wider besseres Wissen, sie wusste, dass sie sich mit diesen Ansichten nur lächerlich machte. »Gerade hier, auf den abgelegenen Farmen. In Städten wird sich wohl eher das Automobil durchsetzen.«

Die Männer lachten noch lauter.

»Und unsere Mädels werden damit fliegen!«, kicherte Hans-ley. »Ich seh meine Laura schon abheben, um zum Kaufmann zu flattern.«

»Wie ein Kolibri!«, fügte Peterson hinzu und klopfte sich auf die Schenkel. Auch ihm stieg wohl das Bier zu Kopf. »Das bunte Kleidchen dazu tragen Sie ja schon, Miss Turei. Fragt sich, ob auf Dauer auch der Nektar für Sie fließt auf der Farm der Pearses.«

Atamarie verstand nicht, was die anderen Männer daran so witzig fanden, dass sie erneut gröhlend auflachten. Richard schien eher verärgert und peinlich berührt.

»Wir hätten nicht herkommen sollen. Wir gehören nicht dazu«, meinte er, als er Atamarie anschließend zum Buffet folgte.

Auf langen Tischen lockten Salatschüsseln und Kuchen, von draußen drang der Duft gegrillten Fleisches herüber. Atama-rie füllte den Teller für ihren Freund. Richard musste dringend etwas essen, bevor er unter dem Einfluss des Alkohols weitere Träume enthüllte.

»Die Leute sind bloß engstirnig«, kommentierte sie dann schulterzuckend. »In Christchurch und Dunedin diskutiert man solche Themen mit sehr viel mehr Ernst. Inzwischen sieht man dort ja sogar hier und da Automobile – und sie werden auf Dauer das Stadtbild verändern, wenn mal nicht die ganze Welt. Und danach kommen die Flugapparate, ob die dummen Bauern das einsehen oder nicht.«

Richard zuckte die Schultern. »Die ›dummen Bauern‹ sind bloß leider meine Nachbarn«, meinte er unglücklich, beschäftigte sich dann aber angelegentlich mit der Vertilgung seiner gewaltigen Essensportion. Nach der schweren Arbeit auf dem Feld musste er ausgehungert sein, aber tatsächlich wäre er auch ohne zu essen noch in die Scheune gegangen und hätte an seinem Motor gearbeitet. Sein Hunger nach Wissen war größer als sein Bedürfnis nach Nahrung. In Atamaries Ärger über die engstirnigen Dörfler mischte sich Mitleid – und der Wunsch, Richard mitzunehmen. In Temuka würde er niemals glücklich werden.

Kurz danach wurde allerdings der Tanz eröffnet, und Atamarie vergaß ihre düsteren Gedanken ebenso wie ihre Müdigkeit nach dem langen Tag. Richard hatte keine große Lust zu tanzen, er schwenkte sie nur einmal etwas widerwillig zur Musik der improvisierten Kapelle herum. Danach gesellte er sich zu seinem Vater. »Ich muss mich da mal sehen lassen. Sonst wirft Dad mir wieder vor, nur mit den kleinen Krautern zusammenzustecken«, hatte er entschuldigend gesagt.

Digory Pearse saß mit anderen Honoratioren des Landkreises an einem gesonderten Tisch. Atamarie hatte bereits mitbekommen, dass die Pearses hier nicht als Farmer galten wie alle anderen. Der Begriff Gentleman Farmer war während der Ernte mehrmals gefallen. Pearse konnte sich wohl mehr

Erntehelfer und bessere Maschinen leisten als die anderen, und auch Richards Grundstück war deutlich größer als die Ländereien von Hansley und Peterson. Sarah Pearse trug ein schöneres Kleid als die anderen Frauen, und Richards Schwestern stachen aus der Menge der Mädchen heraus, die wohl durchweg die Kleider älterer Schwestern auftrugen. Die Pearse-Mädchen hatten altmodische, aber neue Kleider in Pastellfarben. Atamarie bestärkte all das in ihrer Ansicht, dass sich diese Familie die Kosten für Richards Studium hätte leisten können. Ihn zur Farmarbeit zu zwingen war nur eine Disziplinierungsmaßnahme. Man wollte einfach keinen Sonderling in der Familie, der von Flugapparaten träumte und von Pflügen ohne Pferde.

Nun saß Richard etwas unglücklich zwischen seinem Vater und dessen Freunden und trank zunächst schweigend sein Bier. Dann konnte er jedoch nicht mehr still sitzen. Atamarie beobachtete besorgt, wie er den Pfarrer und den Lehrer in ein Gespräch verwickelte – er schien mit großen Gesten von seinen Visionen zu sprechen. Wahrscheinlich tappte er gleich wieder in irgendein Fettnäpfchen, aber Atamarie beschloss, sich von Richards Misere nicht die Laune verderben zu lassen. Sie wippte mit dem Fuß im Takt der Musik, und als einer der anderen jungen Männer sie zum Tanz aufforderte, nahm sie an. Der Nächste folgte gleich darauf – Atamarie flog den ganzen Abend lang von einem Arm in den anderen.

»Unser Kolibri!«, vernahm sie eine Bemerkung Petersons, als einer der Farmerssöhne sie an ihm vorbeischwenkte und ihr wehendes blondes Haar ihn streifte.

Atamarie machte sich keine Gedanken darüber, ob er das schmeichelhaft oder eher abfällig meinte. Sie erlaubte einem der Jungen, ihr ein Glas Bier zu stibitzen, als die Matronen des Dorfes gerade nicht hinsahen, und amüsierte sich danach noch besser. Das Einzige, was sie störte, waren die oft zu fordernden Griffe der Jungen, mit denen sie tanzte. Von Dunediner

Tanzveranstaltungen war sie es nicht gewohnt, dass die Hände ihrer Tänzer hastig über ihren Rücken tasteten und manchmal bis herunter zu ihrem Gesäß wanderten. Dabei ging der Atem der Männer schneller, und sie flüsterten Schmeicheleien, die an Obszönitäten grenzten. Atamarie fragte sich, ob das auf dem Lande so üblich war. Vielleicht waren die Menschen hier ja etwas derber geartet als die Kinder der Honoratioren von Dunedin – oder die jungen Maori in Parihaka. Nun tanzten Maori-Männer und -Frauen auch nicht miteinander oder höchstens im Rahmen eines *haka*, der für andere aufgeführt wurde. Weder Mädchen noch Jungen brauchten den Vorwand des Gesellschaftstanzes, um einander zu berühren, wie offensichtlich diese Dorfjungen. Und sicher wurde kein Maori-Mann zudringlich, wenn die Frau nicht deutlich Zustimmung signalisierte.

Hier war das jedoch anders. Je weiter der Abend voranschritt, desto häufiger musste sich Atamarie ihrer Tänzer energisch erwehren. Sie wäre jetzt gern nach Hause gefahren, aber Richard unterhielt sich gerade angeregt mit zwei jüngeren Farmern und fertigte dabei auch Zeichnungen an – also schilderte er ihnen wohl wieder eine neue Erfindung, und Atamarie mochte ihn nicht stören. Außerdem war sie ein bisschen böse auf ihn. Sie tanzte jetzt den ganzen Abend unter seinen Augen mit seinen Freunden, lachte und flirtete auch ein bisschen. Richard zeigte jedoch keinen Anflug von Eifersucht! Weder folgten ihr missmutige Blicke noch machte er Anstalten, sich selbst mal wieder um seine Freundin zu kümmern. Es war ja schön, dass er ihr vertraute, aber sie fragte sich dennoch, ob das ganz normal war. Etwas mehr Interesse seinerseits hätte sie sich schon gewünscht.

Nun jedenfalls floh sie vor ihrem letzten Verehrer allein nach draußen. Etwas frische Luft würde ihr guttun, und sie fiel damit auch nicht auf. Ein paar andere Mädchen waren eben schon herausgegangen. Atamarie schlenderte zu den Pferden hinüber. Sie hatte sich mit Richards Arbeitspferden etwas angefreundet und ein Stück Brot für die Tiere eingesteckt. Nun wieherten sie ihr gleich entgegen. Aber bevor Atamarie zu ihnen gehen konnte, ergriff jemand von hinten ihren Arm und zog sie herum.

»Ist ja schön, Süße, dass du mit rauswillst. Aber das bespricht man doch vorher. So musst ich dich suchen ...«

Verblüfft blickte Atamarie in das Gesicht ihres letzten Tanzpartners. Dann schüttelte sie den Kopf und versuchte, sich aus seinem Griff zu befreien.

»Von ›mit dir rausgehen wollen‹ kann keine Rede sein!«, sagte sie fest. »Ich schnappe nur ein bisschen frische Luft. Allein.«

Der junge Mann lachte. »Ach, komm, Mäuschen, das kannst du mir doch nicht erzählen, dass du hier nicht auf Jed Hansley wartest. Oder Jamie Frizzer?«

Atamarie schüttelte energisch den Kopf, immer noch in der Hoffnung, ein Missverständnis aufzuklären. »Ich ...«

»Beide?«, kicherte der Junge. Er war sichtlich betrunken. »Komm, dann kannste mich auch schnell glücklich machen. Wetten, dass ich besser bin als Cranky-Dick?«

Der Junge zog Atamarie an sich und versuchte sie zu küssen. Sein heißer, biergeschwängerter Atem strich über ihr Gesicht. Atamarie ekelte sich. Sie versuchte, ihre Arme zu befreien und ihn abzuwehren, aber das war aussichtslos, ebenso wie der Versuch, nach seinen feuchten, zudringlichen Lippen zu beißen. Die junge Frau war allerdings weit davon entfernt, sich einschüchtern zu lassen. Stattdessen stieg Wut in ihr hoch. Entschlossen hob Atamarie das Knie und stieß es mit voller Wucht zwischen die Beine ihres Möchtegernliebhabers. Der junge Mann brüllte auf und ließ das Mädchen los.

»Du ... du ... du Miststück! Maori-Schlampe! Erst machste

einen heiß, und dann ...« Er stöhnte und krümmte sich vor Schmerz.

Atamarie lächelte und wandte sich zum Gehen. Zunächst triumphierend und ungerührt, aber dann zitterte sie doch, als sie die Remise wieder betrat und zu Richard hinüberging.

Nicht dass der betrunkene Kerl wirklich gefährlich gewesen wäre, aber Atamarie war beleidigt und fühlte sich beschmutzt. Dazu fragte sie sich, wie die Dorfjungen wohl über sie geredet hatten. Nach der Attacke ihres letzten Tanzpartners sah sie auch die Annäherungsversuche der früheren in einem anderen Licht. Glaubten die jungen Männer, dass sie leicht zu haben sei? Dass sie jedem schenkte, was sie Richard gab? Und dann dieses Schimpfwort! Maori-Schlampe. Atamarie schüttelte sich. Aber natürlich hatte sie längst bemerkt, dass die Farmer in Temuka wenig mit ihren Maori-Nachbarn zu tun haben wollten. Es war auch keiner ihrer Erntehelfer zum Fest eingeladen worden, obwohl mehrere Farmer Männer der Ngai Tahu beschäftigt hatten, nachdem sie sich bei Richard bewährten. Richards Nachbarn wurden Atamarie zunehmend unsympathisch. Engstirnig und rassistisch! Richard musste unbedingt heraus aus dieser Umgebung.

Atamarie stieß ihn an, als er sie nicht sofort bemerkte.

»Ich würde gern fahren«, sagte sie kurz. »Wir hätten nicht herkommen sollen.«

Richard nickte beiläufig – die Gründe für Atamaries Sinneswandel schienen ihn nicht zu interessieren. Als sie seine Farm erreichten, murmelte er etwas Unverständliches und wanderte zur Scheune. Atamarie schirrte die Pferde aus und ging zu Bett. Richard musste ja auch gleich kommen. Aber tatsächlich wartete sie diesmal vergebens. Richard Pearse holte die auf dem Fest verlorene Zeit auf und arbeitete während der restlichen Nacht an seinem Motor.

KAPITEL 8

Roberta hätte nie gedacht, dass sie die Reise nach Südafrika
derart genießen würde, aber tatsächlich fiel alle Besorgnis und
Müdigkeit von ihr ab, kaum dass der Dampfer Dunedin verlassen hatte. Auf der Überfahrt nach Australien teilte sie die
Kabine mit den beiden Krankenschwestern, zwei Freundinnen
aus Christchurch. Die blonde, hochgeschossene Jennifer war
die bedächtigere von beiden, eine Anhängerin von Wilhelmina
Sherriff Bain, die von Beginn an gegen den Krieg demonstriert hatte. Jennifer wollte nun tatsächlich aus rein altruisti-
schen Gründen nach Transvaal, um ihrem Idol und Emily
Hobhouse nachzueifern. Daisy, ein kleineres rundliches Mädchen mit schwarzem Haar, aber leuchtend blauen Augen, hatte
sich dagegen aus purer Abenteuerlust angeschlossen. Auch sie
wollte natürlich helfen, aber nebenbei auch Löwen und Nashörner sehen und wenn's eben ging, einen Elefanten streicheln.

»Ich wollte dringend raus aus Christchurch«, erzählte sie
freimütig. »Aber ohne diesen Krieg wäre das nie was geworden.
Ich hatte mich gleich beworben, als sie das erste Kontingent
Soldaten schickten, aber da war ich noch in der Schwestern-
schule, und meine Eltern hätten es auch nicht erlaubt. Aber
jetzt bin ich fertig – und es geht ja auch nicht in den Krieg, sondern nur in diese Flüchtlingslager. Da konnten meine Eltern
nicht Nein sagen. Wo doch obendrein Jenny mitkommt ...«
Daisy schien bereit, ihrer Freundin dafür ein Leben lang dankbar zu sein.

Jenny und Daisy waren jünger als Roberta, aber wesentlich aufgeschlossener als ihre Kommilitoninnen am Lehrerseminar. Roberta wunderte das. Nach allem, was sie gehört hatte, bewachten Schwesternschulen ihre Schülerinnen wie ein Nonnenkloster – ganz in der strengen Tradition der Florence Nightingale. Daisy kicherte jedoch nur, als sie das anmerkte.

»Jeder Harem hat seine geheimen Ausgänge«, bemerkte sie gespielt frömmlerisch und richtete einen imaginären Schleier. »Genau wie jedes Kloster.« Daisy faltete die Hände und schlug die Augen wie im Gebet zum Himmel.

Roberta lachte.

»Bei uns stand ein Baum vor dem Fenster«, bemerkte Jenny nüchterner. »Eine nette Südbuche, mit Zweigen, die sich als Leiter nur so anboten. Samstagabends sind wir runtergeklettert und tanzen gegangen.«

»Tanzen?« Roberta hätte nicht einmal gewusst, wo bei ihr Tanzveranstaltungen stattfanden, aber Christchurch war natürlich ein gutes Stück aufgeschlossener als das von den streng religiösen Schotten dominierte Dunedin. »Habt ihr denn ... Männer gekannt?«

Daisy quietschte vor Lachen. »Klar! Die Hälfte der Patienten sind Männer!«

»Aber an die jungen haben sie uns natürlich nicht rangelassen«, gab Jenny weiter Auskunft. »Was auch besser war, ich meine, wer will mit einem Mädchen tanzen gehen, das ihm vorher ... hm ... äh ...«

»... den Hintern abgewischt hat«, lachte Daisy und räkelte sich auf ihrer Koje. »Sprich es doch aus!« Dann wandte sie sich an Roberta. »Hattet ihr keine Männer im Lehrerseminar?«

Roberta erzählte von den drei hoffnungslosen Fällen unter ihren Kommilitonen und war nur wenige Tage später vertraut genug mit ihren neuen Freundinnen, um von ihrer Liebe zu Kevin Drury zu berichten.

Sie erwartete ähnlichen Spott wie von Seiten Atamaries und knetete während der Beichte nervös ihr Stoffpferdchen, aber Jenny und Daisy fanden ihre Mission romantisch.

»Oh, da könnte man ja ein Buch drüber schreiben«, seufzte Daisy. »Ein Mädchen, das in den Krieg zieht, um ihren verlorenen Liebsten wiederzufinden. Und dann ist er bestimmt verletzt oder so, und nur du kannst ihn retten, und dann ... Wir müssen dir ein bisschen Erste Hilfe beibringen für den Fall der Fälle ...«

Jenny tippte sich gegen die Stirn. »Er ist Stabsarzt, Daisy. Der rettet selbst Leute. Und wenn er sich wirklich mal beim Operieren die Hand verstaucht, sind zwanzig andere Ärzte und Schwestern um ihn herum ... Aber im Ernst, Robbie, warum denkst du, du könntest diesen Dr. Drury nicht finden? Im Grunde brauchst du doch nur bei der Heeresleitung nachzufragen. Für die ganzen Neuseeländer ist ein Major Robin zuständig. Wir haben dem dauernd irgendwelche Protestnoten geschickt, auch jetzt wegen der Lager. Ich kann die Adresse auswendig, er sitzt in Pretoria. Wenn er dir sagt, wo Dr. Drury stationiert ist, kannst du ihm schreiben.«

Roberta errötete. »Schreiben hätte ich ihm schon lange können. Es ist nur ... ich weiß nicht, ob ...«

Daisy verdrehte die Augen. »Du reist ihm um die halbe Welt nach, und dann traust du dich nicht, ihm zu begegnen?«

Jenny hatte mehr Verständnis. »Du kannst ja tun, als ob es ein Zufall wäre. Du bist auf den Spuren von Miss Hobhouse ans Kap gekommen – und da fiel dir ein, dass er ja auch ... Oder nein: Seine Mutter hat gemeint, du müsstest dringend Kontakt mit ihm aufnehmen! Mütter sind für so was immer gut. Kennst du seine Mutter?«

Auch die Organisation von Miss Hobhouse sammelte ihre Hilfskräfte zunächst in Australien, allerdings nicht im Militärhafen von Albany, sondern in Sydney. Roberta meinte, sich den anderen Lehrerinnen anschließen zu müssen – insgesamt waren es sechs ähnlich blasse und blaustrümpfige Wesen wie ihre Kommilitoninnen in Dunedin. Aber Jenny und Daisy schleppten sie mit, und so konnte sie sich den Naturhafen ansehen und die alten Gefängnisbauten aus der Zeit, als Australien noch eine Strafkolonie gewesen war.

»Botany Bay, Van-Diemens-Land ...«, meinte Daisy mit Grabesstimme. »Mädels, damals wimmelte es hier von gut aussehenden jungen Männern, die zu Hause irgendwann mal ein Schaf gestohlen hatten. Wir hätten uns als Juwelendiebinnen ausgeben können und ...«

»Sie hört zu viele irische Volkslieder«, bemerkte Jenny mit leidendem Augenaufschlag. »Aber wenn du scharf auf Kerle bist, Daisy, mit denen man Schafe scheren kann, warum willst du dann nach Südafrika? Du kommst aus Canterbury, die ganzen Plains sind voll von jungen Männern, die nach Wollfett stinken!«

Auf der Überfahrt von Sydney nach Durban teilte Roberta die Kabine mit den anderen Lehrerinnen und hatte nicht halb so viel Spaß. Immerhin hatte auch keine der anderen Interesse an der Schließung neuer Freundschaften, in Südafrika würden sie ohnehin verschiedenen Camps zugeteilt werden. Also gingen die jungen Frauen nur höflich distanziert miteinander um – die Hälfte war ohnehin dauernd seekrank. Roberta verzog sich so oft sie konnte an Deck und traf sich mit den Krankenschwestern. Insgesamt waren über fünfzig von ihnen an Bord, und die wenigsten waren Kinder von Traurigkeit. Die jungen Frauen flirteten mit den Matrosen und wetteiferten darum, von den Schiffsoffizieren bemerkt zu werden. Die mutigsten entflohen dem Regiment der wenigen älteren Schwestern, die ein missgünstiges Auge auf die jungen Kolleginnen hielten, auch am Abend, und trafen sich mit Mannschaftsmitgliedern zum Tanz. Ein Matrose spielte Schifferklavier, einer Fiedel – Daisy improvisierte eine Trommel. Roberta traute sich nur einmal, kurz hereinzuschauen, und beneidete die Mädchen um den Spaß, den sie hier hatten. Sie wagte allerdings nicht, sich einfach dazuzugesellen. Die anderen Schwestern deckten ihre Kolleginnen, aber wenn die Lehrerinnen eine der ihren bei solch »schamlosen« Vergnügungen erwischt hätten, wäre sie zweifellos gemeldet worden. Roberta machte sich keine Illusionen: Das Damenkomitee um Miss Hobhouse hielt sicher ebenso auf Tugend und Moral wie weiland die Frauen der Women's Christian Temperance Union. Roberta und Atamarie erinnerten sich beide noch gut daran, dass ihre Mütter jeden Schluck Sekt heimlich trinken mussten, als sie in Wellington für die streitbaren Frauen arbeiteten. Vor allem Matariki hatte das gehasst.

»Wär's nicht schade, wenn wir uns jetzt trennen müssten?«, fragte Daisy am letzten Abend der Reise. Die jungen Frauen hatten sich mit der Ausrede auf Deck geschlichen, die Lichter von Durban schon sehen und den Blick auf ihre künftige Wirkungsstätte genießen zu wollen. »Was meint ihr, wen müssen wir überreden, um zusammen in ein Lager zu kommen?« Dabei schob sie Roberta heimlich eine Taschenflasche zu.

Roberta nahm einen Schluck, musste davon aber gleich husten: Whiskey mit Wasser verdünnt. »Schmeckt ja scheußlich!«, bemerkte sie und schüttelte sich. »Also, ich glaube, wir werden eingeteilt oder sind es sogar schon. Die lassen uns garantiert nicht mitreden.«

»Aber du redest doch sowieso mit diesem Major Robin«, meinte Jenny und nahm ihr die Flasche ab. Ihr schien das Gemisch zu munden. »Da kannst du auch gleich die Sprache drauf bringen, ob wir …«

Roberta fühlte, wie sie errötete. Sie würde sich zu Tode schämen, wenn sich wirklich eine Möglichkeit böte, dem Major mit ihrem Anliegen entgegenzutreten. Aber andererseits – wenn sie es nicht wagte, verlor sie vor ihren Freundinnen das Gesicht. Entschlossen nahm sie einen weiteren Schluck von dem Whiskey. Es hieß schließlich, das Zeug mache Mut …

Und dann erwies sich die Angelegenheit als geradezu lächerlich einfach! Tatsächlich nahm die Vertreterin eines örtlichen Wohltätigkeitskomitees die jungen Frauen in Empfang, aber sie teilte ihnen noch keine Stellen zu. Dafür durften sie wählen, ob sie in der Oranje-Kolonie oder in Transvaal eingesetzt werden wollten, und Daisy schubste Roberta entschlossen Richtung Transvaal.

»Da ist Pretoria, da sitzt Robin. Jenny und ich nehmen auch Transvaal, dann bist du nicht allein.«

Jenny und Daisy war es eigentlich egal, wo sie arbeiten würden, Daisy hätte Transvaal aber wahrscheinlich sowieso bevorzugt, weil es weiter im Inland lag. Sie wollte so viel von Afrika sehen wie nur möglich und blickte jetzt schon gebannt auf die vielen verschiedenen Hautfarben der Menschen, denen sie in Durban begegnete. Leider kam kein echter Kontakt mit den tiefschwarzen hochgewachsenen Zulu zustande, die sie am meisten faszinierten.

»Es ist komisch, ich dachte, wir führen hier Krieg, damit die mehr Rechte kriegen«, bemerkte sie. »Aber die Engländer behandeln sie schlecht. Das Mädchen von Mrs. Mason hat sich gar nicht getraut, mit mir zu reden …«

Jenny und Daisy waren im Haushalt von Mrs. Mason untergebracht, bis es nach Pretoria weiterging. Roberta und ihre Kolleginnen fanden Aufnahme in einer Mädchenschule mit Internatsbetrieb. Auch dort sah man keine Schwarzen, höchstens in der Küche wurden einheimische Hilfskräfte eingesetzt.

»Aber Inder gibt es viele«, meinte Roberta nach einem Spaziergang durch die Stadt. »Mit denen kommen die Engländer wohl besser zurecht.«

»Die sprechen auch Englisch«, bemerkte die scharfsinnige Jenny. »Und die Neger höchstens was von diesem ... wie heißt das? Afrikaans? Das sollten wir wohl auch mal lernen, wenn wir mit den Burenfrauen arbeiten wollen.«

Roberta kaufte also ein Lexikon Englisch–Niederländisch, Afrikaans wurde nicht als eigenständige Sprache anerkannt. Sie war entschlossen, auf der Zugfahrt nach Pretoria darin zu lesen, aber dann nahm die Landschaft, durch die sie fuhren, sie ebenso gefangen wie Jenny und die hell begeisterte Daisy. Die Eisenbahnlinie führte quer durchs Land, und Robertas Kolleginnen gruselten sich ein wenig, waren doch immer noch Burenkommandos unterwegs, die hier vielleicht Schienen sprengen wollten.

»Doch nicht am helllichten Tag!«, lachte Daisy. »Außerdem hätten sie dann auch die Gnus da verjagt. Und Zebras! Schaut mal, Zebras! Die sehen ja wirklich aus wie gestreifte Pferde oder Ponys, ich hatte sie mir größer vorgestellt. Eine Giraffe! Eine echte Giraffe!«

Auf die Dauer war Daisys Begeisterung etwas anstrengend, auch noch die zwanzigste Giraffe konnte der jungen Frau Begeisterungsschreie entlocken. Aber dann wich das Flachland den Ausläufern der Drakensberge. Es gab immer wieder Neues zu entdecken, und Robertas Buch blieb zu. Schließlich wurde es aber Nacht – und am nächsten Morgen befanden sie sich schon in Transvaal. Die Gegend erschien hier nicht mehr ganz so fremd – aber dafür boten sich den Reisenden mitunter Eindrücke, die sie erschreckten. Seitlich der Bahnlinie lagen ausgebrannte Farmen, sie führte an verwüsteten Feldern entlang – und vor allem war sie von Stacheldraht umgeben, und alle paar hundert Yards befand sich ein streng gesichertes Blockhaus.

Die jungen Frauen verstummten völlig, als schließlich auch

eins der Arbeitslager für Schwarze seitlich der Bahnlinie in Sicht kam – einfache runde Hütten, zum Teil aus Wellblech, zum Teil eher Zelte, trostlose Wirtschaftsgebäude, apathische Kinder vor den Hütten, erschöpft wirkende, magere Frauen, die sich auf staubigen Feldern unter der glühenden Sonne abmühten. Auch das Lager umgeben von Stacheldraht, die Tore von englischen Soldaten bewacht, die fast so unglücklich wirkten wie die Gefangenen.

»Das ist ja schrecklich«, meinte Daisy ernüchtert, als sie das Lager hinter sich gelassen hatten und langsam die Sprache wiederfanden. »Aber in den Lagern der Weißen, wo wir hinkommen, ist es bestimmt besser ...«

Jenny schüttelte den Kopf. »Laut Miss Hobhouse nicht«, meinte sie. »Hast du denn die Berichte nicht gelesen?«

Roberta gingen die schwarzen Kinder nicht aus dem Kopf. Für kurze Zeit vergaß sie Kevin Drury und den Grund, weshalb sie sich auf dieses Abenteuer eingelassen hatte. Sie war nicht hier, um einem Traum nachzujagen. Sie war hier, um zu helfen!

»Wenn es in den Lagern der Weißen besser ist«, verkündete sie, »dann müssen wir in die der Schwarzen!«

Pretoria, das der Zug am späten Vormittag erreichte, war eine lebendige Stadt, was sicher auch daran lag, dass hier viele Einheiten des britischen Militärs stationiert waren. Die Engländer wirkten entschlossen und optimistisch, während die normalen Einwohner eher verstört und mit gesenkten Köpfen durch ihre Stadt gingen.

»Das sind sicher alles Buren«, meinte Daisy und konnte ihre Faszination mal wieder nicht verbergen.

Diesmal beeindruckten sie die adretten Kleider und Hauben der Burenfrauen, die wie aus der Zeit gefallen schienen. Niemand in Neuseeland oder Australien kleidete sich noch so. Burenmänner sah man selten, die waren wohl entweder in Kriegsgefangenschaft oder kämpften noch gegen die Besatzer. Unter den Männern auf der Straße dominierten englische Uniformen. Roberta fuhr zusammen, als eine der so brav wirkenden Burenfrauen vor einem vorbeigehenden Lieutenant ausspuckte.

»Sie mögen uns nicht«, kommentierte Jenny. »Aber kann man's ihnen verdenken?«

Wirklich schwarze Menschen waren auch hier kaum zu sehen, in den Offizierskasinos bedienten indische Boys.

Ein junger Inder öffnete den Frauen auch die Tür zum Büro von Lord Milner, dem die Konzentrationslager in Transvaal unterstanden. Der Lord empfing die etwa dreißig weiblichen Hilfskräfte in einem Versammlungsraum.

»Wir sind Ihnen und natürlich unserer ... sehr verehrten Miss Hobhouse ausgesprochen dankbar für Ihr Engagement«, bemerkte der Lord, nachdem er die Krankenschwestern und Lehrerinnen höflich begrüßt hatte. Er kaute erkennbar an dem überschwänglichen Lob für Miss Hobhouse. Tatsächlich konnte er die unerschrockene Kämpferin für die Burenfrauen nicht ausstehen. »Sie werden in den Flüchtlingslagern gebraucht und von den leitenden Kräften dringlichst erwartet, sowohl zur Pflege der Gefangenen als auch zu ihrer Schulung. Sie werden feststellen, dass vielen dieser Frauen jegliche Grundkenntnisse der zivilisierten Haushaltsführung fehlen.« Roberta runzelte die Stirn. Sie konnte das nicht glauben, die Frauen in Pretoria wirkten keineswegs verwahrlost. »Die Burenfrauen sind auch wenig kooperativ und lernwillig. Vor Ihnen, meine werten Damen, liegen schwere Aufgaben. Wenn es irgendetwas gibt, womit ich sie Ihnen erleichtern kann, wenden Sie sich getrost an die Lagerleitung. Wenn irgendjemand noch Fragen hat ...«

Lord Milner hatte offensichtlich vor, die Audienz möglichst rasch zu beenden. Roberta stockte der Atem, als Daisy den Arm hob.

»Wir sind drei Freundinnen, die gern zusammen in einem Lager arbeiten würden, Sir«, erklärte sie ohne jede Hemmung. »Glauben Sie, das lässt sich machen?«

Lord Milner lächelte der drallen Schwarzhaarigen freundlich zu. »Drei Krankenschwestern können wir leider keinem Lager zuteilen. Dazu haben wir zu wenige, aber ...«

»Wir sind zwei Schwestern und eine Lehrerin«, fiel ihm Daisy ins Wort.

Milner schaute kurz streng, nickte dann aber nachsichtig. »Das ist etwas anderes, das sollte sich machen lassen. Sergeant Pinter!« Er wandte sich einem Adjutanten zu, der hinter ihm Papiere sortierte. Anscheinend oblag ihm die Einteilung. »Suchen Sie doch bitte eine geeignete Wirkungsstätte für die jungen Ladys aus. Und wenn andere besondere Wünsche bezüglich des Einsatzes haben ... so weit es in unserer Macht liegt, werden wir sie gern erfüllen. Wir wollen doch, dass Sie sich bei uns wohl fühlen. Was im Übrigen auch für unsere ... hm ... burischen ... hm ... Schützlinge gilt. Wenn es gelegentlich Missstände in den Lagern gibt, dann sind sie ... hm ... keineswegs beabsichtigt und auch ... na ja. Vielen Dank noch einmal, meine Damen, für Ihren selbstlosen Einsatz. Jetzt sind Sie dran, Pinter!«

Der Lord verließ den Raum, während sein Sekretär zum Federhalter griff.

»Wenn die Damen dann bitte herantreten würden ... eine nach der anderen, bitte ...«

Daisy stellte sich frech als Erste in die Reihe, Jenny und Roberta folgten ihr ein wenig befangen.

»Also Sie sind das Dreiergespann. Lassen Sie mal sehen ... zwei Krankenschwestern und eine Lehrerin ... also, Sie könnten nach Barberton oder nach Klerksdorp oder Middelburg. Springfontein ist sehr hübsch gelegen ... ach ja, und Dr. Drury hat auch um zwei Schwestern gebeten ... Karenstad.«

»Dr. Kevin Drury?«, stammelte Roberta und erblasste.

Daisy grinste ihr zu. »Wie war das mit dem Geschenk der Götter?«, zog sie die Freundin auf. »Vielen, vielen Dank, Sergeant Pinter. Wir möchten gern nach Karenstad.«

Johanna VanStouts Tod führte zu etlichen Unruhen im Lager von Karenstad. Das Gerücht, das Mädchen sei vom Wachpersonal ermordet worden, dem sich bald weitere grausige Geschichten zugesellten, verbreitete sich wie ein Lauffeuer. Bentje VanStout war hochgeachtet, das Kommando ihres Gatten berühmt. Wenn sie nun Anschuldigungen gegen die Wachleute anbrachte, so nahmen die anderen Frauen das ernst.

»Was wird sie erst für einen Aufstand machen, wenn sie vom Tod ihres Gatten hört«, seufzte Kevin.

Er hatte eben eine weitere Runde durchs Lager gemacht, den Frauen versichert, dass niemand das in diesen Tagen statt Kondensmilch verteilte Milchpulver mit zerstoßenem Glas versetzt habe, und zum hundertsten Mal erklärt, das Wachpersonal habe in Johannas Todesnacht nicht einmal Zutritt zum Lager gehabt. Über Letzteres konnten die Frauen allerdings nur lachen. Greenway hatte Recht, es gab Prostitution im Lager. Kevin konnte das zwar kaum glauben, aber durchaus nicht alle Burenfrauen teilten die strengen Moralvorstellungen einer Doortje VanStout. Sie sahen keinen Sinn darin, sich aufzuopfern und ihre Kinder hungern zu lassen, wenn es Alternativen gab. Insofern bildeten sie eine Art Lagerbordell – verachtet von den anderen Frauen, aber verwöhnt von den Wachleuten. Selten wechselte Geld den Besitzer, häufiger bezahlten die Männer mit Brot oder Marmelade, Fleischkonserven oder Süßigkeiten. Die Kinder der Lagerhuren hungerten nicht, mussten aber mit dem Spott und der Verachtung ihrer Umgebung fertig werden. Wie sich all das später auswirken würde, wenn die Lager aufgelöst würden und niemand mehr die Frauen hinderte, die Tommy-Huren zu teeren und zu federn, mochte Kevin sich gar nicht vorstellen. Auf jeden Fall hielten sich die Wachleute nicht an das Verbot, das Lager während der Nachtruhe zu betreten. Es lag ihnen zwar fern, junge Frauen zu ertränken, aber das war Bentje und ihren Anhängerinnen nicht klarzumachen.

»Als Witwe wird sie erst recht zur Heldin.«

Cornelis, der für Kevin übersetzt hatte, nickte frustriert. »Ich sollte es ihr sagen. Und Doortje die Sache mit Martinus. Aber dann ... dann kriege ich hier kein Bein mehr auf den Boden.«

Bisher hielten sich die beiden Männer an die Version der Ereignisse, die Cornelis sich zurechtgelegt hatte. Demnach waren VanStouts Männer in einen Hinterhalt der Briten geraten. Zwei Männer waren erschossen, Cornelis leicht verwundet worden und nur deshalb gefangen, weil das Pony unter ihm erschossen worden war. Das restliche Kommando war angeblich entkommen, auch Adrianus VanStout und Martinus DeGroot.

»Ich wage gar nicht, darüber nachzudenken, wie Doortje reagieren wird.« Kevin seufzte.

Cornelis sah ihn mitfühlend an. »Sie sind in sie verliebt, Doktor«, konstatierte der junge Bure. »Aber das ist hoffnungslos. Sie ist ...« Cornelis suchte nach Worten.

»Sie ist eine Vollblutburin, aber sie ist auch eine Frau!«, unterbrach ihn Kevin entschlossen. »Sie kann lachen, lieben, sich an etwas freuen. Wenn sie es sich nur gestatten würde.«

Cornelis schüttelte den Kopf. »Aber das wird sie nie«, erklärte er. »Sie ist nicht zu brechen, sie ...«

»Himmel, ich will sie doch nicht brechen!«, stöhnte Kevin. »Ich will sie nur ... ich will sie lieben, gut zu ihr sein, sie verwöhnen ...«

Cornelis zuckte die Achseln. »Dazu muss ihr Panzer erst zerbrechen. Ihr Glaube müsste erschüttert werden und ihr Patriotismus. Und dann … wer weiß, was dann noch von ihr übrig bliebe, Dr. Drury. Und ob Sie das dann noch wollten …«

Cornelis machte Anstalten, sich abzuwenden, aber Kevin suchte seinen Blick. »Ich werde sie unter allen Umständen immer wollen«, beteuerte er. »Wenn sie mir nur eine Chance gibt.« Er rieb sich die Stirn, als der Bure nicht antwortete. »Reiten wir morgen flussabwärts?«, fragte er schließlich, bevor sich die Männer trennten. Kevin freute sich auf einen Whiskey mit Dr. Greenway, Cornelis musste zurück in das Zelt, das er mit zwei Familien teilte. »Ich will endlich das Camp der Schwarzen sehen.«

Cornelis nickte. »Wie Sie wünschen«, sagte er distanziert.

Kevin seufzte wieder. Cornelis mochte ein ungewöhnlicher Bure sein, aber zu den Schwarzen hatte er keine wesentlich andere Einstellung als seine Kusine. Auch Cornelis hielt die Eingeborenen für minderwertig, aber robust. Er hätte sie ebenso unbesorgt sich selbst überlassen, wie Lindsey das getan hatte, und nahm ihnen obendrein übel, dass sie mit den Briten kooperierten. Gut, er selbst tat das auch, aber doch, um seinen Landsleuten zu helfen. Viele Schwarze dagegen verrieten ihre ehemaligen weißen Herren, und das konnte Cornelis ihnen nicht nachsehen und erst recht nicht verstehen.

»Wir waren immer gut zu ihnen«, beteuerte Cornelis auch am nächsten Tag, als er Vincents Rappstute Colleen neben Kevins Silver herritt. Kevin hätte auch ein Pferd vom Regiment für ihn leihen können, aber er wollte möglichst nicht publik machen, wie sehr er seinem burischen Kriegsgefangenen vertraute. »Bevor wir hierherkamen, waren sie doch primitive Wilde. Sie kannten die Bibel nicht …«

Kevin verdrehte die Augen. »Ich habe gehört, die Zulu hätten ein gewaltiges Reich besessen, alles sehr gut organisiert, vor allem das Militär. So primitiv können sie also nicht gewesen sein. Und die Bibel ... Cornelis, ich will Ihnen nicht zu nahe treten, aber jedes Land hat andere Götter. Ich weiß nicht, wie das zusammenhängt, ich bin kein Theologe. Es ist jedenfalls kein Grund dafür, andere Leute zu versklaven ...«

»Aber das haben wir nicht getan!«, beharrte Cornelis. »Sie kamen freiwillig, es sind auch jetzt noch Kaffern bei den Kommandos. Alle Fährtensucher sind Kaffern oder Hottentotten, aber von denen gibt's nicht mehr viele ...«

Kevin verzog vielsagend den Mund. »Sie haben sich zweifellos freiwillig ausgerottet«, höhnte er. »Und was war mit den Voortrekkern, von denen Ihre Tante so anschaulich erzählt? Die dreitausend Zulu an einem Tag erledigt haben? Um sich dann ihr Land zu nehmen und sie großzügig auch darauf wohnen zu lassen, wenn sie für die Weißen arbeiteten?«

Kevin empörte sich, aber das Wort sollte ihm bald im Halse stecken bleiben. Die Zustände im Lager der Schwarzen in Karenstad bewiesen zumindest nicht, dass es die Engländer besser mit der schwarzen Bevölkerung meinten als die Buren. Im Gegenteil, die Gefangenen hausten unter Bedingungen, gegen die das Frauenlager fast luxuriös wirkte.

»Was sind denn das für Bruchbuden?«, fragte Kevin den Wachmann, der eher pro forma vor dem Tor stand. Es war den Schwarzen nicht verboten, ihr Lager zu verlassen, viele Männer arbeiteten draußen, und wer Geld hatte, konnte auch jederzeit zum Einkaufen in die Stadt gehen. »Wurden hier keine Zelte geliefert?«

Der Mann schüttelte den Kopf. »Nein, Sir. Die Leute sollen sich selbst was bauen. Und einige machen das ja auch.«

Tatsächlich standen ein paar recht ansehnliche Rundhütten im traditionellen Baustil der Krals im Lager, aber daneben gab es Behelfsunterkünfte aus Paraffinkanistern. Viele Frauen und

Kinder schliefen auch einfach unter freiem Himmel auf dem schlammigen Boden oder hatten sich lediglich winzige zeltartige Unterstände aus Decken gebaut.

»Nicht Mann, nicht Holz ...«, erklärte eine der Betroffenen ihre Notlage in gebrochenem Afrikaans.

Kevin verstand. »Das heißt, es werden keine Materialien zum Hausbau geliefert«, wandte er sich streng an den Wachmann.

Der zuckte die Achseln. »Die Leute können ja arbeiten. Sie sollen sich die Materialien für die Häuser verdienen und dann bauen.«

»Und wie sollen die Männer gleichzeitig auswärts arbeiten und hier Häuser bauen?«, fragte Kevin. »Hier muss sich etwas ändern, und das schnell! Cornelis, wir brauchen einen Übersetzer. Was ist mit dem Hauspersonal der VanStouts? Nandé und ihr Bruder sprachen doch gut Afrikaans und sogar ein paar Worte Englisch. Kann man irgendwie herausfinden, ob die hier im Lager sind?«

Viel Hoffnung machte er sich da nicht, schon im weißen Lager wurden die Gefangenen ja kaum registriert. Hier herrschte noch ein viel größeres Chaos. Kevin machte sich also selbst auf die Suche, gefolgt von dem unwilligen und angeekelten Cornelis. Das schwarze Lager wurde in Sachen Hygiene nicht einmal Mindestanforderungen gerecht. Es gab keine Latrinen, der Insektenbefall war unerträglich, das ohnehin primitive Hospital diente als Notunterkunft für Frauen und Kinder ohne Versorger. Es war völlig überfüllt, ein Großteil der Leute krank – die Unterernährung machte die Frauen lethargisch. Viele versorgten ihre Babys nicht mehr, und Kevin entdeckte mehrere Leichen zwischen den Lebenden. Niemand schaffte sie hinaus, geschweige denn gab es Begräbnisgottesdienste. Wenn sich ein oder mehrere Familienmitglieder aufraffen konnten, verscharrten sie die Toten selbst – sonst halfen schon mal die Wachmannschaften, um dem unerträglichen Gestank vorzubeugen.

Als Kevin fast schon aufgeben wollte, fand er Nandé. Die junge Frau lag apathisch in einer aus Paraffinkanistern zusammengestückelten Hütte. Zwei junge Männer bewachten sie offenbar, ließen die Vertreter der Lagerleitung aber ein. Argwöhnisch verfolgten sie, wie Kevin sich ihr näherte.

»Miss Nandé«, Kevin beugte sich fassungslos zu ihr hinab, erinnerte sich aber noch daran, wie sich die junge Frau über die höfliche Anrede gefreut hatte – auch jetzt flog fast etwas wie ein Lächeln über Nandés ausgemergeltes Gesicht.

»Mijnheer Doktor! Sie zurück? Was mit Baas Bentje? Und Doortje? Und Kinder?«

Kevin biss sich auf die Lippen. Ob Nandé wusste, was Doortje und Johanna zugestoßen war? Er hielt das für unwahrscheinlich, sicher hatte man die Schwarzen und Weißen nicht gemeinsam hertransportiert.

»Miss Johanna ist gestorben«, berichtete er dann ehrlich. »Aber die anderen sind alle im Lager Karenstad. Miss Nandé, ich …«

Kevin setzte zur Erklärung seiner Ideen zur Verbesserung der hiesigen Zustände an, aber Nandé unterbrach ihn.

»Bruder auch tot«, erklärte sie – mit ängstlichen Seitenblicken auf die beiden Männer am Eingang der Hütte.

Der eine verhandelte eben mit einem Dritten, der wohl eintreten wollte. Cornelis schien ein paar Worte verstanden zu haben. Er wirkte angewidert. Nandé sah beschämt zu Boden.

Kevin runzelte die Stirn. »Dein Bruder ist tot? Woran ist er denn gestorben? War er krank?«

Die Sterberate der Frauen und Kinder in diesem Lager war zweifellos enorm, aber Nandés Bruder war ein kräftiger junger Mann gewesen. Natürlich konnte er Typhus oder Diphterie gehabt haben …

Nandé schüttelte den Kopf, während Cornelis seine Schlüsse zog. »Ich schätze mal, Doktor, dass die zwei da nachgeholfen haben«, bemerkte er mit einem Seitenblick auf die beiden Männer am Eingang. »Gucken Sie sich doch hier mal um, Doktor! Das ist keine Wohnhütte. Hier halten die Kerle ihre Ware feil ... und ihr Bruder war wohl nicht willig, die Kleine zu verkaufen.«

Nandé gab einen erstickten Laut von sich. Und Kevin sah, was Cornelis meinte. Es gab keine Kochstelle und keine weiteren Schlafstellen in der Hütte, außer dem Strohlager, auf dem Nandé auf einer dreckigen Decke lag. Am helllichten Tag, obwohl die Hütte dunkel und stickig war, nach Paraffin stank und Millionen Fliegen beherbergte. Nandé wirkte zwar kränklich, aber doch nicht so schwach, als könne sie das Bett nicht verlassen.

Kevin richtete sich auf.

»Nandé, wir nehmen dich jetzt mit ins weiße Lager«, erklärte er entschlossen. »Und auf die Kerle soll das Wachpersonal ein Auge halten – ich werde das kontrollieren. Hier wird demnächst sowieso kontrolliert. Wir fangen mit einer Art Volkszählung an. Wir müssen herausfinden, wie viele Menschen hier leben, vor allem Frauen und Kinder. Außerdem bieten wir Arbeit an – nicht nur für die Männer, sondern vor allem für die Frauen. Bei uns fehlt es schließlich an allem, und da die Burenfrauen ja nicht helfen wollen ... Du, Nandé, wirst mir den Haushalt führen. Und wir suchen gleich zehn weitere Frauen aus, die Dr. Greenway im Hospital helfen und die Wachräume putzen wollen ... Und was diese Kerle hier angeht ... Nandé, gibt es noch mehr ... hm ... Mädchen wie dich?«

Nandé schlug die Augen nieder. Sie fürchtete sich sichtlich zu Tode, aber Kevin hatte sie schon bei den VanStouts als mutig und stolz kennengelernt. Als Kevin ihr aufhalf, klammerte sie sich an ihn und wies ihm den Weg zu zwei weiteren Hütten wie der ihren. Das eine der Mädchen war nicht mehr ansprechbar, es litt an hohem Fieber. Das andere, eine höchstens siebzehnjährige Schönheit, konnte nur mit äußerster Mühe aufstehen. Kevin sandte den höchst unwilligen Cornelis aus, ein paar Wachleute zu holen, um die Frauen zunächst zum Tor zu tragen.

»Wir lassen sie dann zusammen mit den Arbeiterinnen abholen«, beschied er die missmutigen Männer. Sie ekelten sich offensichtlich davor, die Mädchen auf Krankentragen zu legen. Das sprach zumindest dagegen, dass sie sich an ihrem Missbrauch beteiligt hatten. Die Freier waren wohl eher Gefangene gewesen, die hier das Geld verhurten und vertranken, mit dem sie ihre Familien ernähren sollten. In der Hütte des dritten Mädchens fanden sich auch leere Whiskeyflaschen. »Wegen der zwei Kerle schicke ich die Militärpolizei. Sie wird zweifellos auch Ihnen ein paar Fragen stellen!«

Die Wachleute blitzten den Lagerleiter wütend an.

»Wie stellen Sie sich das denn vor mit den Arbeiterinnen?«, fragte der Mann, der Kevin und Cornelis eingelassen hatte. Als Corporal war er hier der Ranghöchste. »Die Weiber können doch nicht täglich hin- und herlaufen zwischen den Lagern.«

»Warum denn nicht?«, fragte Kevin. »Die Männer laufen doch sogar bis zum Ort. Aber sie müssen es gar nicht. Wir werden die Frauen und ihre Kinder im Lager der Weißen unterbringen.«

Die Wachleute und Cornelis schnappten nach Luft.

»Das ist ausgeschlossen, Doktor!«, meinte schließlich Letzterer. »Sie können die Kaffern nicht zusammen mit den weißen Familien halten. Das … das können Sie einfach nicht!«

Kevin zuckte die Achseln. »Sie werden nicht glauben, was ich alles kann«, beschied er seinen Helfer grimmig. »Wobei ich da auch gar kein Problem sehe. Auf den Farmen lebten

Schwarz und Weiß ebenfalls Tür an Tür. Natürlich stellen wir den schwarzen Frauen eigene Zelte.«

Kevin war klar, dass das Ärger geben würde, aber er war nicht bereit, sich auf Kompromisse einzulassen. Die beiden von der Kavellerie gestellten Leiterwagen, mit denen man die freiwilligen Helferinnen sowie ein paar schwere Krankheitsfälle schließlich abholte, brachten über dreißig Frauen und Kinder nach Karenstad. Dr. Greenway, den Kevin im Vorfeld informiert hatte, schüttelte entschieden den Kopf, als Kevin erklärte, er wolle zwei Zelte der Weißen für sie requirieren.

»Drury, das gäbe einen Aufstand! Das lassen die Buren sich nicht gefallen. Sie werden auch bei der Militärverwaltung keinen Rückhalt dafür finden. Es gibt ja Gründe, weshalb man die Lager getrennt hält.«

»Aber Sie sind … sagen Sie nicht, Sie weigern sich, diese Frauen zu behandeln!« Kevin schaute seinen Kollegen ungläubig an. »Und freuen Sie sich nicht über das neue Personal?«

Greenway zuckte die Schultern. »Ich habe damit keine Probleme«, meinte er dann. »Wenn Sie also darauf bestehen, bringen wir die Kranken erst ins Hospital, in die kleineren Räume, bitte, auch wenn das eng wird … Aber lassen Sie sich um Gottes willen etwas anderes einfallen bezüglich der Unterbringung der schwarzen Weiber, Dr. Drury! Es gibt sonst womöglich ein Unglück!«

Ernüchtert half Kevin den Frauen erst mal vom Wagen, argwöhnisch beäugt von den weißen Gefangenen des Lagers. Schließlich hieß er Nandé und die anderen, in seiner eigenen Unterkunft und den Büroräumen zu warten, bis sich eine Lösung fand. Es war unzumutbar, sie dem Spießrutenlauf weiter auszuliefern. Die Burenfrauen schauten sie so feindselig an, als hätten sie persönlich gegen sie Krieg geführt. Kevin gab die Idee, die Frauen könnten für ihr früheres Hauspersonal etwas zusammenrücken, endgültig auf.

Dafür telegrafierte er Vincent an, der Tierarzt behandelte gerade ein Pferd mit Kolik.

»Ob wir Stallzelte haben?«, fragte Vincent kurz. »Da muss ich fragen, aber ich denke doch. Die größeren Kavallerieeinheiten sollten über so was verfügen. Muss es gleich sein?«

Kevin stöhnte. »Vincent, ich habe hier dreißig Frauen und Kinder ...«

»Du wirst trotzdem warten müssen«, beschied ihn der Tierarzt. »Und hoffen. Du kannst auch beten, wenn dir danach ist. Jedenfalls muss ich dieses Pferd durchkriegen. Es gehört dem Leiter der Versorgungsstelle, und es ist sein Liebling. Er hat es schon aus Schottland mitgebracht, und es ist zudem ein nettes Tier.«

»Vincent!«, seufzte Kevin.

»Ich meine ja nur, dass er mir dankbar wäre, wenn das Pferd nicht stürbe«, erklärte Vincent. »Er würde mir sicher gern einen Gefallen tun. Und wenn einer Zelte hat, dann er ...«

Ein paar Stunden später begleitete ein überaus erleichterter Major McInnes persönlich den Transport eines geräumigen Stallzeltes zum Lager, dazu eine Lebensmittellieferung.

»Das sind Spenden«, erklärte er den unerwarteten Segen. »Aus Durban, aber eigentlich aus Neuseeland. Demnächst sollen noch mehr ankommen, auch Kleider und Spielzeug. Und drei Krankenschwestern!«

»Drei Schwestern?« Kevin konnte sein Glück kaum fassen.

»Na ja, eine ist wohl Lehrerin«, schränkte McInnes ein. »Aber vielleicht kann sie sich ja auch ein bisschen nützlich machen ...«

Unterricht für Burenkinder schien er für überflüssig zu halten.

»Sieht jedenfalls so aus, als ob alles besser würde!«, meinte Kevin zufrieden.

Die Burenfrauen protestierten zumindest nicht, als die

Kavalleristen das Stallzelt in einer Ecke des Lagers aufschlugen, obwohl es komfortabler war als ihre eigenen Unterkünfte – die Belüftung war auf den hochempfindlichen Atmungsapparat der Pferde zugeschnitten und deutlich besser als in den Mannschaftszelten. Aber so weit dachten die Burenfrauen nicht, sie waren mit der Auskunft zufrieden, dass die Schwarzen in einem Stall schliefen, also weniger privilegiert waren als sie selbst. Eine zusätzliche Lebensmittelzuteilung glättete die Wogen dann noch mehr – und am Morgen erwartete Kevin ein aufgeräumtes und geputztes Büro. Nandé musste zu nachtschlafender Zeit aufgestanden sein, um zu fegen und ihm ein Frühstück zu richten. Dabei wirkte sie schwach und fiebrig.

»Nandé, das hat doch Zeit mit der Arbeit«, beschied er sie freundlich. »Du musst erst wieder ganz gesund werden – am besten begleitest du mich gleich ins Hospital, und wir untersuchen dich erst mal gründlich. Vielleicht möchtest du ja auch Miss Doortje sehen und ihre Familie …«

Die junge Frau brauchte zudem dringend neue Kleidung und Wäsche. Und ein Bad. Nandé war auf der VanStout-Farm sehr reinlich gewesen, aber jetzt starrte ihre Kleidung vor Schmutz.

»Hat Angst, gehen zu Fluss«, erklärte sie schamhaft. Anscheinend hatte sie seine Blicke bemerkt. »Weiße Frauen …«

»Ihr könnt euch außerhalb des Lagers im Fluss waschen«, sagte Kevin, wohl wissend, dass er da Konflikte heraufbeschwor. »Ihr seid ja keine Gefangenen, ihr arbeitet für uns. Wenn du willst, geh gleich!«

Nandé ließ sich das nicht zweimal sagen – und weinte vor Glück, als Kevin ihr ein Stück Seife schenkte. Seife war auch in den Lagern der Weißen Mangelware, ironischerweise hatten nur die Huren genug, um sich regelmäßig zu waschen. Kevin hatte Doortje natürlich ein Stück schenken wollen, aber die Burenfrau lehnte jede Bevorzugung ab.

Nandé kannte keine dementsprechenden Hemmungen. Sie war bald wieder da, in klatschnasser Kleidung, aber nach Flieder duftend.

»Nandé schon viel besser!«, verkündete sie, aber Kevin bestand trotzdem darauf, sie mit ins Hospital zu nehmen.

Da erwartete ihn die nächste Überraschung – auf den ersten Blick eine mehr als angenehme. Schon der Vorplatz des Krankenhauses war vom Staub befreit, die Krankensäle blitzblank gescheuert. Die kranken schwarzen Frauen und Kinder lagen in sauber bezogenen Betten.

»Das sieht ja gut aus!«, lobte Kevin Dr. Greenway, der in seinem Büro saß und Krankenakten sortierte. »Wie in einem richtigen Krankenhaus!«

Der Arzt schnaubte. »Nur ohne Patienten«, bemerkte er. »Schauen Sie sich mal um …«

Verblüfft stellte Kevin fest, dass Greenway Recht hatte. Abgesehen von den schwarzen Frauen und Kindern, die ärztlicher Hilfe bedurften, war das Krankenhaus gähnend leer. Die Burenfrauen mussten ihre Angehörigen zurück in die Zelte geholt haben – zum großen Teil Kinder und Frauen mit hochansteckenden Erkrankungen.

»Aber … aber was …« Kevin verstand nicht.

»Ich hab's Ihnen gesagt«, meinte Greenway. »Die Buren machen sich nicht gemein mit den Farbigen. Sie lassen sich auch ungern von ihnen pflegen, zumal sie die schwarzen Frauen als Verräterinnen betrachten. Sie können hier ein Krankenhaus für Weiße haben oder eins für die Schwarzen. Keines für beide gemeinsam.«

Kevin war verstört und enttäuscht – aber jetzt regte sich auch Wut in ihm. In diesem Hospital war reichlich Platz, es war auch mit fünfzig Kranken unterbelegt gewesen. Und jetzt gab es obendrein willige Pflegerinnen. Wenn die Burinnen ihre Kinder lieber sterben ließen …

»Wir geben nicht nach«, entschied er kurz. »Dieses Krankenhaus steht allen offen. Wenn die Frauen nicht kommen wollen, kann ich ihnen auch nicht helfen. Aber wir inspizieren das Lager, Greenway. Und wir schrecken nicht vor Zwangseinweisungen zurück, wenn extreme Ansteckungsgefahr besteht.«

Der Tag verlief dann mehr als unerfreulich für Kevin und Greenway – sowie die Wachleute, die ihre Zwangsmaßnahmen durchsetzen mussten, und Cornelis, der dies den Frauen zu erklären hatte. Alle wurden angefeindet, beschimpft und bespuckt – und letztlich lagen nur dreißig Kinder wieder im Hospital, weinend, da ihnen die Zwangseinweisung Angst gemacht hatte und ihre Mütter nicht bei ihnen sein durften.

»So geht das nicht auf die Dauer!«, sagte Dr. Greenway müde, als die letzte Visite gemacht war.

Die schwarzen Frauen hatten sich vorbildlich verhalten, alles war sauber, und die Krankenhausinsassen erwartete ein schmackhafter Eintopf. Die Kinder mochten jedoch nichts davon essen, egal, wie hungrig sie waren. Die Älteren redeten von zerstoßenem Glas in der Suppe, und die Jüngeren wagten nicht, sich ihnen zu widersetzen.

»Sie können die Leute nicht zwingen. Das Beste wäre, die Schwarzen zurückzuschicken und in ihrem eigenen Hospital einzusetzen ...«

»Als Ärzte?«, spottete Kevin. »Greenway, diese Frauen putzen und kochen. Aber mehr können sie nicht für die Kranken tun. Natürlich werden wir von jetzt an jeden Tag hinreiten, wir haben ja mehr Zeit, da die Zulu-Frauen uns unterstützen.«

»Und kein Patient mehr kommt«, gab Greenway genauso gallig zurück. »Seien Sie nicht so schroff, ich weiß auch keine Lösung. Nur dass wir die Leute nicht in den Betten festbinden und ihnen das Essen zwangseinflößen können.«

Die Burenfrauen waren stur, aber jetzt besann sich auch Kevin auf seinen irischen Dickschädel. Er hielt das Krankenhaus weiterhin offen, nahm Zwangseinweisungen vor – und erzielte wenigstens den kleinen Erfolg, die kranken Kinder zum Essen zu bewegen. Es war reiner Zufall, dass eine der schwarzen Helferinnen zu den »Kaffern« der Familie des kleinen Matthes Pretorius gehört und in deren Haus gearbeitet hatte. Der zehnjährige Matthes begrüßte sie erfreut, traute ihr und löffelte seinen Brei gierig aus, als sie ihn brachte. Als er daraufhin nicht starb – und sich zur Erleichterung der Ärzte zudem schnell von seiner Lungenentzündung erholte –, griffen auch die anderen Kinder zu.

Für die Ärzte blieb die Arbeit aber strapaziös und unangenehm. Kevin schämte sich dafür, wieder keine Zeit für die Revision des schwarzen Lagers zu finden. Bis ihn dann, am vierten Tag nach dem Einsatz der schwarzen Frauen, nachts das Tappen nackter Füße auf dem Korridor vor seinem Schlafraum weckte. Kevin war lange genug mit den Rough Riders geritten, um sofort alarmiert zu sein. Instinktiv griff er nach seinem Gewehr, aber natürlich stand es nicht mehr neben seinem Lager wie in den Monaten im Veld ... Kevin fluchte und machte sich bereit, einen Angreifer mit den Fäusten abzuwehren. Dann jedoch hörte er eine schüchterne Frauenstimme.

»Mijnheer Doktor, Sir?«

»Nandé?«

Verblüfft tastete Kevin nach den Streichhölzern und entzündete die Gaslampe neben seinem Bett. Inzwischen schob sich die kraushaarige junge Zulu-Frau ganz in sein Zimmer. Kevin musste lächeln, als er sah, dass sie ein züchtig hochgeschlossenes, mit Spitzen besetztes Nachthemd trug. Es war neu – zumindest für Nandé, tatsächlich stammte es aus einer Spende von getragener Kleidung. Insgesamt waren am Tag zuvor drei Kisten voll gekommen, und die schwarzen Frauen hatten die Sachen sortiert. Nandé hatte sich dabei vor Begeisterung über den Traum in Spitze kaum halten können. Sie hatte zum ersten Mal wieder gelacht, seit Kevin sie aus der schmutzigen Hütte befreit hatte. Der junge Arzt konnte ihrer kindlichen Freude nicht widerstehen – und er handelte ja auch zweifellos im Sinne der Spenderin –, als er dem Mädchen das Hemd schenkte. Nandé war ja nicht weniger bedürftig als die Burenfrauen. Ihre Begeisterung rettete Kevin den Tag. Jetzt allerdings machte ihn die Sache nervös. Kam Nandé, um sich auf ganz spezielle Weise für die Gabe zu bedanken?

»Du ... bist jetzt nicht da, um mir das Hemd zu zeigen?«, fragte er vorsichtig. »Wo kommst du überhaupt her?«

Nandé sollte eigentlich mit den anderen schwarzen Frauen im Stallzelt schlafen, aber er konnte sich nicht vorstellen, dass sie sich da herausgestohlen hatte, um zu ihm zu kommen.

Nandé schüttelte den Kopf. »Nein, Baas Doktor, Sir. Nur weil gehört ... was ...« Die junge Frau imitierte ein Stöhnen, um dem Arzt das Gehörte zu verdeutlichen. »Vor Tür von Doktor. Ich geguckt und ...«

»Wo warst du denn, Nandé?«

Die Sache wurde immer seltsamer. Das Stallzelt hatte keine Türen, nur eine Art Vorhang.

Nandé blickte schuldbewusst und kaute auf ihrer Unterlippe, bevor sie weitersprach.

»Ich hier. In Küche.«

»Du hast in meiner Küche geschlafen?«

Nandé nickte. »Nicht böse sein, nicht Strafe, Sir. Aber so schöne Kleid, wie weiße Baas. Und Küche, Zimmer Nandé. Wie weiße Baas ...« Über Nandés besorgtes Gesicht huschte ein Leuchten.

Kevin seufzte. Es ging absolut nicht an, dass Nandé in seinem Haus schlief, er durfte sich die Gerüchte gar nicht vorstellen, die sich daraus ergeben würden. Aber andererseits war die Küche des Hauses ein offener Anbau, kaum mehr als ein Grillplatz. Eigentlich konnte niemand glauben, dass er es dort mit seinem schwarzen Hausmädchen trieb. Natürlich gab es einen Zugang zum Haus, Nandé hatte sich ja auch jetzt ungesehen eingeschlichen. Kevin beschloss, der jungen Frau die Übernachtung in der Küche fürderhin zu verbieten, sie jetzt aber nicht dafür zu tadeln.

»Darüber reden wir später«, beschied er sie. »Jetzt weiter. Du hast hier vor meiner Tür ein Stöhnen gehört? Und jetzt ist es weg?«

Nandé schüttelte den Kopf. »Nein, nicht weg. Wollte weglaufen, als sieht mich, aber ... Kind zu schwer. Jetzt vor Hospital.«

»Eine Frau mit einem Kind?« Kevin stieg aus dem Bett, das leichte Leintuch, unter dem er schlief, um sich geschlungen. »Geh mal raus, Nandé, ich muss mich anziehen. Dann komme ich. Du kannst der Frau ja sagen ...«

Er brach ab. Wahrscheinlich reimte die Patientin sich jetzt schon alles Mögliche über ihn und Nandé zusammen. Wenn er sie jetzt noch mit einer Nachricht schickte ...

»Nicht reden mit Nandé, Baas Doortje.«

Nandés kleinlaute Bemerkung ließ Kevin zusammenfahren. Doortje war die Patientin? Sie musste schwer krank sein, wenn sie sich mitten in der Nacht zu ihm stahl. Oder sie brachte ein krankes Kind.

Kevin zog nur rasch seine Breeches an, stieg in seine Stiefel und rannte hinaus, sein Hemd in der Hand. Nandé, die vor dem Zimmer gewartet hatte, folgte ihm neugierig.

»Geh schlafen, Nandé!«, wies er sie an, als sie am Stallzelt vorbeihasteten. »Zu den anderen. Ich finde das Krankenhaus auch allein.«

»Ich nicht helfen?«, fragte die junge Frau.

Kevin kämpfte kurz mit sich, vielleicht konnte er wirklich Hilfe brauchen, und mit Doortje allein zu sein konnte ihn genauso kompromittieren wie die Sache mit Nandé. Andererseits trug Doortje wahrscheinlich kein Nachthemd, sondern war voll bekleidet.

»Schick die beiden Frauen, die Dr. Greenway zur Hand gehen«, entschied er dann. Der Arzt ließ zwei der aufgewecktesten Frauen täglich bei der Krankenpflege helfen. Er hoffte, sie bald als »Schwestern« ins schwarze Lager schicken zu können. »Aber sie sollen sich richtig anziehen!«

Die Anweisung war wahrscheinlich nicht nötig, außer Nandé besaß keine der schwarzen und kaum eine der weißen Frauen im Lager Nachtwäsche. Die meisten schliefen in ihren Kleidern auf dem nackten Boden der Zelte. Auch Doortje trug ihr altes blaues Hauskleid, das Kevin noch aus Wepener kannte. Jetzt war es aber nicht mehr adrett und mit einer hübschen reinweißen Schürze kombiniert, sondern abgetragen und schmutzig und verschwitzt. Doortjes Haube saß schief und ungestärkt auf ihrem blonden Haar, die Bänder, mit denen sie geschlossen wurde, hingen herab. Vom Gesicht der jungen Frau war nichts zu sehen. Sie presste es in die feuchten, verschwitzten Locken ihres jüngsten Bruders. Mit dem Kind im Arm hockte sie vor dem Eingang zum Hospitalzelt.

»Doortje! Miss VanStout! Um Himmels willen, haben Sie das Kind bis hierher getragen?« Kevin ging zu der jungen Frau und nahm ihr Mees' schlaffen Körper ab. Immerhin war er warm, er glühte gar vor Fieber. Doortje hatte ihn zu ihm gebracht, bevor er starb. Jetzt sah sie Kevin an – mit einem kühlen Blick zwischen Hoffnung und Verachtung. »Und warum haben Sie denn nicht geklopft, wenn Sie zu mir wollten?«

Noch während er sprach, trug Kevin Mees ins Zelt und gleich in den Behandlungsbereich. Doortje sah zu, wie er rasch die Lampen entzündete.

»Ich wollte nicht stören«, sagte sie steif. »Zumal Sie nicht allein waren …« Sie spuckte die letzten Worte aus.

Kevin sah all seine Befürchtungen bestätigt. Leider nicht nur in Bezug auf die Sache mit Nandé, sondern auch auf das Leiden des Kindes auf der Liege. Mees' Oberkörper zeigte die charakteristischen Rötungen. Typhus.

»Natürlich war ich allein, was soll der Unsinn?«, gab Kevin zurück.

Er suchte nach einem Stethoskop. Er musste wenigstens so tun, als könnte er helfen. Dabei standen die Chancen in diesem Stadium der Erkrankung schlecht für den Jungen.

Doortje stieß verächtlich die Luft aus, dann wechselte sie das Thema. »Können Sie etwas tun?«, fragte sie und streichelte über Mees' schweißnasses Haar. »Er ist seit zwei Wochen krank.«

Kevin nickte. »Das sehe ich«, sagte er streng. »Sie hätten ihn früher herbringen müssen.«

Doortje sah zu ihm auf, und ihr Blick wurde zum ersten Mal weich und hilflos. »Meine Mutter … Dr. Drury, Sie kennen meine Mutter. Sie hat gebetet und ihn im Fluss gewaschen, um ihn zu kühlen und …«

»Typhus wird durch Bakterien hervorgerufen, die wahrscheinlich in genau dem Wasser schwimmen, in dem er jetzt gebadet wurde. Und vorher hat er es sicher auch getrunken …«

Kevin machte Anstalten, Mees' Fieber zu messen. Er wusste jetzt schon, dass der Wert schwindelerregend hoch sein würde.

Doortje nickte. »Das Milchpulver«, sagte sie. »Man musste es irgendwie auflösen. Und der Fluss ist so nah. Wasser ist doch Wasser, Mutter hat es auch gefiltert …«

Kevin stöhnte. »Cornelis hätte Ihnen gern jeden Tag Trinkwasser gebracht, wenn Sie ihn nicht ständig als Feigling und Verräter beschimpfen würden. Aber er traut sich ja nicht mal mehr in Ihre Nähe.«

»Sein Platz ist im Veld, bei seinem Kommando!«, beharrte Doortje starrköpfig. »Er dürfte nicht hier sein!«

Kevin hatte den kleinen Jungen inzwischen entkleidet und begann, ihn zu waschen. Kaltes Essigwasser brachte Erleichterung, man konnte auch Wadenwickel versuchen. Und vor allem brauchte er Flüssigkeit, die Durchfälle trockneten den Körper aus.

»Cornelis Pienaar ist nicht freiwillig hier. Er wurde gefangen genommen«, setzte Kevin an und warf einen Blick auf das Thermometer. Über vierzig Grad Fieber …

Doortje warf den Kopf zurück. Der weiche Ausdruck war aus ihrem Gesicht geschwunden, sie war wieder ganz die kämpferische Burin.

»Und damit hat er versagt! Mein Vater wurde nicht gefangen genommen. Martinus DeGroot wurde nicht gefangen genommen …«

»Nein!«, brach es aus Kevin heraus. Er liebte Doortje, aber ihre Verbohrtheit führte ihn manchmal an den Rand seiner Beherrschung – und jetzt darüber hinaus. »Ihr Vater und Ihr Verlobter, Doortje, wurden erschossen. Tut mir leid, dass Sie es so erfahren und jetzt und hier, aber es gibt keinen Zweifel. Als Martinus starb, war ich dabei. Von Ihrem Vater weiß ich nur, dass er tot ist, bezüglich der Umstände müssen Sie Cornelis fragen. Aber Martinus DeGroot starb nicht im Kampf. Er hatte sich bereits ergeben, doch ein übereifriger Kommandant ließ auf die Gefangenen schießen. Dr. Taylor, Dr. Tracy und ich haben dagegen protestiert, aber wir konnten nicht erreichen, dass die Schuldigen bestraft wurden. Deshalb bin ich jetzt hier, ich habe den Dienst quittiert. Unter Protest. Aber das werden Sie mir wahrscheinlich nicht glauben. Sie werden mich und die Briten jetzt noch viel mehr hassen, und ich verstehe Sie sogar. Aber Ihren Vetter sollten Sie nicht hassen, es war reiner Zufall, dass er mit dem Leben davonkam. Und nun helfen Sie mir und halten Sie die Lampe, ich werde Ihren Bruder jetzt in ein Krankenbett legen und ihm künstlich Flüssigkeit zuführen, weil er wahrscheinlich nicht mehr trinken mag.«

»Seit zwei Tagen«, gab Doortje flüsternd Auskunft. Ihre Stimme war völlig tonlos, aus ihrem Gesicht war jegliche Farbe gewichen. »Mein Vater ist tot ... und Martinus ...«

»... wurde beim Versuch, eine Eisenbahnlinie zu sprengen, gefangen genommen und erschossen«, wiederholte Kevin. Er begann jetzt schon, sich schuldig zu fühlen. So hätte diese Eröffnung auf keinen Fall erfolgen dürfen! »Es tut mir wirklich leid, Doortje. Aber Sie müssen einsehen, dass es keinen Zweck hat, weiterzukämpfen. Und bitte sperren Sie sich nicht gegen die Behandlung Ihres Bruders in diesem Hospital. Er wird vielleicht neben einem schwarzen Kind in einem Bett liegen, aber dieses Kind färbt nicht ab. Typhus dagegen ist ansteckend, Ihr anderer Bruder und Ihre Mutter können ebenso erkranken, wenn sie nicht schon erkrankt sind.«

Doortjes Schweigen sprach Bände. Anscheinend war sie die Einzige aus ihrer Familie, die noch gesund war.

Kevin seufzte und hob den kleinen Jungen auf. »Ich bringe ihn jetzt in ein Krankenzimmer und lege die Infusion an. Dann ist Mees vorerst versorgt. Sie können bei ihm bleiben, ihm kühlende Umschläge machen und ihn reinigen, wenn er weiter Durchfall hat. Aber Sie können das auch Sophia überlassen.« Er wies auf eine der schwarzen Helferinnen, die gerade eintrat, korrekt gekleidet, mit sauberer Schwesternschürze und ordentlich aufgestecktem Haar. »Gehen Sie besser zurück in Ihr Zelt und holen Ihren anderen Bruder und möglichst auch gleich Ihre Mutter her, vielleicht ... vielleicht können wir wenigstens die noch retten.« Kevin biss sich auf die Lippen. Auch das war natürlich ein Fehler gewesen, er hätte nicht sagen sollen, wie schlecht es um Mees stand. Aber andererseits – er wollte Doortje nicht mehr belügen. Kevin sah der jungen Frau direkt in die Augen. »Ich werde alles Menschenmögliche tun, um Mees am Leben zu erhalten. Aber ich kann nichts versprechen. Sie sollten für ihn beten.«

»Auf einmal?«, fragte Doortje erstickt. »Was ist mit den Wundern der modernen Medizin?«

Kevin seufzte. »Die Erfahrung zeigt, dass sich das Gebet und die moderne Medizin sehr gut ergänzen«, bemerkte er. »Wie war das noch? Hilf dir selbst, dann hilft dir Gott. Das müsste doch eigentlich auch zur Philosophie der Voortrekker passen ... Also gehen Sie jetzt? Oder misstrauen Sie Sophia und mir?«

Doortje schluckte. Dann ging sie schweigend hinaus.

Kevin selbst betete in dieser Nacht so inbrünstig wie noch nie in seinem Leben, aber es half nichts, der kleine Mees verfiel zusehends. Sophia bemühte sich nach Kräften um ihn, und am Morgen kam auch Nandé, um bei der Pflege zu helfen.

»Mich kennt. Mit mich ruhiger!«, behauptete sie, und Kevin ließ sie gewähren, obwohl Mees längst zu krank war, um überhaupt jemanden zu erkennen.

Zu seinem Entsetzen stand es um Thies, Doortjes zweiten Bruder, kaum besser. Doortje brachte ihn mithilfe zweier anderer Burenfrauen ins Hospital, allein hätte sie ihn nicht tragen können. Dr. Greenway, mit Typhus erfahrener als Kevin, schüttelte nur den Kopf, als er das Kind sah.

»Da müsste schon ein Wunder geschehen, wenn wir den

Kleinen durchbringen«, meinte er. »Ein Jammer, da ringt sich endlich eine der Frauen dazu durch, sich helfen zu lassen, aber es ist zu spät.«

Kevin weigerte sich, das zu glauben. Er kämpfte verzweifelt um das Leben der VanStout-Brüder, während Greenway sich um ein kleines Mädchen kümmerte, das eine der anderen Frauen mitgebracht hatte. Dies war der einzige Lichtblick des Tages, die kleine Wilhelmina war unterernährt und hustete, aber sie hatte noch keine Lungenentzündung und konnte sicher gesund werden. Greenway quartierte sie gemeinsam mit ihrer Mutter in einem der kleineren Krankenabteile ein, getrennt von den Schwarzen.

»Und nun sollen doch auch bald diese weißen Krankenschwestern kommen, oder?«, fragte er Kevin gegen Mittag. »Wann war das noch mal?«

Kevin war eben dabei, den Infusionsbeutel an Mees' Bett zu erneuern. Doortje machte auf seine Anweisung hin Essigwickel. Sie sprach seit dem Morgen nicht mehr mit ihm. Ihr Gesicht war ausdruckslos und bleich. Kevin erfüllte das mit widerwilliger Bewunderung. Ihr Starrsinn machte ihn wahnsinnig, aber die Würde, mit der sie ihr Schicksal trug, war beeindruckend.

Jetzt jedoch schrak er hoch. »Lieber Himmel ja, die Krankenschwestern! Sie kommen heute in Karenstad an, jemand muss sie vom Zug abholen. Aber ich kann jetzt unmöglich weg hier. Können Sie nicht …?«

Greenway blickte skeptisch an sich hinunter. Sein Kittel war schmutzig, er selbst verschwitzt von der Arbeit in dem stickigen Zelt.

»Ich müsste mich erst stadtfein machen«, bemerkte er. »Außerdem sagte mir Sophia eben, wir hätten drei neue Patientinnen. Die Burenfrauen geben endlich nach, sie bringen ihre Kinder.«

Doortje fuhr auf. »Wir geben nicht nach, Doktor!«, sagte

sie scharf. »Wir beugen uns nur der Gewalt. Allein in unserer Zeltreihe sind in den letzten Tagen zwölf Menschen gestorben. Wir können es nicht mehr mit ansehen. Ich hoffe, es freut Sie, unseren Stolz gebrochen zu haben.«

Kevin setzte zu einer Erwiderung an, gab es dann jedoch auf. Er war es leid, sich zu wiederholen. Und hatte jetzt ja auch ein anderes Problem.

»Ich rufe Vincent an«, meinte er und erhob sich seufzend. »Der beschwert sich zwar schon, dass er ständig für uns springen muss und kaum zu seiner eigenen Arbeit kommt. Aber vielleicht holt er ja gern mal ein paar Mädchen vom Zug ab, statt immer nur Pferden Einläufe zu verpassen.«

Kevin mühte sich noch weitere zwei Stunden verzweifelt damit ab, Mees VanStout am Leben zu erhalten. Er versuchte, das Fieber zu senken, und gab herzstärkende Mittel und solche gegen den Durchfall. Dr. Greenway schüttelte den Kopf über die Verschwendung. Das Lagerkrankenhaus war immer knapp mit Medikamenten, und er hatte sich längst zur Gewohnheit gemacht, sie nicht an Sterbende auszugeben. Wenn ein Kranker im letzten Typhus-Stadium kam, hielt er ihn warm und sauber, beschränkte die Behandlung aber auf die Zufuhr von Flüssigkeit. Kevins Kampf sah er als sinnlos an und behielt natürlich Recht. Mees starb am Nachmittag in den Armen Nandés. Doortje kümmerte sich um Thies, der sie manchmal noch erkannte. Seine Krankheit nahm allerdings einen sehr raschen Verlauf, Greenway ging davon aus, dass er seinem Bruder noch am gleichen Tag folgen würde.

»Hat jemand nach der Mutter gesehen?«, fragte der Arzt, als er den erschöpften Kevin von Mees' Toten- zu Thies' Krankenbett begleitete. »Eine der Nachbarinnen sagte, der ginge es auch sehr schlecht. Und sie verflucht ihre Tochter, weil sie nicht bei ihr ist.«

Doortje hatte die letzten Worte gehört, strich Thies noch einmal übers Haar und erhob sich.

»Ich gehe gleich zu ihr. Aber ... es war ihre Entscheidung, ich ... Wie ... wie geht es Mees?« Sie brach nicht zusammen, als Kevin ihr die dritte Todesnachricht an einem Tag verkündete, und sie weinte auch nicht. Lediglich das Zittern ihrer Hände, die fahrig die Bänder der vom Krankenhaus geliehenen Schwesternschürze lösten und versuchten, ihre Haube geradezurücken, verriet ihren Schmerz. »Dann gehe ich mal«, flüsterte sie.

Kevin kämpfte wieder mit dem Wunsch, sie an sich zu ziehen. »Doortje, ich habe getan, was ich konnte. Ich habe ... ich hab auch gebetet ...«

Er meinte, den Anflug von Wärme in ihren Augen zu sehen.

»Ich weiß«, sagte sie leise. »Vielen ... vielen Dank.«

KAPITEL 11

Roberta wurde die Zugfahrt nach Karenstad lang, obwohl der Blick aus dem Fenster beeindruckend blieb und Daisy und Jenny vergnügt miteinander plauderten. Aber Roberta konnte kaum glauben, dass sich die Reise jetzt ihrem Ende näherte – und dass sie nur noch kurze Zeit vom Wiedersehen mit Kevin Drury trennte. Das Ganze erschien ihr ohnehin wie ein Wunder, bisher war alles viel zu einfach gewesen. Und nun würde sie mit ihm zusammenarbeiten – als einzige Neuseeländerin im Lager, natürlich abgesehen von Jenny und Daisy. Aber im Vergleich zu einer Juliet LaBree waren die beiden wirklich keine Konkurrenz. Kevin würde Roberta unzweifelhaft bemerken, er würde mit ihr reden, sie kennenlernen – und sich vielleicht in sie verlieben.

Robertas Herz klopfte heftig, wenn sie nur daran dachte. Aber ein bisschen mulmig war ihr auch zumute. Sie hatte Kevin so lange nicht gesehen – womöglich hatten ihre Gefühle für ihn sich inzwischen verändert. Vielleicht würde sie dieses Brennen in der Brust gar nicht mehr spüren, wenn sie ihn ansah, vielleicht verursachte ihr der Klang seiner Stimme keine Gänsehaut mehr, und sie fühlte sich nicht mehr elektrisiert, wenn ihre Hand versehentlich die seine streifte. Immer wieder tastete sie nach dem Pferdchen in ihrer Tasche und hielt sich schließlich daran fest, als der Zug in Karenstad einfuhr. Ein hässlicher kleiner Ort, aber das hatte ihnen Lord Milners Sekretär auch schon gesagt. Tatsächlich hatte er den jungen Frauen dringend von dem Lager abgeraten – es gab andere in wesentlich schönerer Umgebung, in denen weniger chaotische Zustände herrschen sollten. Das nach Emily Hobhouse' Protesten eingesetzte Ladies' Committee hatte hier schon einiges bewirkt, besonders in den größeren, zentraler gelegenen Lagern. Aber Roberta bestand natürlich auf Karenstad, und Daisy und Jenny zogen begeistert mit. Daisy hoffte auf eine Romanze, und Jenny hatte sowieso nie vorgehabt, es sich leicht zu machen. Sie war auch von der Nachricht erfreut, dass ein schwarzes Lager zu Karenstad gehörte.

»Eine von uns wird mit den Weißen und die andere mit den Schwarzen arbeiten!«, erklärte sie jetzt entschlossen. »Und du, Roberta? Eröffnest du eine gemeinsame Schule für beide?«

Roberta antwortete nicht, sie hatte darüber noch nicht nachgedacht. Wenn sie ehrlich sein sollte, dachte sie nur an Kevin Drury. Und nun sollte es also so weit sein. Der Zug hielt und … Roberta hoffte im Stillen, dass er sie vielleicht abholte. Als Lagerleiter war er doch für sie zuständig, vielleicht wollte er sie ja gleich selbst in Empfang nehmen und sich für die Spenden bedanken. Die Kisten waren bereits vorausgeschickt worden und sollten das Lager vor den Frauen erreicht haben. Aber jetzt, im letzten Moment, packte sie doch nackte Angst. Wenn er sich nicht freute, dass sie da war? Wenn er sie als aufdringlich empfand … Roberta trödelte mit ihrem Gepäck herum, während Daisy und Jenny schon zum Ausstieg drängten. Die Mädchen spähten neugierig hinaus.

»He, ist das wohl dein Kevin?«, fragte Daisy und wies auf den Bahnsteig. »Der sieht ja mal gut aus! Schneidig in der Uniform. Obwohl … die Lager sind doch jetzt unter ziviler Leitung …«

Daisy griff nach ihren Koffern. Und auch Roberta hatte es plötzlich eilig, aus dem Zug zu kommen. Nein, es ging nicht an, dass er zuerst mit Daisy und Jenny sprach. Sie durfte nicht schüchtern sein, sie …

Roberta zupfte noch ein bisschen an ihrem eleganten, dunkelblauen Reisekostüm herum und trat dann entschlossen auf die Plattform. Kevin Drury erwartete sie allerdings nicht. Statt in dessen kantiges Abenteurergesicht schaute sie in ein lächelndes Antlitz mit freundlichen grauen Augen. Das schmale Gesicht des Mannes auf dem Bahnsteig war von kurzem, welligem blondem Haar umrahmt, und die vollen Augenbrauen und langen Wimpern ließen ihn gutmütig wirken. Sympathisch und männlich in der Khakiuniform, die einen schlanken, sehnigen Körper verbarg. Aber eindeutig nicht Kevin Drury.

Roberta bemühte sich, nicht enttäuscht zu sein. Es war ganz in Ordnung von Kevin, einen Kollegen zu schicken. Das Abzeichen am Revers des Mannes wies ihn jedenfalls als Sanitätsoffizier aus. Allerdings prangte ein V daneben.

Der Mann kam ihnen jetzt entgegen und half Jenny galant aus dem Zug. »Ladys, mein Name ist Dr. Vincent Taylor, und ich darf Sie im Namen der Lagerleitung von Karenstad herzlich willkommen heißen!« Dr. Taylor sprach förmlich, aber seine freundliche Tenorstimme ließ keinen Zweifel daran, dass er es ehrlich meinte. »Sie werden dringlich erwartet, es gibt sehr, sehr viel zu tun hier. Das erkennen Sie auch schon daran, dass keiner der Lagerärzte die Zeit gefunden hat, hierherzukommen und Sie abzuholen. Dr. Drury, der Lagerleiter, bittet Sie, ihn zu entschuldigen, er kümmert sich um zwei todkranke Kinder.«

»Und Sie waren abkömmlich?« Daisy begann sofort zu flirten.

Der Arzt lächelte. »Meine Patienten sind genügsamer«, erklärte er. »Sie sind in besserem Allgemeinzustand als die Frauen und Kinder im Lager, und im Krankheitsfall stehen mir reichlich Pfleger zur Verfügung.«

»Also arbeiten sie hier im Ort?«, fragte Jenny. »Sie behandeln britische Soldaten?«

Inzwischen war Roberta dabei, ihre Koffer aus dem Zug zu wuchten. Einer davon enthielt noch Spenden aus Neuseeland, er war beim Voraustransport vergessen worden. Jetzt nahm Dr. Taylor sie ihr ab. Er schien Jennys Frage zu vergessen, als er Roberta ins Gesicht sah. Roberta erschrak über den Ausdruck in seinen Augen. Überraschung? Verwunderung? Freude? Sie schlug erschrocken die Augen nieder. Hatte sie ihn angestarrt? Hatte er sie angestarrt?

»Ver… Verzeihung …«, flüsterte er. »Sie sind …«

Roberta errötete, verbot es sich dann aber und versuchte, ihn selbstbewusst anzusehen.

»Ich bin Roberta Fence«, sagte sie mit fester Stimme. »Die Lehrerin.«

»Ich bin Vincent Taylor«, wiederholte der junge Arzt – und schien dann in die Wirklichkeit zurückzufinden. »Verzeihung«, wandte er sich jetzt an Jenny. »Wie war … was wollten Sie noch wissen? Ach ja, die britischen Soldaten …« Er lächelte. »Ich würde sie nicht so bezeichnen, sie haben sich das nicht ausgesucht. Aber Armeeangehörige sind sie schon. Ich bin hier der Tierarzt, Miss …«

»Harris«, sagte Jenny vergnügt. »Also behandeln Sie Hunde und Katzen?«

»Pferde«, lachte Vincent. »Der Hunde- und Katzenanteil in der britischen Armee ist eher klein. Aber nun kommen Sie, ich habe mir einen halbwegs bequemen Wagen geliehen. Und zwei meiner geheilten Patienten …« Er zeigte auf einen mit zwei Braunen bespannten Leiterwagen, der immerhin zwei Sitzreihen aufwies. »Wenn Sie damit vorliebnehmen …«

Roberta wollte ihren Koffer hochhieven, aber Vincent nahm ihn ihr ab. Dabei streiften sich ihre Finger. Beide zogen die Hände rasch zurück. Roberta lächelte schüchtern und war schon wieder irritiert von Vincents Blick. Er sah sie an … wie Kevin Juliet angesehen hatte! Aber das konnte doch nicht sein!

»Verzeihung«, sagte er wieder.

Roberta überließ ihm den Koffer. Dann nahm sie neben Jenny in der zweiten Sitzreihe Platz. Daisy schwang sich ungezwungen neben Vincent auf den Bock.

»Hier sehe ich mehr!«, erklärte sie vergnügt. »Ich bin absolut fasziniert von diesem Land! Ist es weit bis zum Lager? Geht es durch die Wildnis?«

Vorerst rumpelte der Wagen über die ausgefahrenen Pisten zwischen Bahnhof und Ort, abgesehen von trostlosen, rasch hochgezogenen Armeebauten und Zelten war nicht viel zu entdecken. Daisy brauchte allerdings nur zwei Minuten, um den jungen Tierarzt in ein angeregtes Gespräch über Flora und Fauna Transvaals zu verwickeln. Roberta empfand Bewunderung und fast etwas Neid. Sie selbst konnte nicht so ungezwungen mit Fremden plaudern.

»Und Sie, Miss Fence?«

Roberta schrak auf, als sie ihren Namen hörte. Sie war in Gedanken versunken gewesen, Daisys Schwärmereien bezüglich der Tierwelt Afrikas rauschten seit Tagen nur noch an ihr vorbei.

»Was?«, fragte sie zerstreut.

»Ob es Ihnen auch gefällt?«, wiederholte Vincent die Frage. »Mögen Sie Südafrika?«

Roberta zuckte zusammen. Darüber hatte sie sich bislang keine Gedanken gemacht. Gleich würde er sie für dumm halten und das Kevin womöglich erzählen.

»Ich … ja, schon, es ist sehr schön«, murmelte sie. »Aber auch … sehr schwierig. Also, man sagt, die Menschen seien schwierig und der Krieg …«

Vincent Taylor nickte ernst. »Ja. Die Differenz ist manchmal erschreckend. Die Schönheit ringsum und die … na ja,

Engstirnigkeit der Menschen. Man möchte doch meinen, dieses weite Land, diese wunderbare Natur … das würde einen ein wenig mit Demut erfüllen …«

Roberta zuckte die Schultern. Sie war als Stieftochter eines Anwalts aufgewachsen, der sich viel mit Maori-Landangelegenheiten befasste. Die Vorstellung, die Schönheit einer Landschaft müsse Menschen zwangsläufig mit Demut erfüllen, hatte Sean Coltrane längst aufgegeben.

»Manche Menschen sehen Natur, andere sehen Bodenschätze«, bemerkte sie. »Oder Ackerland. Das ist doch immer so. Der eine sieht einen Kauri-Baum und denkt an die Geschichten um Tane Mahuta, der Nächste denkt ans Abholzen und das Geld für das Holz.«

Vincent wandte sich fasziniert zu Roberta um. »Das stimmt, Miss Fence. Das haben Sie wunderschön ausgedrückt.«

»Mancher sieht einen Menschen«, fügte Jenny hinzu, »der andere nur eine Arbeitskraft.«

Sie fuhren eben an einem Versorgungsdepot vorbei, vor dem einige abgerissen wirkende schwarze Arbeiter Säcke auf einen Leiterwagen luden. Die Männer wirkten unterernährt und mutlos.

»Und dabei ist das ja eigentlich ihr Land«, meinte Roberta gedankenverloren.

Sie fragte sich, wie die Schwarzen hier gelebt hatten, bevor die Buren einbrachen.

»Das mit den Schwarzen hier ist wirklich ein großes Problem«, sagte Vincent und hatte die Aufmerksamkeit aller drei Frauen, als er von Kevins Schwierigkeiten im Lager erzählte.

Auf Jennys Angebot, gern auch im Lager der Schwarzen zu arbeiten, reagierte er erfreut, aber nicht derart euphorisch wie eben auf Robertas Kommentar. Daisy blieb das nicht verborgen.

»Da hast du ja mal eine Eroberung gemacht«, wisperte sie

Roberta zu, als Vincent ein paar Worte mit entgegenkommenden Reitern wechselte. »Der Tierarzt frisst dir schon mal aus der Hand, nun musst du nur noch deinen Kevin beeindrucken. Hast du dir den Satz mit den Bäumen gemerkt?«

Roberta errötete. Sie fand Vincent Taylor nett, aber er hatte nicht annähernd die Wirkung auf sie, die Kevin immer ausgeübt hatte. Vincent steuerte den Wagen nun über unbefestigte Wege, und Jenny beschwerte sich über die Staubwolken.

»Im Lager ist das noch schlimmer«, meinte Vincent. »Eigentlich unzumutbar. Aber was das angeht ... es ist alles menschenunwürdig.«

»Jetzt sind wir ja da!«, erklärte Daisy selbstbewusst, als könnte sie allein die Lagerpolitik der Briten ändern. »Wir machen das schon.«

Nach einer knappen halben Stunde durchfuhren sie das Tor zu dem mit Stacheldraht eingezäunten Lager. Die Wachleute wirkten gelangweilt, Fluchtversuche schien es nicht zu geben. Die weiblichen Neuzugänge betrachteten sie mit begehrlichen Blicken, verkniffen sich aber jede zotige Bemerkung. Und dann entdeckten Roberta und die Krankenschwestern die ersten Burenfrauen und -kinder. Ausgemergelte Gestalten in fadenscheinigen, abgetragenen Kleidern, die lose um ihre mageren Körper hingen. Die meisten waren barfuß oder trugen mehrfach geflickte Schuhe, aber fast alle hielten an dem Brauch fest, eine Haube zu tragen, und sei sie noch so fleckig.

»Die Kinder spielen gar nicht«, bemerkte Roberta erschrocken, als sie zwischen den Zeltreihen entlangfuhren – vom ständigen Staub rötlich verfärbte runde Zelte, die meisten offen, von Fliegen umschwirrt, davor primitive Kochstellen. »Und die Frauen ... hatten die vorher nicht richtige Häuser?«

Vincent nickte. »Die hatten sie, und sie waren sauber und ordentlich. Unsere Heeresleitung pflegt die Buren gern als primitiv zu bezeichnen, und sie glänzen nun wirklich nicht durch Bildung und geschliffene Ausdrucksweise. Aber das tut die englische und neuseeländische Landbevölkerung auch nicht, und mit der muss man sie ja vergleichen. Jedenfalls entspricht das hier nicht ihrem Wesen, und es ist eine Frechheit, zu behaupten, es ginge ihnen hier besser als auf ihren eigenen Farmen. Das würde allenfalls auf die medizinische Versorgung zutreffen, wenn die Seuchen nicht wären. Aber gegen Cholera und Typhus, Schwindsucht, Lungenbrand ... da sind unsere Ärzte machtlos. Deshalb gelingt es ihnen auch kaum, die Burenfrauen zu beeindrucken. Früher sind denen weniger Kinder gestorben ... Da, schauen Sie, wir kommen zu den Wirtschaftsgebäuden. Dort ist das Krankenhaus ... ein primitiver Bau, ich weiß, aber er erfüllt seinen Zweck. In den paar Häusern schlafen die Ärzte und Wachen, das flache Gebäude da vorn ist die Verwaltung und gleichzeitig Dr. Drurys Wohnhaus. Schauen wir mal, ob er inzwischen im Büro ist.«

Die Frauen folgten dem Tierarzt etwas schüchtern über den staubigen Platz zwischen den Häusern und dem Hospital. Alles hier wirkte trostlos, auch die schmucklosen Gebäude, das große Zelt, vor dem ein paar schwarze Frauen Wäsche wuschen, das Hospital, an dessen Seite zwei weiße Frauen mit ihren verhärmten Kindern warteten – und missmutig zu den Schwarzen hinüberschauten, die genauso mager und abgerissen wirkten, wenn auch nicht gar so unglücklich.

Vincent öffnete die Tür zu Kevins Haus, ohne zu klopfen. Sie führte in einen Vorraum und dann gleich ins Büro. Sämtliche Räume waren verwaist.

»Schließt man hier nicht ab?«, fragte Daisy verwundert.

Vincent zuckte die Schultern. »Wohl nicht«, meinte er. »Wahrscheinlich gibt's nichts zu stehlen. Und die Frauen sind auch keine Diebinnen. Wie gesagt, das sind ehrbare Menschen, auch wenn ihre Kultur und Tradition von der unseren abweicht.« Vincent klopfte an die Tür zu Kevins Wohnräumen, aber auch da war niemand.

»Er muss noch im Hospital sein. Hoffentlich ist ihm das Kind nicht gestorben, er hat sich so bemüht.« Vincent sprach halb zu sich selbst, während er die Frauen wieder hinausführte und die Tür des Hauses hinter sich schloss. »Nie die Türen offen stehen lassen, sonst kommen Staub und Fliegen rein«, riet er den Frauen. »Allerdings ist man oft hin und her gerissen. Wind kommt bei geschlossenen Türen nämlich auch nicht herein. Besonders in den Zelten wird die Hitze schnell unerträglich, wenn die Luft darin steht.«

Vincent ging zum Hospital hinüber, und Roberta fühlte ihr Herz wieder heftig klopfen. Gleich, gleich würde sie Kevin wiedersehen.

Der Tierarzt führte die Frauen zum Hospitaleingang, ließ dann aber einer jungen Burin den Vortritt, die mit raschem Schritt auf das Gebäude zukam. Sie hielt den Kopf gesenkt, aber Vincent schien sie gleich zu erkennen.

»Guten Tag, Miss VanStout«, sagte er freundlich. »Ich hörte von Ihrem Bruder. Es … es war klug von Ihnen, ihn herzubringen.«

Die Frau sah auf, und Roberta blickte in ein verhärmtes, blasses Gesicht, das aber dennoch von herber Schönheit war. Die Augen der jungen Frau waren von einem faszinierenden Blau wie edles Porzellan. Und so mager und verbittert sie jetzt auch war, ihre Züge waren doch ebenmäßig.

»Er ist vorhin gestorben«, sagte sie tonlos. »Und meine Mutter …« Sie sprach nicht weiter.

Vincent hielt ihr die Tür auf. »Das tut mir sehr leid, Miss VanStout«, sagte er mit seiner sanften Stimme. »Aber ich bin sicher, Dr. Drury hat alles getan.«

Die Frau ließ das unkommentiert und wandte sich zielstrebig dem hinteren Bereich des Hospitals zu, während Vincent

Roberta und den Krankenschwestern erst mal die größeren Säle und die Behandlungsbereiche zeigte. Auch hier war nichts von Kevin zu sehen, aber sie bekamen einen ersten Eindruck von den Verhältnissen in diesem Land. Die Burenfrauen hatten ihren Widerstand gegen die Behandlung schwarzer Patienten in diesem Krankenhaus jetzt zwar aufgegeben, sie zogen jedoch eine klare Grenze: In einem Teil des Saals lagen weiße Frauen und Kinder in den Betten, im anderen Schwarze, vor allem Kinder. Die Betten der Weißen waren mit Decken und Kissen ausgestattet, den schwarzen Kindern dienten nur Lumpen als Kopfkissen. Ihre Zudecken wirkten fadenscheiniger als die der Weißen. Die schwarzen Pflegerinnen schienen da mitzuspielen. Jennys Gesicht sprach Bände, als sie der Zustände gewahr wurde.

Roberta fand keine Zeit, sich zu empören. Sie schaute nach Kevin aus, aber auch hier war kein Arzt zu entdecken.

»Für die Schwerkranken gibt es kleinere Räume«, erklärte Vincent und führte die Frauen durch die Krankensäle nach hinten. »Da werden Drury und Greenway sein.« Er schob denn auch gleich den Vorhang beiseite, der einen der vier kleineren Krankenbereiche vom Korridor trennte.

Roberta würde niemals das Bild vergessen, das sich ihr hier bot. Kevin Drury, etwas schmaler geworden, aber nach wie vor stattlich und gut aussehend mit seinem jetzt wirren und fast ein bisschen zu langem schwarzem Haar und seinen kantigen Zügen, erhob sich eben vom Bett eines Kindes. Zumindest erahnte man, dass sich ein Kinderkörper unter dem Laken befand, das Kevin über das Gesicht des offensichtlich Verstorbenen gezogen hatte. Der Arzt wandte sich der Frau zu, die Vincent zuvor mit Miss VanStout angesprochen hatte. Auf seinem Gesicht stand ein Ausdruck von Hilflosigkeit, Verzweiflung und – Liebe.

»Doortje ... Doortje, ich ... Ihr ... Thies ...«

Er konnte es nicht aussprechen, aber die Frau sah natürlich, dass das Kind gestorben war. Sie schwankte. Und dann nahm Kevin sie in die Arme. Er zog diese Doortje an sich ...

Roberta spürte, wie etwas in ihr zerbrach. Nun war sie um die halbe Welt gereist, um Kevin Drury wiederzusehen. Aber sie fand ihn genauso vor sich wie bei ihrem letzten Treffen in Dunedin – in den Armen einer schönen Frau, einer anderen Frau ...

Allerdings schmiegte sich Doortje VanStout nicht willig in seine Arme wie weiland Juliet LaBree. Tatsächlich überließ sich die Burin der Umarmung nur für ein paar wenige Herzschläge, gerade lange genug, dass man ihr Nachgeben erkannte, zumindest, wenn man so genau beobachtete wie Roberta. Dann löste sie sich abrupt von Kevin, warf einen hasserfüllten Blick auf das Bett und eine andere Frau, die Roberta jetzt erst bemerkte. Ein schönes, noch recht junges Mädchen mit tiefschwarzer Haut und krausem Haar. Es hatte im Schatten gesessen und die Hand des Kindes gehalten.

»Wie können Sie es wagen! Wie können Sie ... nachdem ...«

Doortje brach ab. Sie hatte die Hand gehoben, wie um Kevin zu schlagen, aber jetzt sank sie kraftlos herab.

»Doortje, ich wollte Ihnen nicht zu nahe treten. Ich wollte nur ... es tut mir so leid ...«

Roberta konnte Kevins Verzweiflung nachempfinden, obwohl sie überhaupt nichts über die Vorgeschichte der jungen Frau wusste. Und sie hatte Mitleid mit der Burin, die ein Familienmitglied verloren hatte. Aber über all dem schwebten Verbitterung und Trauer um ihren verlorenen Traum.

KAPITEL 12

»Aber sie macht sich doch gar nichts aus ihm!«, erklärte Daisy
im Brustton der Überzeugung.

Die drei jungen Frauen hatten gemeinsam ein eigens auf-
gestelltes Zelt bezogen – mit leisem Schuldbewusstsein, hatten sie doch schnell festgestellt, dass sich die Burenfrauen die
gleiche Unterkunft zu fünfzehnt teilten. Und natürlich brachte
Daisy die Sprache gleich auf Kevin, der einen ausgezeichneten
Eindruck auf die beiden Krankenschwestern gemacht hatte. Er
hatte etwas Zeit gebraucht, um sich von der Sache mit Doortje
zu erholen. Vincent, ein ebenso guter Beobachter wie Roberta
und zweifellos in die Verhältnisse eingeweiht, hatte die drei
gleich nach der Szene zwischen Kevin und der jungen Burin
aus dem Raum geschoben.

»Ich denke, Dr. Drury ist noch beschäftigt«, sagte er ruhig.
»Ich werde Ihnen erst mal Dr. Greenway vorstellen.«

Greenway hatte die neuen Helferinnen freundlich begrüßt
und gleich noch einmal eine umfangreichere Führung durch
das Krankenhaus vorgenommen, die natürlich vor allem für
Daisy und Jenny interessant war. Roberta behielt dagegen eher
den hinteren Bereich des großen Zeltes im Auge. Sie hätte sich
gern zu Vincent Taylor gesellt, der sich sehr schnell unauffällig
verabschiedete und im Sterbezimmer des Kindes verschwand,
um die Wogen zwischen Kevin und Doortje zu glätten. Heraus drangen aufgebrachte Stimmen, aber Roberta konnte nicht
verstehen, worum es ging. Schließlich stürmte zunächst die

schwarze junge Frau heraus, dann führte Vincent die Burin aus dem Raum. Kevin stieß erst etwas später zu seinem Kollegen und seinen neuen Mitarbeiterinnen, jetzt gefasst und in sauberem Kittel.

»Ich muss mich für meine Unaufmerksamkeit entschuldigen … natürlich hätte ich Sie begrüßen und herumführen müssen.« Kevin lächelte den jungen Frauen auf seine gewohnt charmante Art zu und schien sich ehrlich zu freuen, Roberta wiederzusehen. Das Aufleuchten seiner Augen hätte sie glücklich gemacht – wäre da bloß nicht die Szene mit der Burin gewesen, die all ihre Illusionen in Rauch aufgelöst hatte.

»Roberta! Oder muss ich ›Miss Fence‹ sagen? Schließlich bist du jetzt eine gestandene Lehrerin – obwohl du dafür eigentlich zu hübsch bist. Wie kriegst du es fertig, dass die Kinder Angst vor dir haben?« Er schenkte ihr einen spitzbübischen Blick. »Aber im Ernst, Roberta, wir müssen uns baldmöglichst zusammensetzen und deinen Einsatz hier planen. Man möchte zwar meinen, die Kinder brauchten erst mal besseres Essen und dann erst Unterricht im Lesen und Schreiben. Aber andererseits sollte man das ›geistige Futter‹ nie unterschätzen. Die Kinder müssen unbedingt Englisch lernen.«

Kevin hatte die Frauen in sein Büro gebeten, das recht wohnlich war, und das schwarze Mädchen hatte Kaffee und Tee serviert. Es wirkte verweint und ängstlich, obwohl Kevin es sehr freundlich behandelte. Schließlich hatte er sich für die vielen Spenden aus Neuseeland bedankt, mit den Frauen über die Verteilung gesprochen und ihnen schließlich ihr Zelt gezeigt.

»Morgen melden Sie sich dann gleich im Hospital zum Dienst, Schwester Towls und Schwester Harris, und wir unterhalten uns über die Schule, Roberta. Wenn ich eben Zeit finde, zeige ich Ihnen auch das schwarze Lager.«

»Jedenfalls hast du genau das, was du wolltest«, analysierte Daisy später im Zelt das Gespräch mit Kevin in Bezug auf Robertas Chancen bei ihrem Schwarm. »Er war nett zu dir, er hat dich bemerkt – er hat sogar gesagt, dass er dich hübsch findet! Was willst du mehr? Und morgen hast du eine Besprechung mit ihm. Allein. Dann kannst du ihn weiter beeindrucken.«

»Aber da ist was mit dieser Burin«, erklärte Jenny, auch sie hatte genau hingesehen. »Er ist ganz klar verliebt in sie, da hat Roberta schon Recht.«

Roberta war auch nach der freundlichen Unterhaltung mit Kevin ziemlich mutlos. Sie hätte sich am liebsten die Bettdecke über den Kopf gezogen und geweint, statt die Angelegenheit mit ihren Freundinnen zu diskutieren.

»Sie macht sich doch gar nichts aus ihm!«, konstatierte Daisy erneut. »Natürlich hat er sie umarmt. Aber sie war nahe dran, ihm eine Ohrfeige zu verpassen. Da würde ich mir eher Sorgen wegen dieser Nandé machen. Die ist doch wohl bildschön … also, wenn man auf Schwarze steht. Und sie arbeitet für ihn.«

»Die guckt er aber nicht so an«, wandte Jenny ein. »Nein, nein, die Rivalin ist die Burin. Und gegen die kommst du an, Robbie! Sie tut ihm vielleicht leid, und sie ist ja auch sehr hübsch. Aber auf die Dauer … Zieh dich morgen nett an, und lächle ein bisschen, und vor allem, wirf die Flinte nicht gleich ins Korn!«

Roberta nickte, weil sie wusste, dass die anderen das von ihr erwarteten. Aber im Grunde hatte sie längst aufgegeben. Wenn sie ihre Hoffnungen jetzt nicht begrub, würde sie diesen Blick nicht mehr vergessen, den Kevin Drury bisher fast jeder Frau geschenkt hatte – nur nicht ihr, Roberta Fence.

Am nächsten Tag erlebten die drei jungen Frauen zunächst ein Begräbnis. Kevin hatte es am Tag zuvor nicht erwähnt, vielleicht auch nicht daran gedacht, aber wie Dr. Greenway den Neuen erklärte, veranstalteten sie alle drei Tage eine Trauerfeier.

»Es sei denn, es ist niemand gestorben«, schränkte der Arzt ein. »Aber das kommt höchstens alle drei Wochen mal vor. Und diesmal haben wir sogar besonders viele Todesfälle – durch diesen verhängnisvollen Boykott des Hospitals durch die Burenfrauen. Doortje VanStout haben Sie ja kennengelernt, sie ist eine der Hinterbliebenen, wie Sie wissen ...«

»Ist diese Miss VanStout eigentlich etwas Besonderes?«, fragte Daisy vorwitzig. »Ich meine, weil Dr. Drury ...« Sie errötete, und Roberta war fassungslos ob dieser Schauspielkunst.

Greenway winkte ab. »Dr. Drury kennt die Familie, das Haus war mal als Lazarett konfisziert«, gab er gelassen Auskunft. »Und hier im Lager hat die Familie Einfluss, weil Adrianus VanStout ein berühmt-berüchtigter Kommandant ist ... oder war, er ist gefallen. Die Frau hat hier so eine Art Schule geleitet.« Roberta horchte auf. War Doortje also ebenfalls Lehrerin? »Was wir gar nicht gern gesehen haben, die Kinder wurden nur gegen die Engländer aufgehetzt. Aber gut, jetzt ist sie ja auch gestorben, heute Nacht ...«

»Doortje VanStout ist gestorben?«, fragte Jenny.

Der Arzt schüttelte den Kopf. »Ihre Mutter. Sehr tragisch für die junge Frau, gestern beide Brüder, heute Nacht die Mutter – sie wird auch gleich beigesetzt. Und Miss Doortje hält gewöhnlich bei den Beerdigungen die Bibellesung. Eine Andacht leitet sie auch, das macht sie ganz nett, vor allem beschränkt sie sich dabei auf die Religion. Zumindest wenn wir dabei sind. Sonst vermischen diese Leute ja gern Religion und Politik. Nach Ansicht der Buren ist die Bibel eine Art Gebrauchsanweisung für die Unterwerfung Südafrikas. Sie sehen sich als Gottes auserwähltes Volk und versäumen keine Gelegenheit, darauf hinzuweisen. Aber heute wird Miss VanStout kaum dazu fähig sein, den Gottesdienst zu leiten. Also bleibt es an uns hängen.

Wahrscheinlich an Dr. Drury. An sich obliegen diese Dinge der Lagerleitung.«

Kevin Drury drückte sich denn auch nicht um seine Verantwortung. Er entschuldigte sich kurz bei Roberta und Jenny, weil sowohl die Schulbesprechung als auch der Ritt ins Lager der Schwarzen verschoben werden mussten, und trat dann sehr ruhig und gefasst vor die Frauen, die auf dem Friedhof hinter dem Hospital warteten. Die Versammlung reichte weit über den kleinen Platz hinaus – es sah aus, als wäre jeder zum Begräbnis der Bentje VanStout gekommen, der sich nur eben aus seinem Zelt hatte schleppen können. Doortje VanStout stand gefasst und mit versteinertem Gesicht vor den zwei kleinen Särgen und dem rasch grob zusammengehauenen Sarg ihrer Mutter. Der Lagertischler gab sich stets größte Mühe mit den Kindersärgen. Er kam zwar kaum nach, versuchte aber nach Kräften, den Kleinen wenigstens eine würdige Bestattung zu schenken. Der Mann, ein Lance Corporal, der seine Dienstzeit abgeleistet hatte und freiwillig geblieben war, um in den Lagern zu helfen, stand am Rand der Gruppe und hatte Tränen in den Augen. Er war ein gutmütiger Mensch und verdiente die Verachtung nicht, mit der die Frauen im Lager ihn behandelten.

Auf die Dienste des Fotografen hatte Doortje verzichtet. Es gab niemanden mehr in ihrer Familie, dem sie die Bilder der Verstorbenen hätte zeigen können. Immerhin duldete sie Cornelis neben sich – wie es aussah, war er ihr letzter lebender Verwandter, dem sie halbwegs nahestand oder -gestanden hatte. Jetzt aber trennte er sich von Doortje und wandte sich an Kevin, noch bevor der das Wort ergreifen konnte.

»Dr. Drury, es wäre besser, wenn ich das übernehmen würde«, sagte er ernst. »Meine Tante Bentje … also allein der Gedanke, dass ein Neuseeländer an ihrem Grab spricht … ich befürchte, es könnte einen Aufstand geben, wenn Sie jetzt die Bibellesung übernehmen.«

Kevin zuckte die Achseln. »Na, Sie konnte sie ja auch nicht besonders leiden«, bemerkte er.

Cornelis biss sich auf die Lippen. »Am Ende hat sie selbst Doortje als Verräterin beschimpft, weil sie die Jungen ins Hospital gebracht hat. Und weil sie meinte …« Er rieb sich die Schläfe. »Nein, das … das gehört nicht hierher. Aber Doortje ist am Ende. Sie wird nicht protestieren, wenn ich die Trauerfeier leite …«

Aber während die Männer noch sprachen, erhob sich schon ein Chor von Kinderstimmen. Sie sangen ein Kirchenlied, das Kevin vage bekannt vorkam – wahrscheinlich gab es das auch auf Englisch. Wer hatte da so schnell einen Chor organisiert? Verblüfft entdeckte er die junge Lehrerin Roberta Fence zwischen den Kindern. Und eine der Krankenschwestern drückte den Kleinen Blumen in die Hände.

»Und jetzt Gebet!«, forderte die andere die Menge in fürchterlich schlechtem Niederländisch auf.

»Vater unser …«, sagte Roberta.

Auch in der Fremdsprache. Es klang, als hätten die Frauen die Worte eben erst auswendig gelernt, aber die Burenfrauen fielen ein, und eine von ihnen übernahm schnell die Führung. Schließlich schlug Roberta entschlossen die niederländische Bibel auf und begann einen Text zu lesen.

»Ich bin die Auferstehung und das Leben …«

Die Worte gingen ihr mehr als holprig von den Lippen, aber schon nach kurzer Zeit drückte sie das Buch einem jungen Mädchen in die Hand, das befangen auch ein paar Sätze las und die Bibel dann seinerseits weitergab.

Kevin war sich nicht sicher, ob auch die Buren den Text aus dem Neuen Testament gewählt hätten. Im Allgemeinen zogen sie das Alte Testament vor. Robertas ebenso hilflos wie liebevoll improvisierte Trauerfeier zog die Frauen dennoch in ihren Bann. Niemand protestierte, als schließlich auch Cornelis ein paar Worte sprach und seine Tante als strenge, jedoch liebevolle Frau schilderte, gehorsame Ehefrau und aufopferungsvolle Mutter. Als die Särge schließlich in die Gräber gesenkt wurden, weinten die Menschen, die Kinder folgten Roberta brav und offensichtlich gern zu den Gruben und warfen ihre Blumen hinein, wie Roberta, Daisy und Jenny es ihnen vormachten.

Doortje ließ zu, dass Cornelis den Arm um sie legte. Kevins Beileidsbekundungen nahm sie wortlos hin, ihr Gesicht war tränenlos.

»Das haben Sie wunderbar gemacht!«, erklärte Vincent Taylor begeistert, als die Menge sich nach der Trauerfeier verstreute und er sich Roberta, den Krankenschwestern und Ärzten zugesellte. »Wirklich, Miss Fence, äußerst ergreifend …«

»Und vor allem hat es einen Aufstand verhindert!«, meinte Kevin und packte aufatmend die Bibel ein. »Sehr gut, Ladys, ich sehe schon jetzt, Sie sind eine wirkliche Bereicherung für unsere Arbeit hier. Die Frauen haben schon Vertrauen zu Ihnen allen gefasst. Das haben Sie ganz hervorragend improvisiert! Aber was machst du schon wieder hier, Vincent? Gibt es keine kranken Pferde?«

Vincent lief sofort rot an. »Da … hm … ist noch eine Hilfslieferung im Namen von Miss Fence gekommen, und da dachte ich …«, er lächelte Roberta schüchtern zu, »… ich dachte, es wäre Ihnen recht, wenn wir …«

Daisy stupste Roberta an. Hätten sie nicht gerade einer Beerdigung beigewohnt, so hätte sie wahrscheinlich gekichert. Auch Kevin schien den Ausdruck in den Augen seines Freundes deuten zu können.

»Ach so … hm … ja …«, druckste er. »Dann … äh … hilf ihr doch auch gleich noch beim Auspacken. Wenn du sonst nichts zu tun hast.«

Kevin verschwand im Hospital, um sich wieder ärztlichen Pflichten zu widmen, während Vincent Roberta tatsächlich half, die Kiste aufzustemmen und die Kleider und Spielzeugspenden zu sichten. Auch eine Schultafel fand sich, was Roberta an ihre eigentliche Aufgabe erinnerte.

»Wo richte ich die Schule denn bloß ein?«, fragte sie etwas hilflos. »Es gibt gar keine Gebäude und …«

»Machen Sie's doch einfach im Freien«, meinte Vincent. »Also wenn ich den Vorschlag machen darf. Bitten Sie den Tischler, ein paar Bänke zu bauen. Das macht der gern, eine willkommene Abwechslung zu den ewigen Särgen. Hängen Sie die Tafel an einen Baum, und schauen Sie, ob Kinder kommen. Am Anfang wird das vielleicht nicht einfach sein. Die Mütter sind misstrauisch und wollen sicher auf keinen Fall, dass die Kinder Englisch lernen. Aber auf Dauer … es hat hier ja sonst niemand etwas zu tun.«

»Die ködere ich schon«, lächelte Roberta. »Sie sind doch alle hungrig. Und wir haben auch Lebensmittelspenden. Zumindest ein paar Wochen lang reicht das für eine Schulspeisung.«

Daisy regte im Hospital gleich etwas ganz Ähnliches an. »Wenn Sie keine freiwilligen Helferinnen kriegen, müssen Sie die Frauen eben ködern«, erklärte sie dem verwunderten Dr. Greenway. »Sonderrationen für jede, die hier beim Kochen und Putzen und Krankenpflegen hilft. Das erübrigt auch das Problem mit den schwarzen Helferinnen. Jenny und ich haben uns da übrigens etwas überlegt: Wir schicken die Frauen in ihr eigenes Lager zurück, wo sie mit Jennys Hilfe den Krankenhausbetrieb aufbauen können. Und ich schule hier die Weißen. Das nimmt wieder den Ärzten Arbeit ab, und Sie können jeden Tag zur Visite ins schwarze Lager rüberreiten. Was halten Sie von meinem Vorschlag, und wann schauen wir uns das Lager an? Jenny ist schon ganz ungeduldig.«

Roberta und Jenny begleiteten Kevin gleich am nächsten Morgen ins Lager der Schwarzen und waren ebenso entsetzt von den Zuständen wie der Arzt ein paar Tage zuvor. Jenny wäre am liebsten gleich dortgeblieben. Tatsächlich zog sie am nächsten Morgen um – gemeinsam mit den schwarzen Schwesternhelferinnen und ihrem Zelt, das sie zum Entsetzen der burischen Frauen mit Sophia und den anderen Arbeiterinnen zu teilen gedachte. Zu Roberta und Daisy zog – zu noch größerem Entsetzen der Burinnen – Nandé.

»Ich nicht verlassen Baas Dr. Drury!«, erklärte Nandé mit großem Ernst. »Und schöne Haus. Muss doch einer putzen!«

Nandés Englisch verbesserte sich jeden Tag, die junge Frau war intelligent und lernwillig, fürchtete sich jedoch zu Tode, ins schwarze Lager zurückgeschickt zu werden. Kevin zeigte dafür Verständnis und war sehr erleichtert, als Daisy und Roberta nichts dagegen hatten, mit Nandé eine Unterkunft zu teilen.

»Das Ganze hätte mich sonst nämlich in ziemliche Schwierigkeiten gebracht«, bekannte Kevin gegenüber Roberta. Die beiden fuhren nun fast jeden Tag gemeinsam zu den Schwarzen hinaus, Kevin zur Visite und Roberta, um Schule zu halten. Während die Buren ihr Angebot, die Kinder zu unterrichten, nur zögernd annahmen, waren die schwarzen Kinder ganz wild darauf, Englisch zu sprechen und lesen und schreiben zu lernen. Erst recht, wenn das mit einem Marmeladenbrot oder anderen Leckereien zur Mittagszeit verbunden war. »Die Frauen im Lager reden ja sowieso schon über mich und Nandé, was natürlich völliger Unsinn ist.«

»Ja?« Roberta fasste sich ein Herz. Sie wollte es jetzt wissen, und sie wollte nicht immer nur schüchtern sein. »Ich meine … Miss … äh … LaBree … war doch auch recht dunkelhäutig.«

Kevin lief umgehend rot an. Er hatte schon von Patricks Hochzeit mit Juliet gehört, aber von der weiteren Entwicklung dieser Ehe hatte er erst über Roberta erfahren. Das Thema war ihm äußerst unangenehm. Immerhin war er sich bei Nandé nun wirklich keiner Schuld bewusst.

»Aber ich bitte dich, Roberta! Das Mädchen ist doch höchstens achtzehn Jahre alt. Ein halbes Kind und völlig ungebildet ...«

Robertas Herz klopfte heftig. Wenn Kevin auf Bildung Wert legte, konnte es zwischen ihm und dieser Doortje nicht weit kommen! Obwohl die immerhin lesen und schreiben und wohl auch die halbe Bibel auswendig konnte.

»Aber sie ist sehr schön«, bemerkte Roberta.

Kevin zuckte die Achseln. »Deshalb dichtet man mir da ja auch gern etwas an. Auf jeden Fall bin ich froh, dass sie bei euch unterkommt, sonst hätte sie sich nämlich garantiert wieder in meiner Küche eingerichtet. Das hat sie schon mal getan, und seitdem glaubt Doortje ...« Er biss sich auf die Lippen und wechselte rasch das Thema: »Was ist denn jetzt mit deinen Reitstunden, Roberta? Es hält wirklich sehr auf, wenn wir jeden Tag mit diesem Leiterwagen von einem Lager ins andere fahren müssen.«

Nun war es an Roberta, rot zu werden. Vincent Taylor bot ihr seit Tagen an, ihr auf einem braven Pferd, vielleicht einem Burenpony, die Grundlagen des Reitens beizubringen. Roberta hatte dazu keine besondere Lust, nach wie vor erinnerte sie jeder Gedanke an Pferde an ihre Kindheit bei der Trabrennbahn – den prügelnden Vater, die ständige Angst ihrer Mutter vor Wettverlusten und den Streit zwischen Chloé und Colin Coltrane. Zudem wusste sie nicht recht, ob sie das Zusammensein mit Vincent Taylor eher beunruhigte oder ob sie es genoss. Der junge Tierarzt war nett und suchte erkennbar ihre Nähe. Aber Roberta fühlte sich immer noch eher zu Kevin hingezogen, auch wenn ihr Verstand ihr sagte, dass diese Liebe keine Zukunft hatte. Eine Erkenntnis, mit der sie nur leben konnte, wenn sie vorerst alle Gefühle in sich verschloss. Auf keinen

Fall wollte sie Dr. Taylor Hoffnungen machen und sich damit womöglich jeglichen Weg zu Kevin verbauen …

Roberta wusste, dass diese Überlegungen widersprüchlich waren, sie kam sich dumm und unehrlich vor. Und Kevins ständige Ermutigungen, Vincents Reitstundenangebot endlich anzunehmen, schmerzten sie zusätzlich. Da konnte sie sich noch so oft sagen, dass Kevin dabei vielleicht gar nicht an Liebe oder gar an Verkupplung dachte. Dem ging es eher darum, nicht mehr täglich anspannen zu müssen, um von einem Lager zum anderen zu fahren. Der Weg nach Karenstad II, wie sie das schwarze Lager neuerdings auf Jennys Vorschlag hin nannten, war mehr als schlecht, man riskierte immer einen Achsenbruch und kam nur sehr langsam vorwärts. Ein Reiter konnte dagegen traben und galoppieren und war in weniger als einer halben Stunde da.

»Na ja, heute hätten wir den Wagen ja sowieso gebraucht«, meinte Roberta schließlich ausweichend und wies auf die Ladefläche.

Sie war mit Kisten voller Kleider- und Nahrungsmittelspenden gefüllt, von denen in der letzten Zeit mehr und mehr eintrafen. Nachdem ein auf Emily Hobhouse' Betreiben eingesetztes Ladies' Committee die Konzentrationslager inspiziert hatte, war jedem klar, dass Verbesserungen eingeleitet werden mussten. Obwohl die Damen eher vorsichtig kritisierten, drangen doch Informationen über die Zustände in den Lagern nach England und in die Kolonien, die Berichte der Krankenschwestern und Lehrerinnen, die Miss Hobhouse' Organisation nach Südafrika geschickt hatte, taten ein Übriges.

»Habt ihr gerecht aufgeteilt?«, fragte Kevin schmunzelnd.

Die Verteilung der Spenden war ein Dauerthema unter den Frauen im Lager. Während die Krankenschwestern und Roberta alles gleichmäßig verteilen wollten, sahen die Burenfrauen nicht ein, dass auch die schwarzen Kinder Spiel- und

Schulsachen erhalten sollten. Um die raren Medikamente gab es regelrecht Streit, nachdem die ersten weißen Frauen die Grundlagen der modernen Krankenpflege erlernt hatten. Daisys Vorstoß, sie für den Dienst im Krankenhaus mit Zusatzrationen zu bezahlen, war erstaunlich erfolgreich gewesen. Um ihre Kinder zu versorgen, sprangen die Frauen über ihren Schatten und erwiesen sich schnell als kompetent und von rascher Auffassungsgabe. Dumm waren die Burenfrauen und -mädchen keinesfalls, nur erschreckend ungebildet. Sie verstanden sich auf Hausfrauenarbeit, aber schon mit dem Lesen und Schreiben haperte es. Die Kinder auf den abgelegenen Farmen gingen nicht zur Schule, es oblag den Vätern, sie zu unterrichten. Manche nahmen diese Aufgabe ernst, wie Doortjes Vater und erst recht Cornelis' Familie, aber manche empfanden es auch als unwichtig. Zudem gab es kaum Lesestoff außer der Bibel, andere Lektüre wurde in der Regel als unchristlich abgelehnt. Die Kirche der Voortrekker wünschte sich ihre Mitglieder eher schlicht und gottergeben. Wache, kritische Geister wie Cornelis wurden ausgegrenzt.

Roberta zuckte die Schultern. »Das Essen wurde gerecht verteilt, und die Sachspenden … darum riss sich diesmal niemand von unseren weißen Damen, es sind hauptsächlich Bücher. Mal schauen, ob sie mir in der Schule weiterhelfen. Hier liest niemand außer Doortje VanStout. Und die mag sich scheinbar nicht mit einem Buch sehen lassen, ich habe sie neulich am Fluss entdeckt, wo sie heimlich las.«

Doortje gehörte zur allgemeinen Überraschung zu den ersten Frauen, die sich zum Dienst im Hospital meldeten. Roberta hatte zunächst geargwöhnt, sie suche damit Kevins Nähe, aber tatsächlich versuchte die Burin eher, dem Arzt aus dem Weg zu gehen. Jenny nahm an, sie wollte sich einfach ablenken, der Verlust der gesamten Familie musste entsetzlich schmerzhaft sein. Wahrscheinlich konnte man überhaupt nur damit fertig werden, indem man irgendetwas tat, das einen auf andere Gedanken brachte.

Daisy machte dagegen eine Beobachtung, die andere Schlüsse nahelegte. »Sie will einfach das zusätzliche Essen«, erklärte sie. »Ich hab sie letztens mittags gesehen, sie stopft das Zeug in sich hinein wie eine Verhungernde. Die anderen geben immer den Familien davon ab, die meisten überhaupt nur ihren Kindern. Aber Miss VanStout hat ja niemanden mehr.«

»Sie hat auch schon ein bisschen zugenommen«, konstatierte Jenny. Die Krankenschwester hatte viel Zeit bei ihren schwarzen Schützlingen verbracht, sodass ihr die Veränderung nun stärker auffiel. »Sieht erstaunlich gut aus, wenn man die Umstände bedenkt.«

Tatsächlich schien Doortje sich allem Kummer zum Trotz zu erholen. Kevin konnte den Blick kaum von ihr wenden, wenn sie – jetzt wieder in ordentlicher Kleidung und mit gestärkter Haube – durchs Hospital ging. Die Krankenhauswäscherei war ausreichend mit Seife und Wäschestärke ausgestattet worden, auch hier zeigten sich die Verbesserungen dank des Ladies' Committee.

Kevin kommentierte nicht, was die Krankenschwestern über die junge Burin sagten. Er sprach überhaupt nie mit ihnen über Doortje VanStout, obwohl Daisy immer wieder versuchte, ihm Informationen über die Zeit in Wepener zu entlocken. Bei Cornelis war sie da etwas erfolgreicher. Sie hatte ihn umgehend um den Finger gewickelt, obwohl Roberta eigentlich fand, der ruhige Gelehrtentyp Cornelis passe besser zu Jenny. Deren Einsatz im Lager der Schwarzen betrachtete er allerdings mit Argwohn und hätte ihre Nähe deshalb nie gesucht.

Jetzt hatte Kevin jedoch eine Idee. »Vielleicht könnte man Miss VanStout mehr in der Schule einsetzen«, bemerkte er Roberta gegenüber. »Sie weiß sicher besser als wir, wie man die Frauen und Kinder anspricht.«

Roberta folgte seinem Rat schließlich mit blutendem Herzen. Sie mochte nicht viel mit Doortje zu tun haben und nicht nur aus Eifersucht. Doortjes Selbstbewusstsein, ihre scheinbare Gefühllosigkeit und ihr Starrsinn schreckten sie ab. Sie konnte gut verstehen, dass Nandé sich vor ihr fürchtete und sie immer noch ehrfurchtsvoll mit Baas ansprach, nachdem sie sich das Mejuffrouw mehrfach scharf verbeten hatte. Doortje war auch gegenüber Daisy und Roberta kurz angebunden und mitunter unhöflich. Roberta jedenfalls fand die Schwarze Nandé deutlich sympathischer als die burische Schönheit.

Was die Schule anging, half Doortje ihr aber tatsächlich rasch weiter.

»Bringen Sie den Mädchen etwas Nützliches bei, dann schicken die Mütter sie auch zur Schule«, sagte sie. Bisher kamen kaum burische Kinder in Robertas Klassenzimmer unter freiem Himmel. Wenn überhaupt, dann erschienen nur kleine Jungen, die sich mitunter recht aufsässig zeigten.

»Gibt's was Nützlicheres als Schreiben und Lesen?«, fragte Roberta verblüfft.

Doortje lachte spöttisch. »Nähen und Spinnen und Weben«, erklärte sie dann. »Sofern man was zum Nähen, Spinnen und Weben hat ...«

Roberta versagte sich eine scharfe Erwiderung und nahm den Rat stattdessen an. Sie konnte selbst nicht spinnen, und Webrahmen hätte der Tischler erst anfertigen müssen. Aber das Nähen beherrschte sie gut, ihre Mutter hatte als junges Mädchen kurze Zeit in Lady's Goldmine gearbeitet und sich dort manches abgeschaut. Sie hatte Robertas Kinderkleider stets selbst genäht und auch ihre Tochter dazu angehalten, ihre Sachen im Bedarfsfall auszubessern oder zu ändern. Also brachte die junge Lehrerin jetzt ein paar Puppen aus der Spielzeugspende mit in die Schule und zertrennte eins der alten Kleider. Die Mädchen durften daraus Kleidchen für die

Puppen schneidern und taten das mit Begeisterung. Die Schulspeisung tat ein Übriges – und am Ende standen die Worte »nähen«, »Puppe« und »Kleid« auf Englisch an der Tafel, und die Kinder lernten, sie auszusprechen.

In der nächsten Zeit eroberte Roberta die Herzen ihrer kleinen Schülerinnen im Sturm. Die Jungen blieben distanzierter, obwohl auch sie sich langsam in Roberta verliebten. Die junge Lehrerin und ihre freundliche Art, ihre Begabung, die Kinder spielerisch lernen zu lassen, wich völlig von ihrer sonstigen, eher strengen Erziehung ab. Roberta erzählte lustige oder romantische Geschichten, in denen Prinzessinnen und Abenteurer vorkamen – keine abgeschlachteten Zulu-Krieger und Flüsse, die sich rot vom Blut der Gefallenen färbten. Seit sie die Kinder unterrichtete, wurde im Lager wieder gelegentlich gelacht. Sogar die Sterberate sank, wofür nicht nur die bessere Ernährung durch die Schulspeisung verantwortlich war. Roberta merkte auch schnell, wenn einer ihrer Schützlinge kränkelte, und brachte ihn dann sofort ins Hospital. Nicht alle Mütter sahen das gern, mitunter verlor sie dadurch einen Schüler, aber immerhin blieb das Kind am Leben.

Überhaupt entspannte sich die Lage im weißen und im schwarzen Lager in den nächsten Wochen. Jenny erwies sich als regelrechter Engel für die Schwarzen. Sie leitete das Hospital, hielt Schule, wenn Roberta es mitunter nicht schaffte, herüberzukommen, und veranlasste, dass Kriminellen und Zuhältern weitgehend das Handwerk gelegt wurde. Das machte ihr Leben gefährlich. Nachdem Jenny mehrmals bedroht worden war, gab sie es auf, in Karenstad II wohnen zu wollen, und ließ sich jeden Abend von zwei Wachsoldaten zurück ins Lager der Weißen begleiten. Morgens ritt sie dann gemeinsam mit Roberta zurück – auf von den Briten requirierten Burenponys. Als Jenny Vincent ausdrücklich um Reitstunden bat, konnte sich auch Roberta nicht weiter sperren.

»Es kann doch auch nicht sein, Miss Fence, dass Sie keine Pferde mögen!«, meinte Vincent. »Tragen Sie nicht sogar immer ein Stoffpferdchen mit sich herum?«

Er wunderte sich, als Roberta glühend errötete.

»Ein ... äh ... Glücksbringer ...«, druckste sie. »Ein ... äh ... Geschenk ...«

Vincent fragte sich, warum ihr das peinlich zu sein schien, ging aber nicht weiter darauf ein, sondern stellte ihr lieber eine sanfte kleine Schimmelstute vor.

»Hier, schauen Sie, das Tier ist ganz friedlich, und Sie können ihm auch noch einen Namen geben. Sein Vorbesitzer war wohl nicht mehr in der Lage, es vorzustellen.«

Das Burenkommando, zu dem das Pony gehört hatte, war vor einigen Tagen aufgerieben worden. Die Strategie der Briten zeigte langsam Erfolge. So starrsinnig die Buren auch waren, das ständige Leben auf der Flucht zermürbte sie ebenso wie das Wissen um die Gefangenschaft ihrer Frauen und Kinder. Mitunter mochte es auch an Waffen und Munition mangeln – die Briten hatten weitere Truppen ins Land geholt, die das Veld in Patrouillen durchkämmten und viele Nachschubwege lahmlegten. Auch Neuseeland hatte weitere Kontingente entsandt, und die Rough Riders zeigten sich als zäh und mutig. Immer mehr Burenkommandos wurden niedergerungen oder gaben einfach auf. Die Heeresleitung sprach schon darüber, die Konzentrationslager bald aufzulösen. Die Männer würden dann auf ihre Höfe zurückkehren und mit dem Wiederaufbau beginnen müssen – schließlich konnten sie ihre Frauen und Kinder nicht auf den verbrannten und verwüsteten Ländereien allein lassen.

Roberta war froh darüber, das Thema wechseln zu können, und streichelte das Pferdchen zaghaft. Sie lächelte, als es ähnlich vorsichtig seine weichen Nüstern an ihrer Hand rieb.

»Ich sollte mich zumindest nicht vor Pferden fürchten, ich bin ja sogar nach einem benannt«, gab sie dann zu und erzählte

Vincent und Jenny von der Wunderstute Lucille, die ihrem Vater einen hohen Wettgewinn und ihrer Mutter einen Umzug von der Westküste nach Woolston und eine Geburt auf der Reise beschert hatte – Lucille war Robertas zweiter Vorname.

»Na, dann nenn das Schimmelchen doch gleich Lucie«, schlug Jenny vor.

Sie ließ sich beherzt zeigen, wie man ihren Wallach sattelte und taufte ihn George, nach einem Onkel, dem er angeblich ähnlich sah.

Vincent weihte Roberta akribisch in den Umgang mit Sattel und Zaumzeug ein und freute sich über jedes Lächeln, das sie ihm schenkte. Und auch Roberta erlaubte sich schließlich, sowohl das Zusammensein mit Vincent als auch das Reiten zu genießen. Lucie hatte weiche Gänge und war völlig scheufrei. Roberta strahlte, als sie vom ersten Ausritt ins Veld zurückkehrten, auf dem sie Zebras und Gnus gesehen hatten. Vincent wirkte wie der glücklichste Mann auf der Erde, als sie ihm dankte.

Aber auch Kevin machte in den nächsten Wochen Fortschritte in seiner Werbung um Doortje VanStout. Robertas Bemerkung, sie interessiere sich für Bücher, hatte ihm zu denken gegeben. Natürlich, auch Cornelis hatte ihm erzählt, dass sie früher heimlich gelesen hatte. Nun ließ Kevin immer mal wieder ein Buch im Hospital herumliegen, beobachtete dann Doortje und überraschte sie, wenn sie neugierig hineinsah. Er lieh ihr die Bücher und versuchte, später mit ihr über den Inhalt zu sprechen. Und als die Regenzeit einsetzte und es somit unmöglich für sie wurde, sich zum Lesen an den Fluss zurückzuziehen, bot er ihr sein Büro an.

»Da ist niemand außer Nandé, Miss Doortje. Und die stört Sie nicht und erzählt auch nichts weiter.«

Doortje sperrte sich zunächst, aber dann war das Angebot,

dem Schlamm und der feuchten Wärme im Lager wenigstens für kurze Zeit zu entkommen, doch zu verlockend. Inzwischen hatte man neue Familien in Doortjes Zelt einquartiert – und es schmerzte sie, die Fremden auf den Matten liegen zu sehen, auf denen kurz zuvor noch ihre Brüder geschlafen hatten und auf denen ihre Mutter gestorben war. Doortje empfand auch den Lärm im Zelt als unerträglich – die beiden neu eingetroffenen Frauen hatten schrille, laute Stimmen und kommandierten ihre Kinder ständig herum. Sie schalt sich für ihre Empfindsamkeit, aber in der letzten Zeit ließ sie jede Kleinigkeit aus der Haut fahren.

Doortje sehnte sich nach Ruhe und litt ständig unter Heißhunger, obwohl sie all ihre Zusatzrationen allein verzehrte, statt sie mit den Kindern im Zelt zu teilen, wie ihre Mutter das zweifellos getan hätte. Sie wurde auch ihren Pflichten nicht mehr immer gerecht, fühlte sich zu müde, um mit ihren Leidensgenossinnen zu singen und zu beten. Nun fielen zum Glück auch weniger Trauerfeiern an, seit die Sterberate im Lager sank. Kevins Freundlichkeit, seine Versuche, sich ihr zu nähern, reizten sie manchmal bis aufs Blut, um sie am nächsten Tag seltsam anzurühren. Doortje hatte das sichere Gefühl, dass etwas mit ihr nicht stimmte. Vielleicht würde es wieder ins Lot kommen, wenn sie wenigstens gelegentlich für ein paar Stunden dem Lagerleben entfloh. Kevins Romane versetzten sie dazu in eine fremde Welt. Sie verschlang *Stolz und Vorurteil* von Jane Austen und *Jane Eyre* von Charlotte Brontë, später schalt sie sich jedoch für ihre Begeisterung für diese oberflächlichen Liebesgeschichten, noch dazu so kurz nach dem Tod ihrer Familie. Was war das Liebesleid einer englischen Gouvernante gegen die Leiden der Voortrekker? Schließlich verlegte sie sich auf Sachbücher. Kevin lächelte, als er sie eines Abends in seinem Büro vorfand, den blonden Kopf über einen Bildband über Neuseeland gesenkt.

»Gefällt Ihnen mein Land, Miss Doortje?«, fragte er sanft. »Die Tierwelt ist nicht so vielfältig wie hier, vor allem nicht so eindrucksvoll. Aber dafür sind alle Lebewesen friedlich.«

Kevin zog sich einen Sessel neben den Lehnstuhl vor dem leeren Kamin, den Doortje bevorzugte. Dabei fragte er sich zum wiederholten Mal, wozu man bei diesem Klima einen Kamin brauchte. Doortje wandte sich zu ihm um. Es fiel ihr immer schwerer, ihn zu hassen, aber einen englischen oder neuseeländischen Arzt attraktiv zu finden, war noch schlimmer, als sich an albernen englischen Romanen zu ergötzen.

»Suchen Sie deshalb den Krieg in unserem Land?«, fragte sie böse. »Weil es Ihnen in Ihrem zu nett und friedlich ist?«

Kevin setzte sich. »Nicht ganz, aber ich bin vor etwas weggelaufen«, gestand er dann. »Vor einer Frau, genauer gesagt, also bevor Sie jetzt an ein Verbrechen denken ... Und was den Krieg angeht: Ich bin Arzt. Ich kam her, um zu helfen. Bislang habe ich niemanden getötet, und das soll auch so bleiben.«

Doortje zog die Augenbrauen hoch. »Und meine Brüder und meine Mutter? All die Toten hier? Dafür sind Sie verantwortlich, egal, was Sie sagen!«

Kevin zuckte die Schultern. »Dafür ist die englische Armeeführung verantwortlich«, korrigierte er. »Und die Sturheit Ihrer Kommandos, die einen Krieg in die Länge ziehen, den sie nicht gewinnen können. Man hätte Sie trotzdem nicht internieren und Ihre Höfe abbrennen dürfen, da bin ich ganz Ihrer Meinung. Ich allein kann es jedoch nicht ändern. Ebenso wenig wie besonnene Buren wie Cornelis etwas an der Kriegführung der Kommandos ändern können. Können nicht wenigstens wir beide Frieden schließen, Doortje? Sie wissen doch, dass ich Ihnen nichts Böses will.«

Er streckte ihr hilflos die Hand entgegen. Doortje nahm sie nicht. Aber sie errötete. War das ein Zeichen ihres inneren Aufruhrs?

»Ich kann das nicht alles vergessen!«, erklärte sie hart. »Und verzeihen erst recht nicht. Es ist unser Land, Sie dürften nicht hier sein, Sie …«

Kevin rieb sich die Stirn. »Nicht schon wieder, Doortje. Nicht schon wieder diese leidige Diskussion darüber, wer wo sein oder nicht sein dürfte. Lassen Sie uns doch einfach über uns beide reden … Sie müssen es doch auch spüren! Ich bin nicht Ihr Feind!«

Doortje stieß scharf die Luft aus. »Gedenken Sie jetzt, die Zweite aus unserem Haushalt zu verführen? Genügt Ihnen Nandé nicht mehr? Weiße Haut ist eben doch attraktiver, oder, Herr Doktor?«

Kevin schüttelte den Kopf, jetzt langsam verärgert. Er hatte ihr die Sache mit Nandé nun wirklich schon zehnmal erklärt.

»Doortje, ich will niemanden verführen!«, erwiderte er heftig. »Das habe ich nicht nötig, ich muss eine Frau weder zwingen noch überreden, mit mir ins Bett zu gehen, da finden sich genug Freiwillige!« Er biss sich auf die Lippen, als Doortje ihn entsetzt anstarrte. Natürlich, in ihrem Umfeld sprach man nicht so offen über die geschlechtliche Liebe. Dazu kamen die furchtbaren Erlebnisse, mit denen sie fertig werden musste. »Verzeihen Sie«, sagte er deshalb leise. »Ich wollte keine … keine zotigen Reden führen. Aber Sie … Sie müssen mich auch nicht immer so aufbringen! Es schmerzt mich, wenn Sie mir nicht glauben. Es beleidigt mich, wenn Sie …«

»Wenn ich nicht begeistert bin über Ihre Liebelei mit meinem Hausmädchen?«, fragte sie. »Wenn es mich beleidigt, wenn ein weißer Mann Unzucht treibt mit einem Kaffernweib?«

Kevin seufzte. Aber er würde sich jetzt nicht wieder provozieren lassen. Zumal er auch nicht glaubte, dass aus Doortjes Worten nur ihr Abscheu gegen Unzucht mit Abhängigen sprach. Eher vermutete er Eifersucht. Doortje war schließlich nicht dumm, sie hätte seine Erklärungen zu Nandés Auftritt in jener Nacht akzeptieren müssen.

Kevin kam der Gedanke, die junge Frau seinerseits ein bisschen zu ärgern. »Mit Verlaub, Doortje, ich habe Ihnen mehrfach erklärt, was zwischen mir und Nandé war oder besser gesagt nicht war«, sagte er gelassen. »Ich mache mir diese Mühe, weil ich möchte, dass Sie die Wahrheit wissen und glauben. Wenn ich Nandé dagegen wirklich liebte, brauchte ich nichts zu erklären. Das ginge Sie dann nämlich überhaupt nichts an.« Zufrieden registrierte er, dass sie ihn fassungslos anstarrte. Dann fuhr er fort. »Ich bin ungebunden, und Nandé ist es auch, wir brauchten also kein Geheimnis daraus zu machen, wenn wir heiraten wollten.«

»Heiraten?« Doortjes Stimme klang schrill.

Kevin nickte. »Warum nicht? Wenn ich Nandé wirklich liebte, würde ich sie natürlich fragen, ob sie mich heiraten wollte.«

»Aber sie ist schwarz!«, wandte Doortje ein.

Kevin lachte. »Na und? Mir wäre es völlig egal, ob meine Frau schwarz ist oder weiß. Hauptsache, sie ist klug und wortgewandt, leidenschaftlich, gern auch ein bisschen kratzbürstig.« Er schob sich auf die Sesselkante, näher an Doortje heran. »Nandé ist ein liebes Kind, Doortje. Und sie hat Schlimmes durchgemacht, glauben Sie mir, es ist ihr nicht besser ergangen als Ihnen. Auch sie wurde missbraucht, auch ihre Familie ist tot. Wenn sie da ein Spitzennachthemd ein bisschen tröstet, und wenn es sie glücklich macht, in meiner Küche zu schlafen und so zu tun, als sei sie selbst die ›Baas‹ … Was ist so schlimm daran? Ich jedenfalls wusste nichts davon, bevor sie mich damals weckte. Das sage ich Ihnen jetzt zum letzten Mal, und Sie können es mir glauben oder auch nicht. Aber wenn wir schon davon sprechen, wie ich mir meine Frau wünsche: Ich hätte gern, dass sie mir vertraut.«

Kevin sah Doortje in die Augen und beobachtete fasziniert ihr Minenspiel, das zwischen Argwohn und dem Wunsch schwankte, sich endlich die Gefühle einzugestehen, mit denen sie schon so lange kämpfte. Schließlich meinte er, ihren Blick weich werden zu sehen. Ob er es wagen konnte, sie zu küssen? Oder wenigstens ihre Hand zu berühren?

»Kevin?«

Von der Eingangstür her kam ein Klopfen, und Kevin und Doortje hörten Vincent Taylors aufgeregte Stimme. Doortje fuhr zusammen, als hätte man sie bei etwas Verbotenem ertappt. Oder vor Schrecken ob einer fremden Männerstimme in der Dunkelheit?

»Ruhig, Doortje, es ist nur Dr. Taylor.« Kevins Finger fuhren besänftigend über ihre Hand, die sich um die Sessellehne verkrampft hatte. »Hören Sie, Nandé macht schon auf.«

Vincent wartete nicht ab, bis Nandé ihn hereinführte, sondern schälte sich rasch aus seinem Wachsmantel, der ihn gegen den Tropenregen schützte.

»Kevin, gute Nachrichten! Oh, Miss Doortje! Guten Abend. Wie schön, Sie hier zu sehen, dann können Sie es auch gleich hören. Kitchener löst weitere Lager auf! Und diesmal auch Karenstad! Die Gegend um Wepener ist befriedet, die Männer kehren heim auf ihre Farmen, und die Frauen und Kinder sollen repatriiert werden. Pretoria schickt eine Kavallerieeinheit, die ihre Rückführung organisieren und begleiten wird.«

Doortje, die zuerst gelächelt hatte, versteifte sich. »So, wie man uns hergeleitet hat?«, fragte sie böse.

Kevin schüttelte den Kopf. »Natürlich nicht, Doortje, weitere Übergriffe werde ich nicht zulassen. Ich werde den Antrag stellen, Sie begleiten zu dürfen. Von einem Tag zum anderen können Sie ohnehin nicht abreisen, und bis es losgeht, habe ich die Erlaubnis. Wenn nicht, komme ich ohne Erlaubnis mit.«

Er lächelte ihr aufmunternd zu. Ein Lächeln, das allerdings

erstarb, als er darüber nachdachte, wohin er sie da zurückgeleiten sollte. Die Farm bei Wepener gab es nicht mehr. Die Familie VanStout gab es nicht mehr. Was sollten Doortje und Nandé allein auf ein paar Hektar verbrannter Erde?

»Wir ... werden noch mal darüber sprechen«, sagte er hilflos. Doortje, der wohl ähnliche Gedanken durch den Kopf geschossen waren, schwieg.

»Ich gehe dann jetzt«, sagte sie schließlich, nachdem Vincent noch ein paar weitere Einzelheiten zu den neuen Entwicklungen berichtet hatte. »Ich danke Ihnen, Dr. Taylor. Dr. Drury ... es war sehr nett.«

Kevin sprang auf und legte der jungen Frau Vincents Mantel um, bevor sie hinaus in den Regen trat. »Sie sind doch sonst völlig durchnässt, bevor Sie Ihr Zelt erreichen, Doortje ...« Doortje sagte nichts, nahm den Mantel jedoch an. Kevin wandte sich Vincent entschuldigend zu, als sie gegangen war. »Ich leihe dir meinen für den Rückweg. In Ordnung?«

Vincent grinste und ging zu dem Wandschrank, in dem Kevin den Whiskey aufbewahrte. »Hat keine Eile, bis ich aufbreche, ist es wahrscheinlich wieder trocken. Doortje? Nicht mehr ›Miss Doortje‹ oder ›Miss VanStout‹? Habe ich was verpasst?«

Kevin zuckte die Schultern und nahm gern ein Glas Whiskey entgegen. »Sagen wir, ich komme voran«, bemerkte er. »Oder ich kam voran. Denn jetzt ... jetzt wird ja wohl alles vorbei sein.«

Vincent nahm einen Schluck und schaute genauso trübsinnig. »Ja«, meinte er. »Wir werden in absehbarer Zeit heimkehren. Und die Krankenschwestern ...«

Kevin zwinkerte ihm zu. »Du meinst die Lehrerin«, verbesserte er.

Vincent seufzte. »Ja, ich fürchte, man sieht es mir an. Jedenfalls glaube ich nicht, dass Miss Fence mit einem Truppentransporter zurückfährt. Zumal auch weiterhin Lehrkräfte gebraucht werden. Die Kinder sollen ja Englisch lernen. Miss Fence kann es sonst wohin verschlagen, und sobald sie mich nicht mehr sieht, wird sie mich vergessen.«

Kevin leerte sein Glas in einem Zug. »Doortje wird mich nicht vergessen. Aber sie wird mich wieder hassen. Fragt sich, was schlimmer ist.«

KAPITEL 13

Atamarie erzählte Richard nichts von dem Vorfall beim Tanz, und sie versuchte auch, ihm die einsame Nacht nach dem Fest nicht übel zu nehmen. Aber sie war nun fest entschlossen, ihn von dem unsinnigen Gedanken abzubringen, neben der Arbeit an seinen Erfindungen eine Farm zu bewirtschaften. Und sie würde ihn nicht mehr auf diesem Irrweg unterstützen, indem sie hier die Hausfrau spielte!

Gleich am nächsten Tag ließ sie die Küche Küche sein und folgte Richard in seine Scheune. Zum Glück war einer der Maori erneut zum Helfen erschienen und übernahm das Füttern der Tiere.

»Was ist denn mit den Feldern, Atamarie?«, erkundigte sich der junge Mann. »Die müssen doch gepflügt werden. Die Neueinsaat ...«

Atamarie zuckte die Achseln. »Das musst du mit Richard besprechen«, meinte sie. »Aber ich denke, er ist froh, wenn du es ihm abnimmst.«

Das traf tatsächlich zu. Richard war schon mit Feuereifer damit beschäftigt, seinen Motor zum wahrscheinlich hundertsten Mal in dessen Bestandteile zu zerlegen, und zeigte nicht das geringste Interesse an der Neueinsaat seiner Felder. Als Hamene fragte, zeigte er sich abweisend und ungeduldig.

»Mach einfach«, beschied Atamarie schließlich den willigen Helfer, der nach Richards Reaktion fast beleidigt wirkte. Dem musste sie entgegenwirken – nicht auszudenken, wenn der junge Mann nicht wiederkam und alles erneut an Richard hängen blieb. »Du weißt ja, welches unsere Felder sind. Also pflüg sie einfach um und säh irgendetwas ein.«

Wenn sie sich selbst gegenüber ehrlich war, war Atamarie genauso desinteressiert wie Richard. Im nächsten Jahr, wenn das Getreide oder was immer Hamene pflanzen würde, reif war, wollte sie längst mit Richard in Christchurch sein.

Und dann wurde sie endlich für all ihre Mühen belohnt. Richard hieß sie in seiner Erfinderscheune willkommen, sprach gleich lebhaft auf sie ein und wurde nicht müde, ihr alles zu zeigen und die Ergebnisse mit ihr zu diskutieren. Richard hatte nichts dagegen, dass sie den Motor seines Flugzeugs noch ein paar weitere Male auseinandernahm und ihm bei der Konstruktion des Flugapparates zur Hand ging. Atamarie verfeinerte die Verspannung des Segeltuchs auf den Tragflächen, während Richard sich an Verbesserungen des Motors versuchte. Angeregt diskutierten sie Startgeschwindigkeit und Verdrängungsimpulse, wobei Richard seine praktischen Erfahrungen über die Theorie stellte und eher ausprobierte, als lange Berechnungen anzustellen. Überhaupt saß er nicht gern still. Manchmal machte es Atamarie nervös, wenn er hektisch in der Werkstatt herumlief und etwas von hier nach dort trug, was er eben noch von dort nach hier befördert hatte. Mitunter schien ihr auch alles zu schnell zu gehen, manche Entscheidungen wurden übereilt getroffen und ließen sich dann schwer rückgängig machen, weil das Material bereits bestellt war. Und auch viele der extrem billigen Konstruktionen, die Richard zur Lösung von Problemen erdachte, erschienen der jungen Frau abenteuerlich bis gefährlich. Bei der Exkursion nach Taranaki hatte sie Richard als sehr besonnenen und überlegten Mann kennengelernt, aber jetzt erschien er ihr eher besessen.

»So wird das doch nie was, Richard«, wagte sie nach einigen Tagen, ihre Bedenken in Worte zu fassen. »Wenn du das Ding wirklich zum Fliegen bringen willst, musst du etwas Geld investieren. Du brauchst einen richtigen Motor, nicht dieses gestückelte Ding, das auch viel zu schwer ist. Du solltest versuchen, einen Automobilmotor zu erstehen. Und hochwertigeres Segeltuch ... Du hast doch jetzt Geld aus der Ernte.«

Richard schnaubte, und Atamarie biss sich auf die Lippen. Ihr Einwand war ungeschickt gewesen, eigentlich wusste sie längst, dass Richard sich ihre Vorschläge zwar stets anhörte, auf direkte Kritik an seinen Experimenten jedoch heftig reagierte.

»Von wegen Geld aus der Ernte!«, erregte er sich jetzt. »Dafür muss ich einen Heuwender kaufen, du hast meinen Vater doch gehört. Und ein Teil der anderen Maschinen ist auch noch nicht abbezahlt. Meine Eltern haben mir zwar die Farm geschenkt, aber nicht das ganze Drumherum. Das wurde vorfinanziert. Ich brauche das Geld, das ich verdiene, für diese Dinge.«

Er klang wütend und sprang schon wieder auf, um unruhig im Raum umherzulaufen. Atamarie dachte nach. Die Farm warf ausreichend Geld ab für die nötigen Anschaffungen – es würde gut für eine Familie reichen. Wenn jemand wirklich Farmer werden wollte, konnte er damit glücklich werden. Aber ob sich auch die Produktion von Flugmaschinen finanzieren ließ? Sie hatte gehört, dass andere Forscher in Amerika dafür viel Geld erhielten. Sie wurden von der Industrie und vom Staat unterstützt, oder sie kamen aus reichem Hause und konnten sich das teure Hobby leisten. Richard dagegen ... Letztlich konnte er nur aufgeben oder alles auf eine Karte setzen. Was er dann jedoch brauchte, war mehr als Geld. Bei allem Genie, er benötigte Anleitung, zumindest Austausch mit Gleichgesinnten. Nicht nur mit Anfängern wie Atamarie, sondern möglichst mit Koryphäen auf technischem Gebiet wie Professor Dobbins.

Atamarie nahm ihren ganzen Mut zusammen. »Verkauf die Farm!«, erklärte sie entschlossen. »Nimm das Geld und bau einen Flugapparat, der ... also der wirklich fliegt! Leg eine richtige Startbahn an. Es geht doch nicht, dass du immer in deiner Hecke landest, das ist auch gefährlich. Am besten kommst du mit mir nach Christchurch und suchst dir ein passendes Grundstück etwas außerhalb der Stadt. Du kannst weiterstudieren und nebenbei an deinem Flugapparat arbeiten.«

Richard lachte und spielte ziellos mit seinem Sammelsurium an Materialien und improvisierten Motorteilen. »Und wovon soll ich leben?«, fragte er.

Atamarie hob beschwörend die Hände. »Na, vorerst hättest du ja das Geld von der Farm«, meinte sie. »Und dann ... Richard, wenn du der Erste bist, der ein motorgetriebenes Flugzeug in die Luft bringt, dann ... dann hast du gewonnen, Richard! Dann steht dir die Welt offen, du wirst von allen Seiten unterstützt werden.«

Richard schaute sie an, als wäre sie nicht bei Trost. »Mein Vater würde mich umbringen!«, sagte er.

Atamarie rieb sich die Stirn. »Dein Vater würde es missbilligen«, berichtigte sie. »Wie er sowieso alles missbilligt, was du tust. Da kannst du ihn auch gleich richtig verärgern. Aber so ist es nichts Halbes und nichts Ganzes. Du bist kein guter Farmer, und du kannst auch kein guter Flugzeugkonstrukteur sein, weil es dir einfach an Mitteln fehlt. Entscheide dich, Richard! Tu das, was du wirklich willst!«

Richard schüttelte den Kopf und schien endlich wenigstens kurze Zeit zur Ruhe zu kommen. »Das kann ich nicht«, sagte er traurig. »Es ist ja nicht nur mein Vater, es sind auch meine Mutter, meine Geschwister ... wenn ich mich von ihnen allen lossage, dann ... dann wäre ich ganz allein.«

Atamarie empfand seine Worte wie einen Stich in ihr Herz. Er fürchtete sich vor dem Alleinsein? Und was war mit ihr? Hatte sie ihm nicht deutlich genug gemacht, dass sie auf seiner Seite war – an seiner Seite sein wollte?

Atamarie wollte schreien, ihm vorwerfen, dass er sie nicht liebte. Aber der verzweifelte Ausdruck in seinem Gesicht hielt sie davon ab. Vielleicht war es ja anders. Vielleicht glaubte er, dass sie ihn nicht liebte – oder nur dann, wenn er »funktionierte«, wie es offensichtlich bei seiner Familie der Fall war. Wie konnte er jedoch glauben, dass er ihr nichts bedeutete? Aufgewühlt ließ Atamarie den Lappen sinken, mit dem sie eben eine Zündkerze gereinigt hatte. Richard wollte am kommenden Morgen versuchen, den Motor erneut zu starten. Aber jetzt ...

Atamarie hatte plötzlich das Bedürfnis, allein zu sein. Sie legte Richard die Hand auf die Schulter, bevor sie hinausging.

»Du wärst nicht allein«, sagte sie sanft. »Aber selbst wenn du es sein müsstest ... Wäre es das nicht wert? Richard, wenn du immer nur zögerst, wirst du niemals fliegen!«

Atamarie verließ die Scheune und ihren Freund und lief hinaus in die Plains. Etwas ziellos zunächst, aber schließlich lenkte sie ihre Schritte in Richtung der Maori-Siedlung. Sie wollte lieber mit ihren Freunden dort zusammen sein, als etwa Joan Peterson zu besuchen oder gar mit Richards Vater zusammenzutreffen. Die Ernte war zwar vorbei, aber die Farmer bestellten jetzt schon wieder ihr Land, und Digory Pearse war sicher auf seinen, an Richards Land angrenzenden Feldern. Der Weg zu den Maori führte dagegen nur durch naturbelassenes Weideland, die Hügel rund um Temuka gingen hier in das typische Flachland der Plains über. Atamarie fand den Anblick der weiten grünen Ebenen, hinter denen sich fast greifbar nahe die Südalpen erhoben, beruhigend. Dabei fragte sie sich zum ersten Mal, ob sie in dieser Gegend leben wollte – denn wie es aussah, würde es darauf hinauslaufen, wenn sie mit Richard zusammenblieb.

Bisher war sie davon ausgegangen, dass Richards Leben als

Farmer nur eine Episode war. Der Mann war schließlich ein begnadeter Ingenieur, er gehörte in eine Stadt, an eine Hochschule. Und mit Atamarie war es genauso. Mit dem Leben auf der Farm ging es ihr wie mit dem Leben in Parihaka: Für eine kurze Zeit machte es Spaß, aber sie wollte weder zwischen Hühnerstall und Kinderzimmer alt werden noch zwischen Webstuhl und *haka*. Atamarie wollte Maschinen konstruieren, wenn es sein musste, auch Häuser bauen oder Land vermessen. Sie wollte eine richtige Werkstatt und Austausch mit Gleichgesinnten, sie wollte ihr Studium vollenden und an all den aufregenden Neuerungen teilhaben, die das 20. Jahrhundert zu bieten hatte. Vom Automobil zum Flugzeug. Atamarie wollte nicht nur mit Richard zusammen sein, sie wollte mit ihm fliegen!

Als die junge Frau schließlich am *marae* des hiesigen Stammes der Ngai Tahu ankam, hatte sie sich schon etwas beruhigt. Sie rief den alten Leuten, die hier Kinder beaufsichtigten, während ihre Söhne und Töchter auf den Feldern arbeiteten, Scherzworte zu und stieß schließlich auf ein paar junge Frauen in ihrem Alter, die dabei waren, auf einem Gartenstück *kumara* auszugraben. Atamarie half bereitwillig bei der Ernte der schmackhaften Süßkartoffeln und wurde gleich in ein Gespräch verwickelt. Natürlich ging es um Männer – die Frauen wollten alles von dem *pakeha* wissen, mit dem Atamarie zusammenlebte. Und wie immer bei den Stämmen ging es sehr offenherzig zu, keiner nahm ein Blatt vor den Mund.

»Muss man *pakeha* nicht eigentlich heiraten, wenn man das Lager mit ihnen teilt?«, fragte eine von ihnen, nachdem sie Atamarie damit geneckt hatten, dass ihr Mann zwar hübsch sei mit seinen weichen Locken und seinen vollen Lippen, aber sicher zu tapsig, um den Speer zu führen und einen *haka* zu tanzen. »Er hat einen Körper wie ein Krieger, aber sein Geist tändelt wie ein *manu aute* mit den Gesängen der Götter …«

Atamarie zuckte die Schultern. »Ich will noch nicht heiraten«, meinte sie dann. »Und Richard auch nicht. Aber ich ... ich würde gern mit ihm von hier weggehen.«

Die Mädchen nickten.

»Er ist *tohunga*, sagen die Männer«, meinte die Älteste mit wissendem Gesichtsausdruck. »Er muss wandern, um zu lernen. Aber ich weiß nicht, ob er es tun wird. Die *pakeha* hier wandern nicht.«

Atamarie seufzte. Besser hätte man es nicht ausdrücken können. Richard musste fort. In Temuka bestellte man die Erde, man eroberte nicht den Himmel.

Auf dem Weg zurück zur Farm machte sie sich ans Pläneschmieden. Der erste Start des Motors war für den kommenden Morgen vorgesehen – Atamarie hatte darauf bestanden, ihn zunächst in der Werkstatt zu testen und erst später in das Flugzeug einzubauen. Aber wenn er rundlief, dann stand einem Flugversuch nichts im Wege. Vielleicht schafften sie es ja noch in ihren Ferien – auch wenn sie ihren Plan, die Großeltern in Lawrence zu besuchen, dann aufgeben musste. Wenn sich auch nur kleine Erfolge zeigten, wenn man Dobbins die Pläne für einen fertigen Flugapparat zeigen könnte, dann würde sich auch der Professor für Richard einsetzen. Bestimmt gab es eine Stelle an der Universität, vielleicht ein Forschungsstipendium.

Atamarie verlor sich in ihren Träumen von einer Förderung für Richard in Christchurch und einem endgültigen Abschied von der Farm – bis die Stille des Landes um sie herum von infernalischem Lärm unterbrochen wurde. Darauf folgte Hufgetrappel, und Atamarie konnte sich gerade noch zur Seite werfen, als ein Maultiergespann an ihr vorbeipreschte. Die Tiere zerrten einen Pflug hinter sich her, auf dem sich der schimpfende Digory Pearse festklammerte und verzweifelt versuchte, seine durchgehenden Tiere zu bremsen. Aber was hatte die sonst gelassenen Mulis so verrückt gemacht?

Atamarie ahnte Schreckliches. Sie setzte sich in Trab und entdeckte den Auslöser der tierischen Panik auch gleich nach der nächsten Wegbiegung. Auf einer leichten Anhöhe oberhalb von Richards Farm röhrte der Motor – und Atamarie sah zu ihrem Schrecken und Ärger, dass Richard ihn wieder in das Flugzeug eingebaut hatte. Dabei waren die Tragflächen bislang nur flüchtig repariert, all die Neuerungen noch nicht angebracht, auf die Atamarie gehofft hatte. Aber dafür hatte Richard natürlich keine Zeit gefunden, nachdem er sich spontan zu seinem nächsten Flugversuch entschlossen hatte. Er musste ungeheure Energie aufgebracht haben, um in den wenigen Stunden den Motor einzubauen und das Flugzeug den Hügel hinaufzuschleppen.

Atamarie fragte sich, was all das sollte. Wollte er Atamarie etwas beweisen – oder sich selbst oder seinen Eltern? Es war auf jeden Fall verrückt, mit der gleichen Konstruktion noch einmal zu starten, mit der Richard schon ein paar Wochen zuvor gescheitert war. Und natürlich hatte er auch wieder die Pferde vorgespannt! Atamarie schrie und winkte, um ihn vielleicht noch am Start zu hindern, aber die übernervösen Pferde, denen der Flugapparat schon nicht geheuer gewesen war, als sie ihn den Hügel hinaufgezogen hatten, drehten gänzlich durch, als der Motor jetzt aufjaulte. Sie tänzelten, statt ruhig zu stehen, während Richard seine Maschine bestieg, und sie rasten erneut in Panik den Hang hinunter, als Richard ihnen die Zügel freigab. Hinter ihnen rumpelte der Flugapparat über die holprige Piste – was wiederum das Luft-Treibstoff-Gemisch beeinflusste, wie Atamarie inzwischen wusste. Das würde der Kraft des Motors nicht zugutekommen. Flugversuche mit solchen Maschinen mussten auf ebenen Straßen erfolgen, zumindest solange die Vergasertechnik noch nicht weiter ausgereift war.

Richards Vorstoß konnte nicht zum Erfolg führen, aber Atamarie verfolgte nichtsdestotrotz mit angehaltenem Atem die Beschleunigung des Flugapparats. Er machte jetzt tatsächlich eine Art Hüpfer, aber Atamarie führte das eher auf eine Bodenwelle denn auf ein Abheben des Flugzeugs zurück. Den Pferden gab es jedenfalls den Rest. Sie rannten genauso kopflos wie beim letzten Versuch und führten den Flugapparat noch einmal in Richtung Ginsterhecke, bevor sich ihre Leinen lösten und sie fliehen konnten. Die voluminöse Hecke bremste denn auch erneut unsanft die rasende Fahrt des dreirädrigen Gefährts, wobei Richard diesmal mit noch mehr Schwung hineinkrachte. Das Geräusch des Motors erstarb erst, als das Fluggerät zum Stehen kam. Atamarie erschien die plötzliche Stille fast unwirklich.

Sie erwartete, dass sich unter den Tragflächen etwas regte, allerdings tat sich nichts. Atamarie fühlte Angst in sich aufsteigen. Sie rannte zum Unfallort, und ihre Befürchtungen bestätigten sich. Richard hing bewegungslos in seinem Sitz. Er blutete aus einer Platzwunde auf der Stirn.

»Richard, Dick ...«

Atamaries Herz schlug heftig. Sie hatte Richard eben noch tadeln wollen, aber jetzt fürchtete sie nur um sein Leben. Hastig löste sie die Gurte, die ihn auf seinem Sitz hielten, aber nach wie vor regte er sich nicht. Atamarie zog ihn vorsichtig heraus, konnte jedoch nicht verhindern, dass er aus ihren Armen zu Boden rutschte.

»Nicht sterben, Richard! Bitte nicht sterben!«

Atamarie weinte, als sie jetzt verzweifelt und unsicher, was zu tun war, sein Hemd öffnete. Richards Herz schien zu schlagen, aber er brauchte einen Arzt, sie musste ihn ins Hospital bringen ...

»Was hat er? Ist es schlimm?« Atamarie zitterte vor Erleichterung, als sie hinter sich Petersons Stimme hörte. »Herrgott,

Mädchen, ist er tot?« Besorgt beugte sich der Farmer über seinen Nachbarn, schien allerdings geübter darin zu sein, Lebenszeichen zu erkennen als Atamarie. »Na ja, jedenfalls nicht bis jetzt. Einen harten Schädel hat er ja …«, konstatierte Peterson. »Jetzt wach mal auf, Dick!«

Er schüttelte den Verletzten, was Atamarie wieder Angst machte. Sie meinte, gehört zu haben, dass man so gerade nicht mit Kopfverletzten umgehen sollte. Aber Richard reagierte ohnehin nicht. Atamarie stützte ihn und bestand dann darauf, Richard flach auf den Boden zu betten.

»Er braucht einen Arzt. Ein Krankenhaus. Gibt es hier ein Krankenhaus?«

Atamarie blickte sich so hilflos, aber hoffnungsvoll um, als vermute sie ein Hospital in der nächsten Scheune. Dabei lebte sie nun lange genug hier, um zu wissen, dass selbst der nächste Arzt Meilen entfernt lebte.

»In Temuka«, erklärte denn auch Peterson. »Warten Sie, ich fahre den Wagen näher ran, wenn die Gäule sich trauen. Aber langsam gewöhnen sie sich an Crankys Fluggeräte. Noch drei Abstürze, und sie gehen ganz gelassen dran vorbei …«

Atamarie hielt Richard in den Armen, während Peterson den Wagen holte. Es war der Leiterwagen, in dem er sie damals, nach ihrer Ankunft in Temuka, mitgenommen hatte. Der Farmer bettete den Verletzten auf ein paar alte Säcke, die sich auf der Ladefläche fanden. Atamarie versuchte, seinen Körper damit abzustützen, aber Peterson schien das nicht für nötig zu halten. Schließlich blieb sie bei Richard und hielt ihn fest, während der Wagen zunächst über die unebene Wiese holperte, bevor sie einigermaßen ebene Wege und dann die Straße erreichten. Das ersparte Atamarie auch eine Antwort auf Petersons wortreiche Kommentare zu Richards erneutem Flugversuch.

»Er kann's nicht lassen, ich dachte mir schon so was, als ich den Motor hörte. Von wegen, erst mal Leerlauf ausprobieren – wo Cranky ist, da wird geflogen. Und dann die Gäule, die wie von Furien gehetzt durch den Busch rannten … Hoffentlich fängt die einer ein, bevor sie sich die Beine brechen. Jedenfalls bin ich gleich gekommen. Hatte Glück, der alte Dick, dass ich nur drei Felder weiter war … Aber sein Dad müsste eigentlich auch irgendwo in der Nähe sein.«

Atamarie hätte das bestätigen können, aber vorerst sorgte sie sich nicht um Digory auf dem Pflug mit den durchgehenden Maultieren, sondern allein um Richard, der immer noch kein Lebenszeichen von sich gab. Die Meilen nach Temuka zogen sich endlos hin, zumal Peterson nicht sehr schnell fuhr. Er schien sich wenig Gedanken um Richard zu machen und lachte, als Atamarie ihn anflehte, schneller zu fahren.

»Wenn wir 'n Achsenbruch haben, bringt uns das auch nicht rascher in die Stadt«, meinte er mit Gemütsruhe. »Und Dick … der wird schon wach werden. Das Glück ist mit den Irren, Mädchen, wahrscheinlich überlebt der Kerl uns noch alle.«

Atamarie dankte jedenfalls allen Göttern, als sie das kleine Krankenhaus endlich erreichten und zwei Pfleger Richard auf eine Trage hoben. Der Arzt zog die Augenbrauen hoch, als Atamarie atemlos berichtete.

»Geflogen? Er ist … abgestürzt?«

Atamarie schüttelte den Kopf. »Nicht direkt. Aber … nun tun Sie doch was, womöglich hat er sich den Schädel gebrochen!«

Der Arzt verschwand schließlich mit Richard in einem Behandlungszimmer, und Atamarie musste warten – auch dann noch, als der Mediziner ziemlich bald wieder herauskam.

»Sind Sie seine Frau?«, erkundigte er sich als Antwort auf Atamaries ängstliche Fragen. »Oder eine Schwester oder sonstige Verwandte?«

Peterson, der wahrscheinlich aus Gründen der Sensationslust mit ihr gewartet hatte, schüttelte den Kopf.

»Nee, sie ist nur ein Maori-Mädchen, das mit ihm auf der Farm lebt.«

Atamarie blickte den Mann fassungslos an. Sie war was? Das hörte sich ja an, als sei sie eine Art leichtes Mädchen, mit dem Richard sich ein bisschen vergnügte, bevor er eine ernsthafte Beziehung einging.

»Eine Angestellte?«, fragte der Arzt nach.

Peterson schüttelte den Kopf und grinste. »Nee«, sagte er erneut und machte eine eindeutige Handbewegung, die so obszön war, dass Atamarie das Blut ins Gesicht schoss.

»Ich bin …«, wollte sie richtigstellen.

In dem Moment öffnete sich die Tür, und Richards Mutter stürzte herein. Gefolgt von ihrem Mann, der etwas lädiert aussah. Auch seine wilde Fahrt mit dem Pflug hatte wohl in einer Hecke oder an einem anderen Hindernis geendet.

»Wie geht's ihm? Wie geht es Dick? Ist er … er ist doch nicht …«

Sarah Pearse war totenblass und wirkte völlig aufgelöst, während Digory Pearse eher einen wütenden Eindruck machte. Auch er schien einen unerschütterlichen Glauben daran zu hegen, dass einer Familie die schwarzen Schafe immer erhalten blieben.

»Ich darf nur Familienmitgliedern Auskunft geben«, meinte der Arzt, störte sich dann aber nicht weiter daran, dass Atamarie dabeiblieb, als er die Eltern über Richards Zustand informierte. »Eine schwere Gehirnerschütterung. Und ein Armbruch. Aber er wird wieder, keine Sorge. Jetzt noch mal! Wie ist es passiert? Die junge Frau schien etwas verwirrt zu sein … Oder es ist die Sprache? Sie ist Maori? Sieht gar nicht so aus.«

Er streifte Atamarie mit einem forschenden, fast lüsternen Blick. Atamarie spürte Wut in sich aufsteigen. Schon wieder behandelte man sie, als sei sie gar nicht anwesend oder höchstens etwas wie ein Möbelstück. Sie blitzte den Arzt an.

»Ich bin eine Kommilitonin von Mr. Pearse«, erklärte sie. »Studentin der Ingenieurwissenschaften am Canterbury College, Christchurch. Und ja, das geschah bei einem Versuch, eine Flugmaschine zu starten, die schwerer ist als Luft. Wir …«

»Hören Sie nicht auf sie, das Mädchen ist genauso irre wie mein Sohn«, fiel ihr Digory Pearse ins Wort und wandte sich gleich darauf an seine Frau. »Ich hab's dir gleich gesagt, wir sollten diese wilde Ehe nicht dulden! Aber nein, du meintest ja, es sei besser, die Leute reden darüber, dass er herumhurt, als dass er verrückt ist. Und jetzt … das eine wie das andere! Wir können uns in diesem Landkreis bald nicht mehr sehen lassen … Aber jetzt werde ich andere Saiten aufziehen! Erst mal verschwinden Sie, junge Dame, Sie waren ja wenig hilfreich.«

»Ich war was?«, fragte Atamarie, zu erstaunt, um aufzubegehren.

Sarah Pearse wandte ihr ein blasses, verhärmtes Gesicht zu. Sie wirkte nicht hasserfüllt wie ihr Mann, sondern nur resigniert.

»Ich hab gedacht, dass Sie das verhindern«, flüsterte sie Atamarie zu. »Ich hab gedacht … Herrgott, ich hätte nicht mal was dagegen gehabt, dass er Sie heiratet! Ob Maori oder nicht, Sie sehen ja auch nicht so aus. Wenn er nur … wenn er nur endlich normal würde. Aber mein Mann hat Recht. Sie haben nur alles noch schlimmer gemacht. Gehen Sie, Miss Turei! Und bleiben Sie weg! Es ist besser, wenn er Sie niemals wiedersieht!«

Atamarie ließ sich widerspruchslos aus dem Hospital weisen. Sie wusste, sie hätte sich wehren müssen, aber nach den letzten Stunden fehlte ihr die Kraft dazu und irgendwie auch der Wille. Dass die Menschen hier sie ablehnten, damit hätte sie zurechtkommen können – wenn sie nur nicht so hinterhältig gewesen wären ... Atamarie erinnerte sich an ihre vorgeschobene Freundlichkeit, aber auch das Gefühl, das sie von Anfang an gehabt hatte: Man hatte sie nur akzeptiert, weil sie nützlich schien. Und Richards Eltern würden ihren Sohn nie nehmen können, wie er war. Aber diese Erkenntnis, die sie zuvor noch mit Mitleid erfüllt hatte, machte sie jetzt wütend. Auch Richard hatte sie verraten. Sein unsinniger, zum Scheitern verurteilter Flugversuch zielte doch nur darauf, ihr zu zeigen, dass es auch ohne sie ging. Dass er sie nicht brauchte, dass ihn ihre Einwände sein Leben betreffend ebenso wenig beeindruckten wie ihre Verbesserungsvorschläge für das Flugzeug. Er liebte sie nicht, offensichtlich liebte er sie nicht ...

Blind vor Tränen rannte Atamarie auf die Straße. Am liebsten hätte sie gleich den nächsten Zug bestiegen, aber sie musste noch einmal zurück zu Richards Farm, schließlich waren all ihre Sachen dort und auch ihr Geld. Natürlich hätte sie die Fahrkarte später nachlösen können, aber auf keinen Fall wollte sie in dem abgetragenen Reitkleid, in dem sie an diesem Morgen erst die Tiere versorgt, dann Richard in der Werkstatt geholfen und bei den Maori Süßkartoffeln geerntet hatte, in Dunedin ankommen. Also wanderte sie in Richtung Temuka und versteckte sich am Straßenrand, wenn ein Wagen vorbeikam. Nur nicht noch einmal mit Peterson zusammentreffen! Sie wurde jetzt noch rot, wenn sie an seine obszöne Geste dachte.

Es wurde Nacht, bevor sie Richards Farm erreichte, wo sie erst mal die Pferde abschirrte und einsperrte. Die Tiere hatten sich beruhigt, waren zurückgekommen und warteten nun vor der Stalltür auf ihren Besitzer. Sehr hungrig schienen sie nicht. Rachsüchtig hoffte Atamarie, dass sie sich in Joan Petersons Garten satt gefressen hatten, statt irgendwo in den Plains. Sie selbst spürte inzwischen auch Hunger, so weit zu laufen war anstrengend.

Atamarie schaute zu dem Flugapparat hinüber, der wie ein

unglücklicher Vogel in der Hecke hing. Ob sie wenigstens die Pläne mitnehmen sollte, die sie gezeichnet hatten? Aber dann entschied sie sich dagegen. Richard musste seine Kämpfe selbst ausfechten, sie würde nicht zu Dobbins gehen und ihm womöglich den Weg ebnen. Bedauernd warf sie einen Blick auf die Werkstatt, als sie schließlich ihre Sachen gepackt hatte und sich mit etwas Brot und Käse als Proviant auf den langen Rückweg nach Timaru machte. Sie war dort so glücklich gewesen.

DER SEGEN
DER GEISTER

Afrika
Karenstad

Neuseeland
Dunedin, Parihaka,
Christchurch, Temuka

1902 – 1903

KAPITEL 1

»Na, aber wenigstens ist er kein Mitgiftjäger.«

Heather Coltranes Bemerkung überraschte Atamarie. Da Roberta in Südafrika war, hatte sie lange überlegt, wem sie die Geschichte mit Richard anvertrauen sollte. Mit irgendjemandem musste sie reden, sie würde sonst platzen! Schließlich hatte sie sich für ihre Tante Heather und ihre Lebensgefährtin Chloé entschieden. Die zwei waren sicher nicht prüde, und zumindest Heather war auch weit herumgekommen. Sicher würden sie Atamarie nicht verdammen, und vielleicht hatten sie ja sogar eine Erklärung dafür, warum Richard sich so verhielt, wie Atamarie ihn erlebt hatte. Nun hatte sie mit allen möglichen Reaktionen gerechnet, nur nicht damit, dass Richard vor Heathers Augen geradezu Gnade fand.

»Aber wieso sollte er? Ich ...« Atamarie wollte anmerken, dass bei ihr kein Vermögen zu holen war, aber dann hielt sie inne. Ihre Tante hatte Recht: Vom finanziellen Standpunkt aus hätte Richard gar nichts Besseres tun können, als Atamarie um ihre Hand zu bitten! Atamarie hatte sich nie Gedanken über Geld gemacht, aber natürlich war ihre Familie wohlhabend. Und das nicht nur wegen ihrer Großeltern und deren heimlicher Goldquelle im Bach bei Elizabeth Station, ganz abgesehen von Lady's Goldmine. Tatsächlich waren auch Kupe und Matariki vermögend. Kupe verdiente gut als Anwalt und Parlamentsabgeordneter, und Matariki wurde für die Leitung der Schule in Parihaka bezahlt. Beide gaben kaum etwas aus, also mussten sich schon beträchtliche Geldbeträge angesammelt haben. Atamarie konnte mit einer ordentlichen Mitgift rechnen – und darüber hinaus mit Unterstützung für ihre Forschungen. Kupe und Matariki lebten zwar ein in den Traditionen ihres Volkes verhaftetes Leben, aber sie waren nicht engstirnig wie die Pearses. »Verdammt, ja, ich hätte ihm helfen können!«

Verärgert über sich selbst zupfte Atamarie an einer Strähne ihres langen blonden Haares. Sie trug es offen über einem bunten Reformkleid, und wenn sie ehrlich sein sollte, genoss sie es, endlich mal wieder nicht aufzufallen, nur weil sie sich modisch kleidete. Heather hatte sich an diesem Tag für einen grünen Hosenrock mit passender kurzer Jacke entschieden, Chloé trug ein konventionelleres, aber doch farbiges und raffiniert geschnittenes Empirekleid. Auf Atamaries Ausbruch hin verdrehte sie die Augen.

»Zum Glück bist du nicht drauf gekommen!«, sagte sie trocken. »Nicht auszudenken, wenn du ihn auch noch finanziert hättest! Jetzt weißt du wenigstens, woran du bist. Dein Richard macht sich nichts aus dir. Also vergiss ihn, und such dir einen anderen. Oder bau selbst ein Flugzeug, wenn du weißt, wie es geht. Dazu brauchst du keinen Mann!«

Chloé warf entschlossen den Kopf zurück. Sie hatte mit Mitgiftjägern einschlägige Erfahrungen gemacht. Colin Coltrane, Heathers Bruder und Atamaries Vater, hatte sich weiland von Matariki getrennt, um Chloé ihres Geldes wegen zu heiraten. Sie hatte ihm ein Gestüt in den Fjordlands finanziert. Gedankt hatte er es ihr nicht.

»Aber ich … ich brauche ihn schon. Allein seine … seine Energie, ich würde es ohne ihn nie schaffen.« Atamarie seufzte.

Heather dagegen lachte. »Habe ich auch mal geglaubt, Atamie«, sagte sie dann. »Mein Richard hieß Svetlana. Und in gewisser Hinsicht war sie gut für mich. Sie hat mir geholfen, herauszufinden, wer ich bin und was ich kann. Aber solche Menschen ... Sieh sie einfach als Motoren an, Atamie. Sie helfen uns auf die Sprünge. Aber wenn wir uns zu sehr auf sie einlassen, überrollen sie uns. Dein Richard erscheint mir zudem unheimlich – ein Mann, der niemals schläft, den alle anderen für verrückt halten, der sich erst monatelang gar nicht rührt und sich dann vor Leidenschaft nicht einkriegt ... Chloé hat Recht, Atamie, vergiss ihn. Hattest du eigentlich vor, auch noch nach Parihaka zu fahren? Es wird ein bisschen knapp mit den Ferien, sie sind bald vorbei, nicht?«

Atamarie nickte gedankenverloren. Richard ließ sie nicht mehr los. Sie war überzeugt davon, dass ihre Beziehung sich gänzlich anders entwickelt hätte und noch entwickeln könnte, wenn Richard Temuka verließe. Sie hätte vielleicht stärker darauf drängen sollen. Vielleicht musste er seine Farm aus den Augen verlieren, um zu erkennen, dass er ohne seine Familie keineswegs einsam, sondern sogar glücklich war.

»Drei Wochen sind knapp, sicher, zumal man ja allein fast eine für die Hin- und Rückreise einrechnen muss«, rang sie sich schließlich eine Entgegnung ab. »Aber ich werde trotzdem fahren. Ich brauche ein bisschen ›Geist von Parihaka‹ nach diesem Kleinstadtmief!«

Chloé lachte. »Man könnte auch sagen, dass deine Geister die Kleinstadt verschreckt haben. Allein diese ›wilde Ehe‹! Du hättest wenigstens pro forma ein Hotelzimmer nehmen können. Oder ein Zelt aufstellen oder bei den Maori leben oder irgendwas.«

Heather zuckte die Achseln. »Ach, diese Dörfler hätten es trotzdem rausgekriegt. Hör auf zu grübeln, Atamarie! Fahr nach Parihaka. Und nicht nur der Geister wegen. Das Dorf ist voller gut aussehender junger Maori. Einer davon lässt dich Richard vergessen!«

Atamarie setzte sich dann wirklich gleich am nächsten Tag in den Zug, ohne weitere Familienmitglieder zu besuchen. Das wäre auch eher deprimierend gewesen. Ihr Onkel Patrick weinte wohl immer noch seiner Juliet nach – erwies sich aber als wunderbarer Vater für die kleine May. Sean und Violet Coltrane hatten stets wenig Zeit. Sie engagierten sich gegen den eskalierenden Burenkrieg. Beide hielten flammende Reden, wobei Sean sich auf den Imperialismus der Briten konzentrierte, der vor nichts zurückschreckte, um seine Herrschaft über die Goldminen zu zementieren, während Violet die Not der Frauen in den Konzentrationslagern ansprach. Sie machte sich damit keine Freunde bei den nationalen Frauenorganisationen – von ihrer Vorgängerin Wilhelmina Sherriff Bain hatte sich das National Council of Women schon ein Jahr zuvor distanziert. Beide waren allerdings lange genug in der Politik, um sich davon nicht schrecken zu lassen. Violet hielt sich zurzeit in Christchurch auf, Sean gar in Wellington. Reverend Burton und Kathleen unterstützten ihre pazifistischen Bemühungen, indem sie Geld für die Stiftung von Emily Hobhouse sammelten, mit der die größte Not in den Lagern gelindert werden sollte. Mit einem Besuch bei Lizzie und Michael in Otago, ihrem ursprünglichen Vorhaben, hätte Atamarie noch mehr Zeit verloren. Also informierte sie ihre Großeltern gar nicht erst von ihrer Ankunft, sondern fuhr gleich wieder zurück.

Atamaries Herz klopfte heftig, als der Zug in den Bahnhof von Timaru einfuhr. Sie hätte zu gern gewusst, wie es Richard ging. Aber aussteigen und im Krankenhaus nachfragen war undenkbar! Und seine Verletzungen waren ja auch nicht lebensbedrohlich gewesen. Er konnte sich selbst melden, wenn er Kontakt mit Atamarie halten wollte. Wenn nicht … Atamarie war zum Weinen zumute, aber sie beherrschte sich. Der nächste Schritt – wenn es denn einen geben würde – sollte von Richard ausgehen!

»Irgendwann werden wir einfach rüberfliegen!«, meinte Atamarie zu einer verständnislos blickenden Mitreisenden, als sie am nächsten Tag auf der Fähre zwischen Süd- und Nordinsel vom Seegang durchgeschüttelt wurden. »Es wird schnell gehen und einfach! Bestimmt brauchen wir nur drei oder vier Stunden, und niemand wird mehr seekrank.«

Die junge Frau überlegte. Dann schüttelte sie den Kopf. »Nein, da oben würde man auch krank, luftkrank«, sagte sie schließlich und wandte sich zum Gehen. »Und man könnte runterfallen ... Während ich noch nie von jemandem gehört habe, der in der Cook-Straße ertrunken ist.«

»Die Leute machen sich nur darüber lustig!«, meinte Atamarie verärgert, als sie ihrer Mutter bei ihrer Ankunft von der Episode erzählte. Gemeinsam beobachteten sie, wie viele bunte Drachen über Parihaka aufstiegen. Ihr Anblick hatte Atamarie wieder mal aufs Fliegen gebracht. »Aber dies sind fabelhafte *manu!* Kommt's mir nur so vor, oder liegen sie besser in der Luft als die, die früher hier gebaut wurden? Und gehört Drachenfliegen nicht überhaupt zur Neujahrszeremonie? Ich dachte, sonst wär's *tapu?*«

Matariki lachte. Sie war unendlich froh, ihre Tochter wiederzusehen – obwohl sie ihr die fröhliche Ferienstimmung nicht ganz abnahm. Irgendetwas hatte Atamaries Freundschaftsbesuch bei Richard Pearse abrupt beendet. Matariki hoffte, dass ihre Tochter später mit ihr darüber reden würde.

»Ach was«, antwortete sie jetzt. »Man darf jederzeit *manu* aufsteigen lassen, wenn man die richtigen *karakia* dazu singt. Und ganz abgesehen von dem Gespräch mit den Göttern – früher machte man das auch regelmäßig, um Botschaften zwischen den Stämmen hin- und herzusenden. Nach dem Tod des Gründers der Ngati Porou sollen die Menschen in Whangara einen *manu* in den Himmel geschickt haben, den man bis zur

Südinsel sah. Porourangis Bruder Tahu, der Stammvater der Ngai Tahu, konnte ihn daraufhin betrauern.«

Atamarie blickte etwas skeptisch, sagte aber weiter nichts zu der Geschichte. Auch sie hatte schon von *manu* gehört, zu deren Beherrschung dreißig Männer nötig gewesen waren. Aber ob das der Wahrheit entsprach? Zumindest hätte man mühelos damit aufsteigen können.

»Das heutige Drachenfest feiern wir nur, weil Rawiri gerade da ist«, gab Matariki jetzt weiter Auskunft. »Er ist zurück von seiner Wanderung in den Norden, wo er bei so ziemlich jedem *tohunga* studiert hat, der für den Bau von *manu* berühmt ist. Er gilt jetzt auch selbst als *tohunga*, und in dieser Woche unterrichtet er die Kinder im Dorf. Erwachsene natürlich auch, wenn sie Lust haben. Du kannst sicher gern mitmachen.«

Atamarie nickte interessiert. Rawiri schien die Sache mit dem Fliegen also weiter zu betreiben und ernst zu nehmen. Oder ging es ihm eher um Botschaften für die Götter? Atamarie konnte sich nicht mehr genau daran erinnern, was er damals erzählt hatte, nachdem Richard und sie ihn aus dem Wasser gezogen hatten, aber zumindest einiges davon hatte für sie wie spiritueller Unsinn geklungen. Andererseits – auch Rawiri hatte fliegen wollen! Sicher würde es interessant sein zu erfahren, was er über die Form und die Flugeigenschaften von Drachen gelernt hatte. Mit der Gestalt von Richards Flugmaschine war Atamarie schließlich noch nicht vollständig glücklich.

Rawiris Augen leuchteten auf, als Atamarie ihn am Abend begrüßte und sich als Schülerin anmeldete. Sie selbst merkte es kaum, sondern interessierte sich mehr für die Form der Drachen, welche die Kinder zu den Sternen hinaufsandten, um nun wirklich Botschaften an die Götter zu verschicken. Atamarie verzog ein bisschen den Mund, als der junge *tohunga* sie dazu mit großem Ernst in den Gesang der passenden *karakia* einwies.

»Als ob sich dadurch irgendwas an den Naturgesetzen ändern würde!«, bemerkte sie ihrer Mutter gegenüber. »Wenn das Ding die richtige aerodynamische Form hat, fliegt es. Wenn nicht, dann nicht.«

Matariki lachte. »Das weiß Rawiri zweifellos genauso gut wie du. Aber sieh es mal anders: Die *karakia* dienen dazu, uns an die Naturgesetze zu erinnern, der Natur dafür zu danken, dass sie uns Halt gibt, aber auch Grenzen setzt.«

»Die wollen wir ja gerade überwinden«, brummte Atamarie.

Matariki schüttelte tadelnd den Kopf. »Eben hast du noch gesagt, das ginge nicht. Und es geht auch nicht, die Natur kannst du nicht besiegen. Aber natürlich kannst du sie besser begreifen und dir ihre Gesetze zunutze machen. Dabei hilft die Zwiesprache mit den Göttern – egal, ob wir *manu* in den Himmel schicken oder Gebete sprechen, wenn wir Heilpflanzen ernten. Das ist schon alles richtig, Atamarie, Rawiri weiß, was er tut. Vertrau ihm!«

Rawiri war sich seiner selbst keineswegs so sicher – zumindest bat er die Götter in dieser Nacht nicht um ihren Segen für seinen Lenkdrachen, sondern eher um eine Vermittlung zwischen sich selbst und Atamarie. Er wusste nicht recht, ob er es als Zufall oder Geschenk der Götter auffassen sollte, dass sie tatsächlich zurückgekommen war, um die Kunst des *manu*-Baus zu erlernen, aber er wusste, dass er sie liebte. Schon beim ersten Blick auf ihr leuchtendes Haar und in ihr kluges, schönes Gesicht war das warme, glückliche Gefühl wieder in ihm aufgestiegen, das er damals nach seinem missglückten Gleitflug empfunden hatte. Seitdem trug er ihr Bild in seinem Herzen, und zu seinem eigenen Traum vom Fliegen kam der Gedanke daran, sie glücklich zu machen. Alles, was Rawiri seit jenem Tag getan hatte, stand in diesem Zeichen. Er hatte eingesehen, dass es nicht genügte, mit selbst gebauten Drachen herumzuexperimentieren. Er musste bei den besten Drachenbauern lernen, er musste ein *tohunga* werden genau wie Atamarie! Denn das wurde sie ja wohl, wenn er ihre Mutter richtig verstanden hatte und die Männer, mit denen sie damals in Parihaka gewesen war. Atamarie lernte die Weisheit der *pakeha* – und Rawiri würde ihr jetzt die Weisheit der Maori schenken. Inzwischen wusste er längst, wie man *manu* baute und lenkte – mit zwei und mit vier Schnüren. Und er hatte von der großen Tradition seines Volkes gehört, auch riesige Drachen in die Luft zu schicken. Nach Angaben seines Lehrers hatte es vormals gewaltige *manu* gegeben, an denen Männer aufsteigen und mit den Winden tanzen konnten ...

Rawiri selbst konnte Atamaries Besuch in seiner Werkstatt nun kaum noch erwarten. Schon vor Tau und Tag legte er Aute-Borke und Raupo-Blätter bereit sowie Manuka- und Kareao-Holz für das Gestell. Aber zuerst erschienen nur ein paar Kinder, um an ihren verschiedenen *manu* zu basteln. Rawiri beugte sich über ihre Arbeiten und übersah dabei, dass sich Atamarie näherte. Er fuhr auf, als er ihre Stimme hörte.

»Der Habicht, die Schwinge und das Kanu«, kommentierte Atamarie die Formen der Drachen. »Welcher fliegt denn nun am besten?« Sie hob einen *manu pakau* auf und betrachtete ihn kritisch. »Die Segelfläche ist ja beim Flachdrachen ganz anders als zum Beispiel ...«

»Der Wind leiht dem *manu* seine Kraft«, erklärte Rawiri sanft. Dabei hatte er keinen Blick für den Drachen in Form der Vogelschwinge, sondern nur für Atamarie, die ihm an diesem Morgen besonders schön erschien. Sie trug das Haar offen über einem traditionell gewebten Oberteil in den Farben Parihakas, das sie mit einem weiten grünen Rock kombinierte. »Jedem Drachen. Aber der *manu* stiehlt dem Wind nicht die Stärke, er leitet sie nur über seine Flügel. Der *manu* tanzt auf dem Wind, oder der Wind zieht ihn empor.«

»Er liegt auf der Windströmung oder nutzt den Unterdruck über der Segelfläche«, übersetzte Atamarie in die Sprache der Wissenschaft. »Von Letzterem will ich mehr wissen, das brauchen wir auch für die Entwicklung von Flugzeugen. Und diese Kastenbauweise ist interessant, die Drachen bestehen ja aus verschiedenen Quadraten, scheint mir, nicht? Das gibt ihnen Stabilität.« Rawiri schaute etwas verwirrt, und Atamarie lächelte entschuldigend. »Na ja, ist ja egal, wie man das ausdrückt«, sagte sie schließlich. »Zeig mir einfach, wie es geht!«

Sie lauschte denn auch aufmerksam auf Rawiris Erklärungen, obwohl er ihr nicht viel Neues erzählte. Im Grunde hätte sie die Drachen einfach nachbauen können, wenn man ihr nur einen Prototypen zur Verfügung gestellt hätte. Aber es gefiel ihr, Rawiris Stimme zu hören – sie war melodisch und weich und erinnerte sie ein wenig an Richards. Der hatte bei der Arbeit zwar meist schneller und in kurzen, stakkatoartigen Sätzen erklärt, während Rawiris Erläuterungen fast wie ein Lied klangen, das er dem Drachen sang. Aber dennoch … Atamarie ließ sich einlullen und fühlte sich fast wieder wie in der Werkstatt auf Richards Farm.

Atamaries Drachen war dann schon am Abend fertig – was Richard oder Professor Dobbins sicher lobend erwähnt hätten, während es Rawiri eher zu enttäuschen schien. Schließlich hatte sie zwar seine technischen Ratschläge befolgt, die spirituelle Seite des Drachenbaus aber tunlichst ignoriert. Der junge *tohunga* vermittelte auch die traditionell mit jedem Arbeitsschritt verbundenen Gesänge, Anrufungen oder Meditationen. Die Geister der Winde und Wolken wollten beschworen werden, zwischendurch rief man die Kraft des Vogelgottes an und erflehte seinen Segen.

»Das dient doch nur dazu, die Zeit auszufüllen, bis der Leim trocknet«, brummte Atamarie. »Und die Raupo-Blätter wachsen auch wieder nach, egal, ob ich die Geister des Strauches jetzt gnädig stimme oder nicht.«

»Aber es geht ums Prinzip«, meinte Matariki und sang leise die Worte des *turu manu*, während Atamarie ihren Drachen flugfertig machte: Flieg fort von mir, mein Vogel, tanze rastlos in der Höhe, schieße herab wie der Habicht auf seine Beute … »Das ist doch schön, Atamie!«

»Das ist eine Frage der Anströmung der Luft gegen das Drachensegel«, bemerkte Atamarie. »Und tanzen sollte das Ding gar nicht, dann gerät es zu schnell ins Trudeln. Hilf mir mal, Rawiri … was meinst du, hätte ich die Flügel nicht doch breiter machen sollen? Damit er an Stabilität gewinnt?«

Atamarie hatte sich für die Form des *birdman* entschieden – aus Sentimentalität, weil dies Richards Name bei den Maori war, aber auch, weil sie den Gleitfliegern der *pakeha* am ähnlichsten war und damit auch Richards künftigem Motorflieger.

Matariki verdrehte die Augen, stellte dann aber erfreut fest, dass Rawiri sich durch Atamaries mangelnde Spiritualität nicht entmutigen ließ. Er sprach weiter seine Gebete, lauschte aber auch interessiert auf Atamaries wissenschaftliche Ausführungen.

»Da siehst du es«, meinte Rawiri, als schließlich beide ihre Drachen aufgelassen hatten, um die vorher diskutierte Stellung der Waage zu erproben. »Steht der *manu* stolz aufrecht und spricht mit dem Menschen, so braucht man mehr Kraft, ihn zu halten, ohne dass er wirklich steigt. Wie ein Mann, der mit seinem *mana* protzt, aber nicht den Segen der Götter besitzt. Wenn sich der *manu* dem Wind ergibt und sich vor den Geistern beugt, dann steigt er rasch hinauf.«

Atamarie fasste sich an den Kopf. »Sag ich doch: Je steiler die Waage den Drachen stellt, desto stärker die Zugkraft. Wenn er flach gestellt ist, steigt die Auftriebskraft.«

Matariki, die mit ihrer Freundin Omaka zusammensaß, lachte. »Jeder spricht seine Gebete in seiner Sprache«, bemerkte sie.

Omaka nickte. »Aber diese beiden da«, meinte sie und wies auf Rawiri und Atamarie, »wenden sich zweifellos an den gleichen Gott.«

Atamarie hatte den Tag mit Rawiri genossen und zog sich auch nicht zurück, als er sie später an den Feuern zu umwerben begann. Er plauderte mit ihr, holte ihr Essen und Getränke – und mit jedem Schluck Whiskey rührten Rawiris poetische Komplimente tiefer an ihr Herz. Schließlich verstand der junge *tohunga* nicht nur, seine Drachen zu führen und die Götter mit schönen Worten zu umschmeicheln, sondern beschrieb auch sein Entzücken über Atamaries goldblondes Haar, ihre Augen, die er mit dunklem Bernstein verglich, und ihre Hände mit den langen, geschickten Fingern.

»Du musst meinen Lenkdrachen fliegen. Deine Finger werden mit ihm sprechen, sie werden ihn führen und aufschicken in die Welt der Götter. Und er wird ihnen meinen Wunsch übermitteln, dass du auch mich eines Tages berühren mögest und leiten und erhöhen zu den Gipfeln der Liebe …«

Unter anderen Bedingungen hätte Atamarie sich vielleicht sogar erweichen lassen, sich an ihren Bewunderer zu lehnen, ihn auf einem Spaziergang in die umliegenden Hügel zu begleiten und ihm einen Kuss zu gestatten. Womöglich hätte sie ihn sogar geliebt, schließlich war sie keine Jungfrau mehr. Es gab nichts, was aufzusparen war, und Richards Zärtlichkeiten hatten Atamarie durchaus Lust auf mehr gemacht. Nach den Erfahrungen in Temuka war sie jedoch argwöhnisch geworden. Natürlich sagte ihr der Verstand, dass Rawiri sie nicht als Flittchen verdammen würde, wenn sie ihm für ein paar Nächte ihren Körper schenkte. Maori-Frauen warteten nicht bis zur

Hochzeitsnacht, um die Liebe zu erproben, und bevor sie sich nicht eindeutig und vor dem ganzen Stamm für einen Mann entschieden hatten, forderte auch niemand Monogamie. Aber das Verhalten der Dorfbewohner in der Waitohi-Ebene hatte Atamarie beschämt und verletzt. Nein, niemand sollte glauben, dass sie sich jemandem hingab, den sie nicht wirklich liebte. Und von Liebe war ihr Verhältnis zu Rawiri weit entfernt.

Das blieb auch so, egal, wie sehr sich Rawiri in den nächsten Tagen um Atamarie bemühte. In gewisser Weise kamen sich die beiden zwar näher – sie entwickelten gemeinsam neue Lenkdrachen und erforschten das Verhalten der verschiedenen *manu*-Formen im Gleitflug –, aber wenn Rawiri Atamarie berühren wollte, rückte sie von ihm ab.

»Es tut mir leid«, sagte sie schließlich am letzten Abend ihres Aufenthaltes in Parihaka. Die Zeit mit den Maori hatte sie immerhin wieder so weit entspannt, dass sie mit Rawiri über sein vergebliches Werben sprechen konnte. »Aber ich war mit einem *pakeha*-Mann zusammen, und ich kann Richard nicht einfach so vergessen. Er … ich … wir hatten so viel gemeinsam, wir wollten … ich kann einfach noch nichts Neues anfangen.«

Rawiri nickte. »Ihr wolltet fliegen«, sagte er verständnisvoll. »Du wolltest mit ihm fliegen. Den Himmel erobern. Und ich spreche nicht einmal deine Sprache. Aber ich werde sie lernen, Atamarie.« Er wies auf ein Exemplar des *Scientific American Magazine*, das ihm Atamarie geliehen hatte, und das er seitdem ernsthaft studierte. »Ich werde lernen, auf deine Art *manu* zu bauen und die Götter bitten, mich einzuladen, den Himmel mit ihnen zu teilen.« Er lächelte spitzbübisch. »Ich werde mit deinem *pakeha* konkurrieren, Atamarie. Und wir werden sehen, wessen … aeronautische Konstruktionen …«, er sprach das offensichtlich der Zeitschrift entnommene Wort sehr langsam und deutlich aus, »... eher Gnade finden vor den Augen der Geister ...«

Atamarie verstand nicht ganz, was Rawiri meinte, aber sie sah sein lächelndes, von seinem langen schwarzen Haar umtanztes Gesicht noch vor sich, als sie einen Tag später in den Zug stieg.

Die Nachricht von der Auflösung der Konzentrationslager verbreitete sich in Windeseile in Karenstad. Sie löste Freude, aber auch neue Zukunftsängste aus. Vielen Frauen ging es wie Doortje, sie würden weder Haus noch Mann oder Vater vorfinden, wenn sie auf ihr Land zurückkehrten. Cornelis befürchtete obendrein die Ächtung seiner Nachbarn – er ahnte, dass nicht mehr viele Männer seines Kommandos am Leben sein würden, und zweifellos würde man ihm übel nehmen, dass er den Krieg ziemlich unbeschadet überstanden hatte. Inzwischen hinkte er auch kaum noch, sein Bein war vollständig verheilt. Nun bestand für Cornelis auch kein dringender Grund, in sein Dorf zurückzukehren – zwar erbte er den Hof und das Land seines Vaters, aber er fühlte sich nicht wirklich zum Farmer berufen –, allerdings schwankte er noch zwischen Neigung und Pflichtgefühl: Seine Mutter hatte überlebt und sah es als selbstverständlich an, dass er die Farm wieder aufbaute, sich eine Frau suchte und sie und womöglich weitere ältere Verwandte in seinem Haushalt aufnahm.

Cornelis war diese Vorstellung ein Gräuel, er wollte sich lieber eine Anstellung, vielleicht als Dolmetscher, suchen, etwas Geld verdienen und einen College-Abschluss nachholen. Vielleicht wurde es dann doch was mit dem heißersehnten Veterinärmedizinstudium. Daisy unterstützte ihn in diesem Vorhaben – auch wenn sie ihn lieber als Arzt sähe denn als Veterinär. Zur allgemeinen Verwunderung erwiderte sie seine

Zuneigung, an sich hätte man der lebhaften jungen Frau nicht zugetraut, sich in den stillen und zum Grübeln und Zaudern neigenden jungen Mann zu verlieben. Aber Daisy schien es zu gefallen, die Zügel in der Hand zu haben, und sie lenkte Cornelis sanft, aber entschlossen.

»Ich könnte darüber nachdenken, hierzubleiben«, erklärte sie eines Tages. »Ein schönes Land. Aber mitten im Veld möchte ich nicht wohnen, ich denke da mehr an eine der Städte. Du kannst es dir aussuchen, Cornelis: mit mir nach Kapstadt oder Johannesburg oder Pretoria oder mit deiner Mutter auf eine Farm im Veld!«

Daisy strich lasziv eine Strähne ihres schwarzen Haares zurück, die sich unter dem strengen Schwesternhäubchen gelöst hatte. Niemand zweifelte wirklich daran, wie sich Cornelis entscheiden würde, niemand außer Doortje VanStout.

Doortje betrachtete Cornelis' Werben um die junge Krankenschwester mit Argwohn, aber sie konnte sich nicht wirklich vorstellen, dass dies etwas Ernstes sein sollte. Stattdessen schmiedete sie selbst im Stillen Heiratspläne. Bei allen zaghaften Gefühlen, die Doortje für Kevin Drury hegte: Wenn sie ihre Zukunftsaussichten realistisch betrachtete, so kam eigentlich nur eine Ehe mit Cornelis infrage. Aus der Sicht der jungen Burin und zweifellos auch aus der seiner Familie und seiner Kirche hatte dies für sie und ihn nur Vorteile: Doortje wäre versorgt, und Cornelis konnte entscheiden, ob er ihre oder seine Farm wieder aufbauen wollte. Die VanStout-Farm lag einsamer und näher an Wepener, das sicher wieder ein Agrarzentrum werden würde, wenn die Engländer erst abzogen. Niemand dort kannte Cornelis näher, also würde man ihm auch keine Feigheit vorwerfen. Er konnte geachtet in der Gemeinde leben und sicher sogar Kirchenämter bekleiden.

Doortje würde Kevin Drury innerhalb kürzester Zeit vergessen und ihrem Vetter eine gute Frau sein. Mit ihrer Tante Jacoba als Schwiegermutter konnte sie leben, auch Martinus hatte eine sehr bestimmende Mutter gehabt, und Doortje war darauf vorbereitet gewesen, in deren Haushalt einzuheiraten. Für burische Mädchen war dies eine Selbstverständlichkeit, auf fast allen Farmen lebten mehrere Generationen zusammen, ohne sich zu beklagen. Allein lebende Frauen gab es in der südafrikanischen Gesellschaft nicht – Cornelis hatte hier auch Verpflichtungen gegenüber seiner Kusine. Wenn er und seine Familie sich nicht ihrer annahmen, stand Doortje vor dem Nichts.

Aber dann kam die Eröffnung, dass Cornelis erneut fahnenflüchtig werden wollte. Doortje war im Hospital und spülte Injektionsspritzen, als Daisy vergnügt von ihrer Verlobung berichtete. Das betretene Schweigen der burischen Schwesternhelferinnen nahm die junge Frau gar nicht wahr – sie freute sich nur über Dr. Greenways freundliche Glückwünsche.

»Und das mit der Tiermedizin rede ich ihm auch noch aus«, verkündete Daisy strahlend. »Er kann doch richtiger Arzt werden, dann können wir zusammen eine Praxis eröffnen oder in einem Krankenhaus arbeiten!«

Daisy selbst gedachte ihren Beruf auf keinen Fall aufzugeben. Im Gegenteil: Wenn Cornelis bald mit einem Studium beginnen könnte, würde sie in den ersten Jahren das Geld verdienen.

Für Burenfrauen war eine solche Regelung undenkbar. Und Doortje ... ihr schwindelte, als sie die Konsequenzen von Daisys fröhlicher Eröffnung bedachte. Kreidebleich ließ sie das Tablett mit den Spritzen fallen und lenkte damit die Aufmerksamkeit Dr. Greenways und der Schwestern auf sich. Alle sahen sie an, als das Glas auf dem Boden zersprang.

»Aber das geht nicht«, stammelte Doortje. »Er muss doch wissen, dass ich ... Er ist doch ...«

Doortje wollte von den Verpflichtungen ihres einzigen Verwandten sprechen, aber dann wurde ihr nur noch schwarz vor Augen. Sie taumelte und sank zu Boden, froh über das gnädige Vergessen, das die Ohnmacht ihr schenkte.

Das Erwachen sollte sich allerdings noch schrecklicher gestalten.

»Schwester Daisy, wenn ich richtig interpretiere, was Miss VanStout sagen wollte ... So leid es mir tut, aber ... ist Ihr Verlobter der Vater ihres Kindes?«

Doortje hörte die Stimme Dr. Greenways wie von Weitem, als sie langsam wieder zu sich kam. Ein Kind? Diese Engländerin war bereits schwanger? Doortje stöhnte. Wenn Daisy schwanger war, ließ es sich nicht rückgängig machen, dann würde Cornelis wirklich mit ihr weggehen, dann ...

Daisy protestierte allerdings gleich empört.

»Nie, Dr. Greenway! Ganz bestimmt nicht. Wenn da etwas zwischen ihr und Cornelis gewesen wäre, das hätte ich gemerkt. Und sie ist ihm doch wohl auch immer noch böse.«

Doortje wunderte sich. Von wem sprachen die beiden?

»Vielleicht aufgrund einer gescheiterten ... hm ... Beziehung?«, mutmaßte Dr. Greenway.

»Ach was!«

Doortje spürte, dass Daisy etwas an ihrem Bett regelte. Gab sie ihr eine Injektion? War sie krank? Auf jeden Fall war sie ohnmächtig geworden. Sie musste ... wenn sie sich nur nicht so schwach fühlen würde ...

»Und Sie sagten doch auch, sie sei schon im sechsten Monat oder so. Ist Cornelis überhaupt schon so lange hier? Aber wie konnten wir das bloß übersehen? Und warum hat sie's geheim gehalten?« Doortje nahm ihre ganze Kraft zusammen und öffnete die Augen. Sie versuchte, sich aufzurichten, aber Dr. Greenway drückte sie sanft aufs Bett zurück. »Bleiben Sie liegen, Miss VanStout. Ruhen Sie sich aus, Sie müssen an Ihr Kind denken.«

Doortje fuhr hoch. »An was?«

»Ich kann nicht glauben, dass wir es nicht gemerkt haben.« Kevin lief unruhig im Zimmer umher. Dr. Greenway hatte ihm eben von Doortjes Schwangerschaft erzählt. »Fünfter oder sechster Monat ...«

Greenway entkorkte eine Whiskeyflasche. »Beruhigen Sie sich, Drury, die junge Frau hat es doch selbst nicht gewusst. Ich denke, wir dürfen ihr das glauben, ich habe sie erlebt, die Überraschung war echt. Und es kann ja auch passieren. Die Frauen ziehen sich kaum je aus in der Enge ihrer Zelte. Außerdem sind aufgeblähte Bäuche bei Mangelernährung nichts Besonderes, das wäre auch uns nicht aufgefallen. Aus dem gleichen Grund kann die Periode ausbleiben, aber das wissen Sie ja selbst. Wir haben uns da nichts vorzuwerfen. Zumindest, wenn nicht einer von uns der Vater ist.«

Kevin schnaubte. »Diesmal nicht«, bemerkte er und nahm einen großen Schluck Whiskey. »Aber die Vaterschaft ist doch wohl klar, Greenway ... wenn Sie bedenken, wie die Frauen damals hier ankamen – Doortje und Johanna ... ich weiß, sie haben die gynäkologische Untersuchung verweigert, aber es bestand kein Zweifel daran, dass sie vergewaltigt worden waren ...«

Greenway fasste sich an den Kopf. »Natürlich ... und ich Idiot habe den Verlobten von Schwester Daisy verdächtigt!« Er goss sich Whiskey nach. »Das macht es natürlich noch schlimmer. Schon ein ... hm ... Kind der Liebe würde Miss VanStouts Leben ungeheuer komplizieren. Aber jetzt ... eine solche Frucht der Gewalt ...«

Kevin rieb sich die Stirn. »Ist denn jetzt wenigstens jemand bei ihr?«, fragte er. »Nicht dass sie sich auch noch etwas antut.«

Greenway nickte. »Miss Fence«, gab er Auskunft. »Wir haben sie holen lassen. Schwester Daisy wäre zwar verfügbar gewesen, aber zu der hat sie möglicherweise ein … hm … etwas gestörtes Verhältnis. Scheinbar wollte sie Cornelis heiraten.«

»Sie wollte was?« Kevin blieb abrupt stehen. »Doortje VanStout wollte Cornelis Pienaar … wer hat Ihnen denn das erzählt?«

Greenway zuckte die Achseln. »Mrs. Vooren, die Hilfsschwester. Sie wissen schon, die kleine Burin, die noch keine zwanzig Jahre alt ist und schon drei Kinder hat. Eine ganz aufgeweckte junge Frau und nicht so verbohrt wie die anderen. Miss VanStout hatte doch den Kreislaufzusammenbruch, als Schwester Daisy von ihrer Verlobung erzählte, und ich fragte mich, ob da ein Zusammenhang bestand. Mrs. Vooren hat das bestätigt. Deshalb nahm ich ja auch an … Aber es ging da wohl eher um Versorgungsfragen denn um Liebe.«

Kevin stellte sein Glas auf den Tisch. »Ich gehe zu ihr«, sagte er entschlossen. »Sie muss ja völlig verzweifelt sein. Vielleicht … vielleicht kann ich ihr ja helfen.«

Er tat, als bemerke er Greenways fragende Blicke nicht, als er zur Tür ging, wandte sich aber im letzten Moment noch einmal um und griff nach dem Buch über Neuseeland, in dem Doortje gelesen hatte.

»Kann sie vielleicht etwas ablenken …«

Greenway lächelte. »Na dann viel Glück, Drury!«

Es war bereits dunkel, als Kevin zum Hospital hinüberging, allerdings waren die Hauptsäle durch Petroleumlampen erhellt. Eine davon brannte auch in dem abgeschlossenen Raum, in dem Doortje lag. Roberta saß neben dem Bett und las in einem Buch.

»Verdirb dir nicht die Augen bei diesem Funzellicht, Roberta«, bemerkte Kevin freundlich.

Roberta blickte auf, als sie ihn hörte, und ihm fuhr der vage Gedanke durch den Kopf, wie hübsch diese ernsthafte junge Frau doch war. Aber als er Doortjes schmales Gesicht, eingerahmt von der Fülle ihres offenen Haares, auf dem Kissen sah, vergaß er Roberta. Er erblickte sie zum ersten Mal ohne Haube und war bezaubert davon, wie viel weicher und jünger die langen blonden Strähnen ihre Züge wirken ließen. Doortje hielt die Augen geschlossen, aber ihre Haltung war angespannt.

»Schläft sie?«, fragte Kevin zweifelnd.

Roberta schüttelte den Kopf. »Nein«, sagte sie. »Sie will nicht reden. Sie will es auch nicht glauben. Dabei … also kann einem das denn entgehen, dass man schwanger ist?«

Kevin meinte ein Muskelzucken in Doortjes Gesichtszügen zu bemerken. Er gab sich einen Ruck.

»Doch, Roberta, das kann passieren. Unter diesen Umständen. Und ich … also, ich bleibe jetzt bei ihr. Wenn du so freundlich wärest, uns allein zu lassen.«

Roberta fühlte erneut den alten Schmerz. Als man ihr von Doortjes Schwangerschaft erzählt hatte, hatte sie fast etwas wie Triumph empfunden, obwohl sie sich dafür schämte. Doortje war von irgendjemand anderem schwanger. Sie würde Kevin weiterhin zurückweisen. Er würde sie vergessen oder Trost suchen. Roberta fühlte sich Vincent gegenüber schuldig, schließlich machte sie ihm seit einiger Zeit Hoffnung, aber falls Kevin sich ihr doch zuwandte, weil Doortje unerreichbar war … Roberta wollte nicht erneut träumen, sie war so fest entschlossen gewesen, ihre Gefühle für Kevin abzutöten.

Sie stand auf. »Natürlich«, sagte sie steif. »Ich kann dann ja nachher wiederkommen.«

Roberta verließ den Raum, blieb dann aber vor der Tür stehen. Ihr Herz klopfte heftig, und sie schämte sich dafür, dass sie lauschte. Aber sie musste wissen, woran sie war.

Doortje schlug die Augen auf, als sie mit Kevin allein war.

»Sie ... glauben mir?«, fragte sie schwach.

Kevin nickte. »Ich habe Ihnen gesagt, dass Sie mir vertrauen können und dass ich Ihnen vertrauen will. Also: Ich glaube Ihnen, dass Sie nichts von dieser Schwangerschaft wussten. Aber was ist das für ein Unsinn mit Cornelis Pienaar?«

Kevin zog Robertas Stuhl näher an Doortjes Bett. Er musste sich bezähmen, ihr nicht das Haar aus dem Gesicht zu streichen. Zu gern hätte er sie berührt, sie getröstet ... aber er durfte nicht riskieren, dass sie ihn wieder abwies.

»Cornelis ist nicht der Vater«, sagte Doortje steif. »Sagen Sie das Schwester Daisy, es gibt keinen Grund für sie, an ihm zu zweifeln.«

Kevin schüttelte den Kopf. »Natürlich nicht. Doortje, Sie und ich wissen, wie dieses Kind entstanden ist. Und es tut mir sehr, sehr leid. Aber jetzt müssen Sie eine Entscheidung treffen. Was wollen Sie tun? Wie wird Ihre Zukunft aussehen, jetzt mit dem Kind?«

»Ich will das Kind nicht!« Doortje richtete sich auf. »Ich will's nicht haben.« Sie zerbiss sich die Lippen und ballte die Fäuste. Jede andere Frau in ihrer Situation wäre in Tränen ausgebrochen, aber Doortje wirkte eher zornig und wild entschlossen. »Ich bring's nicht auf die Welt, ich ...« Sie brach ab.

Kevin legte seine Hand auf die ihre, sehr vorsichtig, nur um sie zu hindern, das Kind in sich zu schlagen.

»Es wird Sie nicht fragen, ob Sie es auf die Welt bringen wollen«, meinte er sanft. »Es ist da, Sie können nichts mehr daran ändern. Wenn wir es früher gemerkt hätten, dann ... dann hätte man vielleicht eine ... hm ... Fehlgeburt herbeiführen können. Aber jetzt ... Es wächst bald sechs Monate in Ihnen, Doortje. Es ist schon ein richtiger kleiner Mensch mit Händen und Füßen und Augen und einem Mund. Eigentlich müsste es sich schon bewegen. Tut es das nicht, Doortje?« Doortje nickte widerstrebend. Bisher hatte sie das seltsame Rumoren in sich für Bauchgrimmen gehalten. »Da sehen Sie. In drei Monaten kommt es auf die Welt. Und es wird genauso schön sein wie Sie, Doortje …«

»Sein Vater ist ein Monstrum!«, stieß Doortje hervor.

»Aber seine Mutter ist schön wie ein Engel«, sagte Kevin. »Das gleicht sich aus. Sie werden es lieben, Doortje.«

»Ich werde es hassen! Ich bringe es ins Veld und überlasse es den Geiern!«

Kevin schüttelte den Kopf. »Das verbietet Ihnen Ihr Gott, Doortje«, gab er zu bedenken. »Denken Sie an die Bibel: Du sollst nicht töten.«

Doortje lachte böse. »Das wagen Sie mir vorzuhalten? In diesem Lager? In diesem Krieg?«

Kevin zuckte die Achseln. »Das Kind kann nichts für den Krieg. Und wir beide … waren wir nicht übereingekommen, keine Feinde zu sein?«

»Es wird sowieso verhungern«, meinte Doortje gleichmütig. »Keine Familie wird es aufnehmen, und mich wird auch keiner aufnehmen. Ich kann versuchen, die Farm zu verkaufen – oder das, was davon übrig ist. Mit dem Geld kann ich in die Stadt gehen, aber ewig reicht das nicht …«

»Wird Ihre Gemeinde Ihnen nicht helfen?«

Kevin fragte, obwohl er die Antwort schon kannte. Keine Puritanergemeinde stützte ein gefallenes Mädchen. Ob die betroffene Frau schuld an ihrem Elend war oder nicht.

Doortje schüttelte denn auch den Kopf. »Geben Sie sich keine Mühe, Dr. Drury«, sagte sie hart. »Für mich gibt es genau zwei Möglichkeiten. Ich kann in den Fluss gehen wie Johanna, oder ich kann als die Hure weiterleben, zu der mich die Briten gemacht haben. Es gibt doch … solche … solche Stätten in Pretoria …« Über ihr blasses Gesicht zog tiefe Röte.

Kevin hielt es nicht länger aus. »Sie könnten auch mit mir

nach Neuseeland gehen«, sagte er heiser. »Als ... als meine Frau. Ich liebe Sie, Dorothea, Doortje, Miss VanStout.« Er lächelte, vielleicht, um sich selbst Mut zu machen. »Eigentlich müssten Sie das längst wissen. Auf jeden Fall würde ich nichts lieber tun, als Sie zu heiraten.«

Doortje sah ihn verständnislos an. »Mit diesem ... Kind?«, fragte sie erstickt.

Kevin nickte. »Natürlich. Es würde als unser gemeinsames Kind aufwachsen.« Er dachte vage an Juliet und empfand Schuldgefühle gegenüber Patrick. »Wenn wir gleich hier heiraten, müsste niemand etwas wissen. Ich würde das Kind anerkennen, und ich würde es lieben.«

»Lieben?« Doortje spuckte das Wort aus. »Das ...? Diese Brut eines Ungeheuers?«

Kevin nahm ihre Hand zwischen seine beiden Hände und drückte sie fest. Sie fühlte sich kalt an und sehr zart, trotz der Schwielen von der lebenslangen Arbeit auf dem Hof, in Stall und Küche. Kein Vergleich zu Juliets schönen Händen mit den langen, gepflegten Fingern.

»Ich hab's dir schon einmal gesagt, Doortje. Liebe hat nichts damit zu tun, wie jemand aussieht. Für mich wird dieses Kind schön sein, schon weil dein Lächeln darauf fällt, wenn du es in den Armen hältst.«

»Es wird nichts mit mir gemeinsam haben!«, sagte Doortje trotzig. »Es wird ein Engländer sein. Als Engländer aufwachsen wie sein verfluchter Vater.« In ihren Augen loderte wieder Hass.

Kevin seufzte. »Als Neuseeländer«, verbesserte er. »Und von mir aus ...«, er musste über seinen Schatten springen, um das folgende Angebot zu machen, aber Doortje war es ihm wert, für Doortje hätte er alles getan, »... von mir aus könnten wir auf der Farm leben. Meine Eltern haben eine Farm, weißt du, oben in Otago, bei Lawrence. Es ist sehr schön da. Ich bin zwar kein Landwirt, aber ich könnte ja in der Stadt eine Praxis eröffnen. Dann könnte das Kind auf dem Land aufwachsen wie du.«

Doortje schüttelte heftig den Kopf. »Es wird kein Bure sein!«, sagte sie böse. »Es kann kein Bure sein!«

Kevin musste sich zwingen, nicht die Geduld zu verlieren. »Das stimmt, das kann es nicht!«, erwiderte er. Nicht heftig, aber zu schnell. Ihr konnte nicht verborgen bleiben, dass er diesen Umstand nicht bedauerte. Kevin hatte sich in Doortje verliebt, aber er brachte ihrem Volk nach wie vor keine Sympathien entgegen. Doortje schwieg denn auch verstockt. Sie machte Anstalten, ihre Hand aus der seinen zu ziehen. Kevin zog sie an die Lippen, bevor er sie freigab. »Überleg es dir, Doortje«, sagte er dann leise und legte das Buch über Neuseeland neben sie aufs Laken. »Ich bin kein Bure, und unser Sohn wird keiner sein. Sein Land wird nicht Afrika sein, und niemand wird ihm sagen, er sei auserwählt oder was auch immer ihr euren Kindern erzählt. Aber auch Neuseeland ist ein schönes Land, und seine Großmutter kennt viele Geschichten darüber. Sie wird ihm von Papa und Rangi erzählen und ihrer großen Liebe und von Maui, der riesige Fische fing und später den Tod überlisten wollte. Und wenn die Plejaden aufsteigen, lassen wir Drachen steigen. Es könnte schön sein, Doortje. Überleg es dir.«

Doortje antwortete nicht, aber sie wandte sich auch nicht ab. Langsam legte sie ihre Hand auf das Buch.

Draußen vor der Tür rieb sich Roberta die Tränen von den Wangen. Egal, ob Doortje Ja oder Nein sagte. Ihr würde Kevin nie gehören.

KAPITEL 3

Atamarie rief sich Rawiris freundliches Gesicht in den nächsten Monaten noch häufiger ins Gedächtnis – immer dann, wenn sie an Richards anhaltendem Schweigen verzweifeln wollte. Wochenlang kam kein Brief aus Temuka, und manchmal gelang es ihr kaum, nicht selbst zu schreiben. Ihre Erinnerungen an Richard und seine Träume wollten einfach nicht verblassen. Atamarie konnte sich nicht damit abfinden, dass es einfach so vorbei sein sollte. Schließlich war es eine so besondere Beziehung gewesen, sie hatten so viel gemeinsam gehabt ... Sie konnte sich nicht vorstellen, dass Richard all das wegwarf.

Und dann, fast ein halbes Jahr nach ihrer erzwungenen Flucht von Richards Farm, erwartete sie doch ein Brief, als sie aus der Universität nach Hause kam. Atamarie riss ihn mit zitternden Händen auf und spürte ihr Herz schneller klopfen, als sie seine steile Schrift sah und die großen, kühn geschwungenen Buchstaben. Bei Richard füllten schon wenige Worte eine ganze Seite, auch diesmal brauchte er gleich vier, um sich zerknirscht für sein Verhalten in Temuka zu entschuldigen.

»Ich weiß auch nicht, was in mich gefahren ist, ich wollte dich nicht ausschließen. Aber ich musste einfach noch einmal versuchen, den Flugapparat in Gang zu setzen. Tatsächlich wollte ich dich überraschen, Atamarie, und dir entgegenfliegen. Und nun habe ich dich nur enttäuscht. Ich kann verstehen, wenn du jetzt nichts mehr von mir wissen willst, aber vielleicht könnten wir wenigstens unseren Briefwechsel wiederaufnehmen. Er hat mir immer sehr viel bedeutet.«

Atamarie wunderte sich, dass Richard nichts über seine Familie schrieb, aber dann kam sie zu dem Ergebnis, dass man ihm wohl einfach nichts über die Geschehnisse nach seinem Unfall erzählt hatte. Wahrscheinlich dachte er, sie wäre einfach weggelaufen, nachdem sie von seiner Dummheit mit dem Flugapparat gehört hatte. Es kränkte sie ein wenig, dass sie ihr ein so kindisches Verhalten zutraute, und natürlich verletzte sie auch sein langes Schweigen, auf das er mit keinem Wort einging. Aber andererseits freute sie sich darüber, dass er wieder Kontakt aufnahm. Auch wenn sein Brief keine Liebesschwüre enthielt, was sie natürlich irritierte. Schließlich berichtete sie Heather und Chloé von dem Brief – und war ernüchtert, als die beiden ihr rieten, ihn sofort wegzuwerfen.

»Atamie, er schreibt nicht, dass du ihm viel bedeutest, sondern nur, dass er gern deine Briefe liest«, meinte Heather. »Wobei ich mir gar nicht vorstellen mag, was du da schreibst. Wahrscheinlich zitierst du schwerpunktmäßig Professor Dobbins. Mit dem sollte er korrespondieren, das wäre für alle Beteiligten besser.«

»Aber wenn du ihm doch schreibst, dann erzähl ihm wenigstens alles, was passiert ist«, fügte Chloé hinzu. »Wie seine Familie dich behandelt hat und wie seine Nachbarn mit dir umgegangen sind. Vielleicht bringt ihn das ja mal zum Nachdenken. Und mach keine Kompromisse! Wenn er dich wirklich will, muss er nach Christchurch oder in eine andere größere Stadt ziehen.«

Atamarie nickte. »Auch wenn er fliegen will«, sagte sie müde.

Sie hatte das alles schon endlos mit den Frauen diskutiert – ebenso wie mit ihrer Mutter und ihren Maori-Freundinnen in Parihaka. Eigentlich musste es für jeden einzusehen sein – nur Richard Pearse stellte sich stur.

In den nächsten Monaten blieb das Thema Fliegen tabu zwischen Atamarie und Richard. Der junge Mann hatte seinen Traum wohl vorerst aufgegeben. Das Flugzeug war bei seinem letzten Versuch abzuheben, stark beschädigt worden, und Richard hatte den Mut verloren. Vielleicht waren auch die Vorwürfe seiner Familie endlich auf fruchtbaren Boden gefallen – schließlich hatte sich Richard zum ersten Mal ernstlich verletzt. Auf jeden Fall schien er in den letzten Monaten gar nicht an seinen Fluggeräten gearbeitet, sondern seinen Ehrgeiz und sein erfinderisches Geschick auf Landmaschinen konzentriert zu haben. Stolz schrieb er Atamarie von neuen Patenten und davon, dass jetzt selbst Peterson seinen verbesserten Heuwender benutzte, während er selbst an einem neuartigen Düngerverteiler arbeitete.

Atamarie erzählte von ihren Studien am Canterbury College. Dort stand jetzt Maschinenbau auf dem Lehrplan, was sie sehr viel mehr interessierte als Landvermessung. Dobbins und die anderen Lehrer führten ihre Studenten in die Geheimnisse der Dampfmaschine ein – und dann, gegen Ende des Jahres 1902, brachte Dobbins eine Überraschung mit in den Hörsaal.

»Hier!«, verkündete er stolz, »meine Herren und die nach wie vor einzige Dame! Ein Ottomotor – oder besser ein Hubkolbenmotor. Wir werden uns in der nächsten Zeit damit beschäftigen, wie so etwas funktioniert, welche Einsatzmöglichkeiten diese Motoren im Automobilbau haben, und …«

Atamarie schaute gebannt auf den verhältnismäßig kleinen, kompakten Motor. Dann hob sie die Hand.

Dobbins nickte ihr zu.

»Das ist ein Zweitaktmotor, Sir, nicht wahr? Mit … zwanzig PS?«

Dobbins lächelte. »Vierundzwanzig, Miss Turei. Aber das klingt ja, als hätten Sie sich schon mal mit solchen Motoren befasst. Möchten Sie uns etwas darüber erzählen?«

Atamarie schüttelte den Kopf, obwohl sie gleichzeitig nicken wollte. »Ja … nein … später … Ich wollte eigentlich nur was fragen.«

»Fragen Sie«, meinte Dobbins gelassen.

Atamarie stand auf, schon um den Motor besser sehen zu können. Wenn es zutraf, was sie glaubte …

»Was wiegt er?«, fragte sie atemlos.

»Du willst was?«

Ein paar Tage nach Beginn der Sommerferien besuchten Heather und Chloé mit Rosie Atamarie in Christchurch. Die Freundinnen und ihr langjähriges Hausmädchen waren auf dem Weg zur Rennbahn in Addington – die kleine Stute Trotting Diamond sollte ihr Debüt im Trabrennen geben. Rosie konnte sich vor Aufregung kaum halten. Heather und Chloé wollten Atamarie eigentlich einladen, mit nach Addington zu kommen, schließlich pflegte sie sich bei Rennwochenenden stets köstlich zu amüsieren, aber Atamarie saß bereits auf gepackten Koffern, und inmitten ihres Zimmers stand zum Entsetzen ihrer Vermieterinnen ein Ottomotor!

Die beiden Frauen hatten Heather und Chloé gleich aufgeregt davon berichtet, als sie klingelten, um Atamarie abzuholen.

»Wir haben ja nie was über die Ölflecken auf Atamaries Kleidung und dann auch auf unseren Möbeln gesagt – es ist halt ein etwas sonderbarer Studiengang. Aber jetzt diese Höllenmaschine! Wir sind fast aus dem Bett gefallen, als sie das Ding gestartet hat. ›Nur um es mal auszuprobieren …‹ Ihr müsst mit ihr reden, Heather und Chloé. Das Ding muss weg!«

Was das anging, hatten die beiden Ladys nichts zu befürchten. Heather und Chloé fielen dagegen aus allen Wolken, als Atamarie ihnen gleich zur Begrüßung entgegensprudelte, was sie mit dem Motor vorhatte.

»Er wiegt nur siebenundfünfzig Kilo!«, verkündete sie stolz,

»und er läuft absolut rund. Er hält was aus! Er ist einfach ideal für …«

»Noch mal, Atamie, und ohne technische Details!« Heather ließ sich alarmiert auf Atamaries Bett nieder. »Du willst diesem Richard Pearse diesen Motor zu Weihnachten schenken?«

Atamarie nickte strahlend. »Ja! Und er war ganz billig! Also, ich musste natürlich Mommy um Geld bitten, aber das hätte ich auch leicht an einem Tag gesch…« Sie biss sich auf die Lippen. Die Goldmine auf Elizabeth Station war ein Geheimnis der Familie Drury, nicht einmal Heather durfte davon wissen. »Na ja, das hätte ich auch verdienen können, wenn ich irgendeinen Ferienjob angenommen hätte«, berichtigte sie sich. »Dobbins sagt, das Institut kriegt nächstes Jahr einen neuen, die Dinger entwickeln sich rasend schnell weiter, ständig erfindet jemand was. Aber bis jetzt ist noch niemand auf die Idee gekommen, so was in ein Flugzeug einzubauen. Außer Richard. Der konnte es sich bloß bisher nicht leisten. Aber jetzt … jetzt haben wir einen Motor! Und so leicht. Das ist nichts im Vergleich zu dem alten Ding. Versteht ihr nicht, Heather, Chloé? Wir werden fliegen!«

Chloé schüttelte den Kopf. »Ich verstehe nur, dass du wieder in dieses Kaff willst, in dem alle dich hassen«, bemerkte sie. »Zu einem Mann, den du fast ein ganzes Jahr nicht gesehen hast, obwohl nur eine Zugfahrt von ein paar Stunden zwischen euch liegt. Wir haben's dir schon mal gesagt, Atamie: Wenn du so überzeugt davon bist, dass du mit dieser Höllenmaschine fliegen kannst, dann bau dir den Apparat dazu doch selbst! Aber dieser Richard …«

»Richard ist ein Genie!«, beharrte Atamarie. »Ohne ihn würde ich das nie hinkriegen. Aber mit ihm … Chloé, Heather, wir könnten die Ersten sein! Wir könnten als Erste mit einem Motorflugzeug abheben. Wir …«

»Und dann wird er dich lieben?«

Chloé sah Atamarie an. Ihr Gesicht war sehr ernst.

Atamarie senkte den Kopf. »Muss er ja nicht«, sagte sie trotzig. »Ich mach das wirklich nicht, weil …«

Heather seufzte. »Na dann viel Glück!«, murmelte sie.

Heather half ihrer Nichte, den Transport des Motors nach Timaru zu organisieren. Das war nicht ganz einfach, schließlich konnte sie ihn nicht einfach mit in ein Zugabteil nehmen.

»Und außerdem fahre ich mit!«, erklärte Heather resolut. »Ich werde mir den Mann einmal ansehen. Chloé kann mit Rosie nach Addington fahren, bevor die vor Aufregung platzt. Ich hab sowieso keine Ahnung von Trabrennen, ich könnte Trotting Diamond höchstens durch einen Wetteinsatz unterstützen.«

Chloé lachte. »Und damit deine unsterbliche Seele gefährden, wie Violet sicher argwöhnen würde. Da bist du in der Waitohi-Ebene zweifellos weniger gefährdet.«

Heather zog die Augenbrauen hoch. »Bist du sicher, dass der Teufel nicht gerade in ländlichen Regionen residiert?«, fragte sie. »Also, nach dem, was ich von Atamarie höre, erwarten mich dort mehr böse Geister, als Addington Pubs aufweist.«

Chloé kicherte. »Dann deck dich mal mit Weihrauch ein!«, neckte sie ihre Freundin. »Und vielleicht solltest du auch noch Atamarie fragen, ob sie nichts gegen eine Begleitung hat. Womöglich will sie ja mit dem jungen Mann allein sein.«

Atamarie biss sich auf die Lippen. Manchmal glaubte sie fast, dass Chloé ihre Gedanken las. Ob das damit zu tun hatte, dass sie zweimal verheiratet gewesen war, bevor sie sich mit Heather zusammentat? Atamarie schwante allerdings, dass ihre Beziehung zu Richard Chloé nicht an ihre erste glückliche Ehe erinnerte …

»Was sollte ich denn dagegen haben?«, fragte sie jetzt betont forsch, während sich ihre Begeisterung tatsächlich in Grenzen hielt. Einerseits war es sicher besser, Unterstützung zu haben, wenn sie nach Temuka zurückkehrte. Aber andererseits – ja, sie wollte mit Richard allein sein! Und das konnte sie unmöglich zugeben! »Solange du einen Zweitakt- nicht von einem Viertaktmotor unterscheiden kannst, wird Richard sich bestimmt nicht spontan in dich verlieben«, scherzte sie stattdessen mit ihrer Tante.

Heather verdrehte die Augen. »Das bliebe ohnehin unerwidert«, meinte sie trocken. »Aber auf dieses Monstrum solltest du aufpassen«, erklärte sie und wies auf den Motor. »Wenn ihm das zuzwinkert, nimmt er es wahrscheinlich gleich mit ins Bett.«

Atamarie und Heather trafen mit dem Zug in Timaru ein, den Motor lieferte ein Frachtunternehmen. Atamarie hatte Richard telegrafiert und hoffte, dass er sowohl die Frauen als auch den Motor im Ort abholen würde, aber Heather nahm trotzdem erst mal ein Hotelzimmer.

»Und das tust du in Zukunft auch, wenn du ihn besuchst«, riet sie Atamarie. »Natürlich wird jeder wissen, dass du trotzdem bei deinem Richard übernachtest. Aber du musst die Form wahren!«

Atamarie wollte etwas darauf erwidern, aber dann hielt sie inne. Richards Pferdegespann bog auf die Hauptstraße von Timaru ein. Heather hielt ihre Nichte am Rockzipfel fest, um sie daran zu hindern, ihm entgegenzulaufen.

»Haltung, Atamarie!«, befahl sie. »Lass ihn den ersten Schritt machen!«

Atamarie blieb also brav neben ihrer Tante stehen und wartete, bis Richard vom Bock gestiegen war und sie begrüßt hatte. Er verhielt sich, als wäre sie höchstens ein Wochenende fort gewesen und küsste sie wie eine Freundin auf die Wange.

»Wo ist er?«, fragte er dann begierig, bevor Atamarie auch

nur dazu kam, ihm Heather vorzustellen. »Und er wiegt wirklich nur siebenundfünfzig Kilo? Er funktioniert? Ich kann's nicht glauben, Atamie, ich habe hier immer noch kein einziges Automobil gesehen.«

»Das Wunderding ist noch nicht angekommen«, bemerkte Heather. »Sie könnten also noch eine Tasse Kaffee mit uns trinken, während Sie warten. Mein Name ist übrigens Heather Coltrane, ich bin Atamaries Tante.«

Richards verständnislosem Gesichtsausdruck nach zu urteilen hatte Atamarie ihre Familie entweder nie erwähnt, oder er hatte einfach nicht zugehört, wenn es um andere Dinge ging als Technik. Jetzt fing er sich allerdings, entschuldigte sich für sein Betragen und führte die Damen ins nächste Café, wo er brav Konversation machte. Heather versuchte, ihm dabei ein bisschen auf den Zahn zu fühlen, aber seine Antworten blieben vage. Doch, ja, er habe eine Farm sozusagen geerbt, die er jetzt bewirtschafte. Sicher wäre er lieber Ingenieur geworden, aber daran könnte man nun ja nichts mehr ändern, er betrachte seine Erfindungen jetzt eher als Zeitvertreib.

Heather ließ sich nichts anmerken, warf Atamarie aber gelegentlich besorgte Blicke zu. Merkte ihre Nichte wirklich nicht, wie wenig Richards Schilderungen zu ihren eigenen Zukunftsplänen passten? Der junge Mann schien absolut nicht daran zu denken, sich irgendwann von seiner Scholle zu trennen. Aber Atamarie saß mit strahlenden Augen neben ihrem Freund und schien überglücklich, dass er unter dem Tisch ihre Hand hielt. Nur dass Heather gesehen hatte, dass sie nach der seinen getastet hatte, nicht er nach der ihren. Und größere Anzeichen von Verliebtheit in Atamarie erkannte sie auch nicht. Richards offensichtliche Aufregung führte sie eher auf die Sache mit dem Motor zurück. Er konnte kaum erwarten, das Wunderding abzuholen, das inzwischen sicher im örtlichen Gemischtwarenladen eingetroffen war.

Tatsächlich lud der Besitzer des Geschäftes es gerade vom Wagen, wobei er regelrecht Ehrfurcht erkennen ließ. Der Motor war zusammen mit einer Lieferung von Schrauben, Nägeln und anderen Eisenwaren aus Christchurch gekommen, die von Schmieden und Mechanikern sehnlichst erwartet wurde. Atamarie erkannte Cecil Woods, Richards Freund – und kurze Zeit später waren alle drei in eine lebhafte Diskussion über den Motor vertieft, der die anderen Männer kaum und Heather überhaupt nicht folgen konnten. Heather wandte sich denn auch ab und dem Fahrer des Frachtwagens zu. Der große vierschrötige Mann kam ihr vage bekannt vor.

»Kann ich Sie bezahlen, oder regle ich das besser in Christchurch mit Ihrem Arbeitgeber?«

Der Mann grinste über sein ganzes rundes Gesicht. »Bin selbst der Arbeitgeber!«, erklärte er stolz. »Mir ist bloß 'n Fahrer ausgefallen, Lady, da hab ich die Fuhre selbst gemacht. Wenn Sie mir gerade die Papiere unterschreiben, Mrs. ...«

»Miss«, sagte Heather und dachte angestrengt nach.

Woher kannte sie diesen Mann? Ihres Wissens hatte sie nie zuvor mit der Spedition zu tun gehabt. Natürlich kamen oft Bilder für die Galerie mit Frachtwagen aus Christchurch. Aber das regelte gewöhnlich Chloé. Interessanterweise schien es dem Mann mit Heather ähnlich zu gehen. Jedenfalls richtete er ungewöhnlich viel Aufmerksamkeit auf ihre Unterschrift.

»Heather Coltrane«, stellte Heather sich etwas unsicher vor.

Vielleicht fiel ihm ja etwas ein, wenn er ihren Namen hörte. Aber dann kam ihr die entscheidende Erleuchtung, als sie die Aufschrift auf seinem Lieferwagen sah.

EXPEDITION BULLDOG – STARK UND SCHNELL FÜR IHRE LADUNG!

Heather lächelte. »Bulldog?«, fragte sie. »Kann es sein, dass mein Stiefvater Ihnen diesen Namen gab, als wir gemeinsam von London nach Dunedin reisten?«

Der Mann strahlte. »Richtig, Sie sind Miss Heather! Die Tochter von Reverend Burton! Ich hab in Ihrer Kirche geschlafen!«

Heather lachte. »Na ja, nicht in meiner. Aber jedenfalls weiß ich jetzt, woher ich Sie kenne. Wollten Sie nicht Gold suchen?«

Vor inzwischen mehr als zwanzig Jahren waren der Reverend und Kathleen in einer Erbschaftsangelegenheit nach England gereist, und Heather hatte die beiden begleitet. Auf der Rückfahrt waren dann auch Violet und ihre Familie auf dem Schiff nach Neuseeland gewesen – natürlich auf dem Zwischendeck, während die Burtons erster Klasse reisten. Heather hatte sich ständig um Violet und ihre kleine Schwester Rosie gesorgt, bis sich ein damals etwa fünfzehnjähriger Junge um die beiden zu kümmern begann. Reverend Burton hatte ihn aufgrund seiner vierschrötigen Figur Bulldog genannt – seinen richtigen Namen hatte Heather nie erfahren. Jetzt zuckte der Fuhrunternehmer, zu dem sich der junge Auswanderer gemausert hatte, gelassen die Schultern.

»Da kam nix bei raus«, erklärte er knapp. »Hat der Reverend übrigens gleich gesagt. Und da hab ich mich dann auch dran erinnert. Die anderen haben immer weitergemacht, aber ich hab ein Maultier gekauft, als ich mal ein bisschen Gold gefunden hatte. Und mit dem bin ich zu den Diggern, die nicht auf den Hauptfeldern geschürft haben, sondern irgendwo in der Wildnis. Hab ihnen hauptsächlich Whiskey verkauft damals. Lief gut, das Geschäft.« Heather nickte. Sie konnte sich das lebhaft vorstellen. »Aber ich bin kein Kaufmann, ich fahr lieber über Land«, gab Bulldog weiter Auskunft. »Jetzt hab ich fünf Wagen, zwanzig Pferde ... läuft immer noch gut!«

Heather lächelte. »Das freut mich, dass Sie es geschafft haben! Wie heißen Sie eigentlich richtig?«

Bulldog grinste. »Tom Tibbs.« Er griff vergnügt an seine Mütze, als er sich vorstellte. »Kann ich Sie noch fragen ...«

»Heather?« Atamarie tippte die Schulter ihrer Tante an. »Wir wollen dann losfahren. Du kommst doch mit auf die Farm?«

Heather zog ihre Aufmerksamkeit von Bulldog ab und runzelte die Stirn. »Gern, aber nicht mit deinem Richard, Atamarie«, beschied sie ihre Nichte. »Wir werden uns eine Chaise mieten und zumindest den Anschein erwecken, dass hier alles schicklich bleibt. Herrgott, Mädchen, die Leute reden doch garantiert jetzt schon!« Heather zog ihre Geldbörse. »Entschuldigen Sie, Mr. Tibbs, es war wirklich nett, Sie mal wiederzusehen. Aber jetzt muss ich mich um meine Nichte kümmern, sonst sind wir gleich Stadtgespräch.« Sie verdrehte die Augen. »Blind verliebt.« Heather lächelte, als sie das Geld für Bulldog abzählte. »Waren Sie damals doch auch, in Violet, nicht wahr? Der geht es sehr gut. Aber jetzt muss ich wirklich ...«

Heather grüßte freundlich und machte sich auf in den Laden, um die Verkäuferin nach einem Mietstall zu fragen. Bulldog blieb mit seiner Frage zurück. Wobei es ihn durchaus interessierte, wie es Violet ging. Aber verliebt gewesen war er nicht in sie. Wenn er an die Mädchen dachte, die er damals beschützt hatte, sah er auch nicht mehr die kleine Schönheit mit ihrem mahagoniefarbenen Haar und den betörend blauen Augen vor sich, sondern spürte eher eine kleine, schüchterne Hand in der seinen. Rosie hatte ihn nur einmal angefasst – als ein Sturm das Schiff hin und her warf und obendrein ein paar freche Jungen hinter den Mädchen her waren. Aber er wusste noch, wie süß sie gewesen war, wie ängstlich und zart. Eine kleine Kostbarkeit, die er beschützen wollte. Bei Rosie gelang es ihm – zumindest auf dem Schiff. Seiner eigenen Schwester, Molly, hatte er nicht helfen können.

Bulldog rieb sich die Stirn. Er wollte nicht mehr an Molly denken und besser auch nicht an Rosie. Aber er hätte doch gern gewusst, wie es ihr ging.

Atamarie kletterte brav in Heathers gemietete Chaise, während Richard seinen Motor allein zurück zu seiner Farm kutschierte. Trotzdem war die Geschichte von Atamaries Rückkehr binnen kürzester Zeit in Timaru verbreitet – und natürlich auch die Kunde davon, dass Cranky-Dick wieder mal die Bodenhaftung zu verlieren drohte.

Immerhin erwartete Atamarie eine Überraschung, als sie schließlich auf Richards Farm eintrafen. Sie hatte sich Sorgen gemacht – wie viel abstoßender würde der Zustand der Farm auf Heather wirken, wenn er schon sie bei ihrem ersten Besuch so entsetzt hatte? Hier hatte sich seit der letzten Ernte allerdings einiges geändert. Natürlich standen und lagen immer noch überall marode Landmaschinen und zerlegte Motoren, aber es liefen doch keine Tiere mehr frei umher, und alles schien aufgeräumter. Auch die Felder, die wieder kurz vor der Ernte standen, wirkten gepflegt. Atamarie fragte sich, ob Richard vielleicht doch sein Faible für die Farmarbeit entdeckt hatte, aber dann zeigte sich des Rätsels Lösung in Gestalt des jungen Hamene. Atamarie begrüßte ihn freudig.

»Arbeitest du jetzt immer hier?«, fragte sie den ehemaligen Erntehelfer. »Das war eine gute Idee von Richard, dich einzustellen!«

Hamene, ein kräftiger junger Mann, der sich zumindest so weit an das Leben in der Waitohi-Ebene angepasst hatte, dass er die Farmerkleidung der *pakeha* trug und sich von seinem langen Haar und Kriegerknoten getrennt hatte, lächelte ihr zu.

»Das war nicht Richards Idee, sondern Shirleys«, erklärte er. »Und unsere Ältesten hatten nichts dagegen, dass ich hier helfe. Der *pakeha* kann das alles nicht, er ist doch *tohunga* …«

Hamene warf einen bewundernden Blick auf seinen Arbeitgeber, der eben Anstalten machte, den Motor zu entladen.

Die Stellung eines *tohunga* war bei den Stämmen hoch geachtet. Selbstverständlich erwartete man von genialen Drachenbauern, Jade- oder Holzschnitzern, Priestern oder Hebammen keine zusätzlichen Arbeitsleistungen auf den Feldern, bei der Jagd oder der Nutztierhaltung. Für Hamene war es ganz selbstverständlich, Richard das abzunehmen. Aber wer war Shirley? Atamarie erinnerte sich nach kurzem Nachdenken an die junge Frau, und das Bild einer nichtssagenden blonden jungen Frau stieg vor ihr auf, einer der Hansley-Töchter. Atamarie hatte sie ein paarmal gesehen, aber mit Richard hatte sie damals nie mehr als einige Worte gewechselt – und erst recht nicht mit Atamarie. Allerdings konnte sie sich auch nicht erinnern, dass Shirley auf dem Erntefest mit irgendeinem anderen jungen Mann getanzt hatte. Sie war wohl eine sehr ernsthafte junge Frau, die lieber bei ihrer Mutter und den Matronen des Dorfes gesessen hatte, statt sich wie Atamarie zur Musik herumwirbeln zu lassen. Und jetzt öffnete sie den Besuchern ganz selbstverständlich die Tür zu Richards Farmhaus!

Shirley trug ein altbacken wirkendes blaues Kleid mit einer weißen Schürze darüber. Sie lächelte Atamarie und Heather zu, auch wenn es etwas gezwungen wirkte.

»Was machst du denn hier?«, erkundigte sich Atamarie wenig begeistert.

Das war unhöflich, das wusste sie, aber sie hatte schließlich so lange auf Richards Farm gelebt, dass sie sich fast als Hausherrin fühlte.

Shirley erwiderte ihren abschätzigen Blick – einen Herzschlag lang musterte sie Atamarie ebenso missbilligend, wie Atamarie das eben mit ihr getan hatte. Dann lächelte sie aber wieder und hob wie entschuldigend die Hände. Sie war klein und untersetzt, ihr Gesicht war rund und fast noch etwas kindlich. Gegen Atamaries schlanke Gestalt in ihrem bunten Kleid fiel sie deutlich ab.

»Oh, ich helfe ein bisschen aus«, antwortete sie jetzt vage. »Mr. Pearse und meine Eltern … na ja, sie meinten, Richard brauche vielleicht etwas Hilfe im Haus. Und das ist ja auch so …« Sie kicherte verschwörerisch. Wahrscheinlich hatte sie das Haus ähnlich verwahrlost vorgefunden wie Atamarie ein Jahr zuvor. »Aber bitte, kommen Sie doch herein!« Shirley trat zurück und hielt ihren Besucherinnen die Tür auf. Heather warf Atamarie einen fragenden Blick zu. Eine Haushälterin? Und eine so junge in einem Junggesellenhaushalt? In Dunedin wäre das unmöglich gewesen. »Ich habe etwas zu essen vorbereitet, und wenn Sie möchten, können Sie auch hier übernachten …«

Es klang, als ob Shirley ein solches Ansinnen von Seiten ihrer Besucherinnen befremdlich finden, aber nicht kritisieren würde. Wieder traf Atamarie ein wenig freundlicher Seitenblick. Sie erwiderte ihn gelassen, nie hatte sie ein Geheimnis daraus gemacht, dass sie hier wochenlang genächtigt hatte.

Heather trat selbstverständlich ein, während Atamarie noch schwankte, ob sie Richard und Hamene folgen sollte, die den Motor eben in die Scheune trugen, oder eher den Frauen, um vielleicht etwas mehr über Shirleys Stellung auf der Farm zu erfahren. Richard hatte nichts von ihr geschrieben … Aber danach, wie aufgeschlossen sie die Frauen begrüßte, schien sie auch nichts zu verbergen zu haben. Und sie war eindeutig mit Billigung der Pearses und Hansleys hier. Atamarie schwante etwas von Eheanbahnung – nicht ganz nach *pakeha*-Art, aber genau auf Richard zugeschnitten. Atamarie traute Richards Eltern durchaus zu, ihre Moralvorstellungen anzupassen, wenn es ihren Zielen diente.

Schließlich entschied Atamarie sich dann doch für den Motor, den Richard auf einem sauberen Laken in der Mitte der Scheune platzierte und offensichtlich gleich auseinandernehmen wollte. Aber dann rief Shirley zum Essen, wozu sie sich persönlich in die Scheune bemühte.

»Du meine Güte, Richard, du willst doch jetzt nicht mit diesem Ding spielen, oder?«, fragte sie missbilligend. »Du hast

Besuch, Richard! Ich habe gekocht. Iss jetzt mit deinem Besuch und kümmere dich morgen um die Höllenmaschine.«

Zu Atamaries Verwunderung zeigte sich Richard gehorsam und folgte der jungen Frau in die Küche.

Atamarie ging missmutig neben ihm her. »Was ist sie? Dein Kindermädchen?«, fragte sie ungehalten.

Richard sah sie Entschuldigung heischend an. »Ich ... ich brauche wohl manchmal jemanden, der mich an meine guten Manieren erinnert«, lächelte er und schaute dabei so spitzbübisch drein, dass Atamarie gleich versöhnt war. Das klang jedenfalls nicht, als ob er mit Shirley das Bett teilte. Auch die Blicke, die er jetzt, da der Motor außer Sicht war, mit Atamarie tauschte, sprachen nicht dafür, dass es eine andere Frau für ihn gab.

Und durch den Magen dürfte sich die Liebe auch nicht einschleichen, dachte Atamarie, als sie, begleitet von einfallsloser Konversation dem einfallslosen Essen zusprach. Kartoffelbrei und Rippchen, zubereitet mit viel zu wenig Salz. Shirley mochte eine gute Haushälterin sein, eine gute Köchin war sie nicht.

»Ich mache mich jetzt auf den Weg. Willst du mitfahren oder hierbleiben?«, fragte Heather Atamarie schließlich nach dem Essen geradeheraus.

Atamarie war unentschlossen. Ihre Blicke wanderten zwischen Richard und Shirley hin und her.

»Du willst weg?« Richards Stimme klang verwundert und enttäuscht.

Atamarie hatte große Mühe, nicht unter Shirleys Seitenblicken zu erröten, aber dann überwog doch ihre Freude darüber, dass Richard sie offensichtlich vermisst hatte.

»Nein!«, sagte sie. »Ich bleibe natürlich. Wir ...«

Shirley schlug die Augen nieder, aber dann nahm sie sich zusammen und lächelte.

»Wie ich sagte, es ist alles bereit«, bemerkte sie und wies auf die Schlafzimmer im hinteren Teil des Hauses. »Jeder, der möchte, kann bleiben. Aber ich gehe jetzt.«

Shirley nahm die Schürze ab, mit kurzen, schnellen Bewegungen. Sie beherrschte sich eisern, aber Heather, eine hervorragende Beobachterin, bemerkte doch die flammende Wut hinter dem gespielten Gleichmut.

In Richards Schlafzimmer fand Atamarie dann tatsächlich ein frisch bezogenes Bett, und die Nacht mit ihrem Geliebten ließ keine Wünsche offen. Wieder liebte Richard sie zärtlich und ausdauernd, er flüsterte endlich Liebesworte, küsste und liebkoste Atamarie und brachte sie dem Fliegen so nah, wie das ohne Flugapparat nur möglich war. Und wieder schien er am Morgen alles vergessen zu haben, sobald er den ersten Blick auf seinen Motor warf.

Zum Glück war Hamene schon da, um die Tiere zu füttern. Er fand nichts dabei, dass Richard nach nur kurzem Gruß in der Scheune verschwand.

»Er redet mit den Geistern!«, erklärte der große Maori Atamarie mit äußerster Ehrfurcht. »Und es ist nicht wie bei unseren *tohunga*, welche die Götter anrufen und ihre Antwort nur in ihrem eigenen Geist vernehmen. Mr. Richard antworten sie ganz laut! Das ist wirklich wahr, ich habe es selbst gehört!«

Atamarie lächelte. Sie wusste, dass Richard seit einiger Zeit mit einem Phonographen experimentierte, mittels dessen sich Stimmen und Musik auf Wachsplatten speichern ließen. Die Technik war nicht neu, aber er hoffte, seine Mutter erfreuen zu können, indem er sie verbesserte, um dann die Musik des Familienorchesters für die Nachwelt zu erhalten. Hamene musste Zeuge einiger dieser Versuche geworden sein – und sicher hatte er vorher nie etwas von der Erfindung des Grammophons gehört. Atamarie begann gleich, ihm das Prinzip zu erklären.

»Richard würde gern auch mal den Gesang zu einem *haka* aufzeichnen oder ein Gebet beim *powhiri*«, entzauberte sie Richards Tun.

Hamene schüttelte aber nur desinteressiert den Kopf. »Wozu?«, fragte er. »Um die Götter zu erzürnen? Das kann ihnen nicht gefallen, wenn wir nicht mehr selbst singen und tanzen, sondern eine Maschine dafür bauen. Mr. Richard ist *tohunga*, er mag wissen, wofür das nützlich ist. Und Waimarama sagt, er brauche den Segen der Götter, um die Dunkelheit zu überwinden. Aber wenn du mich fragst – für mich ist gar nichts von all dem sehr nützlich, was er tut. Vielleicht verstehe ich es auch einfach nicht ...«

Atamarie wunderte sich. »Aber warum hilfst du ihm dann?«, fragte sie. »Ich dachte ...«

Hamene zuckte die Schultern. »Shirley sagt, ich soll es machen«, meinte er.

Atamarie, die ihn diesmal aufmerksamer beobachtete, sah den Glanz, der dabei in seinen Augen aufleuchtete. Deshalb also – Hamene war in Shirley Hansley verliebt. Aber ob er da Chancen hatte? Oder war es vielleicht gar nicht Richard, um dessentwillen Shirley hier war? Suchte auch sie nach einem Grund, Hamene nahe zu sein?

Heather lachte Atamarie aus, als sie ihr am Nachmittag von der Überlegung berichtete, es gäbe womöglich eine Romanze zwischen Hamene und Shirley Hansley. Vorher hatte sie unablässig von ihrem Tag in Richards Scheune geschwärmt, sah es doch so aus, als sei der Motor wirklich genau das, was ihm für weitere Innovationen im Bereich der Fliegerei gefehlt hatte. Davon, wie glücklich er sie in der Nacht davor gemacht hatte, brauchte sie ihrer Tante nichts zu erzählen. Heather sah das schon an ihren strahlenden Augen. Was Shirley betraf, machte sie ihrer Nichte jedoch keine Hoffnung.

»Die Kleine und ein Maori, Atamarie? Das glaubst du doch selbst nicht! Das Mädchen ist die Verkörperung des Landlebens – eine Art Heilige –, auf jeden Fall dürfte sie sich selbst so sehen. Da opfert sie sich auf für deinen Richard, nur, damit er dann mit fliegenden Fahnen zu dir zurückkehrt! Das braucht schon Leidensfähigkeit. Den Segen seiner Eltern hat sie genau wie den der ihren, nur Richard spielt offensichtlich nicht mit. Der ist merkwürdig, Atamarie! Glaub mir, ich bin viel herumgekommen, und ich kannte sehr exzentrische Leute. Aber er … zuerst dachte ich, er sei vielleicht gefühlskalt, aber dann … Von dem Motor scheint er ja regelrecht besessen.«

Atamarie lachte. »Gefühlskalt ist er ganz bestimmt nicht!«, erklärte sie im Brustton der Überzeugung.

Heather zuckte die Achseln. »Aber auch kein großer Liebender im romantischen Sinn. Der Mann ist absonderlich,

Atamarie, sei vorsichtig! Auch wenn die größte Gefahr im Moment wohl darin besteht, dass dich die heilige Shirley von hinten erdolcht …«

Atamarie nahm die Bedenken ihrer Tante nicht sonderlich ernst, kehrte am nächsten Tag aber trotzdem mit ihr zurück nach Christchurch.

Im White Hart Hotel trafen sie Chloé, die erst mal von Rosie berichtete. Sie hatte ihren Schützling unter der Obhut Lord Barringtons in Addington gelassen. Barrington, ein britischer Privatier und Schafbaron, der seine Farm in den Plains weitgehend einem tüchtigen Verwalter überließ, während er sich mit ganzem Herzen dem Aufbau des Pferderennsports in Neuseeland widmete, hatte der jungen Frau eine Stelle als Pferdepflegerin in seinem Rennstall angeboten. Hauptsächlich, um Chloé einen Gefallen zu tun. Rosie selbst hätte lieber in einem Trabrennstall angeheuert und dort auch Trotting Diamond untergebracht, aber der Lord winkte besorgt ab.

»Das sind … also entschuldigen Sie, Miss Chloé, ich weiß, Ihr … äh … Gatte war auch Teil dieser neuen … äh … Bewegung. Und es gibt sicher auch seriöse Ställe. Aber die Trainer, die wir hier haben … Der alte Brown geht ja noch, dessen Aktivitäten sind durchaus von einem gewissen Unterhaltungswert …«

John Brown, ein Mietstallbesitzer, hatte die ersten Trabrennen in Woolston bei Canterbury organisiert, nachdem sich der Sport in Europa etabliert hatte. Trabrennen galten in England als eine Art Rennsport des kleinen Mannes. Einfache Leute wetteten eher auf Traber als auf Galopper, und in den ersten Jahren waren es auch die Pferde von Milchlieferanten und Viehhütern gewesen, die in den Trabrennen gegeneinander antraten. In Brown's Paddock war oft ein buntes Feld gestartet, die Regeln waren unübersichtlich, mitunter kam es zu Schlägereien zwischen Reitern, Zuschauern und Schiedsrichtern. Leuten wie Lord Barrington war dieses Treiben zutiefst zuwider, und der Rennverein hatte den Trabern auch nur höchst ungern seine Rennbahn und die zugehörigen Totalisatoren geöffnet. Aber die Bewegung war nicht aufzuhalten, und spätestens seit die Rennen nicht mehr geritten, sondern von Sulkys gefahren wurden, gestalteten sich die Veranstaltungen auch geordneter und seriöser. Einige Jahre zuvor war die neue Rennbahn in Addington gebaut worden, wo schwerpunktmäßig Trabrennen gefahren wurden, und seit der Zusammenlegung zweier Rennclubs plante man hier auch größere, hochdotierte Veranstaltungen. Allerdings fanden sich immer noch zwielichtige Gestalten unter Pferdebesitzern und Trainern. Und nach Lord Barringtons Ansicht war Addington voll davon.

»Wir hatten dann auch gleich eine sehr unerfreuliche Begegnung«, bemerkte Chloé. »Du erinnerst dich an Joseph Fence, Heather, Violets Sohn?«

Heather zuckte die Schultern, aber Atamarie nickte. Natürlich hatte ihre Freundin Roberta von ihrem Bruder erzählt. Violet hatte ihn in die Lehre bei einem Rennpferdetrainer gegeben, als sie Invercargill mit Roberta verließ.

»Schon damals ein unangenehmes Kind«, führte Chloé aus, »ganz der Vater, auch äußerlich. Ich dachte, mich trifft der Schlag, als ich ihn in Addington auf der Rennbahn sah. Und Rosie wurde weiß wie die Wand, das arme Ding. Dann hat sie sich aber schnell wieder gefangen. Ich denke, sie ist über diese unglückliche Sache mit Eric Fence hinweg.«

Atamarie hörte sich die Überlegung gleichmütig an, während Heather die Augen verdrehte. Rosie hatte Violets ehemaligen Gatten immer gehasst und gefürchtet. Weder Heather noch Chloé wollten Genaueres darüber wissen, aber an Josephs Behauptung, das Mädchen sei an Erics Unfall auf der Rennbahn maßgeblich beteiligt gewesen, war sicher etwas dran.

»Jedenfalls hat dieser Joe Fence in Addington einen Renn-stall. Barrington hält ihn für eine Räuberhöhle. Und für Rosie kam es natürlich absolut nicht infrage, da mitzumachen. Ich habe dann ein paar Andeutungen zur Vorgeschichte gemacht – na ja, und jetzt steht Rose's Trotting Diamond unter Barring-tons Vollblütern, und unsere Rosie wohnt in seinem Dienst-botenquartier. Die Barringtons haben ja ein veritables Stadt-haus.«

»Ich weiß!« Heather lachte.

Sie hatte wesentlich zu dessen Ausgestaltung mit Ölbildern edler Rennpferde beigetragen.

»Und demnächst lehren eure beiden Röschen Robertas Bruder auf der Rennbahn das Fürchten?«, fragte Atamarie etwas besorgt. »Also, nach dem, was Roberta über den erzählt hat und jetzt auch Lord Barrington ... Muss man sich da nicht Sorgen machen?«

Chloé zuckte die Schultern. »Ich vertraue dem Lord, der wird schon auf die zwei aufpassen. Barrington gehört die halbe Rennbahn, um nicht zu sagen halb Addington. Da wird sich niemand Übergriffe erlauben. Und für Rosie ist es Zeit, erwachsen zu werden. Aber nun zu dir, Atamie. Wie war's in Temuka?«

Heather ließ ihre Nichte erzählen, und Atamarie lieferte einen begeisterten Bericht. Die junge Frau sprach von Richards Freude über das Wiedersehen und seiner Begeisterung für den Motor. Chloé hörte schweigend zu, schaute ihre Freundin dabei aber gelegentlich fragend an. Sie schien sich klar darüber zu sein, dass Heathers Erzählversion zumindest geringfügig anders ausgefallen wäre.

»Willst du denn in diesen Ferien noch einmal hinfahren?«, fragte Chloé schließlich.

Atamarie spielte mit einer ihrer Haarsträhnen. »Sicher«, sagte sie dann. »Es war doch schön. Und der Motor ...!«

»Kein technisches Seminar, bitte!«, unterbrach Chloé. »Automobile sind etwas Schönes – ich bin in einem gefahren, Heather, Lord Barrington ist nicht nur pferdeverrückt –, aber wie sie funktionieren ist mir herzlich egal. Mich interessiert mehr, wie du ›funktionierst‹. Ehrlich gesagt hatte ich damit gerechnet, dass du gleich dableibst, so verrückt wie du nach dem jungen Mann bist. Ist es wegen dieses Mädchens? Dieser ›Haushälterin‹?«

Atamarie wurde sichtlich nervös. Sie hatte Shirley verdrängt. Und tatsächlich war die junge Frau auch nicht mehr erschienen, solange sie auf der Farm weilte.

»Ich weiß nicht, ob er was mit Shirley hat«, meinte sie schließlich. »Aber wenn, dann ist es nichts Ernstes. Ich …«, sie sprach schnell, bevor Chloé oder Heather den Mund öffnen konnten, um gegen ihre Vorstellung von ernsten und weniger ernsten Beziehungen zu protestieren, »… ich will jedenfalls wissen, wie es mit dem Motor weitergeht. Mit dem Flugzeug. Ich möchte, dass Richard sich diesen Traum erfüllt. Dann wird er mich auch …«

»Dann wird er dich auch lieben?« Diesmal war es Heather, die die verhängnisvolle Frage stellte.

Atamarie biss sich auf die Lippen. »Dann wird alles anders!«, behauptete sie stoisch.

Nach ihrem kurzen Besuch bei Richard verbrachte Atamarie den ersten Ferienmonat in Parihaka. Sie wusste nicht recht, ob sie hoffte oder fürchtete, dort Rawiri wiederzusehen. Aber zu ihrer Verwunderung war der junge *tohunga* nicht mehr dort.

»Besucht er wieder Drachenbauer, zu deren Füßen er sitzen und weitere *karakia* lernen kann?«, fragte Atamarie Pania, Rawiris Mutter, spöttisch. »Die Technik hat er doch inzwischen raus, also noch bessere Lenkdrachen als Rawiri kann man nicht bauen. Und besser fliegen kann man sie auch nicht. Es sei denn, man nimmt die Leinen ab und lenkt durch Gesänge.«

Pania lachte. Sie war Ärztin im Krankenhaus von Parihaka und hatte ein ähnlich gestörtes Verhältnis zur übermäßigen Spiritualität ihres Sohnes wie Atamarie. »Keine weiteren *tohunga*, Atamarie, wofür ich dankbar bin, sosehr ich Parihaka liebe und für seinen Geist empfänglich bin. Aber eigentlich hatte ich Rawiri immer eher an der Universität gesehen als beim Absingen von Gebeten und Drachenbasteln. Ja, ich weiß, das ist eine große Kunst unseres Volkes, Matariki, aber als Vollzeitbeschäftigung? Jedenfalls bin ich dir dankbar für die Anstöße in eine andere Richtung, Atamarie. Seit du uns zum letzten Mal besucht hast, hat Rawiri das *Scientific American Magazine* abonniert, war zwei Semester lang an der Ingenieurschule in Wellington, und jetzt ist er in den Vereinigten Staaten.«

»Er ist wo?« Atamarie ließ vor Verblüffung die Reuse fallen, die sie gerade reparierte, um am Nachmittag fischen zu gehen. »In Amerika?«

Pania nickte. »In einer Stadt namens Dayton, keine Ahnung, wo das liegt. Aber es gibt da eine Fahrradfabrik, die Wright Cycle Company. Und da arbeitet er.«

Atamarie runzelte die Stirn und hob ihre Arbeit auf. »Er musste nach Amerika reisen, um Fahrräder zu bauen? Ging das nicht in Auckland? Ich meine … es ist eine Weltreise nach Amerika, man muss doch erst nach China oder so und …«

»Er war drei Monate unterwegs«, bestätigte Pania. »Und frag mich nicht, was genau er da macht, die Briefe brauchen ja genauso lange. Jedenfalls müsste er inzwischen angekommen sein, aber das ist auch alles, was ich weiß.«

Atamarie zuckte die Schultern. »Er war schon immer seltsam«, bemerkte sie und fragte sich bekümmert, ob das wohl auf alle Männer zutraf, die sie auch nur annähernd attraktiv fand.

Atamaries Zeit in Parihaka verging insofern ereignislos, obwohl es durchaus andere junge Männer gab, die um sie warben. Die junge Frau wies sie ab, sie wollte keine weiteren Komplikationen. Und nach drei Wochen Fischen und Weben, Tanzen und Jadeschnitzen hatte sie dann auch wieder genug vom Geist von Parihaka und beschloss, vor Studienbeginn lieber noch ihre Verwandten in Dunedin zu besuchen – wobei sich ein Zwischenstopp in Timaru natürlich anbot.

Atamarie gab es nicht gern zu, aber Heathers und Chloés Bedenken hatten sie doch beeinflusst. Insofern hörte sie auf den Rat der beiden Frauen und fiel zumindest nicht unangemeldet in Temuka ein. Sie nahm sich ein Hotelzimmer in Timaru und reiste dann, ein bisschen unglücklich über die Zusatzausgabe und unzufrieden mit ihrem langsamen Mietpferd, weiter nach Temuka, wo sie völlig überrascht über die Wandlung war, die Richard durchlaufen hatte. Der junge Mann begrüßte sie voller Tatendrang, begeistert und engagiert und schien nicht zu wissen, ob er seine Freundin und Geliebte zunächst in die Scheune zu seinem Motor oder lieber erst in sein Schlafzimmer ziehen wollte. Während Atamarie in Parihaka gewesen war, hatte er sich gründlich mit dem Motor vertraut gemacht und hegte nun neue Pläne für den Bau seines Flugapparates. Wieder war er rastlos, schien kaum Schlaf zu brauchen, wirkte aber insgesamt gelöster. Atamarie war hocherfreut, dass er sie bei der Konstruktion des Flugzeugs hinzuzog. Richard hatte sich nun endgültig gegen die Idee eines Doppeldeckers entschieden, und seine Zeichnungen glichen fast den Drachen von Rawiri. Atamarie fand allerdings, dass Letztere eleganter wirkten. Sie nahm sich einen Bleistift und veränderte die Konstruktionszeichnung leicht.

»Ich würde mehr Querstangen einbinden und sie gewinkelt anbringen«, bemerkte sie. »Es ist doch Bambus, Dick, das bisschen mehr Gewicht spielt keine Rolle. Aber dafür kriegt der Flieger mehr Stabilität.«

Erfreut bemerkte sie, dass Richard den Vorschlag, das Quergestänge zu verbessern, aufnahm. Die Tragflächen blieben zwar statisch, aber er erklärte ihr doch euphorisch, dass die Stabilität des Fluggerätes nun besser sei als bei allen Modellen vorher. Er hatte das getestet, indem er den Flieger an nur einer Tragfläche hielt und schob, was er Atamarie auch gleich vorführte. Wieder wunderte sie sich über die gewaltige Energie, die er dafür aufbrachte. Ohne müde zu werden, bewegte er den Flugapparat.

»Er bricht nicht aus, auch wenn ich schnell nebenherlaufe und ihn bergab in Fahrt bringe. Diesmal wird es klappen, Atamie, diesmal endet das Ganze nicht in der Ginsterhecke!«

Atamarie hoffte das, kicherte aber in sich hinein, als sie sich vorstellte, welchen Anblick Richard seinen Nachbarn da wieder bot. Schließlich war es in Temuka nicht gerade üblich, sein Flugzeug wie einen Hund spazieren zu führen.

»Sie nennen es mein Biest«, gab Richard lachend zu, als Atamarie eine diesbezügliche Bemerkung machte. »Und es muss nun einfach fliegen, sonst mache ich mich endgültig zum Narren.«

Atamarie freute sich, dass er es wieder schaffte, über sich selbst zu lachen. Richard wirkte vergnügt und selbstbewusst, und er kam im Alltag besser zurecht. Auch ohne Shirley. Die blieb seit Atamaries erneutem Besuch weg, das Haus war dennoch nicht halb so verwahrlost wie früher. Natürlich zeigten Küche und Zimmer die Spuren von Männerwirtschaft – Atamarie musste stets erst fegen und das Bett frisch beziehen, bevor sie sich halbwegs wohl fühlte –, aber so sah es wohl in jedem Junggesellenhaushalt aus.

Um die Farmarbeit kümmerte sich weiterhin Hamene. Der junge Maori zuckte bedauernd die Schultern, als Atamarie ihn nach Shirley fragte.

»Richard hat sie weggeschickt«, meinte er unglücklich. »Oder sie ist von selbst gegangen, ich weiß es nicht. Mr. Pearse ist böse deswegen, und die Missis ...«

Atamarie spitzte die Ohren. Anscheinend hatte Hamene da eine Familienauseinandersetzung mitbekommen.

»Ja?«, fragte sie interessiert. »Was sagen sie denn?«

Hamene hob etwas hilflos die Hände. »Ich kann doch nicht gut Englisch«, gab er zu. »Ich verstehe nur die Hälfte. Aber es ging darum, dass Richard undankbar sei. Und dass Shirley da war, als er sie brauchte, während du ...«

»Na ja, mich hatten sie ja vertrieben!«, bemerkte Atamarie gallig. »Ich wäre gern bei ihm geblieben!«

Hamene blickte Atamarie ernst an. »Dir hätte das nicht gefallen«, meinte er schließlich widerstrebend.

Atamarie runzelte die Stirn. »Was?«, fragte sie dann.

Hamene zupfte an seiner Unterlippe. »Das war ... also wie ... wie Richard war, nachdem er aus dem Krankenhaus kam. Er war ... er war wie ... wie tot ... Jedenfalls hat er nichts gemacht. Nicht auf der Farm, nicht in der Scheune. Er hat auch nicht mit den Göttern gesprochen. Nur so dagesessen. Waimarama sagte, die Dunkelheit halte ihn umfangen. Sie hat für ihn gebetet.«

»Er hat überhaupt nichts getan?«, wunderte sich Atamarie.

Sie konnte das kaum glauben. Nicht nach Richards Übereifer und Schlaflosigkeit, nach den gewaltigen Energien, die er für seine Pläne aufbrachte, nicht nach der Überfülle von Ideen, die er immer gehabt hatte. Aber andererseits ... er hatte Atamarie in sechs Monaten kein einziges Mal geschrieben!

»Jedenfalls kam dann Shirley«, erzählte Hamene weiter. »Und so langsam ist es auch wieder besser geworden. Aber jetzt ist sie weg.«

»Und Richard hat mich!«, erklärte Atamarie triumphierend. »Er braucht sie nicht mehr!«

Hamene blickte die junge Frau skeptisch an, aber er schwieg.

In der nächsten Zeit kam Atamarie häufiger nach Temuka, auch nachdem die Universitätsferien längst vorbei waren. Glücklich beobachtete sie, wie die Arbeit an der Flugmaschine voranschritt. Richard zeigte sich nicht mehr leichtfertig wie im Jahr zuvor, sondern unterwarf sein Fluggerät unzähligen Tests, bevor er es endlich noch einmal versuchte. Peterson verdrehte die Augen, als er Cranky-Dick, wie er ihn immer noch nannte, auf seiner Pferdeweide beobachtete. Er ließ den Flugapparat einen Hügel herunterrollen, lief hinterher und bediente die Kontrollhebel mit daran festgeschnallten Zügeln.

»Vielleicht zieht das Ding ja wenigstens mal deinen Pflug!«, neckte er, als Richard ihm einen atemlosen Gruß zurief. Dann entdeckte er Atamarie. »Ach, und Miss Turei ist auch mal wieder da.« Atamarie verfolgte Richards Testlauf von einem Hügel aus. »Sie wirkt beflügelnd, stimmt's?«

Atamarie erwiderte nichts, sie strafte Peterson nach wie vor mit Verachtung und ärgerte sich darüber, gesehen worden zu sein. Bei ihren letzten Besuchen hatte sie nie jemanden von Richards Familie oder Nachbarn zu Gesicht bekommen, aber jetzt würden sich wieder alle die Mäuler zerreißen. Es war nicht mehr zu ändern, und Atamarie wollte sich auch nicht mehr verstecken. Sie schlug vor, den ersten Flugversuch in aller Öffentlichkeit auf der Hauptstraße des Ortes stattfinden zu lassen.

»Die ist wenigstens halbwegs eben«, meinte Atamarie und sprach sich dafür aus, gleich vor der Schule mitten im Dorf zu starten und alle zusehen zu lassen.

Richard scheute allerdings die damit verbundene Öffentlichkeit. »Ich will nicht, dass sie lachen, wenn es wieder schiefgeht«, erklärte er. »Am besten machen wir es heimlich.«

Er begann jetzt, wenige Tage vor dem großen Ereignis, erneut an sich zu zweifeln. Sicher auch deshalb, weil sein Vater ihn gerade mal wieder zusammengestaucht hatte. Digory

Pearse waren die Dauerläufe und Lenkversuche seines Sohnes mit dem »Biest« nicht verborgen geblieben.

Atamarie verdrehte die Augen und sammelte das Geschirr ein. Sie hatte für Richard gekocht und mit ihm gemeinsam gegessen, froh, dass er sich dafür mal wieder die Zeit nahm. In den letzten Wochen hatte sie sich erneut gesorgt, weil er über die Begeisterung für sein Projekt weder ausreichend aß noch schlief.

»Heimlich, Richard? Den ersten Flug in einem motorisierten Flugzeug? Richard, du willst an diesem Tag Geschichte schreiben! Dein Name wird in jeder Zeitung stehen, in fünfzig Jahren wahrscheinlich in jedem Schulbuch und Lexikon. Aber dafür brauchst du erst mal Zeugen. Du kannst gar nicht genug Leute dabeihaben, und am besten suchst du dir sogar einen Fotografen und lädst ein paar Zeitungsreporter ein. Das muss dokumentiert werden! Wir sollten dem Flugzeug vielleicht auch einen Namen geben.«

Richard schnaubte. »Einen Namen? Bist du noch ganz bei Trost? Hör auf mit diesen Dummheiten. Es ist eine Maschine. Kein Hund oder Pferd!«

»Aber Schiffen gibt man auch Namen«, wandte Atamarie ein. »Und Zeppelinen. Die Leute sollen sich doch an dein Flugzeug erinnern, da wäre es schön, wenn ein Name in der Zeitung stünde.«

Sie biss sich auf die Lippen und verbot sich energisch den durch ihren Kopf geisternden Traum, Richard könnte das Flugzeug Atamarie oder wenigstens Sunrise nennen. Der schüttelte jedoch den Kopf.

»Kindischer Unsinn!«, erklärte er. »Und überhaupt, erst muss ich mal abheben, bevor irgendwas in der Zeitung steht. Lass mich fliegen, und dann kannst du es meinetwegen aller Welt erzählen!«

Richard ließ sich von dieser Ansicht nicht abbringen, erklärte sich aber immerhin bereit, das Experiment auf der öffentlichen Straße stattfinden zu lassen. Wenn auch nicht gleich mitten im Dorf, sondern etwas außerhalb, oberhalb seiner Farm. Er würde das Flugzeug von einem Hügel herabrollen lassen, nachdem der Motor gestartet worden war, und dann abheben, wenn es in Fahrt geriet. Atamarie glaubte, dass es so funktionierte, auch wenn sie Kleinigkeiten an der Konstruktion anders gestaltet hätte, auf die er nicht eingegangen war. In der letzten Zeit reagierte Richard wieder empfindlich auf Kritik, Atamarie wusste nie so recht, woran sie mit ihm war. Aber jetzt würde er ja endlich Erfolge feiern und schien auch entsprechend euphorisch. Obwohl Atamarie eher abgelenkt war, brachte er sie in der Nacht vor dem Tag des erneuten Flugversuchs von einem Höhepunkt zum anderen – wieder schien er ein anderer zu sein als der missmutige Zauderer der letzten Tage.

Und dann war der Tag endlich da. Atamarie und Richard nutzten den Morgen für letzte Tests, um die Mittagszeit schob Richard das Flugzeug tatsächlich bis hinauf zur Kreuzung vor der Schule, dem Platz, den Atamarie vorgeschlagen hatte. Der Unterricht war gerade zu Ende, und die beiden hatten mit den Schulkindern gleich ein dankbares Publikum. Allerdings fanden sich auch schnell weitere Zuschauer ein, als Richard die ersten Versuche machte, den Motor zu starten. Atamarie war entsetzt, als das nicht gleich funktionierte. Beim letzten Test war doch noch alles gut gegangen, jetzt röhrte die Maschine nur ein paar Mal unwillig auf, bevor sie wieder abstarb.

Atamarie stöhnte. »Was hast du für Kraftstoff reingetan, Dick? Eine neue Mischung? O nein, bitte nicht das, wir hatten uns doch geeinigt, dass wir keine Experimente mehr machen! Jetzt müssen wir die Zündkerzen noch mal reinigen. Soll ich?«

Etwas unglücklich sah sie an sich hinunter. Sie hatte sich für diesen denkwürdigen Tag ein schlichtes, aber doch sauberes hellgrünes Kleid mitgebracht. Ein Reformkleid, aber doch eine von Kathleens Kreationen, die ihre Figur betonte. Zu ihren Augen und ihrem blonden Haar sah es hübsch aus – und ein passendes Hütchen gehörte auch dazu. Atamarie würde also nicht allzu exotisch wirken, falls doch jemand ein Foto machte, und das Gerede der Nachbarn würde sich, so hoffte sie, in Grenzen halten. Nun sollte sich das an diesem Tag ohnehin auf Richards Flugversuch konzentrieren und nicht auf die Frau an seiner Seite, aber garantiert würde man trotzdem über sie reden, wenn sie Richards Triumph in einem ölverschmierten, zerknitterten Kleid miterlebte.

»Ich mach das schon!«, sagte Richard bestimmt.

Er klang fast etwas verärgert, als ob Atamaries Angebot ihn beleidigte. Dabei hatte sie oft genug Zylinder gereinigt und Ölwechsel für ihn vorgenommen. Sie konnte das genauso gut wie er, das mochte er seinen Nachbarn jedoch offensichtlich nicht vorführen. Von denen versammelten sich inzwischen immer mehr am Schauplatz des Geschehens, und auch die ersten Neckereien ließen nicht auf sich warten. Kein Wunder, denn Richard bastelte vor aller Augen an seinem Motor herum, während Atamarie sich in leichter Konversation versuchte. Es war unendlich peinlich, mit Peterson und Hansley über das Wetter zu reden, während Richard erkennbar nervöser wurde. Atamarie machte sich zudem Sorgen wegen des aufkommenden Windes. Er mochte das Verhalten des Flugzeugs beeinflussen, was war es schließlich mehr als ein von einem Motor unterstützter Lenkdrachen?

Atamarie überlegte, dass es wohl doch besser gewesen wäre, es nicht in Richtung Pearse-Farm, sondern genau in entgegengesetzter Richtung zu starten, aber das mochte sie Richard nicht mehr vorschlagen, er war schon angespannt genug. Und dann – als es eigentlich keiner mehr erwartet hatte und die Menge der Zuschauer sich schon zu zerstreuen begann, sprang der Motor plötzlich an!

Richard sprang auf den Pilotensitz – auch hier hatte er Verbesserungen vorgenommen, eine größere Beweglichkeit des Sitzes sollte Verletzungen bei einem Absturz vorbeugen –, und die Maschine rollte an. Die Zuschauer liefen dem Flugapparat hinterher und sahen aufgeregt zu, wie er sich in die Lüfte erhob! Atamarie konnte nicht an sich halten. Ganz undamenhaft schrie sie vor Begeisterung, als das Flugzeug leicht wie ein Vogel stieg, bis es etwa zehn Fuß über dem Boden schwebte. Dann plötzlich schüttelte sie heftig den Kopf. Richard hantierte am Höhenruder, er wollte offensichtlich noch höher hinauf.

»Langsam, Dick!«, brüllte Atamarie, obwohl sie wusste, dass er sie nicht hören konnte. »Nimm nicht so einen steilen Winkel, sonst wird es instabil, es …«

Es passierte, noch während sie rief. Die Nase der Maschine hob sich, das Flugzeug geriet aus dem Gleichgewicht, zumal es der Wind nun auch von der Seite erfasste. Richards Flugapparat geriet ins Trudeln, stürzte ab und landete … in seiner Ginsterhecke. Die Zuschauer, die eben noch staunend verstummt waren, brachen in schallendes Gelächter aus.

»Diese Hecke hat eine unwiderstehliche Anziehungskraft!« Peterson grinste. »Los, kommt, ziehen wir ihn raus!«

Die Farmer machten sich mit Gemütsruhe auf den Weg hinunter Richtung Farm.

»Aber diesmal ist er geflogen!«, rief Atamarie. »Sie haben es doch alle gesehen, oder? Diesmal ist er geflogen!«

Hansley lachte. »Ja, diesmal ist er geflogen. Aber nehmen Sie's mir nicht übel, kleine Lady, wenn jeder Vogel so landen würde, wär die Tierart schon ausgestorben.« Die anderen stimmten in sein Gelächter ein.

»Ist halt mehr ein Kiwi, unser Dicky, keine Schwalbe«, lästerte ein anderer Nachbar – der Kiwi war ein Laufvogel und obendrein blind.

Atamarie ahnte Schreckliches. Auch nach dem erfolgreichen Flug würde Richard in dieser Gegend keinen leichten Stand haben. Zudem schien er sich verletzt zu haben. Er hielt sich die Schulter, als Peterson und Hansley ihn aus dem Flugzeug zogen. Letzteres war kaum beschädigt, wie Atamarie mit einem Blick feststellte. Sie beschloss, keine Rücksicht auf die feixenden Zuschauer zu nehmen, und nahm Richard spontan in den Arm.

»Du hast es geschafft!«, sagte sie und versuchte, glücklich zu klingen, obwohl seine gebeugte Haltung und sein leerer Blick nichts Gutes verhießen. »Du bist geflogen, Richard! Du bist der Erste, der es geschafft hat! Der Flieger hat abgehoben. Du bist mit Motorkraft ...«

»Ich bin nicht geflogen«, sagte Richard.

Es klang fast unbeteiligt. Und er reagierte auch nicht auf Atamaries Umarmung. Mit starrem Blick ließ er sich von Peterson zu dessen Wagen schieben.

»Wir bringen dich mal lieber ins Krankenhaus, da scheint was gebrochen zu sein.«

Atamarie versuchte es noch einmal. »Aber alle haben es gesehen, Richard! Alle können es bezeugen. Du bist ...«

»Ich bin nicht geflogen«, flüsterte Richard.

Atamarie sah fassungslos zu, wie die Männer ihn wegführten.

»Noch einmal, Miss Turei! Und jetzt langsam und von vorn und ganz ausführlich! Richard Pearse hat unseren alten Ottomotor in einen Flugapparat gebaut, und das Ding ist abgehoben?«

Professor Dobbins lotste Atamarie in sein Büro. Eigentlich hätte er jetzt eine Vorlesung halten sollen, aber die Studenten würden warten müssen.

Atamarie folgte dem Professor, erfreut und erleichtert über die Anteilnahme. Seit Richards Flug am vergangenen Dienstag begann sie langsam, an ihrem Verstand oder zumindest an ihrer Wahrnehmung zu zweifeln. Ein Mann hatte Geschichte gemacht, aber den Zeugen fiel nichts anderes ein, als sich über Bruchlandungen in Ginsterhecken zu amüsieren. Richards Eltern überschütteten ihn mit Vorwürfen, nachdem er wieder mal im Krankenhaus gelandet war, diesmal mit einem gebrochenen Schlüsselbein. Und der Flugpionier selbst wiederholte immer wieder, der Flug habe nicht stattgefunden.

Richards Familie hatte Atamarie im Foyer des Hospitals, wo sie auf Nachrichten von ihrem Freund wartete, ignoriert. Der Arzt beschied sie knapp, dass Mr. Pearse keinen Besuch wünsche, aber er ließ Shirley ein, die mit seinen Eltern kam, anscheinend ebenso aufgeregt wie die Pearses.

Atamarie hatte schließlich nicht weitergewusst und war nach Timaru in ihr Hotelzimmer geflohen. Am nächsten Tag beschloss Atamarie, wieder nach Christchurch zu fahren und Dobbins von ihrem Abenteuer zu erzählen. Der Professor

erwähnte mit keinem Wort ihr Fehlen während der Studien-
zeiten, im Gegenteil – er war überwältigt von Richards Erfolg.
»Das ist wirklich unfassbar!«, begeisterte sich Dobbins.
»Und Sie hatten zweifellos auch Ihren Anteil daran, Miss Turei,
leugnen Sie es nicht! Aber warum erfahre ich das eigentlich
jetzt erst, wenn es schon letzten Dienstag war? Das hätte doch
längst in der Zeitung stehen müssen! Mit Bildern möglichst.
Hat jemand fotografiert? Man muss solche Dinge belegen,
Miss Turei, aber das wissen Sie doch.«

Atamarie nickte und entschied dann, sich ihrem Lehrer
anzuvertrauen und ihm ihr Herz auszuschütten. Sie schilderte
ihm Richards Sorgen vor dem Flug, seine Unfähigkeit, den
Triumph auszukosten – und ertappte sich schließlich dabei,
dem Professor auch von den Stimmungsschwankungen und
den familiären Problemen ihres Freundes zu erzählen.

Dobbins zuckte nur die Schultern. Er war Techniker, kein
Seelsorger. Allerdings schienen Richards Probleme auch ihm
nicht entgangen zu sein.

»Pearse war schon immer … na ja, er neigte zu Melancholie«, bemerkte der Professor zu Atamaries Überraschung, als sie
noch einmal Richards seltsame Reaktion auf seinen Flugversuch erwähnte. »Soll es öfter geben bei Genies, solche Selbst-
zweifel und dann wieder Höhenflüge. Und ein Genie ist er,
ohne Frage! Da wäre vielleicht auch die Familie gefragt. Oder
die … Verlobte? Ich will nicht indiskret sein, aber Sie sind doch
ein Paar, nicht wahr? Sie müssen ihn immer wieder auf die Erde
zurückbringen, Miss Turei, beziehungsweise in diesem Fall in
die Luft! Er muss das noch mal machen, Atamarie! Der Flieger
wurde nicht allzu sehr beschädigt, sagten Sie? Und wenn doch,
dann muss er ihn reparieren und vor den Augen der Welt einen
neuen Versuch starten – nicht nur vor ein paar Hinterwäld-
lern in der Waitohi-Ebene! Alarmieren Sie die Presse, aber auf
keinen Fall die *Timaru Times* oder wie das Käseblatt da heißt,

sondern *The Press* in Christchurch, *Otago Daily Times* und am besten auch gleich die Zeitungen in Wellington und Auckland. Sie wissen doch jetzt, dass der Apparat abhebt, also ist kein Risiko dabei, die Reporter alle kommen zu lassen. Machen Sie ein Ereignis daraus, Atamarie, bevor Ihrem Richard noch jemand zuvorkommt. Motorisierter Flug liegt ...«, Dobbins lachte, sprach aber dennoch eindringlich weiter, »... im wahrsten Sinne des Wortes in der Luft. Da arbeiten noch andere dran. Also schnappen Sie sich Ihren Liebsten und dokumentieren Sie, dass er der Erste war!«

Atamarie seufzte. Sie sah in das strahlende Gesicht ihres Professors und dachte doch nur an Richards leere Augen. *Ich bin nicht geflogen ...*

Wie sollte sie ihn da vor die Weltpresse ziehen?

Atamarie ließ ein weiteres Wochenende vergehen, bis sie wieder nach Timaru fuhr. Sie wusste nicht, wie lange es dauerte, bis ein Schlüsselbeinbruch heilte, aber eine schwere Verletzung war es nicht. Richard würde sicher wieder auf seiner Farm sein. Wenn ihn seine Eltern nicht auf die ihre geholt hatten, um zu genesen. Sicher hatte seine Mutter sich um ihn kümmern wollen. Atamarie machte sich also auf eine erneute Enttäuschung gefasst, auf keinen Fall wollte sie eine Konfrontation mit Richards Familie. Im Zweifelsfall würde sie einfach wieder umkehren und gleich mit dem Nachtzug zurückfahren. Zur Sicherheit wollte sie wieder ein Zimmer in Timaru nehmen – und war überrascht, als sich das als gar nicht so einfach herausstellte.

»Ich kann Ihnen nur noch ein ziemlich ungemütliches Gelass anbieten, Miss Turei«, erklärte die Wirtin der Pension, in der Atamarie gewöhnlich abstieg. Sie war freundlich und diskret – und hatte nie ein Wort darüber verloren, dass Atamarie die meisten Nächte, für die sie bezahlte, gar nicht auf ihrem

Zimmer verbrachte. »Das wage ich auch nur, weil Sie mittlerweile ja eine Art ... hm ... Stammkundin sind, ich möchte Sie nicht wegschicken. Aber dieses Wochenende hätten Sie vorbestellen müssen. Es ist Jahrmarkt mit Landwirtschaftsschau, Sie wissen schon, da prämieren sie alles, vom besten Zuchtbullen bis zum größten Kürbis. Sämtliche Farmer der Umgebung sind hier, und wer weiter weg wohnt, leistet sich auch mal ein Zimmer.«

Timaru war das Zentrum eines Landkreises, der bis zu dem fast dreißig Meilen entfernten Ort Waimate reichte. Für einen Tag lohnte es sich kaum, einen so weiten Weg zurückzulegen, erst recht nicht, wenn dabei noch Zuchtbullen und Kürbisse zu befördern waren.

Atamarie dankte sowohl der Pensionswirtin als auch ihrem Schicksal. Richard würde kaum nach Timaru kommen, um irgendwelche landwirtschaftlichen Erzeugnisse vorzuführen. Dafür brannte aber zumindest Joan Peterson todsicher auf die Kürbisschau. Bestimmt hatten auch die Hansleys, Shirley und ihre Mutter irgendwelche überdimensionalen Gemüse vorzuführen und mit sehr viel Glück Richards Eltern und Geschwister. Atamarie würde ihren Freund für sich haben. Zufrieden machte sie sich mit ihrem Leihpferd auf den Weg, wobei sie sich einerseits auf Richard freute, andererseits aber auch die verpasste Chance bedauerte: Der Jahrmarkt von Timaru wäre ideal gewesen, Richards Flugzeug einer größeren Menschenmenge vorzuführen. Hügel gab es nun wirklich genug rund um den Ort. Aber gut, Atamarie sah ein, dass sie Richard erst wieder aufbauen musste, bevor sie einen neuen Flugversuch starten konnten. Sie beschloss, für kleine Dinge dankbar zu sein, und atmete auf, als sie weder Petersons noch Digory Pearse' Fuhrwerke auf Richards Hof ausmachte. Richard hatte allerdings auch seinen Flugapparat noch nicht hereingeholt. Das »Biest« hing nach wie vor in der Ginsterhecke.

Die Farm wirkte auf den ersten Blick verlassen, aber dann sah Atamarie, dass Hamene in einem der Schuppen herumwerkelte. Er bastelte an einem Pflug, was Atamarie alarmierte. Seit wann überließ Richard dem jungen Maori die Sorge um seine Geräte? Er kümmerte sich zwar sonst um kaum etwas auf der Farm, aber seine Maschinen waren stets in gutem Zustand gewesen.

Atamarie wollte Hamene schon darauf ansprechen, dann sah sie jedoch Waimarama. Die alte Maori trat eben aus dem Haus.

»Ich hab sie gerufen«, sagte Hamene und schenkte Atamarie einen nach Verständnis heischenden Blick. »Ich dachte sie ... sie könnte vielleicht helfen. Weil Richard doch wieder ... also er tut wieder nichts, verstehst du?«

Atamarie verstand zumindest, dass auch Hamene die Abwesenheit von Richards Familie zu Eigenmächtigkeiten genutzt hatte. Aber wozu brauchte Richard die Maori-Heilerin? Jetzt verbeugte sie sich ehrfürchtig vor der alten Frau. Waimarama sah sie prüfend an.

»Du bist wieder da?«, fragte sie. »Willst du jetzt bleiben?«

Atamarie zuckte die Schultern. »Ich fürchte, ich werde nicht gefragt. Aber ich will ... Waimarama, egal, was er jetzt sagt und wie es ihm geht: Er ist geflogen! Nur drei- oder vierhundert Yards, aber ...«

»Er sehnte sich nach dem Licht, aber sein Weg führte ins Dunkel«, sagte Waimarama. »Vielleicht wollen die Götter den Himmel nicht mit ihm teilen ...«

Atamarie kämpfte ein ungutes Gefühl nieder. Genauso hatte Rawiri sich ausgedrückt. Aber das war natürlich Unsinn.

»Vielleicht haben die Geister in dieser Hecke ein ungesundes Verhältnis zur Wissenschaft«, gab sie spöttisch zurück. »Die sollten wir mal beschwören, damit sie ihn nicht dauernd so magisch anziehen. Er ist geflogen, Waimarama, da gibt es nichts zu deuten. Und er sollte stolz darauf sein, statt Trübsal zu blasen. Er bläst doch Trübsal, oder habe ich Hamene da falsch verstanden?«

Waimarama hob hilflos die Hände. »Er ist zurzeit zu schwach, die Dunkelheit niederzuringen.«

Atamarie seufzte. »Er sollte sich mal anstrengen«, bemerkte sie. »Ist er im Haus? Dann gehe ich jetzt rein und versuche, ihn aufzuheitern.«

So selbstsicher wie möglich bewegte sie sich auf das Haus zu. Dabei war sie sich keineswegs sicher, Erfolg zu haben. Und Richards Anblick ließ sie denn auch nichts Gutes ahnen. Der junge Mann saß am Küchentisch, den Kopf über eine Ausgabe des *Scientific American* gebeugt, aber er schien das Gelesene kaum aufzunehmen. Eher starrte er auf die Zeilen, wie er zwei Wochen zuvor noch auf seinen Flugapparat und in Atamaries erregtes Gesicht gestarrt hatte.

»Atamarie!« Richard sah auf, als sie eintrat, aber er machte keine Anstalten, aufzustehen oder sie gar in den Arm zu nehmen und zu küssen. »Willst du wieder bei der Ernte helfen? Aber die Ernte ist vorbei. Wir müssen jetzt pflügen … und die Pacht bezahlen … und die Einsaat …«

Atamarie ging entschlossen auf ihn zu und küsste ihn, jedoch nur auf beide Wangen – Richard roch, als hätte er sich zwei Wochen lang nicht mehr gewaschen. Und seine Kleidung wirkte so zerknittert und verschmutzt. Das waren erneute Anzeichen der Verwahrlosung. Die Sauberkeit im Haus und auf dem Hof waren nur Hamene und vielleicht Shirley zu verdanken.

»Die Ernte war schon vorbei, bevor du geflogen bist!«, sagte Atamarie energisch. »Und um das ganze andere Zeug brauchst du dich auch nicht mehr zu kümmern. Dobbins sagt, du bist ein gemachter Mann, wenn sich das mit dem motorisierten Flugzeug herumspricht.«

Richard lächelte milde. »Aber ich bin nicht geflogen, Atamie. Höchstens ... ein bisschen gehopst. Das sagt Peterson, Atamie. Ich bin ein bisschen gehopst. Wie sonst auch. Ich ...«

Atamarie war kein sehr geduldiger Mensch, sie spürte Wut in sich aufsteigen. »Richard, was Peterson sagt, ist unerheblich! Du musst den Flugversuch wiederholen. Du musst es anderen vorführen. Am besten gleich der Presse. Aber wenn du dich das nicht traust ... lad Dobbins ein!« Die Idee kam ihr gerade eben, und sie beglückwünschte sich umgehend dazu. Warum war ihr das bloß nicht vorher schon eingefallen? Sie hätte den Professor gleich mitbringen können. »Und seine Studenten auch. Wenn die halbe Hochschule von Christchurch dich fliegen sieht, kann es niemand mehr leugnen!«

Auch du selbst nicht, fügte sie für sich hinzu. Richard schenkte ihr jedoch nur erneut ein leeres Lächeln.

»Ich bin nicht geflogen«, wiederholte er wieder und wieder.

Waimarama trat ein, bevor Atamarie etwas erwidern konnte. »Es ist nicht wichtig für ihn«, sagte sie leise. »Zurzeit ist es nicht wichtig für ihn. Er muss den Weg aus der Dunkelheit finden, Atamarie. Du willst ihn berühmt machen, ich verstehe, worum es für dich geht, Atamarie, ich bin nicht dumm ...« Waimarama wies auf das Journal auf dem Tisch. »Ich kann nicht gut Englisch und nur ein bisschen lesen. Aber ich weiß, worum es geht, was für eine große Sache es für *pakeha* ist, so einen Flugapparat in die Luft zu bekommen. Dass es vorher noch nie jemand getan hat ...«

Atamarie nickte erfreut. »Aber dann verstehst du auch, dass er sich jetzt aufraffen muss. Der Welt zeigen muss, dass ...«

»Er muss den Weg aus dem Dunkel finden«, wiederholte Waimarama.

Die alte Frau holte ein paar Kräuter hervor, anscheinend plante sie einen Zauber, um Richard zu befreien.

Atamarie gab es auf. Wenn sie sich auf weitere Diskussionen einließ, würde sie verrückt werden. Sie kannte die Maori – Waimarama würde ihre Diagnose immer erneut wiederholen, genauso stereotyp, wie Richard darauf beharrte, nicht geflogen zu sein. Atamarie brauchte frische Luft.

»Ich geh mir mal den Flieger anschauen«, wandte sie sich an Richard.

Sie hoffte, dass er darauf irgendwie reagieren würde, aber er senkte nur wieder den Kopf über sein Journal. Atamarie floh, bevor er womöglich noch leugnete, dass es den Flieger überhaupt gab.

Rasch trat sie hinaus in einen klaren, frühen Herbsttag. Es war sonnig, aber kühl, der Himmel blau bis auf ein paar Schäfchenwolken, und es war ungewöhnlich windstill. Atamarie dachte flüchtig daran, dass es ein idealer Tag für einen Flugversuch war. Bei einem solchen Wetter wäre Richard die Maschine nicht aus dem Ruder geraten. Gedankenverloren wanderte sie um die berüchtigte Ginsterhecke herum und nahm das Flugzeug auf der anderen Seite in Augenschein. Tatsächlich war nichts kaputt. Die flexiblen Bambusstangen hatten die Landung in der Hecke abgefedert, nur die Segeltuchbespannung, die mittels Draht an Gestänge und Fahrgestell befestigt war, hatte sich an einer Stelle gelöst. Atamarie reparierte das mit wenigen Handgriffen. Dann zog sie das Flugzeug aus der Hecke. Es war leicht, sie konnte es mühelos bewegen.

Fasziniert bewunderte sie wieder mal die Konstruktion und besonders liebevoll den Motor und den achtblättrigen Propeller. Er war oberhalb des Sitzes angebracht, Atamarie schwang sich in den Sitz, um das kleine Wunderwerk zu kontrollieren. Sie hatte Richard dabei geholfen, ihn anzufertigen. Und ihn vorn anzubringen war ihre Idee gewesen. Atamarie ertastete Quer- und Höhenruder. Sie wusste, wie man beides bediente, sie hatte die Pläne gesehen. Und so viel anders als bei Rawiris Drachen war es wirklich nicht.

Ich wünschte, du würdest meinen manu *fliegen. Deine Hände würden die Leinen streicheln, er würde deinen leisesten Bewegungen folgen und den Göttern deine Botschaft bringen ...*

Rawiris zärtliche Worte fielen ihr ein. Und sein rührender Vertrauensbeweis, als er ihr dann wirklich die *aho tukutuku,* die kunstvoll erstellten Leinen aus Flachs, in die Hand gegeben hatte, mit denen sich sein größter Drachen steuern ließ. Der *manu* war aufgestiegen wie ein Vogel, er stand steil in der Luft, und Atamarie hatte blitzschnelle Manöver mit ihm fliegen können. Richards Fluggerät hielt man dagegen besser flach.

»Ich nenne dich Tawhaki«, sagte Atamarie zu dem Fluggerät, als sie es jetzt auf den Weg zog, um die Hecke zu umrunden und es in die Scheune zu bringen. »Nach dem Gott, der den Menschen das Wissen brachte.«

Das Flugzeug rollte leicht neben ihr her. Man brauchte keine Pferde, um es den Hügel hinaufzuziehen ... Atamarie biss sich auf die Lippen. Sie konnte die Kühnheit des Gedankens kaum fassen, der ihr durch den Kopf schoss. Wenn sie den Flieger auf die Kreuzung vor der Schule zog ... niemand würde sie sehen. Die Schule war geschlossen, die Nachbarn auf dem Jahrmarkt. Und selbst wenn jemand etwas sah – von Weitem würde man ihr blaues Reitkleid für Richards blauen Overall halten. Und ihr Haar ... Richards Mütze lag noch im Flugzeug. Sie konnte es darunter verbergen ...

Atamarie zitterte vor Aufregung, aber eigentlich gab es nichts, was dagegen sprach, das Flugzeug heute noch einmal zu starten. Sie konnte Richards Flug wiederholen, ihm beweisen, dass er nicht versagt hatte. Aber sie würde ihm auch nicht seinen Ruhm rauben, es würde sie ja niemand erkennen.

Entschlossen schob Atamarie das Flugzeug den Hügel hinauf, es ging wirklich leicht. Sie hoffte, dass dann auch der Motor ansprang – es wäre besser gewesen, ihn in der Werkstatt noch einmal zu überprüfen. Aber darauf ließ Atamarie es jetzt ankommen. Wenn es nicht klappte, sollte es eben nicht sein.

Tatsächlich heulte der Ottomotor sofort auf, als die junge Frau ihn startete. Er lief auch gleich rund – Richard musste nervös gewesen sein, als er ihn damals anwarf, wahrscheinlich hatte er etwas falsch gemacht. Atamarie hielt sich am Sitz fest und stieß sich mit dem Fuß vom Boden ab, um das Flugzeug ins Rollen zu bringen. Es fuhr langsam an, sie hatte Zeit, sich auf den Sitz zu ziehen und die Fahrt zu kontrollieren. Atamarie hielt die Luft an, als die Maschine schneller und schneller wurde – und dann erfasste sie instinktiv den richtigen Moment. Sie zog das Höhenruder an und hob ab. Langsam stieg Tawhaki in die Luft, erreichte eine Höhe von etwa fünfzehn Fuß und ließ sich darauf mühelos halten. Atamarie versuchte, den Flieger im Gleichgewicht zu halten, fand es dann aber zu riskant, der Straße entlang weiterzufliegen. Wenn ihr jemand entgegenkam oder wenn die Landung nicht gelang und sie womöglich in Petersons Garten krachte … Der Gedanke an Joans Kürbisse ließ sie hysterisch auflachen.

Dann kam jedoch die Ginsterhecke in Sicht, und Atamarie fasste den Entschluss, den Bann dieses Gestrüpps jetzt zu brechen. Sie betätigte das Querruder und war völlig verblüfft, als die Maschine der Lenkbewegung folgte. Und noch etwas höher … Atamarie zog Tawhaki drei Fuß weiter in die Luft und jubelte auf, als die Maschine die Ginsterhecke überflog! Diesmal waren es Richards eigene Pferde und Ziegen, die in Panik Richtung Stall flohen, als die Maschine den eingefriedeten Hof erreichte. Atamarie ließ sie langsam sinken und setzte in dem Paddock wieder auf, in dem Richard das Lenken geübt hatte. Der Boden hier war eben, und es ging leicht bergauf. Tawhaki rollte sanft aus. Atamarie strahlte vor Glück, als sie ausstieg.

Hamene und Waimarama starrten sie sprachlos an.

»Was guckt ihr? Ich hab doch gesagt, ich hol den Flieger rein«, rief Atamarie ihnen zu.

Hamene lachte. »Hast du den Göttern eine Botschaft gebracht?«, fragte er.

Es war ein Scherz – um mit den Göttern zu reden, hätte Atamarie natürlich höher steigen müssen.

Atamarie zeigte auf die Hecke. »Ich habe ein paar frechen Geistern die Zunge gezeigt!«, erklärte sie.

Waimarama lächelte nicht. Sie sah ernst in Atamaries triumphierendes Gesicht.

»Sag es ihm nicht«, bat sie. »Es würde nicht helfen. Du würdest ihn nur tiefer ins Dunkel stoßen.«

Atamarie erzählte niemandem von ihrem Flug, obwohl sie das Gefühl hatte, platzen zu müssen, wenn sie es für sich behielt. Aber sie konnte unmöglich vor Dobbins damit prahlen, und ihre Familie hätte sie wahrscheinlich für verrückt erklärt. Erst am nächsten Tag, als sie nach Christchurch aufbrach, fiel ihr jemand ein, der Anteil nehmen würde, ohne sie zu verraten.

Ich weiß, schrieb sie an den Maori-*tohunga* Rawiri, ich hätte es nicht tun sollen, aber es war so leicht … es erschien mir fast selbstverständlich … Atamarie meinte, Rawiris freundliche dunkle Stimme zu hören: *Natürlich war es leicht – dein Geist sang das richtige Lied. Die Götter haben dich willkommen geheißen, Atamarie Parekura Turei. Du bist auserwählt!*

Doortje VanStout traf vorerst keine Entscheidung. Sie stand gleich am Tag nach ihrem Zusammenbruch wieder auf und bot erneut ihre Mithilfe im Krankenhaus an. Dr. Greenway gab ihr leichte Arbeit, und als werdende Mutter erhielt sie größere Essensrationen. Doortje nahm die Sonderbehandlung wortlos an. Jetzt im Nachhinein wurde ihr manches klar. Der Heißhunger, für den sie sich geschämt hatte, die ständige Müdigkeit und Gereiztheit. All das waren Anzeichen einer Schwangerschaft. Wenn sie es nur früher gemerkt hätte ... Aber Cornelis hätte sie trotzdem nicht geheiratet, er war überglücklich mit seiner Daisy Richtung Pretoria gefahren, kaum dass die Auflösung des Lagers und die Befreiung der Kriegsgefangenen offiziell verkündet worden waren. Inzwischen zogen sich auch die letzten Burenkommandos zurück, im Mai sollten die endgültigen Friedensverträge unterzeichnet werden. Doortje wäre dann allein gewesen – ob mit oder ohne Kind.

Allerdings konnte sie sich auch immer noch nicht vorstellen, ihr Land zu verlassen und Kevin in eine völlig neue Welt zu folgen. Sie wollte sich noch weniger eingestehen, dass sie dies womöglich gern tat. Das wäre nicht auszudenken, ein Verrat an ihrem Volk und ihrer Familie, an allen Werten, die man ihr vermittelt hatte, an ihrer Kirche, die sie ausstoßen würde, wenn ihr Bauch sich weiter rundete. Schon jetzt begannen die Frauen im Lager, sie zu meiden. Die ehrbaren Frauen redeten hinter ihrem Rücken – die Lagerhuren lachten ihr offen ins Gesicht.

Doortje wusste, dass Kevin auf eine Antwort wartete, und sie hatte auch nicht mehr endlos Zeit. Das Militär hatte mit der Auflösung der Lager begonnen, der zuständige Kommandeur wurde täglich erwartet.

Er erschien dann an einem Wochenende, an dem sich Roberta und Vincent Taylor zu einem mehrtägigen Ausflug ins Veld verabschiedet hatten. Auch Jenny war dabei sowie mehrere englische Offiziere, die sich freuten, endlich im Frieden die Natur dieses faszinierenden Landes erforschen zu können. Kevin und die anderen Rough Riders hatten davon zwar auf ihren Patrouillenritten mehr als genug gesehen, aber viele Männer waren fast während des gesamten Krieges in Karenstad stationiert gewesen und wollten nun auf keinen Fall zurück in ihre Heimatländer, ohne zumindest einmal einem Löwen Auge in Auge gegenübergestanden zu haben. Um zu vermeiden, dass die Tiere von den übereifrigen Ausländern zum Angriff gereizt wurden, hatte Vincent einige Zulu aus Karenstad II als Führer angestellt. Die Boys verstanden sich nicht nur aufs Fährtenlesen, sondern würden den Teilnehmern die Safari auch angenehm gestalten, indem sie ihre Zelte aufstellten und für sie kochten.

Im Lagerkrankenhaus kochten an diesem Tag die Schwesternhelferinnen, Doortje hockte sich zum Kartoffelschälen vor das Haus. Die heiße, stickige Luft im Hospital setzte ihr immer häufiger zu, und den anderen Frauen ging sie ohnedies lieber aus dem Weg. Allenfalls Antje Vooren sprach noch mit ihr, alle anderen tuschelten über die vermeintliche Tommy-Hure. Dabei musste es eigentlich noch Frauen im Lager geben, die sich an Johanna erinnerten und an das, was ihr und Doortje auf dem Transport nach Karenstad geschehen war. Wahrscheinlich waren es wenige – viele hatten die sechs Monate Haft nicht überlebt, und die anderen hatten so viel Trauer, Krankheit und Tod gesehen, dass sie an das Martyrium der beiden jungen Frauen gar nicht mehr dachten. Zumindest zählten sie keine Monate, und Doortjes Leib war noch kaum gerundet. Die Mehrheit der Frauen ging sicher davon aus, sie habe ihr Kind erst während der Zeit im Lager empfangen, womöglich als Mutter und Geschwister im Sterben lagen. Es kam neuerdings sogar vor, dass Frauen vor Doortje ausspuckten, wenn sie ihnen im Lager entgegenkam. Lange würde sie das nicht mehr ertragen.

Sie begann, die Kartoffeln für den Gemüseeintopf klein zu schneiden und bemühte sich, die ewig um sie herumschwirrenden aufdringlichen Fliegen wegzuscheuchen. Doortje erstarrte, als sie aus den Augenwinkeln ein großes schwarzes Pferd vor dem Haus des Lagerleiters halten sah. Ein blonder Mann stieg ab. Sie erkannte die Gestalt sofort, auch wenn sie ihr Gesicht von ihrem Platz vor dem Krankenzelt aus nicht sehen konnte. Aber die präzisen Bewegungen des Colonels hatten sich ihr eingeprägt, seine selbstbewussten Gesten, sein rascher, militärisch geprägter Gang. Die Art, sich gerade zu halten … ein Kavallerist, ein Offizier – aber alles andere als ein Gentleman.

Doortje ließ die Kartoffel fallen, die sie gerade klein schneiden wollte, und stand auf.

Kevin erledigte Aktenarbeit – auf keinen Fall wollte er das Lager so chaotisch übergeben wie sein Vorgänger, auch wenn der zu erwartende kommissarische Leiter nur für seine Auflösung zuständig sein würde. Aber wer immer etwas über die Geschichte von Karenstad wissen wollte, sollte seine Aufzeichnungen finden. Vollständig und ungeschönt. Irgendwann, da war er sich sicher, würde die Inhaftierung der Frauen und Kinder in diesem Krieg als Verbrechen gelten.

Kevin sah kaum auf, als es klopfte. Nandé würde öffnen. Er seufzte beim Gedanken an das schwarze Mädchen. Auch für sie würde sich noch eine Lösung finden lassen müssen. Kevin hoffte, dass die Zulu Stammesangehörige nicht ausstießen, wenn sie keine Familie mehr hatten, aber andererseits – gab es überhaupt noch Stämme, die in alter Tradition lebten? Und würde sich Nandé da einfügen, nachdem sie ihr ganzes Leben auf einer Farm bei Weißen verbracht hatte? Jetzt hörte er ihre helle, freundliche Stimme.

»Willkommen, Baas Colonel! Wir Sie erwartet. Ich Sie melden Doktor, ja?«

Die Antwort war ein raues Lachen. »Na, das ist ja eine freundliche Begrüßung. Hätt ich gar nicht mit gerechnet beim alten Drury. Und was für ein nettes kleines Praliné … schwarz und süß! Ich seh schon, der gute Doktor wusste sich das Leben hier zu versüßen. Und? Bleibst du bei mir, wenn ich ihn jetzt ablöse?«

Kevin fuhr ein Schauer über den Rücken. Er legte die Feder beiseite und erhob sich. Nandés Stimme klang jetzt ängstlich.

»Ich … ich nicht verstehn, Baas Colonel … ich Sie melden …«

Kevin öffnete die Tür zum Büro und bemühte sich, der jungen Frau beruhigend zuzulächeln.

»Ist schon gut, Nandé, du kannst gehen. Wir brauchen dich hier nicht mehr.«

Dann blickte er in das zerstörte Gesicht und die schönen braungrünen Augen von Colin Coltrane.

»Sie?«, fragte er.

Colin lachte. »Ja, so sieht man sich wieder, Dr. Drury. Aber keine Sorge, ich bin Ihnen nicht böse, die paar Scherereien wegen der toten Gauner waren schnell vergessen. Spätestens, als wir die nächsten zwei Kommandos erledigt hatten. Die großen Tiere in Pretoria hatten mich umgehend wieder lieb. Überhaupt, ein schöner Krieg. Keine Belagerungen, keine Kanonenkugeln, die einem um die Ohren fliegen … nur ein paar dumme Bauern, die man jagt wie die Hasen, wenn man nicht gerade ihre Häuser abfackelt. Ein nettes Land auch … ich werde noch bleiben. Ein paar Jahre Militärpräsenz wird's schließlich noch brauchen, bis die Kerle endgültig kirre sind.« Er grinste. »Vielleicht lass ich mich ganz hier nieder. Verkauf den Buren ein paar anständige Pferde und nehm mir ein hübsches Mädchen. Hier gibt's ja genug.«

Kevin sah Colin Coltrane hasserfüllt an. »Sie sollen hier die Lagerleitung übernehmen? Die Repatriierung der Familien? Wer hat sich denn das einfallen lassen? Ich werde dagegen protestieren, Coltrane. Hier sind die Frauen und Kinder der Männer, die Sie getötet haben.«

Coltrane zuckte die Schultern. »Es war Krieg, so ist es nun mal. Sie werden kaum ein Kavallerieregiment finden, das keine Buren erschossen hat.«

»Sie haben die Farmen dieser Leute niedergebrannt. Sie werden Sie erkennen!«

Kevin fühlte sich hilflos. Coltrane hatte Recht, es gab keine stichhaltigen Gründe dafür, ihn und sein Kommando der Rough Riders von diesem Auftrag zurückzuziehen. Aber dennoch sträubte sich alles in ihm dagegen, seine Schützlinge mit Colin Coltrane auf den Treck zu schicken.

»Dann wissen sie ja, was ihnen blüht, wenn sie jetzt nicht spuren«, meinte Coltrane gelassen. »Aber sonst … ich bin Gentleman, Dr. Kevin Drury. Ich weiß, wie man mit Frauen umgeht. Fragen Sie Ihre Schwester, die reizende Matariki.«

Kevin musste sich beherrschen, ihm nicht die Faust ins Gesicht zu schlagen. Aber wahrscheinlich hätte er den Kürzeren gezogen. Colin Coltrane war zweifellos der geübtere Schläger.

Coltrane tat, als bemerke er die hilflose Wut seines Gegenübers nicht. »Dann führen Sie mich mal herum«, befahl er jetzt mit Gemütsruhe. »Wir können mit Ihrem Lazarett anfangen – das muss ich ja wohl als Erstes auflösen.«

Kevin folgte ihm wie benommen. Er musste sich etwas Gutes einfallen lassen. Zumindest würde er sich dem Treck anschließen … aber er konnte nicht überall sein. Und er wusste ja auch gar nicht, wovor er die Frauen und Kinder da wirklich beschützen wollte. Coltrane war Offizier, Sandhurst-Absolvent. Er sollte seine Soldaten im Griff haben. Wenn er sie im Griff haben wollte …

Coltrane und dann auch Kevin traten hinaus in die sengende Sonne Afrikas. Kevin blinzelte in die Helligkeit und nahm das friedliche Bild wahr, das sich ihm bot. Vor dem Zelt der schwarzen Schwesternhelferinnen, in dem Greenway die weißen Hilfsschwestern und ihre Familien untergebracht hatte, spielten Kinder. Kevin erkannte zwei der Sprösslinge von Antje Vooren und zwei ältere Mädchen, die Frau holte sie wohl wegen der Mittagshitze gerade hinein. Am Anbindeplatz zwischen Haus und Hospital stand Colins Rappe, und eben half Vincent Taylor Roberta Fence von ihrem weißen Pony. Beide wirkten eilig und ernst, vor allem Vincent. Kevin konnte es sich denken. Die Safariteilnehmer mussten unterwegs von der Ankunft der Rough Riders erfahren haben. Vincent war zweifellos gleich aufgebrochen, um Kevin zu warnen – leider zu spät. Aber auch eine frühere Benachrichtigung hätte nichts geholfen. Allenfalls hätten die Ärzte besprechen können, was sie vielleicht gegen Coltranes Berufung tun konnten.

Vom Hospital her näherte sich Doortje VanStout. Gewöhnlich hätte Kevin sich gefreut, sie zu sehen. Ihr anhaltendes Schweigen auf seinen Antrag zerrte zwar an seinen Nerven, aber ihr Anblick ließ sein Herz immer wieder höherschlagen. Heute jedoch schien etwas nicht zu stimmen. Doortje bewegte sich hölzern, ihr Gesicht war leichenblass und völlig regungslos. Ihr Körper schien verkrampft – und sie hielt etwas in der geballten Faust. Kevin konnte nicht erkennen, um was es sich handelte. Aber er konnte sich jetzt auch nicht darum kümmern. Colin Coltrane wandte sich eben grinsend Vincent zu, der sich instinktiv beschützend vor Roberta schob.

»Noch ein alter Bekannter! Wer hätte das gedacht, unser Tierarzt! All unsere Feingeister auf einem Haufen. Fehlt nur dieser Bure … wie hieß er noch?«

Kevin sah erschrocken, dass Doortje Colin Coltrane anstarrte. Sie fuhr zusammen, als sie seine Stimme hörte, aber dann beschleunigte sie ihre Schritte.

Roberta, die Doortje von der Seite sah, schrie entsetzt auf, als sie das Messer in der Hand der jungen Burin erspähte. Coltrane stutzte irritiert. In diesem Augenblick erkannte Kevin Doortjes Absicht und stürzte vor, aber es war zu spät. Doortje VanStout stieß Colin Coltrane mit all der Kraft, die sie besaß, ihr Messer in den Rücken. Die Schneide prallte an seinem Schulterblatt ab, Doortje hielt das Messer jedoch immer noch in der Hand. Coltrane warf sich alarmiert herum und griff nach dem Armeerevolver an seinem Gürtel.

Als Doortje erneut das blutige Messer hob, reagierte Kevin instinktiv. Er konnte Coltrane hindern oder Doortje. Aber wenn er Doortje zu Fall brachte, würde Coltrane den Revolver ziehen und die Angreiferin erschießen. Kevin konnte das nicht riskieren. Er stürzte sich auf Coltrane, umfasste von hinten dessen Arme und zog sie ihm hinter den Rücken. Er hatte nicht beabsichtigt, dass er Doortje damit Coltranes ungeschützte Brust bot.

Doortje stieß ohne Zögern zu.

»Das ist für Johanna, du Schwein!«, rief sie und zog das Messer aus der Wunde. Coltrane keuchte. Doortje rammte ihm die Schneide erneut zwischen die Rippen. »Und das ist für mich! Und für mein Kind! Und für …«

Vincent und Roberta standen wie erstarrt da, erst als Doortje das Messer zum dritten Mal in Colin Coltranes Brust stoßen wollte, rannte der Tierarzt auf sie zu und hielt sie zurück.

»Doortje … um Himmels willen, Doortje!«

Doortje ließ das Messer fallen, als sie sah, dass Colin Coltranes Körper nur noch schlaff in Kevins Armen hing. Kevin starrte sie fassungslos an.

»Er ... er war es ...«, flüsterte Doortje. »Er und ... seine Leute. Sie hatten Johanna und haben sie ... haben sie ... Und er ... er hatte mich.«

Sie brach in Schluchzen aus, drückte die blutigen Hände auf ihren Bauch. Kevin ließ Coltrane achtlos zu Boden sinken, ging zu Doortje und nahm sie in den Arm.

Vincent kniete neben Coltranes Körper nieder und suchte nach dem Puls. »Er ist tot«, sagte er.

Doortjes Angriff musste die Lunge perforiert haben, und der zweite Stich hatte das Herz gefunden.

Roberta sah um sich. Der Platz war verwaist. »Was machen wir jetzt?«, fragte sie.

Vincent sah sie verständnislos an. »Da kann man nichts mehr machen«, meinte er. »Ich sag doch ...«

Doortje und Kevin standen reglos da. Keiner von beiden machte Anstalten, irgendetwas zu tun.

Roberta fühlte kurz einen Anflug des alten Schmerzes, als sie Kevin mit der anderen sah. Einen Herzschlag lang meldete sich ein hässlicher Gedanke: Wenn jetzt alles seinen korrekten Gang nähme, würde Kevin Doortje VanStout nie wiedersehen. Oder höchstens bei einer Verhandlung wegen Mordes. Danach würde man sie hängen – und der Weg für Roberta wäre wieder mal frei.

Aber dann rief sie sich zur Ordnung. Sie konnte Doortje keiner aussichtslosen Beziehung opfern. Und Kevin – auch er war bedroht. Roberta Fence erinnerte sich an die Liebe, die sie Kevin immer entgegengebracht hatte. Sie beschloss, den Mann zu retten, der sie niemals bemerkt hatte. Entschlossen stieß sie Vincent an.

»Vincent, sie hat ihn ermordet! Wenn das rauskommt, ist das ihr Todesurteil! Und Kevin ... Himmel, er hat ihn für sie festgehalten! Das ist … Beihilfe oder wie man das nennt. Hoffentlich hat es keiner gesehen.«

»Wir haben es gesehen«, murmelte Vincent. »Aber du hast doch gehört. Coltrane hat sie … er war es, der sie vergewaltigt hat. Und seine Leute hat er auf ihre Schwester gehetzt …«

Roberta hob die Hände, als wollte sie ihn schütteln. »Dann hätte sie ihn anzeigen müssen. Aber sie durfte ihn nicht abstechen wie … wie ein Schwein. Wenn wir jetzt nichts tun, wird man sie zur Verantwortung ziehen.«

»Hier, nehmen Decke …« Nandés schüchterne Stimme unterbrach Robertas verzweifelten Versuch, Vincent aus seiner Lethargie zu reißen. »Reintun Mann in Decke. Haus?« Das schwarze Mädchen wies auf das Verwaltungsgebäude.

Roberta nickte erleichtert. Nandé hatte den Mord offenbar auch gesehen, aber sie schien noch in der Lage zu denken. Womöglich konnte sie ihnen helfen. Und sicher konnten sie ihr vertrauen.

»Mach, Vincent! Schnell, bevor jemand kommt«, forderte Roberta den Tierarzt auf, der immer noch wie unter Schock auf den Toten starrte. »Wickel den Kerl in die Decke. Und du hilf ihm, Nandé. Bringt ihn in …«

»In Stall«, regte Nandé an.

In dem Schuppen, in dem sie sich so gern eingerichtet hätte, gab es nichts als ein paar Kehrwerkzeuge und Gerümpel, kein Mensch würde die Leiche dort zufällig finden.

»Und du, Kevin, bring Doortje ins Haus!«

Roberta war die Einzige, die einen klaren Gedanken fassen konnte. Nandés Hilfe gab ihr Kraft. Es musste alles ganz schnell gehen. Jetzt, um die heißeste Zeit des Tages, hielt sich niemand auf dem Platz zwischen den Wirtschaftsgebäuden auf. Die Frauen lagen im Schatten ihrer Zelte, im Hospital kümmerte man sich wahrscheinlich um das Mittagessen. Aber bald würde es mit dieser Ruhe vorbei sein. Dr. Greenway war am

Morgen zur Visite ins schwarze Lager geritten, er musste jeden Moment zurückkehren. Und am Nachmittag kamen Leute zur Sprechstunde.

Vincent raffte sich jetzt auf zu handeln. Er wickelte die Leiche in die Decke und warf sie sich beherzt über die Schulter. Der junge Tierarzt war stärker, als Roberta geglaubt hatte, Nandés Hilfe brauchte er nicht. Aber das schwarze Mädchen sah auch schon eine weitere Möglichkeit, sich nützlich zu machen.

»Ich das mache weg …«

Sie wies auf die Blutlache am Boden. Roberta schwirrte der Kopf. Wie entfernte man Blut von einem sandigen Platz?

Roberta nickte Nandé zu. »Sehr gut, Nandé. Sieh zu, was du machen kannst. Und ich gehe ins Hospital und sehe nach, ob es weitere Zeugen gibt. Ich glaube es zwar nicht, die Frauen wären rausgekommen, aber man weiß nie. Gerade bei diesen Burinnen. Im Notfall müssen wir ihnen erklären, was er getan hat. Dann würden sie dichthalten.«

»Dichthalten?«, fragte Kevin benommen.

Roberta stöhnte. »Kevin, fass dich endlich. Es gibt hier nur zwei Möglichkeiten: Entweder wir alle schweigen über das, was hier geschehen ist, oder deine Liebste geht ins Gefängnis und du auch. Also, willst du das? Und jetzt bring sie ins Haus!«

Robertas Inspektion des Krankenhauses fiel zu ihrer Zufriedenheit aus. Niemand befand sich im vorderen Bereich, und der erste Krankensaal war zurzeit auch frei. Antje Vooren, die im zweiten Saal Essen verteilte, fragte nach Doortje.

»Die war seltsam eben. Rannte rein und brachte die Kartoffeln für den Eintopf, aber sie waren noch gar nicht alle geschält. Sie sagte so was wie ›kann nicht‹ und lief wieder raus. Ist ihr schlecht geworden?«

Roberta wollte verneinen, überlegte es sich dann aber anders.

»Ja, sie musste sich übergeben. Und war dann ganz schwach, Dr. Drury kümmert sich um sie …«

Antje Vooren zeigte ein wissendes, jedoch nicht sehr freundliches Lächeln. Es war nicht unbemerkt geblieben, wie Kevin sich um Doortje bemühte. Die Frauen argwöhnten inzwischen, dass er der Vater ihres Kindes war.

»Und ich wollte nur fragen, ob ich … ob ich vielleicht helfen kann …« Roberta hoffte auf ein Nein und atmete auf, als Mevrouw Vooren wirklich den Kopf schüttelte.

»Lassen Sie mal, wir kommen zurecht.« Neben Antje Vooren kümmerten sich noch zwei weitere burische Schwesternhelferinnen um die wenigen Patienten, aber auch die schienen nichts mitbekommen zu haben. Sie wurden in abgetrennten Räumen versorgt. »Dr. Greenway ist ja auch noch nicht da … und später … na ja, wenn Sie jetzt da sind, wird ja bald auch Schwester Jenny zurückkommen. Die kann uns hier helfen, bevor sie wieder zu ihren Kaffern geht …«

Roberta durchfuhr bei dem Gedanken an ihre Freundin ein weiterer Schrecken. Natürlich, Jenny war mit auf der Safari gewesen und musste auch gleich eintreffen. Nun würde bestimmt auch sie schweigen. Aber jeder Mitwisser machte die Sache gefährlicher.

»Dann gehe ich mal«, beschied sie die Burinnen, »und schaue nach Miss VanStout.«

Sie hörte Gekicher hinter sich und Anspielungen auf Afrikaans. Anscheinend waren die Frauen der Meinung, Doortje befände sich bei Kevin in besten Händen …

Roberta registrierte überrascht und erfreut, dass der Blutfleck auf dem Platz nicht mehr zu sehen war. Nandé verstreute eben Sand über der Fläche.

»Wird niemand sehen, Baas … Miss …« Nandé erinnerte sich daran, dass weder die Krankenschwestern noch die junge Lehrerin mit dem unterwürfigen Baas angesprochen werden wollten. »Ich gemacht ganz oft auf Farm, wenn geschlachtet Schwein …«

Roberta nickte ihr zu. Dann ging sie zum Haus hinüber. Ihre Hand krampfte sich um das Stoffpferdchen, das sie wie immer in ihrer Rocktasche trug.

Im Büro sprach Vincent heftig auf Kevin ein. Doortje saß zusammengesunken in dem Lehnstuhl vor dem Kamin, Kevin kniete vor ihr und wollte nicht aufhören, ihre zitternden, blutverschmierten Hände zu streicheln. Sie müssen sich waschen, fuhr es Roberta durch den Kopf, und die Kleidung wechseln. Kevins Hemd war ebenso blutbefleckt wie Doortjes Schürze.

»Natürlich war das keine Notwehr, Kevin, setz doch deinen Verstand ein!« Vincent lief zu dem Schrank, in dem der Whiskey stand. Wahrscheinlich hoffte er, Kevins Lebensgeister damit wieder wecken zu können. »Sie hat ihn kaltblütig getötet, da kommt sie nicht unbeschadet raus. Und du auch nicht, wenn wir alles so erzählen, wie es gewesen ist. Also müssen wir uns etwas anderes ausdenken. Einen Kampf oder Ähnliches. Denk nach, Kevin! Wie kann es gewesen sein?«

Er nahm die Flasche heraus und füllte Gläser. Für sich, für Kevin und für die Frauen. Kevin versuchte, Doortje einen Schluck einzuflößen.

Roberta nahm ihr Glas und dachte krampfhaft nach. Eine gemeinsame bessere Erklärung für Coltranes Tod war eine gute Idee. Aber ein Kampf? Wer sollte da gekämpft haben? Und nichts erklärte die Wunde in Coltranes Rücken.

»Und wenn …«, sagte sie leise, »… wenn der Kerl einfach nie hier angekommen wäre?«

Vincent steuerte den lagereigenen Leiterwagen am helllichten Tag aus dem Lager. Wie erwartet war das Tor nicht bewacht. Seit die Frauen offiziell frei waren, stellte sich niemand mehr in das staubige Torhäuschen. Der Tierarzt hatte Robertas Lucie vor den Wagen gespannt, und Roberta ritt Coltranes feurigen

Rappen nebenher. Sie fürchtete sich darauf zu Tode, und von Nahem würde auch niemand glauben, dass es sich bei dem lebhaften Wallach um Vincents brave Stute Colleen handelte. Aber allzu nah gedachten die beiden niemandem zu kommen. Und falls sie jemand von Weitem sah – ein schwarzes Pferd war ein schwarzes Pferd. Niemand würde etwas argwöhnen. Coltranes Leiche lag unter etlichen Säcken auf der Ladefläche, nach wie vor in die Decke gewickelt, um keine Blutflecke zu hinterlassen.

»Warum vergraben wir ihn denn nicht einfach auf unserem Friedhof?«, hatte Kevin gefragt, nachdem Roberta ihren komplizierten Plan entwickelt hatte. »Es ist doch gefährlich, wenn ihr damit noch meilenweit über Land fahrt.«

Nach dem zweiten Whiskey war Kevin fähig gewesen, an der Diskussion über ein weiteres Vorgehen teilzunehmen. Der Schock klang langsam ab, und er wurde sich klar über die Konsequenzen. Wenn Coltranes Leiche im Lager gefunden wurde und es zu einer Untersuchung der Tat kam, würde irgendjemand dafür vor Gericht stehen. Kevin dachte zunächst daran, es selbst auf sich zu nehmen, aber wenn er ins Gefängnis musste, wäre Doortje wieder ungeschützt, auf sich allein gestellt mit ihrem Kind. Nein, die einzige Lösung bestand darin, Coltranes Leiche und sein Pferd verschwinden zu lassen – und standhaft zu leugnen, dass er je im Lager aufgetaucht war.

Das war allerdings nicht so einfach.

»Wir hatten seit einer Woche keine Todesfälle«, hatte Roberta angemerkt. »Wenn wir jetzt ein frisches Grab ausheben – was willst du Greenway erzählen? Und falls dieser Coltrane jemandem erzählt hat, dass er herkommen wollte, wird man ihn hier auch suchen. Und mit ein bisschen Pech weiß jemand, dass ihr beide nicht die besten Freunde wart, und forscht weiter nach. Nein, nein, er muss ganz weg von hier. Weit weg.«

Kevin nippte ein weiteres Mal an seinem Whiskey. »Aber wo wollt ihr ihn hinschaffen? In irgendeine Seitenstraße von Karenstad? Kneipenschlägerei?«

Roberta kaute auf ihrer Lippe herum. »Auch nicht schlecht«, meinte sie dann. »Aber riskant. Wenn uns einer sieht … nein, nein, ich dachte …«

Vincent fiel ihr ins Wort. »… ins Veld«, sagte er. »Zu den …«

»… Löwen«, endete Roberta und warf Vincent einen verständnisvollen Blick zu.

Es war das erste Mal gewesen, dass sie einen Gedanken mit ihm teilte.

Schließlich trabte Lucie gelassen vor dem Leiterwagen aus dem Lager, gefolgt von Roberta auf Coltranes Pferd. Kevin und Dr. Greenway betreuten die Kranken im Zelt, Nandé kümmerte sich im Haus um die immer noch wie paralysiert wirkende Doortje. Der Weg, über den der schwarze Führer Roberta und Vincent noch am Morgen zurück ins Lager gebracht hatte, war leicht zu finden, aber der Wagen hielt auf, und so wurde es später Abend, bevor sie die Stelle erreichten, an der sie die Nacht zuvor verbracht hatten. Die schwarzen Boys hatten die Zelte bereits abgebaut und waren der Safarigruppe damit gefolgt. Nur die Spuren des Lagerfeuers und das niedergetretene Savannengras zeugten von der Anwesenheit der Menschen.

Roberta zitterte, als sie Vincent half, den Toten vom Wagen zu heben. Vorher hatte der Tierarzt ein Feuer an der alten Feuerstelle entzündet und improvisierte auch Fackeln, um den Wagen auf der Rückfahrt zu beleuchten. Die Tiere aus dem Busch würden Abstand halten. Sie fürchteten die Menschen und mehr noch das Feuer.

»Werden sie denn überhaupt kommen?«, fragte Roberta ängstlich. Vincent hatte die Leiche unter einem Baum abgelegt, jetzt verbrannte er die blutige Decke. »Sind Löwen überhaupt … Aasfresser?«

Vincent zuckte die Achseln. »Wenn nicht die Löwen, dann Kojoten oder Geier. Und sie werden kommen, sobald das Feuer erkaltet ist. Spätestens übermorgen wird nichts mehr übrig sein außer ein paar Knochen. Wenn die einer findet – umso besser. Hauptsache, es gibt keine Leiche mit einem Messerstich im Rücken. Und nun komm. Oder willst du noch beten?«

Roberta schüttelte den Kopf. Sie wollte nur weg. Und ihren Kopf an Vincents Schulter lehnen. Sie wusste immer noch nicht, ob sie ihn liebte, aber sie kannte ihn inzwischen besser, als sie Kevin Drury je gekannt hatte. Er mochte nicht so aufregend draufgängerisch sein wie Kevin, und er sah nicht so gut aus. Aber er war … rücksichtsvoll. Zitternd sah Roberta zu, wie er Coltranes Rappen das Zaumzeug abnahm und so an einen Busch hängte, als habe er es sich abgestreift.

»Es wäre besser, es dranzulassen, aber dann bleibt er damit womöglich irgendwo hängen. Mach's gut, Alter!« Vincent klopfte dem Pferd freundlich den Hals, hob dann aber die Arme und trieb es weg. Der Rappe setzte sich sofort in Galopp und rannte über das Veld, wie vom Teufel getrieben. »Der hat auch Angst«, meinte Vincent seufzend und ging zum Wagen. Die Fackeln daran brannten bereits, während das Feuer nur noch glühte. »Kommen Sie, Miss … Komm, Roberta!« Roberta erkletterte den Bock. Sie wehrte sich nicht, als Vincent den Arm um sie legte. »Wo hast du denn eigentlich deinen Glücksbringer?«, fragte er interessiert, um das angespannte Schweigen zu brechen, das während der Rückfahrt durch die Dunkelheit zwischen ihnen herrschte. »Das Stoffpferdchen. Heute hätten wir es gebraucht.«

Roberta schüttelte den Kopf. »Nein, das … das hätten wir nicht. Es … es bringt mir nicht so viel Glück, weißt du. Jedenfalls nicht das, was ich .. was ich mir gewünscht hatte.«

Vincent beugte sich zu ihr hinüber und musste an sich halten, ihr Haar nicht zu küssen.

»Nicht alle erfüllten Wünsche machen uns glücklich«, flüsterte er. »Hast du es ... von einem Mann? Warst du ... warst du ihm versprochen? Und fällt es dir deshalb so schwer, etwas anderes ... etwas Neues ... kannst du mich deshalb nicht lieben?« Die letzten Worte brachen fast gegen seinen Willen aus ihm heraus.

Roberta schüttelte den Kopf. »Er ... er hat mir nie etwas versprochen«, sagte sie leise. »Es war ... es war nur eine Art ... Traum ...«

Vincent zog sie näher an sich. »Dann könntest du es auch wegwerfen«, regte er an.

Roberta nickte. »Das könnte ich«, flüsterte sie.

Bevor sie Karenstad wieder erreichten, ließ sie zu, dass Vincent sie küsste.

Aber sie warf das Stofftier nicht fort.

Colin Coltranes Pferd traf noch in der Nacht in der Kaserne in Karenstad ein, von seinem Reiter fehlte jede Spur. Ein paar Leute hatten ihn aus der Stadt reiten sehen, mit seinem vernarbten Gesicht war er ja nicht gerade unauffällig. Aber dann verlor sich die Fährte. Fragen im Gefangenenlager blieben ergebnislos, ebenso Patrouillen, die ausgesandt wurden, um die Gegend nach versprengten Burenkommandos zu durchsuchen. Schließlich erklärte man Colonel Colin Coltrane für vermisst im Einsatz. Da er keine Heimatadresse angegeben hatte, wurde in Neuseeland niemand davon in Kenntnis gesetzt.

Kevin Drury und Dorothea VanStout heirateten einen Tag nach dem offiziellen Friedensschluss in einer Kirche bei Pretoria. Doortje hatte sich eine Trauung nach dem Ritus der Niederländischen Kirche gewünscht, aber die Zeremonie enttäuschte sie. Der Priester hielt sie kurz und unpersönlich, seine Gemeinde verließ die Kirche, als sie der Nationalität des Bräutigams gewahr wurde. So wohnten nur Vincent und Roberta, Dr. Greenway, Jenny, Daisy und Cornelis der Trauung bei, außerdem erschienen Stabsarzt Dr. Barrister und Dr. Preston Tracy.

»Donnerwetter, dass ich das noch erlebe!« Dr. Barrister lachte. »Sie haben's ja immer gesagt, Tracy, dass unsere eiserne Lady eine Schwäche für Drury hat – umgekehrt war's auch für mich nicht zu übersehen. Aber dass sich da mal so was draus ergibt ...« Er wies wohlwollend lächelnd auf Doortjes inzwischen etwas deutlicher angeschwollenen Leib.

»In Dunedin wäre es schöner gewesen«, meinte Kevin bedauernd, als er Doortje schließlich in ein Hotelzimmer führte. Die junge Frau war blass und wirkte angestrengt. Es war leicht gewesen, sich früh von der kleinen Hochzeitsgesellschaft loszueisen. »Aber wir können die Feier ja nachholen ...«

»Wer sagt, dass es schön sein muss?«, fragte Doortje mit zusammengebissenen Zähnen. »Und ... was willst du, dass ich jetzt tue?«

Kevin seufzte. Doortjes Anschmiegsamkeit nach Coltranes Tod hatte sich als Intermezzo erwiesen. Sie hatte ihm zwar gleich am nächsten Tag endgültig ihr Jawort gegeben, aber danach hielt sie wieder Abstand und sprach nur das Nötigste. Auch die Trauungszeremonie hatte sie in stoischer Ruhe über sich ergehen lassen und darauf bestanden, ein schwarzes Kleid zu tragen. Die weiße Haube sowie Spitzenkragen und Manschetten lockerten es zwar etwas auf, aber von einer fröhlichen Braut war sie weit entfernt.

»Du musst gar nichts tun«, sagte Kevin müde. »Nur schlafen. Der Tag war anstrengend. Und morgen fahren wir nach Durban. In zwei Tagen geht unser Schiff.«

In den nächsten Tagen sollten alle aufbrechen. Vincent Taylor kehrte mit einem Truppentransporter heim nach Neuseeland. Er würde mit Roberta Kontakt halten und war überglücklich, als sie ihm erlaubte, sie zum Abschied zu küssen. Daisy und Cornelis gingen nach Durban, wo Daisy sich freier fühlte als in Pretoria. Dr. Greenway und Jenny begleiteten die Repatriierung der Frauen von Karenstad in die Gegend um Wepener.

Kevin, der den Dienst bei der Army ja schon lange quittiert hatte, hatte für sich und Doortje eine private Passage nach Australien und dann nach Dunedin gebucht. Roberta schloss sich den beiden an. Emily Hobhouse' Stiftung entließ sie freundlicherweise aus ihrem Vertrag, und sie teilte nun bereitwillig eine Kabine mit Nandé, deren Mitnahme sich Doortje von Kevin erbeten hatte.

»Sie gehört ja zur Familie«, sagte sie steif. »In gewisser Weise. Ich bin für sie verantwortlich.«

Kevin nahm das als Zeichen dafür, dass Doortje ihr Schwarz-Weiß-Denken langsam abbaute. Roberta spürte jedoch ihren Unmut, als Nandé schüchtern hinter ihnen an Bord ging, wobei ihr ein Steward das spärliche Gepäck nachtrug, genau wie den weißen Passagieren.

»Wenn's nach Doortje ginge, würde man Nandé bestenfalls im Frachtraum unterbringen«, wisperte Roberta Daisy zu, die sie an Bord begleitete. »Und die Reederei ist auch nicht begeistert von der schwarzen Passagierin, obwohl es ein australisches Schiff ist und alle sich ganz aufgeschlossen geben. Man hat mir schon nahegelegt, sie zu den Mahlzeiten doch möglichst in unserer Kabine zu lassen, um die Gefühle der afrikanischen Mitreisenden nicht zu verletzen. Als ob sie ein Möbelstück wäre! Aber da spiele ich nur begrenzt mit. Wir können meinetwegen in unserer Kabine essen, aber die ganze Reise lang einsperren lassen wir uns nicht. Und ich werde Nandé unterrichten! Wenn wir zu Hause ankommen, wird sie lesen und schreiben können und besser Englisch als Afrikaans!«

Letzteres war nicht schwierig. Die Buren hatten stets darauf bestanden, dass sich ihre Dienstboten nur in gebrochenem Afrikaans verständigten.

»Du machst das schon!«

Daisy lachte und wurde gleich darauf Zeugin, wie die junge Frau lebhaft mit einem Steward verhandelte. Roberta Fence lief keiner hoffnungslosen Liebe mehr hinterher. Und sie war nicht mehr schüchtern.

»Ich werde dein Land für dich verkaufen«, sagte Cornelis zum Abschied zu Doortje. Auch er hatte die Drurys aufs Schiff begleitet. »Das Geld weise ich dir dann an.«

Doortje musterte ihn kühl.

»Gib dir keine Mühe«, sagte sie. »Du hast dein Land ja bereits verkauft.« Ihr Blick wanderte voller Verachtung von ihm zu Daisy. »Sagt man nicht so auf Englisch? Verraten und verkauft?«

Cornelis gab Kevin zum Abschied die Hand, wich aber zurück, als der ihn freundschaftlich umarmen wollte. »Viel Glück«, sagte er mit einem Seitenblick auf die jetzt stoisch zu den Drakensbergen hinaufstarrende Doortje. »Sie werden es brauchen.«

Atamarie hätte die Angelegenheit mit Richard Pearse und seinem Flug vielleicht aufgegeben. Es war zu enttäuschend gewesen, Richard Stunden um Stunden nur dasitzen zu sehen, seine ausdruckslose Stimme belanglose Dinge sagen zu hören und keine Beachtung mehr zu finden, weder als Frau noch als Freundin. Professor Dobbins bestürmte sie jedoch, weiter auf Pearse einzuwirken.

»Denken Sie nicht nur an ihn, Miss Turei, sondern auch an Ihr, an unser Land! An diesen Dingen wird überall geforscht, aber nun ist es ausgerechnet einem Mann aus Neuseeland gelungen. Sie selbst hatten Anteil daran und damit auch das Volk der Maori. Sie ...«

»Die Maori betrachten Motorflug als gänzlich überflüssig«, gab Atamarie ungehalten zurück. Sie hatte eben einen Brief von Pania erhalten. Rawiris Mutter dankte für ihr Schreiben, versprach, es an Rawiri weiterzuleiten, und teilte ihr auch seine Adresse mit. Aber natürlich würde der Brief monatelang unterwegs sein. »Sie haben zwar ein gewisses Interesse an einem Gespräch mit den Göttern, aber dazu lassen sie Drachen auf, da braucht sich keiner persönlich zu bemühen.«

Dobbins lachte. »Ach, das glaube ich Ihnen nicht, denken Sie nur an die Geschichte mit dem Pa Maungaraki und dem Drachenflieger, der den Eroberern das Tor öffnete.«

Atamarie runzelte die Stirn. »Woher kennen Sie die denn?«, fragte sie.

Der Professor schmunzelte. »Von einem jungen Maori, der sich hier um einen Studienplatz bewarb. Wir hätten ihn angenommen, aber dann las er von dieser Stellung bei den Brüdern Wright und meinte, die brächten ihn vielleicht schneller zum Ziel.«

Atamarie horchte auf. Ging es um Rawiri?

»Die Brüder wer?«, fragte sie.

Es war das erste Mal, dass sie von Wilbur und Orville Wright hörte.

Jedenfalls ließ sie sich überreden und fuhr erneut nach Temuka, nur um festzustellen, dass der Flugapparat verschwunden war.

»Was ist mit ihm geschehen?«, fragte sie Shirley aufgeregt.

Die junge Frau hatte sie diesmal nicht mit einem Lächeln begrüßt, aber auch nicht gewagt, sie einfach der Farm zu verweisen. Zumal Richard sich wieder auf dem Hof zu schaffen machte und etwas gepflegter und ansprechbarer wirkte als bei ihrem letzten Besuch. Atamarie grüßte er gelassen und wie nebenbei. Shirley schien das befriedigt zur Kenntnis zu nehmen.

»Oh, es wird wieder besser mit Dick«, beschied sie Atamarie kurz. Anscheinend nahm sie an, dass die junge Frau nach ihrem Freund fragte. »Sein Vater hat ihm ins Gewissen geredet, und seit die Höllenmaschine weg ist …«

Atamarie schaute Shirley entsetzt an. »Mr. Pearse hat das Flugzeug weggeschafft? Womöglich zerstört? O Shirley! Richard! Sagt, dass das nicht wahr ist!«

Shirley verzog das Gesicht, Richard reagierte gar nicht. Atamarie ließ den Blick in hilfloser Verzweiflung über den Hof wandern. Schließlich blieb er auf Hamene haften. Der würde ihr zumindest die Wahrheit sagen.

»Hamene!«, flehte sie auf Maori. »Wo ist das Flugzeug?«

Ihr fiel fast ein Stein vom Herzen, als Hamene lächelte.

»Der Vogel …«, Hamene verwandte das Wort *aute*, das man auch mitunter für Drachen benutzte, »… steht bei uns am *marae*. Ich hab ihn mitgenommen, nachdem Mr. Peterson so begehrlich auf den Motor guckte und Richards Vater drüber nachdachte, wie viel Geld das Ding wohl bringen würde, wenn man es verkauft. Da dachte ich, ich bringe es in Sicherheit. Der Vogel ist ja … hm … sozusagen etwas Heiliges. Er ist aufgestiegen und hat … na ja, eine kleine Botschaft wird er den Göttern schon überbracht haben …«

Hamene zwinkerte Atamarie verschwörerisch zu. Atamarie hätte ihn vor Erleichterung umarmen mögen.

Inzwischen hatte sich Shirley wieder gefangen. »Du fragst nach dem Flugzeug«, erkannte sie endlich. »Richard ist dir völlig egal.«

Atamarie blitzte sie an. »Ich kann sehen, dass Richard lebt und wohlauf ist«, bemerkte sie. Richard schraubte nach wie vor an seiner Landmaschine herum, er hatte weder für die Frauen einen Blick noch für Hamene. »Aber ich musste befürchten, dass jemand seinen Traum zerstört hat. Shirley, dieser Flieger ist wichtig für ihn! Es war immer sein Traum, zu fliegen. Er redet davon, seit ich ihn kenne. Und auf einmal soll er das aufgeben? Nur weil er wieder mal in dieser dämlichen Hecke gelandet ist?«

Shirley hob stolz den Kopf.

»Dem Menschen ist es nicht gegeben, zu fliegen!«, erklärte sie. »Richard muss das einsehen. Vielleicht hat Gott ihm diese Hecke in den Weg gestellt.«

Atamarie fasste sich an die Stirn. »Die Menschen werden fliegen, Shirley! Auf jeden Fall. Und wenn Gott Richard dieses Gestrüpp in den Weg gestellt hat, dann nur, damit er drüberfliegt, aber ganz sicher nicht, um sich dahinter zu verstecken.« Sie wandte sich an Richard. »Wer sich hinter einer Hecke duckt, Richard, der muss sich nicht wundern, wenn es dunkel ist!«

Damit schwang sie sich wieder auf ihr Leihpferd und lenkte es in Richtung Maori-Dorf.

Kurz darauf fuhren Atamaries Finger sanft über die Tragflächen der Flugmaschine, die Hamene auf einem Hügel oberhalb des *marae* platziert hatte – in Startposition. Atamarie fand, dass dies ein glücklicher Zufall war. Genau wie es außerordentlich passend war, dass sie sich gerade heute das Haar aufgesteckt hatte, sodass es perfekt unter Richards Mütze passte. Und hier war sie weit genug von den Farmen der *pakeha* entfernt, niemand würde das Aufheulen des Motors hören …

Atamarie überprüfte, ob der Treibstoff noch reichte. Dann ließ sie den Motor an, rollte den Berg hinunter … und flog!

Natürlich blieb es den Dörflern in der Waitohi-Ebene nicht verborgen, dass Cranky-Dick – oder zumindest jemand, den sie dafür hielten – in den kommenden Monaten wieder flog. Atamarie hatte Glück, dass sie Richard nie darauf ansprachen. Aber vielleicht schämten sich Peterson und die anderen ja doch ein bisschen für ihre Häme nach dem letzten Flugversuch. Niemandem war entgangen, wie sehr sich Pearse anschließend zurückgezogen hatte, und natürlich war darüber getuschelt worden, ob er diesmal vielleicht endgültig durchgedreht sei. Aber er schien sich ja wenigstens wieder halbwegs gefangen zu haben. Zumindest tat er seine Arbeit auf der Farm und erschien gelegentlich bei gesellschaftlichen Anlässen, zumeist in Begleitung der reizenden jungen Shirley Hansley. An sich wunderte es niemanden, dass er gleichzeitig auch seine sonderbaren Hobbys wieder aufnahm – seine Familie und seine Nachbarn hatten das oft genug erlebt. Dick Pearse schwankte ständig zwischen Euphorie, vollständigem Rückzug und fast langweiliger Normalität – was die meisten darauf zurückführten, dass ihm sein Vater mal wieder den Kopf zurechtgesetzt hatte. Ewig hielt das jedoch nicht vor, und so wunderten sich die Dörfler kaum, dass es Richard Pearse jetzt wieder in die Wolken zog. Der einzige Unterschied zu früheren Versuchen bestand für seine Nachbarn darin, dass die Flugmaschine nicht mehr in die Ginsterhecke krachte. Nun mochte sie woanders abstürzen, neuerdings fiel der Vogelmensch, wie die Leute ihn grinsend nannten, ja eher den Maori als seinen weißen Nachbarn auf die Nerven. Aber es häuften sich Berichte, dass die Maschine wirklich flog. Weite Strecken – ein verblüffter Farmer erzählte von fast zweitausend Yards. Außerdem ließ das Biest sich offensichtlich steuern, gleich drei Erntehelfer berichteten, dass die Maschine abgedreht war, als der Pilot sie gesehen hatte.

»Will wohl nicht wieder auffallen«, meinte Peterson schulterzuckend. »Aber andererseits auch wieder typisch Cranky-Dick: Da hat er mal was, das funktioniert, aber dann hält er's geheim.«

Was einen öffentlichen Flugversuch anging, so versuchte Atamarie nach wie vor, auf Richard einzuwirken. Sie gestand sich nicht ein, dass dies ihre Ausrede war, um nach Temuka zu fahren und zu fliegen. Allerdings war sie nicht gänzlich erfolglos. Richards Zustand änderte sich allmählich, er wurde aufgeschlossener, fast schien es, als ob er aus einer Art Schlaf erwache. Zwar leugnete er seinen Erfolg nach wie vor, aber er redete doch wieder mit Atamarie und interessierte sich für ihr Studium und ihre Berichte aus Christchurch. Atamarie legte in diesem Winter erste Prüfungen ab, sie war dabei, ihr Studium in Rekordzeit zu beenden. Wenn alles glattging, würde sie noch vor Weihnachten ihren Abschluss machen.

Und dann, kurz vor ihrem Examen, als Atamarie ihr Hotelzimmer gleich für eine ganze Woche gemietet hatte, schlief Richard auch wieder mit ihr. Er machte sogar den ersten Schritt und umwarb sie heftig. Atamarie freute sich darüber und genoss die Liebesnacht.

Wenn sie allerdings ehrlich zu sich war, so hatte seine körperliche Anziehungskraft auf sie in den letzten Monaten nachgelassen. Zurzeit blühte er zwar wieder auf, aber langsam kam Atamarie zu dem Ergebnis, dass dieser Mann für sie zu schwierig war und dass er ihre Liebe nicht in dem Maße erwiderte, wie sie es erwartete. Auf die Dauer musste sie die Beziehung beenden, aber vorher wollte sie Richard noch einmal ein Geschenk machen.

Shirley war erneut verschwunden, als sie erkannte, dass Richard sich wieder Atamarie zuwandte, und Richard schien halbwegs guter Dinge zu sein. Atamarie sah keinen Grund mehr dafür, ihm ihre Fliegerei zu verheimlichen, auch wenn sie dabei ein ungutes Gefühl hatte. Vielleicht würde er wütend werden und sie endgültig hinauswerfen. Aber vielleicht brachte sie ihn auch endlich auf den richtigen Weg! Wenn er sah, dass hier nichts mehr schiefgehen konnte, würde er sich vielleicht endlich bereit erklären, der Welt seine Erfindung zu präsentieren. Atamarie sah das auch als eine Art letzte Chance für ihre Liebe an: Wenn er nach dem erfolgreichen Flug trotzdem in Temuka bleiben und den Ruhm mit einer Shirley Hansley teilen wollte, konnte sie ihm nicht helfen!

Am Morgen nach ihrer gemeinsamen Nacht lockte Atamarie ihren Freund ins Maori-Dorf.

»Ich muss dir etwas zeigen, Richard! Unbedingt, auch wenn du mir dann vielleicht böse bist. Aber du musst es sehen, und du musst es glauben, und du musst …«

»Es ist doch nicht wieder diese Maschine?«, fragte Richard ungehalten.

Atamarie gab keine Antwort. Sie lotste ihn nur entschlossen am *marae* vorbei und den Hügel hinauf, auf dem sie Tawhaki abzustellen pflegte. Den Hang hatte sie schon beim letzten Landen angesteuert und das Flugzeug dann ganz hinaufgezogen, um jetzt gleich in der richtigen Startposition zu sein.

»Komm, ich hab ein bisschen was geändert!« Atamarie zog Richard energisch zu seinem Fluggerät. Tatsächlich hatte sie die Tragflächen ein wenig gewölbt, soweit die Bambuskonstruktion das erlaubte. Außerdem hatte sie ein paar Steuerelemente weiter vorn angebracht, damit sie nicht mehr durch die Luftwirbel hinter der Tragfläche beeinträchtigt wurden. »Aber nur Kleinigkeiten«, behauptete sie. Richard sollte sich um Himmels willen nicht übergangen fühlen!

Nun beäugte er die Verbesserungen – deren Wirkung tatsächlich ziemlich groß war – misstrauisch. Atamarie hatte begeistert vermerkt, wie viel besser der Flieger dadurch in der Luft lag und wie viel genauer er sich steuern ließ. Aber sie wollte Richards Leistung auf keinen Fall herabsetzen, indem sie ihre eigenen Entwicklungen lobte. Es war sein Flugzeug, er war der Erste gewesen.

Richard kommentierte die Veränderungen nicht. Der Anblick des Fliegers schien eine Tür in ihm zu schließen.

»Ich bin nicht geflogen«, wiederholte er erneut stereotyp.

Atamarie rang um Geduld. Dann griff sie nach der Fliegermütze.

»Aber ich!«, sagte sie entschlossen. »Schau!«

Mit routinierten Bewegungen warf sie den Motor an, schwang sich rasch auf den Sitz und rollte den Hügel hinunter, bevor Richard noch irgendetwas dazu sagen konnte. Der Flugapparat hob ganz selbstverständlich ab, Atamarie hielt ihn ohne Mühe etwa fünfzehn Fuß über der Erde. Sie flog keine Kurven – der Tag war windstill, und sicher hätte sie es gekonnt, aber sie wollte auf keinen Fall vor Richard angeben. Also hielt sie das Flugzeug nur gerade und schwebte etwa achthundert Yards geradeaus. Dann landete sie sanft und ließ den Flieger ausrollen.

Richard rannte auf Atamarie zu.

»Na?«, fragte sie, wobei sich Triumph und Angst die Waage

hielten. »Du siehst, die Maschine fliegt. Und das hat sie auch getan, als du sie gesteuert hast. Du hattest bloß Pech mit dem Wind. Also ... wirst du jetzt aller Welt zeigen, was du da Wundervolles erfunden hast?«

Richard starrte sie an, aber dann brach der Bann.

»Sie fliegt! Sie fliegt!« Richard zog Atamarie in seine Arme und tanzte mit ihr um sein Flugzeug herum. »Ich hatte Recht, du hattest Recht! Der erste Motorflug, Atamie! Ich ... du ...«

»Also ... wenn ich ehrlich bin ... ich hab's schon öfter gemacht«, gestand Atamarie. »Aber wie auch immer. Laden wir jetzt Journalisten ein? Und Professor Dobbins? Führst du es ihnen endlich allen vor?«

Richard nickte und machte Atamarie in dieser Nacht zu der glücklichsten Frau dieser Erde. Hatte sie am Tag zuvor wirklich noch darüber nachgedacht, sich von ihm zu trennen? Atamarie schüttelte über sich selbst den Kopf – und Richard sprach zum ersten Mal von Heirat.

»Ohne dich wäre das nicht möglich gewesen. Du bist meine Seelenverwandte, meine zweite Hälfte. Ich möchte mit dir zusammen sein. Für immer!«

Atamarie schmiegte sich glücklich in Richards Arme. Zumindest für diesen Tag hatte sie jegliche Dunkelheit aus seinem Leben verbannt, und wenn sich nun all seine Träume vom Fliegen, vom Ruhm und von unbeschränkten Geldmitteln für seine Forschungen und Erfindungen bewahrheiteten, warum sollte er dann überhaupt noch schwermütig sein?

»Was meinst du, wann zeigen wir es ihnen?«, fragte sie, als sie am Morgen gemeinsam erwacht waren und sich noch einmal geliebt hatten. »Was wäre ein gutes Datum für den ersten Motorflug in der Geschichte?«

Richard lachte und räkelte sich. »Ich weiß nicht, sag du's mir! Vielleicht ein Datum, das sich jeder leicht merken kann. Der 1. Januar?«

Atamarie runzelte die Stirn. »Aber das sind noch so viele Wochen, Richard. Sollten wir nicht gleich …«

Richard schüttelte den Kopf. »Ich … also ein bisschen Zeit brauche ich noch … Wie wäre es mit dem 20. Dezember? Oder Weihnachten?«

Atamarie überlegte fieberhaft. »Am 20. bin ich noch in Christchurch«, sagte sie. »Du weißt doch, meine Prüfungen …« Atamarie hatte am 17. und am 19. Dezember Termine für ihre Abschlussexamen. »Also entweder noch diese Woche oder wirklich erst Weihnachten. Lass es uns gleich machen, Richard, bitte! Bevor ich in die Stadt zurückmuss.«

Richard zog sie an sich. »Du kannst es nicht erwarten, was, Atamie? Aber so hopplahopp geht es wirklich nicht. Allein die ganzen Leute, die du doch so dringend einladen willst … so schnell kommt niemand aus Auckland. Aber Weihnachten … da kann ich vorher noch ein bisschen mit der Maschine üben, bis es wirklich sicher klappt.«

Atamarie seufzte. Immer noch zögerte er. Aber andererseits musste er sich wirklich wieder mit der Maschine vertraut machen. Schließlich sollte er nicht einfach nur ein paar Yards weit fliegen, sondern einen schönen Start und eine saubere Landung hinlegen. Sie selbst hätte das gleich am nächsten Tag tun können … Sie haderte ein bisschen mit ihrem Schicksal, zwangsläufig nur die Zweite zu sein, die den Ruhm erhalten würde. Aber das war egoistisch. Dies war Richards Projekt. Er sollte die Zeit bekommen, die er brauchte.

Atamarie und Richard verbrachten noch ein paar traumhafte Tage in Temuka, auch wenn sie die geplanten Flugversuche nicht durchführen konnten. Am Tag nach Atamaries Demonstration hatte sich der Himmel verdunkelt, und es regnete anhaltend. Atamarie schlug vor, trotzdem zu fliegen, aber Richard lehnte das ab.

»Jetzt bloß nichts mehr riskieren!«, entschied er. »Nicht auszudenken, dass ich wieder eine schlechte Landung hinlege, und
das Gestänge geht womöglich kaputt. Nein, wir warten, bis es
aufklart.«

»Aber dann bin ich vielleicht schon in Christchurch«,
wandte Atamarie ein.

Richard winkte ab. »Na und?«, fragte er. »Meinst du, ohne
dich schaffe ich das nicht? Atamie, Liebste, ich habe diesen
Flieger gebaut.«

Und ich habe gelernt, ihn zu fliegen, dachte Atamarie, aber
sie schwieg. Und sicher sorgte sie sich ganz unnötig. Sie hatte
schließlich auch allein herausgefunden, wie man das Flugzeug
handhabe. Richard würde genauso viel Geschick beweisen.
Vielleicht zog er es sogar vor, sich allein mit seinem Biest vertraut zu machen. Dafür sprach auch, dass er das Fliegen selbst
an einem trüben, aber trockenen Tag ablehnte.

»Nein, nein, es fängt womöglich wieder an, wenn ich in der
Luft bin. Aber wir sollten den Vogel schon mal nach Hause
holen, oder meinst du nicht? Komm, machen wir einen Spaziergang und holen ihn vom Maori-Dorf in unsere Scheune.«

Atamarie runzelte die Stirn. »Warum das denn? Er steht
doch gut, wo er steht. Der Hügel ist ideal zum Runterrollen,
viel besser als die Straße hier. Und …« Sie biss sich auf die
Lippen, um die Hecke nicht zu erwähnen.

»Aber hier ist es viel zentraler!«, meinte Richard. »Du willst
nicht wirklich die ganze Presse vor dem *marae* antreten lassen.
Das würde auch den Maori nicht gefallen.«

Atamarie dachte im Stillen, dass dies den Maori wahrscheinlich völlig egal wäre. Aber schließlich fügte sie sich. Am
Abend vor ihrer Abreise nach Christchurch stand der Flieger
wieder im Schuppen, und Richard studierte die Änderungen,
die Atamarie vorgenommen hatte.

»Ich weiß nicht, ich hätte die Steuerelemente doch lieber

nah am Schwerpunkt«, wandte er ein, hörte Atamarie aber immerhin zu, als sie erklärte, warum sie die Regler verlegt hatte. Sie hoffte, er würde das nicht rückgängig machen, bevor er zu seinem Triumphflug abhob – aber wenn, dann konnte sie das auch nicht ändern. Schiefgehen dürfte eigentlich nichts. Ein paar Hundert Yards geradeaus hatte Richard auch schon im März geschafft, später konnte sie ihn immer noch überzeugen.

In ihrer letzten Nacht vor Atamaries Aufbruch nach Christchurch ließ Richard sie dann ohnehin alle technischen Fragen und Unstimmigkeiten vergessen. Er liebte sie bis in den frühen Morgen hinein, all seine Energie war wiedergekehrt. Atamarie konnte sich keinen aufmerksameren Liebhaber vorstellen. Sie versuchte, nicht daran zu denken, dass er auch vor seinem letzten Flugversuch vergleichbar euphorisch gewesen war. Aber nein, dies konnte kein schlechtes Zeichen sein, diesmal würde alles gut gehen.

Atamarie bestand die Prüfung am 17. Dezember 1903 mit Auszeichnung und war entsprechend sorglos, als sie zwei Tage später in die Hochschule kam. Die zwei Kommilitonen, die nach ihr an der Reihe sein würden, nutzten noch die letzten Minuten, um zu büffeln, aber Atamarie schaute lieber träumend aus dem Fenster. Gleich würde sie Professor Dobbins mit ihrer Einladung überraschen und am kommenden Tag nach Temuka fahren. Und dann waren es nur noch fünf Tage bis zu dem Weihnachtsfeiertag, der ihre Welt verändern sollte!

»Miss Turei? Atamarie?«

Atamarie schaute verwundert auf, als der Professor sie rief. Unter vier Augen hatte er sie schon mal beim Vornamen genannt – gerade wenn es um Richard und seine Erfindungen ging, die Unterhaltung also fast private Inhalte betraf. In der Öffentlichkeit hätte Dobbins allerdings nie einen Studenten so angeredet. Seine männlichen Schüler nannte er einfach beim Nachnamen, bei Atamarie setzte er ein höfliches Miss davor.

»Atamarie, wissen Sie es schon?« Der Professor trat aus seinem Zimmer. Er hielt eine Zeitung in der Hand, den *New Zealand Herald.* »Weiß Pearse es schon?«

»Was denn?«

Atamarie sah kurz auf die Wanduhr am Ende des Korridors. Noch eine Viertelstunde bis zu ihrer Prüfung.

Dobbins blickte sie forschend an. »Also nicht«, konstatierte er, als er ihr verwundertes Gesicht sah. »Kommen Sie herein, Atamarie. Sehen Sie es sich an ...«

Der Professor schob der jungen Frau einen Stuhl an den schon für die Prüfungen vorbereiteten kleinen Tisch und schlug die Zeitung vor ihr auf.

Kitty Hawk, North Carolina, USA
Zwei Brüder machen Geschichte

Am 17. Dezember dieses Jahres gelang Orville und Wilbur Wright der erste Motorflug in der Geschichte!

Die Brüder, beide vorher eher als geniale Fahrradkonstrukteure und Geschäftsleute bekannt – sie führten ihre Wright Cycle Company in nur wenigen Jahren vom kleinen Handwerksbetrieb zu einem Großunternehmen –, brachten ihren FLYER 1 auf einer speziell angelegten Piste in der Wüste North Carolinas mehrmals in die Luft, wobei Orville Wright der erste Mann unter dem Motor war, von seinem Bruder Wilbur jedoch in Bezug auf die Länge der geflogenen Strecke übertrumpft wurde. In 59 Sekunden legte er 285 Yards zurück ...

Atamarie ließ die Zeitung sinken. »Aber das ist nichts!«, flüsterte sie. »Richard hat schon beim ersten Mal ein paar hundert Yards ge... und ich ...« Sie biss sich auf die Lippen.

Professor Dobbins sah sie mitleidig an. »Das wird ihm jetzt nur niemand mehr glauben«, sagte er hart. »O verdammt, er war so nah dran. Und er hatte monatelang Zeit, es zu publizieren … Es tut mir so leid, Atamarie! Ich weiß, wie sehr Sie sich bemüht haben. Und er …«

Atamarie stand auf. Sie steckte die Zeitung geistesabwesend in die Tasche, die konnte sie später weiterlesen. Aber jetzt …

»Ich muss weg. Ich muss zu ihm. Tut mir leid, Professor Dobbins, das … das geht jetzt einfach nicht mit der Prüfung. Ich muss zu Richard. Wenn er es von jemand anderem erfährt …«

Dobbins schüttelte bekümmert den Kopf. »Er wird es wahrscheinlich schon wissen. Es steht heute in allen Zeitungen …«

Atamarie rieb sich die Stirn. »Aber so schnell kommen die Zeitungen nicht nach Temuka. Sie kennen die Gegend dort nicht, Professor. Das ist … das ist das Ende der Welt.« Sie sah auf die Standuhr im Prüfungszimmer. Jetzt hätte ihr Examen beginnen müssen …

»Wenn ich mich beeile, schaffe ich es noch zum Frühzug. Tut mir wirklich leid, ich …«

Professor Dobbins winkte ab. »Ach, lassen Sie, Sie könnten heute doch kein Prädikatsexamen mehr ablegen. Verschwinden Sie, wir machen einen neuen Termin im neuen Jahr. Und bitte, sagen Sie Richard, wie leid es mir tut, wirklich. Ich habe an ihn geglaubt, immer.«

Atamarie nickte und raffte ihre Sachen zusammen. »Wünschen Sie mir Glück, Professor«, sagte sie leise.

Atamarie nahm sich nicht einmal mehr Zeit, sich umzuziehen, sondern eilte in ihrer Prüfungskleidung zur Bahn. Sie wirkte sehr seriös in ihrem dunklen Rock, der weißen Bluse und dem braven, schwarzen Blazer. Ihr Haar war unter einem etwas keckeren schwarzen Hütchen aufgesteckt. An sich fand sie diesen Aufzug zu formell für einen Besuch auf dem Land, aber als sie dann während der Reise über das, was sie insgeheim Schadensbegrenzung nannte, nachdachte, schien ihr die Kleidung gar nicht so unpassend. Schließlich musste jemand bei der Presse vorstellig werden, auch wenn es zunächst nur das Käseblatt von Timaru sein würde. Richard musste sich und sein Flugzeug nun schnellstens der Öffentlichkeit präsentieren. Gut, er würde nicht mehr der Erste sein, der einen Motorflug gewagt hatte – zumindest würde es sich schwer beweisen lassen mit nur ein paar Dörflern als Zeugen. Aber es müsste mühelos möglich sein, zumindest den Rekord der Brüder Wright gleich zu brechen. Was waren schließlich die paar hundert Yards geradeaus mit nicht gerade übertrieben sanfter Landung im Sand gegen die zweitausend Yards, die Richards Maschine schaffte?

Und wenn Richard auch nur ein bisschen Großmut zeigte und statt seiner Atamarie fliegen ließ, dann könnte sie sogar eine elegante Kurve über seiner Farm drehen und die Maschine dann gekonnt vor den Journalisten ausrollen lassen. Überhaupt war die Idee nicht schlecht! Atamarie bekam zwar heiße Wangen bei der Vorstellung, demnächst weltweit in allen Zeitungen zu stehen, aber wenn sie als erste Motorfliegerin bekannt würde ... Teufel, sie sah besser aus als die Brüder Wright! Kein Mensch würde über Wilbur und Orville reden, wenn praktisch gleichzeitig eine Frau in die Lüfte stieg! Atamarie hätte beinahe gekichert. Ja, so könnte es gehen! Und natürlich würde sie bei jedem Interview Richards Namen erwähnen, sie würden den Ruhm einfach teilen. Wenn er sich nur darauf einließe! Wenn er nur nicht schon von irgendjemand anderem von der Sache mit den Wrights gehört und den Mut verloren hatte! Atamarie hätte den Zug gern angespornt wie ein Pferd, die Stunden vergingen quälend langsam. Und dann konnte sie in ihrem engen Prüfungsrock auch nicht reiten, sie musste also eine Chaise mieten, was die Sache weiter aufhielt.

So bog sie auch erst am späten Nachmittag in den Weg ein, der von Timaru zu Richards Farm führte. Erleichtert trieb sie das Pferd noch einmal an und fuhr im Trab auf den Hof. Von Richard war nichts zu sehen, aber sehr schnell entdeckte sie Hamene – der allerdings zu ihrer Verwunderung nicht mit irgendeiner Farmarbeit beschäftigt war, sondern einfach auf dem Hof stand und Richtung Temuka ins Leere starrte.

»Atamarie!« Der junge Maori wandte sich zu der jungen Frau um, sobald er den Wagen hörte. Sein eben noch angespannt wirkendes Gesicht drückte Erleichterung aus. »Atamarie, die Geister haben dich geschickt. Irgendetwas ist mit Richard. Vorhin kam sein Bruder vorbei und brachte dieses Papier, was die *pakeha* Zeitung nennen. Richard hat darin gelesen, und dann ... er war ganz durcheinander, er hat es zerrissen, er hat ... Miss Shirley meint, er habe geweint ...«

»Shirley?« Atamaries Frustration entlud sich in Ärger. »Was macht die denn schon wieder hier?«

Aber wahrscheinlich hatte Richards Bruder sie gleich mitgebracht. Zum Trösten sozusagen, nachdem Familie Pearse nichts Besseres zu tun gehabt hatte, als Richard sein Versagen unter die Nase zu reiben! Atamarie spürte flammende Wut in sich aufsteigen.

»Ist ja auch egal«, murmelte sie, während Hamene schon zu einer Antwort ansetzte. »Damit beschäftigen wir uns später. Jetzt muss ich erst ... wo ist Richard, Hamene? Wie geht es ihm jetzt? Was ... was macht er?«

Atamarie befürchtete, ihren Freund wieder in der Küche zu finden, blicklos starrend, diesmal auf die Zeitung mit dem Bericht über den Triumph der Brüder Wright.

Hamene wies hilflos in Richtung Temuka. »Er hat den Vogel genommen«, berichtete er dann. »Ich wollte helfen, aber er hat ihn allein aus der Scheune gezerrt, er war wie von Sinnen, ich glaube, es ist sogar was kaputtgegangen. Und dann ist er damit den Hügel rauf. Ich hab nach ihm Ausschau gehalten, als du kamst.«

Atamarie schwang sich wieder in ihre Chaise und nahm die Zügel auf. »Ich fahr ihn suchen, Hamene! Oh Gott, hoffentlich macht er keinen Unsinn!«

Sie wusste, dass es wenig Sinn machen würde, den jungen Maori danach zu fragen, wie lange Richard bereits unterwegs war. Hamene konnte die Uhr nicht lesen und der Versuch, seine Umschreibungen zu verstehen, würde sie nur Zeit kosten. Da machte sie sich besser gleich auf den Weg und trabte die Straße hoch. Vor der Ginsterhecke stand Shirley und blickte in die gleiche Richtung wie Hamene. Atamarie beachtete sie nicht. Sie musste Richard aufhalten – in einem derart aufgewühlten Zustand durfte er nicht fliegen.

Schon nach wenigen Schritten ihres Pferdes erkannte sie jedoch, dass es zu spät war. Sie hörte den Motor des Fliegers, und gleich danach sah sie die Maschine auch bereits die Straße entlangschweben. Richard hielt sie gerade und sicher nicht zu hoch über dem Boden, nachdem er sie langsam hatte aufsteigen lassen. Atamaries Herzschlag beruhigte sich. Er machte das hervorragend und sichtlich überlegt. Er war also doch nicht durchgedreht, sondern hatte wahrscheinlich die gleiche Idee gehabt wie sie. Nun wollte er den Flieger nur noch einmal testen, bevor er sich an die Presse wandte.

Aber dann verließ das Flugzeug den Straßenverlauf. Statt einfach an Richards Farm vorbeizufliegen, bog es in genau die Richtung ab, verlor an Höhe …

»O nein!«

Atamarie schrie, aber natürlich hörte Richard sie nicht. Und dies hier war auch kein Unfall. Die Maschine trudelte nicht, sie stürzte nicht ab. Der Pilot lenkte sie in seine Ginsterhecke! Die linke Tragfläche des Flugzeugs zerbarst bei dem Aufprall.

Atamarie hatte vorerst genug mit ihrem Pferd zu tun, das vor dem Riesenvogel gescheut hatte, als Richard näher kam. Allerdings beruhigte es sich schnell, nachdem der Flieger in der Hecke verschwunden war. Atamarie überließ es am grasbewachsenen Wegrand sich selbst. Wenn es weglief, hatte sie Pech gehabt. Sie musste jetzt erst mal … Was musste sie eigentlich? Atamarie wusste nicht, was sie fühlte. Etwas war in ihr gestorben, aber auch etwas anderes erwacht, als sie Richard fliegen sah. Erst als sie ihn sah, bewegungslos unter seinem Flieger hängend, offensichtlich unverletzt, aber auch nicht willens, auszusteigen, wurde ihr klar, was sie empfand: Wut, so wilde, brüllende Wut, dass sie sich beherrschen musste, um ihn nicht aus dem Sitz zu zerren und zu schütteln.

»Und? Geht's dir jetzt besser?«, brüllte sie ihn an. »Du hast den Flieger kaputt gemacht! Bevor du jetzt eine Demonstration fliegen kannst, musst du ihn reparieren, das kostet erneut Zeit! Und deine dummen Nachbarn werden wieder lachen – das bringt auch keine gute Presse, Richard, wenn sie dich Cranky-Dick nennen!«

Richard sah sie an, und sie fühlte ihr Herz endgültig erkalten.

»Ich bin nicht geflogen«, sagte er.

Atamarie spürte kein Mitleid mehr – und auch ihre gerade wieder aufgeflammte Liebe erlosch angesichts seines leeren Blickes. Das Einzige, was sie noch spürte, war Wut und den Drang, zu verletzen.

»Nein«, sagte sie böse. »Du bist nicht geflogen. Du hast den Mumm nicht, zu fliegen, Dick Pearse. Du bleibst in deiner Ginsterhecke und verkriechst dich wie ein blinder Vogel ohne Flügel! Du wirst nie den Himmel erobern, Richard! Zumindest nicht, bevor du diese Hecke nicht endlich stutzt oder rausreißt oder niederbrennst! Du wirst ...«

»Ich bin nicht geflogen ...«, wiederholte Richard.

»Du ...!« Atamarie suchte nach neuen Schmähungen, die sie ihm entgegenschleudern konnte.

»Lass ihn ...« Shirley stand auf einmal hinter dem abgestürzten Flieger. »Lass ihn in Ruhe ...«

Atamarie stachelte das jedoch nur noch an. Ohne auf Shirley zu achten, attackierte sie Richard weiter. »Ich hab dich geliebt, du ... du Memme! Ich hab dich unterstützt, dir den Motor geschenkt. Aber du ... von dir kam ja nie was zurück ... du hast immer nur genommen und genommen und genommen, du ...«

»Wolltest du für deine Liebe bezahlt werden?«, fragte Shirley spöttisch.

Atamarie blitzte nun auch sie an. »Nein! Nur respektiert! Ich wünschte, ich hätte nicht auf Waimarama gehört. Ich hätte selbst fliegen sollen, vor aller Welt!«

Shirley lachte. »Jetzt gibst du zu, was du wolltest, Atamarie«, sagte sie. »Du wolltest fliegen. Richard war dir egal.«

Atamarie warf den Kopf zurück. »Aber das stimmt nicht! Er wollte fliegen! Und ich ... gut, ich wollte es auch, aber ich wollte doch auch, dass er mich liebt ... ich ...«

»Du hast ihn immer nur geliebt, wenn es ihm gut ging«,

sagte Shirley. »Wenn es ihm schlecht ging, hast du ihn verlassen. Du dachtest nur an dich selbst!«

Atamarie warf einen Blick auf Richard, der der Auseinandersetzung zwischen den beiden Frauen nicht zu folgen schien. Er starrte weiter wie gleichgültig ins Leere.

»Ich bin nicht geflogen«, teilte er den beiden ungefragt mit.

Atamarie verdrehte die Augen.

»Dann bleibt doch beide hier und vergrabt euch auf dieser Farm!«, schleuderte sie Shirley entgegen. »Ich wünsch dir jedenfalls viel Kraft. Denn eins ist sicher: Er hat sie nicht!«

Damit ging sie, hocherhobenen Hauptes. Das Pferd war zum Glück noch da und fraß. Atamarie stieg in ihre Chaise und wendete. Sie warf einen letzten traurigen Blick auf Richards Flieger.

»Farewell, Tawhaki«, murmelte sie. »An dir lag es nicht ...«

DER ZAUBERER
VON OZ

Südinsel
Dunedin, Lawrence,
Christchurch

1903 – 1904

»Und wie stellst du dir das vor?«, fragte Michael Drury. Er war zu einer Viehauktion in der Stadt, und Kevin hatte sich mit ihm in einem Pub getroffen. »Auch und gerade was deinen Bruder angeht? Es war immer ausgemachte Sache, dass er Elizabeth Station erbt. Du wolltest es nie. Aber auf einmal änderst du deine Meinung, weil dein Burenmädchen Landluft braucht. Willst du jetzt doch Farmer werden?« Michael nahm einen tiefen Schluck aus seinem Bierglas.

Kevin schüttelte seufzend den Kopf. Die Entscheidung, mit Doortje nach Lawrence zu ziehen, war ihm ohnehin schwer genug gefallen, nun fehlte es gerade noch, dass seine Eltern sich querstellten. Immerhin ein Glücksfall, hier allein mit seinem Vater reden zu können. Lizzie hätte sich womöglich noch drastischer geäußert.

»Natürlich nicht, Vater, ich bin und bleibe Arzt, bestimmt kann ich in Lawrence praktizieren. Auf keinen Fall mache ich Patrick das Erbe streitig. Und es ist ja auch nur ... na ja, vielleicht für ein paar Jahre. Bis Doortje sich hier richtig eingelebt hat. Und Patrick wohnt doch noch gar nicht auf Elizabeth Station, er ...«

»Er hat den Posten beim Landwirtschaftsministerium gekündigt«, verriet Michael und orderte ein weiteres Starkbier. »Es geht nicht mehr mit May in Dunedin, sie wird zu groß, man kann sie nicht wechselnden Kinderfrauen überlassen. Bis zur Schafschur bleibt er noch als Berater tätig, aber dann zieht er zu uns nach Elizabeth Station. Er kann sich um die Schafe kümmern, Lizzie um das Kind – und ich widme mich dem Weinbau.« Er grinste. »Womöglich kriegen wir doch noch etwas richtig Trinkbares zustande und werden reich.«

Kevin verzog das Gesicht. Die Sache mit dem Weinbau auf Elizabeth Station würde Doortje nicht gefallen. Schließlich lehnte ihre Kirche jeden Alkoholgenuss konsequent ab. Aber auch, wenn sie da ein paar Bemerkungen machen würde – ein größeres Desaster als das gemeinsame Leben in Dunedin konnte der Aufenthalt auf der Farm seiner Eltern kaum werden.

Während Michael sich über die Chancen ausließ, dass die junge Frau sich überhaupt an Neuseeland gewöhnen würde, ließ Kevin die letzten Monate nach der Rückkehr aus Südafrika im September 1902 vor sich Revue passieren.

Die Reise war weitgehend ereignislos verlaufen – wenn man davon absah, dass sich ein paar Mitreisende über Nandés Aufenthalt auf dem Oberdeck beschwert hatten. Dabei hatte es nie Probleme gegeben, wenn sie mit Doortje zusammen war, für die sie selbstverständlich die Aufgaben einer Dienerin übernahm. Aber diese halsstarrige Roberta Fence – genauso streitbar und von ehernen Gleichheitsüberzeugungen getrieben wie ihre Mutter und Matariki – hatte darauf bestanden, mit der Schwarzen gemeinsam über das Deck zu flanieren, zu plaudern und zu lachen. Kevin selbst fand das nicht anstößig, aber man hätte doch etwas Rücksicht nehmen können! Auf jeden Fall verschärften Robertas Provokationen die angespannte Atmosphäre, die ohnehin zwischen Doortje und Kevin herrschte.

Doortjes Verhalten brachte den jungen Arzt langsam zum Wahnsinn. Er musste neben ihr schlafen – die Luxuskabine, die er gebucht hatte, bot ein Doppelbett. Aber Doortje machte keine Anstalten, auf seine anhaltende Werbung einzugehen. Wobei sie andererseits aber keinen Zweifel daran ließ, ein »gehorsames Weib« sein zu wollen. Sie hätte stillgehalten, wenn er sie gewollt hätte – und manchmal fiel es ihm verdammt schwer, sich zu beherrschen. Nun war sie inzwischen allerdings hochschwanger gewesen, was den Verzicht etwas leichter machte. Und fast unmittelbar nach der Ankunft in Dunedin war sie dann ja auch niedergekommen – verbittert und schamerfüllt, weil Kevins früherer Partner Dr. Folks sie entband und keine Hebamme. Kevin hätte ihr den Wunsch nach weiblicher Hilfe zwar gern erfüllt, aber die Wehen setzten schon am zweiten Tag in Dunedin ein, ein paar Tage zu früh, wahrscheinlich durch die Aufregungen der Schifffahrt über die am Ende stürmische Tasmansee. Beinahe hätte Kevin seine Frau noch selbst entbinden müssen, was sie zweifellos noch mehr aufgebracht hätte. Aber zum Glück war Dr. Folks verfügbar. Nach ein paar qualvollen Stunden, in denen Doortje jedoch weder schrie noch eine einzige Träne vergoss, legte er der jungen Frau ihren Sohn in die Arme.

»Er kommt nach Ihnen«, sagte er freundlich. »Schauen Sie, was für hübsches blondes Haar er hat. Wie soll er denn heißen?«

Kevin fand es äußerst peinlich, dass sich bisher weder er noch Doortje Gedanken über Namen für das Kind gemacht hatten. Er schlug schließlich Adrian vor, nach Doortjes Vater, aber das lehnte sie so vehement ab, dass Christian Folks schon äußerst verwundert guckte. Kevin rettete sich dann mit Abraham, dem ersten und einzigen Namen aus dem Alten Testament, der ihm auf die Schnelle einfiel. Man konnte den Jungen ja Abe rufen. Doortje hatte diesmal keine Einwände. Sie nahm das Kind auch pflichtbewusst an die Brust, obwohl sie es hielt wie eine Puppe und ihm kein einziges Lächeln schenkte. In der Folge versorgte sie es vorbildlich – zumindest beaufsichtigte sie Nandé vorbildlich bei seiner Versorgung. Ob Doortje ihren Sohn liebte, hatte Kevin bisher nicht herausgefunden.

Für Kevin gestaltete sich die Rückkehr nach Dunedin

zunächst ohne jede Komplikation. Die Wohnung konnte gleich bezogen werden, und Dr. Folks zeigte sich hocherfreut, den einstigen Kompagnon wieder in die Praxis aufnehmen zu können.

»Hier ist reichlich Arbeit für zwei«, erklärte er vergnügt. Offensichtlich hatte ihm auch Kevins Gesellschaft gefehlt. »Nur die Ladys mit den unwesentlichen Malaisen sind ausgeblieben, als du nicht mehr da warst. Nun ... du wirst sie zweifellos bald wieder anlocken.«

Sehr schnell hagelte es auch erneut Einladungen für den jungen Arzt – die Dunediner Gesellschaft brannte auf seine Kriegsberichte und vor allem auf seine junge Frau. Hier jedoch begannen die Schwierigkeiten. Doortjes Auftritte auf den Straßen Dunedins sorgten für einen kleinen Skandal. Kevin war entsetzt, als er sie vom ersten Einkauf in der neuen Stadt zurückkommen sah. Laura Folks, Christians Gattin, die sie freundlicherweise begleitet hatte, wirkte peinlich berührt.

»Ich habe gleich vorgeschlagen, mit ihr Kleider kaufen zu gehen, aber sie wollte nicht«, meinte sie entschuldigend zu Kevin und blickte fassungslos auf Doortje, die in ihrem adretten blauen Kleid, der weißen Schürze und der gestärkten Haube wirkte wie aus einer anderen Welt. Sie hatte sich diese Ausstattung noch in Pretoria gekauft, und Kevin hatte nichts dazu gesagt. Auf dem Schiff hatte es zwar kaum Buren aus Transvaal gegeben, aber durchaus Kap-Buren, denen diese Tracht vertraut war. Dazu war es ja ein Umstandskleid gewesen, und Kevin war davon ausgegangen, seine Frau in Dunedin zeitgemäß neu einkleiden zu können. Nun war allerdings alles schneller gegangen als geplant, Doortje hatte sich das Kleid rasch enger genäht und war nun darin unterwegs. Sie kombinierte es mit einem schwarzen Umhang, was den seltsamen Eindruck abgemindert hätte, aber unauffälliges Auftreten war schon deshalb unmöglich, weil ihr Nandé in ähnlicher Tracht folgte, den kleinen Abe im Arm. Bei ihr wäre die Aufmachung zwar als Dienstbotenuniform durchgegangen, aber ihre tiefschwarze Hautfarbe zog die Blicke auf sie und ihre Herrin. Laura Folks, die ein sehr modisches Kostüm trug, genierte sich in der Begleitung der beiden zu Tode.

Kevin sah ein, dass etwas geschehen musste. »Doortje, so kannst du hier nicht rumlaufen!«, erklärte er kategorisch. »Man trägt in Dunedin keine Schürzen und Häubchen, es sei denn, man arbeitet als Hausmädchen. Eine verheiratete Frau der besseren Gesellschaft trägt Hut und ein Kleid oder Kostüm wie … na ja, wie Mrs. Folks.« Er wies auf Lauras Robe in dezentem Dunkelblau.

Doortje schaute indigniert auf die Schleppe ihres Rocks, die aufwendige Knopfleiste ihrer langen Kostümjacke und vor allem ihre eng geschnürte Taille.

»Darin kann man doch nicht arbeiten!«, wandte sie ein. »Und … und der Hut …«

Laura trug eine mondäne Kreation mit Gesichtsschleier aus Gaze und turbanartigem Schnitt.

»Du musst ja auch nicht arbeiten«, meinte Kevin. »Du musst nur hübsch aussehen. Also bitte, Doortje …«

»Eitelkeit ist eine Sünde«, verkündete Doortje. »Mein Kleid ist noch sehr gut, es gibt keinen Grund, es auszutauschen …«

Laura blickte sie verblüfft an. »Sie … haben nur das eine, meine Liebe?«, fragte sie ungläubig.

Kevin seufzte. Zwischen diesen beiden Frauen lagen Welten, es war hoffnungslos, da vermitteln zu wollen. Dabei hätte Laura sicher gewusst, wo sich Doortje zu einem erschwinglichen Preis ordentlich und modisch hätte einkleiden können. So aber half ihm nichts, er würde Doortje dem einzigen Modehaus der Stadt überantworten müssen, bei dem geistliche Beratung mit etwas Glück inbegriffen war: Lady's Goldmine.

»Doortje, wir machen heute Abend einen Besuch«, beendete

er die fruchtlose Unterhaltung. »Bei den Burtons, das sind alte Freunde unserer Familie. Kathleen Burton führt ein Mo… ein Kleidergeschäft. Und ihr Mann ist Reverend.«

Kathleen Burton war obendrein die Mutter Colin Coltranes, aber das war in Dunedin seit Jahren nicht zur Sprache gekommen. Kevin fühlte sich also verhältnismäßig sicher, als er seine Frau und ihren exotischen Anhang in das Pfarrhaus in Caversham brachte. Genauso lange, bis Kathleen, die Doortje herzlich aufnahm, einen Blick ins Gesicht des kleinen Abe warf. Sie wurde blass, fasste sich dann aber schnell und runzelte die Stirn.

»Es kann nicht sein, Kevin, dass er Colin wie aus dem Gesicht geschnitten ist … Mein Gott, genauso sah er als Baby aus …«

Kevin erschrak und sah sich nach Doortje um, aber die sprach zum Glück gerade mit dem Reverend. Sie stand der anglikanischen Geistlichkeit natürlich mehr als kritisch gegenüber, aber Peter Burton gelang es mit seiner freundlichen, entgegenkommenden Art schnell, sie zumindest in ein einfaches Gespräch zu verwickeln.

»Das kann leider sein«, wisperte Kevin jetzt Kathleen zu. »Aber lass es um Himmels willen nicht Doortje hören. Ich komme morgen vorbei, dann können wir darüber reden.«

Kathleen sprach das Thema weisungsgemäß nicht mehr an, aber sie war doch steif und warf mitunter prüfende Blicke auf die junge Burin, die sich ebenso unzugänglich gab. Der Reverend, der Colin erst mit über zehn Jahren kennengelernt hatte, bemerkte nichts, er versuchte nur, Doortje aus ihrer Reserve zu locken. Immerhin kannte er das Alte Testament ebensogut wie das Neue und fand reichlich Belege dafür, dass Gott Musik, gutes Essen und Wein nicht verbannt hatte. Das könne man auch auf schöne Kleider beziehen, behauptete er, und schließlich willigte Doortje ein, sich von Kathleen zeitgemäß ausstatten zu lassen.

Kevin durfte dabei gar nicht an sein Bankkonto denken. Die überbescheidene Doortje würde ihn letztlich genauso teuer kommen wie die mondäne Juliet. Wozu ihm sein Bruder wieder einfiel, aber das Problem war vorerst aufgeschoben. Patrick war auf den Schaffarmen Otagos unterwegs, und Kevin hatte auch seine Tochter May noch nicht gesehen.

Am nächsten Tag suchte er dann erst einmal Kathleen und Claire in Lady's Goldmine auf und erklärte die Sache mit Colin Coltrane – natürlich in stark abgeschwächter Form. Kathleen nahm die Nachricht von der Vergewaltigung empört, die Vermisstenmeldung aber gelassen auf. Colin hatte auch vorher jahrelang nichts von sich hören lassen, und er musste schließlich nicht tot sein. Zweifellos hatte er Gründe gehabt, unterzutauchen.

»Ich bedauere das natürlich sehr für die junge Frau«, sagte Kathleen schließlich. »Ich schäme mich für meinen Sohn. Und ich habe große Hochachtung vor dir, dass du das Kind als das deine aufziehen willst. Aber es ist dir doch klar, dass es Schwierigkeiten geben wird? Gut, vor der Gesellschaft lässt sich alles erklären. Ich werde nicht jünger, in ein paar Jahren wird niemandem mehr auffallen, dass der Kleine nach mir und meinem Sohn kommt. Aber deine Frau willst du auch im Unklaren lassen? Wie erklärst du ihr die Ähnlichkeit mit Atamarie – die ist schließlich auch Colins Tochter? Und die Namensgleichheit Colins mit Heather und Chloé? Willst du sie belügen?«

Kevin zuckte die Achseln. »Atamarie ist ja erst mal fort«, murmelte er. »Sie studiert doch in Christchurch, oder?«

Kathleen verdrehte die Augen. »Sie kommt oft zu Besuch, und bis der Kleine alt genug ist, dass jeder die Ähnlichkeit sieht, hat sie ihr Studium beendet. Und dann? Du solltest deiner Doortje alles erzählen. Es ist ja schließlich kein Verbrechen, mit Colin verwandt zu sein, vielleicht hilft es ihr sogar, sich mit Matariki und Chloé auszutauschen. Colin hat schließlich allen übel mitgespielt. Und wenn sie mich hasst, weil ich seine Mutter bin, dann kann ich daran eben nichts ändern ...«

Kevin biss sich auf die Lippe. Kathleen hatte Recht, wenn die Sache mit Colin das einzige Problem zwischen ihm und Doortje gewesen wäre, hätte es sich so lösen lassen. Aber es gab ungleich mehr, das nicht in Ordnung war, und das Letzte, was er wollte, war, Doortje jetzt noch weiter zu beunruhigen. Auch noch Monate nach der Geburt war die junge Frau verschlossen und einsilbig und lehnte körperlichen Kontakt ab. Wobei Kevin natürlich einsah, dass sie nach der Geburt Ruhe bedurfte und dass ihre junge Beziehung Zeit brauchte, um sich zu entwickeln. Aber wenigstens ein Kuss ab und zu ... eine zärtliche Berührung, ein Streicheln ... Kevin sehnte sich nach einem Zeichen von Gefühlen – Gefühlen, die Doortje in Afrika sicher für ihn gehegt hatte. Er hatte sich das Aufkeimen dieser Liebe doch nicht eingebildet, ihre Anschmiegsamkeit nach Coltranes Tod, als die Spannung einmal von ihr abfiel ...

Aber jetzt war davon nichts mehr zu merken. Doortje blickte nur nervös und angespannt in die neue Welt, in die er sie entführt hatte, und in der vieles allem zuwiderlief, was sie bisher gelernt und gekannt hatte. Nandé schien sich besser zurechtzufinden als sie – sie plauderte schon ganz vergnügt mit anderen Hausmädchen und Knechten. Kevin graute vor dem Tag, an dem sie feststellte, dass all diese Leute Lohn erhielten. Ein weiterer Kostenfaktor.

»Ich denke drüber nach, Miss Kathleen«, meinte er schließlich artig. »Aber bitte, sagen Sie vorerst nichts. Sie darf Sie auf keinen Fall hassen, bevor Sie ihr beigebracht haben, wie man sich in Dunedin anzieht!«

Kathleen und Claire verkauften Doortje schließlich schlichte Reformkleider aus der letztjährigen Kollektion, was den Einkauf billiger machte. Die weiten, ohne Korsett getragenen Kleider kamen gerade wieder aus der Mode. Die sogenannte S-Linie bestimmte die Silhouette der modernen Frau. Bauch und Taille wurden eng eingeschnürt, was die Brust betonte, der Rock wurde glockenförmig geschnitten und lief in einer Schleppe aus. Das Ganze war höchst unbequem und würde Doortje den Einstieg in das Stadtleben nur unnötig erschweren. In den weit fallenden Empirekleidern, die in der letzten Saison auch orientalisch angehaucht gewesen waren, sah Doortje Drury dagegen hinreißend aus. Kathleen und Claire rieten ihr auch zu einer neuen Frisur – es ging auf keinen Fall, die Haare nur zu Zöpfen zu flechten und sie um den Kopf herum festzustecken – und suchten drei Hüte für sie aus. Doortje war von ihrem Anblick im Spiegel hin- und hergerissen. Sie musste erkennen, dass sie eine schöne Frau war. Aber mit den Burinnen in ihrer Heimat hatte sie keine Ähnlichkeit mehr.

Kathleen ahnte, dass es weitere Probleme bei ihrer Einführung in die Dunediner Gesellschaft geben würde. Das wurde spätestens klar, als Claire Doortje nach dem Einkauf zum Tee bat. Doortje Drury hatte nicht die leiseste Ahnung davon, wie man geziert eine Teetasse zwischen Daumen und Zeigefinger balancierte, Teegebäck verhalten knabberte und höflich Konversation machte. Nun ließ sich das alles erlernen, auch Kathleen selbst hatte hart an sich arbeiten müssen. Aber sie war langsam in das Leben der besseren Gesellschaft hineingewachsen, und obendrein war ihr die stilsichere Claire zur Seite gestanden. Zudem hatte das Dunedin ihrer Jugend wenig gemein mit der quirligen, modernen Stadt von heute – unter den puritanischen Stadtgründern wäre Doortje kaum aufgefallen. Die Church of Scotland hatte mit der Niederländischen Kirche sehr viel gemeinsam. Nun aber wurde die junge Frau in ein Leben hineingeworfen, auf das nichts sie vorbereitet hatte, und ihr fehlte auch jede Begeisterung dafür, was die Anpassung erleichtert hätte. In der Folge blamierte sich Doortje bei offiziellen Dinners, indem sie die Besteckfolge verwechselte, und sorgte für eine Stimmung zwischen Eklat und Erheiterung, als sie bei einem Empfang der Dunloes den Champagner ablehnte und stattdessen Milch verlangte.

»Wie Ohm Krüger an der Tafel des deutschen Kaisers«, wusste Sean Coltrane.

Er meinte es nicht böse, aber die Bemerkung machte bald die Runde, und alle Gäste sahen in der jungen Frau nicht mehr die etwas exotische, aber doch hinreißend schöne Frau des Dr. Drury, sondern die möglicherweise feindlich gesinnte Burin.

Doortje verließ entsetzt und knallrot eine Ausstellung in Heathers und Chloés Galerie, die Aktzeichnungen zeigte, und sprach bei einem Kammerkonzert dazwischen, weil sie sich langweilte und den Unterschied zur Hintergrundmusik bei Empfängen nicht erkannte. Schließlich wagte Kevin nicht mehr, sie irgendwohin mitzunehmen, und Doortje überspielte die Scham über ihre mangelnde Bildung mit Ruppigkeit. Sie tat, als lehne sie alle Kulturangebote ab, weil sie englisch waren, holte ihre burische Kleidung hervor und sprach Niederländisch mit Abe. Englische Bücher, die ihr hätten helfen können, sich zurechtzufinden, rührte sie nicht mehr an. Kevin fragte sich, wo das Mädchen war, das einst heimlich Shakespeare gelesen und genossen hatte. Doortje war nur noch unwillig und verstockt.

Jetzt also, einige Monate nach all diesen Geschehnissen, wusste Kevin sich schließlich nicht mehr zu helfen. Er musste das Versprechen wahr machen, das er Doortje in Afrika gegeben hatte: ein Leben auf einer Farm, wie sie es gewohnt war.

Leider erwiesen sich Michael und Lizzie alles andere als begeistert von der Einquartierung. Und die Sache mit Patrick schien obendrein schwieriger zu sein, als Kevin gedacht hatte.

»Doortje braucht einfach etwas länger zur Eingewöhnung«, beschied er jetzt seinen Vater. »Das hier ist zu viel für sie. Herrgott, kannst nicht gerade du sie verstehen? Du stöhnst doch immer herum, wie steif hier alles ist, und wie sehr du es hasst, beim Essen die Gabeln sortieren zu müssen.«

Das stimmte. Michael kam wie Kathleen aus einfachen Verhältnissen, hatte sich in Neuseeland als Walfänger, Whiskeybrenner und Goldgräber durchgeschlagen, bis er durch das Gold der Maori und die damit finanzierte Schaffarm zu Wohlstand gelangte. In der Gesellschaft der Honoratioren von Dunedin fühlte er sich bis heute eher unwohl.

Kevins Vater war denn auch nicht beleidigt. »Eben«, bemerkte er und nahm einen großen Schluck Bier. »Ich hab mich da nie dran gewöhnt. Was bestärkt dich in der Vermutung, dass sie es tut?«

In gleichmäßig flottem Tempo umrundete die Stute Rose's Trotting Diamond die Rennbahn in Addington bei Christchurch. Rosie Paisley saß im Sulky, hielt leichten Zügelkontakt und fühlte sich glücklich wie immer, wenn sie einen Traber um die Bahn lenkte. Sie hatte dieses Gefühl vermisst in all den Jahren, in denen sie für Chloé und Heather Coltrane arbeitete – und so sehr sie Chloé, ihre Retterin und ihr Idol aus Kindertagen, liebte: Mit dem wunderbaren Gefühl, über die Rennbahn zu fliegen, ließ sich der Job als Hausmädchen einfach nicht vergleichen! Rosie mochte auch ihre neue Arbeit als Pferdepflegerin im Rennstall von Lord Barrington. Wenn die Pferde morgens wieherten, wenn sie hereinkam, und ihr Futter verlangten, ging ihr das Herz auf. Sie liebte jedes einzelne der ihr anvertrauten Tiere.

An diesem Tag hatte sie sich jedoch für den Nachmittag freigenommen und war stolz darauf, dass sie sich dazu überwunden hatte, den Stallmeister anzusprechen und um ein paar freie Stunden zu bitten. Rosie hatte als kleines Kind jahrelang geschwiegen, nachdem sie furchtbare Szenen zwischen ihrer Schwester Violet und deren Ehemann Eric Fence hatte mitansehen müssen, und auch heute noch sprach sie lieber mit den Pferden, als das Wort an einen Menschen zu richten. Zudem war Lord Barringtons Stallmeister ganz schön streng ... Aber Rosies Anfrage hatte er wohlwollend aufgenommen. Schließlich hatte sie in den letzten Monaten nie um irgendetwas gebeten. Sie hatte nie gefehlt und war nie zu spät gekommen. Rosie wusste, dass sie zuverlässig war, aber als einziges Mädchen im Stall musste sie auch mehr leisten, um anerkannt zu werden.

Zum Glück fiel ihr das nicht schwer. Rosie konnte auch schwere Stallarbeit mühelos leisten, sie war kräftig gebaut, nicht so grazil wie ihre Schwester Violet und ihre Nichte Roberta. Allerdings war sie auch nicht so schön. Mit ihrem dunkelblonden Haar, ihrem herzförmigen Gesicht und den großen hellblauen Augen war sie bestenfalls hübsch zu nennen. Den meisten Männern fiel sie gar nicht erst auf. Rosie war das allerdings recht. Sie hatte Violets grauenhafte Ehe von Anfang bis Ende mitbekommen. Das Letzte, wonach sie sich sehnte, war ein Mann.

Rosie sah auf die große Uhr über dem Totalisator. Ein bisschen Zeit hatte sie noch, aber dann musste sie Diamond in den Stall bringen und zum Zug gehen, um ihre Nichte Roberta abzuholen. Oder sollte sie Diamond rasch umspannen und Robbie mit einer Fahrt hinter einem leibhaftigen Rennpferd überraschen? Rosie selbst hätte der Gedanke gefallen, aber in Bezug auf Roberta verwarf sie ihn rasch. Robbie hatte immer eher Angst vor Pferden gehabt. Dabei hatten die Tiere ihr nie etwas getan. Eric Fence war gefährlich gewesen – und natürlich auch Colin Coltrane. Aber nicht die Pferde, Pferde waren gut.

Rosie ließ Diamond an der langen Seite der Rennbahn beschleunigen. Am Wochenende würde sie ihr erstes Rennen laufen, und Rosie konnte es kaum erwarten. Nur schade, dass sie ihr Pferd bislang nie im direkten Vergleich zu anderen Trabern gesehen hatte. Und es war auch etwas riskant, Diamond in einem Rennen zu starten, ohne sie jemals im Training neben anderen Pferden vor dem Sulky laufen zu lassen. Aber Rosie konnte es nicht ändern. Sie ging den Trainern der Trabrennställe aus dem Weg. Sowohl dem alten Brown, der ihr durch seine polterige Art Angst machte, als auch Joe Fence, ihrem

Neffen. Nach wie vor ließ Joes Anblick sie geradezu in Panik ausbrechen. Er sah seinem Vater derart ähnlich, dass sie Eric Fence auferstanden wähnte. Allerdings war er ganz klar der bessere Rennfahrer. Niemals würde Joe eine solche Unachtsamkeit widerfahren wie damals seinem Vater.

Rosie atmete tief durch und schnalzte Diamond zu. Sie fühlte sich nicht schuldig an Eric Fence' tödlichem Unfall. Sicher, er hatte ihr damals befohlen, das Pferd für ihn anzuspannen, und Rosie hatte es nicht korrekt gemacht. Aber ein guter Fahrer kontrollierte vor dem Start den Sitz des Geschirrs, wie ein guter Reiter den Sattelgurt kontrollierte. Eric Fence hatte darauf verzichtet, er war ja noch halb betrunken gewesen von der Nacht zuvor. Also war es sein eigener Fehler!

Dennoch scheute Rosie sich nach wie vor, ihrem Neffen Joe vor die Augen zu treten. Damals hatte sie es nicht gemerkt, aber Joe war Zeuge ihres Tuns gewesen und hatte sie später des Mordes beschuldigt. Natürlich hatte ihm niemand geglaubt. Aber wenn er Rosie ansah, erkannte sie heute noch den alten Hass in seinen wässrigen Augen.

Noch eine Runde? So langsam musste sie abspannen, aber gerade eben führte Joe Fence einen prächtigen Rapphengst vor dem Sulky in Richtung Rennbahn. Dem untersetzten Trainer folgte ein großer, kräftiger Mann mit rotblonden Haaren. Rosie hatte ihn noch nie gesehen, hatte aber auch nur einen kurzen Blick auf ihn werfen können, Diamond war zu rasch an den beiden vorbei. Rosie hoffte wider besseres Wissen, dass sie wieder gehen würden. Oder dass Joe wenigstens auf der Bahn war, bis sie die Runde hinter sich hatte. Bevor er auch einmal herum war, würde sie Diamond vom Rennbahngelände lenken. Die Stute war straßensicher, Rosie konnte zu Barringtons Stall durchtraben.

Ihre Hoffnung erfüllte sich allerdings nicht. Als sie Diamond zum Schritt durchparierte und vor dem mit einer

Schranke versperrten Ausgang verhielt, redete er immer noch auf den rotblonden Mann ein. Rosie liefen allein beim Klang seiner Stimme kalte Schauer über den Rücken. Auch sie ein Nachhall der Stimme seines Vaters – und des Tonfalls von Colin Coltrane.

»Natürlich wird er gewinnen, Mr. Tibbs!«, versicherte er dem Mann. »Muss er ja, wenn er Reklame laufen soll für Ihr Fuhrgeschäft, nicht?« Schepperndes Lachen. »Eine wirklich sehr gute Idee das, übrigens. Ich sage den Leuten ja immer: Ein Gentleman engagiert sich im Rennsport. Aber wenn's, wie in Ihrem Fall, auch noch dem Geschäft dient ...«

Rosie schüttelte sich, als er jetzt Aufsatzzügel am Gebiss des Hengstes befestigte. Die Hilfszügel sollten das Pferd trabsicherer machen, aber sie behinderten es auch, und Rosie vertrat hier die gleiche Meinung wie Chloé: Ein guter Traber sollte keine Hilfestellung brauchen, und ein guter Trainer griff nicht zu Maßnahmen, die dem Pferd Schmerzen und Angst zufügten.

Mr. Tibbs, offensichtlich ein Kaufinteressent für den Hengst, schien Joes Handeln allerdings nicht aufzufallen. Er hatte Rosie eben erspäht und beeilte sich, ihr die Schranke zu öffnen.

»Lass mal, Junge, brauchst nicht abzusteigen ...«

Er lachte, als sie daraufhin dankbar ihre Mütze lüftete und ihr halblanges Haar enthüllte.

»Potzblitz, du bist ... Sie sind ... ja ein Mädchen! Verzeihung, Miss, ist mir so rausgerutscht.«

Auch der Mann zog seine Schiebermütze, galant wie ein Gentleman den Zylinder. Auf Rosies Gesicht stahl sich ein scheues Lächeln. Aber bevor sie Diamond antreten lassen konnte, sprach Fence sie an.

»Da schau her, die kleine Rosie ... Schon fertig? Und ich dachte, ich könnte meinem Kunden hier mal zeigen, wie sein künftiges Pferd an deinem Pony vorbeitrabt.« Er grinste.

Rosies Herz klopfte heftig, aber sie reagierte nicht auf die Schmähung. Trotting Diamond war nicht sehr groß, aber das traf auf viele Traber zu und hatte mit der Geschwindigkeit, die sie auf der Rennbahn entwickelten, wenig zu tun. Joe wollte nur provozieren. Und im Gesicht des Fremden – ein rundes Gesicht mit wulstigen Lippen und breiten Augenbrauen, das entfernt an eine Bulldogge erinnerte – zeigte sich ein seltsamer Ausdruck. Wachsamkeit? Interesse? Böse oder gierig nach Erfolg wirkte der Mann allerdings nicht, im Gegenteil, er sah freundlich aus.

»Würden Sie uns die Ehre machen, Mylady?«, fragte er Rosie mit einer leichten Verbeugung. »Mr. Fence hier möchte mir gern ein Pferd verkaufen, und es wäre schon schön, es einmal im Vergleich zu einem anderen zu sehen. Ich meine … vielleicht sind Traber ja allgemein gut geschult, aber von meinen Kaltblütern und Cobs kenn ich das schon, dass sie ganz ruhig sind, wenn sie die Straße für sich allein haben. Aber sobald ein anderes Pferd auftrabt …«

»Das … das gibt's bei Trabern auch«, bestätigte Rosie mit heiserer Stimme.

Allerdings kaum bei denen von Joe Fence. Joe Fence war mit allen Wassern gewaschen, er ließ den Pferden keine Zicken durchgehen.

Mr. Tibbs lächelte. »Dann sind wir uns ja einig, Miss … Rosie?« Seine Stimme wurde weich. »Mein Lieblingsname übrigens. Helfen Sie mir, mein Pferd zu erproben?«

Rosie lief glühend rot an, als sie Diamond in Startposition lenkte. Joe Fence erstieg inzwischen den Sulky hinter dem Rapphengst und grinste. »Ich geb Ihnen was zu sehen, Mr. Tibbs«, versprach er. »Aber ich muss Spirit's Dream noch warm machen. Macht's dir was aus, Rosie?«

Rosie schaffte es nicht, sich eine Antwort abzuringen. Eigentlich machte es ihr etwas aus, sie würde zu spät zum Bahnhof kommen. Aber andererseits nahm Roberta es ihr bestimmt nicht übel. Wahrscheinlich wollte sie ohnehin nicht in erster Linie Rosie besuchen, sondern den neuen Tierarzt. Dr. Taylor hatte erzählt, dass er Roberta aus Südafrika kannte. Und dabei hatten seine Augen geleuchtet – noch mehr als bei der Untersuchung von Diamond, die er besonders mochte. Aber eigentlich mochte Dr. Taylor ja alle Pferde. Weshalb wiederum Rosie Dr. Taylor mochte. Der frühere Rennbahntierarzt war polterig gewesen, und sie hatte Angst vor ihm gehabt. Aber Dr. Taylor war jung und nett und liebte Pferde. Und Roberta, das war selbst für Rosie leicht zu erkennen. Ihm war es also sicher recht, wenn sie ihm ihre Nichte eine Zeitlang allein überließ.

Aber wenn es Roberta nun nicht recht war? Rosies Gewissen meldete sich. Was war, wenn sich Roberta vor Vincent Taylor fürchtete? Rosie hielt es immer für möglich bis wahrscheinlich, dass Frauen sich vor Männern ängstigten, und sie hätte Roberta in diesem Fall gern beigestanden. Über all diese Überlegungen hätte sie fast überhört, dass Mr. Tibbs das Wort an sie richtete. Er beobachtete den Hengst, der jetzt in ruhigem Arbeitstrab über die Bahn zog.

»Ein schönes Pferd, gute Bewegungen. Fragt sich natürlich, wie schnell es ist. Kennen Sie es?«

Rosie fuhr zusammen. »Was?«, fragte sie irritiert. »Wen? Ach so, den ... den Hengst ...«

Sie errötete erneut. Natürlich nahm der Mann an, dass sie die meisten Traber rund um diese Rennbahn kannte. In Invercargill hatte sie alle gekannt. Aber hier kam sie selten dazu, sich die Trainingseinheiten anzusehen. Schließlich arbeitete sie in Lord Barringtons Stall, und die Galopper wurden früh am Morgen trainiert. Während die Traber anschließend auf der Bahn waren, musste Rosie die Rennpferde abwaschen, trocken führen und füttern.

Mr. Tibbs wartete. Rosie nahm sich zusammen. Sie dachte nach. Spirit's Dream …

»Ich … nein, ich … das Pferd kenn ich nicht, aber ich glaub, ich glaub, ich kannte seinen Vater. Ist es von … Spirit? Einem schwarzen Vollblüter? Groß? Ehemaliger Galopper?«

Mr. Tibbs zog ein Papier aus der Tasche und studierte es langsam. »Tatsächlich, Miss Rosie!« Er strahlte. »Eine echte Pferdekennerin sind Sie! Und was halten Sie von dem Hengst? Also, jetzt ehrlich. Oder sind Sie … sind Sie bei Mr. Fence angestellt oder so?«

Rosie schüttelte heftig den Kopf. »Nein! Nein, nie … nie …« Allein bei dem Gedanken wich die Farbe aus ihrem Gesicht. »Ich …«

Tibbs strahlte. Rosie dachte dabei an die Porträts der Hütehunde, die Heather früher angefertigt hatte, bevor sie sich als ernsthafte Künstlerin einen Namen gemacht hatte. Manche Collies hatten darauf »gelächelt«, mit hochgezogenen Lefzen und gefühlvollen, freundlichen Augen. Genauso lächelte Tibbs. Rosie merkte verwirrt, dass sie sich in der Gegenwart dieses Mannes wohl fühlte.

»Dann können Sie ja offen sprechen«, ermutigte er sie.

Rosie kaute auf ihrer Oberlippe herum, eine Geste, die sie kindlich wirken ließ. Auf Tibbs' Gesicht erschien wieder dieser seltsam fragende Ausdruck.

»Spirit war gut«, sagte Rosie. »Er war ihr Großvater …« Sie zeigte auf Trotting Diamond.

Tibbs lächelte jetzt wieder breit. »Na so was! Eine Familienzusammenführung! Dazu fällt mir ein …« Er schien unsicher zu werden.

Aber jetzt trabte Spirit's Dream auch schon wieder heran.

»Ich würd den Overcheck abmachen«, brach es aus Rosie heraus, hastig, bevor Fence sie erreichte. »Den … den Aufsatzzügel …«

Tibbs nickte ernst. »Ich weiß, was das ist. Hatte ich Fence schon drauf angesprochen. Das muss doch das Pferd langsamer machen.«

Rosie schüttelte den Kopf. »Nicht ... nicht unbedingt. Nicht, wenn's gut trainiert ist. Aber ... aber ... Es tut weh«, sagte sie leise und kam sich dumm vor.

Den meisten Leuten war es völlig egal, ob sie einem Pferd wehtaten, solange es nur gut aussah oder Rennen gewann – Aufsatzzügel verwendete man nicht nur im Trabrennsport, sondern oft auch bei den Prunkgespannen reicher Leute.

Tibbs lächelte. »Das wollen wir natürlich nicht«, sagte er freundlich nachsichtig. »Und außerdem würde es mich interessieren, ob der Hengst im Trab bleibt, wenn Ihr hübsches Stütchen ihn überholen sollte. Also: Ich befreie ihn jetzt mal vom Overcheck, und Sie liefern uns ein gutes Rennen, ja?«

Der Mann trat gelassen auf die Rennbahn und veranlasste Fence, anzuhalten. Nach kurzer Diskussion löste Tibbs den Lederriemen, der über Mähnenkamm und Stirn des Pferdes zu den Trensenringen führte und das Pferd damit zwang, den Kopf unnatürlich hoch zu tragen. Rosie sah mit ungläubiger Bewunderung zu. Wie konnte er das nur wagen? Fence einfach so befehlen, seine Argumente in den Wind schlagen ... Dieser Mr. Tibbs musste ein einflussreicher Mann sein. Und irgendwie erinnerte er Rosie an jemanden. Aber jetzt musste sie Diamond wirklich zur Startlinie lenken.

Joe Fence grinste jetzt nicht mehr. Er war deutlich verärgert, und Rosie machte seine Miene schon wieder Angst. Natürlich, er musste glauben, dass sie seinen Kunden auf die Sache mit dem Hilfszügel gebracht hatte. Dabei hatte Mr. Tibbs sich vorher schon gewundert.

Joe Fence hielt die Zügel kurz, als die Pferde in leichtem Trab über die Startlinie gingen. Rosie behielt die sanfte Zügelverbindung bei. Diamond blieb gelassen, obwohl Spirit's

Dream neben ihr lief. Rosie hielt sie in dieser Position, als Joe beschleunigte. Dabei blickte sie zu dem Rapphengst hinüber. Spirit's Dream war zweifellos schnell – und trabsicher war er auch, bestimmt brauchte er keinen Aufsatzzügel, wenn man ihn ordentlich trainierte. Aber er war nervös und wollte an Diamond vorbei. Fence schien unschlüssig zu sein, ob er ihn jetzt schon gehen lassen sollte, die Runde war schließlich noch nicht mal zu einem Drittel vorbei. Rosie erleichterte ihm die Entscheidung, indem sie Diamond ihr Tempo beibehalten ließ, während der Hengst vorpreschte. Joe grinste triumphierend, als er die Stute überholte.

Rosie verdrehte die Augen. Diamond hielt Dreams Tempo locker, obwohl das Rennen nun wirklich schnell wurde. Sie pullte nun auch ein wenig, aber Rosie wirkte beruhigend auf sie ein. Es brachte nichts, sich vor der Zielgeraden zu verausgaben. Und dann waren sie an der kurzen Seite vorbei, und das Ziel kam in Sicht.

»Jetzt!«

Rosie schnalzte und gab Diamond die Zügel vor. Sie war selbst überrascht, wie schnell die Stute anzog. Diamond flog voran, setzte sich mühelos neben Spirit's Dream und wurde atemberaubend schnell, als der jetzt weiter beschleunigte. Die Pferde jagten nebeneinanderher – Rosies Herz tanzte vor Glück, und sie sandte sogar Joe Fence einen beseelten Blick hinüber. Der achtete allerdings gar nicht darauf. Mit verkniffenem Gesicht kämpfte er mit seinem Hengst, der sich auf keinen Fall von der fuchsfarbenen Stute überholen lassen wollte. Aber im Trab wurde es nun offensichtlich eng für Spirit's Dream. Diamond verließ die Gleichaufposition und schob sich vor ihn. Sie wurde immer noch schneller. Rosie hätte laut aufjubeln können. Noch nie hatte sie ein so schnelles Pferd vor sich gehabt, Diamond übertraf all ihre Erwartungen!

Und Fence neben ihr kapitulierte vor der Kraft des schwarzen Hengstes. Spirit's Dream zog ihm die Zügel aus der Hand und galoppierte an – triumphierend schoss er an der brav weiter trabenden Diamond vorbei. Über Rosies Gesicht zog ihr süßestes Lächeln. Sie jedenfalls brauchte sich keine Gedanken zu machen. Diamond ließ sich von schnelleren Pferden nicht irritieren. Joe Fence schaute sie wutentbrannt an, als sein Sulky an ihrem vorbeirollte.

»Schnell ist er ja«, bemerkte Mr. Tibbs mit nachsichtigem Grinsen, als Fence vor ihm hielt. »Nur an der Gangart müssen Sie noch arbeiten.«

»Ich habe Ihnen gesagt, dass er den Overcheck braucht …«

Joe Fence begann mit einer Reihe von Entschuldigungen, aber Rosie hörte nicht hin. Sie sah zu ihrer Überraschung Dr. Taylor und ihre Nichte Roberta von einer der Tribünen steigen.

»Rosie, das sah ja wunderbar aus!« Roberta lächelte strahlend und umarmte ihre Tante, als Rosie vom Sulky stieg. »Vincent hat mich abgeholt, und wir dachten, wir treffen dich sicher hier an. Und was für eine Überraschung, wir kriegen gleich ein Rennen geboten!«

Roberta klang freundlich, wenn auch etwas bemüht. Wie ihre Mutter verabscheute sie Pferderennen. Aber die elegante Diamond vor dem leichten Sulky und die sonst so schüchterne Rosie, die sie souverän über die Bahn führte, hatten sie ehrlich beeindruckt.

Vincent Taylor war regelrecht aus dem Häuschen. »Rosie, das ist unglaublich! Ich habe noch nie ein Pferd so mühelos laufen sehen. Zumal der Hengst sehr schnell ist. Am letzten Renntag hat er gewonnen, nicht wahr, Mr. Fence?« Der Tierarzt wandte sich an Joe, der endlich wieder Land sah.

»Da hören Sie es, Mr. Tibbs. Wenn ich vorstellen darf, der Bahntierarzt. Wenn's also einer wissen muss … Lassen Sie das Pferd mit Overcheck laufen.«

Joe Fence sprach eifrig auf seinen Kunden ein. Der allerdings hatte nur Augen für Rosie … und Roberta.

»Sie können es nicht sein«, sagte er sachlich, aber doch sichtlich bewegt zu der jungen Frau in dem schlichten, aber eleganten Reisekostüm. »Es ist völlig unmöglich, dass Sie Violet Paisley sind, aber Sie … Sie sehen ihr ähnlich wie ein Ei dem anderen …«

Roberta lachte. »Ich bin Roberta Fence, Violets Tochter. Aber meine Mutter sieht auch noch sehr gut aus.« Sie reichte Tibbs die Hand. »Woher kennen Sie meine Mutter? Und Rosie?«

Der rotblonde vierschrötige Mann warf Rosie einen verklärten Blick zu. »Tom Tibbs mein Name«, stellte er sich vor, wobei er wieder ulkig seine Mütze lüftete. »Aber falls Ihre Mutter jemals von mir gesprochen hat … auf dem Schiff nannte man mich Bulldog.«

Roberta hatte Rosie nie so süß und offen lächeln sehen wie jetzt diesem Fremden gegenüber. »Sie haben auf uns aufgepasst«, sagte sie leise. »Ich weiß noch, wie Sie … meinen Dad gebeten haben, die Kabine zu schrubben.«

Bulldog lachte dröhnend. »Also ›gebeten‹ ist ein bisschen der falsche Ausdruck!«, meinte er. »Aber sauber war's schon, hinterher … Ich kann es nicht glauben, dass ich dich … Sie, entschuldigen Sie, Miss Rosie … Aber ich kann nicht fassen, dass ich Sie gefunden habe. Ich hab Sie nie vergessen, wissen Sie?«

Rosie lächelte wieder. »Ich Sie auch nicht«, sagte sie.

Joe, der sich an den Rand gedrängt fühlte, mischte sich jetzt ein.

»Eine echte Familienzusammenführung hier«, höhnte er. »Hallo, Schwesterchen. Welchem Umstand verdanke ich die Ehre deines Besuchs? Ihr habt euch doch sonst nie um mich gekümmert.«

»Joe!« Roberta blickte zu ihrem Bruder rüber und erblasste. Auch sie hatte Joe seit seiner Kindheit nicht mehr gesehen und war verblüfft über die Ähnlichkeit mit ihrem Vater. »Ich wusste gar nicht, dass du hier bist.«

Das stimmte. Rosie war keine große Briefschreiberin, erst recht nicht, wenn jemand so weit weg war wie Roberta im fernen Afrika. Und Chloé hatte zwar Violet vom Verbleib ihres Sohnes berichtet, aber noch keine Gelegenheit gehabt, das auch Roberta zu erzählen. Es gab spannendere Gesprächsthemen nach ihrer Rückkehr aus Afrika, und Roberta hatte auch kaum Zeit gehabt, Vernissagen und Dinnerpartys zu besuchen. Sie half vorerst in der Schule in Caversham aus, hatte allerdings noch keine feste Anstellung angenommen. Roberta war sich nach wie vor unklar über ihre Beziehung zu Vincent Taylor – und über ihre Pläne. Wenn sie Vincents Liebe erwidern konnte, würde er sie um ihre Hand bitten, das war sicher. Aber dann konnte sie nicht mehr als Lehrerin arbeiten. Roberta war hin und her gerissen, dieses Wochenende in Addington sollte sie einer Entscheidung näherbringen. Und es war unverfänglich, sie besuchte ja offiziell nicht Vincent, sondern ihre Tante Rosie. Wenn es allerdings gut lief … Roberta konnte sich vorstellen, zunächst eine Anstellung in Christchurch anzunehmen. Dann konnte sie Vincent in Ruhe näher kennenlernen. Was die Ehe anging, war Roberta ähnlich geschädigt wie Rosie, auch sie hatte Violets desaströse Beziehung zu ihrem Vater noch gut in Erinnerung. Zwar scheute sie nicht grundsätzlich vor Männern zurück wie ihre Tante, aber am liebsten hätte sie sich mit jemandem verbunden, den sie von Kindheit an kannte. Bei Kevin hätte sie sich sicher gefühlt. Vincent musste sich erst bewähren.

Jetzt schaute er verständnislos lächelnd von einem zum anderen. »Im Ernst, Joe? Roberta ist Ihre Schwester? Sie muss wirklich nicht gewusst haben, dass Sie hier sind, Joseph, sonst hätte sie es mir gesagt. Aber Roberta war auch lange in Süd-afrika. Sie müssen einander eine Menge zu erzählen haben!«

Beiden Geschwistern war anzusehen, dass ihnen das Leben des jeweils anderen herzlich egal war, aber immerhin hatte Vincent es geschafft, die Lage zu entspannen.

»Und Sie sind mit Robertas Mutter und Rosie aus England gekommen, Mr. ...«

»Tom Tibbs!«, wiederholte Bulldog. »Ich kann's immer noch nicht glauben.«

»Da gibt es sicher ebenfalls viel zu erzählen ...«, mutmaßte Vincent, wobei er diesmal eine freundlichere Resonanz erntete. Bulldog nickte eifrig, Rosie mit leichtem Erröten.

»Vielleicht gehen wir alle eine Tasse Kaffee trinken?« Vincent schaute aufmunternd in die Runde.

»Ich kann nicht«, brummte Joe. »Muss das Pferd wegbringen. Was ist denn nun, Mr. Tibbs? Kaufen Sie es?«

»Ich muss Diamond heimbringen«, meinte auch Rosie schüchtern.

Bulldog lächelte sein Collie-Lächeln, aber jetzt zeigte er dabei auch ein bisschen die Zähne. Roberta wurde klar, woher er seinen Spitznamen hatte, er erinnerte wirklich an einen freundlichen, aber sehr ernst zu nehmenden Kampfhund.

»Kommt drauf an, mit dem Hengst«, meinte er jetzt. »Einmal auf den Preis ... ich denke, wir müssen noch ein bisschen darüber sprechen, dass Ihr Pferd nicht so trabsicher ist, wie Sie behaupten, Mr. Fence. Und dann auf den Trainer ...«

»Das Pferd kann selbstverständlich in meinem Stall bleiben«, erklärte Fence eifrig. »Ich würde Ihnen sogar dringend dazu raten, es weiter von Fachleuten auf die Rennen vorbereiten zu lassen. Wobei ich wohl sagen darf, dass ich da in Addington die beste Adresse ...«

Bulldog runzelte die Stirn und machte seinem Spitznamen damit weiter alle Ehre. »Weiteres Training bei Ihnen? Damit es auch beim nächsten Rennen an einem Stück Leder hängt, ob Spirit's Dream sich von einem Pony abhängen lässt?« Er blinzelte Rosie verschwörerisch zu. »Nein, Mr. Fence, ob ich Dream kaufe oder nicht, wird von seiner künftigen Trainerin abhängen. Nehmen Sie mein Pferd zur Ausbildung an, Miss Rosie Paisley?«

Rosie errötete vor Aufregung – und Glück. »Ja … nein … ich muss erst Lord Barrington fragen, ob … ich meine … Ja. Ja, also wenn der Lord es erlaubt, dann ja.«

Lord Barrington würde bestimmt nichts dagegen haben. Im Notfall musste ihn eben Chloé fragen. Aber Rosie war jetzt so aufgeregt – sie würde es sich fast selbst zutrauen, das Wort an den Rennstallbesitzer zu richten!

Bulldog grinste gutmütig. »Na wunderbar. Mit dem Lord komme ich schon klar, den kenn ich. Ich hab eine Spedition, wissen Sie, und immer, wenn die Barringtons Möbel oder so was aus England kriegen, fahre ich sie hierher oder in die Plains. Warten Sie einfach noch kurz, bis ich mit Mr. Fence einig geworden bin. Dann bringen wir die Pferde zusammen nach Hause.«

Vincent Taylor konnte sein Glück kaum fassen, hatte er doch endlich Roberta ganz für sich allein, dabei hatte ihn das plötzliche Auftauchen so vieler Familienmitglieder schon befürchten lassen, sie könnte gar keine Zeit für ihn finden. Und dann war da noch das Stoffpferdchen. Er hatte es in ihrer Handtasche gesehen, als er ihr aus dem Zug half, sie trug es also immer noch mit sich herum – ein deutliches Zeichen dafür, dass sie den Mann nicht vergessen hatte, mit dem sie es verband. Vincent hatte gleich wieder das Gefühl gehabt, mit einem Phantom kämpfen zu müssen.

Rosie und Bulldog hatten offensichtlich glücklich die Rennbahn verlassen, was man von Joe Fence nicht sagen konnte. Tom Tibbs hatte Robertas Bruder einen guten Preis für seinen Hengst bezahlt, der Gedanke, dass Rosie ihm jetzt womöglich als Trainerin Konkurrenz machen würde, schmeckte ihm jedoch nicht. Roberta blickte ihrem Bruder besorgt nach. Er hatte sich einsilbig und mit grimmigem Gesichtsausdruck von ihr verabschiedet. Sie kannte diese Miene von ihrem Vater – und mochte nicht in der Haut desjenigen stecken, an dem er seine Wut jetzt auslassen würde –, sie hoffte, dass es wenigstens keine Frau war.

Aber egal, sie war hier, um Vincent zu treffen.

»Was machen wir jetzt?«, fragte sie ihn. »Zeigst du mir Addington?«

Die Frage, was man mit einem Mädchen, das man heiraten wollte, in Addington unternahm, hatte Vincent sich auch schon gestellt. Allerdings war sie nicht leicht zu beantworten. Außer der Rennbahn hatte der Vorort eher wenig zu bieten. Es gab ein paar kleinere Industrieunternehmen, deren Arbeiter hier lebten – und natürlich die Residenzen einiger reicher Rennsportfanatiker. Besonders aufregend war das alles nicht. Dennoch führte Vincent seine Freundin pflichtschuldig durch die Reihen kleiner bunter Arbeiterhäuschen und schließlich in das noch ländliche Umfeld. Hier gestaltete sich der Spaziergang denn auch recht romantisch. Vincent erzählte von seiner Arbeit. Er empfand es als Glück, die Anstellung auf der Rennbahn gefunden zu haben, es gefiel ihm, ausschließlich mit Pferden arbeiten zu können. Die Methoden und Machenschaften einiger Trainer lehnte er jedoch ab und war freudig überrascht darüber, dass Roberta ihm hier zustimmte. Zum ersten Mal taute sie etwas auf und erzählte ausführlich von ihrer Familie und ihrer Kindheit.

»Wir haben sogar eine Zeitlang hier in der Nähe gewohnt, damals war das Rennsportzentrum ja noch Woolston«, berichtete sie. »Und meine Mutter erzählte, dass sie am Wochenende oft mit uns Kindern nach Christchurch gegangen sei, zu Fuß übrigens, um die Reden der Frauenrechtlerinnen zu hören. Da hat sie Kate Sheppard kennengelernt.« Roberta lächelte. »Und Sean Coltrane wiedergetroffen.«

»Den Anwalt und früheren Parlamentsabgeordneten?«, fragte Vincent. Sean war auf der Südinsel sehr bekannt. »Dein Stiefvater, nicht wahr? Ist der nun eigentlich ein Bruder von diesem grauenhaften Colin Coltrane? Die Verwandtschaftsverhältnisse bei euch verstehe ich immer noch nicht.«

Roberta lachte. »Ein Halbbruder«, berichtete sie. »Und gleichzeitig ein Halbbruder von Kevin Drury. Mit Coltrane teilt er die Mutter, mit Kevin den Vater. Aber Colin und Sean sind nicht zusammen aufgewachsen. Als Kathleen ihren Mann verließ, blieb Colin beim Vater. Der muss ein ähnlicher … äh … eine ähnlich unausgeglichene Persönlichkeit gewesen sein.«

Vincent lächelte und legte den Arm um sie, sehr vorsichtig, um sie nicht zu verschrecken. »Roberta, wenn du einmal sicher sein wirst, dass du mich liebst … wirst du dann Mistkerl sagen, wenn du Mistkerl meinst?«, neckte er sie. »Es ist ja schön, sich vornehm auszudrücken, aber manchmal finden sich in Konversationslexika … wie soll ich sagen … nicht ganz die treffenden Worte.« Roberta hatte ihm erzählt, dass ihre Mutter sich praktisch ihre gesamte Bildung aus einem mehrbändigen Lexikon angelesen hatte, das sie als junges Mädchen geschenkt bekommen hatte.

Roberta zuckte die Schultern. »Ich bin doch schon verroht«, klagte sie. »Miss Byerly, das ist meine Vorgesetzte an der Schule in Caversham, rügt mich ständig für meine Ausdrucksweise. Und die Geschichten, die ich den Kindern erzähle … Afrika war nicht sehr gut für meine … hm … Karriere.«

Vincent zog sie enger an sich. »Vielleicht solltest du über eine andere Art der Karriere nachdenken«, meinte er. »Als Tierarztfrau dürftest du sogar fluchen. Natürlich nicht sonntags …« Er lächelte.

»Du ziehst mich auf!«, tadelte Roberta.

»Nein, ich ziehe dich ins Verderben!«, erklärte Vincent. »Ich nehme dich nämlich heute Abend mit in einen Pub. Nein, keine Angst, nicht in eine dieser Spelunken rund um die Rennbahn, sondern in ein ganz angesehenes Etablissement. Lord Barrington verkehrt dort, wenn er hier ist, und alle Honoratioren des Ortes. Absolut nichts Zwielichtiges also. Und heute Abend findet dort ein Konzert statt. Es werden auch andere Damen zugegen sein, also keine Angst. Und Miss Byerly müssen wir es ja nicht verraten. Kommst du mit?«

Roberta überlegte kurz. Im Moment fühlte sie sich wohl, es war schön, eng umschlungen mit Vincent an einem mit Schilf und Weiden bewachsenen Bachufer entlangzugehen. Nach der spektakulären, aber auch immer etwas angsteinflößenden Natur Südafrikas wirkte die Landschaft um Christchurch beruhigend. Sie sollte viel mit England gemeinsam haben … Und der Pub … Roberta vertraute Vincent, er würde sie in kein anrüchiges Lokal führen. Es wäre dumm, allein oder mit Rosie in ihrem Zimmer in der Pension zu sitzen und ein Buch zu lesen oder sich gar endlos von Pferden erzählen zu lassen, statt zu diesem Konzert zu gehen.

»Gesang oder Instrumentalmusik?«, fragte sie mutig.

Vincent lächelte. »Eine Sängerin wird dort auftreten«, sagte er.

Juliet Drury-LaBree hatte schon seit langem genug von Neuseeland. Sie hatte ihren damaligen Entschluss, sich dieser Tournee nach Übersee anzuschließen und dann auch noch das Ensemble zu verlassen, schon hundert Mal bereut. Neuseeland war einfach zu klein und zu provinziell für ihre Kunst, es gab keine Bühnen, auf denen sie sich adäquat präsentieren konnte, kein Publikum, das mondän genug war, ihre raffinierten Songs und Klavierarrangements zu schätzen zu wissen.

Das Etablissement in Queenstown, das Pit Frazer ihr so warm empfohlen hatte, entpuppte sich zum Beispiel als besserer Puff. Natürlich, es hieß Hotel, es gab eine Bühne, und die Betreiberin versuchte, das Niveau zu heben. Aber mit den Nachtclubs, in denen Juliet in New Orleans aufgetreten war, konnte man Daphne's Hotel nicht im Entferntesten vergleichen. Hinzu kam, dass Juliet und Daphne O'Hara sehr bald aneinandergeraten waren. Juliet mochte sich weder ihr Programm noch den Umgang mit ihrem Publikum vorschreiben lassen – wofür Daphne wenig Verständnis aufbrachte. Schon als Juliet zum zweiten Mal mit einem der Honoratioren der kleinen Stadt an der Bar stand und sich zu einem Champagner einladen ließ, nahm die rothaarige entschlossene Puffmutter mit dem Katzengesicht die Sängerin beiseite.

»Dass wir uns richtig verstehen, Süße, du arbeitest hier nicht auf eigene Rechnung. Meine Mädels werden anständig behandelt, aber fünfzig Prozent von den Einnahmen haben sie bei mir abzuliefern, und das gilt auch für dich, wenn du hier anschaffst. Verstanden?«

»Anschaffen?« Juliet gab sich empört. »Ich verstehe nicht, was Sie meinen. Aber da wir gerade von anständig sprechen – vielleicht schaffen Sie mal einen anständigen Champagner an. Den Fusel hier kann ja keiner trinken!«

Daphne verdrehte die Augen. »Du weißt genau, was ich meine. Auch wenn du auf höherem Niveau anschaffst als meine Mädchen, letztlich kommt es aufs Gleiche raus. Oder willst du mir erzählen, du machst es dem Glatzkopf da aus Liebe?« Sie wies auf den Mann, der geduldig an der Bar wartete. »Und für den in der letzten Woche warst du auch entflammt? Genau wie für den Schreiberling, der dich angeschleppt hat? Nein, Süße, gib dir keine Mühe. Du bleibst brav, oder du gibst mir meinen Anteil. Dafür arbeitest du in einem sauberen Zimmer ohne Ungeziefer, jeden Tag frische Laken … und nun tu mal nicht so, als wäre das für dich eine Selbstverständlichkeit. Du hast schon schlechtere Tage erlebt, das seh ich dir an!«

Juliet hatte sich das natürlich nicht bieten lassen, sondern war am Tag darauf weitergezogen. Das nötige Startkapital hatte der Mann beigesteuert, er war wirklich generös – eine Unverschämtheit, ihn als Freier zu bezeichnen. Juliet hätte eher das Wort Sponsor benutzt. Mit dem Geld ihres »Sponsors« zog sie in Richtung Westküste. Die Gegend da war im Aufbruch, vereinzelt gab es schon sehr mondäne Hotels, auch wenn die meisten noch im Bau waren.

Leider zeigten sich ihre Betreiber als äußerst prüde. Es ging ihnen wohl darum, sich von den Bergarbeiterpubs in den

Innenstädten deutlich abzugrenzen. Juliet flog zweimal hinaus, weil sie den Abend mit Herren auf ihrem Zimmer zu beenden gedachte – wenn auch sehr distinguierten. Man erledigte das diskret, es kam zu keinem lauten Streit wie mit Daphne. Aber an längere Engagements war nicht zu denken, und das Geld der Sponsoren reichte zwar zu einem halbwegs stilvollen Leben, aber niemals für eine Schiffspassage nach Amerika oder auch nur nach Europa.

Und nun dieses Kaff namens Addington bei Christchurch – nachdem sie in der City selbst kein Engagement gefunden hatte. Dort lebten zweifellos ein paar reiche Männer, aber wohl mehr auf Pferde fixiert als auf das Sponsoring schöner junger Frauen. Das Lokal, in dem sie singen sollte, war auch nicht nach ihrem Geschmack. The Addington Swan war ein Etablissement, das man am besten mit gutbürgerlich umschrieb. New Orleans Jazz passte hierzu wie Hummer zu Kartoffelklößen.

Juliet ließ sich dennoch brav am Klavier nieder und sah in die Runde, bevor sie mit ihrem ersten Song begann. Schwierig war das nicht, der Raum war hell erleuchtet! Ein Unding für ihre Musik! Wie sollte sie hier Atmosphäre schaffen? Die Zuhörer wirkten zudem hausbacken. Viel zu festlich gekleidet für einen Clubbesuch, aber nicht ein bisschen raffiniert. Himmel, gegenüber Addington war Dunedin Paris gewesen!

Aber halt, die junge Frau da in der letzten Reihe machte vielleicht eine Ausnahme. Ihr Kleid war schlicht, jedoch aufregend figurbetont – dabei eins dieser Reformkleider, die nun zum Glück wieder aus der Mode kamen. Die meisten Frauen hatten darin schließlich ausgesehen wie in Kartoffelsäcke gewandet. Die junge Frau mit ihrem langen kastanienbraunen Haar, das sie zu einer Art griechischem Zopf geflochten hatte, wirkte dagegen wie eine klassische Göttin. Solche Reformkleider hatte eigentlich nur eine Schneiderin angefertigt: Kathleen Burton von Lady's Goldmine.

Juliet schaute genauer hin, während sie begann, von Sehnsucht und Liebe zu singen. Die Göttin in der letzten Reihe flüsterte aufgeregt mit ihrem Begleiter, einem schmalen, jungen Mann, dessen freundlicher Gesichtsausdruck für Juliet Langeweile signalisierte. Aber die Kleine ... Juliet hatte sie zweifellos schon einmal gesehen ...

Juliets Stimme beschwor und betörte, während die Sängerin ihre Dunediner Bekannten Revue passieren ließ. Schließlich fiel es ihr ein. Kevins kleine Bewunderin. Das schüchterne Mädchen, das er mit einem albernen Stoffpferdchen hatte glücklich machen können. Nun schien es allerdings zu einer attraktiven Frau gereift. Juliet überlegte, ob sie ihr nach dem Konzert besser aus dem Weg gehen oder sie ansprechen sollte.

Die Frage stellte sich dann aber gar nicht. Als Juliet geendet hatte und nach dem eher spärlichen Applaus ihres weitgehend verständnislosen Publikums vom Podium trat, zog die junge Frau ihren Begleiter auf sie zu.

»Miss Juliet! Das war wunderschön. Aber ich wusste gar nicht ... also, Patrick hat gar nichts davon gesagt, dass Sie hier bei Christchurch singen. Kommen Sie wieder nach Dunedin? May ist so reizend.«

Juliet bemühte sich um ein Lächeln. »Sie sind ... äh ... Kevins kleine Nichte, nicht wahr?«

Roberta schüttelte den Kopf. »Nicht ganz, ich bin Roberta Fence, die Freundin von Atamarie. Atamarie ist Kevins und natürlich auch Patricks Nichte.« Ihre Stimme klang jetzt ein wenig vorwurfsvoll.

Juliet ärgerte sich. Natürlich, es war ein Fauxpas gewesen, Patrick einfach zu vergessen.

»Ja, ja, richtig. Entschuldigen Sie. Damals in Dunedin ... es waren so viele Dinge, die auf mich einstürzten.«

Sie lächelte entschuldigend, ließ den Blick dann weiter zu Robertas Begleiter wandern, und ihr Lächeln wurde verführerisch. Das war eigentlich die sicherste Methode, das Gespräch mit einer anderen Frau zu beenden.

Roberta reagierte nicht, und auch der Mann hatte keinen Blick für Juliet. Er schien allein Roberta anzubeten. Und sie … nun, entweder machte sie sich nichts aus ihm, oder sie vertraute ihm blind.

»Sie können die Bekanntschaft mit uns allen ja erneuern, wenn Sie nach Dunedin zurückkommen«, bemerkte Roberta jetzt zuckersüß.

Juliet registrierte es mit einer gewissen Hochachtung. Die junge Dame hatte ihre Schüchternheit wohl weitgehend abgelegt.

»Ach ja, Dunedin …« Juliet seufzte theatralisch. »Ich weiß noch nicht, ob ich vorbeischaue. Die Verpflichtungen, Sie wissen schon …«

Sie strich sich mit einer lasziven Bewegung eine Haarsträhne aus dem Gesicht und sah erneut Vincent an.

Roberta warf ihm nun ebenfalls einen Blick zu. »Darf ich vorstellen«, sagte sie dann steif. »Dr. Vincent Taylor. Er ist hier Rennbahntierarzt. Vincent und ich waren zusammen in …«

»… Südafrika«, ergänzte Vincent und verbeugte sich.

Juliet merkte auf. »Dann kennen Sie Kevin Drury?«, rutschte es ihr heraus. »Wie … wie geht es ihm?«

Vincent nickte arglos. »Klar, Kevin und ich waren zusammen in der Armee. Und Miss Fence hat als Lehrerin in den Burenlagern geholfen. Und großartige Arbeit geleistet, wenn ich das sagen darf.« Er strahlte.

»Kevin geht es gut«, warf Roberta ein. »Ebenso wie Patrick und May. Ach ja, und Kevin ist …«

»Sie können sich ja selbst davon überzeugen, wenn Sie nach Dunedin zurückkommen«, meinte Vincent eifrig. »Sie sind mit Patrick Drury verheiratet, sagte Roberta?«

Juliet nickte unkonzentriert. Hieß das, Kevin Drury war

zurück? Natürlich, dieser verrückte Krieg in Übersee war beendet. Juliet dachte fieberhaft nach.

»Ich … könnte es mir überlegen, das mit Dunedin«, meinte sie dann.

Roberta lächelte – sardonisch, wie Vincent zu seiner Verblüffung feststellte. Er hatte einen solchen Ausdruck nie an ihr gesehen.

»Patrick würde sich bestimmt außerordentlich freuen.« Roberta strahlte ihre frühere Rivalin an. »Und Kevin … nun, er dürfte darauf brennen, Ihnen seine Frau vorzustellen. Sie ist Burin, wissen Sie, eine ausgesprochene Schönheit. Und die beiden haben einen reizenden kleinen Sohn …«

Lizzie wickelte den kleinen Abe und hatte dabei ein wachsames Auge auf May, die auf dem Küchenboden mit einem der Collies spielte. Der Hund war gutmütig, aber das Mädchen war jetzt zwei Jahre alt, und wenn es ihn mit seinen kleinen Fäusten traktierte, mochte er doch einmal aufbegehren. Meist kontrollierte May ihre Bewegungen aber schon recht gut. Sie war graziös für ihr Alter, und Lizzie konnte sich an ihrer exotischen Schönheit kaum sattsehen. Kevins und Doortjes Sohn hatte ein fein geschnittenes Gesichtchen, und die ersten Löckchen waren goldblond. Mitunter meinte Lizzie darin einen metallischen Schimmer zu sehen wie in Atamaries Haar. Das verwunderte sie allerdings, sie hatte bislang gedacht, diese Haarfarbe läge allein in Kathleens Familie.

Lizzie zog Abe Hose und Hemdchen über, streichelte über Mays schwarze Locken und dachte zum wiederholten Mal, was für wunderhübsche Enkelkinder ihr da beschert worden waren. Sie wäre hochzufrieden gewesen – würden sich nur die Mütter der Kinder als ein bisschen weniger gewöhnungsbedürftig erweisen. Lizzie dachte nach wie vor mit Grausen an Juliet – ihrer Ansicht nach war ihre Flucht das Beste, was Patrick hatte passieren können. Auch wenn der immer noch mit seinem Schicksal haderte. Patrick Drury war nicht mehr er selbst, seit ihn Juliet verlassen hatte. Er sorgte zwar vorbildlich für seine »Tochter«, die ja eigentlich seine Nichte war, aber er blieb enttäuscht und deprimiert. Dabei hätte er doch eigentlich wissen müssen, dass Juliet ihn nicht liebte – Lizzie zweifelte sogar daran, dass sie Kevin ehrliche Zuneigung entgegengebracht hatte, aber die beiden hatte doch wenigstens irgendetwas verbunden.

Lizzie machte sich langsam Sorgen um ihren jüngeren Sohn. Patrick hatte immer etwas in Kevins Schatten gestanden – Kevin, der ganz nach seinem Vater kam, war zweifellos die schillerndere Persönlichkeit der beiden, und selbst Lizzie konnte ihrem Ältesten kaum widerstehen, wenn er mit strahlendem Blick und wehendem, lockigem schwarzen Haar bis kurz vor ihre Haustür galoppierte und seinen Schimmel erst im letzten Moment verhielt. Sie fühlte sich dann stets an Michael erinnert, seinen Stolz auf das erste eigene Pferd, als er endlich zu bescheidenem Wohlstand gelangte, aber auch seine Neigung zum Leichtsinn und zur Sprunghaftigkeit. Patrick dagegen kam eher nach Lizzie. Sein Äußeres war unscheinbar, aber er war langmütig, freundlich und verlässlich. Leider fehlte ihm die harte Schale, die Lizzie in ihrer Jugend in London und in der Verbannung in Tasmanien zwangsläufig entwickelt hatte. Zu leicht hatte ihm Juliet das Herz brechen können. Lizzie konnte nur hoffen, dass er irgendwann darüber hinwegkam.

Und nun Kevin mit dieser Doortje … ein Mädchen, das er wirklich zu lieben schien. Mit aller Dickschädeligkeit, die Lizzie noch gut von seinem Vater kannte. Es hatte viele Jahre gedauert, bis Michael die Aussichtslosigkeit seiner Jugendliebe zu Kathleen einsah … Und Kevin war es ja nun immerhin gelungen, seine Doortje zum Altar zu bewegen. Ob die Ehe allerdings glücklich war? So wie die beiden miteinander umgingen, fragte Lizzie sich immer wieder, wie hier ein Kind hatte entstehen können. Aber vielleicht war sie ja auch nur voreingenommen. Das junge Paar lebte jetzt seit einigen Tagen auf Elizabeth Station, aber Lizzie schaffte es einfach nicht, mit ihrer neuen Schwiegertochter warm zu werden. Dabei war Doortje das genaue Gegenteil von Juliet. Sie interessierte sich für alles, was auf der Farm vor sich ging, und sie war auch nicht faul – nur ihre Sorge für Abe ließ manchmal zu wünschen übrig, wie Lizzie fand. Doortje schien es für Erziehung zu halten, wenn sie das Baby ab und zu schreien ließ, bevor sie es stillte, obwohl sie da war und verfügbar. Lizzie tat das in der Seele weh, Doortje beschied sie jedoch, dass der Junge sich rechtzeitig an Entbehrungen gewöhnen müsse.

»Aber doch nicht gleich in den ersten sechs Monaten!«, wandte Lizzie ein.

Doortje war allerdings nicht umzustimmen. Wie sie überhaupt in vielen Dingen felsenfester Überzeugung war, die andere nicht verstanden und ihr nicht auszureden vermochten. Und sie ließ sich niemals gehen. Lizzie war in ihrem bewegten Leben nie einer Frau begegnet, die derart beherrscht war, obwohl sie offensichtlich ständig unter Anspannung stand. Irgendwann musste ein Vulkan ausbrechen, und Lizzie graute schon davor.

»Kann ich irgendwie helfen?«

Eine freundliche, helle Stimme mit sonderbarem Akzent unterbrach Lizzies Überlegungen. Wieder einmal war es Nandé gelungen, völlig lautlos ins Haus zu kommen, das schwarze Mädchen lief immer barfuß und bewegte sich geschmeidig wie eine Katze.

Lizzie lächelte ihr zu. Von allen weiblichen Wesen, die in den letzten Jahren in ihrem Haus Quartier bezogen hatten, war ihr Nandé mit Abstand das sympathischste. Nandé war hilfsbereit und lernwillig, ihr Englisch verbesserte sich ständig, und sie war immer ausgeglichen und schien zufrieden. Mit großen staunenden Augen blickte sie in die neue Welt, die ihr eigentlich noch viel fremder sein musste als ihrer Herrin. Herrin … Lizzie schüttelte sich allein bei dem Gedanken an das Wort, aber sie weigerte sich auch, die Anrede Baas, die Nandé

Doortje gegenüber immer noch benutzte, wohlwollender zu übersetzen. Dabei hatte sie dabei zunächst an Base gedacht, das deutsche Wort für Kusine, das sie aus ihrer kurzen Zeit als Magd auf einem deutschen Bauernhof bei Blenheim kannte. Das hätte zu Kevins Bemerkung gepasst, man habe Nandé als Quasifamilienmitglied mitbringen müssen.

Aber daran glaubte Lizzie nicht mehr, spätestens nicht nach dem hässlichen Vorfall mit Haikina und Hemi, die gleich nach Doortjes Ankunft zu Besuch kamen. Michael war bei den Schafen gewesen, Lizzie im Weinberg und Kevin in seiner neuen Praxis. Die Maori hatten also nur Doortje und Nandé im Garten angetroffen. Sie brachten Geschenke des Stammes für die junge Frau, versuchten, ein Gespräch anzufangen – und hörten, dass Nandé Doortje mit Baas ansprach. Nichts Böses ahnend übernahmen sie die Anrede, und Doortje verbesserte sie nicht. Im Gegenteil, als Haikina ein paar Tage später vorbeikam, um bei der Weinlese zu helfen, bestand sie auf der respektvollen Anrede. Lizzie stellte sie daraufhin scharf zur Rede und war entsetzt über ihre Reaktion. Eure Kaffern können euch doch nicht einfach beim Vornamen nennen!, hatte sie geantwortet.

Und wieder einmal wich Doortje keinen Deut von ihren Ansichten ab, als Lizzie ihr die Beziehung zwischen den Drurys und dem Maori-Stamm erklärte – natürlich ohne das Gold zu erwähnen. Kevin war zwar der Ansicht, man könne Doortje bedenkenlos in alles einweihen, obwohl die Buren zur Goldförderung eine ähnliche Einstellung wie die Church of Scotland hatten, die dem »Reichtum ohne vorhergehende Arbeit« höchst skeptisch gegenüberstand. Aber Lizzie und Michael bestanden darauf, die Sache vorerst für sich zu behalten – und Haikina und Hemi sahen es ebenso.

»Sie wird lernen«, sagte Haikina gelassen tröstend zu Kevin. »Bring sie mal mit ins Dorf zu unseren Festen, vielleicht kann sie auch mal ein paar Bücher oder Zeitungen lesen. Über die Frauen, die das Wahlrecht erstritten haben, und über das Maori-Parlament ...«

»Haikina kann dir gern ein paar Bücher leihen«, gab Lizzie ein paar Tage später das Angebot weiter.

Doortje hatte ihr Bücherregal fast so missmutig durchgesehen wie vormals Juliet. Nur dass sie Lizzies Bücher über Weinbau nicht langweilig, sondern moralisch anstößig fand, ebenso wie die Frauenjournale, die Lizzie gelegentlich bezog, und die Juliet verschlungen hatte.

»Die Schwarze kann lesen?«, fragte Doortje entsetzt. »Das ist nicht gottgewollt!«

Lizzie wurde jetzt wenigstens klar, warum Nandé ihren kleinen Schatz an Jugendbüchern, die Lizzie noch von Kevin und Patrick gehortet hatte, so sorglich vor Doortje verbarg.

»Haikina ist Lehrerin. Und sie hat deinem Mann und seinen Geschwistern das Lesen beigebracht!«, beschied Lizzie ihre Schwiegertochter nun wirklich wütend. »Und da es bis zur Schule in Lawrence recht weit ist, wird sie es auch Abe beibringen. Wenn du da nicht selbst Ambitionen hast. Aber ganz sicher lernt er es nicht auf Niederländisch oder Afrikaans und allein aus deiner alten Bibel. Das werde ich zu verhindern wissen!«

Doortje hatte sie daraufhin wütend angestarrt, aber nichts erwidert. Nun war es bis zu Abes Einschulung ja auch noch lange hin.

Lizzie seufzte. Der Gedanke, sich vielleicht jahrelang mit dieser Schwiegertochter auseinandersetzen zu müssen, machte sie krank.

»Du kannst mit May ein bisschen hinausgehen«, wandte sie sich jetzt an Nandé, »bevor es wieder regnet. Wenn du magst, nimm auch Abe mit. Seid ihr denn schon fertig im Garten? Wo steckt Doortje?«

»Versucht melken Schafe«, gab Nandé bereitwillig Auskunft.

»Ich nicht helfen. Der Baas gesagt, ich muss nicht helfen, wenn ich habe Angst. Wirklich?« Nandé warf Lizzie einen besorgt schuldbewussten Blick zu.

Lizzie seufzte. An sich hatte sie nichts dagegen, dass sich Doortje an der Käserei versuchte. Ihre Schwiegertochter hatte hier wohl Erfahrung, und Lizzie mochte Schafskäse. Leider stellten sich Michaels preisgekrönte Wolllieferanten hier eher quer. Die Schafe und Ziegen in Südafrika waren es zweifellos von klein an gewohnt, gemolken zu werden, während Michaels halb wilde Zuchttiere gar nicht daran dachten, für Doortje stillzuhalten. Sie lebten gewöhnlich frei in der Herde, verbrachten die Sommer mit ihren Lämmern im Hochland und kannten Menschen eigentlich nur vom Scheren – und von gelegentlicher Geburtshilfe. Gute Erfahrungen waren das durchweg nicht, die Tiere versuchten, sich jeder Berührung zu entziehen. Beim Versuch, sie anzubinden und zu melken, traten und stießen sie um sich. Nandé hatte sich gleich beim ersten Versuch schmerzhafte Blutergüsse eingehandelt und fürchtete sich nun davor. Michael, der ohnehin von der Aktion, die ihm nur die Abläufe auf der Farm durcheinanderbrachte, nichts hielt, erlaubte ihr gern, sich fernzuhalten. Doortje dagegen ließ nicht locker. Jeden Tag stritt sie sich mit drei eigensinnigen Mutterschafen – und ließ sich auf keinen Kompromissvorschlag ein.

»Wir haben jedes Jahr verwaiste Lämmer, Doortje, es spricht nichts dagegen, zwei oder drei davon zu zähmen und ans Melken zu gewöhnen«, schlug zum Beispiel Kevin vor. »Dann hast du in zwei Jahren Mutterschafe, die dir kaum von der Seite weichen, und der Käse schmeckt dann auch noch …«

Doortje bestand jedoch auf direkter Käseerzeugung – sie schien aus dem täglichen Nahkampf mit den Tieren fast Befriedigung zu ziehen.

Lizzie konnte auch darüber nur den Kopf schütteln.

»Du musst hier nur eins, Nandé«, sagte sie jetzt freundlich.

»Und zwar aufhören, Michael Baas zu nennen. Er ist weder dein Herr noch dein Onkel. Nenn ihn Michael oder in Gottes Namen Mr. Michael. Aber diesen ›Sklavenjargon‹ will ich hier nicht hören. Was mich auf deine angemessene Entlohnung bringt. Es geht nicht, dass du umsonst für uns arbeitest.«

Nandé schaute verblüfft. »Aber was ich mache mit Geld?«

Lizzie hätte ihr da sofort ein paar Anregungen geben können. Aber jetzt unterbrachen Hufschlag und das Geräusch rollender Räder ihr Gespräch. Lizzie sah aus dem Fenster – und erkannte mit einer Mischung aus Freude und Beklemmung die Stute Lady vor Patricks Wagen. Es war schön, dass Patrick zurück war! Aber andererseits würde es jetzt auch zu einer Begegnung zwischen ihm und Kevin kommen – eine Konfrontation, die Lizzie seit Monaten fürchtete. In Dunedin war Patrick seinem Bruder offensichtlich aus dem Weg gegangen. Kevin stellte das als Zufall hin, aber so recht konnte Lizzie es nicht glauben. Patrick war keine sechs Monate lang unterwegs gewesen – und auch Kevin nicht so beschäftigt, dass nicht gelegentlich ein Treffen möglich gewesen wäre. Aber zwischen den Brüdern stand nach wie vor Juliet Drury-LaBree und nun womöglich auch sehr bald Doortje, die sich hier als Bäuerin gebärdete. Patrick konnte es nicht gefallen, Kevin und seine Frau auf der Farm zu sehen. Elizabeth Station war sein Erbe, Kevin hatte dafür das lange Medizinstudium und die Praxis in Dunedin erhalten. Lizzie und Michael wären auch gern bereit gewesen, ihm eine weitere in Lawrence zu finanzieren, aber die Farm sollte Patrick gehören. Lizzie konnte nur hoffen, dass ihr jüngerer Sohn Kevins Umzug nach Otago nicht als Affront empfand.

Patrick wirkte jedoch nicht unglücklich. Im Gegenteil, er strahlte über das ganze Gesicht und winkte zum Küchenfenster hin, als er daran vorbeifuhr. Lizzie nahm May auf den Arm, um ihm entgegenzugehen, aber der Hund bellte schon zur Begrüßung, bevor sie zur Tür kam. Patrick wirbelte herein, streichelte dem Collie kurz den Kopf, als der an ihm hochsprang, und umarmte dann Lizzie und May gleichzeitig. Lizzie freute sich über die herzliche Begrüßung, wunderte sich aber auch. So euphorisch hatte sie Patrick schon lange nicht erlebt.

Erst jetzt sah der junge Mann Nandé und den kleinen Abe – und schaute das schwarze Mädchen ebenso verwirrt wie bewundernd an.

»Wer ist das denn?«, erkundigte er sich. »Aber wie auch immer. Mutter, May, meine Süße! Ihr glaubt nicht, wen ich euch mitgebracht habe!«

May glückste freundlich zur Antwort – aber in Lizzie keimte ein ungutes Gefühl, das sich gleich bestätigte.

»Patrick, Überraschung hin oder her, aber du kannst mich nicht im Wagen sitzen lassen. Es regnet!«

Lizzie vernahm eine klangvolle, dunkle Stimme – in der Tür stand Juliet Drury-LaBree. Lizzie schaute sie ungläubig an. Nandé dagegen war sichtlich interessiert. Die bildschöne Kreolin war die erste Farbige, die ihr in Neuseeland begegnete.

Juliet lachte. »Hat es dir die Sprache verschlagen, Miss Lizzie?« Mit gespielter Unbefangenheit ging sie auf Lizzie zu und begrüßte sie mit Wangenküssen. »Patrick meinte, dich müsste der Schlag treffen, aber … na ja, du hast doch sicher damit gerechnet, dass ich irgendwann wiederkomme …«

Lizzie räusperte sich. »Nein«, bekannte sie. »Damit hatten wir ehrlich gesagt nicht gerechnet …«

Sie hätte noch einiges hinzufügen können, aber Juliet fiel ihr ins Wort. Sie hatte inzwischen Nandé bemerkt und musterte sie ohne jede Hemmung. Dann lachte sie.

»Himmel, ich glaub's nicht! Eine Schwarze! Wenn auch zugegeben eine hübsche. Aber Geschmack hatte er ja schon immer. Lass dich anschauen, Kleine. Bist du Kevins Frau?«

Nandé sah beschämt zu Boden, was Patrick auf Juliets wenig respektvolle Anrede zurückführte.

»Verzeihen Sie ...« Er wandte sich hilflos entschuldigend an Nandé. »Meine Frau ist ... hm ... etwas impulsiv. Aber ich hätte mir dich ... Verzeihung, Sie ... auch anders vorgestellt ...«

Lizzie fasste sich. »Nandé, dies sind Patrick Drury, mein jüngerer Sohn, und seine ... hm ... Gattin Juliet. Juliet, Patrick ... dies ist Nandé. Doortjes ... Zofe.«

Sie suchte nach einem möglichst aufwertenden Begriff für eine Dienstbotin. Nandé schien das noch mehr zu beschämen. Juliet verzog denn auch das Gesicht. Kevins Gattin verfügte also über Dienstboten. Eine Zofe!

Sie warf einen Blick auf das blonde Kind in Nandés Armen.

Nandé näherte sich damit eben Patrick. »Dies Abraham«, stellte sie mit ihrer sanften Stimme vor. »Ihr ... Neffe, richtig?«

Patrick lächelte ihr zu. »Ja, richtig. Sie lernen Englisch, Miss Nandé?«

Nandé nickte.

Juliet stellte sofort fest, dass das Kind reinweiß war. Und nun trat obendrein eine weitere Frau in die Küche. Doortje Drury trug ihre übliche burische Arbeitskleidung, das blaue Kleid, Schürze und Haube. Am Morgen war alles sauber und frisch gewesen, aber den Kampf mit den Mutterschafen hatte die Tracht nicht unbeschadet überstanden. Sie wirkte zerknittert und beschmutzt, womöglich war Doortje beim Melken auch hingefallen, jedenfalls wies ihr Kleid Spuren von Stroh und Schafmist auf. Zudem war sie vom Schafstall aus durch den Regen gelaufen. Doortjes Augen leuchteten jedoch triumphierend, und selbst Lizzie musste zugeben, dass sie außergewöhnlich schön war. Ein klarer Gegenpol zu der dunklen, geheimnisvollen Juliet. Und ein sehr bodenständiger.

»Ich habe Milch!«, erklärte Doortje und hielt einen Eimer hoch. »Zwei hab ich melken können!«

Lizzie lächelte. »Darf ich vorstellen? Dorothea Drury, Patrick und Juliet Drury. Mein jüngerer Sohn, Doortje, und seine Frau.«

Lizzies Schwiegertöchter musterten einander gleichermaßen fassungslos. Juliet starrte auf Doortjes kotbeschmierte Schürze, Doortje auf Juliets negroide Züge.

Patrick entspannte die Situation ein wenig, indem er seiner Schwägerin die Hand reichte. »Ich freue mich, dich kennenzulernen«, sagte er förmlich. »Oder euch ... dich und den kleinen Abe.« Er nahm Nandé das Baby ab und wiegte es in den Armen.

»Die Familienähnlichkeit ist unverkennbar«, bemerkte Patrick arglos. »Er sieht aus wie Atamarie, nicht?«

KAPITEL 5

Lord Barrington hatte Rosie Paisley großzügig erlaubt, Bulldogs schwarzen Hengst in seinem Rennstall einzustellen und
auf seinen Anlagen zu arbeiten. Dazu verschaffte er ihr eine
Trainerlizenz, was natürlich nicht ganz einfach war: Über
weibliche Trabrennfahrer mochte der Rennverein hinwegsehen,
wenn man die Sache nicht an die große Glocke hängte, aber
ein weiblicher Trainer?

Der Lord erwies sich hier allerdings als erfinderisch. Er
begleitete Rosie zum Canterbury Trotting Club und unterstützte ihren Antrag auf eine Lizenz.

»Ross Paisley«, stellte er Rosie vor, die ihr wieder kurz
geschnittenes blondes Haar unter einer Schiebermütze verbarg
und ihre weiblichen Formen unter einem unförmigen Hemd.
Dazu trug sie Latzhosen. »Sehr begabt, eine echte Bereicherung für den Club!«

Der Sekretär des Canterbury Trotting Club sah unwillig
von seiner Arbeit auf. »Wie heißt der Mann denn richtig?«,
erkundigte er sich. »Ich brauche schon den vollen Namen für
die Papiere, Ross ist doch eine Kurzform, oder?«

Der Lord beugte sich zu ihm herab. »Sicher«, wisperte er
ihm zu, als vertraue er ihm ein streng gehütetes Geheimnis an.
»Aber möchten Sie den Namen Rosamond Paisley in Ihren
Arbeitsunterlagen stehen haben?«

Der Sekretär gluckste. »Rosamond?«, dröhnte er.

Rosie errötete. Eigentlich hieß sie Rosalind, aber mit dem

Namen als Junge aufzutauchen, hätte sie nun doch etwas frech gefunden.

Der Sekretär konnte sich vor Lachen kaum halten. »Also manche Eltern sollte man verprügeln … Wobei … also etwas weibisch wirkt der Junge ja …«

Rosie biss sich auf die Lippen, aber der Mann griff bereits zur Feder. Wenige Minuten später hielt sie eine Trainerlizenz auf den Namen Ross Paisley in Händen. Der Lord entrichtete noch eine Gebühr, die sie ihm später zurückerstatten musste, und schon konnte sie anfangen. Bei der Ausarbeitung des Ausbildungsvertrags für Spirit's Dream war der Lord ihr ebenfalls behilflich. Einstellplätze für zwei weitere Pferde sollten sich finden lassen, bisher hatte sich allerdings noch kein Pferdebesitzer außer Bulldog für den neuen Trainer entschieden.

Natürlich versuchten Joe Fence und die beiden anderen in Addington ansässigen Trabertrainer gegen Ross Paisleys Lizenz Sturm zu laufen. Rosies Geschlecht war auf der Rennbahn schließlich allgemein bekannt. Der Rennclub stellte sich hier jedoch stur. Lord Barrington hatte großen Einfluss in Addington, und der Spediteur Tom Tibbs mochte eine kommende Größe unter den Pferdebesitzern sein. Schließlich besaß er Geld und Pferdeverstand. Ganz sicher würde niemand von der Rennleitung den von beiden protegierten neuen Trainer dazu zwingen, öffentlich die Hose herunterzulassen. Zumal sich die von Paisley trainierten Pferde ja hervorragend schlugen.

Vincent Taylor war allerdings nicht so begeistert, als Rosie Paisley ihn zum dritten Mal innerhalb von zwei Wochen zu ihrer Stute Diamond kommen ließ.

»Rosie, sie hat nichts!«, erklärte er nach gründlicher Untersuchung. »Sie hatte Montag nichts, und heute hat sie auch nichts. Allenfalls ist sie etwas aufgeregt, die Pulswerte sind ein wenig höher, als sie sein sollten. Aber …«

»Sie hat gezittert«, beharrte Rosie. »Und anders geschwitzt als sonst. Irgendwas stimmt mit ihr nicht, Dr. Taylor. Ich merk das.«

Vincent zuckte die Schultern. »Ich kann jedenfalls nichts feststellen. Und sie läuft doch wie immer, oder?«

Rosie nickte. »Sie hat sich für den Auckland Trotting Cup qualifiziert!«, erklärte sie stolz. »Ich weiß bloß noch nicht, wie ich sie hinkriege. Auf die Nordinsel … das ist so weit …«

»Fence schickt auch Pferde hin«, meinte Vincent nebenbei. »Aber mit dem zusammen werden Sie sie natürlich nicht transportieren wollen. Was ist mit Mr. Tibbs?«

Über Rosies Gesicht ging ein Strahlen.

»Oh, Mr. Tibbs ist ganz zufrieden!«, berichtete sie eifrig. »Der Hengst macht sich gut, wissen Sie doch, der zweite Platz am letzten Renntag. Aber für Auckland … vielleicht nächstes Jahr.«

»Ich dachte jetzt eigentlich weniger an einen Start für sein Pferd als vielmehr an ein Sponsoring für Ihres, Rosie«, meinte Vincent. »An Geld mangelt's da doch nicht.«

Bulldogs Spedition schien zwar auf den ersten Blick klein, und Tom übernahm sogar selbst noch gelegentlich Fuhren. Aber das täuschte, im Grunde war das Unternehmen auf der gesamten Südinsel verbreitet, Tibbs unterhielt Zweigstellen in Blenheim, Queenstown und an der Westküste. Er dachte auch bereits an Motorisierung und den Kauf von Eisenbahnaktien.

Über Rosies Gesicht flog eine zarte Röte. »Ach nein, das will ich nicht«, murmelte sie. »Er zahlt schon so gut für Dreamy!«

Vincent verdrehte die Augen. »Er zahlt Ihnen das ganz normale Trainerhonorar«, meinte er. »Nicht mehr und nicht weniger. Und dafür leisten Sie doch auch sehr gute Arbeit. Sie müssen sich da auf keinen Fall schämen, Rosie!«

»Aber ich mach das doch gern!«, meinte Rosie. »Für … hm … Mr. Tibbs!«

Vincent lächelte Rosie jetzt verschwörerisch zu. »Haben Sie mal drüber nachgedacht, ob Mr. Tibbs vielleicht auch gern mal was für Sie täte?«, antwortete er auf ihre Beteuerung.

Das Leuchten in den Augen von Rosie und Tibbs war nicht zu übersehen, wenn man mit den beiden in einem Raum weilte. Aber so recht schien die Beziehung nicht voranzukommen. Das ging Vincent mit seiner Roberta natürlich auch nicht viel besser. Er seufzte, als er Trotting Diamond zum Abschied den glatten fuchsfarbenen Hals klopfte. Dabei hatte alles so vielversprechend ausgesehen, aber nach der Begegnung mit dieser halbseidenen Sängerin schien sich Roberta wieder mehr in sich zurückzuziehen. Vincent war das ein Rätsel, zumal die Frauen an jenem Abend doch ziemlich die Klingen gekreuzt hatten. Aber irgendwie musste es um Kevin gehen. Und laut Robertas letzten Briefen war diese Juliet nun auch zurück in Dunedin. Oder in Otago. Es hatte wohl ziemlich gekracht zwischen Kevin und seinem Bruder Patrick. Letzteres wusste er von seinem Freund direkt, Kevin hatte seinen Vater zu einem Treffen der Viehzüchtervereinigung in Christchurch begleitet, und die Männer hatten sich gesehen. Kevin kam dazu nach Addington. Er schien nicht sehr erpicht darauf zu sein, den Vorträgen und Diskussionen der Viehbarone beizuwohnen.

»Ist doch auch eigentlich eher der Job deines Bruders, oder?«, fragte Vincent bei ihrem ersten Whiskey. »Sagtest du nicht mal, dein Vater ginge gar nicht so gern zu diesen Veranstaltungen?«

Kevin zuckte die Achseln. »Patrick rührt sich zurzeit nicht von Juliets Seite. Und er hat drauf bestanden, dass sie mit ihm nach Otago zieht, auf die Farm meiner Eltern. Da wären sie mehr für sich und könnten sich wieder näherkommen. Es gäbe keine Ablenkungen wie damals in Dunedin …«

In groben Zügen schilderte er Vincent den bisherigen Verlauf von Patricks Ehe. Der Tierarzt lauschte aufmerksam. Und schürzte die Lippen, als er eins und eins zusammenzählte.

»Diese Juliet ist aber nicht das Mädchen, das dich in den Krieg getrieben hat, oder?«

Kevin grinste ertappt. »Wie kommst du darauf?«, fragte er, weit davon entfernt zu leugnen.

»Robertas Reaktion auf sie ließ so etwas vermuten. Sie ist doch sonst so höflich, aber auf diese Juliet reagierte sie geradezu allergisch. Und jetzt wohnt ihr alle auf dieser Farm? Du mit Doortje und Patrick mit Juliet? Schwierige Situation!«

Kevin schüttelte den Kopf. »Nein. Kein Gedanke. Juliet und Doortje finden einander unausstehlich. Wobei ich nicht weiß, was Juliet gegen Doortje hat …«

Vincent gluckste und hätte sich vor Lachen fast an seinem Whiskey verschluckt. »Soll ich mal ein paar Vermutungen äußern?«, fragte er.

Kevin sah ihn strafend an. »Mach dich nur lustig«, sagte er melodramatisch. »Was Doortje gegen Juliet hat, ist leider eindeutig. Sie stört sich an deren Hautfarbe. Juliet ist Kreolin – ach ja, du hast sie ja gesehen. Eine seltene Schönheit, nicht?«

Vincent zuckte die Achseln. »Schönheit ist nicht alles«, bemerkte er. »Gegen Roberta fällt sie ganz klar ab. Sie hat was … Gehetztes, wenn du mich fragst. So schnell wird die nicht sesshaft werden. Aber du magst ja diese Problemfälle. Doortje …«

»… war kaum zu bewegen, sich mit Juliet an einen Tisch zu setzen«, seufzte Kevin. »Und Juliet hat sich auch nicht gerade ladylike verhalten. Sie führte Doortje gnadenlos als Landpomeranze vor, und die hatte ihr zumindest so schnell nichts entgegenzusetzen. Wie auch, sie wundert sich ja schon, wenn eine ›Farbige‹ in ganzen Sätzen spricht.«

Vincent schüttelte den Kopf. »Das muss sich jetzt aber langsam mal ändern, Kevin. Ist sie immer noch so … so …?«

Kevin vergrub den Kopf in den Händen. »Wir führen nach wie vor keine Ehe, Vincent«, gestand er dem Freund. »Sie wehrt sich nicht, und ich muss gestehen, ich … in den letzten

Wochen habe ich sie zweimal genommen. Ich wollte es eigentlich nicht, aber ich bin auch nur ein Mensch. Und sie hatte keine Einwände. Im Gegenteil, sie sagte, sie habe sich schon gewundert ... Aber sie lag da ... stocksteif, teilnahmslos ... das ist nicht richtig, Vincent. Nichts ist richtig. Und jetzt lebe ich mit ihr in dem alten Blockhaus.«

»Noch mal, wo lebt ihr?«, fragte Vincent nach. Bisher war nur von Dunedin und Elizabeth Station die Rede gewesen.

»In der Goldgräberhütte, die Michael für Lizzie gebaut hat, lange bevor sie die Farm hatten. Sie ist ganz stabil, wenn auch alt, näher an Lawrence, was für mich durchaus von Vorteil ist. Meine Eltern haben sie uns angeboten, nachdem Patrick ... nun, er ist schon sehr deutlich geworden. Tatsächlich möchte er weder mich noch Doortje in der Nähe seiner Juliet ...«

Vincent lächelte. »Ich kann's ihm irgendwie nachfühlen«, spottete er.

»Wie schön, dass du dich amüsierst«, gab Kevin bitter zurück. »Jedenfalls war Doortje gleich dafür, sie sprach von einer eigenen Farm, was Patrick wieder aufbrachte. Die Goldgräberhütte steht auf dem Land von Elizabeth Station ... Aber jedenfalls hatte er nichts dagegen, dass wir erst mal einzogen. Und Doortje tut jetzt so, als sei sie ganz zufrieden. Sie hat ein paar Schafe, eine Kuh, legt einen Garten an ... Oder beaufsichtigt zumindest Nandé dabei, einen Garten anzulegen. Das arme Ding schuftet sich halb tot, aber für Doortje ist die Arbeitsteilung einfach klar: die gröberen Aufgaben für die Kaffern, die anspruchsvollen für die Baas. Sie selbst backt Brot, macht Käse ... es wäre sehr schön, wenn sie ... also wenn wir ... ein Liebespaar wären. Du verstehst, was ich meine?«

Vincent nickte. »Natürlich.«

Es konnte romantisch sein, mit der Frau, die man liebte, in einer primitiven Hütte zu hausen. Einen Herzschlag lang verlor er sich in dem Gedanken, mit Roberta ein Heim weit draußen auf dem Land aufzubauen, aber dann schalt er sich kindisch. Roberta war ein Stadtkind, womöglich war ihr schon Addington zu provinziell … Ob sie sich ihm gegenüber deshalb wieder kühler gab? Aber nein, das glaubte er nicht. Robertas Rückzug hatte mit Juliet zu tun. Und – so ungern er sich das eingestand – mit Kevin.

»Aber so … In der Einöde muss ihr die Decke doch auf den Kopf fallen!«, klagte Kevin. »Mir geht es jedenfalls so, wenn ich aus der Praxis komme. Doortje stellt das Essen auf den Tisch, ich versuche, ein Gespräch anzufangen, sie erzählt ein bisschen von ihrem Tag – aber das war es dann schon. Es gibt nichts wirklich Interessantes zu berichten.«

»Und Nandé?«, fragte Vincent.

»Schläft im Geräteschuppen. Was mir auch nicht gefällt, Doortje hält das Mädchen wie einen Hund! Aber um Himmels willen, ich kann die Hütte nicht auch noch mit Nandé teilen! Das ist alles eine verfahrene Geschichte. Ich wünschte, ich könnte zurück nach Dunedin.«

Kevin orderte einen weiteren Whiskey. Er schien entschlossen, sich zu betrinken. Vincent nahm auch einen Schluck.

»Du solltest einfach wieder hinziehen«, riet er dann, allerdings mit einem etwas unguten Gefühl. Wenn seine Ahnung ihn nicht trog, und sein Freund war wirklich der geheimnisvolle Mann in Robertas Leben, dann hatte er kein Interesse daran, ihn in ihrer Nähe zu wissen. Aber er konnte auch nicht mitansehen, wie sein Freund sich kaputtmachte. »Ohne Rücksicht auf Doortjes Neigungen. ›Wo du hingehst, da will auch ich hingehen‹ steht schon im Alten Testament, sie wird sich deinen Wünschen fügen müssen. Und du tust ihr keinen Gefallen, indem du ihr erlaubst, in Otago ein Kleinafrika aufzubauen. Wobei wir noch gar nicht von dem Kind reden, das kannst du nicht mit der Niederländischen Bibel und den guten alten Voortrekker-Legenden aufwachsen lassen! Nimm Doortje mit nach Dunedin und zwing sie, sich anzupassen. Sie schafft das, sie ist doch intelligent, und ich wette ... ich wette, Roberta würde ihr helfen.« Er schluckte. »Da wir übrigens gerade von Roberta Fence reden«, fuhr er in gespielt leichtem Tonfall fort – tatsächlich brachte er die Frage kaum heraus, aber es nützte ja nichts, er musste es wissen, »hast du ... hast du dich jemals zu ihr ... hingezogen gefühlt?«

Kevin sah auf, bisher hatte er gedankenverloren abwechselnd in sein Bier- und in sein Whiskeyglas gestarrt. »Robbie? Deine Roberta? Wie meinst du das, zu ihr ... ach komm, jetzt sag nicht, dass sie immer noch für mich schwärmt! Das hat sie mal getan, als sie klein war, aber jetzt ... Sie ist doch erwachsen, ich dachte, sie sei drauf und dran, sich mit dir zu verloben.«

»Du findest sie also nicht ... anziehend?«, fragte Vincent ernst.

Kevin lachte. »Nein, Vincent, wirklich nicht. Sie ist hübsch, natürlich. Aber für mich ist sie ... meine junge Nichte und Robbie sind zusammen aufgewachsen. Meine Güte, vor ein paar Jahren habe ich der Maus noch ein Stoffpferdchen geschenkt! Roberta Fence ist für mich so was wie Atamaries Schwester. Als solche mag ich sie gern. Aber sonst ist da nichts.«

Vincent Taylor wurde etwas leichter ums Herz. Egal, was Roberta noch für ihn zu empfinden meinte. Für seinen Freund war sie keine Versuchung. Vincent würde es nur mit ein paar Träumen und einem Stoffpferdchen aufnehmen müssen ... Schwierig genug, aber nichts gegen die Rivalität mit einem attraktiven Mann aus Fleisch und Blut.

Doortjes burische Ordnung in ihrem persönlichen Kleinafrika geriet in diesen Tagen ganz unabhängig von Kevins und Vincents Überlegungen aus den Fugen. Dabei hatte Patrick Drury eigentlich nur den Wunsch, die Beziehungen zu seiner neuen Schwägerin zu verbessern, als er im Rahmen eines Inspektionsrittes über die Schafweiden im alten Goldgräberhaus vorbeischaute. Natürlich war Patrick nicht entgangen, dass Doortje und Juliet nichts miteinander anzufangen wussten – wobei ihm schon schwante, warum Juliet die Burin ablehnte. Umgekehrt konnte er die Antipathie jedoch nicht nachvollziehen. Patrick wusste nichts über Südafrika, und Rassismus war ihm fremd. Insofern begriff er nicht, warum Doortje ihren offensichtlichen Abscheu gegenüber Juliet auf ihn übertrug. Gut, die Frauen mochten einander nicht, aber Doortje schien Patrick seine Ehe mit Juliet persönlich übel zu nehmen. Patrick hatte schon überlegt, mit Kevin darüber zu reden. Er bedauerte den Streit mit seinem Bruder und wollte ihn einerseits gern beilegen, andererseits aber einen möglichst großen Abstand zwischen Kevin und Juliet halten … Das alles war sehr schwierig, und Doortjes ablehnendes Verhalten machte es nicht einfacher. Aber hier versprach sich Patrick durchaus Abhilfe. Wenn er ab und an mal einen Kaffee mit seiner neuen Schwägerin trank – ohne dass Juliet gehässige Bemerkungen einwarf –, konnte er sie sicher dazu bringen, ihn zu mögen.

Also verhielt er sein Pferd an diesem strahlenden Frühlingstag vor dem Blockhaus, band es an und klopfte an die Tür. Niemand öffnete, also beschloss Patrick, einmal um das Haus herumzugehen. Seine Mutter hatte gesagt, Doortje lege einen Garten an, und die Schafe mussten ja auch irgendwo untergebracht sein. Sicher arbeitete seine Schwägerin bei diesem Wetter lieber draußen, als allein im Haus zu sitzen.

Tatsächlich hörte er Gesang, als Garten und Ställe in Sicht kamen. Eine Mädchenstimme sang eine fremde Weise in einer gänzlich unverständlichen Sprache – und dann sah er auch Nandé.

Die schwarze junge Frau trug ein sehr leichtes Sommerkleid – eigentlich bestand es nur aus einer bunten Stoffbahn, die sie geschickt um den schmalen Körper gewunden hatte, gerade genug, um Brust, Hüften und Oberschenkel zu bedecken. Über dem Knie endete das Wickelkleid. Trotz der luftigen Bekleidung schwitzte Nandé, was kein Wunder war. Sie stieß immer wieder mit voller Kraft einen Spaten in den Boden, um ein Beet anzulegen. Dabei hatte es ein paar Tage nicht geregnet, der Boden war hart.

»Miss Nandé!« Patrick rief das Mädchen an, um auf sich aufmerksam zu machen. Die junge Frau hatte ihn nicht bemerkt, und er wollte sie nicht erschrecken. »Miss Nandé, was machen Sie denn da? Das ist doch viel zu schwer für Sie!«

Nandé wandte sich um. Als sie Patrick sah, ging ein Strahlen über ihr schmales, aristokratisches Gesicht. »Baas Patrick!«, sagte sie fröhlich. »Guten Tag.« Sie knickste und kicherte. Die Art der Begrüßung war ihr immer noch fremd, aber sie hatte sie den Hausmädchen in Dunedin abgeschaut und war stolz auf diese Fertigkeit.

Patrick lächelte. »Auch einen schönen guten Tag, Miss Nandé«, grüßte er und verbeugte sich ebenso förmlich. Das schwarze Mädchen kicherte wieder.

»Immer lustig, Baas Patrick! Immer spielen feine weiße Lady mit Nandé!«

»Also ich sehe keinen Unterschied zwischen weißen und schwarzen Ladys«, meinte Patrick. »Aber eigentlich wollte ich Miss Doortje besuchen. Ist sie nicht da?«

Nandé schüttelte den Kopf und griff wieder zum Spaten. »Sie ist rauf zu Baas ... äh ... zu Miss Lizzie, Frischkäse bringen.«

Patrick nickte. Allen Meinungsverschiedenheiten zum Trotz tauschten Lizzie und Doortje unverdrossen landwirtschaftliche Erzeugnisse aus. Lizzie hatte sich am Anfang darüber gewundert, sie war eigentlich der Meinung gewesen, Doortje sei froh, sie endgültig los zu sein. Aber was dies anging, schienen es die Frauen in burischen Gemeinwesen ähnlich zu halten wie die Frauen der Farmer, die Patrick in Sachen Viehzucht beriet. Man teilte mit den Nachbarn, ob man sie mochte oder nicht, und wenn sie obendrein zur Familie gehörten, spielte man Konflikte erst recht herunter. Patrick fragte sich allerdings, warum Doortje das mit Juliet nicht genauso hielt.

Aber jetzt nahm er Nandé erst mal den Spaten aus der Hand.

»Lassen Sie mich das mal machen, solange ich auf Miss Doortje warte. Sehr lange wird sie da oben ja wohl nicht bleiben. Und für Sie ist die Arbeit doch viel zu anstrengend.«

Nandé verneinte ernsthaft. »Ach was, Baas ... äh ... Mr. Patrick!« Sie schaute ihn beifallheischend an, obwohl Patrick die Anrede zuvor nicht moniert hatte. Tatsächlich hatte er keine Ahnung, was sie bedeutete. »Ich ... wir ... immer gemacht. Ist unsere Arbeit auf Farm.«

»Wer ist denn wir?«, fragte Patrick freundlich. »Also, der kleine Kerl da trägt bislang doch nicht viel dazu bei.« Er wies lächelnd auf Abe, den er gerade erst entdeckte. Das Kind schlief friedlich in einem Korb im Schatten eines Rata-Busches. Neben ihm lag ein aufgeschlagenes Buch. *Alice im Wunderland* von Lewis Carroll. »Oder liest er Ihnen vor, während Sie graben?« Er zwinkerte.

Nandé lachte wieder. »Nein, kann noch nicht lesen!«, verriet sie dann ganz ernsthaft. »Ist noch Baby, Mr. Patrick. Wir ist Vater und Mutter und Bruder und Nandé. Wir immer haben gearbeitet auf Felder von Baas VanStout.«

Beim Gedanken an ihre Familie verdüsterte sich Nandés Miene. Patrick sah das und fragte nicht nach dem Schicksal ihrer Verwandten.

»Das klingt aber nach mindestens zwei Männern, Miss Nandé. Hier dagegen ...« Er ließ den Blick über drei bereits bepflanzte Beete schweifen. »Haben Sie das alles allein gemacht?«

Nandé bejahte. »Mr. Kevin sagt, helfen, wenn hat Zeit.

Wenn er Zeit hat.« Sie verbesserte sich und wirkte stolz, als Patrick ihr zunickte. »Aber hat viel Arbeit in Hospital. Arzt schwere Arbeit. Aber gut! Gut, dass helfen Leute.« Nandé nahm das Baby auf, das sich in seinem Körbchen regte.

»Aber Sie brauchten hier auch Hilfe«, meinte Patrick. Dann warf er einen Blick auf das Buch, das Nandé eben etwas nervös in Abes Körbchen versteckte. »Das war übrigens mein Buch, früher ...«

Nandés Teint verdunkelte sich. Patrick registrierte ihre unauffällige Art, rot zu werden. Er fand sie hinreißend, noch nie war ihm ein Mensch mit einem derart sprechenden, offenen Gesicht begegnet. Nandé nestelte das Buch jetzt rasch wieder aus den Decken.

»Oh, Verzeihung. Ich nicht wusste. Gebe zurück, natürlich. Bitte verzeihen!«

Patrick schüttelte den Kopf. »Da brauchen Sie sich doch nicht zu entschuldigen. Bestimmt hat's Ihnen meine Mutter gegeben, nicht wahr? Und ich schenke es Ihnen jetzt ...«

Nandé strahlte. »Ehrlich, Mr. Patrick? Eigenes Buch? Dann ich hab schon drei, zwei von Miss Roberta und jetzt dies. Dies schöner als andere. Andere von Kinder, die arm und traurig. Armer kleiner Oliver und armer kleiner David. Aber hier lustige Tiere! Kaninchen sprechen! Und Mädchen.«

Patrick lachte. »Damit hat Kevin mich immer gehänselt. Dass ich Mädchenbücher lese. Und ich muss auch zugeben: Dies hat zuerst Matariki gehört, meiner Halbschwester. Solche Bücher gehen von einem zum anderen, Miss Nandé. Sie können es dann ja an meine Tochter zurückschenken, in zehn Jahren ... Bis dahin lesen Sie wahrscheinlich Bulwer-Lytton.«

Nandé schaute etwas verständnislos, lächelte aber. »Kleine May sehr süß!«, sagte sie. »Aber Sie mir jetzt geben Spaten. Muss ich weitermachen, Baas Doortje sonst ärgerlich. Und muss auch noch Gras schneiden und Schafe füttern und Kuh melken, bevor kommt zurück.«

Patrick hatte mit dem Graben innegehalten, solange er mit Nandé über das Buch sprach. Jetzt stieß er den Spaten erneut mit aller Kraft in die Erde.

»Was zahlt Ihnen mein Bruder eigentlich dafür?«, fragte er dann, etwas ärgerlich. Es sah aus, als habe diese junge, schwarze Frau Angst vor Kevins Doortje. Die Hast, mit der sie grub, der Versuch, das Buch zu verstecken. »Sie spielen Kindermädchen, graben um, versorgen das Vieh ... Sie ersetzen hier eine ganze Belegschaft, ist Ihnen das klar?«

Nandé zuckte die Schultern. »Ich nicht kriegen Geld«, erklärte sie dann. »Wir nicht fragen Geld von Baas. Das ist ... ungehörig ...« Nandé kämpfte ein wenig mit dem schweren Wort. »Nicht Gottes Ordnung«, fügte sie dann hinzu. »Baas geben Arbeit und Essen, Kaffer arbeitet. Das Gottes Ordnung.« Nandé gab das emotionslos wieder. Sie schien es nicht zu hinterfragen.

Patrick ließ den Spaten wieder sinken. »Sie schuften hier unbezahlt, Nandé?«, fragte er entsetzt und vergaß das vornehme Miss. »Weil es Gottes Ordnung ist, dass Weiße die Aufsicht führen und Schwarze arbeiten? Gegen Essen und Unterkunft? Na, da würde ich aber gern mal Miss Morison von der Tailoresses' Union zu hören! Die würde Ihrer Doortje die Ohren lang ziehen! Und Kevin mit. Wie kann er ...?«

»Mr. Kevin sagt, will was geben. Nennt Taschengeld. Taschengeld vielleicht Gottes Ordnung?« Nandé schaute zweifelnd.

Patrick verdrehte die Augen. »Nandé, Gott hat mit der Lohnstruktur in diesem Land sehr wenig zu tun. Damit befassen sich eher die Gewerkschaften. Hier jedenfalls gibt es eine Verfassung, die Sklaverei verbietet. Sie müssen nicht für Miss Doortje kostenlos den Garten umgraben.«

Nandé zuckte die Schultern. Sie verstand mal wieder nichts. Aber in Patrick keimte eine Idee.

»Nandé, wenn Sie für Ihre Arbeit bezahlt werden würden. Wie viel würden Sie fordern?«

Nandé kaute auf ihren Lippen. Sie waren sehr voll und sehr klar geschnitten, es sah fast aus, als umrahmten sie ihren Mund mit einem feinen, dunkleren Strich. Patrick fragte sich, warum man die Lippen der Schwarzen wulstig nannte. Ihm wäre hier eher ein Wort wie sinnlich eingefallen.

»Vielleicht ... hm ... ein Pfund?«, fragte sie unsicher.

Wahrscheinlich war ihr auch die Währung ihres neuen Landes noch ein Buch mit sieben Siegeln.

Patrick nickte. Er fühlte sich etwas schuldig bei seinem Vorhaben, aber Juliet würde er damit glücklich machen, und Nandés Situation konnte sich nur verbessern.

»Hören Sie, Nandé, meine Frau wünscht sich schon seit langem eine Zofe ...«

»Zo...?« Nandé wusste mit dem Wort nichts anzufangen.

»Eine Zofe ist ein junges Mädchen, das einer Lady beim Ankleiden hilft und beim Frisieren«, erklärte er. »Es hält ihre Kleider in Ordnung, na ja, und bei uns würde auch manchmal Kinderhüten dazukommen. Aber es ist keine schwere Arbeit.«

Nandé nickte gelassen. »Ja, jetzt ich weiß. Auf Schiff mich genannt so die Leute. Zofe von Baas Doortje.«

»Gut«, meinte Patrick. »Also, hätten Sie nicht Lust, stattdessen die Zofe von Miss Juliet zu werden? Ich kann Ihnen nicht viel zahlen. Eigentlich leisten sich nur reiche Leute eine Zofe, und ich bin nicht reich. Aber ein Pfund in der Woche am Anfang, und später vielleicht auch zwei, das schaffe ich.«

»Die Woche?«, fragte Nandé fassungslos. »Dann bald ich reich!«

Patrick lachte. »Wenn Sie eifrig sparen!«, neckte er sie. »Also was ist, kann ich Sie abwerben?«

In Nandés Gesicht bekämpften sich Begehrlichkeit und Pflichtbewusstsein. Sie hatte Miss Juliet interessant gefunden – eine farbige Baas war in Südafrika undenkbar, aber vielleicht war sie ja nachsichtiger als eine weiße Baas. Und Miss Juliet lebte im Haus von Miss Lizzie. Es wäre ein Traum, dorthin zurückzukehren. Miss Lizzie war so nett, und auf Elizabeth Station hatte Nandé nicht im Stall schlafen müssen, sondern ein richtiges eigenes Zimmer gehabt mit einem Bett und sauberen Laken. Wie eine weiße Lady. Allerdings …

»Ich nicht kann, Mr. Patrick. Ich gehören zu Baas Doortje, unsere Familie arbeiten für ihre Familie. Immer. Ist Gottes Ordnung. Und Mr. Kevin auch noch bezahlt Schiff. Das muss ich abarbeiten, sagt Baas Doortje.«

Patrick schaute grimmig. Da war also durchaus über die Ungerechtigkeiten gegenüber der Schwarzen gesprochen worden in der jungen Familie Drury! Kevin wusste genau, dass er Nandé Unrecht tat. Also würde er nicht protestieren. Und was Doortje zu der Sache sagte, war ihm ehrlich gesagt ziemlich egal.

»Hören Sie zu, Nandé, ich nehme Sie jetzt mit. Nein, Sie müssen das Kind nicht allein lassen, das nehmen wir auch mit, meine Mutter wird sich freuen, den Kleinen mal wiederzusehen. Kevin und Doortje können ihn später abholen, und dann werde ich ihnen auch erklären, warum Sie jetzt für Juliet und mich arbeiten. Sie brauchen sich da gar nicht zu rechtfertigen. Dies ist ein freies Land, Nandé. Sie können gehen, wohin Sie wollen, und arbeiten, für wen Sie wollen. Und machen Sie sich keine Sorgen wegen der Schiffspassage. Die haben Sie längst bezahlt. Also, entscheiden Sie sich jetzt: Arbeitssklavin bei Miss Doortje oder Zofe und Kindermädchen bei Juliet und mir?«

Nandé holte tief Luft. Dann strahlte sie Patrick an.

»Ich arbeiten gern für Mr. Patrick. Und Miss Juliet sehr schön, Missy May sehr süß.«

Patrick lächelte. »Fangen Sie nur ja nicht an, meine Tochter zu siezen! Die wird schon genug verwöhnt. So, und nun schauen wir mal, ob mein Pferd uns beide trägt.« Er warf einen Blick auf Nandés nackte Beine und verspürte Regungen, die sich der Zofe seiner Gattin gegenüber eigentlich verboten. »Oder nein, das wäre nicht schicklich«, verbesserte er sich. »Sie reiten, Miss Nandé, und ich führe das Pferd. Nein, keine Widerrede, etwas Bewegung tut mir gut. Meinem Bruder im Übrigen auch. Der soll seinen Garten mal schön selbst umgraben.«

KAPITEL 6

Kevin Drury schaute in seiner Praxis in Lawrence vorbei, bevor er zur Goldgräberhütte hinaufritt. Niemand wartete davor, also hatte ihn wohl auch während der Tage, die er in Christchurch verbracht hatte, niemand vermisst. Der Bedarf der Dörfler an ärztlicher Hilfe war nicht groß, Kevin hatte ihn erheblich überschätzt, als er dem alten Dr. Winter angeboten hatte, seine Praxis zu übernehmen. Aber Lawrence war natürlich eine sehr kleine Gemeinde, fast alles frühere Goldgräber, die nicht mit jedem Wehwehchen zum Arzt gingen. Ihre Frauen wandten sich mit Problemen an die Hebamme, eine Maori-Heilerin gab es wohl auch in der Nähe. Und ganz sicher bildete sich niemand seine Krankheiten ein wie ein großer Teil der weiblichen Klientel in Kevins Dunediner Praxis. Nein, Kevin ließe hier niemanden im Stich, wenn er zurück in die Stadt zöge ... Er betrat die Behandlungsräume. Irgendwo musste noch eine Flasche Whiskey versteckt sein. Kevin schämte sich dafür, dass er heimlich trank, aber Doortje duldete keinen Alkohol in ihrem Haushalt. Auch etwas, das er zur Sprache bringen sollte. Vincent hatte Recht – er ließ ihr zu viel durchgehen. Er liebte sie zu sehr ...

»Ich dachte mir, dass du kommst.« Eine dunkle, sinnliche Stimme.

Kevin hätte das Streichholz beinahe fallen lassen, mit dem er die Gaslampe entzünden wollte. Lawrence hatte noch keinen elektrischen Strom.

»Juliet!«

Juliet lächelte und winkte mit der Whiskeyflasche. »Ich für mein Teil bevorzuge zwar Champagner, aber ich gebe zu, der ist nicht stark genug, um deine kleine Burin wegzutrinken. Machst du das hier, Kevin? Schöntrinken brauchst du sie ja nicht. Schön ist sie. Aber auch kalt, Kevin, nicht? Kalt wie ein ... ist es kalt in diesem komischen Land, aus dem sie kommt?«

Kevin schüttelte den Kopf. Juliet saß in seinem Sessel, zwischen ihnen stand der voluminöse Sekretär, an dem er Krankenblätter zu bearbeiten pflegte. Für Kevin hätte es noch den Stuhl gegeben, auf dem er Patienten bat, Platz zu nehmen, aber er blieb unschlüssig stehen.

»Nichts ist kalt in ihrem Land, Juliet«, antwortete er. »Es ist heiß ... und trocken ...«

Juliet lachte. »Ein Land, in dem die Götter keine Tränen haben«, bemerkte sie. »Ein glückliches Land?«

Kevin schüttelte den Kopf. »Nein, kein glückliches Land. Aber was tust du hier, Juliet? Du solltest nicht hier sein, die Leute werden denken ...«

»Niemand hat mich kommen sehen«, sagte Juliet. »Und wenn mich jemand sehen wird, wenn ich gehe ... sei's drum, Kevin. Ich bin deine Schwägerin. Schon vergessen?«

Sie erhob sich und ließ sich lasziv auf dem Schreibtisch nieder. Damit war sie ihm näher. Und es bot sich an, sie zu umarmen. Juliet räkelte sich auf dem Tisch.

»Eben«, sagte Kevin mit heiserer Stimme. »Eben deshalb sollten wir uns nicht zu nahe kommen. Patrick hat ... genug für mich ... für uns ... getan. Wir können nicht ...«

»Nun tu mal nicht so, als wollte Patrick uns nur einen Gefallen tun«, murmelte sie. »Und wenn's dich beruhigt ... ich hab ihn ausreichend belohnt. Für einen kleinen Namen für ein Kind ...«

»Das ... Kind ist sehr schön.« Kevin versuchte verzweifelt,

das Gespräch wieder auf eine neutrale Basis zu bekommen, aber es war hoffnungslos. Juliet hatte es jetzt schon geschafft, ihn wieder in ihren Bann zu ziehen. Und, Teufel, es war nicht leicht, einem derart schönen Frauenkörper in einem dunkelroten, extrem engen Kleid zu widerstehen, einem verführerischen Lächeln auf feuchten Lippen und Augen, in denen Begehren stand. Erst recht nicht, wenn man seit Wochen nur hochgeschlossene Hauskleider sah, strenge Hauben und gestärkte Schürzen. Doortjes Körper war schöner als Juliets, Kevin begehrte seine Frau mehr, als Juliet ihn je gereizt hatte. Aber was nützte all das, wenn ihre Reize unter einem unförmigen Nachthemd verborgen blieben und sie ihr goldblondes Haar unter Nachthauben versteckte? Juliets dicke schwarze Locken fielen jetzt über seine Aktenordner. Ihre schmalen, feinen Hände, die gewöhnlich über Klaviertasten tanzten, tasteten nach seinem Füllfederhalter und führten ihn über den Ansatz ihrer Brust, als schrieben sie ein Liebesgedicht. Kevin dachte an Doortjes schwielige Hände, ihre Käserei, den Brotteig, den sie knetete. Er versuchte, sich ihren Duft vorzustellen, frisch und erdig und warm wie frisches Brot ... aber Juliets schweres Parfüm schob sich davor. Kevins Erinnerungen an Doortje verblassten, zumindest für diese Nacht. Morgen würde er wieder wissen, warum er sich in Doortje VanStout verliebt hatte. Aber jetzt ... Kevin kämpfte mit seinem Verlangen. »Er ist mein Bruder, Juliet«, sagte er gequält. »Wir können Patrick nicht betrügen ...«

Juliet machte eine abwehrende Handbewegung. »Er erfährt es ja nicht. Und ... ich halt ihn schon schadlos, keine Angst.« Sie lächelte sardonisch, als sie jetzt schon aufkeimende Eifersucht in Kevins Augen sah. Sie würde ihn seine Burin bald vergessen lassen. Und sein Bruder ... vielleicht würden Kevin und Patrick sich sehr bald hassen, Juliet war das jedoch gleichgültig. »Aber ab und zu ...«, flüsterte sie lasziv, »... brauche ich einen richtigen Mann. Du verstehst das doch, Kevin, oder? Du kennst Patrick. Er ist …«, sie lachte, »… zu brav. Und du brauchst auch mal eine richtige Frau. Oder ist sie nicht brav, deine kalte Schönheit aus ihrem heißen Land? Küsst sie dich so, Kevin?« Juliets Lippen schoben sich ihm entgegen. »Liebt sie dich so?«

Juliet schwang sich auf dem Schreibtisch herum und schlang ihre Beine um Kevins Hüften. Kevin Drury gab auf. Er zog Juliet in seine Arme.

KAPITEL 7

Doortje war außer sich, als Kevin nach Hause kam.

»Nandé ist weg!«, schleuderte sie ihm statt einer Begrüßung entgegen. »Schau dir das an!«

Doortje hielt ihm einen Zettel entgegen, den sie auf dem Tisch der Hütte gefunden hatte. Patrick erklärte den Sachverhalt in kurzen Worten.

Kevin zuckte die Achseln. »Da kann ich nichts tun«, sagte er kurz angebunden. Auf keinen Fall würde er sich mit Patrick streiten. Nicht nach dem, was gerade in der Praxis geschehen war. Kevin schämte sich jetzt schon dafür. Auch gegenüber Doortje. Er hätte gern etwas getan, um seinen Betrug wiedergutzumachen. Aber stattdessen würde er ihre Welt noch weiterzerstören. »Nandé gehört uns nicht, Doortje. Wenn sie lieber für Patrick arbeiten will, geht uns das nichts an. Ich habe dir gesagt, wir sollten ihr ein Gehalt anbieten. Aber so ... du musst dich daran gewöhnen, Doortje. Dies ist ein freies Land.«

»Aber sie ist undankbar!«, brauste Doortje auf. »Ihre Familie lebte auf unserem Land, seit Generationen. Wir haben ihnen zu essen gegeben, sie gepflegt, wenn sie krank waren ...«

Kevin seufzte. »Bevor ihr kamt, war es wahrscheinlich ihr Land, Doortje. Und da haben sie auch keinen Hunger gelitten. Ihre Medizinmänner waren sicher nicht schlechter als das, was ich bei euch an Hausmitteln und Aberglauben gesehen habe. Mit überragender medizinischer Versorgung kannst du also auch nicht kommen. Vergiss es, Doortje. Du bist nicht mehr in Transvaal. Und du brauchst Nandé auch gar nicht. Schließlich schnürst du dich nicht, dein Haar kannst du auch selbst aufstecken, du benötigst keine Zofe. Natürlich musst du dich nun selbst um Abe kümmern. Aber gut, wir können über ein Hausmädchen reden, das ihn dir auch mal abnimmt.«

»Hausmädchen?« Doortje runzelte die Stirn. »Wovon sprichst du? Wo willst du hier ein weißes Hausmädchen herkriegen? Und was ist mit dem Garten und dem Vieh und …«

»Wir gehen zurück nach Dunedin. Und wir können gern auch ein Maori-Hausmädchen mitnehmen«, beschied Kevin sie gelassen, obwohl sein Herz bis zum Hals klopfte. Er hasste die Eröffnung, die er ihr machen musste, aber Vincent hatte Recht. Hier lernte sie nie, sich anzupassen. Und wenn das nicht gelang … Kevin wusste, dass er Gefahr lief, Juliet erneut zu verfallen. Auch ein Grund, nach Dunedin zurückzugehen.

»Aber das Vieh werden wir nicht mitnehmen. Es tut mir leid, Doortje. Dies ist nicht Südafrika, und du bist keine Baas mehr und keine Bäuerin. Du bist die Frau des Dunediner Arztes Dr. Kevin Drury. Und so wirst du dich ab jetzt verhalten.«

»Aber du … du hast versprochen …« Doortje sah Kevin fassungslos an. »Wir wollten auf einer Farm leben …«

»Ich kann es nicht halten, Doortje«, gestand Kevin. »Und ich habe dir auch keinen Hof im Veld versprochen mit Negerkral nebenan und Abendandacht auf Niederländisch. Allenfalls eine Farm in Neuseeland, aber auf Elizabeth Station hat es dir ja auch nicht gefallen. Ich wünsche mir wirklich, dass du glücklich wirst, Doortje. Denk daran, was du geschworen hast: Wo du hingehst, da will auch ich hingehen. Und du … du liebst mich doch auch ein bisschen. In Afrika hast du mich ein bisschen geliebt …«

Doortjes Blick schwankte zwischen Verzweiflung und Hass. Wenn sie Kevin wirklich geliebt und begehrt hatte, so waren diese Gefühle tief in ihr verborgen.

»Ich … hab es nie gewollt«, sagte sie tonlos. »Das mit dir. Das ist einfach passiert. Aber es ist nicht Gott wohlgefällig. Auch wenn es … wenn es plötzlich so einfach aussah. Weil der Name für das Kind alles entschuldigte. Aber das Kind ist sowieso verflucht. Und ich auch.«

»Du kannst deine Frau nicht hier einsperren.« Michael Drury sah sich genötigt, seinem Sohn Patrick gegenüber ein Macht-wort zu sprechen. Seine frühere Sympathie für Juliet hatte sich längst verflüchtigt, inzwischen teilte er Lizzies Ansicht, die ihre Schwiegertochter einfach nur enervierend fand. Aber irgendwo verstand er auch Juliet. Diese Frau passte schlichtweg nicht aufs Land, sie musste todunglücklich sein auf Elizabeth Sta-tion. Ganz sicher würde sie es nicht die nächsten dreißig Jahre lang aushalten, egal, was Patrick sich wünschte. »Wenn du es übertreibst, läuft sie dir bald wieder weg«, versuchte Michael es mit dem einzigen Argument, von dem er sich auch nur den geringsten Erfolg versprach.

»Hier wird sie jedenfalls niemand verführen!«, meinte Patrick verstockt. »Sie ist doch damals auch nicht aus eigenem Entschluss weggegangen. Nur mit diesem Zeitungsschmierer, diesem …«

Michael verdrehte die Augen. »Der Mann hat sie nicht auf sein Pferd gezerrt und ist mit ihr davongaloppiert«, erinnerte er. »Juliet hat ihre Sachen gepackt, das Kind bei Claire abgesetzt und ist dann ganz freiwillig in die Postkutsche gestiegen.«

»Aber er hat ihr ein Engagement versprochen!«, wiederholte Patrick die Erklärung, die ihm Juliet gegeben hatte. »Eines, dem sie nicht widerstehen konnte!«

Michael zuckte die Schultern. »Beim nächsten Mal wird sie sich selbst eins suchen. Patrick, sie hält es hier nicht aus. Und wir halten es auch nicht aus. Und komm jetzt nicht mit der Sache mit dem Klavier. Wir stellen hier ganz sicher keinen Klimperkasten auf, dafür ist das Haus gar nicht groß genug.«

»Das Haus scheint ohnehin nicht groß genug zu sein für Mutter und Juliet!«, bemerkte Patrick bitter.

Erst kurz zuvor war es wieder zu einer Auseinandersetzung zwischen Lizzie und Juliet gekommen, in deren Folge Lizzie im Weinberg verschwunden war und Juliet in dem Zimmer, das sie mit Patrick teilte. Sie hätte lieber ein eigenes gehabt, aber Patrick bestand auf Nähe.

Michael zuckte die Schultern. »Ich kann es nicht leugnen, Patrick. Deine Mutter und Juliet kommen nicht miteinander aus – und ich kann Lizzies Gründe bis zu einem gewissen Grad verstehen. Auf die Dauer müssen wir uns dazu etwas einfallen lassen, vielleicht ließe sich die Goldgräberhütte zu einem größeren Haus ausbauen. Aber vorerst musst du Juliet Abwechslung bieten. Sie wird hier verrückt und deine Mutter auch. Fahr mit ihr nach Dunedin, wenigstens für ein paar Tage. Geht auf ein paar Gesellschaften, in ein paar Konzerte – mach sie glücklich, Patrick! Versuch, sie ein bisschen glücklich zu machen!«

Von der Frau eines Buren erwartete man Gehorsam – freudigen Gehorsam. Doortje kannte es nicht anders von ihrer Mutter und ihrer Großmutter: Eine Burenfrau folgte ihrem Mann bereitwillig über die Berge in die Wildnis und in die Schlacht. Sie lernte Gewehre zu laden und zu schießen. Wenn es sein musste, watete sie im Blut. Sie war bereit, zu töten und getötet zu werden für die Sache ihres Gatten, und sie stand unbeugsam hinter ihm: gegen äußere Feinde, aber im Zweifelsfall auch gegen ihre sonstige Familie und gegen ihre Kinder. Dorothea VanStout hatte all dies vom ersten Moment ihres Lebens an verinnerlicht, und sie tat nun ihr Bestes, unter den gänzlich andersartigen Bedingungen ihrer neuen Heimat ebenfalls ihre Pflicht zu tun. Ohne sich weiter zu beklagen, verließ sie das Blockhaus in Otago, ihr Vieh und ihren frisch angelegten Garten. Kevin brachte sie wieder in die Wohnung über der Praxis, zeigte sich aber bereit, auf Dauer ein etwas ländlicheres Domizil zu suchen.

»Vielleicht in Caversham«, überlegte er. »Da gibt es sehr hübsche kleine Cottages mit Garten. Und Kathleen und der Reverend leben dort, die magst du doch. Du könntest dich in der Kirche engagieren, in der Kinder- und Armenfürsorge ...«

Doortje hatte ihn daraufhin nur groß angeblickt. Die Sorge für in Not geratene, wildfremde Menschen war ihrer Gesellschaft unbekannt. Die Familien waren groß und hielten zusammen, Fremde kamen kaum in die Dörfer oder auf die Farmen – und ansonsten teilte die Niederländische Kirche auch die Ansicht der Church of Scotland: Wem es schlecht ging, der hatte es in der Regel verdient, und überhaupt war jedem Menschen sein Schicksal vorbestimmt. Wer verdammt und wer gerettet wurde, stand vom ersten Atemzug an fest. Natürlich hatten die Erlebnisse des letzten Jahres Doortje an diesen Glaubensgrundsätzen zweifeln lassen, aber so weit, dass sie sich für eine anglikanische Armenspeisung engagierte, ging es nun doch nicht.

Zunächst jedoch musste Doortje sich in Dunedin zurechtfinden – diesmal nicht halbherzig, sondern mit dem festen Auftrag ihres Gatten, sich anzupassen. Die junge Frau verbannte also ihre geliebte burische Tracht und trug die Reformkleider, die Kevin ihr in der ersten Zeit in Dunedin gekauft hatte. Inzwischen waren sie völlig aus der Mode, das Korsett kam wieder, die bequemeren Kleider hatten sich nicht durchsetzen können. Kevin registrierte das allerdings nicht, und auch sonst erwähnte es keiner. Doortje sah schließlich in den weiten Kleidern hinreißend aus, die Dunediner Gesellschaft riss sich um das dekorative Arztehepaar. Kevin bestand darauf, alle Einladungen wahrzunehmen, schon, um sich in der Stadt erneut einzuführen. Also versuchte Doortje auf Vernissagen vergeblich, geistreiche Gespräche zu führen, kämpfte sich durch mehrgängige Dinner und hatte so viel damit zu tun, Kevin und Roberta die richtige Handhabung des Bestecks abzuschauen, dass sie die Versuche ihres Tischherrn, Kommunikation zu machen, oft einfach überhörte.

Immerhin war ihr Roberta eine unschätzbare Hilfe. Die junge Lehrerin schien gern mit ihr und Kevin zusammen zu sein, und ihre freundliche Art ließ Doortje fast ihre unpassende Verbrüderung mit Nandé während der Schiffsreise vergessen. Roberta führte sie auch in das Geheimnis der Tanzschritte ein, sodass Doortje ihren ersten Ball ohne allzu große Fauxpas überstand. Doortje besuchte Konzerte und ließ sich von anderen Damen der Gesellschaft zum Tee einladen, aber sie tat das alles nur widerwillig. Wenn ihr doch etwas gefiel – Heathers Ausstellung von Frauenporträts beeindruckte sie zutiefst, die Musik eines Geigers rührte an ihr Herz, und sie hätte das Gefühl von Kevins Hand an ihrer Hüfte und die gemeinsame schwingende Bewegung im Walzertakt an einem der Tanzabende fast genossen –, so gestand sie es sich nicht ein. Doortjes Lächeln war immer gezwungen, und auch wenn das sonst niemand merkte – Kevin zerriss es das Herz.

Patrick Drury fuhr mit seiner Frau in die Stadt, wie sein Vater ihm geraten hatte. Um Juliet zu beschäftigen, besuchte er mit ihr Theatervorstellungen und Vernissagen – und schließlich erhielt das Paar auch wieder Einladungen aus der Dunediner Gesellschaft. Natürlich war abzusehen, dass Patrick und Juliet dabei irgendwann mit Kevin und Doortje zusammentreffen würden. Letztlich geschah das auf einer Soiree im Hause der Dunloes. Doortje, die an Kevins Arm den Salon betrat und wieder mal gezwungen lächelte, spürte plötzlich dessen

Anspannung. Sie folgte seinem Blick und war entsetzt – wenn auch aus ganz anderen Gründen als ihr Gatte.

»Sie lassen sie hier herein?«, fragte Doortje Kevin ungläubig. »Aber sie ist eine Farbige!«

»Sie ist die Frau meines Bruders«, antwortete Kevin. Er war blass geworden und sah in Doortjes Augen, dass sie es gemerkt hatte. »Und nun tu mir bitte den Gefallen und ignoriere ihre Hautfarbe! Juliet ist Kreolin, aber wenn ich das richtig verstanden habe, ist die Farm ihres Vaters bei New Orleans ungefähr zweimal so groß wie ganz Transvaal. Du musst nicht ihre Freundin werden, Doortje, aber bitte sei höflich.«

Doortje wäre auch jetzt eine gehorsame Frau gewesen, aber Juliet machte es ihr nicht gerade einfach. Die junge Burin war nicht gesellschaftlich geschult, aber sie erkannte einen spöttischen Blick, wenn er auf sie gerichtet war, und sie sah das Leuchten in Juliets Augen beim Anblick ihres Gatten. Patrick Drury folgte seiner Frau eher steif, als sie auf Kevin und Doortje zuging. Wahrscheinlich hätte er sich lieber ferngehalten. Ein Feigling … Doortje erinnerte er an Cornelis.

»Wie nett, dich zu sehen, Kevin … und … Dorothy, nicht wahr? Wie das kleine Mädchen aus Kansas, das der Wirbelsturm aus seiner Heimat reißt … Wie fühlt man sich denn so als Wirbelsturm, Kevin Drury?«

Juliet lächelte. Verschwörerisch? Verführerisch? Doortje jedenfalls kam sich dumm vor. Sie verstand nicht, worauf Juliet anspielte.

»Doortje«, sagte sie heiser. »Oder Dorothea, wenn Sie das nicht aussprechen können.«

Juliet lachte kehlig. »Oh, das werde ich schon noch schaffen. Wenn ich will … Aber Sie sollten über ›Dorothy‹ nachdenken. Ist doch ein hübscher Name. Und sie trägt auch so weite kurze Kleidchen …« Sie musterte Doortjes Reformkleid.

Juliets eigenes dunkelrotes Kleid war bodenlang. Sie war eng geschnürt, was ihre atemberaubende Figur noch betonte. Kevin bemerkte, dass es das gleiche war, in dem sie ihn in Lawrence verführt hatte. Er bemühte sich, nicht zu erröten.

Patrick schob sich jetzt vor. »Juliet, was soll das? Du machst deine Schwägerin nur verlegen. Doortje, entschuldigen Sie. Sie sehen ganz entzückend aus in Ihrem Kleid.«

Juliet nickte und verzog ihr schönes Gesicht – Doortje bemerkte verblüfft, dass sie geschminkt war.

»Ja, entschuldigen Sie. Ich werde immer unleidlich, wenn ich auf dem Trockenen sitze ... Holst du uns einen Champagner, Kevin? Oder trinken Sie nach wie vor Milch, Doortje?« Sie sprach den Namen jetzt ganz korrekt aus.

Doortje biss sich auf die Lippen. Sie hatte noch nie Alkohol getrunken. Aber sie würde sich jetzt auch keine Blöße geben.

»Ich ... trinke gern ein Glas«, sagte sie leise.

Als Kevin mit dem Champagner zurückkam, schaute Doortje unglücklich auf die perlende Flüssigkeit in der kristallenen Sektflöte. Vorsichtig nahm sie einen Schluck – und war angenehm überrascht. Bisher hatte sie sich Alkohol immer als auf der Zunge brennend vorgestellt, aber dieses Getränk prickelte nur sanft und schmeckte leicht säuerlich, ein bisschen wie verdünnter Johannisbeersaft. Vielleicht fiel es ja gar nicht unter die sündigen, berauschenden Getränke, vor denen der Pastor immer gewarnt hatte. Doortje trank es triumphierend ebenso schnell aus wie Juliet.

Kevin und Patrick bemühten sich inzwischen um höfliche Konversation.

»Wirst du ... wieder fürs Landwirtschaftsministerium arbeiten?«, fragte Kevin seinen Bruder. »Ich meine ... weil du wieder hier bist?«

Patrick schüttelte den Kopf. »Nein, nein, ich bleibe in Otago. Wir sind nur ein paar Tage hier, um ... na ja, auf die Dauer fällt einem auf der Farm ja die Decke auf den Kopf.« Er lächelte fast entschuldigend. Bislang hätte man eine solche Bemerkung schließlich nie von ihm gehört. Patrick Drury liebte Elizabeth Station. »Und die Praxis ... Hast du keine Probleme mit Folks? Ich meine, erst Südafrika und dann zurück, Otago und wieder zurück.«

Kevin verneinte. »Christian ist flexibel. Und ich habe ja auch mehr oder weniger meine eigenen Patienten.« Er lachte nervös. »Zu Christian kommen mehr die jungen Familien und zu mir die Hysteriker. Das sagt er zwar nicht so, aber das meint er. Und es ist nicht zu leugnen, dass Letztere besser zahlen. Also Mehreinnahmen, auch für ihn.«

»Mr. Patrick?« Nandé näherte sich schüchtern, die kleine May auf dem Arm. Es war ihr deutlich unangenehm, ihren neuen Arbeitgeber im Gespräch mit Kevin zu sehen, aber sie trat doch tapfer heran. »Mr. Patrick, Sie mir gesagt, ich rufe ...« Patrick runzelte ein wenig die Stirn. Nandé lächelte entschuldigend. »Ich meine ... Sie haben gesagt, ich soll rufen, wenn May weint«, verbesserte sie sich. »Und eben hat sie geschrien. Da dachte ich ...«

»Das war ganz richtig!«, lobte Patrick und nahm ihr das kleine Mädchen aus dem Arm.

May schien sich jedoch schon wieder beruhigt zu haben. Sie strahlte die Umstehenden an – Gesellschaften liebte sie.

»Ba... Mr. ... Dr. Kevin ...«

Von dem Kind befreit knickste Nandé höflich vor ihrem früheren Arbeitgeber. Der sah sich kurz nach Doortje um, aber die war mit Juliet verschwunden, was Kevin etwas wunderte. Dass sie sich ausgerechnet mit ihrer verachteten Schwägerin unter die Menschen auf der Soiree mischte, hätte er nun doch nicht erwartet. Aber egal, Hauptsache sie ging überhaupt mal ohne ihn auf andere Menschen zu. Kevin schenkte Nandé ein Lächeln.

»Du siehst gut aus, Nandé!«, meinte er und streifte ihr adrettes Dienstbotenkleid mit Schürze und Häubchen mit einem anerkennenden Blick. Fast die gleiche Tracht, die Doortje auf der Farm getragen hatte – Nandé musste das komisch vorkommen. »Und du sprichst so gut Englisch!«

Nandé sah wieder einmal beschämt zu Boden. »Ich ... danke, Mr. Kevin. Sie nicht böse? Ich meine: Sind Sie nicht böse mit mir?«

Kevin schüttelte den Kopf und dankte dem Himmel dafür, dass Doortje beschäftigt war. »Weil du dir eine bessere Stellung gesucht hast? Wir haben das zwar bedauert, vor allem Miss Doortje, aber es steht dir natürlich frei. Gefällt es dir denn bei Miss Juliet?«

Nandé nickte eifrig. »Gefällt mir so gut bei Mr. Patrick!«, gestand sie. »Und bei kleine Miss May ... und Miss Juliet ...«

Letzteres kam etwas spät, denn tatsächlich war Juliet der Wermutstropfen in Nandés neuem Glück. Nandé war es gewohnt, gerügt und unfreundlich behandelt zu werden, aber niemand in der Familie VanStout war launisch gewesen. Nandé hatte immer gewusst, was sie zu erwarten hatte, während sich Juliet Drurys Stimmung oft von einem Moment zum anderen änderte. Mal beschenkte sie Nandé großzügig mit ihren abgelegten Kleidern und Hüten, mal beschimpfte sie das Mädchen für kleinste Fehler. Für Nandé war das ebenso irritierend wie das Herbstwetter in ihrer neuen Heimat. Auch da hatte sie nie gewusst, was man einem Kind zum Spaziergang anzog. Oft folgte auf strömenden Regen sehr schnell Sonnenschein und umgekehrt.

»Nicht ›Miss May‹, Nandé!«, rügte Patrick. Er schäkerte zwar mit May, aber Kevin fiel auf, dass er dabei auch Nandé genau im Auge behielt – mit einem ähnlich liebevollen Blick. »Setz dem Kind keine Hirngespinste in den Kopf. Schlimm genug, dass Juliet die Kleine schon wie eine Prinzessin ausstaffiert.«

Tatsächlich trug May ein Spitzenkleidchen, obwohl sie um diese Zeit eigentlich schon hätte schlafen sollen. Nandé hatte sie auch ausgezogen und in dem Zimmer, das man ihr für sich und die Kleine zugewiesen hatte, hingelegt, aber jetzt wieder angezogen, um Patrick zu suchen. Das erklärte auch die bessere Laune der Kleinen – auf dem Arm ihres Vaters gluckste sie vergnügt und schaute schon nach neuen Leuten aus, die mit ihr schäkerten und zum wiederholten Male betonten, wie hübsch und wie brav sie sei.

Kevin sah sich das Kind zum ersten Mal näher an. Eindeutig gab es Familienähnlichkeiten. May sah Juliet ähnlich – aber auch ihm und Michael. Von Patrick und Lizzie hatte sie weniger. Kevin beschloss, sich zu verziehen, bevor das auch anderen Gästen auffiel. Und Patrick beschäftigte sich jetzt sowieso mit May und Nandé. Er ließ die Kleine auf seinem Arm tanzen und unterhielt sich mit ihrem Kindermädchen. Juliet war mit Doortje verschwunden. Kevin entschuldigte sich mit der Ausrede, nach seiner Frau sehen zu wollen.

Bevor er Doortje fand, stieß er allerdings auf den Reverend.

Peter Burton stand etwas gelangweilt herum. Veranstaltungen wie diese besuchte er um Kathleens willen, er selbst traf sich lieber mit wenigen echten Freunden, als hier seichte Konversation zu machen. Mit den musikalischen Darbietungen, die zumindest pro forma den Anlass für die Einladung boten, konnte er kaum mehr anfangen als Kevins Vater Michael. Nun lächelte er Kevin an, der sofort bei ihm stehen blieb.

»Haben Sie ein bisschen Zeit für mich, Reverend?«, fragte Kevin höflich. Er hatte schon lange vorgehabt, einmal mit Peter Burton zu reden. »Also, vielleicht hätte ich dazu ja lieber in Ihre Kirche kommen sollen ...«

Peter Burton schüttelte den Kopf. »Was immer du auf dem Herzen hast – bei einem Glas Whiskey redet es sich meist besser als bei Kerzenschein. Womit ich nicht sagen will, dass meine Kirche rückständig ist, wir haben seit einiger Zeit elektrisches Licht.«

Kevin lachte. »Aber noch keinen Whiskeyausschank, nehme ich an«, neckte er. »Warten Sie, ich hole uns gerade zwei Gläser, und dann gehen wir …«

»Die Terrasse bietet sich an«, bemerkte Burton. »Da es ja gerade nicht regnet.« Er lächelte. »Vielleicht sollte ich mal darüber nachdenken, Gemeindesprechstunden unter freiem Himmel abzuhalten. Die Leute würden sich dann zwangsläufig kurzfassen.«

Kevin kam mit dem Whiskey zurück, und die beiden Männer nahmen erst ein paar Schlucke. Sie blickten dabei über den stillen, dunklen Garten, der einen beruhigenden Kontrast zu dem hell erleuchteten Haus mit dem bunten Treiben darin bot. Kevin erkannte Doortje in einer Gruppe von Frauen und war beruhigt.

»Also, was liegt an, Kevin?«, fragte der Reverend schließlich. »Familiäre Probleme? Mit deinem Bruder? Es soll da Spannungen gegeben haben.«

Kevin zuckte die Schultern. »Nur kleine Missverständnisse. Darum geht es nicht. Ich wollte fragen … was wissen Sie über Calvinismus?«

Der Reverend lächelte. »Ein theologisches Seminar statt Kammermusik? Darauf war ich nun wirklich nicht vorbereitet. Aber nun ja, das Ganze geht auf einen Schweizer zurück, Johannes Calvin. Lebte im 16. Jahrhundert und begründete eine eigene Theologie. Eine sehr eigenwillige, wenn du mich fragst … Aber sie war recht erfolgreich. Die Presbyterianer beziehen sich auf seine Lehre, die Church of Scotland – und natürlich auch die Niederländische Kirche, der deine Frau anhängt oder anhing … Ich würde mich freuen, euch beide mal in meinem Gottesdienst begrüßen zu können. Die Basis bilden die sogenannten vier Soli, die ›Sola Scriptura‹, die nur die Schrift als Grundlage des christlichen Glaubens anerkennt, und die …«

»Nicht ganz so kompliziert«, fiel ihm Kevin ins Wort. »Mir geht's eigentlich nur um Verdammnis und Auferstehung und Auserwählte. Das habe ich inzwischen so oft gehört …«

Der Reverend lächelte. »Die ›Sola gratia‹. Sie besagt, dass der Mensch allein durch die Gnade Gottes errettet wird, und nicht, wie wir es lehren, aufgrund guter und schlechter Taten im Leben und durch Vergebung und Buße. Calvin war der Meinung, die Menschheit sei von Anbeginn der Zeiten in Auserwählte und Verdammte eingeteilt. Zu welcher Gruppe man gehört, steht lange vor der Geburt fest, und da ist auch nichts verhandelbar. Die einen werden errettet, die anderen erwartet die ewige Hölle.«

»Verrückt!«, bemerkte Kevin. »Wieso soll man sich dann gut benehmen und keine Sünden begehen, wenn es doch sowieso egal ist?«

Der Reverend hob die Brauen. »Na, na, Kevin, ich hoffe doch, dass die Zehn Gebote dir Werte an sich sind, und du dich nicht nur daran hältst, weil du dich vor der Hölle fürchtest.«

Kevin lachte. »Aber der Himmel bietet schon einen gewissen Anreiz. Wenn man sich dagegen benehmen kann, wie man will …«

»… hat man es im Leben durchaus manchmal leichter«, gab der Revernd zu und leerte sein Glas. »Sehr vernünftig übrigens, dass du die Whiskeyflasche mitgebracht hast. Auch wenn es vielleicht bedeutet, dass wir beide nicht erwählt sind. Aber um auf das Benehmen der Calvinisten zurückzukommen: Die werden streng in Zucht gehalten, die Gemeinde kann Strafen gegen sie verhängen, wenn sie über die Stränge schlagen. Zudem beweist in ihren Augen ein gottesfürchtiges, asketisches Leben das eigene Erwähltsein. Das ist so eine Art Umkehrschluss: Wir gehen davon aus, dass wir gerettet werden, wenn wir möglichst wenig sündigen. Die Calvinisten gehen davon aus, dass sich Erwählung darin zeigt, dass man möglichst wenig sündigt.«

»Es kommt also aufs Gleiche raus?« Kevin schwirrte langsam der Kopf.

»Na ja, ein paar Unterschiede gibt es schon. Zum Beispiel der Umgang der Erwählten mit den Nichterwählten. Man beobachtet da schon eine gewisse ... hm ... Arroganz ...«

Kevin verdrehte die Augen. »Lassen Sie mich mal raten: Zulu, Maori, Mischlinge, Inder ... die sind schon mal grundsätzlich nicht erwählt.«

»Exakt«, meinte Burton. »Und Erwähltsein beweist sich auch durch wirtschaftlichen Wohlstand, die Sorge für die Armen darf man also auch auf ein Minimum beschränken. Wobei wir noch gar nicht von den Sklaven reden, die unsere calvinistischen Mitchristen auf ihren Plantagen verheizen. Wenn sich das Zuckerrohr gut verkauft, ist das durchaus gottgefällig.« Er lächelte. »Tut mir leid, Kevin, du merkst schon, ich mag sie nicht. Obwohl die meisten sicher rechtschaffene, gute Menschen sind, die niemandem etwas antun, außer sich selbst. Im Extremfall versagen sich diese Leute ja jeden kleinsten Luxus, jede Entspannung, jede Freude im Leben. Es muss traurig sein, wenn man Glück und Zufriedenheit nur aus Selbstgerechtigkeit heraus erfahren darf.«

Kevin dachte nach und füllte auch sein Glas neu. »Und wenn nun einer von ihnen ... also wenn er immer geglaubt hat, er sei auserwählt und würde gerettet, und dann passiert irgendwas, das ihn glauben macht, er ... sei doch verdammt ...«

Burton seufzte. »Ich weiß es nicht genau, Kevin. Was ich vorgetragen habe, ist Lehrbuchwissen, tatsächlich kenne ich niemanden aus einer dieser Glaubensgemeinschaften. Zumindest keine Strenggläubigen. Hier unter uns sind sicher welche, die sich zum Schein zur Church of Scotland bekennen, aber trotzdem Champagner trinken und bei Kathleen schneidern lassen. Ich würde sagen, in diesem Fall hat der- oder diejenige ein ernstes Problem. Für einen solchen Menschen muss die Welt einstürzen. Kevin, geht es um deine Frau? Um Doortje?« Peter Burton sah sein Gegenüber forschend an.

Kevin stellte sein Glas auf den Terrassentisch. »Ich ... ich muss mal wieder rein, Reverend. Vielen Dank für Ihre Ausführungen. Mir ist jetzt, glaube ich, einiges klarer.«

Der Reverend nickte. »Du wirst viel Geduld brauchen, Kevin. Und deine Doortje einen neuen Glauben. Aber wenn man sich überlegt, dass diese Leute für ihren Glauben Ozeane überquert und Gebirge überwunden haben und Kriege geführt ...«

»Das waren dann aber immer ganze Gruppen, die sich gegenseitig Kraft gaben«, gab Kevin zurück. »Und natürlich waren sie alle ... auserwählt ... Und Doortje ...«, seine Stimme wurde weich, »Doortje ist ganz allein.«

Doortje Drury amüsierte sich großartig. Sie hatte inzwischen ihr zweites Glas Champagner getrunken und danach den Mut gefunden, ihre unmögliche schwarze Schwägerin abzuschütteln und sich anderen Leuten zuzuwenden. Sean Coltrane und seine Frau Violet zu Beispiel waren reizend, trotz ihres schrecklichen Nachnamens, aber »Coltrane« war im Englischen wohl so häufig wie »Hövel« im Niederländischen. Violet trug auch kein Korsett – also konnte das nicht so schlimm sein, wie Juliet es darstellte. Und Sean, von dem alle sagten, er sei so klug, konnte sogar die Sache mit Dorothy erklären. Doortje brauchte zwar einige Zeit, um ihm klarzumachen, was sie da genau wissen wollte, aber dann war es gar nicht so schwierig.

»Dorothy und ihr Hund Toto sind die Hauptfiguren eines amerikanischen Kinderbuchs.« Sean lächelte. »Der wundervolle *Zauberer von Oz*. Es ist ziemlich neu, aber Roberta ist ganz begeistert davon. Sie besitzt bestimmt ein Exemplar, fragen Sie sie. Jedenfalls lebt Dorothy in Kansas, das ist in Amerikas mittlerem Westen. Aber dann entführt sie ein Wirbelsturm in ein sagenhaftes Land, in dem vier Hexen und ein Zauberer herrschen. Da erlebt sie diverse Abenteuer – mit einem Löwen, dem es an Mut fehlt, einer Vogelscheuche, die keinen Verstand hat, und einem Blechmann ohne Herz.«

Doortje kicherte, der Champagner stieg ihr zu Kopf, aber sie empfand es nicht als unangenehm. Im Gegenteil, sie hatte sich selten so leicht und gelöst gefühlt.

»Ein feiger Löwe?«

Sean nickte. »Ja. Aber im Laufe der Geschichte stellt sich heraus, dass der Löwe unglaublich tapfer sein kann, wenn er seine Freunde gefährdet sieht, und der Blechmann mitfühlend ist und die Vogelscheuche pfiffig. Sie glauben alle nur, dass sie verdammt sind.«

Doortje erblasste.

Violet sah sie besorgt an. »Ist Ihnen nicht gut, Doortje? Das alles hier muss ziemlich anstrengend für Sie sein. Die vielen Leute, die in einer doch fremden Sprache reden, und dann noch so bösartige Sticheleien. Miss Juliet durfte sich nicht über Sie lustig machen, auch wenn der Vergleich mit Dorothy aus dem Zauberer von Oz nicht beleidigend ist. Die ist ja ein wunderbares Mädchen.«

Sean nickte. »Warten Sie, ich hole Ihnen noch ein Glas Champagner, das weckt Ihre Lebensgeister. Und dir auch, Violet, ich sehe hier keine der strengen Vertreterinnen der Abolitionistenvereinigungen. Da kannst du schon mal über die Stränge schlagen.« Er zwinkerte beiden Frauen zu und wandte sich in Richtung Bar.

»Abo… was?«, fragte Doortje.

Sie konnte sich nicht erinnern, jemals so viele Fragen gestellt und so unbeschwert geplaudert zu haben. Jedenfalls nicht, seitdem ihre Welt in Transvaal zusammengebrochen war. Und bei den Gebetstreffen und gemeinsamen Handarbeitsabenden mit anderen Burenfrauen der Gemeinde war natürlich nicht über Kinderbücher geredet worden oder über Kleider … und so unverhohlenen Klatsch und Sticheleien wie hier hatte es auch nicht gegeben. Allenfalls tratschten die Frauen ein bisschen darüber, wer wohl wem versprochen war.

»Abolitionisten«, gab Violet bereitwillig Auskunft und unterhielt Doortje dann mit einem Abriss über die Frauenbewegung in Neuseeland, die mit dem Aufstand der Familienmütter gegen den Alkoholmissbrauch ihrer Männer begonnen und schließlich mit dem Kampf um das Wahlrecht geendet hatte.

»Und die Welt ist davon nicht zusammengebrochen«, bemerkte sie schließlich fröhlich. »Passen Sie auf, irgendwann haben wir einen weiblichen Premierminister!«

»Ja, wenn Südafrika einen Schwarzen als Präsidenten hat!«, neckte sie Jimmy Dunloe, der eben mit Sean und zwei Gläsern Champagner auf sie zukam und ihre letzten Worte mitbekommen hatte. »Halten Sie keine Rede, Miss Violet, trinken Sie lieber!«

Er drückte den verdutzten Frauen die Sektflöten in die Hand. Dann verabschiedete er sich mit einem Winken wieder Richtung Bar.

»Der Gastgeber bestand darauf, euch den Sekt persönlich zu bringen«, bemerkte Sean. »Verzeihung, Violet, so war das natürlich nicht gemeint, ich würde selbstverständlich sowohl eine Frau als Premierminister als auch einen Schwarzen als Gouverneur am Kap begrüßen. Aber so weit sind die Leute da noch nicht, das ...«

Doortje runzelte die Stirn. Der Champagner schmeckte mit jedem Glas besser, aber das Denken schien ihr langsam schwerzufallen.

»Ein Zulu-Kaffer als Gouverneur?«, fragte sie verwirrt. »Aber die ... die haben keinen Verstand.«

Violet wollte zu einem empörten Vortrag ansetzen, aber Sean lächelte. »Das hat man von der Vogelscheuche im Lande Oz auch gesagt«, meinte er freundlich. »Aber am Ende ernennt sie der Zauberer zu seinem Nachfolger. Lesen Sie Ihrem Sohn das Buch vor, wenn er größer ist, Doortje. Es macht eine Menge Mut!«

Doortje stand bei Heather und Chloé Coltrane, als Kevin sie in der Menge entdeckte – und sie lachte. Kevin mochte das zunächst kaum glauben. Hatte er seine Frau überhaupt jemals von ganzem Herzen lachen hören? Jetzt aber freute sie sich ungeniert über irgendeine Anekdote, die Heather erzählte. Es ging um ein sprachliches Missverständnis, das Heather in Amsterdam widerfahren war. Und als Kevin zu den Frauen trat, verhärtete sich Doortjes Miene nicht, wie so oft in letzter Zeit, sondern sie lächelte ihm zu.

»Miss Heather war in den Niederlanden, denk dir!«, verkündete sie Kevin. »In … in Amster…dam.«

Heather lächelte nachsichtig. »Ich glaube, du solltest deine reizende kleine Frau langsam nach Hause bringen«, wisperte sie ihm zu. »Sie ist ganz schön beschwipst. Aber auch bezaubernd, ich hätte nie gedacht, dass sie so lustig sein kann.«

»Weil man da Leute treffen kann, wie Mijnheer Rembrandt!«, erzählte Doortje vergnügt weiter von Heathers Reisen. »Der malt wie Miss Heather. Miss Heather möchte mich auch mal malen. Glaubst du, das … das ist erlaubt?«

Kevin lächelte und hakte sie unter. »Das ist eine ausgezeichnete Idee und selbstverständlich nicht verboten«, sagte er augenzwinkernd. »Mijnheer Rembrandt ist allerdings schon tot. Er war ein großer Künstler und sehr fleißig. Er hat viele Bilder gemalt. Vielleicht besuchst du Miss Heather mal, sie hat bestimmt Repliken davon.«

Chloé nickte. »Sie hat Rembrandts Bilder persönlich kopiert«, erklärte sie ernsthaft. »Aber wer sie sieht, versteht, warum wir sie nicht aufhängen. Während ihrer Europareise kam Heather an Rembrandts Können noch nicht ganz heran …« Heather tat, als wollte sie ihr Glas nach ihrer Freundin werfen. Chloé kicherte. »Inzwischen hat sie ihn natürlich längst übertroffen.« Sie reichte Doortje die Hand. »Es war wirklich nett, Sie mal näher kennenzulernen, Mrs. Drury.«

Heather und Chloé verabschiedeten sich freundlich, aber mit vielsagenden Blicken auf Kevin und Doortje. Noch war

Doortjes Schwips niedlich, aber wenn Kevin und sie noch länger auf der Soiree blieben, konnte es peinlich werden.

Kevin reichte seiner Frau denn auch galant den Arm. »Darf ich dich dann heimgeleiten, Doortje, meine Liebe?«, fragte er, ermutigt durch Doortjes gute Laune. »Du weißt, ich muss morgen früh aufstehen.«

»Aber ich nicht!«, bemerkte Doortje, fast triumphierend. »Ich kann ausschlafen. Aber … das ist natürlich eine Sünde …« Sie schwankte ein bisschen, fühlte sich jedoch so leicht wie nie zuvor in ihrem Leben. »Tut mir übrigens leid mit Mijnheer Rembrandt, Miss Heather … wenn er ein Freund von Ihnen war …«

Leicht schwankend bewegte sie sich an Kevins Arm Richtung Ausgang. Auf dem Weg begegneten sie Juliet und Patrick. Nandé war nicht mehr bei ihnen, sie brachte May nun wohl wirklich ins Bett.

»Nanu, Kevin, ihr geht schon?«, fragte Juliet mit süffisantem Lächeln. »Also, früher hattest du mehr Ausdauer …« Sie warf einen Blick auf Doortje und erkannte deren Zustand natürlich sofort. »Hat Ihnen der Champagner gemundet, Dorothy? Aber ich warne Sie, wenn Sie aus dem Märchenland zurück sind, gibt es Kopfschmerzen.« Juliets Blick wanderte hinüber zu Kevin und wurde spöttisch … und verführerisch. Sie schob sich etwas näher an ihn heran. »Ein flüchtiges Märchenland für dich, Kevin«, wisperte sie in sein Ohr. »Pass auf, sie schläft dir ein, bevor du zum Zuge kommst.«

Doortje schaute sie stirnrunzelnd an. Sie konnte ihre Worte nicht verstanden haben, aber sie war nicht blind.

»Bin nich im Märchenland«, stellte sie fest. Mit einer sanften Kleinmädchenstimme, aber gut verständlich. »Keine Löwen hier … und keine Vogelscheuchen. Nur … nur 'n Kaffern-Weib ohne Herz!«

Kevin nahm seine Frau jetzt erst mal mit auf einen Spaziergang durch die Stadt. Er hätte eine Droschke nehmen können, aber es war nicht sehr weit vom Haus der Dunloes bis zu seiner Praxis und seiner Wohnung in der Lower Stuart Street, und die frische Luft würde Doortje sicher guttun. Auch der Regen, der wieder eingesetzt hatte.

»Immer regnet's hier in diesem Land«, beschwerte sich Doortje. Kevin überlegte kurz, erzählte ihr dann aber die Geschichte von Papa und Rangi. Doortje hörte ungewohnt aufmerksam zu. Gewöhnlich schien sie die Ohren sofort zu verschließen, wenn von Maori-Legenden die Rede war. »Bei uns regnet's nicht so oft«, meinte sie schließlich. »Nicht in Transvaal. Da weint man nicht so schnell.«

Kevin lächelte. »Aber schau, Doortje«, gab er dann zu bedenken. »Wenn die Götter nicht weinen, trocknet die Erde aus. Glaub mir, ab und zu darf man ruhig ein paar Gefühle zeigen.«

Sie hatten die Praxis erreicht, und er zog sie in den Hauseingang und nahm sie in die Arme. Doortje war nahe daran, wieder zu sich zu finden, als Kevin sie an sich zog, aber dann blieb sie doch lieber hinter der wattigen Wolkenwand, die der Champagner vor ihrem kritischen Geist und ihren Schuldgefühlen hochgezogen hatte, versteckt. Es war schön, geküsst zu werden. Sie erinnerte sich dunkel an Martinus' Küsse. Die hatte sie auch erwidert. Und Martinus hatte fast etwas tadelnd gesagt, dass sie wild sei. Nun, Kevin schien nichts dagegen zu haben. Fast trotzig gab sie den Kuss zurück und freute sich an Kevins Begeisterung. Widerspruchslos ließ sie zu, dass er sie hochhob und die Treppen zu ihrer Wohnung hinauftrug.

»Was ist mit Abe …?«, fragte sie mit einer letzten Aufwallung von Zweifeln, als er auf Zehenspitzen mit ihr durch den Flur ging.

Auch Kevin hatte das Kind nicht vergessen. »Der schläft

doch längst«, wisperte er und schob zum Beweis leise die Tür zum Kinderzimmer auf.

Abe lag nicht in seiner Wiege. Aber im Schaukelstuhl daneben schlief die Maori Paika, Claires kinderliebes Hausmädchen, die gegen ein kleines Entgelt gern auf Abe aufpasste, wenn seine Eltern ausgingen. Abe schlummerte friedlich in ihren Armen, das Köpfchen zwischen ihren Brüsten verborgen, den kleinen Körper wohlig ausgestreckt auf Paikas Bauch.

»Sie soll doch nicht ...«

In Doortje regte sich erneut Widerstand, sie verbot Paika sonst streng, das Kind in ihren Armen in den Schlaf zu wiegen. Abe sollte von vornherein lernen, allein zu schlafen. Aber Kevin schloss die Tür so schnell und lautlos, wie er sie geöffnet hatte.

»Lass sie heute Nacht mal in Ruhe«, begütigte er. »Heute Nacht ... vergessen wir mal alles ... Erziehung, die Götter, England und Südafrika. Heute Nacht gibt es nur uns ...«

Doortje wehrte sich nicht, als er ihr Kleid öffnete und begann, ihren Ausschnitt mit Küssen zu bedecken. Als er in sie eindrang, dachte sie flüchtig daran, verdammt zu sein. Aber so schlimm war es in der Hölle gar nicht ...

Der nächste Tag kam der Hölle für Doortje allerdings ziemlich nahe. Sie erwachte mit den schlimmsten Kopfschmerzen, die sie je empfunden hatte, und als Kevin ihr einen Tee aufdrängte, musste sie sich direkt übergeben.

»Ich bin krank«, flüsterte sie verzweifelt. »Mir tut alles weh. Was ist das bloß?«

»Das sind die Nachwirkungen von zu viel Champagner«, lächelte Kevin. »Keine Angst, das wird bald besser. Spätestens morgen fühlst du dich wieder ganz wohl.«

»Du meinst, ich war … betrunken?«, fragte Doortje entsetzt. Sie konnte sich noch daran erinnern, schamlos gewesen zu sein, und sich mit den Engländern fast verbrüdert zu haben. Sie hatte mit ihnen gelacht – sie hatte mit Heather über eine Geschichte gelacht, in der sich diese Frau über die Niederländer lustig machte! Aber sonst …

»Ein bisschen beschwipst, Doortje. Du bist einfach keinen Alkohol gewohnt. Aber es war nicht schlimm, Liebste. Im Gegenteil. Du warst … du warst ganz bezaubernd …« Er legte sich neben sie aufs Bett und versuchte, sie zu küssen. Doortje reagierte mit entsetzter Abwehr.

»Du … du darfst das nicht, wenn ich krank bin«, sagte sie steif.

Kevin seufzte. Er hätte damit rechnen müssen, dass es nicht so leicht war.

»Aber du bist nicht krank, du hast nur einen Kater«, wiederholte er. »Natürlich werde ich dich trotzdem nicht zwingen. Ich dachte nur … gestern … es hat dir doch gefallen.«

Doortje blickte ihn empört an. »Mir hat gar nichts gefallen!«, log sie. »Ich bin vielleicht … einer Versuchung erlegen … Kann es sein, dass sie mich verhext hat? Dieses Kaffern-Weib meine ich, diese Juliet? Sie hat mir den Champagner aufgedrängt, sie …«

Kevin lachte, aber es klang gezwungen. Er wollte nicht über Juliet reden – wann immer sie vor ihm und seiner Frau erwähnt wurde, meinte er, Doortje müsste etwas in seinem Gesicht oder in seinen Augen erkennen, das ihr seinen Betrug verriet.

»Höchstens die ersten zwei Gläser«, stellte er richtig. »Und sie hat ganz bestimmt kein Gift reingerührt. Nein, Doortje, ich will nicht abstreiten, dass Juliet ein bisschen was von einer Hexe hat. Aber für deinen Schwips kannst du sie nicht verantwortlich machen.«

»Sie hat dich angesehen …«, meinte Doortje nachdenklich.

Kevin nickte unbehaglich. »Ja, hat sie, das macht man, wenn man sich miteinander unterhält. Vergiss jetzt mal Juliet, auch wenn du dich auf die Dauer natürlich bei ihr entschuldigen musst. Was du da am Ende gesagt hast … also … Als herzlos wurde sie in Dunedin sicher schon oft bezeichnet, aber das Kaffern-Weib ist unverzeihlich. Und nun hole ich dir ein Pulver aus der Praxis, das gegen deine Kopfschmerzen hilft, Doortje. Du kannst noch ein bisschen schlafen …«

»In den helllichten Tag hinein? Das ist …« Doortje fuhr auf und griff sich gleich darauf an die schmerzende Schläfe.

»Du bist krank, das hast du doch eben selbst gesagt.« Kevin grinste. »Also bleib liegen. Abe nehme ich mit hinunter in die Praxis. Nein, keine Angst, bei uns holt er sich keine ansteckenden Krankheiten. Nur Hysteriker heute Morgen, wie Christian zu sagen pflegt. Da könnte seine Anwesenheit sogar therapeutischen Nutzen haben. All meine Patientinnen werden ihn süß finden ...«

Doortje streckte sich aus und versuchte, trotz des pochenden Schädels zu denken. Natürlich waren ihr Rausch und die daraus resultierenden Komplikationen die Schuld dieser Juliet! Die Frau hatte sie provoziert und es darauf angelegt, dass sie sich schlecht benahm. Für Juliet war Doortje eine Zielscheibe, irgendetwas hatte sie gegen sie. Und sie blickte Kevin so an, wie keine anständige Frau den Bruder ihres Gatten anschauen sollte – streng genommen sollte eine anständige Frau nicht einmal ihren eigenen Gatten so ansehen! Zumindest nicht in aller Öffentlichkeit. Doortje dachte an Jezebel aus der Bibel, an Potiphars Frau und an Salomons Warnung an seinen Sohn: Die Lippen der fremden Frau sind süß wie Honigseim, und ihre Kehle ist glatter als Öl, hernach aber ist sie bitter wie Wermut und scharf wie ein zweischneidiges Schwert ...

Genau das war Juliet, eine honigbestrichene Falle! Und Kevin war womöglich auf dem besten Weg, hineinzutappen. Doortje fasste einen Entschluss. Sie wusste nicht, wie sie es anstellen sollte, aber es war zweifellos die Pflicht einer jeden guten Frau, ihren Mann vor einem Fehltritt zu bewahren!

Gleich am Nachmittag, nachdem ihre Kopfschmerzen endlich abgeebbt waren und nur ihr Magen noch rebellierte, machte Doortje sich auf zu Lady's Goldmine.

»Tut mir leid, aber Kate ist nach Hause gefahren.« Die schöne, elegante Claire Dunloe, die Doortje immer noch einschüchterte, schüttelte bedauernd den Kopf, als Doortje nach Miss Kathleen fragte. »Der Frauenkreis des Reverends macht eine Altkleidersammlung für den Basar nächsten Samstag, und sie wollten Kathleen unbedingt dabeihaben, wenn sie die gespendeten Sachen sichten. Damit sie ihnen Tipps dazu gibt, wie man sie im Zweifelsfall flickt und plättet ... Dabei sind das alles gestandene Familienfrauen, die wissen genau, wie man Nähte erneuert und Blusen bügelt. Aber wenn Kate was mit ihnen zusammen macht, wertet es ihre Arbeit auf. Also hat der Reverend sie händeringend gebeten, heute früher heimzukommen. Kann ich Ihnen nicht helfen?«

Doortje schüttelte den Kopf. Nein, vor Claire Dunloe mochte sie ihre Sorgen nicht ausbreiten, das wäre ihr denn doch zu peinlich. Aber andererseits mochte sie auch nicht bis zum kommenden Morgen warten.

»Kann ich … also meinen Sie, Miss Kathleen würde es sehr unpassend finden, wenn ich sie zu Hause aufsuchte?« Doortje rieb sich die wieder etwas schmerzenden Schläfen.

Claire lachte. »Ach was, Mrs. Drury. Ich hab's doch gerade gesagt, da tagt der Frauenkreis. Die werden sich freuen, Sie zu sehen, es wird sowieso schon drüber getuschelt, dass Sie nicht zum Gottesdienst kommen. Bisher meint man noch, Sie seien vielleicht katholisch, aber es mutmaßen auch schon Leute was in Richtung Church of Scotland. Wenn Sie sich nicht bald mal blicken lassen, wird man annehmen, Sie hingen irgendeiner Zulu-Glaubensrichtung an.«

Claire scherzte gänzlich unbekümmert, sie hatte von der Niederländischen Kirche und ihren Glaubensinhalten nie etwas gehörte und der burisch-englische Konflikt interessierte sie höchstens in Bezug auf Diamanten.

Doortje errötete zutiefst, verzichtete aber darauf, sich zu empören. Sie lernte langsam, am Klang einer Stimme zu hören, ob jemand scherzte oder nicht – auch etwas, das sie befremdlich fand. Ironie, Wortspiele und Anspielungen auf Literatur waren der burischen Gesellschaft fremd, man war geradeheraus und nannte die Dinge beim Namen.

»Dann geh ich mal«, verabschiedete sie sich, und Claire winkte ihr fröhlich nach.

Ja, es stimmte, sie hatte Doortje nicht beleidigen wollen.

Doortje seufzte, als sie das sperrige Gefährt, das man Kinderwagen nannte, zurück auf die Straße spedierte. Auch das kannte sie nicht aus Afrika. Da trug man die Kinder einfach in einem Korb herum oder wie die Schwarzen in einem Tuch.

Heute sollte sie allerdings noch froh darüber sein, dass sie Abe nicht schleppen musste. Sie war bislang erst einmal in Caversham gewesen und meinte zwar, sich an den Weg zu erinnern, aber nicht daran, wie lang er gewesen war. Kevin hatte Silver vor seine Chaise gespannt, und die zwei Meilen flogen nur so an ihnen vorbei. Doortje wurden sie jetzt dagegen lang, ihr feines Schuhwerk, das die festen Lederschuhe, die sie in Transvaal getragen hatte, ersetzte, war für meilenlange Märsche nicht gemacht. Immerhin schlief Abe süß in seinem Kinderwagen, und die frische Luft vertrieb auch Doortjes letztes Unwohlsein. Sie war wieder ganz sie selbst, als sie den Türklopfer am Cottage des Reverends betätigte. Allerdings öffnete niemand. Unschlüssig, ob sie wieder gehen sollte, wandte sie sich zur Gartenpforte – und erkannte Violet Coltrane, Seans Frau, die sich mit einer großen Tasche näherte.

»Miss Doortje, wie nett! Kommen Sie auch mal zum Frauenkreis? Bestimmt können Sie nähen!« Violet hielt inne, als Doortje nicht gleich antwortete. »Oder nein, Sie sind ja nicht … wie dumm ich bin, entschuldigen Sie! Wahrscheinlich wollten Sie einfach nur Kathleen besuchen. Aber die kann jetzt nicht, sie ist mit den anderen Damen im Gemeindesaal. Und ich nehme Sie jetzt einfach dahin mit, auch wenn Sie keine Anglikanerin sind. Vielleicht haben Sie ja doch Lust, mitzumachen. Den Armen helfen ist immer gut, und wir sind doch alle Christen!« Violet plauderte freundlich und unbedarft weiter, während sie Doortje um das Cottage herum zur Kirche führte. Der Gemeindesaal, ein nicht allzu großer Raum, in dem Peter Bibelkreise leitete und Sonntagsschule hielt, befand sich neben dem Gotteshaus. »Ich habe ein paar wirklich nette

Sachen herausgesucht«, erklärte Violet und wies auf ihre Tasche. »Man macht den Menschen eine solche Freude – Gott, was war ich glücklich, als ich damals als Mädchen ein Kleid von Heather geschenkt bekam! Aber Sie sollten das auch kennen, waren Sie nicht in einem dieser schrecklichen Camps in Südafrika? Ein Verbrechen, das sich die Briten da geleistet haben ...«

Doortje hörte verblüfft zu. Sie hätte nie gedacht, dass eine reiche Anwaltsfrau wie Violet Coltrane je auf geschenkte Kleider angewiesen gewesen war – und das sogar zugab! In ihrem Land hatte man sich selbst in den Lagern dafür geschämt, die Spenden anzunehmen. Und dann kritisierte sie auch noch unbefangen die britische Politik und stellte sich auf die Seite der Buren! Doortje hätte sich mehr Zeit gewünscht, darüber nachzudenken. Aber jetzt öffnete Violet die Tür zum Gemeindesaal, in dem etwa fünfzehn Frauen lachend und schwatzend Kleider sortierten, die auf großen Tischen ausgebreitet waren. Kathleen und der Reverend waren mitten unter ihnen. Violet half Doortje, den Kinderwagen hineinzuschieben.

»Wir könnten sogar eine Modenschau veranstalten, wie Sie in Lady's Goldmine!«, schlug eine junge Frau vor und hielt ein noch sehr gut erhaltenes Kleid hoch. »Das wäre ein Spaß! Ist es wahr, Mrs. Burton, dass Sie dieses Jahr eine leibhaftige Negerin Ihre Kleider zeigen lassen?«

Doortje erstarrte, während Kathleen lachend antwortete. »Wir haben Miss Nandé, das Dienstmädchen der Drurys, darum gebeten. Aber sie ziert sich noch. Dabei ist sie so schön – und sie braucht fast kein Korsett, um die S-Linie zur Geltung zu bringen. Da müssen wir alle noch dran arbeiten, meine Damen. Vielleicht sollten wir den Kuchenverkauf beim Basar einstellen ...«

Doortje konnte es kaum fassen, dass diese Frauen Nandé schön fanden – und sie »baten«, bevor sie ihr eine Arbeit auftrugen. Aber jetzt hatte Kathleen sie gesehen und hieß sie strahlend willkommen.

»Noch jemand, an dem unsere Kleider unwiderstehlich wirken!«, lächelte sie. »Kommen Sie, Doortje, helfen Sie uns beim Sortieren. Ach, und den kleinen Abe haben Sie auch mitgebracht!«

Kathleen wandte sich mit leuchtenden Augen dem gerade aufwachenden Kind zu. »Darf ich ihn mal halten?«

Doortje nickte unsicher. Sie war es gewöhnt, dass alle Frauen Abe niedlich fanden, aber Kathleen Burton schien einen besonderen Narren an dem Kleinen gefressen zu haben. Und Abe schien sie ebenso zu mögen. Er war jetzt wach und begann vergnügt, summende kleine Laute von sich zu geben, als Kathleen ihn wiegte.

»Er steht Ihnen!«, lachte eine der Gemeindefrauen. »Wissen Sie was? Er sieht Ihnen beinahe ähnlich!«

Doortje registrierte verblüfft, dass Kathleen erschrak. Sie hätte das Kind fast fallen lassen.

»Ach was, natürlich nicht, wie ... wie könnte er auch ...« Sie legte Abe hastig zurück in den Wagen. »Was ... äh ...möchten Sie machen, Doortje? Lieber bügeln oder ausbessern?« Sie zeigte auf zwei lange Tische, an denen die Frauen arbeiteten. »Violet, du musst nähen! Mrs. Coltrane kann das fast so gut wie ich, Ladys, sie hat als Mädchen in unserem Laden gearbeitet. Aber flott jetzt, Violet, wir haben durchaus gemerkt, dass du zu spät dran bist. Und sag jetzt nichts von irgendwelchen Petitionen für die Tailoresses' Union. Nimm dir Nadel und Faden und fühl dich ein in deine Schäfchen!«

Die anderen Frauen lachten – aber Violet schien es nicht übel zu nehmen, dass man sich offensichtlich auf ihre Kosten amüsierte. Sie lachte mit, griff nach einem Kinderkleidchen und machte sich an die Arbeit. Doortje fand sich gleich darauf neben ihr wieder und besserte eine Bluse aus. Die Arbeit ging ihr leicht von der Hand – endlich einmal etwas, das sie genauso gut konnte wie die anderen Frauen in Dunedin! Die Frauen bezogen sie auch gleich in ihre Gespräche ein, redeten von ihren Kindern und Enkeln und von ihren persönlichen Erfahrungen mit Altkleidersammlungen. Viele von ihnen waren im Zuge des Goldrausches mit ihren Männern nach Neuseeland gekommen und hatten die Armenspeisungen des Reverends als Betroffene kennengelernt. Doortjes Herkunftsland schien sie kaum zu interessieren, sie war hier eine Einwanderin wie jede andere.

Lediglich eine der Frauen äußerte nebenbei, dass es in Doortjes Land ja auch Gold gäbe. »Hat mein Herbert sofort vermerkt, damals, als es gefunden wurde. Herrgott, wenn der zwanzig Jahre jünger gewesen wäre, hätt ich ihn wahrscheinlich kaum halten können …«

Die anderen Frauen lachten und begannen, von den Verrücktheiten ihrer eigenen Männer zu erzählen.

»Ging das bei Ihnen auch so drunter und drüber wie hier?«, fragte eine der alteingesessenen Dunediner Bürgerinnen Doortje. »Ich sag Ihnen, wir wachten morgens auf, und die Hügel waren weiß von Zelten! Halb England und Irland war hier in der Hoffnung, schnelles Geld machen zu können …«

Doortje schaute unwillig von ihrer Arbeit auf. »Unsere Leute arbeiten nicht in den Minen«, sagte sie steif. »Reichtum ohne vorherige Arbeit gilt uns als unmoralisch.«

Sie war verletzt, als die Frauen wieder lachten.

»Herzchen, Sie waren ganz sicher noch nicht auf einem Goldfeld!«, erklärte die Gattin des fanatischen Goldgräbers Herbert. »Glauben Sie mir, Reichtum ohne Arbeit gibt's da nicht! Herr im Himmel, was haben wir geschuftet! Von morgens bis abends, wie die Tiere. Und machmal kam nicht mal genug für ein Nachtessen zusammen. Natürlich gab's ein paar Glückspilze. Aber denen zerrann das Gold dann auch oft zwischen den Fingern. Nein, nein, Herzchen, da ist mir die Tischlerei zehnmal lieber, die wir jetzt haben. Dank des Reverends übrigens.« Sie schenkte Peter Burton einen anbetenden Blick. »Der hat meinem Herbert da Arbeit besorgt, als wir aus Lawrence zurückkamen, damals, als es noch Tuapeka hieß. Und später hat er den Betrieb übernommen. Wie sagt man noch: Handwerk hat goldenen Boden.«

Doortje schwirrte der Kopf, als die Frauen sich nach zwei Stunden trennten. Sie hatten eine Menge Kleider für den Basar ausgesucht und vorbereitet, ein paar Jüngere drapierten die besten Stücke begeistert auf den Kleiderpuppen und Ständern, die Kathleen aus Lady's Goldmine mitgebracht hatte.

»Ich glaube, ich kaufe eins!«, meinte die junge Frau, die auch die Idee mit der Modenschau gehabt hatte. »Ein Modell von Kathleen Burton – das kann sich unsereins doch sonst nie leisten!«

Kathleen lächelte. »Geht alles in die Kasse für die Armenspeisungen, Mary. Also nur zu!«

»Verkaufen Sie denn die Kleider?«, fragte Doortje unsicher, als sie schließlich mit Kathleen und dem Reverend zum Haus ging.

Kathleen hatte sie ganz selbstverständlich eingeladen, sie schien zu ahnen, dass sie etwas auf dem Herzen hatte und nicht nur zum Helfen gekommen war.

Der Reverend nickte. »Ja. Allerdings zum Teil zu sehr niedrigen Preisen. Die Kinderkleidchen kosten nur ein paar Cents, das sind eher symbolische Preise. Aber die Leute fühlen sich einfach besser, wenn sie für die Sachen bezahlen. Almosen nimmt niemand gern an. Und erfreulicherweise sind auch immer Stücke aus den Kollektionen meiner Frau dabei, für die noch eine ganze Menge Geld bezahlt wird. Also finden sich die wirklich bedürftigen Frauen in einer Reihe mit unseren Gemeindekreismitgliedern, die sich ein bisschen Luxus zum kleinen Preis gönnen wollen. Da fühlt sich dann niemand gedemütigt. Zumal Kathleen und Claire beide dabei sind und die Frauen bei der Auswahl beraten – auch die armen. Was meinen Sie, wie gut denen das tut, wenn die Besitzerinnen von Lady's Goldmine ihnen ein Kleid abstecken!«

Doortje konnte dazu nichts sagen. Für sie waren all diese Überlegungen so fremd, dass sie manchmal dachte, der Reverend und die anderen sprächen eine andere Sprache. Niemand in ihrem Land hätte sich darum gekümmert, wie sich ein Almosenempfänger fühlte!

»Was führt Sie denn nun her, Doortje?«, fragte Kathleen, während sie Tee aufbrühte. »Sie wollten doch nicht nur in Gesellschaft ein paar Strümpfe stopfen?«

Doortje druckste ein bisschen herum, bis sie zur Sache kam, aber dann brach es wie ein Sturzbach aus ihr heraus.

»Dieses Kaffern-Weib wirft meinem Mann unzüchtige Blicke zu!«, erklärte sie. »Und mich ... sie behandelt mich wie ein dummes Kind, so als wüsste ich gar nichts. Und das Schlimmste ist ... sie hat Recht. Für sie ist das alles hier ein Spiel, sie ... sie weiß, wie das alles hier geht. Dabei sollte es nicht so sein. Das ist ... das ist so nicht gottgewollt.«

Der Reverend schüttelte lächelnd den Kopf. »Doortje, Sie können Gott ja wirklich für so manches verantwortlich machen, aber nicht für versäumten Benimmunterricht. Wobei es daran bei Miss Juliet durchaus hapert. Sie haben Recht, die Dame verstößt permanent gegen das Zehnte Gebot. Obwohl es da ja streng genommen nur heißt, man solle nicht nach der Frau seines Nächsten verlangen.«

Doortje sah verblüfft auf. »Mit dem Mann seines Nächsten ist ... Ehebruch erlaubt, bei den Briten?«

Burton lachte. »Nicht nur bei den Briten, Doortje, das steht auch so in eurer Bibel, da bin ich sicher. Aber man muss es natürlich anders auslegen. Zu Moses' Zeiten war es undenkbar,

671

dass eine Frau den Mann einer anderen erkennbar begehrte. Die Frauen waren viel zu gut bewacht, sie hatten keinerlei Rechte.«

Kathleen war inzwischen zum Wandschrank gegangen und hatte zwei Bücher herausgenommen. Das eine war die Bibel, in der sie die Stelle rasch nachschlug. »›Du sollst nicht nach der Frau deines Nächsten verlangen, nach seinem Sklaven oder seiner Sklavin, seinem Rind oder seinem Esel oder nach irgendetwas, das deinem Nächsten gehört‹«, las sie vor. »Die Männer fallen unter ›irgendetwas‹, Doortje. Eine in gewisser Weise reizvolle Interpretation. Solltest du mal drüber predigen, Peter.« Sie zwinkerte ihrem Mann zu, der ihr dafür mit dem Finger drohte.

»Meine Sklavin hat sie auch begehrt!«, sagte Doortje bitter. »Die hat sie sogar bekommen.«

Kathleen griff sich an die Stirn. »Die Sklaverei ist abgeschafft, Doortje, damit müssen Sie sich abfinden. Aber sonst – kommen wir mal zurück zu Miss Juliet. Die wirft zwar ständig Männern unzüchtige Blicke zu, nicht nur Ihrem, aber sonst hat sie eine exzellente Erziehung genossen. Und die wirkt sich aus, ganz unabhängig von der Hautfarbe und vom Charakter. Wenn Sie ihr gegenüber nicht abfallen wollen, müssen Sie das nachholen, Doortje. Aber die gute Nachricht: Das ist gar nicht so schwierig. Hier, schauen Sie mal!«

Sie reichte der jungen Frau das zweite Buch, das sie aus dem Schrank geholt hatte, ein voluminöses Werk.

How to Behave. Doortje blätterte verwundert in dem schon ziemlich abgegriffenen Benimmbuch.

»Da steht das alles drin?«, wunderte sie sich. »Wie man sich beim ... Essen verhält und beim ... Tanzen und ... so?«

Kathleen nickte. »Zumindest die Grundlagen«, schränkte sie dann ein. »Wenn Sie das alles wissen, werden Sie in der Dunediner Gesellschaft nicht mehr anecken. Die ist nämlich gar nicht so vornehm. Die meisten der Wohlhabenden sind mehr oder weniger neureich. Für eine Vorstellung am englischen Hofe wär's vielleicht nicht ausreichend, aber das würden Sie dann mit Ihrem persönlichen Charme ausgleichen.« Sie lächelte Doortje verschmitzt zu.

»Natürlich sollten Sie vermeiden, Worte wie Kaffern-Weib oder Sklavin in den Mund zu nehmen«, fügte der Reverend trocken hinzu. »Das ist gar nicht ladylike. Ach ja, und außerdem müssen Sie mindestens eins, besser fünf dieser Modejournale aus Paris und London abonnieren. Da lernen Sie dann Sätze wie ›Steht Ihnen ja durchaus gut, dieser gerade geschnittene Rock, meine Liebe … aber bevorzugt man in dieser Saison nicht eher die Glockenform?‹« Die letzten Sätze flötete der Geistliche mit hoher Stimme. Kathleen lachte gutmütig, sogar Doortje lächelte.

»Das war eine … Stichelei?«, fragte sie vorsichtig.

Der Reverend nickte vergnügt. »Sie lernen, Doortje. Das ist vielleicht nicht gut für Ihre unsterbliche Seele, aber dem allgemeinen Wohlbefinden sind kleine Gemeinheiten mitunter durchaus zuträglich …«

KAPITEL 10

Als Kevin an diesem Nachmittag die letzte Patientin verabschiedet hatte, saß Juliet Drury-LaBree im Wartezimmer.

»Was machst du denn hier?«, fragte Kevin unwillig.

Er wollte Schluss machen und nach Doortje sehen – sofern
diese schon zurück war.

Juliet schürzte die Lippen. »Na was schon?«, fragte sie mit
seidenweicher Stimme. »Ich bin natürlich eine Patientin. Du
kannst mir die Behandlung kaum verwehren.«

»Du siehst nicht besonders krank aus«, meinte Kevin.

Juliet lächelte. »Im Gegensatz zu deiner kleinen Burin, rate
ich jetzt mal. Die war ja gestern voller Champagner. Hat es
sie wenigstens anschmiegsamer gemacht, Kevin? Oder blieb
sie trotzdem kratzbürstig? Kaffern-Weib … Also wenn sie den
Mund mal aufkriegt, hat sie eine scharfe Zunge, deine Dorothy.«

»Sie heißt Doortje«, sagte Kevin abweisend. »Und sie ist
Champagner einfach nicht gewohnt. Wobei ich mich durchaus
an Nächte erinnere, in denen du es auch damit übertrieben hast.
Also machen wir's kurz. Was hast du für Beschwerden?«

Er hielt Juliet die Tür auf. An eine Krankheit glaubte er zwar
keinen Augenblick, aber was auch immer sie wollte, besprach
man besser im Sprechzimmer. Das Wartezimmer war zum
Korridor hin nicht schalldicht.

Juliet zog ihr leichtes Jackett aus und öffnete auch ohne weitere Vorreden ihr Kleid und ihr Mieder.

»Vielleicht … tastest du meine Brüste mal ab«, regte sie an. »Sie … spannen ein bisschen. Bin ich vielleicht schwanger? Und mein Herz … neuerdings rast es …«

Juliets Kleid wies vorn eine Knopfleiste auf – raffiniert gewählt für Augenblicke wie diese. Während Kevin verzweifelt versuchte, sich auf sein Stethoskop und ihre Herztöne zu konzentrieren, knöpfte sie es weiter auf und löste die Schnüre ihres Korsetts.

»Aber eigentlich rast es ja immer nur, wenn ich dich sehe …«, flötete sie.

Kevin hob das Stethoskop. »Ich kann nichts Besorgniserregendes feststellen«, sagte er steif. »Und was eine Schwangerschaft angeht … Wann war deine letzte Periode?«

Juliet räkelte sich auf der Behandlungsliege. »Erst eine Woche her, Kevin. Also keine Gefahr. Selbst wenn du keinen dieser kleinen Strolche hier greifbar hast …« Sie förderte ein Overcoat zutage wie aus dem Nichts.

Kevin verdrehte die Augen. Aber er konnte auch nicht leugnen, dass ihr Körper ihn erregte.

»Eine Schwangerschaft kann man in dem Stadium noch nicht feststellen«, beschied er sie. »Also …«

»Kevin …« Juliet befreite ihre Brüste und befeuchtete sich die Lippen. »Gut, vielleicht findest du jetzt nichts … aber glaub's mir, ich bin schwermütig … Ich verzehre mich nach dir, Kevin. Und muss dabei zusehen, wie du ein dummes kleines Ding mit dir herumzerrst, das darüber nicht mal sonderlich glücklich scheint. Was soll das mit dieser Burin, Kevin? Warum hast du sie geheiratet?«

»Vielleicht aus dem gleichen Grund, aus dem mein Bruder dich geheiratet hat«, meinte Kevin. »Ich liebe sie. Und er liebt dich. Wenn er dich nicht glücklich macht, tut es mir leid. Aber ich …«

»Du hast mich im Stich gelassen!«, fuhr Juliet auf. »Mit deinem Balg im Bauch! Was hätte ich denn machen sollen, Kevin Drury? Auf dich warten? Da hätt ich mir was Schönes eingebrockt ...« Über ihr Gesicht flog ein sardonisches Lächeln. »Aber deiner kleinen Doortje natürlich auch. Was hätte die wohl gesagt, wenn dich hier eine kleine Tochter erwartet hätte? Und eine verlassene Braut?«

»Du warst niemals meine Braut, Juliet«, sagte Kevin.

Juliet ließ ihr Kleid seitlich der Liege herabfallen und löste ihre Strumpfhalter.

»Ich könnt's aber sein, Kevin ... Komm, Liebster, all das lässt sich rückgängig machen. Und du brauchst dir nicht mal die Hände dabei schmutzig zu machen. Ich erzähle deiner kleinen Burin von May und Patrick ...«

Kevin bemühte sich, nicht auf Juliets schwellendes Fleisch zu blicken. Er hatte ihr nie widerstehen können, wenn sie ihre natürlichen Formen vor seinen Augen aus den Fesseln des Korsetts befreite.

»Vielleicht wäre sie nicht so schockiert davon, wie du denkst«, sagte er knapp.

Juliet horchte auf. »Ach? Erwarten uns da womöglich noch ganz andere Enthüllungen? Ist die Kleine gar kein solches Rührmichnichtan? Wenn ich's mir recht überlege, sieht der kleine Abe dir auch gar nicht ähnlich ...«

Kevin bemühte sich, sein Erschrecken zu verbergen. »Abraham kommt nach Doortje«, erklärte er steif.

Juliet zuckte scheinbar desinteressiert die Schultern. »Wollen wir da wirklich jetzt drüber nachdenken?«, gurrte sie. »May kommt nach dir.« Langsam öffnete sie ihre Schenkel.

Kevin redete sich ein, dass er sich nur auf Juliet einließ, um sie zum Schweigen zu bringen. Aber er war in dem Moment verloren, in dem er sie berührte. Juliet begann ihr Spiel mit ihm auf der Behandlungsliege, aber irgendwann fanden sie sich auf dem Teppich unter Kevins Schreibtisch wieder. Sie fesselte ihn lachend mit Verbandsmaterial, fand den Brandy, den er für ohnmachtsgefährdete Patientinnen bereithielt, goss Tropfen davon auf seine Brust und seinen Unterleib und leckte sie ab.

»Wir können Patient und Krankenschwester spielen«, hauchte Juliet. »Ich bin Florence Nightingale ... haben wir hier nirgendwo ein Häubchen? Vielleicht macht dich das ja an bei deiner Burin ... dieses lächerliche Häubchen ... Nandé hat erzählt, dass jede Frau an der Tafel der VanStouts eins tragen musste. Wenn eine keins hatte, legte der Vater ihr ein Taschentuch auf den Kopf. Soll ich mir ein Taschentuch auf den Kopf legen, Kevin?«

Juliet löste ihr Haar und liebkoste Kevin mit den Strähnen, und schließlich gab er auf und spielte Arzt und Patientin mit ihr. Er hörte auf ihre Herztöne, während er in sie eindrang, und behauptete, ihre Reflexe zu prüfen, wenn er sie so erregte, dass sie sich unter ihm aufbäumte.

»Wir sollten so etwas nicht tun«, sagte er schließlich erschöpft, als sie nebeneinanderlagen, um zu Atem zu kommen. »Patrick ... es würde Patrick das Herz brechen ...«

Juliet lachte. »Ach was. Du bist Arzt, Kevin. Aber hast du jemals ein gebrochenes Herz gesehen? Und wenn schon! Wir sind füreinander bestimmt, Kevin. Ich hatte noch nie mit irgendjemandem so viel Spaß! Und du doch wohl auch nicht, oder? Also ist das hier ... könnte man nicht sagen ... gottgewollt?«

Kevin erhob sich. »Eher verdammt«, sagte er bitter. »Es tut mir leid, Juliet, aber das wird nicht wieder vorkommen. Wir können nicht ...«

Juliet lächelte siegessicher. »Keine Sorge. Morgen nicht und übermorgen auch nicht. Wir kommen wahrscheinlich erst in zwei Wochen wieder nach Dunedin, Kevin. Aber dann ... warte ab, ich werde dich irgendwo erwarten ...«

Doortje meinte, eine bekannte Silhouette im Fond einer anfahrenden Droschke zu erkennen, als sie schließlich heimkam. Aber sie schob es auf ihren überreizten Geist nach dem anstrengenden Tag und erst recht der Nacht zuvor. Sie hoffte, dass Kevin sie an diesem Abend nicht anrühren würde – obwohl die Erinnerung an die Nacht zuvor ... Doortje schämte sich zwar allein des Gedankens, aber sie hatte die Hölle als süß empfunden.

Immerhin hatte sie jetzt etwas zu erzählen. Kevin würde sich sicher freuen, von ihrem Besuch bei Kathleen zu hören – sie hoffte nur, dass er nicht böse über die beiden neuen Kleider und das Korsett war, das sie zum Abschluss des Tages noch erstanden hatte. Kathleen hatte sie in ihrer Chaise zurück in die Stadt gefahren – sie war entsetzt darüber gewesen, dass Doortje die ganze Strecke gelaufen war – und sie bei der Gelegenheit noch in ein Wäschegeschäft und dann zu Lady's Goldmine begleitet.

»Wer schön sein will, muss in dieser Saison leider leiden, Doortje«, erklärte sie ihr. »Ich bedaure es, dass sich das Reformkleid nicht durchgesetzt hat, aber wenn Sie gegen die herrschende Mode darauf bestehen, veraltete Kleider zu tragen, wird Miss Juliet weiter sticheln. In diesem Kleid dagegen ...« Bewundernd standen Kathleen und Claire vor der jungen Burin, die ein tiefblau schimmerndes Satinkleid mit aquamarinblauer Knopfleiste und Applikationen anprobierte. »In diesem Kleid werden Sie alle Blicke auf sich ziehen ...«

Kevins Blicke waren an diesem Abend bestenfalls unstet. Er äußerte sich nur knapp zu Doortjes Anschaffungen, was bei ihr gleich wieder Schuldgefühle auslöste. Die Rechnung war ja auch wirklich exorbitant ausgefallen. Beim Essen griff er nur zögernd zu und zog sich anschließend gleich noch einmal in die Praxis zurück.

»Ich hab noch ein paar Dinge aufzuarbeiten, Doortje, sei nicht böse.«

Doortje blieb verwirrt zurück. Am Morgen war er noch so aufmerksam gewesen. Und nun … dabei hätte sie diesmal wirklich gern mit ihm gesprochen. Über Violet vielleicht und die Frauen im Gemeindekreis. Aber Kevin war auf einmal ganz anders … Doortje flüchtete sich schließlich ins Bett und nahm das Benimmbuch mit. In den nächsten Tagen studierte sie es mit ihrem gewohnten Ernst. Noch einmal würde Juliet Drury-LaBree sie nicht bloßstellen!

Doortjes nächste Begegnung mit Juliet war ein Triumph – Kathleen und Claire hatten nicht zu viel versprochen, was die Wirkung ihres Kleides anging. Patrick und Juliet waren zwei Wochen später erneut für ein Wochenende nach Dunedin gekommen, und Doortje stach bei einem Samstagabenddinner bei Heather und Chloé alle aus, von Juliet Drury-LaBree bis Roberta Fence. Dabei war die junge Lehrerin eigentlich die Überraschung des Abends. Auch sie trug nach der langen Periode der Reformkleider zum ersten Mal wieder ein Korsett, und ihr Anblick in ihrem schokoladenbraunen Kleid mit cremefarbenen Stickereien war wirklich atemberaubend. Kevin machte Roberta Komplimente, was sie zunächst glücklich zu machen schien. Aber dann, als sie Doortje in ihrem neuen Staat sah, wirkte sie verunsichert. Die Burin war derart schön, und Kevins Augen leuchteten so unübersehbar auf, wenn er sie ansah – Roberta musste sich erneut eingestehen, dass für sie keine Chancen bestanden, ihre alte Liebe doch noch zu erobern. Zumal Doortje sich ja anzupassen schien.

Robertas letzte Hoffnungen hatten darauf beruht, dass die Burin sich niemals in Neuseeland einleben und so lange gegen das neue Land kämpfen würde, bis Kevins Liebe schließlich erlosch und er sich von ihr trennte. Nun sah es nicht danach aus. Roberta seufzte, aber sie war entschlossen, es Doortje nicht übel zu nehmen. Also plauderte sie besonders freundlich mit der jungen Frau, fragte sie nach ihrem Leben auf Elizabeth Station und in Dunedin und wunderte sich ein wenig über das böse Aufblitzen in ihren Augen, als sie Juliet erwähnte.

»Patrick wohnt ja jetzt mit seiner Frau auf der Farm, da war für uns kein Platz«, sagte Doortje bedauernd. »Wir haben es dann noch in dem alten Goldgräberhaus versucht, aber Kevin wollte doch wieder nach Dunedin zurück.«

Roberta registrierte, dass Doortje das nicht gefiel, und führte ihre Abneigung gegen Juliet auf diese Vertreibung zurück. Aber dann betraten Patrick und Juliet den Raum – und Roberta, langjährige Expertin für die Auslotung kleinster Stimmungsschwankungen bei Kevin Drury, war sofort alarmiert.

Tatsächlich versteiften sich beide Drurys, als Juliet in ihrer dunkelroten Abendrobe hereinrauschte – eigentlich an Patricks Arm, aber tatsächlich sah es eher aus, als zöge sie ihren Gatten hinter sich her. In Doortjes Augen stand bei ihrem Anblick ein bisschen Angst, aber auch Wut und Kampfgeist, während Kevin … Roberta konnte seinen Ausdruck nicht deuten. Auch er schien nicht uneingeschränkt begeistert von Juliets Erscheinen zu sein, aber da war auch ein Leuchten in seinen Augen, das er sonst zeigte, wenn er sich auf einen wagemutigen Ritt oder ein anderes Abenteuer einließ. Vielleicht spiegelte sein Blick auch Begehren – aber damit war er natürlich nicht allein. Die meisten Männer im Raum schauten lüstern, wenn sie Juliets wiegende Hüften, ihr breites Lächeln und ihre Brüste sahen, die ein weiter Ausschnitt betonte. Das Kleid war eindeutig nicht von Lady's Goldmine. Kathleens Entwürfe unterstrichen zwar die Schönheit der Frauen, aber aufreizend wirkten sie nicht.

»Schau da nicht so genau hin!« Chloé Coltrane neckte ihre Lebensgefährtin, die auch einen Blick zu viel riskiert hatte. »Es reicht doch wohl, wenn ihr alle Männer zu Füßen liegen.«

Heather kicherte. »Den Typ kenn ich, Liebste, der frisst

unsereins als Vorspeise und danach noch ein paar Kerle. Aber dass du mal unzüchtige Gedanken hegst, Chloé Coltrane … na ja, im Grunde beruhigt es mich ja. Ich hatte immer Angst, du läufst mir noch mal mit einem Mann auf und davon.«

Im Gegensatz zu Chloé hatte Heather sich nie für Männer interessiert. Roberta und Doortje registrierten, dass sich die Frauen komplizenhaft zulächelten. Mehr Intimitäten in der Öffentlichkeit zeigten die beiden allerdings nie. Sowohl die eine als auch die andere war diskret – wer nicht weiter nachdachte oder religiöse Bedenken gegen eine Liebe wie die ihre hatte, konnte sie einfach nur für Freundinnen halten.

Während des Dinners machten sie denn auch freundlich Konversation mit ihren jeweiligen Tischherren, während Roberta ebenso ungezwungen mit Patrick plauderte. Chloé hatte die Runde bunt gemischt, Patrick saß neben Roberta, Juliet hatte sie einem älteren Kaufmann zugesellt. Die junge Frau arbeitete sich sichtlich an ihm ab, Donald MacEnroe war zwar ein gemäßigter Anhänger der Church of Scotland, aber Flirten mit verführerischen jungen Frauen war in seiner Erziehung nicht vorgekommen.

Doortje hatte Chloé noch keinen fremden Tischherrn zugemutet, sie saß neben Kevin und schien sich halbwegs wohl zu fühlen. Zumindest hatte sie zum ersten Mal keine Probleme mit der Reihenfolge der Gabeln, Messer und Löffel neben ihrem Teller. Kevin war jedoch abgelenkt. Er machte zwar Versuche, seine Frau zu unterhalten, aber Roberta bemerkte, dass sein Blick immer wieder zu Juliet hinüberglitt.

Heather ihrerseits bemerkte Robertas Interesse an Kevin. Als die Damen nach dem Dinner in den Salon schlenderten, um Kaffee und Likör zu trinken, während die Herren sich zu Zigarren und Whiskey zurückzogen, sprach sie Roberta unverblümt auf Vincent Taylor an.

»Was macht denn nun dein Tierarzt, Roberta? So langsam

wäre da doch eine Verlobung fällig. Du bist jetzt schon seit über einem Jahr zurück.«

Roberta errötete. »Vincent ist doch schon in Auckland mit den Rennpferden aus Addington«, antwortete sie ausweichend. »Er hat mich eingeladen mitzukommen, aber das … das geht ja nicht …«

Heather bemerkte, dass sie wieder irritiert zu Kevin hinübersah. Juliet Drury scherzte eben mit ihm und ein paar anderen Herren. Als Einzige schien sie sich von der Männerrunde nicht trennen zu können.

Heather schüttelte tadelnd den Kopf. »Sei nicht so prüde, Robbie, natürlich ginge das, wenn du nur wolltest.«

»Der junge Mann ist doch ganz entzückend«, fügte Chloé hinzu. »Und obendrein mag er Pferde …«

Roberta blickte gequält. Pferdeliebe spielte bei ihrer Gattenwahl keine besondere Rolle. Und dass Vincent ein netter Kerl war, hörte sie überall.

»Warum seid ihr denn nicht in Auckland?«, fragte sie, um das Thema zu wechseln, und riss ihren Blick fast gewaltsam los von Kevin und Juliet Drury.

Der Auckland Cup spielte in der Neuseeländer Rennpferdeszene eine große Rolle. Es war eigentlich anzunehmen gewesen, dass Heather und Chloé Rosie und Diamond begleiten würden. Das Pferd gehörte immerhin nach wie vor Chloé.

Chloé seufzte theatralisch. »Heather lässt mich nicht«, beklagte sie sich. »Wir haben bald dieses Kunstfestival mit Musikdarbietungen und Ausstellungen zeitgenössischer Kunst von Frauen. Fantastischer Titel: Die Kunst ist weiblich! Ist Heather eingefallen!« Sie streifte ihre Freundin mit einem liebevollen Blick.

»Aber der Größenwahn kommt von Chloé!«, fügte Heather fröhlich hinzu. »Wir stellen nämlich nicht nur in der Galerie aus, sondern haben auch noch andere Räumlichkeiten angemietet. Neben den Vernissagen gibt es Vorträge von Violet und anderen Frauen, die für das Wahlrecht gekämpft haben, und Musik, wir haben eine rein weibliche Kammermusikgruppe, eine Pianistin … und sogar Matariki kommt aus Parihaka. Mit einer *haka*-Gruppe und zwei Maori-Künstlerinnen. Die Maori bekommen eine eigene Ausstellung – Jadeschnitzerei und Webkunst … Das ist alles eine große Sache, hat so noch nie jemand vor uns gemacht. Und dann kommt mir Chloé einen Monat vorher mit dem Auckland Cup! Ich sollte hier alles allein betreuen, während sie ihrer Stute Hüfchen hält. Kommt überhaupt nicht infrage!«

Chloé seufzte. »Ich konnte ja nicht wissen, dass Diamond sich qualifiziert. Sonst hätte ich alles vier Wochen später organisiert.«

Heather verdrehte die Augen. »Und dann wär's womöglich mit diesem neuen Rennen in Christchurch kollidiert, was Chloé und allen anderen Beteiligten das Herz gebrochen hätte. Der New Zealand Trotting Cup, gestiftet von ein paar Christchurcher Geschäftsleuten, unter denen ich einen gewissen Bulldog vermute. Da fahren wir natürlich hin! Du auch, Roberta, da gibt's keine Widerrede, wir machen dir die Anstandsdame. Sean und Violet schleppen wir auch mit, Violet muss Rosies Triumph erleben. Na ja, und vielleicht mögen ja auch Kevin und seine wunderschöne Burin und …« Sie warf einen prüfenden Blick auf Patrick.

Roberta nutzte die Gelegenheit, das Thema anzuschneiden, das ihr auf der Seele lag. Doortje war zwar mit ihnen aufgebrochen, plauderte aber mit Chloé. Sie würde nicht mithören.

»Es gefällt mir nicht, wie Kevin seine Schwägerin anschaut«, sagte Roberta entschlossen zu Heather.

Heather reagierte sofort. Der Themenwechsel irritierte sie nicht – beobachtete sie doch ihrerseits schon längere Zeit das Verhältnis zwischen Juliet und den Drury-Brüdern.

»Das gefällt wohl keinem«, bemerkte sie. »Zumindest keinem, dem es auffällt. Die meisten Männer sind da ja blind und taub. Aber den Frauen bleibt das nicht verborgen, morgen wird wieder halb Dunedin tuscheln. Juliet versucht mit allen Mitteln, Doortje ihren Kevin abspenstig zu machen. Und Patrick steht dabei und schaut wie ein waidwundes Tier, er hat ihr nichts entgegenzusetzen. Ich glaube, er ist ganz froh, wenn irgendwann im Laufe des Abends dieses süße schwarze Kindermädchen mit May auftaucht – man möchte meinen, das wäre abgesprochen, aber die zwei sind ganz unschuldig. May macht einfach Theater, wenn sie nicht bei den Festen und Konzerten dabei sein kann. Da kommt sie ganz nach der Mutter. Dieser Winzling weiß, was er will! Aber wie auch immer, jedenfalls macht Patrick erst ein bisschen die Runde auf dem Fest, und dann muss er May angeblich ins Bett bringen. Patrick flüchtet also, und Juliet hat freie Bahn. Wenn sie meine Frau wäre, würde ich sie verhauen! Oder jedenfalls zur Rede stellen. Wenn sie die Scheidung will, soll sie es doch sagen. Aber sie trampelt gnadenlos auf seinen Gefühlen herum. Und Kevin … ich hoffe nicht, dass da etwas ist, er liebt seine Doortje sicher aufrichtig, ist jedoch auch nur ein Mann. Und nicht der verlässlichste, wenn ich das mal so sagen darf …«

Roberta fuhr auf. »Kevin ist sehr zuverlässig!«, erklärte sie empört. »Man kann sich voll und ganz auf ihn verlassen. Was er da in Afrika geleistet hat …«

Heather lächelte ihr mitleidig zu. »Robbie, Süße, du hast ihn ja immer noch nicht von deiner Jagdliste gestrichen! Himmel, Kind, hat's nicht gereicht, ihm bis nach Südafrika nachzulaufen? Damit er dich endlich ›bemerkt‹?« Roberta biss sich auf die Lippen. Sie hatte eigentlich gehofft, dass nie jemand etwas von ihrer heimlichen Liebe gemerkt hatte … »Er macht sich nichts aus dir, Robbie!«, hielt ihr Heather weiter vor. »Obwohl du wunderschön bist und ihn abgöttisch lieben würdest. Aber du bist ihm zu brav, in dir sieht er keine Herausforderung. Kevin sucht nach schwierigen Frauen, glaub's mir, ich kenne ihn. Früher verguckte er sich reihenweise in die Künstlerinnen, deren Bilder wir in der Galerie ausstellten. Bevorzugt, wenn er wusste, dass sie gar keine männliche Gesellschaft suchten, wenn du verstehst, was ich meine. Er tat alles, um sie umzudrehen, das war fast schon peinlich. Und einmal verursachte er ein regelrechtes Drama, als er tatsächlich eine ins Bett kriegte, und ihre Freundin … Ich dachte schon, die duellieren sich! Na ja, lassen wir das, das ist Schnee von gestern …« Heather sah sich besorgt nach Doortje um, aber die war immer noch beschäftigt. Chloé setzte ihr gerade wortreich die Regeln beim Trabrennen auseinander, was sie zweifellos nicht im Geringsten interessierte. Aber sie übte sich im perfekten Benehmen in Gesellschaft und hörte höflich zu. »Jedenfalls braucht Kevin Drury solche Hexen wie diese Juliet oder Herausforderungen wie Doortje«, sprach Heather schließlich weiter. »Dich würde er nicht glücklich machen, Robbie. Sieh's endlich ein.«

Roberta nickte fast schuldbewusst. Sie sah, wie Claire Dunloe sich jetzt liebenswürdig Juliet näherte, sie mit sanfter Gewalt von der Männerrunde trennte und zu den anderen Frauen entführte. Doortje schien aufzuatmen, dann jedoch, als die Kreolin auf ihre Gruppe zusteuerte, wurde sie sichtlich nervös.

»Dorothy! Wie nett, Sie auch mal wieder zu treffen. Und diesmal ganz erwachsen gekleidet. Aber zwängt das nicht Ihr kleines Herz ein, das Korsett, meine Liebe?«

Doortje zuckte die Achseln. Und sorgte mit ihrer Entgegnung für eine Überraschung.

»Wir Buren«, bemerkte sie, »sind ziemlich zäh. Wir haben schon anderes überstanden als ein paar Schnüre und ein paar Sticheleien. Vor allem geben wir niemals auf, Juliet.« Sie wartete ein paar Augenblicke, um ihre Worte wirken zu lassen. Dann fuhr sie fort – und bewies, dass sie nicht nur ihr Benimmbuch studiert hatte, sondern auch den *Zauberer von Oz.* »Und übrigens erschlägt Dorothys Haus die Hexe des Ostens, und später vernichtet sie auch noch die Hexe des Westens. Also sehen Sie sich vor, Juliet. Wo liegt noch mal New Orleans?«

Doortje blitzte ihre Schwägerin an, wandte sich auf dem Absatz um und ging zu Claire Dunloe und Kathleen Burton hinüber. Juliet blieb wortlos zurück.

Heather, Chloé und Roberta schauten einander verblüfft an, dann lachten sie los.

»Und ich hab Kevin nie geglaubt, dass ihn die Hübsche mit dem Gewehr bedroht hat!«, kicherte Heather und wandte sich an die Kreolin. »Sie sollten wirklich aufpassen, Juliet, sie schießt scharf!«

Chloé Coltrane sah Juliet nachdenklich nach, als die sich mit falschem Lächeln verzog. Und bewies, dass sie trotz ihrer Ausführungen über den Rennsport mit halbem Ohr auf Heathers und Robertas Unterhaltung gelauscht hatte.

»Du hast Recht, Roberta, irgendwas ist da faul«, murmelte sie. »Die zwei zanken sich um Kevin, und Juliet ist verdammt siegessicher! Die kleine Burin holt zwar auf – aber habt ihr gesehen, wie Kevin Juliet anschaut? Ich fürchte, Doortje hat schon verloren.«

ERWACHEN

Nordinsel
Parihaka, Auckland

Südinsel
Dunedin, Christchurch,
Temuka

1904

KAPITEL 1

»Atamarie, so geht es nicht weiter, du kannst dich nicht bis in alle Ewigkeit hier vergraben!«

Der Vollmond stand wieder einmal leuchtend über Parihaka, ließ das Meer silbrig glänzen und tauchte den Mount Taranaki in ein gespenstisches Licht. Eine Priesterin führte eine Vollmondzeremonie durch und flehte um den Segen der Göttin Hine-te-iwaiwa für die schwangeren Frauen des Dorfes.

Matariki hätte sich gern zu den Kindern gesetzt und ihnen von den Mondphasen erzählt – die wissenschaftliche Erklärung, soweit sie sie kannte, aber auch die Maori-Mythen um den Erdtrabanten und seine Bedeutung für die Orientierung der Polynesier auf See. An diesem Tag jedoch mochte sie sich der traumverlorenen und festlichen Stimmung der Vollmondnacht nicht ergeben. Sie musste mit Atamarie sprechen. Das hatte sie sich vorgenommen, und das würde sie jetzt auch tun.

Die Runde, in der Atamarie saß, bestärkte sie dann in ihrem Entschluss. Ihre Tochter hockte mit Studenten der Medizin zusammen, aber auch mit jungen Leuten, die sich um spirituelle Deutung von Krankheiten und Absonderlichkeiten bemühten.

»Es kann mit dem Mond zusammenhängen?«, fragte Atamarie gerade. »Also, gemerkt habe ich da nie was ...«

»Aber es hat bestimmt einen Grund, dass ›Verrückte‹ auf Englisch *lunatics* heißen«, bemerkte Makutu, eine traditionelle Heilerin. »Ich kann bei Vollmond oft nicht schlafen.«

»Aber bei ihm ... ich weiß nicht, manchmal schlief er wie tot und manchmal ...« Atamarie runzelte die Stirn.

Matariki seufzte. Es war wie immer: Um welches Thema es auch ging, Atamarie versuchte, sich jede Nuance ihrer Erfahrungen mit Richard Pearse ins Gedächtnis zu rufen und auszudeuten. Am Anfang hatte Matariki das auch durchaus verständlich gefunden. Es war normal, dass sich Atamarie mit dieser Geschichte auseinandersetzte – schließlich war ihre vom Leben verwöhnte Tochter zum ersten Mal enttäuscht worden. Atamarie sah ihre unglückliche Liebe wohl auch als persönliches Scheitern an, obwohl niemand außer ihr die Sache so wahrnahm. Aber inzwischen haderte die junge Frau schon seit einigen Wochen mit ihrem Schicksal. Matariki fand, das reiche jetzt.

»Du wiederholst dich«, sagte sie folglich streng, nachdem sie sich neben ihrer Tochter niedergelassen hatte. »Mittlerweile wissen hier alle, inwiefern Richard Pearse merkwürdig war. Erklären kann es allerdings niemand.«

Atamarie kaute auf ihrer Oberlippe, wie immer, wenn sie versuchte, einen schwierigen Sachverhalt zu verstehen. »Also Omaka hatte da schon eine ganz schlüssige Erklärung, irgendwas mit diesem *taku* und *toku* – also wenn man das jetzt mal aus dem *pepeha*-Kontext rausnimmt und nicht die persönliche Wichtigkeit des Beschreibenden für das Beschriebene nimmt, sondern vielleicht des Erfinders für das Erfundene, und ...«

Matariki verdrehte die Augen. »Atamarie, du versuchst jetzt seit einer Ewigkeit, die Spiritualität deines Volkes zu verstehen, aber mit der Herangehensweise einer Ingenieurin. Und du willst auch gar nicht den Geist von Parihaka erspüren und dich von ihm getragen fühlen. Letztendlich willst du das Rädchen isolieren, das in Richard Pearse' Kopf falsch herum lief, und dann möglichst reparieren, damit doch noch alles gut wird ... Aber das geht nicht, Atamarie! Hör endlich damit auf, du kannst nicht bis ans Ende deiner Tage hier herumsitzen und zwischen zwei Welten mit einer verlorenen Liebe hadern.«

»Aber ich … das tue ich doch gar nicht …«

Die junge Frau schmollte. Aber so ganz konnte sie es natürlich nicht leugnen. Atamarie war ein Mensch, der Antworten suchte, und bisher hatte sie sie immer in Büchern gefunden. Nur … über Richard Pearse' Verhalten gab es keine Bücher. Obwohl sie zunächst optimistisch gewesen war, nachdem sie mit Professor Dobbins gesprochen hatte.

Tatsächlich war Dobbins überhaupt der Erste gewesen, dem sie von der Sache mit Richards letztem Flug und ihrer Auseinandersetzung mit ihm und Shirley erzählt hatte. Nachdem sie Temuka verlassen hatte, war sie noch am Abend nach Christchurch zurückgefahren, einerseits völlig außer sich, andererseits innerlich kalt wie Eis. Sie war wütend gewesen und verzweifelt, enttäuscht und verletzt. Sie hatte in dieser Nacht kein Auge zugemacht und sich zur ersten Stunde am nächsten Morgen in der Universität eingefunden. Zwar umgezogen und ordentlich gekleidet, aber immer noch völlig durcheinander. Dobbins schien es ihr anzusehen. Gewöhnlich missfiel ihm zwar nichts mehr, als wenn ihn Studenten mit irgendwelchen emotionalen Problemen belästigten, aber Atamarie öffnete er bereitwillig sein Arbeitszimmer, nachdem er eine Hilfskraft gebeten hatte, die Prüfungen zu verschieben, die für ihn auch an diesem Tag noch anstanden. Atamarie überlegte flüchtig, dass die Prüflinge sie dafür hassen würden, dann jedoch breitete sie in ihrer Verwirrung die gesamte Geschichte vor Dobbins aus.

»Ich mache mir solche Vorwürfe, Professor! Es war egoistisch von mir! Wenn wir diese Demonstration ein paar Tage früher gemacht hätten … wenn ich nicht darauf bestanden hätte, erst die Prüfungen abzulegen …«

Dobbins schüttelte den Kopf und stellte eine Kaffeetasse vor Atamarie auf den Tisch, ohne sie vorher zu fragen. »Trinken Sie, Mädchen, Sie sind ja ganz außer sich. Und geben Sie sich um Himmels willen nicht die Schuld für Pearse' Versagen. Schauen Sie, Miss Turei, das ist ja nicht das erste Mal!«

»Nicht das erste Mal?«, fragte Atamarie verblüfft. »Gut, ja, er hatte schon mal so eine Phase, nachdem der erste Flug in der Hecke geendet hatte. Aber zwischendurch ...«

»Zwischendurch ist er immer ganz ausgeglichen, einfach im Umgang ... und dann verfällt er von einem Tag auf den anderen in Melancholie. Verstehen Sie mich richtig, Miss Turei, ich will ihn nicht als verrückt hinstellen. Richard Pearse ist unzweifelhaft ein Genie, das habe ich Ihnen ja schon mal gesagt. Aber auch sehr ... hm ... unausgeglichen. Ich fand immer, dass Sie ihm guttun, Atamarie.«

Der Professor seufzte, warf aber nichtsdestotrotz einen anerkennenden Blick auf sein hübsches Gegenüber.

»Seine Familie fand genau das Gegenteil«, murmelte Atamarie.

Dobbins zuckte die Schultern. »Vielleicht kennen die ihn besser. Ich weiß es nicht, Atamarie, ich bin Techniker. Wenn Sie mir einen stotternden Motor geben, dann nehme ich ihn auseinander und finde heraus, was nicht stimmt. Aber ein schwermütiger Mensch? Jedenfalls war das der Grund, weshalb er hier seine Stelle als wissenschaftliche Hilfskraft verloren hat. Ich weiß nicht, wie er Ihnen gegenüber das mit dem abgebrochenen Studium dargestellt hat. Fehlende finanzielle Möglichkeiten wären auf jeden Fall kein Hinderungsgrund gewesen, wir hätten ihn schon irgendwie durchgeschleust. Ein solches Talent – ein so brillanter Verstand! Aber dann verzog er sich nach Temuka und kam erst mal nicht wieder. Danach normalisierte es sich erneut, er entschuldigte sich mit familiären Problemen und dem Geldmangel und, und, und ... Also nahm ich ihn mit zum Mount Taranaki. Dann erzählte er von dieser Farm, die er zum einundzwanzigsten Geburtstag bekommen hatte ...«

»Die hätte er doch verkaufen können!«, erklärte Atamarie. Der Professor hob die Hände. »Richard Pearse hätte eine Menge tun können. Aber er hat's nicht getan. Und das ist ganz bestimmt nicht Ihre Schuld, Atamarie. Machen Sie sich nicht verrückt wegen dieser paar Tage Verzögerung. Der Mann ist ein Jahr vor den Brüdern Wright geflogen! Da hatte er reichlich Zeit, sein Flugzeug patentieren zu lassen. Wenn er's nicht getan hat … vergessen Sie es, Atamarie. Ich gebe Ihnen jetzt erst mal einen neuen Prüfungstermin. Übermorgen. Ja, dann sind eigentlich schon Ferien, aber ich werde meine Beisitzer und Kollegen noch einmal zusammentrommeln, keine Angst. Und danach überlegen Sie sich, was Sie machen wollen. Sie sind doch vermögend, Atamarie, nicht wahr? Warum nehmen Sie nicht ein Schiff und fahren nach Europa? Da wird viel in Sachen Flugzeugbau geforscht, Sie könnten sich einbringen! Oder die Vereinigten Staaten. Suchen Sie die Wrights auf.« Dobbins lachte. »Vielleicht verlieben Sie sich ja in einen von denen. Scheinen auch schwierig zu sein. Wie's aussieht, sind sie sich bis jetzt jedoch selbst genug.«

Atamarie zuckte die Schultern. »Ich kann sie ja kaum beide heiraten«, bemerkte sie trocken. »Und Europa … Frauen dürfen da nicht mal studieren, Professor. Jedenfalls bestimmt keine Ingenieurwissenschaften. Die Männer würden mich überhaupt nicht ernst nehmen.«

Dobbins hob die Hände. »Wissen Sie, was ein Mann an Ihrer Stelle gemacht hätte?«, fragte er. »Oder zumindest die Hälfte Ihrer männlichen Kommilitonen?« Atamarie sah ihren Professor fragend an. Dobbins verzog den Mund. »Die hätten den Ruhm für sich beansprucht. Wenn Sie geflogen wären, Atamarie … Das wäre eine Sensation gewesen! Sie hätten nicht nur die Erfindung Ihres Freundes publik gemacht, sondern auch die Sache Ihrer Geschlechtsgenossinnen um Längen vorangebracht.«

Atamarie biss sich auf die Lippen. »Aber ich hätte Richard verraten. Er wäre natürlich auch genannt worden in all den Veröffentlichungen. Sicher. Aber er hätte in der zweiten Reihe gestanden.«

Dobbins hob die Schultern. »Und so hat er Sie verraten, Atamarie. Und nun steht er ganz weit hinten. Aber daran ist nun nichts mehr zu ändern. Ich sehe Sie übermorgen, meine liebe Miss Turei. Mit klarem Kopf zur Prüfung!«

Atamarie hatte auch ihre letzte Prüfung mit Auszeichnung bestanden – nachdem sie zwei Tage lang in der Bibliothek der medizinischen Fakultät Bücher gewälzt hatte.

Atamarie las alles, was sie zum Thema Melancholie finden konnte, manche Symptome trafen auch auf Richard zu, andere nicht. Auf jeden Fall fand sie keine Anweisung dazu, wie man diese Störung heilen konnte. Der Professor hatte Recht: Mit technischem Verständnis war dem Problem nicht beizukommen.

Am Tag nach der Prüfung machte sich Atamarie folglich auf nach Parihaka und suchte seitdem spirituelle Erklärungen. Sie sprach auch Maori-Heiler an, aber die konnten ihr nicht mehr sagen, als dass man diesen Zustand der Traurigkeit *kainatu* nannte und die davon betroffenen Leute in Ruhe ließ. Natürlich gab es Theorien. Eine weit über Parihaka bekannte Heilerin erklärte, dass von *kainatu* betroffene Menschen den Blick auf *nga wa o mua* nicht ertragen könnten – die Zukunft, die sich aus der Vergangenheit ergab. Das Prinzip von *taku* und *toku* war höchst kompliziert und erschloss sich Atamarie nur begrenzt. Die *tohunga* empfahl, zunächst einmal alles über die Ahnen des Betroffenen herauszufinden, das Kanu zu beschwören, mit dem sie nach Aotearoa gekommen waren, und die Wurzel des Übels sozusagen jenseits der Zeiten zu suchen. Atamarie hätte das noch wenige Monate zuvor als Unsinn abgetan, aber jetzt dachte sie endlos darüber nach. Bis Matariki endlich ein Machtwort sprach.

»Du erscheinst mir langsam schon selbst von *kainatu* betroffen!«, meinte Matariki streng. »Aber nun reicht es. Warum auch immer dieser junge Mann seltsam ist – damit soll sich diese Shirley befassen. Du kommst mit mir nach Dunedin, siehst Roberta wieder und lernst Kevins junge Frau kennen. Die Berichte von deiner Großmutter, Kathleen und Violet sind da sehr widersprüchlich, wahrscheinlich gibt es in Dunedin jede Menge Klatsch. Und wir werden uns an der Frauenkunstausstellung von Heather beteiligen. Ich hab dir ja davon erzählt.«

»Aber ich bin doch keine Künstlerin«, maulte Atamarie. »Wenn ich webe …«

»Du wolltest schon als kleines Mädchen den Webrahmen reformieren«, lachte Matariki. »An gestalterischer Fantasie fehlt es dir also nicht. Warum baust du nicht einen *manu?*«

»Einen Drachen?«, fragte Atamarie unwillig. »Also, das wäre doch eher was für Rawiri.«

»Der ist aber noch weg«, bemerkte Matariki.

Sie hatte seit längerem den Verdacht, dass auch dies ihre Tochter in Parihaka hielt. Atamarie wartete auf Rawiri – ob sie sich dabei an seine beharrliche Werbung um sie erinnerte oder ob es um Informationen über die Brüder Wright aus erster Hand ging, wusste sie nicht. Rawiri hatte ihr inzwischen von dem Flug der Brüder geschrieben und alles genau geschildert. Er konnte ja nicht wissen, an welche Wunden er da rührte. Matariki hatte Atamarie nicht nach dem Inhalt des Briefes gefragt, wohl aber mit Rawiris Mutter gesprochen, die natürlich auch Post von ihrem Sohn erhalten hatte.

»Sehr euphorisch war er nicht«, meinte Pania, die nüchterne Ärztin. »Er versteht rein technisch, warum dieses Flugzeug in die Luft geht, aber spirituell erschließt es sich ihm nicht. Bei den Gebrüdern Wright fehlte es ihm an Demut vor den Geistern. Es war vielleicht nicht ganz falsch von dir, Matariki, Atamarie in Dunedin zur Schule zu schicken. Rawiri hat den Geist von Parihaka offensichtlich etwas zu sehr verinnerlicht.«

»Komm, Atamarie, du kannst Drachen bauen!«, redete Matariki jetzt weiter auf ihre Tochter ein. »Rawiri nimmst du damit nichts weg – zumal Heather und Chloé seine Arbeiten auch nicht zulassen würden. Es geht ja um Kunst von Frauen. Also los, Atamarie! Mach dich an die Arbeit, Rawiri hat dir doch gezeigt, wie es geht. Und es wäre hübsch, wenn wir ein paar Drachen steigen lassen könnten, da in Dunedin.«

Atamarie besorgte sich also Manuka- und Kareao-Holz. Wenn die Drachen wirklich traditionell hergestellt werden sollten, brauchte sie auch Raupo-Blätter. Sie suchte eine *tohunga* auf, die ihr sagte, wo sie das Material fand und mit wie viel Ehrfurcht sie die Blätter pflücken und der Pflanze dafür zu danken hatte. Natürlich neigte Atamarie dazu, das gesamte spirituelle Drumherum abzukürzen, aber gleich am ersten Tag ihrer Arbeit fand sie sich plötzlich umringt von einer Horde Kinder, die alle ebenfalls Drachen bauen wollten.

»Rawiri hat jedes Jahr zu Matariki *manu* mit uns gemacht«, beschwerte sich ein kleiner Junge. »Aber jetzt ist er schon zum zweiten Mal nicht da. Wir werden das ganze *tikanga* vergessen!«

Letzteres erklärte er sehr ernst mit besorgt gerunzelter Stirn. Atamarie musste lachen. Sie konnte sich zwar kaum vorstellen, dass in Parihaka Brauchtum verloren ging, aber gut, an ihr sollte es nicht liegen.

Sie befragte die älteren Kinder nach den Liedern, Gebeten und Anrufungen, die während des Bauvorgangs gesungen und gesprochen werden mussten. Dann hielt sie die Kleinen an, die traditionellen Formen der Drachen beizubehalten, aber auch, es mit neuen zu probieren. Schließlich bauten sie Doppeldecker und fallschirmartige Konstruktionen und probierten, was am besten flog.

»Es ist aber doch gar nicht so wichtig, ob die *manu* richtig fliegen!«, erklärte ein Mädchen im Brustton der Überzeugung. »Wichtig ist die Nachricht an die Götter!«

Atamarie lachte. »Aber um die Götter zu erreichen, müssen die Drachen erst mal in die Luft! Und jetzt zeichne deinem mal ein lachendes Gesicht auf, Wai, damit Rangi gute Laune kriegt und nicht weint, während wir die Drachen auflassen, denn dann fliegen sie nicht!«

Atamarie und ihre kleinen Helfer dekorierten die Drachen mit Federn und Muscheln, *tohunga* erklärten die Zeichen, die sie in schwarzer und roter Farbe aufmalten. Atamarie überwand sich und mischte zur Farbherstellung Ton mit grässlich stinkendem Haifischöl, wie die Tradition es forderte. Schließlich flochten alle Schnüre aus Flachs – *aho tukutuku*. Und ganz zum Schluss musste jeder Drachen seine Flugfähigkeit beweisen.

»Ist aber schade, wenn diese kleinen Kunstwerke nun abstürzen«, meinte Matariki, der ein bunt gestalteter *birdman* zu schwer zu sein schien.

»Meine Drachen stürzen nicht ab!«, erklärte Atamarie selbstsicher. »Es kommt nicht darauf an, wie schwer ein Flieger ist, wichtig ist, wie er die Aufwinde nutzt. Wartet ab, irgendwann werden Flugzeuge aufsteigen, so groß wie ein Haus, aber sie werden trotzdem nicht abstürzen.«

»Aber bekommen die Götter da nicht Angst?«, fragte die kleine Wai.

Atamarie zuckte die Achseln. »Nicht, wenn wir die richtigen *karakia* singen. Also los, Kinder! Wie geht der *turu manu*?«

»*Taku manu, ke turua atu nei*
He Karipiripi, ke kaeaea ...«, intonierten die Kinder.

Flieg fort von mir, mein Vogel,
tanze rastlos in der Höhe,
schieße herab wie der Habicht auf seine Beute,
flieg immer höher, herrlicher Vogel,
erobere die Wolken und die Wellen!

Eine der Sängerinnen aus der *haka*-Gruppe, die mit nach
Dunedin reisen sollte, nahm das Lied auf, und zum ersten Mal
hatte Atamarie wirklich das Gefühl, als trüge auch die Melodie
ihre *manu* in die Höhe. Sie schalt sich ein bisschen dieser dummen Gedanken – die Windstärke war perfekt an diesem Tag,
ob da jemand sang oder nicht.

Aber so ganz konnte sie die Überlegung dann doch nicht
ausschalten: Hätten die Götter Richard vielleicht weniger
Hecken in den Weg gestellt, hätte er ihnen ein paar Träume
geschickt?

»Das hat richtig Spaß gemacht mit den Kindern!«, erklärte Atamarie vergnügt, als sie schließlich gemeinsam mit ihrer Mutter und den Maori-Künstlern aus Parihaka im Zug nach Wellington saß. Die Kunstwerke und Instrumente wurden von einer Spedition auf die Südinsel gebracht, die Heather und Chloé wärmstens empfohlen hatten. »Zuerst wollten sie nur spielen und Spaß haben, aber dann haben sie richtig was über physikalische Gesetze gelernt.«

»Und über *tikanga*.« Matariki lächelte. »Wobei du es jetzt ja wohl begriffen hast, mit *nga wa o mua* – die Vergangenheit ist die Zukunft. Die Gesänge unserer Vorfahren verbinden sich mit deiner Lehre von den Aufwinden. Es muss kein Gegensatz sein ...«

Atamarie verdrehte die Augen. »Können wir auch mal über was anderes reden als den Geist von Parihaka?«, fragte sie.

Matariki zuckte die Schultern. »Besser über den Geist von Parihaka als den Geist von Richard Pearse.«

Atamarie hielt sich an die Vorgabe ihrer Mutter, ihren früheren Freund nicht mehr zu erwähnen, aber es kam sie doch hart an, zwei Tage später den Bahnhof von Timaru zu passieren, ohne auszusteigen.

»Ich würde einfach gern wissen, wie es mit ihm weitergegangen ist«, rechtfertigte sie sich vor ihrer Mutter, die sich dazu nur an den Kopf fasste. »Der nächste Zug geht doch schon in ein paar Stunden, mit dem könnte ich nachkommen. Und ich müsste nicht nach Temuka. Wirklich nicht, Mommy, ich möchte gar nicht ...« Matariki zog die Stirn kraus. »Ich könnte im Laden fragen, ganz zwanglos, als ob ich nur so vorbeikäme. Die Frau da weiß alles über die Pearses.«

Atamarie machte einen halbherzigen Versuch, ihren Koffer von der Ablage über den Sitzen im Abteil zu holen. Matariki schüttelte jedoch den Kopf.

»Was willst du nun wissen, Atamie? Ob Richard Shirley schon geheiratet hat? Oder ob er nun doch noch geflogen ist? Letzteres hätten wir gehört. Es wäre vielleicht kein Thema für internationale Zeitungen, aber in Wellington und Auckland hätten sie berichtet, immerhin wäre es noch der erste Motorflug in Neuseeland gewesen. Was auch immer du hier erfahren könntest, täte dir nur weh, Atamie. Vergiss ihn!«

Atamarie ließ sich unschlüssig wieder auf den Sitz sinken. »Und was ist mit der Vergangenheit, die die Zukunft bestimmt?«, fragte sie listig.

Matariki schlug ihr mit der Illustrierten auf den Kopf, in der sie eben noch gelesen hatte. »Richard Pearse ist nicht das Kanu, mit dem deine Vorfahren nach Aotearoa gekommen sind«, sagte sie, »er ist nur deine erste Liebe. Und da er auch keine Anstalten gemacht hat, dich zu rauben und zu neuen Ufern aufzubrechen wie Kupe einst mit Kura-maro-tini, wird er wohl auch kaum in die Geschichte deines Volkes eingehen. Schließ endlich ab mit dem Kapitel Richard, Atamie, ich kann's nicht mehr hören. Freu dich lieber auf Roberta. Die hat es doch wohl auch geschafft, nicht mehr an Kevin Drury zu denken. Violet schreibt, sie sei so gut wie verlobt mit einem sehr netten Tierarzt.«

Atamarie verzog das Gesicht. »›So gut wie‹ zählt nicht, Mommy. ›So gut wie‹ hatte ich auch schon mal ...«

Heather und Chloé brachten die Maori-Künstlerinnen und Tänzerinnen in einem Hotel unter, aber Kevin Drury bestand darauf, dass Matariki und Atamarie bei ihm und Doortje wohnten. Matariki war ein paar Jahre älter als Kevin und Patrick, aber die Geschwister hatten sich trotzdem immer recht nahegestanden. Dabei hatten die Traditionen der Maori ihre Weltsicht stark geprägt. Alle drei waren im *marae* der Ngai Tahu ein und aus gegangen und betrachteten den Stamm als ihre erweiterte Familie. Verzwickte verwandtschaftliche Verhältnisse wie die Tatsache, dass Matariki nur eine Halbschwester der beiden Jungen war, hatten keine Rolle gespielt. Kevin war insofern auch nie auf die Idee gekommen, Doortje auf diesen Umstand hinzuweisen oder vorzubereiten. Er bemerkte ihre Erstarrung erst, nachdem er Matariki gleich auf dem Bahnhof in Empfang genommen und herzlich begrüßt hatte. Doortje blickte fassungslos auf ihren dunklen Teint, die etwas schräg stehenden Augen und das dichte schwarze Haar, das sie obendrein offen trug. Matariki war eine eindrucksvolle Erscheinung. Wie die anderen Frauen aus Parihaka trug sie Reformkleider, die dort gefertigt wurden – traditionell gewebt in den Stammesfarben, allerdings von Länge und Sittsamkeit westlichen Vorstellungen angepasst. Sie war eine schöne Frau, aber zweifellos nicht weiß!

»Ich … ich wusste nicht …« Doortje schien abwechselnd blass und rot zu werden, aber Matariki fiel das gar nicht auf.

»Du musst Dorothea sein!«, meinte sie fröhlich. »Kevin hat mir auch deinen Rufnamen geschrieben, aber ich traue mich nicht, ihn auszusprechen, bevor du es mir vorgemacht hast. Nicht dass er schließlich wie Dorothy klingt!« Sie lachte. »Als ich klein war, nannten sie mich in der Schule Martha. Mir hat das nichts ausgemacht, aber bei meiner Tochter Atamarie habe ich dann schon darauf geachtet, dass sie keine Mary wird.«

Matariki wollte Doortje ebenso spontan in die Arme schließen wie eben Kevin, aber dann spürte sie deren Ressentiments und sah davon ab. Es konnte ja sein, dass dies in Südafrika verpönt war.

Atamarie gab ebenfalls freundlich die Hand – allerdings konnte sie sich eher einen Reim auf Doortjes abweisendes Verhalten machen. Roberta war eine eifrige Briefschreiberin, und die Vorurteile der Buren gegenüber Dunkelhäutigen waren oft Thema ihrer seitenlangen Ausführungen gewesen.

Doortje empfand Atamarie gegenüber weniger Ressentiments als gegenüber Matariki, der jungen Nichte ihres Mannes war die Maori-Abstammung kaum anzusehen. Dafür gab sie der Burin anderweitig Rätsel auf. Matarikis Tochter ähnelte Kathleen Burton – sie hatte die gleiche Haarfarbe und die gleichen aristokratischen Gesichtszüge. Auf der Fahrt in die Lower Stuart Street grübelte Doortje kurz darüber nach, wie das möglich sein konnte. Sie wusste, dass Sean Coltrane ein Sohn von Michael und Kathleen war. Diese Matariki musste ein Fehltritt von Lizzie sein. Wieso aber ähnelte deren Tochter der Frau des Reverends? War Sean der Vater? Doortje konnte sich das bei dem distinguierten Rechtsanwalt nicht vorstellen.

Dann verdrängte sie die Sache jedoch schnell, schließlich stand sie vor drängenderen Problemen. In Transvaal hätte man niemals von ihr verlangt, sich mit farbigen Familienangehörigen an einen Tisch zu setzen. Man hätte sich nicht mal zu der Schande bekannt, überhaupt welche zu haben. Aber Matariki war nun Doortjes Hausgast ... Die junge Frau bemühte sich um Höflichkeit, aber besonders erfolgreich war sie nicht dabei. Während der Fahrt blieb sie einsilbig und machte Kevin Vorwürfe, als Matariki und Atamarie sich ins Gästezimmer zurückzogen, um sich frisch zu machen.

»Du hättest mich wenigstens vorwarnen können!«

Kevin zuckte die Achseln. »Aber Doortje, du wusstest doch, dass Matariki aus Parihaka kommt. Mit den Maori-Künstlern. Was hast du gedacht, was sie da macht?«

»Du hast gesagt, sie sei Lehrerin!«, sagte Doortje. »Also dachte ich natürlich ...«

»Dass sie armen Zulu-Kaffern ein bisschen Zivilisation beibringt?«, höhnte Kevin. »Doortje, du kennst die Geschichte von Parihaka. Glaubst du wirklich, die brauchen da *pakeha*, um ihnen Lesen und Schreiben beizubringen?«

»Aber … aber du sagtest, dass Mata…rikis Mann im Parlament sitzt! Da musste ich glauben …« Doortje wusste nicht, ob sie sich für ihre Unwissenheit schämen oder mit ihrer rassistischen Überlegenheit auftrumpfen sollte. Tatsächlich kannte sie die Geschichte Parihakas nur in sehr groben Zügen. Violet und Lizzie hatten davon erzählt, aber Doortje hatte kaum hingehört. Es war anstrengend für sie, in Englisch geführten Unterhaltungen bis ins Detail zu lauschen, und manchmal, wenn ein Thema sie so gar nicht interessierte, träumte sie sich weg.

Kevin blitzte seine Frau an. »Kupe Parekura Turei ist ein bekannter Anwalt und sitzt für die Maori im Parlament. Auch das könntest du wissen, Doortje, wenn du dich nur ein winziges bisschen für das Land interessieren würdest, in dem du jetzt lebst. Aber du bist ignorant wie eh und je! Jetzt tu mir den Gefallen und benimm dich anständig in Gegenwart meiner Schwester. Matariki ist eine sehr intelligente und liebenswürdige Frau. Wenn du deinen burischen Dickschädel mal vergessen könntest, würdest du sie mögen!« Damit verließ er den Raum und schlug die Tür hinter sich zu.

Doortje blieb zurück und ballte die Fäuste in ohnmächtiger Wut. Kevins Ausbruch war unfair und verletzend. Sie bemühte sich wirklich, sich anzupassen, trug die hier übliche Kleidung, auch wenn sie in den Korsetts kaum Luft bekam, informierte sich über Umgangsformen und las Romane, um bei gesellschaftlichen Anlässen mitreden zu können. Neuerdings begleitete sie ihren Mann sogar in Reverend Burtons Sonntagsgottesdienste und lauschte seinen irritierenden Predigten, die ihr oft blasphemisch erschienen. Der Frauenkreis, zu dem Violet sie herzlich eingeladen hatte, gefiel ihr besser, und sie gewöhnte sich auch langsam an die anglikanische Vorstellung von Wohltätigkeit. Noch mehr konnte Kevin nicht verlangen, er ...

Doortje hatte sich selten so sehr gewünscht, weinen zu können. Sie war drauf und dran, es sich zu erlauben, aber sie schaffte nur ein trockenes Schluchzen.

Kevin schämte sich schon Augenblicke nach seinem Ausbruch für seine harten Worte. Natürlich verletzte es ihn, dass Doortje Matariki ablehnte, aber sie hatte nicht ganz Unrecht, er hätte das vorhersehen müssen. Und in der letzten Zeit konnte man ihr wirklich nicht mehr vorwerfen, sie strenge sich nicht an, um in Dunedin Fuß zu fassen. Nein, wenn Kevin ehrlich sein sollte, hatte seine Gereiztheit andere Gründe. Seit Wochen befand er sich in einer Zwickmühle zwischen Doortje und Juliet LaBree, die er auch in Gedanken nicht Juliet Drury nennen konnte, sosehr er versuchte, endlich die Frau seines Bruders in ihr zu sehen. Juliet war die Verführerin, die sie seit eh und je gewesen war, nur dass ihre Beziehung kein Spiel mehr war. Kevin wusste genau, was er riskierte, wenn er ihrem Drängen immer wieder nachgab. Patrick würde ihm den Betrug nie verzeihen, und wahrscheinlich würde er auch Doortje verlieren. Aber er schaffte es einfach nicht, Juliet zu widerstehen, wenn sie ihm in seiner Praxis auflauerte, ihn auf Gesellschaften zu später Stunde in den Garten lockte und einmal sogar im Pferdestall erwartete. Juliet spielte ein raffiniertes Spiel zwischen Verführung und Erpressung – wenn Kevin sich verzweifelt darum bemühte, Nein zu sagen, drohte sie mit der Enthüllung ihrer Affäre.

»Ich verlasse dein Brüderchen sowieso, Kevin, Liebster ...«, hatte sie gesagt, als sie ihn das letzte Mal unter vier Augen erwischte. »Das Leben da oben in Otago ist unerträglich. Das Einzige, was mich hier hält, bist du. Insofern tust du Patrick doch fast einen Gefallen, Kevin ... Mein heiliger Kevin.« Sie lachte gurrend, während Kevin peinlich berührt war. Lizzie hatte ihr von den irischen Heiligen erzählt, nach denen Kevin und Patrick benannt waren, und die Geschichte des sagenhaften keltischen Adelssprosses, der dann zum Klostergründer und Drachenbändiger wurde, hatte ihr weitaus besser gefallen als die des braven Missionars Patrick. »Mein süßer Kevin, der in den Krieg zieht, um den Sklaven Freiheit zu bringen, und sich gefallener Mädchen annimmt.«

Vor allem diese Anspielungen waren es, die Kevin mitunter das Blut in den Adern gefrieren ließen, wenn Juliet ihn reizte. Die Kreolin war alles andere als dumm, und sie schien zu ahnen, dass irgendetwas mit seiner Ehe mit Doortje VanStout nicht stimmte. Nun war es wahrscheinlich nicht schwer gewesen, das Hochzeitsdatum herauszufinden und mit Abrahams Geburtsdatum zu vergleichen. Sonst hatte das allerdings niemanden irritiert, es kam schließlich vor, dass ein Paar nicht warten mochte, besonders in Zeiten des Krieges.

»Ich weiß nicht, was du redest!«, wehrte er ab. »Doortjes Ehre ist über jeden Zweifel erhaben. Sie war niemals ein ›gefallenes Mädchen‹.«

Juliet lächelte, und Kevin fürchtete, dass sie die Angst in seinen Augen sah. Juliet Drury-LaBree schien einen sechsten Sinn für Skandale zu haben oder vielleicht auch ein überdurchschnittlich scharfes Auge. Sie sah Kevins Züge täglich im Gesicht seiner Tochter – aber Abe, sein angeblicher Sohn, ähnelte ihm nicht im Geringsten.

»Wer spricht denn von Doortje«, flüsterte sie ihm ins Ohr. »Ich rede von mir, heiliger Kevin … zweifellos ein gefallenes Mädchen, das du immer wieder erhebst … Und jetzt braucht es dringend mal wieder ein bisschen Liebe.«

Juliet begann, sich zunächst selbst lasziv zu streicheln. Kevin wollte nicht hinsehen, aber dann wandte er sich ihr doch wieder zu. Juliets Verlangen nach ihm und ihre Kombinationsgabe ergaben eine explosive Mischung. Kevin redete sich ein, dass er Doortje vor einer eventuellen Enthüllung bewahren musste – und verlor sich in Juliets dunklem Zauber. Später quälte er sich dann mit Schuldgefühlen. Das alles konnte so nicht weitergehen, aber er wusste auch beim besten Willen nicht, wie er es beenden sollte.

Jetzt jedenfalls brauchte er etwas frische Luft – oder jedenfalls Abstand von Doortje. Er konnte in seiner Praxis ein paar Akten aufarbeiten.

Kevin hätte nie zugegeben, dass er auch daran dachte, dass Patrick und Juliet an diesem Tag nach Dunedin kommen wollten. Zusammen mit Lizzie und Michael – Matarikis Besuch und Atamaries Heimkehr waren ein guter Grund für ein Familienfest. Kevin seufzte, wenn er nur daran dachte. Lizzie würde im Restaurant des Hotels Champagner und Wein bestellen und darin schwelgen, was Doortje nach wie vor mit missbilligenden Blicken bedachte. Seit ihrem Ausrutscher bei der Soiree der Dunloes lehnte sie wieder alle alkoholischen Getränke ab. Dazu kam die Spannung zwischen ihr und Juliet – und jetzt auch noch Matariki. Kevin suchte nach der Whiskeyflasche, die er wieder mal in seinem Untersuchungsraum verbarg, und hoffte, all seinen guten Vorsätzen zum Trotz, dass Juliet eine Ausrede finden würde, ihrem Mann und ihren Schwiegereltern zu entkommen. Die Praxis war leer, es war Samstag.

Matariki hörte das erstickte Schluchzen ihrer Schwägerin im Schlafzimmer der Drurys, als sie ins Bad ging – wie sie eben auch schon das Türenschlagen gehört hatte. Eigentlich wollte sie sich nicht in den Ehestreit einmischen, zumal Doortje ihr alles andere als herzlich begegnet war. Atamarie war das ebenfalls aufgefallen, und sie hatte ihr eben empört dargelegt, worauf sie Doortjes Ressentiments zurückführte.

»Robbie sagt, sie haben da noch Sklaven gehalten bis vor

kurzer Zeit, und an sich tun sie's jetzt noch, die Schwarzen sind total von ihnen abhängig und kriegen kein Geld. Zur Schule gehen sie auch nicht, und ...«

Matariki hatte beschwichtigend die Hand gehoben. »Ich hab das auch gehört«, meinte sie gelassen. »Ursprünglich waren die Weißen alle so. Denk doch an die Schwierigkeiten in Parihaka. Aber es bringt nichts, das nur zu bekämpfen. Wir müssen ihnen zeigen, dass es anders geht.«

»Pflügen und Zäune bauen?«, höhnte Atamarie.

Matariki hob die Schultern. »Langfristig hat's die Lage verbessert«, sagte sie vorsichtig.

Unmittelbar hatte der Widerstand Parihakas gegen die Landnahme der Regierung nicht viel genützt. Aber immerhin hatten Sean Coltrane und Kupe Turei inzwischen einiges an Entschädigungszahlungen für die Maori erstritten, und auch in anderen Landesteilen kämpfte man zäh, aber immer legal für die Rechte der Maori. Überall zeigten Maori-Männer und -Frauen den *pakeha*, dass sie ihnen keineswegs unterlegen waren.

Wobei Taschentücher zu verteilen weniger Mühe macht, als Zäune zu ziehen, dachte Matariki jetzt und warf ihre Vorsätze in den Wind. Doortje brauchte Zuspruch, egal, wie ihre Einstellung zu Menschen war, die anderen Völkern angehörten. Entschlossen klopfte Matariki an die Tür zu Doortjes Wohnbereich und trat gleich darauf ein, als sie keine Antwort vernahm. Die junge Frau hockte auf dem Rand ihres Bettes, zusammengekrümmt, aber trockenen Auges. Hatte sie doch nicht geweint?

»Kann ich helfen?«, fragte Matariki sanft. »Kevin kann manchmal aufbrausend sein, ich weiß. Das ist das irische Temperament, sagt meine Mutter immer. Das hat er von unserem Vater.« Sie lächelte Doortje zu und setzte sich neben sie. »Jetzt beruhigen Sie sich erst mal, und dann erzählen Sie mir, was Sie bedrückt.«

Doortje stand auf. Die Rückkehr zu einer förmlicheren Anrede schien ihr gutzutun, aber neben einer Farbigen zu sitzen ... Sie warf nervös einen Blick in den Spiegel.

»Ich sehe schrecklich aus«, flüsterte sie. »Man wird es mir ansehen ...«

Matariki runzelte die Stirn. »Was wird man Ihnen ansehen? Dass Sie sich aufgeregt haben? Und den Streit mit Kevin? Wenn Sie sich jetzt das Gesicht waschen und sich nachher umziehen, schön frisieren und vor allem lächeln, merkt das kein Mensch.«

»Ich kann aber nicht immer lächeln!«, stieß Doortje aus. Es klang wie ein Wimmern. »Ich kann nicht immer ... so sein wie ...«

Matariki seufzte. Darum ging es also. Kevin hatte irgendetwas an Doortjes Auftreten nicht gefallen. Nun war ihr das von vorneherein etwas gekünstelt vorgekommen. Doortje trug modische Kleidung, die ihr sehr gut stand, aber sie bewegte sich nicht wie eine Frau, die das Leiden für die Schönheit von klein auf gewohnt war. Womöglich ging es um das leidige Korsett.

»Ich weiß«, sagte sie freundlich. »Die *pakeha*-Gesellschaft kann da gnadenlos sein. Immer Haltung bewahren, immer perfekt sein ... Allein dieses Korsett! Sie sehen übrigens hinreißend aus, Doortje. Das Kleid ist von Kathleen, oder? Aber heute ist doch die Familie unter sich, für uns müssen Sie sich nicht kasteien! Atamarie und ich werden kein Korsett tragen und Lizzie garantiert auch nicht. Und Sie sind auch ohne Fischknochen wunderschön, Doortje. Ist mein Vater nicht ganz verrückt nach Ihnen?« Sie lächelte wissend.

»Michael Drury ist doch gar nicht Ihr Vater!«, brach es aus Doortje heraus.

Matariki runzelte die Stirn. »Es ging gerade nicht um Ihr Aussehen, oder?«, fragte sie, kühler, aber doch gelassen. »Atamarie hat Recht, Sie wussten nicht, dass ich Maori bin ...«

Doortje gab wieder ein ersticktes Schluchzen von sich, es klang fast gespenstisch. Matariki fragte sich, warum sie nicht einfach in Tränen ausbrach, aber Doortje beherrschte sich eisern. Sie weinte nicht vor Trauer und Wut, das hatte Matariki schon gehört – und es schien so, als ob sie es jetzt auch nicht aus diesem seltsamen Gefühl der Rührung heraus tat. Matariki sah, dass ihre Reaktion Doortje dennoch überraschte. Es war wohl das erste Mal, dass man sie hier nicht gleich scharf verurteilte, wenn sie Dunkelhäutige ablehnte.

»Sind Sie doch gar nicht«, flüsterte sie. »Sie sind … ein Halbblut. Farbig. Wie diese … diese … Juliet. Und das ist schlimmer als schwarz, weil … Sie tragen das Kainsmal im Gesicht.«

Matariki lachte und warf ihr langes schwarzes Haar zurück. »Also, bislang hat man mir immer gesagt, ich sei ganz gut aussehend. Ich bin übrigens eine Häuptlingstochter. Da war ich früher sehr stolz drauf. Eine echte Prinzessin.«

»Aber eine Farbige kann doch nicht … in Afrika will die keiner haben, auch nicht die Kaffern …«

Doortje schien wider Willen fasziniert. In ihrem Land erwartete man von den Farbigen Unterwürfigkeit, hier zeigte Juliet Drury-LaBree Impertinenz. Aber jemand, der auch noch Stolz auf seine zweifelhafte Abkunft zeigte, war ihr noch nie untergekommen.

»Arme Kinder«, sagte Matariki mitleidig. Doortje starrte sie an. Auch das eine Bemerkung, mit der sie nun wirklich nicht gerechnet hätte. »Überall ausgestoßen … es muss schlimm für diese Menschen sein in Ihrem Land. Kein Wunder, dass sie ihr Aussehen als Kainsmal empfinden. Aber hier ist das ganz anders. Maori-Stämme nehmen alle Kinder freundlich auf. Und früher, als es hier noch kaum *pakeha* gab, oder damals in Polynesien, wo die Maori ursprünglich herkamen, da war es eine Ehre für eine Frau, ein Mischlingskind zu gebären. Die Mädchen schlichen sich zu den Weißen und boten sich ihnen an, und wenn eine schwanger wurde, hatte sie das große Los gezogen! Andere Völker, andere Sitten, sagen die *pakeha*. Und wir sagen: Jeder *iwi* hat seine eigenen *tikanga* ... Das kommt übrigens von ›*tika*‹, Wahrheit. Man kann es mit ›Jeder Stamm hat seine eigenen Bräuche‹ übersetzen oder auch mit ›Jeder Stamm hat seine eigene Wahrheit‹.«

Doortje schüttelte den Kopf. »Aber das kann nicht sein. Es gibt nur eine Wahrheit, die göttliche Wahrheit. Und die Bibel sagt, nur wir sind auserwählt.«

Sie wunderte sich, als Matariki lachte. »Entschuldigen Sie, aber das habe ich schon mal gehört. Nein, mehrmals. In der Bibel meint es die Israeliten. Also die Juden.«

»Die Juden?«, fragte Doortje verwirrt. »Nein, nein, es meint die Israeliten. Die Juden sind ... eher wie die Engländer ... so ... raffgierig ... Die mag Gott gar nicht! Aber die Voortrekker. Die sind wie die Israeliten. Weil beide Völker vertrieben worden sind und sich durch feindliche Gegenden vorkämpfen mussten in ihr verheißenes Land.«

Matariki rieb sich die Stirn. »Die Israeliten der Bibel sind die Juden von heute«, erklärte sie. »Lesen Sie's nach! Und ihr verheißenes Land wurde ihnen später von den Römern weggenommen. Ohne dass ihr Gott eingeschritten ist. Genau wie jetzt bei Ihnen, Dorothea. Und bei uns. Nach den Lehren eines gewissen Te Ua Haumene sind nämlich die Maori das auserwählte Volk. Mein leiblicher Vater hat das mal gepredigt – und damit sehr viele Menschen in den Tod geschickt. Genau wie Ihre Burenführer.«

»Ich bin die Tochter von Adrianus VanStout!«, sagte Doortje bissig. »Einem dieser Burenführer, wie Sie so verächtlich sagen. In meinem Land ist es dagegen eine Ehre ...«

»Dann sind Sie ja auch so eine Art Prinzessin.« Matariki lächelte. »Das ist nicht immer einfach, stimmt's? Da werden Erwartungen gehegt ... Also, ich war jedenfalls glücklicher als einfache Tochter von Michael Drury. Der ist kein Held – ohne meine Mutter wäre er verloren gewesen in diesem Land. Aber er ist ein guter Kerl. Genau wie Kevin.«

Doortje blitzte sie zornig an. »Sie meinen, ich sollte alles vergessen? Meine Herkunft und meinen Glauben?«

Matariki zuckte die Schultern. »Auf jeden Fall sollten Sie den Göttern mal selbst überlassen, wen sie mögen und wen nicht. Oder Sie glauben gleich dem Reverend, der sagt, dass Gott uns alle liebt. Während die Maori mit ihren Göttern eine Art friedliche Koexistenz führen und sie gar nicht so sehr für die Probleme im Hier und Jetzt verantwortlich machen. Suchen Sie sich was aus, Beweise gibt es für nichts. Aber jetzt wird es Zeit, dass wir uns frisch machen.« Sie stand auf, ging zu dem kleinen Waschtisch in Doortjes Zimmer, befeuchtete einen Waschlappen und drückte ihn der Jüngeren in die Hand. »Prinzessin Matariki sagt: ›Hofzeremoniell erfordert Gesicht waschen mit kaltem Wasser und Haare in Ordnung bringen.‹ Oder möchten Sie wirklich nicht mit mir und Atamarie essen gehen? Dann müssen wir sagen, Sie hätten Kopfschmerzen. Maori-Prinzessinnen dürfen sich übrigens sowieso nicht mit gemeinen Stammesmitgliedern abgeben.« Matariki hob die Nase hoch und blinzelte gespielt arrogant auf Doortje herab. »Auf der Nordinsel wären Sie schon verdammt, wenn nur mein Schatten auf Sie fiele! Aber ich wäre bereit, anschließend eine Reinigungszeremonie mit Ihnen durchzuführen, dann ist das nicht so schlimm.«

Matariki schaute Doortje völlig verblüfft an, als diese nicht lachte. Im Gegenteil, sie krampfte ihre Finger um den Waschlappen, und ihr Körper schien zu erzittern.

»Bei Ihnen kann man Verdammung … rückgängig machen?«, fragte die junge Frau.

In diesem Moment wurde Matariki klar, dass das Essen mit Michael und Lizzie warten musste. Entschlossen erhob sie sich, ging hinaus auf den Flur und schloss die Tür der Wohnung von innen ab. Sollte Kevin klopfen, wenn er sich ausgeschmollt hatte. Sie hörte Atamarie in der Badewanne vor sich hin singen – es sah aus, als genösse ihre verwöhnte Tochter die Rückkehr in die Zivilisation. Das erste Vollbad nach Wochen im *marae* würde sie zweifellos ausdehnen. Umso besser.

Matariki kehrte zurück in Doortjes Schlafzimmer und setzte sich wieder aufs Bett. Doortje fuhr sich abwesend mit dem Waschlappen durchs Gesicht.

»So, und jetzt mal unter uns zwei Prinzessinnen, Dorothea. Warum glauben Sie, Ihr Gott habe Sie verdammt?«

Die Frauen sollten noch lange ungestört bleiben, denn auch Kevin vergaß das Essen mit seinen Eltern vorerst. Während Doortje seiner Schwester ihr Herz ausschüttete, befriedigte er ein Stockwerk tiefer Juliet Drury-LaBree.

»Entschuldige, Rosie, aber Sie reden sich da was ein! Das Pferd hat überhaupt nichts, Sie sind verrückt!«

Vincent Taylor taten seine scharfen Worte, sobald er sie ausgesprochen hatte, leid. Es gab keinerlei Grund, seine Gereiztheit und schlechte Stimmung an Rosie auszulassen, auch wenn sie ihn gerade zum vierten Mal in drei Tagen hatte kommen lassen, um ihr Pferd Trotting Diamond zu untersuchen. Von den Untersuchungen zu Hause ganz zu schweigen. Aber solange sie ihn für seine Dienste bezahlte, hatte sie dazu alles Recht der Welt.

Rosie presste ihre Lippen fest zusammen. »Ich bin nicht verrückt, Dr. Taylor, bestimmt nicht. Diamond hat was. Vorhin hat sie wieder gezittert. Und heute Morgen hat sie ausgesehen … also sie hat mich angeguckt, als hätte sie Fieber.«

Vincent richtete seine Taschenlampe noch einmal auf Diamonds Augen und überprüfte die Pupillenreaktion. Gänzlich normal.

»Sie haben Fieber gemessen?«

Es war mehr eine Feststellung als eine Frage. Erstens hatte er eben auch die Körpertemperatur genommen, und zweitens hätte Rosie Zeter und Mordio geschrien, hätte das Thermometer am Morgen mehr als 102 Grad Fahrenheit angezeigt. So hatte sie mit der Konsultation immerhin ein paar Stunden gewartet, bis Vincent sowieso in Lord Barringtons Stall war, um einen seiner Vollblüter zu behandeln.

»Sie hatte kein Fieber«, bestätigte Rosie. »Und sie ist auch ganz gut gelaufen. Eher war sie ein bisschen verrückt im Training, sie ist sogar zweimal angaloppiert, das tut sie sonst nie! Aber hinterher hat sie gezittert, und ich hatte das Gefühl, ihr sei schwindelig.«

Vincent lächelte. »Ich glaube, Ihnen und Ihrem Pferd gehen zurzeit ein bisschen die Nerven durch. Und das ist ja auch verständlich, der Auckland Cup ist eine große Sache. Und die Schiffsreise, die ungewohnte Rennbahn … das kann einem auf den Magen schlagen. Sehen Sie doch an Lord Barringtons Pferden …« Vincent hatte eben das zweite in drei Tagen gegen eine Kolik behandelt. »Und Diamond hat eben schwache Nerven.«

»Diamond hatte noch nie schwache Nerven!«, erklärte Rosie. »Und sie hat auch kein Herzrasen, weil sie sich vor Ihrem Stethoskop fürchtet, wie Sie letztes Mal gesagt haben. Diamond hat vor gar nichts Angst.«

Vincent ging die Angelegenheit auf die Nerven, aber so recht leugnen konnte er Rosies Argumente auch nicht. Trotting Diamond war gewöhnlich die Gelassenheit selbst, sie vertraute ihrer Rosie vollkommen und war auch brav als Erste auf die Fähre gestiegen. Die neue Box auf der Rennbahn in Ellerslie fand sie ebensowenig furchterregend wie das etwas andere Geläuf auf der Rennbahn. Sie fraß von Anfang an gut und schaute freundlich und unbeeindruckt von Vincents diversen Untersuchungen in die Welt.

»Dann haben eben Sie schwache Nerven, Rosie«, folgerte Vincent. »Und das überträgt sich auf Diamond. So was gibt es. Bestimmt. Und dazu passt auch, dass es immer besser ist, wenn ich dazukomme. Sie beruhigen sich, wenn der Tierarzt da ist, also beruhigt Diamond sich auch. Also versuchen Sie, sich nicht aufzuregen, egal, was passiert. Diamond wird morgen wunderbar laufen, glauben Sie es mir!«

Rosie schien nicht ganz zufrieden, ließ ihn jetzt aber immerhin gehen.

»Ich werde trotzdem bei ihr schlafen!«, erklärte sie.

Vincent nickte. »Tun Sie das, solange nur ich nicht bei ihr schlafen muss. Ich nehme jetzt nämlich den Zug nach Auckland und schaue mir die Stadt an. Das sollten Sie auch tun, Rosie, Sie sind doch bisher noch nie so weit gereist.«

Rosie zuckte die Schultern. Sie war als Kind von Wales nach London und von London nach Neuseeland gereist, dann zur Westküste und wieder zurück und in die Fjordlands. Gefallen hatte es ihr eigentlich nur in den Pferdeställen, wo alles sicher, warm und ruhig war und seine tägliche Ordnung hatte. Ganz bestimmt würde sie diese Sicherheit nicht aufgeben, nur um sich einen Hafen oder irgendwelche modernen Gebäude anzuschauen. Vorerst beruhigt richtete sie sich neben Diamond ein.

Vincent dagegen fehlte die Ruhe, um die Schönheit der Hafen- und Parkanlagen von Auckland wirklich zu genießen. Auch er war zum ersten Mal hier, aber er hatte davon geträumt, sich die Stadt gemeinsam mit Roberta anzusehen. Die Nordinsel wäre auch ein schönes Ziel für eine Hochzeitsreise gewesen, es gab so viele romantische Orte und verschwiegene Strände. Aber Roberta machte sich nach wie vor rar – sie war nicht mehr nach Christchurch gekommen, nachdem diese Juliet zu ihrem Mann zurückgekehrt war. Das jedenfalls war das einzige Ereignis, mit dem Vincent ihre erneute Zurückhaltung in Verbindung brachte – auch wenn er die Zusammenhänge nicht verstand. Irgendetwas musste allerdings nicht stimmen, auch Kevins Briefe waren seltsam geworden, seit dieser kreolische Vamp zurück in Dunedin war. Meist schrieb er nichtssagend, listete nur Ereignisse und Festivitäten auf, die er mit Doortje besucht hatte. Mit der musste es also eigentlich besser gehen, auch aus Robertas Briefen ging hervor, dass Doortje sich anpasste. Sie schien sogar äußerst erfolgreich zu sein –

zu Kevins Erstaunen erwähnte sogar der Gesellschaftsteil der *Otago Daily Times* mehrmals die schöne Frau des jungen Arztes. An sich hätte Kevin also zufrieden sein müssen – aber wenn er Doortje überhaupt erwähnte, dann mokierte er sich über ihr schlechtes Verhältnis zu seinem Bruder Patrick und dessen Frau.

Vincent neigte dazu, eins und eins zusammenzuzählen. Ob da eine alte Liebe wieder aufgeflammt war und Kevin Doortje mit Juliet betrog? Vincent hoffte das nicht, er erinnerte sich noch zu genau an seine eigene gescheiterte Ehe. Weder war eine Scheidung erfreulich noch sah er Chancen für eine glückliche Beziehung zu einer Frau wie Juliet. Seine eigene Gattin war ihr ähnlich gewesen – strahlend schön, sprühend, amüsant … aber viel zu unstet, um eine gute Ehe zu führen. Vincent hatte daraus gelernt. Er träumte nur noch von einer Frau wie Roberta. Freundlich, liebevoll, geduldig und absolut treu – selbst einer Jugendliebe gegenüber, mit der sie niemals auch nur einen Kuss getauscht hatte. Kevin zog Roberta immer noch an, da war Vincent sich sicher. Aber was erhoffte sie sich da bloß? Selbst wenn er sich von Doortje trennte – Roberta müsste dann immer noch an Juliet vorbei. Völlig unmöglich für eine unschuldige, wohlerzogene junge Frau, so schön und gesellschaftlich passend sie auch war.

Vincent jedenfalls war entschlossen, bald eine Entscheidung zu erzwingen. Roberta würde zum Rennen nach Christchurch kommen. Zum New Zealand Cup oder vielleicht auch schon zu den Qualifikationsrennen. Sie konnte mit Heather und Chloé reisen oder mit ihren Eltern. Die würde Vincent dann gleich kennenlernen und um Robertas Hand bitten.

Wenn Roberta Ja sagte. Wenn sie sich endlich von ihrem kindischen Traum trennte.

Nun aber stand erst mal das Rennen in Auckland an, und von Rosies Bekannten war lediglich Bulldog erschienen. Der kräftige Transportunternehmer war tief enttäuscht, als Rosie sich weigerte, am Abend mit ihm auszugehen.

»Meinen Sie nicht, Miss Rosie, dass Diamond vor dem Rennen auch ganz gern ein bisschen allein wäre?«, machte er einen scherzhaften Versuch, sie zu überreden. »Sie hat doch hier sehr nette Gesellschaft.«

Tatsächlich verstand Diamond sich gut mit ihrem Stallgefährten, einem braunen Wallach aus dem Rennstall der Barringtons. Die Pferde standen auch in Addington nebeneinander, sodass keins von ihnen sich an einen anderen Boxnachbarn hatte gewöhnen müssen.

»Auf Triangle muss ich ebenfalls aufpassen!«, erklärte Rosie ernst. »Der hatte vorhin eine Kolik. Und sein Pfleger kümmert sich überhaupt nicht um ihn. Ich will nicht gern petzen, aber ich hab schon überlegt, ob ich's dem Lord sage. Finney macht nur das Nötigste.«

Finney, ein hagerer, rattengesichtiger kleiner Ire, war eingestellt worden, nachdem Rosie den Lord zitternd vor Nervosität gebeten hatte, sie aus der Stelle als Pflegerin zu entlassen. Seitdem Diamond und Dream beide erfolgreich Trabrennen liefen, hatten bereits drei weitere Pferdebesitzer ihre Ressentiments gegen eine Frau als Trainerin aufgegeben. Von dem Geld dafür konnte sie gut leben, Bulldog hatte sogar schon vorgeschlagen, eigene Ställe in Addington zu pachten. Bislang war Rosie aber noch unentschlossen, und auch der Lord riet nur zögernd zu. Zwar zweifelte er nicht an Rosies Fachkompetenz, aber er machte sich Sorgen um ihre Durchsetzungsfähigkeit gegenüber der Konkurrenz.

»Hier kann ich auf Sie aufpassen, Rosie. Niemand kann Ihnen oder den Pferden etwas tun, der Stallmeister ist verlässlich, und die Sicherheitseinrichtungen sind gut«, gab er zu bedenken. »Aber wenn Sie ganz allein sind …«

Bulldog ließ zwar keinen Zweifel daran, dass er die Rolle

von Rosies Beschützer sehr gern übernommen hätte, aber dazu hätte sich die Beziehung zwischen den beiden schon vertiefen müssen. Rosie war jedoch zurückhaltend. Und außerdem hielten sowohl Lord Barrington als auch Chloé Bulldog für erheblich zu arglos im Umgang mit Leuten wie Joseph Fence und anderen Trainern. Bulldog konnte darüber nur lachen. Er hatte es schon mit härteren Kerlen aufgenommen. Und genauso beharrlich, wie er sich in London durchgeschlagen, das Zwischendeck des Auswandererschiffes beherrscht und dann sein Transportunternehmen aufgebaut hatte, warb er jetzt um Rosie Paisley.

»Sie müssen aber was essen, Rosie!«, meinte er auch geduldig an jenem Abend vor dem Rennen. »Warten Sie, ich habe eine Idee! Ich hole uns jetzt Fish and Chips aus dem nächsten Pub, und dann picknicken wir hier im Stall!«

Rosie nickte beruhigt – sie hatte tatsächlich Hunger. Und dann brachte Bulldog auch noch für jeden von ihnen ein Bier mit. Rosie war richtig gut gelaunt und aufgekratzt, als Barringtons Pferdepfleger, spätabends noch mal nach den Tieren sah. Der Ire grinste die beiden hämisch an, nachdem er einen kurzen Blick auf die Pferde geworfen hatte, und machte dann eine Bemerkung zu Alkohol in den Stallungen.

»Das sollten wir Stallburschen uns mal erlauben«, brummte er. »Aber unser großer Trainer ›Ross‹ kann hier ja wohl machen, was ›er‹ will …«

Bulldog wollte etwas erwidern, aber Rosie legte die Finger auf die Lippen. »Nicht, er hat ja Recht. Wir stören die Pferde. Am besten gehen Sie jetzt … Bulldog …« Sie lächelte. »Wissen Sie, dass ich Sie immer so nenne, wenn ich an Sie denke? Mr. Tibbs will mir gar nicht gern über die Lippen.«

»Sie sollen ja auch ›Tom‹ sagen«, meinte Bulldog. »Aber bitte, ich hör auf ›Bulldog‹ ebenso. Nur dann müssen Sie mich duzen. Ginge das wohl … Rosie?«

Bulldog weihte sie in das Ritual des Brüderschafttrinkens ein, als sie schüchtern nickte, küsste sie aber nur vorsichtig auf die Wange. Rosie rollte sich danach zufrieden in ihren Schlafsack.

»Jetzt muss hier wirklich Ruhe sein«, entschuldigte sie sich. »Morgen ist das große Rennen, Diamond braucht ihren Schlaf.«

Bulldog lächelte und breitete seinerseits eine Decke im Stroh aus – im Lager neben der Stallgasse, er wollte Rosie auf keinen Fall zu nahetreten. Aber gehen wollte er auch nicht.

»Wir können schlafen, Rosie, aber allein lasse ich dich hier nicht«, erklärte er kategorisch, als Rosie nervös zu ihm hinüberlinste. »Die Stallanlagen sind so groß, hier rennen doch immer noch Kerle herum, die dir wer weiß was antun können.«

Tatsächlich herrschte nur vorübergehend Ruhe im Stall. Kaum eine Stunde später erschien erneut der Pfleger Finney.

»Also so pflichtvergessen erscheint der Mann mir nicht«, murmelte Bulldog, als er nach kurzer Inspektion des Stalles von Triangle wieder gegangen war. »Im Gegenteil, von mir aus könnte er jetzt aufhören, den Gaul alle fünf Minuten zu betüdeln.«

»Tut er doch gar nicht«, antwortete Rosie. »Er wirft doch kaum einen Blick auf ihn. Bei der Dunkelheit kann er überhaupt nichts erkennen.«

Das stimmte. Finney hatte sich nicht einmal die Mühe gemacht, eine Lampe mitzubringen. Wahrscheinlich erfüllte er hier nur widerwillig eine Auflage des Stallmeisters oder des Tierarztes.

Am Morgen waren sowohl Diamond als auch Triangle wohlauf, und Bulldog entführte Rosie zu einem guten Frühstück ins Rennbahncafé. Danach trafen sie Vincent im Stall, Lord Barrington inspizierte ebenfalls bereits seine Pferde. Rosie war beruhigt. Sie bewegte Diamond leicht, und dann war es auch bald Zeit für die Rennen. Vincent schaute vom Rennbahnrand zu, während sich Lord Barrington in die noble Besitzerloge verzog. Trabrennen interessierten ihn nicht so sehr wie Galopprennen, aber den Auckland Trotting Cup würde er sich doch nicht entgehen lassen. Bulldog ließ sich überreden, mitzugehen und ein Glas Champagner zu trinken, während die ersten Rennen liefen. Kurz vor dem Cup kehrte er allerdings zu Rosie zurück. Sie war bereits umgezogen, und er half ihr beim Anschirren von Diamond.

Zu seiner Überraschung war Rosie ein Nervenbündel. »Sie guckt schon wieder so!«, erklärte sie ihm und wies auf Trotting Diamond, die ungewöhnlich nervös auf den Sulky zutänzelte. »Findest du nicht, sie macht ganz komische Augen?«

Bulldog warf einen skeptischen Blick auf die Stute. »Sie hat wunderschöne Augen«, erklärte er dann. »Genau wie ihre Fahrerin. Du hast auch ganz leuchtende Augen im Moment, Rosie, das ist die Aufregung!«

»Und sie zittert ein bisschen ...« Rosie wand die Leinen sorgfältig um die Scheren des Sulkys.

»Sie ist nervös, Rosie!«, beruhigte Bulldog. »Das legt sich gleich, wenn sie auf der Strecke ist. Oder soll ich Dr. Taylor noch mal rufen? Ich hab ihn vorhin gesehen, er ist auf Tribüne A. Wenn du meinst ...«

Rosie biss sich auf die Lippen. Dr. Taylor hatte sie am Tag zuvor erst für verrückt erklärt. Wenn sie ihm jetzt wieder mit einer eingebildeten Krankheit kam ... Sie schüttelte den Kopf.

»Nein, lass mal. Du hast Recht, es muss die Aufregung sein. Bringst du uns in den Führring?«

Rosie schwang sich auf ihren Sitz, und Bulldog ging neben Diamond her zum Start. Eigentlich brauchten Rosie und Diamond keine Hilfe dabei, sich in die Gruppe der anderen Starter einzureihen und dann ihren Platz am Start einzunehmen. Aber an diesem Tag schlug Diamond unwillig mit dem Kopf und trabte auf der Stelle, statt brav zu warten, bis der Start freigegeben wurde. Außerdem hustete sie. Bulldog sah, dass Rosie schon wieder mit sich kämpfte.

»Wenn sie sich erkältet hat …«

Bulldog schüttelte den Kopf. »Pferde erkälten sich nicht. Jetzt lass sie gerade diese zweitausendsiebenhundert Meter laufen, und dann kann Dr. Taylor ja noch mal gucken.«

Es wäre auch zu spät gewesen, den Tierarzt zu holen. Die Glocke erklang bereits, und die Pferde traten an.

Bulldog gesellte sich diesmal zu Vincent auf die Tribüne. Da war es zwar voll und laut, aber in den feudalen Besitzerlogen der Rennbahnen fühlte er sich einfach nicht wohl.

»Jetzt habe ich ganz vergessen, auf sie zu setzen«, murmelte Bulldog, als Trotting Diamond sich sofort in die Mitte des Feldes schob. Rosie ließ sie die ersten tausend Meter meist locker mitlaufen, erst dann holte sie auf, um im Endspurt gewöhnlich an allen Konkurrenten vorbeizugehen. Aber diesmal fiel ihr das schwerer als sonst. Diamond ließ sich nicht brav zurückhalten, sie pullte und wollte nach vorn, zum ersten Mal, da Vincent die Stute im Rennen sah, schien sie Gefahr zu laufen, anzugaloppieren. Sie hustete auch noch einmal, bevor der erste Kilometer hinter ihr lag, aber sonst schien ihr nichts zu fehlen. Im Gegenteil, sie schien vor Energie zu strotzen, als Rosie sie jetzt gehen ließ. Trotting Diamond schob sich vor sämtliche Pferde des Rennstalls Fence, überholte dann auch den Hengst, den Joe selbst vorstellte. Schließlich lag nur noch ein eleganter Rappe vor ihr – Rebel Boy, ein Pferd aus Auckland.

Auf den Rängen herrschte inzwischen ein infernalischer Lärm, auch Bulldog brüllte aus vollem Hals, um Rosie und Diamond anzufeuern. Vincent hielt sich lachend die Ohren zu – er zweifelte nicht daran, dass Diamond an Rebel Boy vorbeiziehen würde. Aber dann geschah etwas Merkwürdiges. Diamond schien von irgendetwas kurz irritiert zu sein, sie scheute leicht vor Rebel Boys Sulky, aber sie kam nicht aus dem Trab. Rosie hätte den Vorsprung leicht aufholen können, den der Rappe dadurch gewann, aber sie machte keine Anstalten. Stattdessen hielt sie ihr Pferd hinter Rebel Boy – und beschleunigte nicht mal, als Joe Fence seinen Hengst gleichauf traben ließ und sie dann sogar um eine Kopflänge überholte.

Schließlich überquerten die drei Pferde eng hinter- beziehungsweise nebeneinander die Ziellinie.

»Sieger Rebel Boy, danach Sundawner, Rose's Trotting Diamond ...«

Vincent und Bulldog rannten bereits die Treppen hinunter zum Ziel, als der Sprecher die Sieger verkündete. Rosie stand neben ihrem Pferd, streichelte Diamond und weinte.

»Was ist denn los, Rosie? Es ging doch hervorragend! Warum haben Sie sich denn abhängen lassen?« Vincent warf einen Blick auf die Stute, die natürlich etwas schwerer atmete, aber nicht einmal wirklich schwitzte. »Sie hätte das locker gewinnen können.«

Rosie schüttelte den Kopf. Neben ihr nahm Joe Fence eben die Schleife für den zweiten Platz entgegen. Er grinste triumphierend – nur als der Tierarzt sich Diamond näherte, nahm sein Gesicht einen wachsamen Ausdruck an.

»Na, na, Rosie. Du willst doch den Ausgang nicht anfechten, oder? Also selbst, wenn dein Pferdchen irgendwas hatte.«

Rosie achtete gar nicht auf ihn. Sie beruhigte nur Diamond, die nun auch vor dem Mann scheute, der ihr die Schärpe für den dritten Platz umlegen wollte.

»Sie konnte nicht gucken!«, berichtete sie Vincent unter Tränen. »Sie hat sich erschrocken vor dem anderen Sulky. Es war, als ob sie was blendete, aber da war ja nichts. Und ich hatte das Gefühl ... ich hatte das Gefühl, sie käme ins Taumeln. Also bin ich lieber langsamer gefahren.«

Bulldog verdrehte die Augen. »Da hat man aber nichts von gesehen. Guck mal, sie hat sich nicht mal angestrengt.«

Diamonds Haut unter dem Fell war heiß, aber trocken. Die Stute trank durstig, als ihr ein Pfleger Wasser hinhielt, aber ein großer Teil davon lief ihr gleich wieder aus dem Maul.

»Schauen Sie, Dr. Taylor!« Rosie wollte den Tierarzt darauf hinweisen, aber die anderen Pferde formierten sich zur Ehrenrunde, und sie konnte Diamond kaum zurückhalten.

»Ich guck's mir gleich an, Rosie«, begütigte Vincent.

»Das sah tatsächlich komisch aus«, überlegte Bulldog. »Als ob sie sich verschluckt hätte.«

Diamond trabte derweil ihre Ehrenrunde durch und schien jetzt auch ruhiger. Rosie wusch sie ab und brachte sie in den Stall, bevor Vincent sie untersuchen konnte. Inzwischen trank sie normal.

Vincent zuckte erneut die Schultern, als er das Stethoskop absetzte. »Wie jedes Mal, Rosie. Diesmal sind die Herztöne natürlich stark erhöht, das ist ja kein Wunder, nach dem Rennen. Aber sonst … also mir ist nichts aufgefallen.«

»Kann sie irgendwas gefressen haben, das ihr nicht bekommen ist?«, fragte Bulldog hilflos.

Vincent und Rosie schüttelten die Köpfe.

»Wenn sie was Falsches gefressen hätte, hätte sie Kolik«, sagten beide wie aus einem Mund.

Bulldog als Fuhrunternehmer musste das eigentlich wissen. Er biss sich denn auch auf die Lippen.

»Ich meine ja nur … vielleicht Gift?«

»Aber wenn jemand das Pferd hätte vergiften wollen, wäre es doch tot«, meinte Lord Barrington später.

Er suchte Rosie im Stall auf, um ihr zum dritten Platz zu gratulieren – und im Gegensatz zu Vincent und Bulldog war auch ihm ein leichtes Schwanken der Stute im Geschirr aufgefallen, nachdem sie vor Rebel Boys Sulky gescheut hatte. Von der Besitzerloge aus hatte man einen besseren Blick.

»Vielleicht hat der Kerl nicht gewusst, wie viel man dazu braucht«, überlegte Bulldog.

Lord Barrington schüttelte den Kopf. »Ach was, Mr. Tibbs! Diese Leute sind doch mit allen Wassern gewaschen, die irren sich nicht.«

»Vielleicht wollte er sie nicht gleich umbringen?«, vermutete Rosie. »Nur verhindern, dass sie gewinnt ...«

»Das lässt sich aber nicht so leicht berechnen«, erklärte der Lord kategorisch. »Ist mir jedenfalls noch nicht untergekommen. Was sagt denn der Tierarzt?«

Vincent zuckte mal wieder die Schultern. »Ich kann nur wiederholen, dass ich dafür keine Anhaltspunkte sehe. Es ist richtig, dass sich das Pferd etwas anders benommen hat als zu Hause. Es war nervöser, das erklärt das Scheuen, und heftiger – aber das spricht eigentlich gegen eine absichtliche Vergiftung. Die schwächt das Pferd ja eher, und für einen Konkurrenten wäre es doch kontraproduktiv, wenn es schneller voranwill.«

»Nicht, wenn's angaloppiert«, bemerkte Rosie.

Der Lord zog die Augenbrauen hoch und lachte bekümmert auf. »Nun kommen Sie, Rosie, Sie nehmen doch nicht im Ernst an, jemand könnte Ihr Pferd gezielt dazu bringen wollen, sich auf der Bahn danebenzubenehmen, mit der Hoffnung darauf, dass Sie dann disqualifiziert werden. Zumal Sie es ja kontrolliert haben. Wenn Sie keine Angst bekommen hätten, als Diamond scheute, wäre sie durchgetrabt und hätte gewonnen.«

Rosie öffnete die Boxtür und schmiegte sich an Diamond, die jetzt wieder völlig normal wirkte.

»Eben, es hat nicht wirklich geklappt«, flüsterte sie. »Also wird er ihr beim nächsten Mal mehr geben, wovon auch immer. Wir müssen auf sie aufpassen, Bulldog. Wie schaffen wir es bloß, auf sie aufzupassen?«

KAPITEL 4

Das Familientreffen der Drurys stand unter einem schlechten Stern. Das fand zumindest Lizzie, nachdem Michael und sie den Tisch im Hotelrestaurant auch eine halbe Stunde nach dem vereinbarten Termin nur mit einem übernervösen Patrick teilten, der pausenlos auf die Uhr sah. Er entschuldigte sich mehrmals für Juliets Verspätung, obwohl die nun wirklich die Letzte war, die Lizzie vermisste. An sich hatten die Drurys weder ihr noch Patrick irgendetwas zu sagen, die vier hockten ja schon auf Elizabeth Station ständig aufeinander! Lizzies Verhältnis zu Juliet war nach der Heimkehr ihrer Schwiegertochter nicht besser geworden. Und Patricks Vermittlungsversuche verstärkten die Spannung. Er allein hätte sich nahtlos in die Abläufe auf der Farm eingefügt, aber nun zerriss er sich zwischen seinen Aufgaben in der Schafzucht und Juliets ständigem Bedürfnis nach Aufmerksamkeit. Er wurde unruhig, wenn er mit irgendeiner Arbeit nicht vor dem Abendessen fertig wurde, weil er Sorge hatte, Lizzie und Juliet würden bei Tisch wieder aneinandergeraten, und Juliet würde ihre Wut anschließend an ihm auslassen.

Patricks Versuche, irgendeine Beschäftigung für seine schöne Frau zu finden, waren ebenso rührend wie sinnlos. Juliet wollte keinen Rosengarten anlegen und keine Schoßhunde züchten, da mochten solche Hobbys noch so ladylike sein. Sie konnte reiten, war aber auch dafür nicht zu begeistern. Das elegante Pferd, das Patrick in Christchurch für sie ersteigerte, sorgte nur für Ärger in der Familie: Lizzie erregte sich über den exorbitanten Preis des Tieres, Michael, der es gern geritten hätte, schimpfte über den Damensattel. Der war fast so teuer gewesen wie das Pferd, machte aber einen anderen Gebrauch unmöglich. Juliet bat schließlich darum, die Stute nach Dunedin stellen zu dürfen, wo sie angeblich eher mal ausreiten würde. Patrick nutzte die Gelegenheit, sie zumindest seinen Eltern aus den Augen zu schaffen, und fand einen teuren Pensionsstall. Tatsächlich nutzte Juliet das Pferd dann zu Stelldicheins mit Kevin. Aber das wusste natürlich niemand, und es lastete die Vollblutstute auch nicht aus.

Das Klavier – ein ständiger Streitpunkt in der Familie – war dafür schließlich nach Otago geschafft worden. Patrick fand, Juliet könne doch das frühere Goldgräberhaus als Übungsraum nutzen. Der Weg dorthin war ihr allerdings zu weit, und ohne Publikum machte es ihr auch keinen Spaß. Haikinas harmlose Anregung, einigen ihrer Schulkinder Klavierunterricht zukommen zu lassen – den Maori-Kindern hätte der Weg nichts ausgemacht –, löste einen regelrechten Tobsuchtsanfall aus.

Juliet, das konnte Patrick auf Dauer nicht leugnen, lebte nur für die Wochenenden in Dunedin – jedes Mal eine ziemlich weite Reise und eine zusätzliche finanzielle Belastung: wenn die Drurys in Dunedin weilten, schliefen sie im Hotel.

»Sie wird bestimmt gleich kommen«, erklärte Patrick jetzt zum wiederholten Mal.

Michael bestellte erst mal Wein. Das würde zumindest Lizzie entspannen – er hoffte, nicht zu sehr. Lizzie bot derweil Nandé einen Platz am Familientisch an. Die schwarze junge Frau kam eben herein, um Milch für May aus der Hotelküche zu holen. Sowohl Lizzies als auch Patricks Augen leuchteten auf bei ihrem Anblick.

»Miss Juliet wird schimpfen«, wehrte Nandé besorgt ab. »Und Miss Doortje …«

Lizzie schüttelte den Kopf und schenkte der jungen Frau auch gleich ein Glas Wein ein. »Von den beiden ist ja vorerst nichts zu sehen«, meinte sie energisch. »Komm, Nandé, setz dich und erzähl uns, was du heute Schönes mit May unternommen hast! Ich gehe doch recht in der Annahme, dass Juliet sich nicht um das Kind gekümmert hat?«

Nandé biss sich auf die Lippen, wie so oft in dem Konflikt, nichts gegen ihre Herrin sagen zu wollen, aber andererseits bei der Wahrheit zu bleiben. Nun war Juliets mangelnde mütterliche Fürsorge eigentlich ein harmloses Thema. Schlimmer war, dass Nandé von Juliets Schäferstündchen mit Kevin wusste. Zumindest nahm sie stark an, dass die zwei sich trafen, warum sonst brauchte Juliet so unendlich lange Vorbereitungszeit und Schönheitspflege, bevor sie ihren Schwager besuchte? Und warum musste hinterher immer gleich ein Bad bereitet werden? Nandé konnte nur hoffen, dass nie irgendjemand nach dieser Beziehung fragte.

Nun beantwortete sie aber erst mal Lizzies Frage. »Oh, May hat heute ganz viele Schiffe gesehen! Mr. Patrick ist mit uns zum Hafen gefahren. Und Mr. Patrick hat uns Fish and Chips gekauft! In Papiertüten. Wir durften mit Fingern essen. Wie zu Hause bei … bei meinem Stamm.«

Nandé lächelte so strahlend, als habe Patrick sie mindestens zu einem Viersternemenü in ein Luxushotel eingeladen. Patrick erwiderte das Lächeln stolz. Es war sicher auch sein Verdienst, dass Nandés Englisch inzwischen fast perfekt war. Sie hatte sämtliche im Hause der Drurys verfügbaren Jugendbücher und Romane verschlungen, dann die Bibel und neuerdings sogar Bücher über Weinbau gelesen. Nandé schien das ähnlich faszinierend zu finden wie Lizzie und half gern im Weinberg, wenn Juliet ihr Zeit dazu ließ. Jetzt probierte sie unter Lizzies und Patricks wohlwollenden Blicken ernsthaft und hochinteressiert den leichten Weißwein, den Michael als Aperitif bestellt hatte. Michael bevorzugte immer noch Whiskey und Bier.

»Nandé!«

Das schwarze Mädchen fuhr zusammen, als es Juliets Stimme hörte. Die Kreolin stand am Eingang zum Speisesaal, ihr gerötetes Gesicht verriet Eile. Oder war es Erregung? Nandé sprang auf.

»Ich muss Miss Juliet helfen, sich frisch zu machen«, erklärte sie eifrig.

Juliet winkte derweil zu den Drurys hinüber und machte Zeichen, dass sie gleich kommen würde. Lizzie fragte sich, warum sie nicht sofort zu ihnen stieß. Ihr Nachmittagskleid wäre nicht aufgefallen, dies war schließlich kein förmliches Dinner. Und obendrein waren Juliets Nachmittagskleider gewagter als die meisten in Dunedin getragenen Abendroben.

»Was macht sie bloß so lange?«, fragte sich Lizzie, während sie ihr zweites Glas Wein trank. »Und wo bleiben die anderen? Ob Matarikis Zug Verspätung hatte?«

Das kam natürlich vor, die Reise aus Parihaka war lang, und irgendetwas konnte sie verzögern. Vorerst jedenfalls blieb den Drurys nur die verkrampfte Konversation mit Patrick. Immerhin lächelte Juliet strahlend und duftete verführerisch, als sie endlich zu ihnen stieß. Lizzie verstand das nicht.

Aber immerhin unterhielt Juliet die Runde für die nächste Viertelstunde mit harmlosem Klatsch über Leute, die sie angeblich in der Stadt getroffen hatte, erzählte unbedarft von den letzten Konzerten und Soirees und sprach über die neueste Mode – wobei sie Lizzies Reformkleid mit abschätzigen Blicken bedachte.

Und dann endlich erschienen auch Michael, Doortje und der Besuch aus Parihaka. Matariki wollte gar nicht mehr aufhören, ihre Eltern zu umarmen.

»Maori tun das übrigens nicht«, erklärte sie dann der erstaunlich interessiert lauschenden Doortje. »Wir tauschen den *hongi*. Und das ist bitte nicht als Nasenreiben zu verstehen!« Zu Lizzies, Michaels und Kevins völliger Verblüffung demonstrierte sie Doortje kurz, wie man zunächst die Stirnen aneinanderlegte und dann die Nasen sanft aneinanderpresste. »Das geht auf den Gott Tane zurück, der den Menschen den ersten Atem eingehaucht hat. Wenn wir beim Begrüßungszeremoniell den *hongi* tauschen, nehmen wir die Besucher damit in unsere Familie auf.«

Juliet lachte. »Ein reichlich archaisches Ritual«, bemerkte sie. »Könnte aus Ihrem etwas rückständigen Land kommen, nicht wahr, Dorothy? Wenngleich nicht ohne Reiz ... man kommt einander zwanglos näher.« Sie lächelte Michael zu.

Matariki runzelte die Stirn. Sie hatte einiges von Juliet gehört – schließlich tauschte sie Briefe mit einigen Frauen in Dunedin, und die Geschichte der Kreolin war ihr in groben Zügen bekannt. Juliet hatte zunächst etwas mit Kevin gehabt und dann Patrick geheiratet. Atamarie, Kathleen und Violet hatten das mit Verwunderung vermerkt, während Lizzie sich über die Einzelheiten ausschwieg, aber lebhafte Schilderungen ihrer häuslichen Auseinandersetzungen mit Juliet lieferte. Sowohl damals, gleich nach der Eheschließung, als auch jetzt, in den letzten Monaten. Nur in den letzten drei Monaten vor Mays Geburt hatte sie kaum etwas von Lizzie gehört und schon damals geargwöhnt, dass vielleicht etwas faul war. Jetzt bestätigte sich ihr Verdacht: Die kleine May trug eindeutig Kevins Züge – und Juliet hatte nur Augen für ihren früheren Liebhaber.

Matariki lächelte in sich hinein. Offensichtlich zogen ihre beiden Brüder die Kinder anderer Männer auf. Aber Juliet schien sich noch nicht mit ihrer Situation abgefunden zu haben. Sie demütigte Doortje und flirtete mit Kevin. Und dabei war sie strahlend schön. Kein Wunder, dass Doortje geradezu panisch reagiert hatte, weil ihr und Matariki kaum noch Zeit für die Schönheitspflege geblieben war. Schließlich hatte sie Kevin gebeten, sie zu schnüren, und wäre fast schon wieder zusammengebrochen, als der rüde ablehnte und seinerseits im Bad verschwand. Auch etwas, das Matariki gewundert hatte. Nach ihren Erfahrungen mochten es zumindest *pakeha*-Männer, ihren Frauen mit dem Korsett behilflich zu sein. Schließlich kamen sie ihnen dabei körperlich näher, mussten aber mit dem Reiz des Verbotenen kämpfen und den begehrten Körper zunächst verstecken, um ihn später wieder zu befreien. Matariki hätte ihren Bruder so eingeschätzt, dass er dieses Spiel genoss. Aber natürlich war er wütend, dass die Frauen ihn ausgesperrt hatten. Die hastig redende Doortje hatte es gar nicht gemerkt, aber Matariki war sein ungestümes Poltern gegen die Tür nicht entgangen. Allerdings war er erst erschienen, nachdem die vereinbarte Zeit für das Treffen mit den Eltern längst verstrichen war. Sie fragte sich jetzt, wo ihr Bruder die fehlende Stunde verbracht hatte …

»Oh, der *hongi* hat auch eine ganz praktische Bedeutung«, bemerkte sie nun in Richtung Juliet. »Wir tauschen ihn genauso mit unseren Feinden – dabei lernen wir ihre Gestalt, ihre Form, ihren Geruch und ihr Denken kennen … Je näher man sich ist, desto besser kann man einander bekämpfen. Möchten Sie auch mal, Juliet? Ich würde Sie gern näher kennenlernen. Sie sind doch Juliet, nicht wahr?«

Matariki lächelte sardonisch. Patrick wirkte wieder mal peinlich berührt. Aber jetzt würden sie ja wenigstens das Essen bestellen können und dann etwas zu tun haben … Er reichte May, die bisher auf seinem Schoß gesessen und mit Teelöffeln und Gabeln gespielt hatte, an Nandé. Die schwarze junge Frau stand wie ein Schatten hinter Juliet, bereit, jede Anweisung der Herrin auszuführen. Wenn etwas archaisch war, fand Matariki, dann das.

Juliet ging mit ein paar Scherzen über die Sache hinweg und versicherte Matariki liebenswürdig, dass auch sie nur so darauf brenne, die Schwester ihres Mannes kennenzulernen.

»Eine so exotische Verwandtschaft hat ja nicht jeder«, sagte sie, lächelte und ließ ihre Blicke zu Lizzie hinüberwandern.

Matariki vermerkte vergnügt, dass die nicht errötete. Dafür Doortje. Anscheinend schämte sie sich jetzt für ihre zuvor getätigten rassistischen Äußerungen. Matariki begann, das Dinner zu genießen. Sie hatte lange nicht mehr mit anderen Frauen die Klingen gekreuzt, aber das in mehreren Jahren Otago Girls' School erworbene Wissen über verbale Kampftechniken verlernte man nicht.

»Da irren Sie sich, Juliet«, bemerkte sie freundlich. »Die exotische Verwandtschaft sind Sie. Ich zähle mich zu den Einheimischen. Aber jetzt lassen Sie mich mal meine Nichte kennenlernen.« Sie lächelte Nandé zu und wandte sich der dreijährigen May zu, die ihr gleich die Ärmchen entgegenstreckte. »Wo mir der Neffe schon bisher vorenthalten wurde.«

Sie wandte Doortje und Kevin einen gespielt strafenden Blick zu – und registrierte dabei, dass Letzterer Juliet zornig anblitzte. Das war interessant: Kevin schien sich dafür zuständig zu fühlen, Juliet zu maßregeln. Patrick war ihr Verhalten nur peinlich.

»Stimmt!« Lizzie nutzte die Chance, das Thema zu wechseln. »Wo habt ihr Abe, Doortje und Kevin?«

Doortje sah auf die voluminöse Standuhr an der Wand des Speisesaals. Das Leviathan war äußerst gediegen viktorianisch möbliert.

»Paika müsste ihn gleich zu uns nach Hause bringen«, sagte sie und wirkte schuldbewusst. »Wir sind so spät, eigentlich hätten wir fast schon wieder da sein müssen.«

Kevin biss sich auf die Lippen. »Daran hatte ich gar nicht mehr gedacht. Wie konntest du das vergessen, Doortje?«

»Paika?«, fragte Atamarie. »Sag bloß, ihr habt ein Maori-Kindermädchen!«

Doortje schüttelte den Kopf und rieb sich die Schläfe. Kevins erneuter Vorwurf schien sie verletzt zu haben. »Paika ist das Hausmädchen der Dunloes. Sie hütet Abe manchmal, wenn wir etwas vorhaben. Heute ist eigentlich ihr freier Tag«, Doortje sprach das aus, als handle es sich um etwas Anstößiges, »und sie wollte zu einem Picknick an den Strand. Kevin meinte, ich könnte ihr Abe mitgeben.« Sie wirkte etwas unsicher, aber Matariki lächelte ihr zu.

»Das kannst du ganz sicher, sie wird auf ihn aufpassen wie auf ihr eigenes Kind. Das ist üblich bei den Stämmen, jeder Maori liebt Kinder.« Allerdings werden Paikas Maori-Freunde Abe kaum die Bibel vorlesen, dachte Matariki vergnügt. Bislang war er ja noch klein, aber wenn er etwas älter wäre, würde er bei solchen Festivitäten auch andere Spielarten der Liebe beobachten. Kevin musste das eigentlich wissen, aber gut, man musste Doortje nicht gleich mit allen Besonderheiten der hiesigen Kultur bekannt machen. »Und die Verspätung finde ich auch nicht so schlimm. Die Dunloes wohnen doch hier ganz in der Nähe. Wenn Paika weiß, wo ihr seid, wird sie ihn herbringen.«

Lizzie äußerte ihre Freude, Doortje wirkte erleichtert, dass niemand etwas daran fand, dem Maori-Mädchen das Kind anzuvertrauen -- nur Kevin schien erneut angespannt. Matariki wunderte sich schon wieder. Warum passte es ihm nicht, dass Paika den kleinen Abe ins Hotel brachte?

Inzwischen kam das Essen und war vorzüglich. Lizzie vermerkte positiv, wie leicht sich Doortje inzwischen mit den Tischsitten tat und dass sie zwei kleine Gläser Wein trank! Das fand auch Kevin erstaunlich. Er bedauerte, Doortje und Matariki allein gelassen zu haben. Irgendetwas war zwischen den beiden Frauen geschehen.

Auch Juliet bemerkte, dass Doortje an diesem Abend gelöster war als sonst. Die junge Frau schien von einer Last befreit. Und obwohl zweifellos Spannungen zwischen ihr und Kevin bestanden – wenn Juliet nicht aufpasste, konnte sich ihr diese neue Doortje in den Weg stellen.

Schließlich wurden Kognak und Kaffee serviert – und der Kellner wandte sich an Kevin und Doortje. »Mr. und Mrs. Drury, Ihr Kindermädchen wartet an der Rezeption. Sie möchten bitte Ihren Sohn abholen.«

Doortje sprang sofort auf. Desgleichen Atamarie.

»Ich gehe mit, ja? Ich bin gespannt auf meinen kleinen Großneffen.«

Tatsächlich langweilte die junge Frau sich seit Stunden. An sich war sie gern mit ihren Großeltern und Onkeln zusammen, aber sowohl Juliet als auch Doortje waren fremd in dieser Familie. Das gewohnte vertraute Plaudern kam nicht auf, die Konversation blieb angespannt und förmlich. Atamarie jedenfalls hätte den Abend lieber mit Roberta verbracht. Aber mit der würde sie sich am kommenden Tag zum Lunch treffen und endlich echte Neuigkeiten austauschen.

Matariki sah verwundert, dass Kevin Atamarie zurückhalten wollte, aber Doortje erhob keine Einwände. Die beiden Frauen liefen zur Rezeption, und nach wenigen Minuten waren beide wieder da. Atamarie schäkerte mit dem kleinen Abe, den sie auf dem Arm hielt, und der ihr ähnelte wie ein Ei dem anderen!

Matariki warf einen fassungslosen Blick auf ihre Tochter und ihren Neffen. Doortje hatte ihr von der Vergewaltigung erzählt, ebenso von dem Mord an ihrem Peiniger. Aber seinen Namen hatte sie nicht erwähnt.

»Kevin?« Matariki rang nach Fassung. »Kevin, kommst du mal eben? Ich möchte dich kurz sprechen!«

Juliet verfolgte verblüfft, wie Kevin mit seiner älteren Schwester den Tisch verließ. Er sieht aus wie ein geprügelter Hund, dachte sie.

Matariki fackelte nicht lange und bat an der Rezeption um die Möglichkeit, einen der Besprechungsräume nutzen zu können. »Von mir aus nehme ich auch ein Zimmer«, meinte sie kurzerhand. »Auch wenn Sie die wohl gewöhnlich nicht stundenweise vermieten.«

Der Angestellte lächelte gequält. »Natürlich nicht, aber Sie ... Sie werden ja wohl nicht ...?«

Matariki verdrehte die Augen. »Geben Sie mir einfach den Schlüssel von Waimarama Te Kanawi. Die Maori-Künstlerin, Sie wissen schon. Die ist garantiert noch unterwegs, und wenn sie ins Hotel zurückkommt, muss sie eben kurz warten. Stammesangelegenheiten, Sie verstehen?« Sie griff nach dem Schlüssel und schob Kevin vor sich her.

»Und nun die Wahrheit, Kevin Drury! Leugne es nicht! Abe ist der Sohn von Colin Coltrane. Weiß Doortje das?«

Matariki fand eine angebrochene Weinflasche – Waimarama und ihre Freundinnen hatten wohl auf die gesunde Ankunft angestoßen –, leerte den Rest in eins der Gläser, die danebenstanden, und nahm einen großen Schluck.

Kevin druckste. »Sie weiß, dass er Coltrane hieß, aber sie weiß nicht ...«

»Dass der Kerl auch Atamaries Vater war? Dass er Kathleens Sohn war? Weiß es wenigstens Kathleen?«

Kevin sah seine Halbschwester wütend an. »Die Familienähnlichkeit ist wohl kaum zu verkennen. Jedenfalls für jeden, der Atamarie – und sicher auch Colin – als Kleinkind kannte. Nur Mutter ist bislang nichts aufgefallen.«

Matariki verdrehte die Augen. »Aber das ist doch nur eine Frage der Zeit!«, erregte sie sich. »Wobei Lizzie sich vielleicht noch etwas vormacht, mit den eigenen Enkelkindern ist man ja nicht so kritisch. Aber die Gesellschaft von Dunedin ... Man erkennt es doch schon jetzt an der Haarfarbe. Dieses metallische Schimmern – das hat niemand außer Kathleen. Und wenn die Gesichtszüge ausgeprägter werden ... die Leute werden sehr bald reden. Du lässt Doortje ins offene Messer laufen!«

»Die Leute werden denken, es läge in unserer Familie. Atamarie ist schließlich Abes Kusine«, verteidigte sich Kevin.

Matariki stieß verächtlich die Luft aus. »Ein Teil der Leute mag das ja denken. Aber Doortje ist doch nicht dumm. Vielleicht hat sie jetzt noch nicht ganz durchschaut, wer hier mit wem verwandt ist. Das ist ja auch kompliziert. Aber in fünf oder sechs Jahren? Du musst mit ihr reden, Kevin! Wenn sie herausfindet, dass sie mit Colins Mutter befreundet ist und seine Schwester sie malt und dass ihre Schwägerin ein Kind mit ihm hat ... Wann hattest du übrigens vor, Kathleen, Heather und Atamarie vom Ableben ihres Sohnes, Bruders und Erzeugers zu unterrichten?« Matariki blitzte ihren Bruder an.

Kevin duckte sich unter dem verbalen Beschuss. »Himmel, Riki, sie haben doch ohnehin seit Jahren nichts von ihm gehört ...«

Matariki stöhnte. »Na und? Glaubst du, dass nicht zumindest Kathleen gern Gewissheit hätte? Was auch immer aus ihm geworden ist, sie war seine Mutter! Sie hat ein Recht, um ihn zu trauern.«

Kevin schwieg und starrte auf die Tischplatte. Matariki warf einen bedauernden Blick auf die leere Weinflasche, wandte sich zu dem kleinen Waschbecken in einer Ecke des Zimmers und begann, das Glas zu spülen. Dann setzte sie zum letzten Schlag an.

»Und was hast du eigentlich mit dieser Juliet, Kevin? Die schaut dich an, als wäre sie die Jägerin und du die anvisierte Beute, während Patrick guckt wie ein waidwundes Reh. Da ist doch was. Schläfst du mit ihr?«

Kevin antwortete auch darauf nicht, aber er vergrub das Gesicht in den Händen.

»Also auch das noch«, seufzte Matariki. »Du solltest dich entscheiden, Kevin! Willst du Juliet oder Doortje?«

Kevin hob den Kopf.

»Ich will Doortje nicht wehtun«, flüsterte er. »Ich weiß nicht, wie viel von ihr ich wirklich habe. Aber ich will nichts davon verlieren!«

Juliet bemerkte, dass Matarikis und Kevins plötzliches Verschwinden von allen Drurys verwirrt registriert wurde – Doortje wirkte unglücklich und verletzt, während Lizzie und Michael versuchten, durch Schäkern mit dem kleinen Abe von der Peinlichkeit abzulenken. Patrick entschuldigte sich, um May zu Bett zu bringen, und verschwand, offensichtlich erleichtert, gemeinsam mit Nandé.

Juliet nippte an ihrem Kognak. Eine seltsame Geschichte. Matariki, eben noch völlig entspannt, geriet in helle Aufregung, als sie ihren Neffen zum ersten Mal sah, statt sich über die offensichtliche Familienähnlichkeit zwischen ihrer Tochter und dem kleinen Abe zu freuen. Oder bildete sie sich diesen Zusammenhang nur ein? Doortje schien sich keinen Reim auf Matarikis und Kevins Verhalten machen zu können, sie wirkte eingeschüchtert, aber nicht beunruhigt. Sie schien sich einfach nur Gedanken darüber zu machen, was sie jetzt wohl wieder falsch gemacht hatte in dieser Welt voller Fallstricke, in der sie da gestrandet war.

Juliet nahm noch einen Schluck. Irgendetwas war seltsam an dieser Geschichte. Aber sie hatte ja schon lange geargwöhnt, dass es Geheimnisse rund um die Ehe zwischen Kevin und Doortje gab. Zweifellos würde es ihren Zielen dienen, sie zu enthüllen.

Der Einzige, der von Colin Coltranes Ableben beziehungsweise seinem spurlosen Verschwinden benachrichtigt wurde, war Joe Fence, der immer mit Colin in Kontakt geblieben war. Seine Adresse hatte man in Colins Sachen gefunden, als der Krieg in Südafrika endgültig vorbei war und die letzten neuseeländischen Regimenter nach Hause geschickt wurden. Mit dem erneuten Auftauchen Vermisster rechnete jetzt niemand mehr, die Unterkünfte mussten aufgeräumt und die Angelegenheiten geordnet werden. Also sichtete ein Sergeant die wenigen Habseligkeiten von Colin Coltrane und fand ein paar Briefe nach Addington. Nachdem Eric Fence umgekommen war, hatte Colin den damals noch jungen Joe als Stallburschen behalten wollen, aber Violet hatten ihm eine Lehrstelle bei einem seriösen Trainer gesucht. Joe hatte sie zuerst nutzen wollen, um Colin Insiderinformationen über den anderen Rennstall zukommen zu lassen, aber Coltranes eigener Stall war dann ja sehr bald aufgelöst worden, und Colin war zunächst untergetaucht, um den Rachegelüsten der Buchmacher zu entkommen. Später, während der rastlosen Jahre, bevor er sich wieder der Armee anschloss, war er allerdings gelegentlich in Invercargill aufgetaucht. Heimlich natürlich, aber Joe hatte manche Wette für ihn platzieren und ihm damit über finanzielle Engpässe hinweghelfen können. Nun trauerte er ehrlich um seinen Verlust, Colin Coltrane war für ihn immer etwas wie ein zweiter Vater gewesen.

Der junge Mann war im Schatten der Rennbahn groß geworden, hatte beobachtet, wie man Pferde kaufte und verkaufte, wie man sie trainierte und vor allem, wie man Sieger machte. Weder seinen Vater Eric Fence noch Coltrane hatte es gestört, wenn Joe auch bei ihren gelegentlichen Siegesfeiern oder anderen Trinkgelagen dabeisaß und jedes Wort aus ihrem Mund in sich aufsaugte. Er hörte Schmähungen auf seine Mutter und Chloé Coltrane, die damals verzweifelt versuchte, ihrem Mann bei der Leitung des Gestüts auf die Finger zu schauen. Manipulationen und unsaubere Geschäfte mussten an ihr vorbeiorganisiert werden, oft platzte ein vielversprechender Plan, weil sie dahinterkam und Einspruch einlegte. Coltrane und Fence fluchten dann gemeinschaftlich auf alle Weiber der Welt – Joe lernte schnell, Frauen und Mädchen zu verachten.

Und dann wurde Coltrane von seiner Chloé betrogen und verlassen, und Rosie, die alle für schwachsinnig hielten, verursachte den Tod von Eric Fence. Joe war das eine Lehre. Er hielt sich von Frauen fern, ein gelegentlicher Besuch bei einer Prostituierten genügte ihm, seine Gelüste nach weiblicher Gesellschaft zu stillen. Sehr groß waren seine Bedürfnisse da ohnehin nicht, Joe Fence bevorzugte andere Vergnügungen. Spielen zum Beispiel, Joe war ein gewiefter Pokerspieler und brillierte beim Blackjack. Aber vor allem liebte er Pferdewetten. Auf gut Glück – wobei er oft verlor – oder auf raffiniert manipulierte, vorher festgelegte Siege und Platzierungen. Auch das ging gelegentlich schief, aber natürlich deutlich seltener. Den Reiz bildete hier auch nicht das prickelnde Gefühl der Hoffnung oder Ohnmacht, wenn die Pferde erst gestartet waren, sondern die Arrangements im Vorfeld. Man musste wissen, wen man einweihte, wer Bestechungen gegenüber aufgeschlossen war, welches Pferd sich für welche Manipulation eignete, welches Rennen infrage kam.

Das alles verschaffte Joe ein unbändiges Machtgefühl, er

war frei, er war Herr der Lage, er bestimmte die Zukunft. Die Lehrlinge in seinem Rennstall bewunderten ihn dafür, sie beteten ihn an wie einen Gott – kein Wunder, konnte er doch ihre Karriere als Rennfahrer vorantreiben oder beenden, indem er sie vielversprechende Pferde vorstellen ließ oder Verlierer. Dazu hingen sie an seinen Lippen, wenn er Tipps zum Ausgang eines Rennens abgab, und feierten ihn, wenn sie mittels einer gut platzierten Wette ihr karges Gehalt aufbessern konnten. Bis zu einem gewissen Grad galt das auch für die Besitzer der Pferde, die letztlich für die regelmäßigen Einkünfte des Trainers sorgten. Bei Joe wussten sie ihre Vierbeiner in guten Händen, ab und an gewann fast jedes einmal – und wenn nicht, fand er einen unbedarften Käufer, der auch für ein wenig talentiertes Pferd viel Geld bezahlte.

All das war immer gut gegangen – bis er diesem Anfänger Tom Tibbs einen chronisch unzuverlässigen Gaul aufschwatzte, der seinem Vorbesitzer nur Ärger gemacht hatte. Spirit's Dream war zweifellos schnell, nur seine Neigung, sich in den Galopp zu mogeln, machte ihn selbst bei manipulierten Rennen zu einem unsicheren Kandidaten. Aber dann hatte Tibbs ihn Rosie ins Training gegeben, und auf einmal trabte der Hengst – bevorzugt an Fence' Pferden vorbei. Tibbs strich Siegprämien ein, und der Vorbesitzer des Pferdes beschwerte sich. Letztlich wanderte auch er zu Rosie ab – und es gab nichts, was Joe Fence dagegen tun konnte! Natürlich war da der Umstand, dass Rosie eine Frau war. Joe hatte schon mehrmals Eingaben beim Jockey Club gemacht, aber ohne jeden Erfolg. Lord Barrington hielt seine Hand über »Ross Paisley«, und es gab auch keinen Paragrafen in der Verbandsordnung, der Frauen als Fahrer und Trainer definitiv ausschloss. Bislang war einfach niemand auf die Idee gekommen, ein Weibsbild könnte sich in diese angestammte Domäne der Männer drängen, und dass Rosie dies auch noch recht erfolgreich tat, schien dem Club so peinlich zu sein, dass er sie lieber weiterhin als männliches Mitglied führte. Natürlich wusste jeder, was Sache war, aber niemand sprach das Thema an.

Joe Fence blieb also nichts als ein mehr oder weniger fairer Kampf mit seiner Tante und alten Widersacherin. Die Kunde von Coltranes Ableben bestärkte ihn darin, ihn mit aller Härte zu führen. Es durfte nicht sein, dass Rosie triumphierte, schlimm genug, dass sie damals ungestraft davongekommen war, nachdem sie seinen Vater in den Tod geschickt hatte. Fence rüstete also für den ultimativen Wettkampf auf der Rennbahn in Addington. Der New Zealand Trotting Cup würde Auckland auf Dauer an Bedeutung gleichkommen, und wenn Fence seine führende Stellung als Trainer in Canterbury behalten wollte, musste er sich hier gleich positionieren. Er pachtete also neue Stallanlagen in unmittelbarer Nähe der Rennbahn, Präsentation war alles, das hatte schon Colin Coltrane gewusst.

Und Fence bewahrte seit langem ein Stück aus seinem Nachlass, von dem niemand etwas wusste: Als Coltranes Gestüt aufgelöst wurde, hatte der Junge das bunte, protzige Schild gerettet, das über dem Eingang der Ställe gehangen hatte: COLTRANE'S TROTTING JEWELS – STUD AND TRAININGSTABLES. Es war nicht einfach gewesen, das voluminöse Teil über die Jahre aufzubewahren. Joes Lehrzeit hatte es in seinem Bett überstanden – versteckt zwischen Bettgestell und Matratze. Seit er selbstständig war, lagerte es in einer Scheune, aber jetzt war es Zeit, ihm zu neuem Glanz zu verhelfen. Ein Schildermaler frischte die Farbe auf und änderte den Namen: Für »Coltrane's« setzte er »Joe Fence'« ein – Joe strahlte, als er das Kunstwerk am Portal seiner Ställe befestigte.

Rosie dagegen erblasste, als sie es sah. Natürlich erkannte sie es wieder, Chloé Coltrane hatte es gehasst und sich immer wieder darüber erregt, wie großspurig und neureich es wirkte.

Stockend berichtete sie Bulldog von der Geschichte des Schildes.

Bulldog nahm es gelassen. »Ist doch eigentlich ganz hübsch«, bemerkte er und handelte sich einen unfreundlichen Blick von Rosie ein. »Mit all dem Rot und Gold. Das macht was her. Aber ich lass dir noch ein viel schöneres Schild machen, wenn du willst. Musst dir bloß einen guten Namen ausdenken.«

Rosie schüttelte schüchtern den Kopf. Das Letzte, was sie wollte, war, zu viel Aufmerksamkeit auf sich und ihre Pferde zu richten. Zumal sie seit dem Auckland Cup auch ein bisschen durcheinander war. Diamonds mysteriöse Krankheit war zwar nicht wieder aufgeflammt – was nach Rosies Ansicht für die Gifttheorie sprach. Seit der Rückkehr aus Auckland stand die elegante Stute im Stall von Bulldogs Spedition und war dort schnell zum Liebling der zwei- und vierbeinigen Belegschaft avanciert. Die Pferdepfleger behandelten sie wie eine Prinzessin, die Fahrer streichelten sie unbeholfen und versprachen, auf sie zu wetten, und die Wallache unter den riesigen Kaltblutpferden und kräftigen Cobs, die Bulldogs Lastwagen zogen, wieherten und blubberten verliebt, wenn sie vorbeitänzelte. Diamond schien sich wohl zu fühlen. Für Rosie jedoch bedeutete ihr neues Domizil ständiges Pendeln zwischen Christchurch und Addington Raceway. Bulldogs Haus und die Ställe seiner Speditition lagen zwei Meilen von der Rennbahn entfernt.

Bulldog hätte ihr das gern erspart und schlug ihr vor, nun wirklich einen Trainingsstall in Addington anzumieten, in dem alle von Ross Paisley trainierten Pferde unterkommen konnten. Rosie konnte und wollte sich aber nicht entscheiden. Nun war sie in den Wochen nach Auckland auch ziemlich vom Pech verfolgt. Der Hengst Dream hatte sich irgendwie in seiner Box vertreten und laborierte nun an einer gezerrten Sehne herum. Ein anderes Pferd, bislang immer sehr trabsicher, war beim letzten Rennen plötzlich angaloppiert und hoffnungslos durchgegangen. Rosie konnte sich den Grund dafür nicht erklären. Und wieder ein anderes erkrankte kurz vor einem wichtigen Rennen an Kolik und konnte nicht starten. Für die Eröffnung eines neuen Rennstalls waren das keine guten Voraussetzungen. Sie konnte schließlich nicht mit lauter Invaliden und Versagern in die brandneuen Ställe ziehen.

Auch sonst kam Bulldogs Werbung um Rosie nicht recht voran. Der vierschrötige Spediteur bat sie seit Wochen, wenigstens einmal mit ihm auszugehen, aber Rosie war immer extrem schüchtern gewesen und mied Restaurants und Hotels. Und da sie auch Spaziergänge für ziemlichen Unsinn hielt – bei der Arbeit mit den Pferden bewegte sie sich ja auch wirklich genug –, hatte Bulldog nur den Stallbereich, um sie zu umwerben. Dort allerdings zeigte Rosie keine Furcht mehr vor ihm, seit der Nacht vor dem Rennen in Auckland scheute sie auch kein Alleinsein. Bulldog bemühte sich also, das gemeinsame Picknick bei Diamond zu einem Ritual zu gestalten. Seine Angestellten registrierten gutmütig, dass er einen Tisch aufstellte und Menüs aus Restaurants liefern ließ, um Rosie in seinen Ställen zu bewirten.

»Aber den Kellner mach ich Ihnen nicht!«, lachte der Stallmeister, ein älterer, geduldiger Mann, der Rosies Fürsorge für Diamond schnell schätzen gelernt hatte. »Höchstens den Trauzeugen! Nur passen Sie auf, dass Sie nicht letztlich auch das Bett im Stall aufstellen müssen.«

Dabei nahm er vergnügt ein paar Dollar in Empfang, mit denen sich Bulldog Intimität erkaufte. Der Stallmeister hatte eine Wohnung neben den Ställen und brüstete sich damit, des Nachts jeden Huster seiner vierbeinigen Schutzbefohlenen zu hören. Und sosehr Bulldog das sonst begrüßte: Bei seinen Rendezvous mit Rosie mochte er keine Lauscher.

Zwei Tage vor einem der ersten Qualifikationsrennen für den New Zealand Trotting Cup erschien aber zunächst nicht Rosie, sondern Violet Coltrane bei Bulldog, der gerade wieder dabei war, eines seiner legendären Stelldicheins vorzubereiten. Bulldog erkannte sie sofort, obwohl sie natürlich gealtert war. Aber das mahagonifarbene Haar, die feinen Züge – Violet war ein bildhübsches Mädchen gewesen und jetzt eine schöne Frau. Mit Rosie hatte sie wenig gemeinsam. Bulldog nahm an, dass sie ihrer schon vor der Auswanderung verstorbenen Mutter ähnelte, während Rosie nach dem stämmigen Vater und Bruder kam. Er strahlte Violet an, als sie den Stall betrat.

»Violet! Du hast dich kein bisschen verändert!«, begrüßte er sie. »Oder nein, ich muss jetzt natürlich Sie sagen. Entschuldigen Sie, Mrs. Coltrane. Aber Rosie redet so viel von Ihnen, da erscheinen Sie mir ganz vertraut ...«

Violet zog die Augenbrauen hoch. »Schmeicheln Sie mir nicht, Mr. Tibbs. Aber auch ich freue mich, Sie wiederzusehen – oder hoffe zumindest, dass sich das Wiedersehen erfreulich gestaltet. Sie haben es ja geschafft im neuen Land ... Goldgräber sind Sie nicht lange geblieben?«

Bulldog grinste. »Verstehe, Mrs. Coltrane, Sie wollen alles über mich wissen. Also: Erst war ich ein halbes Jahr auf den Goldfeldern, hab dann für 'n paar Dollar ein Maultier eingetauscht und seitdem jeden Cent in meine Spedition investiert. Jetzt hab ich, wie man sagt, Dependancen in Auckland und Wellington, Blenheim, Queenstown und Christchurch. Ich bin ein vermögender Mann, Mrs. Coltrane, keine Bange, ich kann Rosie ... o Gott, ich kann's noch gar nicht glauben! Also wenn ich Ihren ernsten Auftritt hier richtig sehe, dann hat Rosie wirklich angedeutet ... O Gott, und ich dachte schon, sie versteht gar nicht mehr, worum's mir geht ...«

Violet blickte streng. »Mr. Tibbs, Rosie ist nicht geistesschwach. Ich habe mein halbes Leben damit verbracht, das zu beteuern, und oft genug war's mehr als schwierig. Aber wenn Sie wirklich Interesse an ihr haben ...«

Bulldog hob die Hände. »Rosie ist klug!«, erklärte er im Brustton der Überzeugung. »Die klügste Frau, mit der ich je zu tun hatte. Sie hat's halt mehr mit Pferden als mit Menschen. Eine fabelhafte Trainerin und Fahrerin. Neulich hat sie mal aus Spaß ein Kaltblutgespann gefahren – ich sag's Ihnen, Mrs. Coltrane, die schicke ich sofort mit einem Viererzug nach Otago!« In Bulldogs Augen glänzte Stolz.

Violet lächelte etwas versöhnlicher. »Dann sollte ich mich vielleicht mal setzen«, bemerkte sie.

Bulldog zog ihr einen Stuhl an den hübsch gedeckten Tisch. Dabei brannten seine Wangen vor Verlegenheit. »Ich hab natürlich ein Haus, Mrs. Coltrane, ich wohne nicht hier. Das ist nur ... nur wegen Rosie, weil sie so ungern ausgeht. Aber essen tut sie gern, die Rosie, Gott, sie war ja schon als Kind immer hungrig. Ich hab sie da schon gemocht, wissen Sie?«

Violet nickte. »Natürlich weiß ich das noch. Und eben das macht mir die Sache suspekt.«

»Sus...?« Bulldog runzelte die Stirn, und Violet wurde klar, dass er nie in einem Lexikon gelesen hatte.

»Das erscheint mir merkwürdig bis anstößig«, übersetzte Violet. »Wir brauchen uns übrigens nicht zu beeilen, Rosie ist noch auf der Rennbahn und zeigt meinem Mann Diamond und sämtliche Anlagen.«

Bulldog nickte und wirkte erleichtert. »Ich hab mich auch schon gesorgt«, meinte er. »Sie kommt sonst nie zu spät. Sie hat ihren ganz regelmäßigen Tagesablauf, die Rosie, ganz ordentlich!«

Violet enthielt sich einer Bemerkung dazu. Sie wusste, dass Rosie sich an regelmäßige Tagesabläufe klammerte. Jede Veränderung machte ihr Angst.

»Rosie war damals ein kleines Kind. Sie können sich nicht

in ein kleines Kind verliebt haben und dann in die Frau, die fünfundzwanzig Jahre später daraus geworden ist.«

Bulldog schaute Violet verwirrt an. »Warum nicht? Aber die kleine Rosie hab ich natürlich nicht so lieb gehabt wie die große.« Er setzte sich auch. »Nicht so auf die Art, wie man eine Frau lieb hat. Wissen Sie, damals, da hat sie mich an meine kleine Schwester erinnert. Die ist gestorben, in London. Sie war auch so süß und blond. Und jetzt … ich erinnere mich nicht mehr genau an London. Nur noch an ihr Lächeln. Sie hatte so ein süßes Lächeln. Und sie war auch so … unschuldig. Man musste auf sie aufpassen, glaube ich, nur dass ich noch zu jung war. Sie war dann auf einmal weg. Die Bobbys sagten, ein Freier hätt' sie erstochen … da war ich dann allein. Aber jetzt hab ich Rosie wiedergefunden. Auf Rosie kann ich aufpassen. Und ich würd's gern tun, Mrs. Coltrane, wenn sie mich lässt.«

Violet sah zu ihrer Verblüffung Tränen in den Augen des vierschrötigen Mannes.

»Sie waren vorher nie verheiratet?«, erkundigte sie sich.

Bulldog schüttelte den Kopf. »Nein. Zu viel rumgekommen – mal ein Mädchen hier oder da. Sie wissen, wie's hier ist, viele Frauen gibt's nicht, erst recht nicht für 'n kleinen Habenichts aus London, der sich so durchschlägt. Inzwischen wär's natürlich was anderes, da könnt ich viele haben. Aber ich will nicht eine, die so wissend guckt, verstehn Sie? Die schon mehr Männer hatte als ich Pferde im Stall. Oder eine von den höheren Töchtern, die studiert haben und so. Die sind sicher nett. Aber … da hätt' ich Angst vor.«

Violet lachte über sein Geständnis. »Nun, Rosie kriegt auch leicht Angst«, meinte sie.

Bulldog nickte. »Weiß ich! Aber das muss sie ja jetzt nicht mehr. Ich werde ganz vorsichtig mit ihr umgehen, versprochen!« Er hielt Violet eine Pranke hin und wartete mit treuherzigem Blick, bis sie zögernd einschlug. Dann strahlte er. »Wissen Sie was, Mrs. Coltrane, ich schick jetzt noch mal jemand in den Pub, wo unser Essen herkommt. Die sollen was mehr bringen für Sie und Ihren Mann. Und wenn er dann kommt mit Rosie, dann tafeln wir alle zusammen, wie in einem Ihrer schönen Hotels und Restaurants. Rosie würd das gefallen!«

Violet lächelte. »Wir werden uns geehrt fühlen, Mr. Tibbs!«

Tom Tibbs grinste. »Sagen Sie Bulldog. Sagt Rosie auch immer. Ach gucken Sie, da kommen Rosie und Diamond. Und Ihr Gatte …«

»Nennen Sie mich Violet. Und das ist Sean«, stellte Violet vor, als Sean, ein bisschen grün im Gesicht, vom Sulky stieg. Er hatte sich hinter Rosie hineingeklemmt.

Rosie strahlte übers ganze Gesicht. »Sie ist neuen Rekord gelaufen!«, freute sie sich. »Trotz des doppelten Gewichts!«

Sie hatte das Pferd wohl von der Rennbahn bis nach Christchurch traben lassen und dabei wahrscheinlich so manch anderen Wagen überholt.

»Sie war ungeheuer schnell«, bestätigte Sean ein wenig gequält. »Und … sie nimmt die Kurven ziemlich knapp … Ich bin offensichtlich nicht schwindelfrei.«

Bulldog grinste. »Tja, zum Rennfahren muss man schon ein ganzer Kerl sein!«, erklärte er eifrig. »Wie Rosie! Warten Sie, Sean, ich hab hier ein Bier, danach geht's Ihnen besser. Rosie, mach Diamond schnell fertig für die Nacht. Wir haben hier nämlich ein Dinner. Ich hab Violet und Sean eingeladen zu einem ganz feinen Essen wie im Restaurant.«

Rosie errötete, aber Violet erkannte die Freude auf ihrem Gesicht. »Aber nicht so was, wo man die Gabeln verwechseln kann?«, fragte sie argwöhnisch.

Bulldog schüttelte den Kopf. »Ach was, Rosie! Kennst mich doch. Violet … Sean … ich hoffe, Sie mögen Fish and Chips …«

KAPITEL 6

Juliet brauchte nicht mehr als ein paar Tage, um hinter Matarikis Familiengeschichte und die Abstammung ihrer Tochter Atamarie zu kommen. Tatsächlich verlangte das nicht mal detektivischen Spürsinn, sondern ergab sich ganz von selbst bei ihrem nächsten Besuch in Lady's Goldmine. Juliet ließ es sich nicht nehmen, ihre Garderobe auch weiterhin hier zu erstehen, obwohl Patrick immer wieder über die Preise stöhnte. Aber jetzt brauchte sie wirklich ein Kleid für das demnächst anstehende Rennwochenende in Christchurch. Und am besten noch eins für die mit diesem Ereignis sicher verbundenen Abendveranstaltungen – schlimm genug, dass sie die aktuellen Ausstellungen und Konzerte im Rahmen von »Die Kunst ist weiblich« in ihren alten Sachen besuchen musste. Juliet verschwand also mit einem Traum aus dunkelrotem Chiffon in einem der Umkleideräume, während sich im Laden Atamarie vor dem Spiegel drehte. Juliet fragte sich flüchtig, woher die kleine Halb-Maori das Geld für diese Kleider hatte – die sie darüber hinaus kaum zu schätzen schien.

»Es ist wunderschön, aber dieses Korsett – ich werde kaum was essen können«, beschwerte sie sich gerade.

Juliet warf einen kurzen Blick durch die Tür der Ankleide. Die junge Frau verkörperte die modische S-Linie perfekt in einem zartgrünen Samtkleid.

»Nun stell dich nicht so an!«, meinte Kathleen. »Seit Jahrzehnten tragen Frauen Korsetts, und noch keine ist verhungert. Außerdem brauchte ich dich kaum zu schnüren bei deiner schlanken Taille. Man könnte neidisch werden.«

Claire Dunloe lachte. »Da siehst du mal, wie wir anderen Frauen uns gefühlt haben, als du in ihrem Alter warst, Kathleen Burton«, neckte sie. »Atamie ist dir wie aus dem Gesicht geschnitten, ich bin eben fast erschrocken, als sie aus der Kabine kam. In den weiten Kleidern und mit dem langen Haar fiel's nicht so auf. Aber jetzt ... ich weiß noch, wie wir damals im White Hart in Christchurch Tee getrunken haben, und alle Leute starrten dich an.«

»Du übertreibst«, wehrte Kathleen ab.

Auch Atamarie protestierte. »Ich finde, ich seh meiner Mommy ähnlich!«, erklärte sie.

Juliet Drury trat aus der Umkleide und hatte sofort die Aufmerksamkeit beider Geschäftsfrauen. Ein Blick in den Spiegel bewies ihr, dass sie die junge Atamarie noch mühelos ausstach. Aber Claire hatte Recht: Es war eine deutliche Ähnlichkeit zwischen Atamarie und Kathleen zu erkennen.

»Willst du das Kleid jetzt haben, Atamie?«, fragte Kathleen kurz in Richtung der jungen Frau, die etwas unentschlossen schien. »Komm, du kannst nicht in völlig unmodernen Kleidern in die Konzerte gehen. Du hast eine Verpflichtung gegenüber Lady's Goldmine!«

Atamarie kicherte. »Reklame laufen? Also Mommy macht's nicht, das hat sie schon gesagt.«

»Die geht ja auch als Maori durch, aber du würdest auffallen. Komm gerade mit, ich mache dir noch schnell den Abnäher an der Hüfte. Dann kannst du das Kleid gleich mitnehmen. Sie entschuldigen mich einen Moment, Juliet? Sie sehen bezaubernd aus!«

Kathleen verschwand mit Atamarie im Hinterzimmer, in dem die Änderungsschneiderei untergebracht war. Juliet wandte sich etwas säuerlich an die verbleibende Claire.

»Wer bestimmt die Ladys, die für Sie Reklame in kostenlosen Kleidern laufen? Ein … Schönheitswettbewerb, von dem ich nichts weiß?«

Claire Dunloe lachte. »Sie wären die Erste, die wir auffordern würden, wenn wir wirklich Reklame brauchten«, schmeichelte sie. »Aber wie die gesamte bessere Gesellschaft in Dunedin bezahlen Sie doch gern für die Ehre, unsere Kleider auszuführen, nicht wahr?«

»Und die Kleine?« Juliet wies mit dem Kinn auf die Tür, durch die Atamarie eben verschwunden war.

»Kathleens Enkelin«, erklärte Claire gelassen. »Von der nehmen wir natürlich kein Geld.«

»Ihre Enkelin?«, wunderte sich Juliet. »Aber ich dachte, Matarikis Gatte sei Maori?«

Claire Dunloe, die nie einen zweiten Blick auf Abraham Drury geworfen hatte, erzählte arglos Matarikis und Chloés Geschichte.

»Ich fühle mich immer noch etwas schuldig, dass ich meine Tochter nicht von dieser unglücklichen Verbindung zurückgehalten habe. Aber nachdem sie ihren ersten Mann verloren hatte und nun endlich wieder glücklich schien … na ja, letztlich hat sich ja alles zum Besten gewendet«, erklärte sie unbefangen.

»Und was ist aus Miss Kathleens Sohn geworden?«, fragte Juliet scheinbar beiläufig.

Claire zuckte die Schultern. »Von dem hat sie ewig nichts gehört. Die Theorie meines Mannes ist, dass er sich irgendeiner Armee angeschlossen hat. Er war ja mal Soldat. Womöglich ist er längst tot … Keine Ahnung.«

Juliet fuhr mit der Anprobe fort und entschied sich schließlich für das Abendkleid und zwei Nachmittagskleider. Dann verließ sie den Laden hochzufrieden. Sie hatte sich nicht geirrt und jetzt eine recht genaue Vorstellung davon, wo Colin

Coltrane noch zwei Jahre zuvor gewesen war. Aber natürlich musste sie die mit Kevin abstimmen ... Juliet lächelte sardonisch. Es würde interessant sein, ihn mit der Angelegenheit zu konfrontieren.

»Bitte, Juliet, du hast keine Vorstellung davon, wie es war ...«
Kevin hatte zunächst erschrocken reagiert, war dann kurz wütend geworden, verlegte sich aber inzwischen aufs Bitten. Juliet war das mehr als recht, bis zu einem gewissen Grad mochte sie es, wenn ihre Liebhaber ein wenig zu Kreuze krochen. Wenn Patrick das nur nicht so übertreiben würde ... Aber an den dachte sie jetzt nicht, sondern genoss das Hochgefühl, ihren unwilligen Liebhaber genau da zu haben, wo sie ihn haben wollte.
»Was verstehe ich nicht?«, fragte sie und fuhr wollüstig mit den Fingern über die Haut seines Halses, ließ die Hand zum Schlüsselbein herunterwandern und an seiner Brust entlang. Sie zwang ihn damit sanft, sich wieder zu entspannen, nachdem er sich eben alarmiert im Bett aufgerichtet hatte. Die beiden nutzten eine seltene Gunst der Stunde. Patrick war zu einem Treffen mit alten Freunden vom Landwirtschaftsministerium gegangen, und Juliet hatte Kevin in ihr Hotelzimmer bestellt. Kevin gefiel das nicht wirklich, er mochte sie nicht im Bett seines Bruders lieben. Aber andererseits war es so viel bequemer als die Liege in seiner Praxis, und jetzt, zum Herbstende, konnten sie auch nicht ausreiten und dann in der freien Natur zusammen sein. »Ich verstehe also nicht, dass deine kleine Burin es mit Mr. Colin Coltrane getrieben hat?« Juliets Finger beschrieben winzige leichte Kreise auf seiner Haut. »Dabei erscheint mir das gar nicht so seltsam. Ich kenne Heathers Bruder zwar nicht, aber wenn ich mir die Kinder so ansehe ... er muss doch recht gut aussehend sein.« Kevin öffnete den Mund, konnte sich aber gerade noch zurückhalten, sie

zu berichtigen. Juliet wusste sowieso schon zu viel, auch wenn sie es völlig falsch deutete. Da brauchte sie nicht auch noch von Colins Tod zu erfahren. »Und Charme scheint er auch zu haben, die Frauen hier sind ihm ja wohl reihenweise verfallen. Deine Schwester, Chloé …«

»Juliet, du verstehst das völlig falsch!«

Kevin versuchte sich aufzurichten, aber Juliet fuhr fort, ihn zu streicheln. »Ich verstehe das schon richtig«, schmeichelte sie ihm. »Das Einzige, was ich nicht verstehe, ist, warum du dem Kind deinen Namen gibst. Warum du das Gänschen mitschleppen musstest und so tust, als wäre es zwischen euch die große Liebe.«

»Du verstehst überhaupt nichts!«, wiederholte Kevin und nahm sich zusammen. »Und ich gedenke auch nicht, es dir genauer zu erklären, denn es geht dich nichts an. Wir müssen über etwas ganz anderes reden, Juliet. Nicht über Doortje und mich, sondern über dich und mich. Das muss aufhören, Juliet! Du bist eine wundervolle Frau, du verführst mich immer wieder, aber so geht es nicht weiter. Finde dich endlich damit ab, dass du mit Patrick verheiratet bist, während Doortje zu mir gehört.«

Juliet lachte. »Aber sie macht dich nicht glücklich.« Ihre Hände wanderten tiefer. »Kevin, ich sehe mir das jetzt seit Monaten an – deine Doortje ist und bleibt ein burisches Gänschen. Vielleicht war sie ja mal ein faszinierendes Flintenweib, aus irgendeinem Grund musst du dich ja in sie verliebt haben. Aber hier ist sie nur noch eine Bauerngöre, hübsch, aber fad. Das weißt du doch selbst.«

»Sie ist meine Frau!«

Kevin wand sich unter Juliets geschickten Fingern. Sie drangen jetzt in Regionen seines Körpers vor, deren Reaktion ihm das Neinsagen erschwerte.

»Aber das lässt sich doch ändern«, flüsterte Juliet. »Komm,

Kevin, wir haben beide Fehler gemacht. Lass sie uns korrigieren. Du schickst deine Doortje zurück in die Wildnis, wo sie hingehört, und ich trenne mich von Patrick. Wird natürlich ein kleiner Skandal, wenn wir bekannt geben, dass May von dir ist. Aber letztlich beweist auch das, wie sehr wir füreinander bestimmt sind. Patrick ist eingesprungen, weil du fort warst. Sehr nobel von ihm. Aber jetzt … jetzt verlangt die Natur ihr Recht.«

Sie beugte sich über ihn, ließ ihre Lippen über seinen Körper wandern und verhalf seiner Natur zu ungeahnten Höhenflügen.

Von einem Ende ihrer Beziehung würde zumindest an diesem Tag nicht mehr die Rede sein. Und was eine Neuorientierung anging … Juliet hatte noch viele Ideen, wie sie ihr Wissen rund um Colin Coltrane einsetzen konnte.

Matariki Parekura Turei besaß die glückliche Veranlagung, Sturheit und Voreingenommenheit ihrer Umgebung nicht an sich heranzulassen. Sie hatte das schon als Kind gekonnt: Während Lizzie und Michael sich größte Sorgen darüber machten, wie ihre Tochter mit der Arroganz all der kleinen Schafbaronessen in der Otago Girls' School zurechtkommen würde, ging Matariki über jede Anfeindung und Stichelei gelassen hinweg. Als ihr leiblicher Vater sie dann auf die Nordinsel entführte, ließ sie sich vom Fanatismus der Hauhau-Bewegung ebenso wenig beeindrucken wie von der Maori-Feindlichkeit in dem Ort Hamilton, in dem sie anschließend strandete. Nachdem sie dort von einem schottischen Ehepaar – fanatischen Anhängern der Church of Scotland – ein Jahr lang gefangen gehalten worden war, entschloss sie sich zwar, alle *pakeha* zu hassen, aber das wurde ihr schnell zu anstrengend. Dem Geist von Parihaka verfiel sie weniger aus spirituellen Gründen, sondern weil sie sich in dem Maori-Musterdorf einfach wohl fühlte und weil ihr der pragmatische Pazifismus des Dorfgründers Te Whiti entgegenkam.

Matariki wusste aber auch, wann ein Kampf verloren war. Als sie meinte, dass ihr eine Verhaftung drohte, floh sie aus Parihaka. Später arbeitete sie dann bei verschiedenen Frauen- und Maori-Organisationen, um das Wahlrecht zu erkämpfen, und auch hier bewährte sich ihr gelassenes Temperament. Matariki stritt für das Wahlrecht, aber die Bigotterie der fanatischen Anhängerinnen der Temperance Union ging ihr ab – sie trank gern einen Schluck Wein, während sie Dutzende von Petitionen an starrsinnige, böswillige und schlichtweg dumme Politiker aufsetzte und abschickte. Matariki verlor nie die Geduld, blieb aber beharrlich. Das half dann auch bei ihrer Tätigkeit als Lehrerin, nachdem sie mit ihrem Mann Kupe nach Parihaka zurückgekehrt war. Matariki führte die Maori-Kinder mit nie versiegender Begeisterung ebenso in die Kultur der *pakeha* wie in die ihres eigenen Volkes ein. Dabei hatte sie nie ein Seminar besucht wie Roberta, niemand hatte ihr Didaktik beigebracht oder Techniken der Disziplinierung. Matariki war Lehrerin aus Leidenschaft.

All diese Eigenheiten machten Kevins Halbschwester zu einem Glücksfall für Doortje VanStout. Für die junge Burin war es wie eine Befreiung, dass man Matariki offensichtlich mit keiner Äußerung schockieren und verärgern konnte. Bislang war die Dunediner Gesellschaft für sie voller Heimtücke gewesen, wobei sie die rein technischen Probleme dank Kathleens Benimmbuch relativ leicht hatte überwinden können. Aber nach wie vor wusste Doortje oft nicht, was man sagen durfte und was nicht, um nicht den Unmut seines Gegenübers auf sich zu ziehen. Hier half auch keine Beobachtung, zumal die Handlungen der Dunediner von ihren geäußerten Ansichten immer wieder abwichen.

»Keiner von denen redet auch nur ein Wort mit Nandé!«,

erklärte sie Matariki. »Alle behandeln sie wie einen Kaffer, nicht anders als bei uns zu Hause. Aber wehe, man nennt sie dumm und unzivilisiert … dann regen sich alle auf.«

Matariki lachte. »So dumm und unzivilisiert ist Nandé doch gar nicht. Laut Patrick hat sie inzwischen mehr Bücher gelesen als wahrscheinlich die Hälfte der sogenannten Damen der Gesellschaft. Das nennt sich Heuchelei, Doortje, oder Bigotterie. Man gibt sich weltoffen, aber man denkt und handelt ganz anders. Glaub bloß nicht, dass wir Maori das nicht kennen! Offiziell sind wir gleichberechtigt, wir wählen und sitzen im Senat. Aber gerade rennt Kupe wieder Sturm gegen ein neues Gesetz, das uns das Recht nehmen soll, mit unserem eigenen Land zu handeln! Oder was uns Frauen angeht: Da überschlagen sich die Politiker nur so damit, uns zu loben für unsere Feinfühligkeit, unter der Hand sind sie jedoch davon überzeugt, wir hätten keinen Verstand.«

»Aber es ist doch so, dass Gott Eva aus der Rippe des Mannes geschaffen hat.« Doortje war durch Matarikis ständige Themenwechsel mitunter überfordert. »Während Adam den göttlichen Atem …«

Matariki zuckte die Achseln. »Die Maori erzählen das genau andersherum. Achte mal auf die alten Leute, die noch tätowiert sind. Frauen sticht man *moko* nur um den Mund herum, um zu zeigen, dass die Götter ihnen den Lebensatem eingegeben haben. Wir sollten mal Nandé fragen, wie die Zulu das sehen.«

»Aber …« Doortje brach ab, erinnerte sich an frühere Vorträge ihrer Schwägerin und versuchte dann ein schüchternes Lächeln. »Ich weiß schon, Beweise gibt's für gar nichts …«

Matariki lachte und wandte sich dann Kevins Bücherschrank zu. »Diesmal doch, Doortje, warte mal, ich bin sicher, Kevin hat *Die Entstehung der Arten*. Kann sein, dass er's in der Praxis aufbewahrt, aber eigentlich wäre das zu riskant.«

»Ein riskantes Buch?«, fragte Doortje.

Matariki zog geschickt eine Bücherreihe vor und fand ein schmales Bändchen dahinter. »Wusst ich's doch! Und hier siehst du es: Auch mein kleiner Bruder ist bigott. Er ist von Darwin überzeugt, aber er stellt das Buch nicht aus. Der Reverend ist da entschieden mutiger. Das jedenfalls dürfte die Wahrheit sein, Doortje. Zumindest nennt Mr. Darwin sehr viele, sehr überzeugende Beweise. Gott hat den Menschen nicht aus einem Klumpen Lehm geschaffen. Alles Leben hat sich langsam entwickelt. Lies es mal. Aber nicht nur die Inhaltsangabe! Die meisten Leute, die sich darüber empören, haben es nämlich nicht gelesen. Jetzt gehen wir aber erst zu Heather und schauen die Ausstellung gemeinsam an. Soll ich dich dafür wirklich schnüren? Ich hasse Korsetts!«

Doortje hasste sie ebenfalls, aber sie wollte nicht auffallen. Also zwängte sie sich mit Matarikis Hilfe brav hinein, auch wenn es ihr unangenehm war, sich halb nackt vor ihrer Schwägerin zu zeigen.

»Wir haben das zu Hause nie gemacht«, vertraute sie ihr an. »Also einander nackt gesehen. Kinder natürlich. Aber erwachsene Frauen … das ist unzüchtig. Die Kaffern tun's natürlich. Wie die Affen …«

Matariki erklärte ihr, dass hier auch Maori-Frauen keinerlei Hemmungen hatten und dass Affen nicht zählten, die konnten ihr Fell ja nicht an- oder ausziehen.

»Ich glaube, in warmen Ländern gab es solche *tapu* nie, da trug man ja gar nicht so viel Kleidung, um den ganzen Körper immer zu verdecken.«

»*Tapu?*«, fragte Doortje.

Und Matariki begann mit einem weiteren Vortrag.

Für Doortje waren Matarikis Erklärungen oft befremdlich, aber sie halfen ihr doch, die neue Welt zu verstehen – und mitunter verhalfen sie ihr zu einer neuen Sicht ihrer alten. Doortje gefiel das nicht, aber sie konnte es nicht ändern, ihr Verstand spielte ihr da einfach Streiche. Gegen Dinge, die sie nicht begriff, wehrte sie sich weiter, Matariki schrieb ihr jedoch nicht einfach vor, etwas so oder so zu tun und etwas zu mögen oder abzulehnen wie die Modemagazine, die sie pflichtschuldig abonniert hatte, oder Kathleens Benimmbuch. Matariki erklärte. Beim Besuch der Vernissage der Hauptausstellung zum Beispiel erläuterte sie ihrer Schwägerin die großflächigen bunten Bilder der Künstlerinnen in Heathers Galerie und zeigte ihr, dass man zur Betrachtung eines in der Pointillismus-Technik gemalten Bildes größeren Abstand zur Leinwand halten musste, um das Bild richtig zu erfassen. Doortje merkte allerdings besorgt an, dass die Landschaftsbilder ihren Vorlagen in der Natur einfach nicht ähnlich seien.

»Es gibt doch jetzt die Fotografie, Doortje. Da hast du so viel Ähnlichkeit, mehr geht gar nicht. Also brauchen Gemälde die Wirklichkeit nicht mehr abzubilden. Man kann sie so gestalten, wie man sie empfindet.«

»Aber ... aber jeder sieht die Welt doch gleich.«

Matariki wies auf Juliet, die gerade mit Jimmy Dunloe flirtete, wobei sie sich größte Mühe gab, Heathers und Chloés Champagnervorräte zu reduzieren. »Doortje, glaubst du wirklich, dass du die Dame mit den gleichen Augen siehst wie Jimmy?«, fragte sie lächelnd.

Doortje lernte mit jedem Tag dazu, an dem sie mit Matariki die verschiedenen Ausstellungsorte und Konzerte des Kunstfestivals besuchte. Sie las Darwin und empörte sich darüber – aber ihr wacher Verstand konnte die Evolutionstheorie nicht vollständig ablehnen: Doortje kam von einem Bauernhof, sie verstand sich auf Viehzucht ... Es gab jetzt Dutzende von Themen, über die sie mit Kevin hätte reden können, und sie blamierte ihn auch nicht mehr in der Gesellschaft. Im Gegenteil, Doortje erwarb sich langsam einen ähnlichen Ruf wie Matariki – ihre Äußerungen wirkten manchmal befremdlich, aber stets durchdacht. Ihr Englisch war inzwischen weniger steif, und die gesellschaftlichen Umgangsformen gingen ihr in Fleisch und Blut über. Das gab ihr Raum, Charme zu entwickeln. Sie imitierte Matarikis gelassenes, selbstbewusstes Auftreten.

»Du darfst anders sein, Doortje«, ermutigte Matariki sie. »Und du darfst auch sagen, was du denkst. Aber verkünde es nicht als die absolute Wahrheit!«

Kevin jedenfalls hätte inzwischen längst stolz auf seine junge Frau sein können – zumal Doortjes Schönheit alle anderen Frauen um sie herum erblassen ließ. Er hätte sogar eifersüchtig werden können, wenn sie mit anderen Männern plauderte, die Herren rissen sich inzwischen um die attraktive Tischdame. Aber Kevin schien die Veränderungen überhaupt nicht zu registrieren. Doortjes Verhältnis zu ihm blieb angespannt, des Nachts rührte er sie nicht an. Matariki ging er auffällig aus dem Weg.

»Er mag es nicht, wenn wir miteinander reden«, meinte Doortje nach ein paar Tagen resignierend. »Vielleicht sollten wir nicht so oft zusammen sein.«

Matariki schüttelte unwirsch den Kopf. »Er kann dir nichts befehlen«, meinte sie, »du kannst zusammen sein, mit wem du willst. Und es ist bestimmt nicht so, wie du denkst ...«

Sie hielt rasch inne – zumal Doortje sie bereits fragend ansah. Inzwischen verstand die Burin Zwischentöne – sie musste ahnen, dass Matariki wusste, warum Kevin sich so seltsam benahm. Aber natürlich konnte sie ihr nicht verraten, dass Kevin einfach sein schlechtes Gewissen quälte. Wahrscheinlich hatte er das Verhältnis zu Juliet immer noch nicht beendet, und ihm lagen die Geheimnisse rund um die Sache mit Colin auf dem Herzen. Matariki hatte ihm das Versprechen abgenommen, Doortje möglichst bald die Wahrheit zu sagen. Aber sie hatte ihm kein Ultimatum gestellt.

Inzwischen bereute sie das.

»Die sind wirklich hübsch geworden«, lobte Roberta Atamarie, als sie ihr beim Arrangieren ihrer *manu* für die Ausstellung der Maori-Künstler half. »Und was ist mit dem Mann, der dir gezeigt hat, wie man so was baut?«

Atamarie staunte mal wieder über ihre Freundin. »Das brauchte mir keiner großartig zu zeigen, wenn ich so was sehe, kann ich es nachbauen. Und was Rawiri angeht ... der ist zur Wissenschaft abgewandert. Du wirst es nicht glauben, aber er sitzt, oder saß zumindest, zu Füßen der Brüder Wright.«

Roberta lachte. »Na, im Fußraum von dem kleinen Flieger wird kaum Platz für ihn gewesen sein«, neckte sie die Freundin. »Bist du böse, weil er der ... hm ... Konkurrenz geholfen hat?«

Atamarie zuckte die Schultern. »Ich denke, die hätten's auch ohne ihn geschafft. Und Richard hätte es sowieso nicht geschafft. Also ist es egal ...«

»Der Maori ist dir also völlig gleichgültig«, bemerkte Roberta. »Und Richard inzwischen auch.«

»Na ja ...« Hätte irgendjemand anders gefragt, hätte Atamarie sicher zugestimmt, aber Roberta zu belügen war aussichtslos. »Ich denke, er ... er hätte wenigstens eine ... hm ... Karte von der Hochzeitsreise schicken können, oder?«

»Du meinst, er hat diese Shirley geheiratet?«

Roberta arrangierte gefällig die sorgsam geknüpften *aho tukutuku*, die Schnüre der Drachen. Für Atamarie waren sie eine Selbstverständlichkeit, aber für die Betrachter mussten sie auch ohne die *manu* wie kleine Kunstwerke wirken.

»Würde mich wundern, wenn nicht. Was meinst du, soll ich mich wirklich trauen, nachher bei der Ausstellung zu singen? Die Frauen meinen, es wäre schön, wenn *karakia* gesungen würden. Um zu zeigen, dass *manu aute* nicht einfach nur Drachen sind, sondern eine Verbindung zu den Göttern schaffen. Aber ich weiß nicht ... also die Götter und ich sind nicht gerade besonders vertraut miteinander.« Atamarie wechselte geschickt das Thema, mit Erfolg – Roberta kicherte.

»Habt ihr nicht Sängerinnen dabei?«, fragte sie dann. »Die sollten das doch übernehmen können.«

Atamarie schüttelte den Kopf und verzog das Gesicht. »Das geht nicht. Wurde mir vorhin erst von Waimarama erläutert. Sie könnten zwar mitsingen, aber anfangen und die wichtigste Stimme singen müsste der oder die *tohunga* in Drachenbaukunst. Und eigentlich muss man dazu auch einen Drachen auflassen. Aber hier in der Stadt ...«

»Auf dem Dach?«, fragte Roberta.

Atamarie lachte. »Sollen wir da mit der ganzen Gesellschaft raufklettern? Ich seh Juliet schon in ihrem Korsett die Stiegen erklimmen. Und Patrick und Kevin darum kämpfen, ihr die Leiter zu halten.«

»Du bist gemein!« Bei der Erwähnung von Kevins Namen wurde Roberta schlagartig ernst. »Kevin würde höchstens Doortje die Leiter halten ... Obwohl Juliet ja wirklich nichts unversucht lässt, ihn ...« Roberta errötete.

»... zu verführen, meinst du?« Atamarie wieder. »Das ist nicht zu übersehen. Aber er scheint mir dabei nicht gerade wie ein Fels in der Brandung. Eher wie ein Schilfhalm.«

»Du bist wirklich unmöglich, Atamarie! Nur weil in Parihaka so ... lockere Sitten herrschen ... also, das kannst du nicht auf Kevin übertragen.« Roberta wand sich.

Atamarie rieb sich die Stirn. »So lockere Sitten herrschen gar nicht in Parihaka. Wenn da zwei die Ehe schließen, dann bleibt es in der Regel auch dabei. Kevin dagegen … entschuldige, Robbie, aber nur, weil deine Hoffnungen in Bezug auf Kevin sich so gar nicht erfüllen wollen, heißt das nicht, dass ihn auch Juliet kaltlässt.«

Roberta errötete noch heftiger. »Es ist gar nicht wahr, dass ich es noch bei Kevin versuche. Ich …«

Atamarie schob einen der Drachen zur Seite, um einen anderen besser zur Geltung zu bringen. »Du machst dir genau die gleichen Hoffnungen wie Juliet«, sagte sie dann nachdrücklich. »Gib dir keine Mühe, Robbie, wenn man dich ein bisschen kennt, liest man's in deinen Briefen. In genau dem Moment, in dem deutlich wurde, dass es zwischen Kevin und Doortje Schwierigkeiten gab, hast du aufgehört, deinen Tierarzt zu erwähnen. Stattdessen Kevin, Kevin, Kevin. Kevin tut dies, Doortje unterlässt das, Juliet versucht jenes … Was ist denn jetzt überhaupt mit deinem Tierarzt? Kann der sich noch Hoffnungen machen, oder wirst du Kevin anhimmeln bis zu seiner Silberhochzeit? Mit Doortje oder mit Juliet, aber bestimmt nicht mit dir.«

Roberta ließ sich auf einen Stuhl sinken. Die Ausstellung für Maori-Kunst fand im Gemeindesaal von Reverend Burton statt, und die Tische und Stühle waren noch nicht alle ausgeräumt.

»Ich weiß auch nicht«, murmelte sie. »Vincent ist … er ist so … nett. Er wäre ein wunderbarer Ehemann und Vater. Aber er ist auch …«

»Ein bisschen langweilig?«, provozierte Atamarie. »Dir fehlt das Abenteuer? Aber Robbie, Kevin führt auch kein aufregendes Leben. Ob Arzt oder Tierarzt – keiner von ihnen wird mehr nach Südafrika gehen oder sonst etwas Verrücktes tun. Das Einzige, was an Kevin jemals spannend war, waren seine

Frauengeschichten. Und ... und es ... es ist nicht besonders abenteuerlich, betrogen zu werden.« Atamarie wischte sich über die Augen. Dann ließ sie sich neben ihrer Freundin nieder. »Ich möchte zu gern wissen, ob er Shirley geheiratet hat«, sagte sie leise. »Dann wüsste ich wenigstens, woran ich bin.«

Roberta schenkte ihr ein trauriges Lächeln. »Dann würdest du es wieder versuchen?«, fragte sie. »Bis zu ... na ja, sagen wir bis zum fünfundzwanzigsten Jubiläum des Flugs der Brüder Wright? Wir sind beide ziemlich verrückt, Atamie.«

Atamarie umarmte ihre Freundin. Roberta hatte Recht. Auch sie hatte Richard noch nicht vergessen.

Die Eröffnung der Maori-Ausstellung am Abend fand ein überraschendes Echo, obwohl Caversham nun wirklich nicht in der Innenstadt lag, es gab attraktivere Schauplätze des Kunstfestivals als einen Gemeindesaal. Aber Chloé und Heather hatten wirtschaftlich gedacht.

»Wir müssen Bilder verkaufen, Matariki, sonst rechnet sich das alles nicht. All die angemieteten Räume und Unterkünfte für die Künstlerinnen kosten schließlich eine Menge Geld – nur von den paar Eintrittsgeldern für die Konzerte finanziert sich das nicht. Und Maori-Kunst findet bis jetzt einfach noch zu wenig Kaufinteressenten. Die Leute sehen sich das gern an – und das ist ja auch schon erfreulich. Aber sie gehen nicht davon aus, dass diese Bilder und Kunstwerke im Wert steigen. Also investieren sie nicht darin.«

»Sie könnten die Arbeiten einfach kaufen, weil sie schön sind«, hatte Matariki eingewandt.

In Parihaka verkauften sie relativ viele Webarbeiten, Bilder und vor allem Jadeschnitzereien an Besucher. Aber das galt dann natürlich eher als Andenken, nicht als Kunst.

Nun aber überraschte die Dunediner Gesellschaft die Künstlerinnen und Galeristinnen durch großes Interesse. Das übliche Premierenpublikum hatte sich tatsächlich nach Caversham begeben, ließ sich von den bunten Bildern fröhlich stimmen und blickte fasziniert in die winzigen Gesichter der *heitiki* – Miniaturgötterfiguren, die man als Amulett tragen oder irgendwo aufstellen konnte.

Atamaries *manu* fanden besonders bei den Männern Anklang.

»Fliegen die auch wirklich?«, fragte Jimmy Dunloe und betastete den mit Federn geschmückten *birdman*. »Die Drachen, die ich als Kind gebaut habe, waren leichter und hatten einen Schwanz.«

Atamarie lächelte. »Nur, wenn man dazu singt«, bemerkte sie. »Aber das erzähle ich gleich, wenn die Jadeschnitzerinnen fertig sind.«

Eine der Künstlerinnen berichtete Interessenten gerade über die Fundorte des Jade, ihre Beschaffenheit und ihre Bedeutung für die Maori-Kultur.

»Für uns ist er kostbarer als Gold«, sagte Waimarama mit sanfter Stimme. »Aber wir graben nicht danach, wir suchen ihn nur. Wir nehmen, was die Götter uns geben. Und geben es ihnen auch in gewisser Weise zurück, indem wir dem Pounamu eine Gestalt verleihen.«

»Und bringt es nun zuverlässig Glück, wenn man so einen *tiki* um den Hals trägt?«, fragte Christian Folks vorwitzig.

Die Maori-Frau lächelte. »Einen *tiki* können Sie nicht um den Hals tragen. *Tiki* sind die großen Statuen, die in unseren Versammlungshäusern stehen. Aber die *hei-tiki* … Warum nicht, wenn Sie daran glauben? Ihre Zukunft oder Ihr Glück ergibt sich aus dem, was war. Was es für Sie bedeutete und was Sie für die Vergangenheit bedeuteten, die Sie geschaffen haben. Oder Ihre Ahnen. Oder die Götter. Alles ist ein Bild …«, sie warf einen Blick auf die Malereien an der Wand, »… oder ein Gewebe. Ein Faden führt von den Anfängen bis zum Ende. Sie färben ihn ... oder spinnen ihn ... Sie passen ihn ein ... oder heben ihn heraus – mit dem Segen der Götter. Am Ende wird es hoffentlich ein harmonisches Bild.«

Die Besucher blickten zum Teil befremdet, aber einige lächelten auch. Reverend Burton zwinkerte der Rednerin zu. Das gefährliche Terrain des Götzendienstes in der Nachbarschaft der Kirche war erfolgreich umschifft.

Als Nächste war Atamarie an der Reihe. Mit Leidenschaft erzählte sie die Legenden der Maori rund um die *manu* und schilderte ihre spirituelle, aber auch ihre praktische Bedeutung.

»Man konnte damit nicht nur den Göttern Botschaften überbringen, sondern auch weiter entfernt lebenden Stämmen. So ein Drachen ist ja über weite Entfernungen zu sehen. Dabei spielten dann natürlich die Symbole eine Rolle, die darauf gemalt sind, oder der Schmuck, mit dem man sie beklebt. Natürlich sieht man die *manu* umso besser, je größer sie sind, und unser Volk baute riesige Drachen.« Lächelnd erzählte sie von der Eroberung des Pa Maungaraki mithilfe des Drachenfliegers. »Lange vor den Brüdern Wright!«, fügte sie hinzu und erntete Applaus. »Und jetzt soll ich noch *karakia* singen«, endete Atamarie schließlich. »Dabei kann ich nicht sonderlich gut singen, und eine *tohunga* bin ich auch nicht – ich kann die Drachen nur bauen, für die Götter sind andere zuständig.«

»Vielleicht geben Sie dem Reverend den Text!«, feixte Jimmy Dunloe. Peter Burton drohte ihm mit dem Finger.

»Na, da versuch ich es lieber.«

Atamarie ließ sich von dem Einwurf nicht beirren. Mit ihrer hellen Stimme intonierte sie das einfachste Gebet an die Götter, das sie kannte, und hielt verblüfft einen Herzschlag lang inne, als eine dunkle, weit tragende Stimme einfiel:

»*Taku manu, ke turua atu nei
He Karipiripi, ke kaeaea ...*«

Flieg immer höher, herrlicher Vogel,
erobere die Wolken und die Wellen,
flieg zu den Sternen,
stürze dich in die Wolken
wie ein Kämpfer in die Schlacht!

Atamarie suchte mit den Augen den Sänger in der Menge und blickte in das sanfte, jetzt ganz auf das Lied konzentrierte Gesicht Rawiris. Während er sang, suchte sein Blick die Weite des Himmels, aber als sie endeten, strahlte er Atamarie an.

Atamarie räusperte sich und zeigte auf den jungen Mann. »Ich ... ich gebe jetzt ab an einen echten *tohunga*. Das ist Rawiri. Was ich über *manu* weiß, das hat er ... mir beigebracht.«

Sie räumte schnell das Feld, damit niemand merkte, wie sehr Rawiris Anblick sie durcheinanderbrachte. Er hatte sich verändert in den Staaten! Nicht nur, dass er sein Haar kürzer trug, er wirkte vor allem erwachsener, stärker und selbstbewusster. Natürlich, er hatte am Ruhm der Brüder Wright teilgehabt ... Atamarie verspürte einen winzigen Anflug von Neid. Rawiri erklärte den Besuchern nun die Drachen, ihre Form und ihre Namen und fügte weitere Informtionen zur Nutzung der *manu* hinzu.

»Manchmal gehen die spirituelle Bedeutung und die praktische Nutzung ineinander über«, erzählte er. »Wenn wir die Drachen zur Auswahl von Siedlungsland nutzen, zum Beispiel. Man konnte das Land damit praktisch vermessen – aber man bat auch die Götter, es zu segnen. Aber jetzt werde ich aufhören, zu Ihnen zu reden. Die *manu* sind ungeduldig, ich höre sie in meinem Rücken flüstern ...«

Die Zuhörer lachten, aber Rawiri wirkte ganz ernst. »Vögel wollen fliegen«, sagte er sanft. »Atamarie, welchen sollen wir auflassen?«

»Den hier!«, antwortete Jimmy Dunloe, immer noch nicht

davon überzeugt, dass der seiner Ansicht nach überladene *bird-man* in die Lüfte steigen konnte.

Atamarie schüttelte den Kopf. »Besser den *manu whara*. Hier ist doch kaum Wind, mitten in der Stadt.«

Die Pfarrei hatte zwar einen sehr hübschen, etwas verwunschenen Garten, aber er war von einer hohen Mauer umgeben. Nicht ideal, um Drachen steigen zu lassen.

»Es geht sowieso nur auf dem Dach«, meinte Rawiri gelassen. »Am besten auf dem Turm.« Er wies auf den Kirchturm.

Reverend Burton räusperte sich. Aber es war Kathleen, die eingriff. Wahrscheinlich aus reinem Selbstschutz, sie liebte ihr Haus und Peters Pfarrstelle in Caversham.

»Untersteht euch!«, erklärte sie mit scherzhaftem Unterton, aber entschlossen. »Was meint ihr, was wir vom Bischof zu hören bekommen, wenn ihr von unserem Kirchturm aus Kontakt mit euren Geistern aufnehmt!«

»Eher den Ahnen«, meinte Atamarie. »Wenn wir den *manu whara* nehmen. Der ist ja den Kanus nachgeformt, die …«

»Ahnen, Geister, wer auch immer. Aus der Kirche bleiben die uns raus«, sagte Kathleen entschlossen. »Peter! Verbiete das!«

Peter Burton lächelte. »Ich halte Gott da ja für ziemlich flexibel, und ein Gebet ist ein Gebet, ob es an einer Drachenschnur zum Himmel fliegt oder direkt aus unserem Herzen. Aber meine Frau hat Recht. Der Bischof könnte das anders sehen. Gerade auf das Wort ›Ahnen‹ reagiert er ziemlich … ungehalten.«

Ein paar Gemeindemitglieder lachten. Peter Burtons berufliche Laufbahn war durch seine unkonventionellen Predigten schon mehrmals ins Stocken geraten. Er machte keinen Hehl daraus, Darwinist zu sein, und hielt das für durchaus mit seinem geistlichen Amt vereinbar. Der Bischof wartete nur auf weitere Beschwerden frömmelnder Gemeindemitglieder.

»Dann nehmen wir einfach das Dach«, raunte Rawiri Atamarie zu. Die beiden stellten verwundert fest, dass auf sie plötzlich niemand mehr achtete. Stattdessen diskutierte man angeregt Peter Burtons Einstellungen und die seines Bischofs. »Komm!«

Rawiri und Atamarie nahmen den *manu whare* mit und den *birdman*. Für den Vogelmann reichte der Wind nur knapp, aber Atamarie fühlte sich durch Dunloes Zweifel in ihrer Ehre gekränkt. Jetzt folgte sie Rawiri abenteuerlustig die Stiegen zum Speicher hinauf, begeistert von der Überraschung des Wiedersehens. Zum Glück hatte sie zur Eröffnung der Maori-Ausstellung eins der weiten, in Parihaka gewebten Gewänder gewählt, und nicht das hinreißende, aber unbequeme Kleid aus Lady's Goldmine.

»Du bist doch schwindelfrei?«, vergewisserte sich Rawiri, als er ihr aufs Dach half.

Atamarie tat empört. »Ich wette, ich bin bereits höher geflogen als du!«, prahlte sie.

Rawiri lachte. »Sei jetzt trotzdem vorsichtig, nicht dass du ins Rutschen kommst. Setz dich auf den Dachfirst!«

Kurze Zeit später rief Roberta, die Atamaries und Rawiris halsbrecherische Kletterei besorgt vom Garten aus beobachtet hatte, die Ausstellungsbesucher heraus. Fasziniert lauschten sie auf Atamaries und Rawiris Gesang, während die beiden Drachen am Abendhimmel tanzten.

»Hast du für die Brüder Wright *karakia* gesungen?«, fragte Atamarie Rawiri, als sie geendet hatten.

Der Maori schüttelte den Kopf. »Nein. Die glauben nicht an so was. Und es war auch zu laut in Kitty Hawk ... es war eine Show, Atamarie, kein ... kein Gottesdienst.«

Atamarie fragte sich, ob es für Richard Pearse ein Gottesdienst gewesen war. Aber das Wort war natürlich falsch gewählt. Dennoch ... sie erinnerte sich an ihren ersten Flug mit

Tawhaki, das Gefühl, als sie das Flugzeug getauft hatte ... So ganz Unrecht hatte Rawiri nicht. Auch für sie war es etwas Spirituelles gewesen – zumindest hatte sie die in der Hecke wohnenden Geister beschwichtigt. Sie wollte dazu gerade eine scherzhafte Bemerkung machen, als Rawiri sie ansah.

»Hast du für Richard Pearse *karakia* gesungen?«, fragte er. Atamarie runzelte die Stirn. »Woher weißt du ...?«

»Dass du geflogen bist? Das habe ich in deinen Augen gesehen. Außerdem hast du es vorhin gesagt.«

Atamarie seufzte. »Merkst du dir alles, was ich so dahinrede?«, fragte sie ausweichend.

Sie wusste nicht, ob sie von Richard erzählen wollte.

»Jedes Wort von dir wird zu einem Lied in meinem Herzen«, sagte Rawiri schlicht, kam dann aber sofort auf Richard Pearse zurück. »Und dass er geflogen ist ... na ja, das hat er Wilbur und Orville schließlich geschrieben ...«

»Er hat was?« Atamarie wäre fast vom Dach gefallen. Rawiri hielt ihr die Hand hin, um sie zu sichern. »Richard hat den Brüdern Wright Briefe geschrieben?«

Rawiri nickte. »Aber ja. Die nahmen ihn allerdings nicht sehr ernst. Muss auch eine seltsame Korrespondenz gewesen sein. Mal schrieb er andauernd, mal schwieg er monatelang. Mal tauschte er sich wissenschaftlich aus, mal schien er verwirrt. Und durch den langen Postweg wurde das natürlich alles noch schwieriger. Wilbur und Orville hielten ihn jedenfalls für einen Spinner. Aber in Kontakt standen sie schon seit Jahren. Diese Leute kennen sich alle.«

»Mir hat er nie davon erzählt«, murmelte Atamarie. »Er hat ihnen ... er hat ihnen wirklich geschrieben, er sei geflogen?«

Rawiri zuckte die Schultern. »Sie haben mich ihre Briefe nicht lesen lassen. Aber irgendwann schrieb er wohl, es ginge nicht, er sei nicht geflogen, Gott wolle nicht, dass Menschen fliegen ... es ging irgendwie um eine Hecke.«

Atamarie seufzte. »Die saß zugegebenermaßen voller Geister. Aber davon abgesehen – wenn er den Brüdern Wright von seinem Flieger geschrieben hat und von diesem Flugversuch, dann müssen die eigentlich die richtigen Schlüsse gezogen haben. Sie müssen gewusst haben, dass er geflogen ist oder kurz davor stand. Und dann inszenierten sie ihren Flug ... Himmel, Rawiri, wie konnte er nur so dumm sein!«

Atamarie rechnete blitzschnell nach. Es kam hin. Die Brüder Wright hatten ihren ersten Flug forciert, nachdem Richard aufgegeben hatte. Sie hielten ihn für einen Spinner, aber sie wussten, dass er geflogen war, und wollten kein Risiko eingehen, nicht die Ersten zu sein.

»Du hast für ihn gesungen«, konstatierte Rawiri. »Aber die Geister haben dich nicht erhört ...«

Atamarie zuckte die Schultern. »Wahrscheinlich kann man nur für sich selbst singen«, murmelte sie. »Singst du ... noch mal mit mir?«

Rawiri stimmte ein Lied an die Götter an, und Atamarie summte dazu. Die Maori-Sängerinnen unten im Garten nahmen das Thema des Liedes auf, und in der Dämmerung entspann sich ein fast ätherischer Zwiegesang zwischen Himmel und Erde.

»Das ist schön«, flüsterte Doortje und tastete schüchtern nach Kevins Hand.

Sie wusste nicht, ob sich das gehörte, aber in der letzten Zeit sehnte sie sich manchmal nach seiner Berührung. Auch etwas, das sie sich ein paar Monate zuvor noch nicht eingestanden hätte. Aber warum sollte sie Kevin nicht begehren? Er war ihr Mann. Kevin wehrte sie dann auch nicht ab, sondern drückte ihre Finger ganz zart.

Juliet entging diese Geste nicht. Sie empfand keinen Schmerz, aber sie spürte ohnmächtige Wut.

»Sie haben Händchen gehalten«, berichtete Roberta am nächsten Tag bekümmert der nur begrenzt interessierten Atamarie.
»Als ihr da oben gesungen habt. Doortje VanStout verändert
sich völlig in den letzten Tagen. Deine Mutter ...«

»Meine Mutter hat ihn zu Matariki eingeladen«, antwortete
Atamarie zerstreut. »Zu unserem Stamm bei Elizabeth Station.
Wenn wir jetzt schon mal hier sind, werden wir mit den Ngai
Tahu feiern. Und er hat zugesagt. Er baut auch noch Drachen
vorher mit unseren Kindern, hat er versprochen. Vielleicht
machen wir das zusammen ...«

»Atamarie, hörst du mir überhaupt zu?«, fragte Roberta verärgert. »Ich sprach von Kevin und Doortje.«

»Ist doch schön, wenn die endlich glücklich sind!«, meinte
Atamarie. »Oder wär's dir lieber, er nähme Juliet? Ich hab's dir
schon mal gesagt, Robbie, um nicht zu sagen tausend Mal: Es
wird eine von den beiden. Du wirst es nicht.«

»Und bei dir wird es nun Rawiri?«, fragte Roberta, etwas
bemüht.

Sie hätte lieber Kevins unerwarteten Zärtlichkeitsaustausch
mit Doortje diskutiert – oder Doortjes Vorstoß bei Kevin, wie
immer man das sehen wollte. Aber gut, sie wusste, dass das
albern war.

Atamarie zuckte die Schultern. »Er ist nett«, sagte sie.
»Wenn ich mit ihm zusammen bin, ist es ... schön. Und er
liebt mich. Aber wenn ich ihn mit Richard vergleiche ... Habe

ich dir erzählt, dass er Wilbur und Orville Wright geschrieben hat?«

Roberta stöhnte. »Sag du noch mal was über mich und Kevin! Und Vincent. Wir haben beide genau das gleiche Problem, Atamie, weißt du das?«

In den nächsten Tagen wurde Atamaries Verhältnis zu Rawiri zunehmend enger. Der junge Mann blieb in Dunedin – schließlich war er hergekommen, um Atamarie zu umwerben. Er hatte nach der Ankunft in Wellington erfahren, dass sie auf der Südinsel war und sich gleich dorthin auf den Weg gemacht. Jetzt besuchte er mit ihr die verschiedenen Konzerte und Ausstellungen des Festivals und erwies sich als anregender Gesprächspartner. Atamarie, die Rawiri bisher nur im Umfeld von Parihaka gesehen hatte, war angenehm überrascht. Aber andererseits hatte auch Rawiri die Highschool besucht und jetzt noch Teile der Vereinigten Staaten bereist. Er hatte mehr von der Welt gesehen als Atamarie, und er verstand, interessant davon zu erzählen. Rawiri berichtete von ungeheuer hohen Häusern in New York. Er schilderte die Brooklyn Bridge, die als längste Hängebrücke der Welt galt, redete von spektakulären Eisenbahnbauten, von Automobilen, die langsam begannen, das Stadtbild in Amerika zu bestimmen, und von der Planung riesiger Ozeandampfer.

»Und eben die Fliegerei«, meinte er, »die wird sich jetzt rasant entwickeln.« Er lächelte. »Ob wir singen oder nicht.«

Atamarie erzählte von ihren Prüfungen, ihren noch unausgegorenen Zukunftsplänen und immer mal wieder von der letzten Zeit mit Richard Pearse. Sie wollte nicht die gesamte Geschichte vor Rawiri ausbreiten, aber sie brannte darauf, sein Flugzeug mit dem der Brüder Wright zu vergleichen. Rawiri tat Atamarie den Gefallen, deren Maschine akribisch genau zu schildern.

»Professor Dobbins dürfte das auch interessieren«, meinte sie schließlich. »Wenn du über Christchurch zurückreist, solltest du ihm anbieten, vor den Studenten einen Vortrag darüber zu halten.«

Rawiri schaute sie ungläubig an. »Traust du mir das zu?«, fragte er. »Vor all den studierten Leuten? Ich hatte bisher immer das Gefühl ... na ja, ich war für dich doch nur ein dummer Maori-Junge, der meinte, er könnte fliegen, indem er sich singend ins Meer stürzte.«

Atamarie grinste. »Das ist auch nicht schlimmer als schweigend in eine Hecke«, bemerkte sie. »Außerdem – Richard hat auch keinen Hochschulabschluss. Trotzdem hat er sein Flugzeug gebaut. Und das flog besser als das der Wrights.«

Rawiris Gesicht verfinsterte sich. »Warum muss eigentlich immer Richard Pearse dabei sein, wenn wir reden?«, fragte er leise. »Wir sprachen von den Wrights. Und von mir. Aber immer wieder kommst du zurück zu ihm. Liebst du ihn noch, Atamarie? Du weißt, dass ich ... Ich will dich nicht drängen, Atamarie. Aber ich dachte mir, wir gehen vielleicht beide nach Christchurch. Du sagst doch, der Professor hat dir eine Stelle am Institut angeboten. Ich hatte gedacht, du würdest sie vielleicht annehmen. Und ich könnte am Canterbury College studieren – Ingenieurwissenschaften. Ich möchte auch Flugzeuge bauen ... einen Motor zum Singen bringen. Hast du darüber mal nachgedacht, Atamie? Dass sie singen ... flüstern mit den Geistern?«

Atamarie lächelte. Sie hatte oft auf das Geräusch des Ottomotors gehört. Auch für sie war es Musik, wenn er rundlief. Aber flüstern?

»Du glaubst, irgendwann wird es Motoren geben, die ... flüstern?«, fragte sie.

Rawiri zuckte die Schultern. »Warum nicht? Ich könnte mir vorstellen, sie könnten leiser werden. Sie sollten den Wind nicht übertönen … und sie dürfen nicht so laut sein, dass die Menschen ihre Gedanken nicht mehr hören.«

Atamarie überlegte. »Wenn man die Vibrationen verringern könnte …« Ihre Augen blitzten interessiert.

Rawiri schüttelte den Kopf. »Vergiss jetzt erst mal den Motor, Atamarie«, sagte er. »Ich muss wissen, was noch zwischen dir und Richard Pearse ist. Wirst du wieder weggehen, um mit ihm zusammen zu sein? Und zurückkommen, wenn er dich nicht mehr will? Ich bin vielleicht die zweite Wahl, Atamarie, aber irgendeine Wahl wirst du schon treffen müssen.«

Atamarie lehnte sich an den jungen Maori. Die beiden waren zum Strand gegangen, um Atamaries Drachen steigen zu lassen. Rawiri beharrte darauf, dass man sie nicht in einem Museum einsperren dürfte, und Atamarie hatte inzwischen fast das Gefühl, als ob er Recht hätte. Die anderen Exponate in Reverend Burtons Gemeindesaal schienen an Glanz zu verlieren, nun, da man sie aus den *marae* und *wharenui*, von den Hälsen ihrer Träger und den Wänden der Versammlungshäuser entfernt hatte. Aber die *manu* gewannen an Leben. Sie rochen nach Meer, wenn sie am Strand geflogen waren und der Wind ihnen die Federn, mit denen sie geschmückt waren, zerzaust hatte. Er gab ihnen einen anderen Ausdruck. Der Vogelmann schien von Abenteuern in den Lüften zu erzählen, der Habicht blickte grimmig, und das Kanu schwieg über die Geheimnisse der Ahnen.

Jetzt lagen die *manu* neben Atamarie und Rawiri im Sand, während die beiden Bier tranken und aufs Meer blickten. Atamarie hatte bislang stets Abstand zwischen sich und Rawiri gehalten, aber jetzt zog es sie näher zu ihm.

»Ich weiß nicht, ob ich eine Wahl habe, Rawiri«, seufzte sie. »Ich könnte dich lieben, vielleicht tue ich es schon. Aber manchmal fühle ich mich, als wäre eine *aho tukutuku* zwischen mir und Richard … Flachs. Flachs reißt nicht so leicht.«

»Roberta sagt, er habe wahrscheinlich geheiratet«, sagte Rawiri und sah Atamarie fragend an. »Ist … das Band nicht dadurch zerrissen?«

Atamarie zuckte die Schultern. »Ich kann's noch spüren, Rawiri. Ich kann nichts dafür. Es ist stärker als ich.«

»Mit anderen Worten: Er brauchte die Leine nur einzuholen«, meinte Rawiri bitter und suchte ihren Blick.

Atamarie sah weg. »Lass mir Zeit«, murmelte sie. »Lass mir einfach Zeit.«

Roberta kam entschieden zu früh. Eine halbe Stunde vor der vereinbarten Zeit stand sie vor dem Haus in der Lower Stuart Street, um gemeinsam mit Atamarie und Matariki – und natürlich Doortje und Kevin – ein Konzert zu besuchen. Dabei redete sie sich ein, dass dies ein Zufall war. Ebenso wie es nur aus einer Laune heraus geschehen war, dass sie den Spaziergang ins Stadtzentrum einer Fahrt in Seans und Violets Kutsche vorgezogen hatte. Ihre Eltern bewohnten ein Haus in einem Vorort, Roberta hatte eine gute halbe Stunde laufen müssen. Aber die Luft war wirklich frisch an diesem Tag – und Kevin würde bestimmt noch in seiner Praxis sein, während Doortje, Atamarie und Matariki sich für das Ereignis umzogen. Vielleicht ließ er die Tür offen – während der Sprechstunden war sie immer nur angelehnt, und wenn niemand im Wartezimmer war, ließ er mitunter auch sein Sprechzimmer unverschlossen. Schon um nicht zu verpassen, falls doch noch jemand kam. Roberta konnte dann einen Blick hineinwerfen und vielleicht ein bisschen mit ihm plaudern. Aber natürlich nur, wenn der Zufall es wollte. Geplant hätte Roberta so etwas nie …

Dennoch war sie jetzt etwas enttäuscht, als sie die Tür zur Treppe der Wohnung geschlossen fand. Ob er doch schon oben war? Aber dann hörte sie Geräusche aus dem Inneren der Praxis. Besorgniserregende Geräusche. Ein spitzer Schrei – aber den konnte sie sich eingebildet haben ... und Stöhnen. Das Stöhnen war nicht zu leugnen. Roberta überlegte. Kevin musste einen Patienten haben, vielleicht einen Notfall. Aber die Krankenschwester, die den Ärzten während der Sprechzeiten zur Hand ging, war sicher schon nach Hause gegangen. Musste er also allein mit einem möglicherweise schweren Fall fertig werden? Roberta konnte einspringen, sie hatte auch in Südafrika gelegentlich im Hospital ausgeholfen. Unsicher betätigte sie die Klinke der Tür zur Praxis. Sie war nicht abgeschlossen, aber das war bei einem Notfall ja auch nicht zu erwarten. Allerdings war die Tür zwischen Wartezimmer und Sprechzimmer zu. Roberta trat ins Wartezimmer und blieb dann unschlüssig stehen. Sollte sie klopfen oder gar einfach eintreten, um ihre Hilfe anzubieten? Das Stöhnen war hier deutlicher zu hören – aber irgendwie ... irgendwie klang es nicht wirklich leidend, es hatte eine gänzlich andere Klangfarbe als das Stöhnen Verletzter und Schwerkranker.

Neugierig schob sich Roberta näher an die Tür und wurde in ihrer Annahme bestätigt. Eine Art Lachen oder Kichern mischte sich in das Klangbild. Frauenlachen. Und eine Männerstimme. Kevins Stimme.

»Nicht, Juliet! Nein, nein wirklich ... du kleines Biest ... du bist eine Teufelin ...«

»Völlig falsch, du weißt, ich bin ein Engel ... Ich reite dich, bis du es zugibst.«

Robertas Gesicht überzog tiefe Röte, als sie begriff, dass sie hier Zeugin eines Geschlechtsakts wurde. Ein Notfall – wie hatte sie so dumm sein können! Atamarie würde sich kaputtlachen, wenn sie ihr das erzählte. Aber konnte sie so etwas überhaupt erzählen? Robertas erster Impuls war, sich umzudrehen und zu fliehen. Aber dann blieb sie doch wie gebannt von den Stimmen nebenan stehen.

»Juliet, wirklich, ich will das nicht mehr.«

»Kevin, Liebster, sprich nicht für deinen kleinen Kerl hier, der will nämlich gar nicht mehr aus mir heraus.«

»Kleiner Kerl? Willst du mich beleidigen?«

Kevins Stimme klang gespielt empört. Während Roberta ihm eben noch seinen Unwillen abgenommen hatte.

Kichern. »Oh, verzeih mir, ich sprach natürlich von deinem mächtigen Geschlecht … du bist ein Hengst, Liebster … Ist es so besser?«

»Deutlich besser. Aber du solltest wirklich nicht … Und ich muss jetzt auch hoch, dieses Konzert …«

»Soll ich für dich singen?« Juliet nahm keinen seiner Einwände ernst. »Lass meinen Körper für dich singen … unser Duett ist besser als alles, was du auf dieser Bühne hören wirst. Komm, mein Hengst … Jetzt bist du dran mit dem Reiten.«

»Wir dürfen das nicht tun.« Kevins Stimme klang gequält, aber Roberta fragte sich, warum er nicht einfach aufstand und ging, wenn sich hier doch alles gegen seinen Willen abspielte. Und warum er Juliet überhaupt die Praxis geöffnet hatte. Aber sie wollte nun wirklich nur noch fort. Es war abstoßend, was sie da hörte … und weit von den Nächten voller Liebe entfernt, die sie sich mit Kevin erträumt hatte. Roberta hatte an Zärtlichkeiten gedacht und Liebesschwüre, an sanfte Worte – und einvernehmliches, glückliches Schweigen nach dem Höhepunkt, den sie sich immer wie einen Sonnenaufgang oder einen Sternenregen vorgestellt hatte. Aber dies hier … Wenn es dieses Getue zwischen Lüsternheit und Albernheit war, was er wollte – oder nicht wollte, er zierte sich ja dauernd, um dann doch mitzumachen … Das Letzte, was Roberta sich in diesem Moment gewünscht hätte, wäre, an Juliets Stelle zu sein.

Eigentlich wünschte sie sich sowieso nur noch weit fort. Unsicher machte sie einen Schritt rückwärts auf die Tür zu. Sie würde sie lautlos öffnen und wieder schließen müssen. Allerdings war Roberta nicht die Geschickteste ... Hastig drehte sie sich um – und erschrak zu Tode, als ein mit Blumen verziertes viktorianisches Monstrum von Vase umfiel und laut klirrend zerbrach. Sie konnte jetzt nur noch fliehen.

Kevin riss die Verbindungstür bereits auf, als Roberta die Tür noch nicht ganz erreicht hatte. Wie erwartet war er nackt, hatte nur rasch ein Handtuch um seine Lenden geschlungen.

»Ro... Roberta?« In seinem Blick spiegelte sich noch sein Erschrecken, aber auch eine gewisse Beruhigung beim Anblick der jungen Frau wider. Gott sei Dank war es nur Roberta.

»Was ... äh ... machst du hier? Ich ... ich bin eben dabei, mich etwas frisch zu machen. Oben in der Wohnung ... drei Frauen ...« Kevin lächelte entschuldigend und verständnisheischend.

Roberta wurde jäh bewusst, dass er sie für ein dummes Kind hielt. So wie er es immer getan hatte, egal, wie hart sie in Südafrika gearbeitet hatte. Kevin mochte sie nützlich gefunden haben, aber er nahm sie nicht ernst. Die junge Frau spürte Kälte in sich aufsteigen.

»Mach dir keine Mühe, ich habe alles gehört, Kevin«, sagte sie ruhig. »Wo versteckst du Juliet? Sag ihr, sie kann herauskommen, ich könnte ihr beim Schnüren helfen. Sie möchte doch gleich wieder vorzeigbar aussehen, wenn sie Doortje entgegentritt, oder?«

Kevin biss sich auf die Lippen. Nichts war mehr übrig von seinem selbstbewussten Auftreten. »Roberta, bitte ... Sag es niemandem. Ich ... ich weiß, dass wir es nicht tun sollten, ich will es auch beenden, ich ...«, flehte er.

»Warum tust du es dann nicht?«, fragte sie verächtlich.

»Bitte, Roberta, ich liebe Doortje ... Aber ich kann nicht, ich ...«

Aus dem Sprechzimmer klang Gelächter.

Roberta wandte sich um. Hier war jedes Wort zu viel – und

sie wusste auch gar nicht, was sie noch sagen sollte. Schließlich rannte sie hinaus und schlug die Tür hinter sich zu.

»Roberta!« Kevin rief ihr nach, aber sie wandte sich nicht mehr um.

Er wollte sich doch nur ihres Schweigens versichern ... mit schönen Worten, mit Worten hatte er ja immer umgehen können. Aber würde sie schweigen?

Roberta rannte die Treppe hinunter. Auf keinen Fall konnte sie jetzt den anderen Frauen gegenübertreten, Atamarie würde ihr sofort ansehen, dass etwas nicht stimmte. Und sie konnte ihr nicht sagen, dass sie jahrelang Liebe und Respekt an einen Mann verschwendet hatte, den sie dann willenlos in den Armen einer Hure ertappte. An einen Betrüger, der heute Doortjes Hand hielt und sich morgen in die Hände einer Juliet Drury-LaBree gab. Und der dabei von Liebe sprach ...

Roberta nahm eine Droschke zum Haus ihrer Eltern. Violet und Sean würden sich wundern, wenn sie nicht zum Konzert erschien, aber sie konnte ihnen später sagen, ihr sei plötzlich übel geworden. Das Korsett ... Violet schimpfte sowieso mit ihr, weil sie es wieder trug. Und morgen ... morgen würde sie den Zug nach Christchurch nehmen. Es war ein paar Tage zu früh, eigentlich hatte sie am Wochenende mit ihrer Familie fahren wollen, um Rosie zu sehen. Diamond hatte ihr letztes Qualifikationsrennen für den New Zealand Trotting Cup, und Roberta hatte Vincent endlich wiedersehen wollen. Mit gemischten Gefühlen, aber das hatte sich jetzt geändert. Roberta sehnte sich nach seinem warmen, verständnisvollen Lächeln, seinen sanften Augen – Augen, die eine wie Juliet mit einem Blick erkannten.

Roberta hatte genug davon, eine Liebe zu leben, die nicht erwidert wurde. Und obendrein auch noch für den falschen Mann.

KAPITEL 9

Am nächsten Morgen erschien alles nicht mehr so einfach.

Violet wunderte sich, dass ihre Tochter sich an einem Abend krank fühlte und am nächsten Morgen zu einer Reise aufbrechen wollte. Noch dazu verfrüht. Robertas Ausrede, vor dem Treffen mit Vincent noch eine frühere Studienkollegin besuchen zu wollen, die jetzt in Christchurch unterrichtete, glaubte sie keinen Moment.

»Hat sich irgendwas ereignet, Roberta? Du siehst auch blass aus … Atamarie hat gestern auf dich gewartet. Konntest du nicht wenigstens Bescheid sagen?«

»Es ist gar nichts passiert, Mommy, ich war nur … hm … müde. Und mir war übel. Aber das ist jetzt in Ordnung. Ich kann fahren, Mommy, mach dir keine Gedanken.« Roberta legte sorgfältig Röcke und Blusen in ihren Koffer. »Ich kann das Korsett auch zu Hause lassen.«

Violet beobachtete sie mit gerunzelter Stirn. »Es hat sich etwas ereignet«, stellte sie fest. »Aber wenn du's mir nicht sagen willst … es ist doch nichts wirklich Schlimmes, Robbie? Hängt es mit einem Mann zusammen?«

Violet war in jungen Jahren vergewaltigt worden, aber die Angst davor steckte ihr bis heute in den Knochen. Sie konnte sich noch so oft sagen, dass Roberta in Dunedin ziemlich sicher war, dass die Straßen belebt waren und die Gesellschaft, in der sich Roberta bewegte, über jeden Zweifel erhaben. Aber trotzdem nahm sie immer wieder das Schlimmste an und hasste es, wenn ihre Tochter allein unterwegs war, wie in der vergangenen Nacht.

»Mir ist gar nichts geschehen, Mommy«, wiederholte Roberta. »Allenfalls ist mir was … hab ich was …«

»Gesehen, Roberta? Hat sich dir ein Mann unsittlich genähert? Es gibt Kerle, die Freude daran finden, sich Frauen zu zeigen … also … hm … nackt. Man nennt sie …« Violet durchforstete das Lexikon in ihrem Kopf.

Roberta lächelte. »Mommy, mir ist auch kein Exhibitionist begegnet. Es geht mir wirklich gut, Mommy, ich will zwei Tage früher nach Christchurch. Rosie wird sich bestimmt freuen.«

Violet kam ein anderer Gedanke. »Und der junge Mann, den du in Südafrika kennengelernt hast? Geht es um ihn? Roberta, es ist mir gar nicht so recht, wenn du ohne Begleitung … Wir kennen ihn nicht mal.«

Roberta sah ihre Mutter nachsichtig an. »Ihr lernt ihn ja am Wochenende kennen. Nun hör auf, mich inquisitorisch zu befragen, Mommy. Es geht mir gut. Und ich bin auch früher schon allein nach Christchurch gereist, wie du weißt. Niemand wird mich fressen, am allerwenigstens Vincent Taylor.«

Violet seufzte, gab aber so schnell nicht auf. »Was wird er denn sagen, Roberta, wenn du zwei Tage zu früh kommst? Das sieht doch aus, als wolltest du dich ihm an den Hals werfen.«

Roberta griff sich an die Stirn. »Ich besuche doch erst meine Freundin«, wiederholte sie die Lüge und hatte dann endlich den rettenden Einfall. »Sie … sie hat ein Problem, weißt du, das hat sie mir geschrieben, und ich hab drüber nachgedacht, und ich glaube … ich glaube, sie braucht wirklich Beistand. Sie ist doch Lehrerin, aber sie hat sich mit einem Mann eingelassen, und jetzt ist sie …«

»Schwanger?« Violet blickte mitfühlend. Roberta atmete auf, ihre Mutter schien den Köder zu schlucken. »Ach, das arme Ding! Aber das gehört ja auch dringend abgeschafft, dieses Zölibat für weibliche Lehrkräfte! Ein Lehrer darf jederzeit heiraten, aber eine junge Frau soll leben wie eine Nonne. Robbie, schick deine Freundin ins Büro der Women's Christian Temperance Union. Vielleicht findet sich da eine Arbeit für sie. In der Kinderbetreuung für arme Familien zum Beispiel. Bestimmt.«

Roberta nickte und tat, als lausche sie aufmerksam auf Violets diverse Hilfsangebote für ihre nicht existierende Freundin. Sie hasste es, ihre Mutter zu belügen, aber manche Schwindeleien machten das Leben einfach leichter. Sie bemühte sich sehr, bei dieser Überlegung nicht an Kevin und Juliet zu denken …

Violet rief ihrer Tochter schließlich persönlich eine Droschke und ließ sie zum Zug bringen – aber als Roberta glücklich darin saß, regten sich in ihr Zweifel an ihrem Tun. Ihre Mutter hatte Recht, auch in Addington würden sie es befremdlich finden, wenn sie zwei Tage zu früh erschien. Und natürlich konnte sie nicht auf Vincent zurennen, sich für ihre Ausreden der letzten Wochen entschuldigen und ihm dann die Ehe antragen! Das Beste wäre wirklich gewesen, bis zum Wochenende zu warten, Vincent freundlich zu begrüßen und sich von Anfang an so offen zu geben, dass es ihm Mut machte. Seine letzten Briefe hatten nach einem Ultimatum geklungen, also würde er sie sicher auf eine Verlobung ansprechen. Dann konnte sie ganz förmlich annehmen und ihre Wankelmütigkeit darauf schieben, dass sie ihren Beruf ungern aufgeben wollte. Es war dann seine Sache, ob er ihr glaubte. Er hatte schließlich mehrmals angedeutet, dass er ihre Schwärmerei für Kevin zumindest erahnte. Später würden sie vielleicht sogar darüber reden können – das Letzte, was Roberta wollte, war ein Geheimnis vor ihrem Mann. Aber jetzt war keine Zeit für solche Geständnisse. Vincent sollte nicht annehmen, dass er die zweite Wahl war.

Aber was machte sie nun mit den zwei unplanmäßigen Tagen in Christchurch? In einem Hotelzimmer vor sich hin grübeln?

Roberta hatte die rettende Idee, als der Schaffner Timaru als nächsten Halt ankündigte. War dies nicht der Ort, in dessen Nähe Richard Pearse lebte? Was, wenn sie hier ausstieg und ein paar Nachforschungen anstellte? Nachdem sie nun die Wahrheit über Kevin wusste – vielleicht erfuhr sie hier für Atamarie die Wahrheit über Richard.

Unternehmungslustig zog Roberta ihre Koffer von der Ablage. Vielleicht konnte sie sich den fantastischen Richard Pearse ja sogar einmal ansehen. Bisher kannte sie ihn nur aus Atamaries Schilderungen – einer Außenstehenden mochte er sich ganz anders darstellen.

Roberta überlegte, als was sie sich ausgeben könnte, um möglichst schon hier in Timaru Auskünfte zu erhalten, aber für konspirative Erkundigungen war sie denn doch zu schüchtern. Und was sollte es, sie hatte ja Zeit. Schließlich nahm sie sich ein Zimmer in der nächstbesten ordentlichen Pension und ließ sich den Weg zum Mietstall zeigen.

»Ich möchte nach Temuka«, erklärte sie der Wirtin. »Da komme ich doch relativ schnell hin, oder?«

»In zwei Stunden, wenn Sie sich beeilen«, meinte die Frau freundlich. »Ich hatte früher öfter eine junge Frau zu Gast, die dort einen Bekannten hatte. Die erzählte mir, sie habe es mal in gut einer Stunde geschafft. Aber Miss Turei fuhr auch wie der Teufel.«

Roberta lächelte. Das ging einfacher, als sie gehofft hatte.

»Ich weiß!«, sagte sie und erläuterte in groben Zügen ihre Mission. Die Wirtin konnte ihr allerdings nicht helfen. »Ich hab den jungen Mann nie gesehen«, erklärte sie. »Was seltsam ist. Man möchte doch meinen, er hätte sie mal zum Zug gebracht. Wenn man seine Pension ehrbar halten will, muss man sich solcher Freunde der weiblichen Gäste sogar oft ein bisschen erwehren – Sie verstehen, was ich meine. Aber da hatten wir nie Schwierigkeiten mit Miss Turei. Natürlich übernachtete sie auch oft in Temuka, aber ich nehme an, bei seiner Familie.«

Roberta ließ das offen, bedankte sich aber für die Auskunft. Sie deckte sich mit allem, was sie über Richard Pearse wusste. Er hatte sich vor Liebe zu Atamarie niemals überschlagen.

Im Mietstall bat sie um ein ruhiges Pferd und ließ sich dann in gemächlichem Trott die weitgehend unbefestigte Straße nach Temuka entlangziehen. Die Landschaft bot keine Überraschungen, es gab Schafweiden und Felder wie überall in den Plains. Rund um Timaru war es noch etwas hügelig, dann ziemlich flach. Auf Roberta wirkte die Gegend trostlos, aber das mochte am Wetter liegen. Es regnete in Strömen, und obwohl sie sich für eine zweirädrige Chaise mit Dach entschieden hatte, wurde Robertas Kleidung doch langsam feucht. Sie atmete auf, als sie Temuka erreichte, ein typisches Dorf in den Plains mit adretten Holzhäusern, einer Schule und einer Kirche. Roberta überlegte, beim Pfarrer nach den Pearses zu fragen, aber ihr fiel kein guter Grund dafür ein. Stattdessen hielt sie einen entgegenkommenden Reiter an und erkundigte sich nach dem Weg zu Richards Farm. Das war sicher unverfänglicher, als direkt nach der Familie Pearse zu fragen.

Schließlich fuhr sie den Weg von der Schule aus abwärts, auf den Atamarie und Richard damals den Flieger hinaufgezogen hatten. Kurz darauf kam schon die besagte Ginsterhecke in Sicht. Roberta musste lächeln. Übermütig zwinkerte sie den Geistern zu, die hier angeblich wohnten. Atamarie hatte ihr all dies so anschaulich beschrieben.

Die Farm war dann allerdings eine Überraschung. Atamarie hatte erzählt, sie sei etwas heruntergekommen und der Hof stünde voller alter Landmaschinen, das Haus war jedoch frisch gestrichen – liebevoll schneeweiß, die Fensterläden und die Veranda in Blau. Die schien auch gerade erneuert worden zu sein, darauf stand ein Schaukelstuhl, und alles wirkte anheimelnd. Auch die Koppeln sahen gepflegt aus. Auf der Hausweide standen zwei gut genährte Pferde. Der Hof befand sich in tadelloser Ordnung. Die Landmaschinen, die neben der Scheune standen, waren nicht alt und verrostet.

Als der Wagen auf den Hof fuhr, bewegte sich eine Gardine hinter einem der Fenster, und gleich darauf öffnete sich die Tür, und eine Frau trat heraus. Sie war in mittlerem Alter und schaute freundlich und mütterlich unter dem breitkrempigen Hut hervor, mit dem sie sich vor dem Wetter schützte.

Sollte das Shirley sein? Aber die konnte nicht so viel älter sein als Roberta und Atamarie!

»Guten Tag!«, grüßte die Frau fröhlich. »Was kann ich für Sie tun? Binden Sie das Pferd ruhig vor der Scheune an, und kommen Sie herein, raus aus dem Regen. Ich freue mich über jeden Besucher!«

Roberta stieg schüchtern vom Wagen. Der Regen durchnässte ihren leichten Umhang sofort.

»Ich … suche eigentlich … Shirley und Richard Pearse«, sagte sie. Der freundliche Empfang war angenehm, aber befremdlich. »Das … das ist doch die Farm von Pearse, oder?«

Die Frau schüttelte den Kopf. »Nein, tut mir leid, junge Frau. Da kommen Sie zu spät. Dies war zwar die Farm von Richard Pearse, aber mein Mann und ich haben sie vor fünf Monaten gekauft. Mr. Pearse hat uns einen guten Preis gemacht, ein netter junger Mann, wenn auch etwas … verwirrt.« Sie lächelte nachsichtig. »Aber kommen Sie gern trotzdem rein, ich habe gerade Kaffee gemacht. Ich bin noch etwas einsam hier, ich freu mich über Gesellschaft! Ich bin übrigens Emma Baker.« Sie hielt Roberta freundlich die Hand hin.

Roberta schlug ein und folgte ihrer Gastgeberin ins Haus.

Warum sollte sie Mrs. Baker nicht den Gefallen tun und ihr etwas Gesellschaft leisten? Sicher konnte sie einiges über Richard Pearse erzählen.

»Warum hat er denn verkauft? Mr. Pearse, meine ich«, fragte Roberta, als eine Tasse Kaffee und ein Teller köstlicher Plätzchen vor ihr standen. Mrs. Baker heizte sogar den Ofen an, damit sie ihren Umhang trocknen konnte. »An sich wollte er doch … also entschuldigen Sie, ich kannte ihn gar nicht. Aber meine Freundin kannte ihn recht gut, und sie meinte, er habe nie wegziehen wollen. Erst recht nicht, nachdem er geheiratet hat.«

»Er hat geheiratet?« Mrs. Baker nahm sich einen Keks. »Also davon weiß ich nichts. Uns hat er nur erzählt, er zöge nach Milton.«

»Milton?«

Roberta verschluckte sich fast an ihrem Kaffee. Milton lag nur gut dreißig Meilen von Dunedin entfernt – und noch näher an Lawrence, dem Ort, zu dem Elizabeth Station gehörte. Es gab eine Zugverbindung nach Dunedin, Pearse hätte Atamarie jederzeit sehen können. Natürlich war sie in den letzten Monaten in Parihaka gewesen. Aber Roberta hätte etwas davon gehört, wenn er nach ihr gefragt hätte.

»Da habe er eine neue Farm gekauft, hier gefiele es ihm nicht mehr, sagte er. Und er hat tatsächlich einen seltsamen Ruf, die Leute haben sich die Mäuler über ihn zerrissen. Insofern verständlich, dass er wegwollte.«

Mrs. Baker schien für so ziemlich jedermann auf der Welt Verständnis aufzubringen. Roberta fühlte sich wohl bei ihr.

»Er war Flieger«, erzählte sie. »Er ist früher geflogen als die Brüder Wright.«

Mrs. Baker zuckte die Schultern. »Ja, wir haben das komische Fluggerät noch in der Scheune. Mr. Pearse mochte es nicht mitnehmen, aber auch nicht seinem Vater geben, der wollte es verschrotten. Während mein Rob meinte, es könnte gern hier stehen bleiben. Frisst ja kein Brot. Und wer weiß, vielleicht wird's noch wertvoll.« Sie lachte. »Jetzt halten die Nachbarn uns auch für ein bisschen komisch. Aber das wird sich schon noch geben ... braucht ja Zeit auf dem Land, bis man mit allen so richtig warm wird.«

Roberta stimmte Mrs. Baker zu. »Aber wenn Sie die Plätzchen für den nächsten Gemeindebasar spenden, wird man Sie lieben!«, bemerkte sie.

Mrs. Baker kicherte. »Oder hassen. Wir kommen aus Sussex, und ich hab früher schon jeden Backwettbewerb auf der Landwirtschaftsausstellung gewonnen. Macht einen nicht unbedingt beliebter ... Aber dazu fällt mir ein – wenn Sie mehr über Mr. Richard wissen wollen, fragen Sie doch auf der übernächsten Farm mal nach, bei Hansleys. Die sind gut bekannt mit den alten Pearses ... welche wiederum uns nicht besonders mögen. Digory behauptet, wir hätten seinen Sohn beim Kauf übervorteilt. Aber das stimmt nicht, bei dem Zustand, in dem das Haus war, konnte er beim besten Willen nicht mehr verlangen.«

Roberta interessierte der Preis für die Farm nicht sonderlich, aber den Namen Hansley hatte Atamarie erwähnt.

»Wollte Richard nicht deren Tochter heiraten?«, fragte Roberta und stand auf, um sich zu verabschieden. »Shirley Hansley?«

Mrs. Baker zuckte die Schultern. »Das weiß ich beim besten Willen nicht, Herzchen. Aber es war wirklich nett, dass Sie vorbeigekommen sind. Es sind überhaupt alle so nett hier in Neuseeland. Außer unseren Nachbarn ... aber das wird schon noch.«

Roberta überließ sie ihrem Optimismus, band ihr Pferd los und fuhr an der Farm der Petersons vorbei zu Hansleys. Eine große Farm, wesentlich ausgedehnter als das Anwesen der

Bakers, aber ebenso gut gepflegt. Der Empfang war allerdings nicht halb so herzlich.

»Was wollen Sie?« Die große blonde Frau schoss auf den Hof, kaum dass Robertas Pferd auf den Anbindeplatz zugetrabt war. Von der Kleidung her hätte sie Mrs. Bakers Schwester sein können, aber sie war nicht gemütlich rundlich, nachsichtig und nett, sondern hager und bärbeißig. »Sie sind hier nicht erwünscht, Sie …«

Roberta blickte verblüfft unter dem Verdeck ihrer Chaise hervor, und die Frau biss sich auf die Lippen, als sie ihr ins Gesicht sah.

»Oh … entschuldigen Sie. Ich habe Sie verwechselt … ich sah nur das Pferd … Aber es ist natürlich eine Mietkutsche. Bitte verzeihen Sie meine Unhöflichkeit, ich dachte, Sie wären diese impertinente kleine Maori …«

»Sie dachten, ich sei Atamarie Turei«, verstand Roberta. Natürlich, Atamarie war Kundin im selben Mietstall gewesen. »Was haben Sie gegen sie? Ich meine … sie ist meine Freundin.«

»Ihre Freundin? Aber Sie sind eine Weiße … na ja, geht mich ja nichts an, ist sowieso Vergangenheit. Wir dachten damals, sie hätte dem jungen Pearse den Kopf verdreht, und Digory und Sarah glauben das immer noch. Aber der brauchte dafür gar keine Maori-Schlampe. Der war von selbst verdreht genug. Unserer Shirley hat er das Herz gebrochen.« Die Frau schniefte.

»Atamarie sagte, er habe sie geheiratet«, wunderte sich Roberta. »Sie meinte, sie hätten wunderbar zusammengepasst.«

»Hätten sie auch!«, erklärte Mrs. Hansley, der offenbar gar nicht aufging, dass sie da gerade die Meinung der verhassten Maori bestätigte. »Sarah Pearse und ich wollten die zwei immer verheiraten, von klein an. Zumal Shirley so geduldig ist … Dick braucht ja wirklich eine langmütige Frau. Aber er wollte nicht

786

so recht, wir dachten schon, er machte sich überhaupt nichts aus Mädchen … Aber dann schleppte er diese Maori an, und Sarah machte gleich eine Kehrtwendung.«

»Sarah ist Richards Mutter?«

Roberta hatte gewisse Schwierigkeiten zu folgen, aber immerhin redete Mrs. Hansley wie ein Buch, auch wenn sie ihren Gast dazu nicht hereinbat, obwohl es weiterhin regnete.

»Sicher. Und sie meinte erst, die Schlampe täte Dick gut. Hat hier alles durcheinandergebracht, das liederliche Ding. Die Jungs liefen rum wie verliebte Gockel, aber sie wollte nur mit Richard an diesem Flugzeug herumbasteln. Wo Sarah doch dachte, sie brächte ihn auf andere Gedanken. Aber wie gesagt, verdreht war er, völlig verdreht … Na ja, und als er das Maori-Weib endlich weggeschickt hatte, da haben wir's noch mal versucht mit ihm und Shirley. Erst einmal, dann tauchte die Kleine wieder auf. Und dann das zweite Mal. Und diesmal sah es gut aus. Die ersten paar Wochen. Er war ganz gefügig, hat wieder auf der Farm gearbeitet, den Unsinn mit seinen Erfindungen gelassen.« Mrs. Hansley sprach das Wort Erfindungen aus, als sei es etwas Ekelerregendes. »Aber dann wurde er wieder renitent. Immer das Gleiche mit ihm, der Wahn kommt und geht … Aber Shirley blieb bei ihm, ein Herz wie Gold hat das Kind. Bis er sie sitzen ließ. Jetzt hat er 'ne Farm in Loudens Gully, irgendwo in Otago. Am Ende der Welt, sagt sein Vater, der arme Mensch, geschlagen ist er mit dem Burschen. Und Shirley haben wir nach Westport verheiratet. Hat sich die Augen ausgeweint, die Gute, weil sie aus Temuka wegmusste. Sie hing doch so an ihrem Elternhaus.«

Richards Farm hatte Shirley wohl auch gefallen, aber Pearse selbst schien sie weniger Tränen nachgeweint zu haben. Roberta fragte sich, ob er die Geduld des goldherzigen »Kindes« nicht letztlich überstrapaziert hatte.

»Es war wirklich nett, mit Ihnen zu plaudern«, meinte sie

schließlich. Tatsächlich waren Mrs. Hansleys Ausführungen durchaus erhellend gewesen, aber das Verdeck der Chaise hielt dem Regen nun kein bisschen mehr stand. Mrs. Hansley machte die Feuchtigkeit weniger aus, die schützte auch ihr breitkrempiger Hut vor den Fluten. »Aber ich muss nun wirklich fahren. Und Sie meinen, Richard Pearse habe wirklich eine Farm gekauft? Er wollte nicht doch versuchen, von seinen ... Erfindungen zu leben?«

Mrs. Hansley schüttelte entschieden den Kopf. »Schafzucht«, sagte sie. »Richard macht in Schafzucht. Oben in Otago. Wer sollte ihm denn auch Geld geben für seine Hirngespinste?«

Roberta bedankte sich und ließ ihr Pferd antreten. Sie wollte heraus aus dem Regen, und sie musste nachdenken. Sollte sie Atamarie von ihren Entdeckungen erzählen, oder behielt sie Richards Geschichte besser für sich?

Roberta fuhr zurück nach Timaru, verbrachte den folgenden Tag dort und stieg am Morgen des nächsten in den Zug nach Christchurch. In einem Vorort stieg sie aus, um dann in den gleichen Zug zu wechseln, mit dem ihre Familie anreiste. Das beruhigte ihre Mutter und machte ihre Geschichte glaubhaft. Violet fragte zwar sofort nach der schwangeren Freundin, aber Roberta hatte sich auch dafür einen Text zurechtgelegt. Sie behauptete, die junge Lehrerin habe das Kind verloren.

»In diesem Fall ein Segen«, meinte Violet und legte das Thema zu den Akten. Roberta atmete auf.

Heather und Chloé waren aufgeregt wegen des bevorstehenden Rennens, aber bester Laune. Ihr Frauen-Kunstfestival war hervorragend angekommen, viele Bilder waren verkauft und sogar ein Teil der Maori-Kunstwerke.

»Atamaries Drachen hätten wir dreimal verkaufen können, aber die wollte sie ja partout nicht abgeben. Ihr neuer Freund scheint der Meinung zu sein, dass sie damit etwas von ihrer Seele hergäbe oder dass die Seele der Drachen leiden würde, wenn man sie irgendwelchen Leuten verkaufte, die sie dann ins Wohnzimmer hängten, statt fliegen zu lassen. Na ja, muss man auch akzeptieren.« Heather lehnte sich gelassen zurück.

Sean schien in Ferienstimmung, während Violet ein bisschen gespalten wirkte. Einerseits freute sie sich natürlich auf Rosie, aber andererseits hasste sie Rennbahnen, hielt Wetten für moralisch mehr als fragwürdig und scheute obendrein die

Begegnung mit ihrem Sohn. Bei ihrem letzten Besuch bei Rosie hatte sie Joe getroffen, aber das Wiedersehen war kurz gewesen, die Atmosphäre angespannt. Violet hatte das neue, protzige Schild vor Joes Ställen genauso an schlechte Zeiten erinnert wie Rosie. Hinzu kam die Ähnlichkeit zwischen ihrem Sohn und ihrem verstorbenen Mann, die sich zwar schon in Joes Kindheit abgezeichnet hatte, sie jetzt aber richtiggehend abstieß. Violet und Joe Fence hatten nichts gemein und einander nichts zu sagen. Joe nahm das hin, er hatte zeitlebens auf seine Mutter herabgesehen und sie am Ende gehasst, Violet jedoch hatte ein schlechtes Gewissen.

»Du hast getan, was du konntest«, versuchte Sean sie zu beschwichtigen, »auch wenn er das vielleicht anders sieht. Aber du musstest ihn vor Coltrane bewahren. Es war genau die richtige Entscheidung, ihn bei diesem anderen Trainer in die Lehre zu schicken.«

»Und was hat's genutzt?«, fragte Violet unglücklich. »Er sieht aus wie Eric und handelt mit Pferden wie Coltrane.«

Sean zuckte die Achseln. »Dein Gatte hat eben ein paar Jahre zu spät das Zeitliche gesegnet. Joe war schon zu sehr von ihm geprägt, um sich noch zu ändern. Aber das ist nicht deine Schuld, Violet, mach dir keine Sorgen.«

»Ich war ihm eine schlechte Mutter«, meinte Violet dennoch, auch wenn Roberta ihr umgehend das Gegenteil versicherte.

Die Schuldgefühle gegenüber Joe gehörten zu Violets Leben, seit sie das Kind geboren hatte. Sie wäre bei der Geburt fast gestorben, und sie hatte den Jungen nie lieben können.

»Wir laden ihn auf jeden Fall zum Familienessen ein!«, erklärte sie jetzt, woraufhin sich Sean an die Stirn fasste.

Rosie und Joe an einem Tisch, das erschien ihm undenkbar. Aber allein die Ankündigung würde wohl ausreichen, damit entweder die eine oder der andere wegblieb.

Am Bahnhof warteten Rosie und Tom Tibbs, aber zu Robertas Enttäuschung war Vincent nicht gekommen.

»Der Doc lässt sich entschuldigen«, erklärte allerdings Tibbs und strahlte über sein ganzes Bulldoggengesicht. »Es geht um eine Überraschung, Miss Fence.«

Rosie nickte eifrig. »Ja, sie kommt vielleicht heute, und ich hab auch schon ...«

»Rosie, nicht! Es wird eine Überraschung!« Bulldog lachte. »Wenn du jetzt schon verrätst, wo du sie ... äh ... hinstellst ...«

Roberta sah ihn an. »Ein Hochzeitsgeschenk für Rosie?«, fragte sie. »Mommy sagt, Sie hätten sie gefragt, Mr. Tibbs? Wirklich? Ich kann's noch gar nicht glauben.«

Rosie ergriff eifrig Chloés und Heathers Koffer. Dabei schüttelte sie vergnügt den Kopf. »Nein! Das Geschenk ist doch für dich, Robbie! Deine ...«

»Rosie!« Bulldog unterbrach seine aufgeregte Verlobte erneut, wieder mit zärtlich nachsichtigem Lächeln. »Du machst dem Doc noch alles kaputt! Jetzt sag lieber mal, wann du mich heiratest.«

In Rosies Gesicht unter der Baskenmütze arbeitete es. »Nach dem Rennen«, meinte sie dann. »Also, jetzt, wenn wir verlieren, oder erst im Frühling oder zu Weihnachten – jedenfalls nach dem New Zealand Cup. Weil ... vorher muss ich noch auf Diamond aufpassen. Bulldog will ja nicht in den Stall ziehen.«

Die Besucher lachten über die sanfte Empörung in ihrem Blick.

»Du willst damit nicht sagen, dass du im Stall schläfst, Rosie!«, entsetzte sich Violet.

Rosie nickte.

»Nicht, wie Sie meinen ... wie du meinst, Miss ... äh ... Violet.« Violet und Sean hatten dem künftigen Familienmitglied beim letzten Fish-and-Chips-Gelage das Du angeboten, aber es fiel Bulldog doch noch schwer, diese feinen Herrschaften wie seinesgleichen zu behandeln. Obwohl er, wie Rosie ihm schon mehrfach versichert hatte, als Rennpferdebesitzer längst selbst zur besseren Gesellschaft zählte – ganz zu schweigen von seinem im Stillen angehäuften Vermögen. »Mein Stallmeister hat ihr seine Wohnung abgetreten. Sie schläft ja sonst nicht vor lauter Sorge um Diamond. Aber nur bis zu diesem Rennen, danach müssen wir neu verhandeln. Du denkst schon dran, zu mir ins Haus zu ziehen oder wieder in dein Zimmer beim Lord, wenn diesmal nichts passiert?«

»Die Vorfälle haben sich also nicht wiederholt?«, mischte sich jetzt Chloé ein. »Dieses mysteriöse Zittern und die Nervosität?«

Bulldog schüttelte den Kopf.

»Doch, einmal!«, widersprach Rosie. »Einmal hatte sie wieder diese glänzenden Augen beim Training. Aber der Doc hatte keine Zeit. Da bin ich trotzdem gefahren, und sie war ein bisschen heftig. Aber sonst …«

»Doc Taylor hat sie hinterher noch mal untersucht, und sie hatte nichts«, meinte Bulldog. »Du machst dich verrückt, Rosie, pass auf, morgen geht alles glatt.«

Rosie kaute auf ihrer Lippe, was sie wieder mal kindlich wirken ließ, aber ihr Ausdruck hatte auch etwas Trotziges. Bulldog und Taylor mochten sagen, was sie wollten, Rosie war nicht überzeugt.

Dementsprechend dramatisch gestaltete sich denn auch die Einladung zum abendlichen Familiendinner im White Hart Hotel. Rosie war absolut nicht davon zu überzeugen, Diamond allein zu lassen und daran teilzunehmen. Schließlich erhielt sie Schützenhilfe von Chloé und Heather. Zumindest Erstere hatte nämlich auch gleich jegliche Lust am gemeinsamen Dinner verloren, als Violet tatsächlich Joe Fence dazubat und der Trainer auch noch zusagte.

»Ich habe schon ewig nicht mehr Fish and Chips gegessen«, verkündete Chloé jetzt vergnügt. »Und du, Heather? Dabei ist der Pub gegenüber der Bulldog-Spedition dafür doch neuerdings berühmt.« Sie zwinkerte Tibbs zu. »Wie wär's, laden Sie uns zu einer Art Besitzerdinner in Ihren Stall ein, und morgen feiern wir dann ganz feudal den Sieg im White Hart?«

Rosie strahlte.

Roberta war ebenfalls nicht allzu begeistert von einem Essen mit ihrem Bruder, auch sie hatte ihn nie sonderlich gemocht. Aber immerhin tauchte Vincent kurz nach ihrer Ankunft im White Hart auf, entschuldigte sich tausendmal für die Verspätung und nahm die Einladung zum Dinner gern an. Er wirkte etwas mitgenommen, anscheinend hatte er sich für seine Überraschung ziemlich abgehetzt, und jetzt hatte es doch nicht geklappt.

Roberta nutzte die Gelegenheit, ihm den Tag zu retten. Spätestens seit sie ihn besorgt und beunruhigt in der Hotellobby gesehen hatte – ein absolut verlässlicher Mensch, der sich schon wegen einer kleinen Verspätung Gedanken machte –, war sie sich noch sicherer in ihrem Entschluss. Und diesmal hatte sein Anblick ihr Herz auch dazu gebracht, erheblich schneller zu schlagen. Es war derart einfach und selbstverständlich, Vincent Taylor zu lieben – warum hatte sie sich bisher nur so schwer damit getan?

»Schenk mir was anderes«, sagte sie entschlossen, »was auch immer diese spannende Überraschung so kompliziert macht – ein Paar Ringe zu kaufen kann nicht schwierig sein … Und ich tue dann auch ganz überrascht.«

Während Bulldog und Rosie, Chloé und Heather sich in Diamonds Stall blendend amüsierten, verlief das Essen der Coltranes und Fences in seltsam gespaltener Atmosphäre. Vincent Taylor strahlte vor Glück, und Roberta zeigte eine Art inneres

Leuchten. Violet erkannte ihre Tochter kaum wieder. Bis vor ein paar Tagen war sie ihr noch mädchenhaft und mitunter unreif erschienen, aber jetzt erkannte sie eine junge Frau, die endlich ganz mit sich im Reinen war. Violets inquisitorische Befragung des künftigen Schwiegersohnes fiel denn auch milde aus, und Sean Coltrane ließ Vincent ebenfalls ungeschoren. Die beiden Männer waren sich gleich sympathisch und sprachen über Politik und Südafrika. Joe Fence hatte dazu nichts beizutragen. Roberta und Violet unterhielten ihn mühsam mit Erkundigungen über sein bisheriges Leben und seine Arbeit.

»Du hast jetzt einen eigenen Rennstall«, meinte Roberta und versuchte, so etwas wie Bewunderung in ihre Stimme zu legen.

Joe, der in seinem karierten Anzug und der Schiebermütze etwas zu gewöhnlich für das feine Restaurant des Hotels wirkte, zuckte die Schultern. »Hab ich schon lange. Aber jetzt 'nen neuen, weil die Rennclubs zusammengelegt wurden. Ist größer und macht mehr her ... Ich führ dich gern mal rum. Dich auch, Mutter!«

Violet nickte und heuchelte Interesse. »Ich schau mir gern mal an, was du dir aufgebaut hast.«

»Und du fährst morgen auch ein Pferd in dem Qualifikationsrennen?« Roberta faltete geziert ihre Serviette.

Joe fuhr sich mit seiner über den Mund. »Drei«, sagte er stolz. »Von meinem Stall sind drei im Rennen. Das Beste fahr ich selbst, die anderen meine Lehrlinge ... wenn's gut geht, machen wir Platz 1 bis 3.« Er grinste.

Roberta runzelte die Stirn. »Und Rosie? Meinst du, Diamond hätte so gar keine Chance?«

Joe hob die Arme. »'n Weib und 'n Pony?« Er lachte.

Vincent Taylor unterbrach sein Gespräch mit Sean. »Na, na, Fence, das Weib und das Pony haben Sie aber schon mehr als einmal auf hintere Plätze verwiesen! Rosie hat gute Chancen,

Roberta. Aber Joe natürlich auch. Es wird hoffentlich einfach der Bessere gewinnen ...« Dabei sah er Joe Fence forschend an. Fence blickte treuherzig zurück. »Sie sagen's, Doc. Wo kann ich denn hier noch ein Bier bestellen?«

Der Rennbetrieb begann früh am nächsten Morgen. Es war sehr hektisch – die Pferde mussten gefüttert, auf Hochglanz gestriegelt und warmgeführt werden, Diamond zog zu alledem noch um. Das Qualifikationsrennen war eins der wichtigsten des Tages und würde erst am Nachmittag gefahren, aber Rosie wollte vorher noch zwei der anderen von ihr trainierten Pferde in Nachwuchsrennen vorstellen. Diamond sollte die Zeit bis zum Rennen in ihrem alten Stall bei der Bahn verbringen – und Rosie hatte Bulldog schon angestellt, sie dort möglichst ständig zu überwachen.

»Und wir sind ja auch noch da!«, meinte Chloé, setzte ihren Hut ab und putzte trotz ihres eleganten Tageskleides noch ein bisschen an Diamond herum. »Ach, ich habe Trabrennen geliebt!«, seufzte sie. »Wenn Colin nur kein solcher Gauner gewesen wäre.«

»Sag nicht, ich kann dich nur weiter glücklich machen, indem ich dir ein Gestüt kaufe.«

Heather seufzte. Auch sie mochte Pferde, aber eine derartige Leidenschaft wie ihre Lebensgefährtin brachte sie nun doch nicht für die Vollblüter auf.

Chloé lächelte ihr zu. »Einen Rennstall«, neckte sie die Freundin. »Wir lassen nur Stuten rennen: ›Die Geschwindigkeit ist weiblich.‹«

Die beiden kicherten über die Anspielung auf ihr Kunstfestival. Rosie blickte sie verständnislos an.

»Passt bloß alle gut auf!«, mahnte sie ihre Wächter, als sie mit dem ersten der jungen Pferde auf die Bahn fuhr.

Bulldog platzierte sich brav neben Diamonds Box, während

Heather und Chloé schnell untreu wurden. Die zwei lockte die Besitzerloge mit Canapés und Champagner. Das Frühstück im Stall war spartanisch ausgefallen.

Rosie lenkte ihr erstes Pferd, eine hübsche braune Stute, souverän um die Bahn, und die Zuschauer, die zu dieser Zeit schon erschienen waren, klatschten, als sie als Dritte einlief. Zumindest wer auf Platz gewettet hatte, nahm ein paar Schilling mit. Der Renntag versprach vielversprechend zu werden. Auch das Wetter spielte zum Glück mit. Für die Pferdebesitzer in ihrer Loge war das natürlich egal, und ein Teil der neuen Zuschauertribünen war überdacht, aber für Pferde und Fahrer war es angenehmer, im Trockenen zu starten.

Violet, Sean und Roberta hatten es nicht allzu eilig, auf die Rennbahn zu kommen. Sie gönnten sich ein ausgiebiges Frühstück im Hotel, und Roberta freute sich über den guten Eindruck, den Vincent auf ihre Eltern gemacht hatte.

»Nur dass du wieder auf einer dieser Rennbahnen landest, gefällt mir nicht«, meinte Violet. »In dem Umfeld Kinder aufziehen …«

Sean lächelte. »Violet, Liebes, es ist doch ein Unterschied, ob jemand als Rennbahntierarzt arbeitet, oder als Trainer. Vincent mag die Kinder zwar manchmal mitnehmen, aber bestimmt wird er sie nicht zum Wetten oder gar zum Wettbetrug verleiten. Eher verleidet er ihnen das Renngeschäft. Er schien übrigens sehr um die Tiere besorgt, während er Joe Fence wohl eher weniger mag.«

»Wer mag den schon?«, fragte Roberta.

Violet biss sich auf die Lippen. »Er ist immerhin dein Bruder, Roberta. Und er … also er hat es ja durchaus zu etwas gebracht hier. Vielleicht müssen wir ein bisschen mehr Respekt aufbringen, wir …«

»Du bist eine sehr gute Mutter!« Roberta und Sean sagten den Satz wie aus einem Mund und lachten.

Violet und Sean ließen sich dann gern von Chloé in die Besitzerloge einladen, aber Roberta suchte Vincent in den Ställen. Die waren an diesem Tag allerdings nicht so ohne Weiteres zu betreten. Ein als Wächter abgestellter Stalljunge wies Roberta höflich, aber bestimmt ab.

»Sie müssen das verstehen, wir können nicht jeden in die Ställe lassen. Da herrscht sowieso schon ein ziemliches Durcheinander, wenn auch noch Fremde dazukommen, regen die Pferde sich noch mehr auf ... und die Fahrer.« Er grinste entwaffnend. »Aber vielleicht setzen Sie sich einfach da auf die kleine Tribüne – die halten wir frei für die Trainer und den Veterinär und so. Und ich sag dem Doc, dass Sie da sind. Wenn er Zeit hat, schaut er nach Ihnen. Ist das recht?«

Roberta nickte. Im Grunde setzte sie sich ganz gern, sie hatte die Bequemlichkeit mal wieder der Mode geopfert und trug ein Korsett und ein sehr elegantes Samtkostüm in dunklem Fliederton mit dazu passendem Hütchen. Es sah gut aus, engte ihre Bewegungen aber ziemlich ein und war alles andere als geeignet für einen Stallbesuch. Also wartete Roberta und winkte kurz darauf Rosie zu, die ihr zweites Rennen fuhr. Diesmal ging ein Rapphengst vor dem Sulky – und kurz nach dem Start tauchte Bulldog neben Roberta auf der Tribüne auf. Er schien den Versuch zu machen, sich hinter ihr zu verstecken.

»Ganz schnell, Rosie darf mich nicht sehen, ich sollte ja eigentlich bei Diamond bleiben. Aber ich muss schauen, wie Dream läuft. Das ist nämlich meiner, der Hengst. Hübscher Kerl, nicht? Und so 'ne Art Glücksbringer. Hätte ich den nicht gekauft, dann hätte ich Rosie nie wiedergefunden. Spirit's Dream heißt er. Und Rosie hat schon seinen Vater gekannt. Hält ihn für sehr vielversprechend. Aber jetzt hat er lange gelahmt, ein Wunder, dass er heute wieder starten kann. Rosie wollte erst nicht, aber der Doc sagt, sie soll ihn ruhig fahren. Und das muss ich doch miterleben.«

Rosie und Dream sollten ihren eifrigsten Bewunderer nicht enttäuschen. Der schwarze Hengst war bester Stimmung und lief das Rennen seines Lebens. Mit einer ganzen Pferdelänge Vorsprung ging er vor einem Pferd aus Joe Fence' Stall ins Ziel.

Bulldog schrie und jubelte wie ein kleiner Junge, besann sich dann aber auf seine Pflichten.

»O Mann, ich muss zurück in den Stall. Wenn mich Rosie hier erwischt, wird sie böse. Und jetzt muss ich auch noch so tun, als wüsste ich's noch nicht mit dem Sieg ... Nicht dass Sie mich verraten, Roberta!«

Roberta sah ihm lächelnd nach und machte das Siegeszeichen, als Rosie mit Dream nach der Ehrenrunde an ihr vorbeitrabte. Sie konnte nicht widerstehen, auch Joe zuzuwinken, der Rosie verdrossen folgte. Er grüßte bärbeißig. Dreams Sieg war zweifellos eine peinliche Schlappe. Aber das wichtigste Rennen des Tages stand ja noch aus.

Vincent schaute zur Mittagszeit kurz bei Roberta vorbei und entschuldigte sich wieder wortreich.

»Dies sollte unser Wochenende werden, Robbie, ich hatte mich so auf dich gefreut. Aber heute scheint so ziemlich jedes Pferd ein Wehwehchen zu entwickeln, das in irgendeinem Rennen starten soll. Ich war allein schon dreimal bei Joe Fence, und Rosie musste mir ihren Dream auch unbedingt kurz vor dem Rennen noch mal vortraben, als ob sie nicht selbst sehen könnte, ob er lahmt oder nicht. Aber morgen nehme ich mir Zeit für dich, bestimmt ... und bis dahin ist hoffentlich auch ...«

»Doc? Sie sollen gerade noch mal zu Fence rüber. Eine Kolik.« Der Stalljunge verzog bedauernd das Gesicht. »Tut mir leid, Doc ...«

Vincent seufzte. »Na, dann werde ich mich mal beeilen, nicht dass ich nachher noch Rosies Rennen verpasse. Die Qualifikation will ich auf jeden Fall sehen. Also halt meinen Platz frei, Robbie!«

Er küsste sie flüchtig, wozu der Stallbursche vergnügt grinste, und machte sich dann auf den Weg.

»Da stimmt doch was nicht, Bulldog, sie hat schon wieder diesen Glanz in den Augen ...«

Rosie hatte Diamond eingespannt, was nicht ganz einfach gewesen war. Die Stute war nervös, schien sich ungern von ihren Stallgefährten zu trennen und zappelte herum, als Rosie sie vor den Sulky führte.

Bulldog schaute Diamond prüfend an. »Aber sie schwitzt nicht oder so. Keine Kolik oder irgendwas in der Richtung, sie ist sicher wieder nur aufgeregt.«

Tatsächlich war Diamonds Körper zwar heiß, aber trocken. Auch ihr Maul schien trocken zu sein.

»Vielleicht braucht sie was zu trinken.« Bulldog rannte los, um einen Eimer zu holen, und tatsächlich trank Diamond gierig. »Da, sie hat's so eilig, dass es ihr schon aus dem Maul rausläuft«, meinte er zufrieden. »Das wird's gewesen sein.«

»Aber sie hatte doch Wasser in der Box«, bemerkte Rosie und warf einen Blick auf den fast vollen Eimer im Stall. »Na ja, das kann natürlich schmutzig gewesen sein, wann hast du es denn das letzte Mal ausgetauscht?«

Bulldog warf ihr einen etwas beleidigten Blick zu. »Also sollte ich jetzt Wasser schleppen oder das Goldstück nicht aus den Augen lassen?«, fragte er. »Egal, jetzt hat sie getrunken, jetzt kann sie laufen.« Er streichelte über Diamonds breite Stirn. »Viel Glück, Hübsche. Und noch mehr Glück, meine noch Hübschere!« Er wollte Rosie küssen, aber die schob ihn nervös weg.

»Tom, ich weiß, ich bin verrückt. Aber wenn du den Doc findest – es wäre einfach besser, er sieht sie sich noch mal an. Nicht dass wir ein Risiko eingehen. Wir ...«

Bulldog nickte resigniert. »Ich such ihn«, stimmte er zu.

»Aber wenn ich ihn nicht mehr finde – warte nicht hier, Rosie. Fahr dieses Rennen und halt das Pferd diesmal nicht zurück.«

»Aber wenn sie jemand vergiftet hat …« Rosie griff unsicher nach den Zügeln.

»Herrgott, Rosie, wir haben sie doch keine drei Minuten aus den Augen gelassen! Also bring sie jetzt raus, ich suche den Doc. Ich tu, was ich kann, Rosie, viel Glück!«

Rosie nickte getröstet. Diamond tänzelte, als sie antrabte. Schwach schien die Stute sich zumindest nicht zu fühlen.

Vincent stieß erst zu Roberta auf die Tribüne, als die Pferde schon Startaufstellung nahmen.

»Puh, gerade noch rechtzeitig! Hab ich mich abgehetzt! Und obendrein war's falscher Alarm. Was ich eigentlich gar nicht kenne von Fence, der spart sonst gern am Tierarzt. Und Kolik falsch zu diagnostizieren ist ja nun auch nicht so einfach … na ja, besser so als anders, das Pferd war jedenfalls putzmunter. Rosie schon am Start?«

Im gleichen Moment hastete Bulldog auf die Tribüne.

»Da sind Sie, Doc! Aber doch nicht schon die ganze Zeit, oder? Harry …«, er wies auf den Stalljungen, der die Zugänge bewachte, »… hat mir vorhin gesagt, Sie wären zu 'ner Kolik.«

Vincent nickte. »Gerade zurückgekommen. Was steht denn an?«

Bulldog hob entschuldigend die Schultern. »Das Übliche: Sie sollten sich Diamond noch mal anschauen. Sie ist nervös, hat so komisch strahlende Augen, fühlt sich heiß an …«

»… hat aber kein Fieber«, ergänzte Vincent. »Tut mir leid, Tom, ich hätte Rosie gern beruhigt, aber …«

»Strahlende Augen?«, fragte Roberta lächelnd. »Benutzt sie Belladonna-Tropfen? Da hab ich gerade drüber gelesen, die Damen pflegten es sich früher in die Augen zu träufeln, um feurig auszuschauen.«

Bulldog lachte, und auch Vincent verzog zunächst den

Mund, aber dann wurde er ernst. »Heiliger Himmel, Atropin! Tollkirschenextrakt! Dazu passt alles, die Stimmungsveränderungen, die trockene, heiße Haut, das Zittern und das angebliche Schwanken ... Hatte sie Schluckbeschwerden, Tibbs?«

»Durst. Und das Wasser lief ihr ein bisschen aus dem Maul, sie ...«

Vincent sprang auf. »Atropin, niedrig dosiert, sonst wäre sie schon tot. Kommen Sie mit, Tibbs, schnell, wir müssen das Rennen aufhalten. Wenn sie mitten im Rennen umfällt ...«

Vincent und Bulldog hasteten die Tribüne hinunter, gefolgt von Roberta.

»Aber wir haben sie doch den ganzen Tag beobachtet«, wandte Bulldog ein. »Wir ...«

»Und wer war bei ihr während des Rennens von Ihrem Hengst?«, fragte Roberta. »War sie da allein?«

Bulldog schüttelte den Kopf. »Was denken Sie? Da war ein Pfleger vom Lord im Stall. Dieser Finney. Ich hab ihn gebeten, ein Auge auf sie zu halten.«

Vincent hielt kurz inne. »Dieser schmierige, den er damals für Rosie eingestellt hat? Von dem Rosie immer sagte, er arbeite nicht gut?«

Bulldog zuckte die Schultern. »Ist mir nie aufgefallen. Eigentlich war er ganz eifrig, sogar nachts ...«

Vincent fasste sich an die Stirn. »Hören Sie zu, Tibbs, Sie gehen jetzt runter und versuchen, das Rennen aufzuhalten. Und ich kümmere mich um den Mistkerl von Pfleger. Wir müssen wissen, wie viel er ihr gegeben hat!«

»Sie meinen wirklich, sie kann tot umfallen?«

Bulldog warf einen verzweifelten Blick auf die Bahn. Die Pferde trabten gerade an. Es würde nicht einfach sein, das jetzt noch aufzuhalten.

»Hauen Sie ab, Bulldog!« Vincent wies entschieden Richtung Bahn. »Bevor ich nicht weiß, wie viel sie bekommen hat, kann ich da gar nichts sagen. Aber es besteht höchste Gefahr. Also machen Sie schon!«

Bulldog rannte zur Rennleitung, schien sich dann aber zu besinnen und nahm einen anderen Weg. Vincent jagte, gefolgt von Roberta, zu den Ställen.

Finney, der Stallbursche, machte sich bei Barringtons Galoppern zu schaffen. Von ihnen brauchte an diesem Sonntag keiner auf die Bahn, der Renntag war allein den Trabern gewidmet. Umso seltsamer, dass der Kerl sich hier herumtrieb.

Roberta erschrak, als Vincent ihn an der Jacke fasste, herumriss und einen Boxhieb in seinem Gesicht platzierte.

»Ich entschuldige mich hiermit, falls ich den Falschen habe«, sagte er kurz. »Aber wenn ich den Richtigen habe, dann nehmen Sie das bitte statt längerer Vorrede. Was haben Sie der Stute gegeben und wie viel?«

Der Mann rappelte sich auf. »Welcher Stute? Und wie ...«

Vincent versetzte ihm einen zweiten Schlag. »Vielleicht verraten Sie uns auch, wer Sie beauftragt hat. Aber zuerst: was und wie viel?«

Vincent hielt ihn fest, um sofort wieder zuschlagen zu können, wenn er nicht redete. Roberta sah ihn fassungslos an. Hatte sie bis zum Vortag noch gedacht, Vincent wäre eher weich?

»Ich ... ich weiß nicht ... fünf Tropfen ... Weiß nicht, was drin ist. Stärkungsmittel ...« Der Stallknecht presste die Worte zwischen seinen blutenden Lippen hervor.

»Stärkungsmittel. Klar. Wo sind die Tropfen? Und wagen Sie es nicht, abzuhauen!« Vincent ließ den Mann los, der daraufhin gegen eine Putzkiste taumelte.

»Keine Tricks!« Vincent folgte ihm und schob sich schützend vor Roberta. »Wenn Sie mir mit einer Waffe kommen ...«

Der Mann hob verängstigt die Arme. »Hey ... Frieden! Hab doch keine Waffe. Nur die paar Tropfen da.« Er wies auf ein Regal.

»Hol sie her, Roberta.« Vincent fixierte sein Opfer gnadenlos. »Steht irgendwas drauf?«

»Atropin«, las Roberta und studierte die Angaben zur Lösung.

Vincent nickte. »Haben Sie ihr immer fünf Tropfen gegeben?«, fragte er.

Der Mann schüttelte den Kopf. »Sonst drei. Aber diesmal, Mr. Fence meinte ...«

Vincent versetzte ihm einen abschließenden Kinnhaken. »Verschwinden Sie! Eigentlich sollte man Sie einsperren, aber ich hab jetzt Wichtigeres zu tun, als jemanden zu suchen, der auf Sie aufpasst. Also ab dafür! Aber wehe, Sie haben gelogen ...«

Vincent eilte aus dem Stall, Roberta rannte keuchend hinterher. »Stirbt sie daran?«, fragte sie.

Vincent schüttelte den Kopf. »Eher nicht. Aber sie sollte ruhiggestellt werden. Die Kreislaufbelastung durch das Rennen ... eine Gefahr besteht da schon. Verdammt, wir hätten eher drauf kommen können. Dieser Fence ist ein Spieler. Der wollte sie nicht umbringen, nur schlecht abschneiden lassen. Und das Mittel ist perfekt gewählt. In kleinen Mengen macht es euphorisch, das erklärt die Heftigkeit. Und es beeinträchtigt die Sehkraft – das Scheuen in Auckland ... O Gott, was ist das?«

Während der Rennen herrschte auf den Tribünen immer ein ohrenbetäubender Lärm, Vincent und Roberta hatten gar nicht darauf geachtet. Aber jetzt – es klang wie ein kollektiver Aufschrei oder doch ein Ausdruck von Verwunderung.

»Da ist was passiert!«

Roberta rannte hinter Vincent her, so schnell ihr Korsett es erlaubte. Im Stillen schwor sie sich, nie wieder eines zu tragen.

Das Bild eines schweren Unfalls bot sich zumindest nicht, als die beiden die Bahn endlich erreichten. Das Feld raste eben heran, die Pferde kamen um die Kurve auf die Zielgerade zu, die erste Runde war gelaufen.

»Also, gestürzt scheint keiner zu sein«, keuchte Vincent. Er blickte zu den Pferden hinüber, aber Roberta sah in die andere Richtung.

»Vincent, da!«

Bulldog kletterte eben über die Absperrung vor den Tribünen und machte Anstalten, sich den Pferden in den Weg zu werfen.

»Er versucht, das Feld aufzuhalten. Die Rennleitung hat wahrscheinlich nicht reagiert!«

Vincent rannte in Bulldogs Richtung. »Tibbs! Tibbs, sind Sie verrückt? Die halten doch niemals an!«

Vincent brüllte die Warnung heraus, aber natürlich kam sie zu spät. Weder konnte Bulldog ihn hören noch konnte er ihn von seiner Position aus rechtzeitig erreichen und zurückreißen. Ein paar Männer aus dem Publikum versuchten das bereits, aber der bärenstarke Fuhrunternehmer schüttelte sie ab wie lästige Insekten.

Roberta konnte nicht hinsehen – wenn er sich den Pferden in den Weg warf, würde er zweifellos überrannt werden. Aber dann hielt Bulldog plötzlich inne – und blickte auf den Rasen in der Mitte der Bahn. Rosie lenkte ihre Stute eben im Schritt darüber, beschleunigte allerdings alarmiert, als sie ihren Verlobten beim Überklettern der äußeren Bande sah. Nach innen war die Rennbahn nicht begrenzt. Rosie und ihr Pferd hatten sie ungehindert verlassen können – irgendwann zwischen dem Start und der zweiten Kurve.

Bulldog sah aus, als wolle er über die Bahn auf sie zurennen, aber dann nahm er Vernunft an und lehnte sich dicht an die Bande, als das Feld vorüberdonnerte. Erst dann stürmte er gleichzeitig lachend und weinend auf Rosie und Diamond zu.

Vincent und Roberta folgten ihm.

»Du bist nicht böse, nein?«, fragte Rosie ängstlich ihren Verlobten. Dabei hätte sie eigentlich schon an seiner heftigen Umarmung merken müssen, dass er alles andere als Ärger empfand. »Aber Diamond … sie lief schnell, doch irgendwas stimmte nicht … Doc …«

Vincent hatte sein Stethoskop schon hervorgeholt und hörte das Herz der Stute ab. Diamond schien jetzt ein wenig zu schwanken.

»Ist gut, Rosie, Sie haben das Klügste gemacht, was Sie tun konnten. Jetzt schirren wir sie ab, bringen sie langsam in den Stall und geben ihr Aktivkohle. Nicht weinen, Rosie, sie stirbt nicht. Sie erholt sich. Aber es ist …«

Bulldog hatte sich inzwischen wieder gefasst. »Wer war es?«, fragte er zwischen zusammengebissenen Zähnen. »Wer war das Schwein? Wenn ich den erwische …«

Vincent wies auf das eben erneut herantrabende Feld.

»Wenn Sie sich beeilen, erwischen Sie ihn gleich bei der Siegerehrung … Lassen Sie sich nicht aufhalten. Aber bringen Sie ihn auch nicht gleich um. Es war Joseph Fence.«

»Was passiert denn jetzt mit ihm?« Rosie konnte nicht aufhören zu weinen.

Drei Stunden nach dem Rennen hatte Diamonds Zustand sich wesentlich gebessert. Die Dosis, die der Pfleger ihr verabreicht hatte, war wieder nicht hoch gewesen, theoretisch hätte Diamond das Rennen laufen und vielleicht sogar gewinnen können. Aber ebensogut hätte sie schwanken, stolpern und Rosie und den Sulky mit sich herunterreißen können. Das war schon lebensgefährlich, wenn nur ein Pferd beteiligt war. Aber bei dem großen Qualifikationsrennen wären höchstwahrscheinlich weitere Pferde in das verunglückte Gespann hineingerannt. Fence hatte den Tod zahlreicher Menschen und Tiere riskiert.

»Mit wem?«, fragte Vincent, der sichtlich erleichtert wirkte. Er hatte eine ganze Weile um Diamond gebangt. »Mit Tibbs oder Fence? Also Tibbs werden sie bald aus der Zelle rauslassen. Sean Coltrane setzt sich schon für ihn ein, und es ist ja nicht zu befürchten, dass er weiter randaliert. Aber Fence wird sich mit dem gebrochenen Kiefer noch einige Wochen rumschlagen. Die Nase hat auch was abgekriegt, oder? Also, jedenfalls freut der sich heute nicht an seinem Sieg.«

»Und er kommt doch wohl ins Gefängnis, oder?«, fragte Roberta.

Sie hatte Vincent und Rosie in den Stall begleitet und Bulldogs Auftritt bei der Siegerehrung nicht mitbekommen. Laut Chloé und Heather war es allerdings furios gewesen. Der kräftige Fuhrunternehmer hatte Fence vor sämtlichen Zuschauern, der Rennleitung und den anderen Fahrern eine Lektion erteilt.

Chloé zuckte die Achseln. »Also, eine Strafe kriegt eher Bulldog«, meinte sie dann realistisch. »Joe wird kaum etwas nachzuweisen sein. Ihr hättet den Stallknecht nicht entkommen lassen dürfen. Konntest du ihn nicht mit deinem Strumpfband fesseln, Robbie?«

»Es erschien uns wichtiger, das Pferd zu retten«, meinte Vincent. »Aber ich hab den kleinen Harry vorhin losgeschickt, die umliegenden Kneipen zu kontrollieren. Mit ein bisschen Glück ist der Kerl noch nicht weg, sondern wäscht erst seine Wunden mit Whiskey aus.« Er lachte grimmig. »Aber sonst … wenn Fence es abstreitet, wird er gerichtlich nicht zu belangen sein. Hier auf der Rennbahn kriegt er allerdings sicher kein Bein mehr auf den Boden. Die Trainer und Fahrer werden mir glauben – und sie dürften ganz schön wütend sein. Der Kerl hat ja nicht nur Rosies Leben riskiert, sondern auch ihres.«

»Also, sperren sie Bulldog ein und Joe nicht?«, fragte Rosie mutlos. »Aber das ist nicht fair!«

»Angesichts dieser Erkenntnis hast du jetzt vielleicht endlich genug vom Rennsport!«

Violets energische Stimme erklang vom Eingang des Stalles. Sie war eben gefolgt von Sean eingetreten, und Rosie stürzte sich in die Arme ihrer älteren Schwester wie ein Kind in die seiner Mutter. Sie schluchzte jetzt haltlos. Die Sorge um Diamond war schon viel gewesen, aber wenn nun auch noch Bulldog im Gefängnis landete …

Violet streichelte sanft über ihr Haar, und Sean Coltrane schüttelte den Kopf.

»Nun mach ihr keine Angst, Violet«, sagte er freundlich. »Tom Tibbs ist schon wieder raus aus der Polizeistation, Rosie. Er wartet auf dich. ›Zu Hause‹, sagt er. Um noch mit uns herzukommen war er doch ein bisschen zu mitgenommen.« Drei kräftige Männer waren nötig gewesen, um Bulldog von Joe Fence wegzureißen, und die Polizei war bei der Verhaftung auch nicht sonderlich sanft mit ihm umgegangen. »Jedenfalls sollst du Diamond zu ihm in den Stall bringen, wenn es schon wieder geht. Roberta und Vincent werden zudem wegen der Überraschung erwartet. Die ist vorhin eingetroffen.« Sean zwinkerte Vincent zu. »Ach ja, und falls jemand Hunger haben sollte – Tom bestellt schon mal Fish and Chips …«

Für jeden, der Rosie kannte, musste es eine Sensation sein, dass sie Vincent und dem Stallmeister die Aufgabe überließ, Diamond in Bulldogs Stall zu bringen, während sie ihrerseits zuerst nach ihrem Verlobten schaute. Chloé und Heather hatten sich abgesetzt, allerdings mit der Ankündigung, gleich wiederzukommen.

»Wir essen gern noch mal Fish and Chips«, lachte Heather, »Aber diesmal gibt's Champagner dazu! An Bier werde ich mich in diesem Leben nicht mehr gewöhnen.«

In der Hoffnung, dass ihnen das Hotelrestaurant ein paar

Flaschen verkaufte, nahmen die Frauen eine Droschke Richtung White Hart.

Sean hielt Violet zurück, als sie Roberta und Vincent in Bulldogs Ställe folgen wollte. »Nun lass sie mal allein die Überraschung begrüßen«, meinte er augenzwinkernd. »Das Ganze mündet zuverlässig in die nächste Verlobung, und du brauchst nicht weiter nach Gründen zu suchen, gleich mit uns Champagner zu trinken. Bei so vielen freudigen Ereignissen kann dir keine Enthaltsamkeitsfanatikerin einen Vorwurf machen.« Violet setzte zu einem Vortrag darüber an, dass die Entdeckung von Joe Fence' Rennmanipulationen alles andere als erfreulich war. Im Grunde hatte sie ihren Sohn an diesem Tag erneut und endgültig verloren. Sean, der ihren Kummer spürte, legte seinen Arm um sie. »Nun vergiss mal die Vergangenheit. Du hast deine Schwester gerettet, und du hast deine Tochter gerettet – vor allem hast du dich gerettet. Dass du Joe nicht retten konntest ... er hatte alle Chancen der Welt. Und er wird auch wieder auf die Füße fallen, selbst wenn er hier Ärger kriegt. Dann geht er eben auf die Nordinsel und fängt von vorne an.«

Die Kaltblüter und Cobs in Bulldogs Stall begrüßten ihre Stallgefährtin Diamond mit lautem, tiefem Wiehern, als Vincent die Stute hereinführte. Aber Roberta vernahm hinter all dem ein höheres, sanftes Blubbern. Verwundert folgte sie dem seltsam vertrauten Ton, während Vincent dem Stallmeister Fütterungsanweisungen für Diamond gab – und traute ihren Augen nicht, als sie das weiße Basuto-Pony im hintersten Stall der Spedition erkannte! Lucie wirkte ein bisschen abgemagert und mitgenommen, aber sie erkannte Roberta und wieherte ihr zu, genau wie sie es in Afrika getan hatte.

»Vincent! Ist das die Überraschung? Aber ... aber das kann doch nicht ... Du hast mein Pferd aus Afrika geholt?« Ungläubig streichelte sie Lucies weiche Nüstern.

Vincent strahlte, als er zu ihr kam. »Eigentlich wollte ich ein großes Ding aus der Überraschung machen, also ihr zumindest eine Schleife um den Hals binden ... aber ihr habt euch ja schon gefunden. Freust du dich?«

Roberta nickte. »Sicher. Aber ... aber wie ging denn das? Ein Pferd aus Afrika ... das war doch bestimmt sehr teuer.«

Vincent schüttelte den Kopf. »Ach was, ich hab nur ein paar Beziehungen spielen lassen. Sie ist mit dem Kavallerieregiment aus Christchurch gereist. Die haben ihre Pferde ja auch mit nach Hause gebracht. Und da Pferde zwischen Freunden und Feinden keinen Unterschied machen, sprach sich auch keiner der Vierbeiner gegen die Zuladung aus.« Er lächelte.

Roberta lehnte sich an ihren Freund. »Ich hab's nie gesagt, aber ich hab mir Sorgen um sie gemacht. Hab drüber nachgedacht, was da drüben aus ihr geworden ist.«

Vincent zog sie an sich. »Da haben wir's. Du magst Pferde eben doch. Und ich dachte, wenn du jetzt ein lebendiges hast, dann trennst du dich vielleicht endlich mal von dem hier.«

Er wies auf ihre Handtasche, und Roberta errötete. Tatsächlich hatte Roberta sich immer noch nicht von dem Stoffpferdchen, das Kevin vor Jahren für sie gewonnen hatte, trennen können. Mittlerweile baumelte es an ihrer Ledertasche. Sie hatte es vor der Reise endgültig wegwerfen wollen, aber dann brachte sie es doch nicht übers Herz.

»Das ist ... ein ... ein Glücksbringer«, flüsterte sie.

Vincent schaute streng. »Das war ein Fetisch, meine Liebste. Leugne es nicht, ich weiß, woher du es hast. Kevin hat's mir verraten.«

Roberta meinte, vor Peinlichkeit im Boden versinken zu müssen.

»Kevin wusste ...?«, fragte sie verwirrt.

Vincent lächelte. »Jeder wusste es, Robbie. Aber ich dachte, mit ein bisschen Geduld ... Du musst mir mal erzählen, was dich endlich zum Umdenken gebracht hat. Also, wirst du es jetzt wegwerfen?«

Roberta schüttelte den Kopf. »Nein. Das hat es nicht verdient. Ich hab's vielleicht ... falsch eingeschätzt. Aber letztlich war es doch ein Glücksbringer, oder nicht?«

Sie hob Vincent ihr Gesicht entgegen, und er sah das Leuchten in ihren Augen, als er sie küsste.

Das Pony Lucie knabberte derweil an dem Lederbändchen, mit dem Roberta das Stoffpferdchen an ihrer Tasche befestigt hatte ... bis es zerriss.

»Und was wird nun aus diesem Fence und Rosies lustigem Verlobten?«, erkundigte sich Atamarie. Im Nachhinein tat es ihr leid, ihre Freundin nicht zum Rennen nach Christchurch begleitet zu haben. Der Ausflug hatte sich schließlich unerwartet aufregend gestaltet. Atamarie konnte gar nicht genug davon bekommen, zu hören, wie in Robertas freundlichem Tierarzt der Berserker erwacht war, als die beiden Joes Manipulationen aufdeckten. »Wer von beiden kommt ins Gefängnis?«

»Keiner.« Roberta spielte glücklich mit ihrem Verlobungsring. »Harry, der Stalljunge, der den Spuren dieses Finney in die Pubs folgen sollte, hat ihn tatsächlich gefunden! Und natürlich hat er seinen Auftraggeber auch bei der Polizei und bei Lord Barrington verpfiffen. Er hat nicht nur Diamond krank gemacht, sondern sämtliche Pferde, die von Rosie trainiert wurden, manipuliert. Das war ja einfach, sie standen alle in den Ställen des Lords. Der hat sich ungefähr hundert Mal entschuldigt, dabei konnte er nun wirklich nichts dafür. Joe hat's dann auch gestanden. Aber er stellte es natürlich als Kavaliersdelikt dar. Er wollte weder Mensch noch Tier ernstlich schaden, nur Rosies Ruf als Trainerin – oder Trainer – ruinieren. Am Ende hoffte er, Diamond vielleicht kaufen zu können und die anderen Pferde wieder selbst ins Training zu bekommen. Da hängt ja einiges an Geld dran.«

»Und dafür kommt er nicht ins Gefängnis?« Atamarie fand das schlimm genug.

»Chloé und Rosie haben die Anzeigen zurückgezogen«, berichtete Roberta, »und im Gegenzug verzichtet Joe auf die Strafverfolgung von Bulldog für die Prügelei. Der hätte sonst mehr Ärger bekommen als Joe – er hat ihn übel zugerichtet. Wenn Joe sich wieder erholt hat, kann er seinen Stall im Prinzip behalten. Wenn noch jemand dumm genug ist, ihm Pferde anzuvertrauen. Auf der Rennbahn, meint Vincent, reden sie davon, dass er die Auswanderung plant … Australien …«

Atamarie lachte. »Je weiter weg, desto besser. Also Bahn frei für Rosie!«

Roberta schüttelte den Kopf. »Mit Rosies Karriere als Trainer ist es auch aus. So gesehen hat er erreicht, was er wollte. Aber nach dem Skandal ist ›Ross Paisley‹ natürlich nicht mehr zu halten, jeder weiß, dass ›er‹ eine Frau ist, es ging ja sogar durch die Zeitungen. Bisher war's natürlich auch ein offenes Geheimnis, aber jetzt hat es Beschwerden von anderen Rennclubs gehagelt. Rosie hat die Lizenz aufgegeben. Sie will auch nicht mehr. Das Klima auf den Rennbahnen ist zu rau für jemanden, der Pferde wirklich liebt. Stattdessen fährt Rosie jetzt Viererzüge Kaltblüter. Mr. Tibbs witzelt schon, er habe nun endgültig die schnellste Spedition Neuseelands.«

»Na, Hauptsache, alle sind glücklich.« Atamarie lehnte sich zurück und hielt das Gesicht in die fahle Wintersonne. Es regnete ausnahmsweise nicht, und die beiden jungen Frauen hatten hoffnungsvoll Plätze im Wintergarten des kleinen Cafés bei der Kathedrale belegt. Es war allerdings doch noch recht kalt. »Kommst du nun mit zu den Ngai Tahu bei Elizabeth Station?«, fragte Atamarie schließlich.

Roberta fröstelte. »Um Matariki mal mitzuerleben? Draußen rumsitzen, in den Himmel gucken und frieren, während du mit deinem Rawiri flirtest – sofern man das dauernde Gerede über Höhenruder und Tragflächen und was nicht alles als Flirten bezeichnen kann?« Sie klang nicht sonderlich begeistert.

»Kevin und Doortje kommen mit«, bemerkte Atamarie listig. Noch gut eine Woche zuvor hätte diese Eröffnung bei Roberta ein sofortiges Umdenken bewirkt. Jetzt zuckte sie allerdings nur mit den Schultern. »Und Patrick und Juliet«, fügte Atamarie hinzu.

Roberta biss sich auf die Lippe. Sie hatte ihrer Freundin noch nichts von ihrer Beobachtung in Kevins Praxis erzählt. »Doortje sollte ... auf Kevin aufpassen«, begann sie vorsichtig.

Aber während sie sich die Worte noch zurechtlegte, betrat Rawiri den Wintergarten.

»Hier seid ihr!«, rief er und legte Nase und Stirn leicht an Atamaries Gesicht. Ein *hongi*, obwohl es hier eigentlich keiner förmlichen Begrüßung bedurft hätte. Aber vor einem Kuss scheute Rawiri zurück. Solange Atamarie sich nicht endgültig entschieden hatte, würde er ihr nicht zu nahetreten. »Wieso sitzt ihr hier in der Kälte?«

»Wir üben schon mal für Matariki«, bemerkte Roberta. »Atamarie will mich mitnehmen, aber ich habe keine Lust.«

»Es ist doch sehr erhebend!«, begeisterte sich Rawiri. »Wenn es eine klare Nacht ist zumindest. All die Lieder und Tänze, die Drachen ... möchten Sie den Göttern keinen Gruß in den Himmel schicken? Keinen Wunsch oder Ähnliches?«

Roberta schüttelte lachend den Kopf. »Ich bin wunschlos glücklich!«, meinte sie und hielt ihm ihren Verlobungsring entgegen.

Rawiri lächelte. »Könnte ich auch sein«, meinte er. »Atamie, Professor Dobbins hat mir geschrieben! Er möchte tatsächlich, dass ich einen Vortrag über die Brüder Wright halte. Und ein Seminar über Maori-Drachenbau organisiere. Außerdem würde er sich freuen, mich im nächsten Semester als Student annehmen zu können. Also, wenn du möchtest ...«

Atamaries Gesicht umwölkte sich. Auch sie hatte Post

von Dobbins, er bot ihr erneut einen Job als wissenschaftliche Hilfskraft an, was sehr großzügig war. Ihre ersten halbherzigen Bewerbungen auf andere Stellenausschreibungen hatten ergeben, dass eine weibliche Ingenieurin nicht gerade mit Angeboten überhäuft wurde.

»Ich habe ...«, Rawiri zog seine Jacke enger um sich, als wollte er sich darin verstecken, »... ich habe ihm übrigens geschrieben, dass ich nichts dagegen hätte, mit Richard Pearse zusammenzuarbeiten.«

Die beiden Frauen richteten sich alarmiert auf.

»Du hast was?«, fragte Atamarie.

Rawiri senkte den Blick. »Na ja, ich dachte, er könnte seinen Flieger vorstellen und seine Flugversuche und ich die der Brüder Wright. Das wäre doch fair, oder? Sozusagen ein ... Vergleich.«

Atamarie schenkte ihm einen liebevollen Blick. »Das ist ... das ist sehr ... großzügig von dir«, murmelte sie.

Rawiri zuckte die Schultern. »Ich vergebe mir da nichts. Ich bin ja nicht geflogen ...«

»Aber du würdest ihm ein Forum geben!« Atamarie wirkte plötzlich lebhafter. Sie begann erkennbar, sich für die Idee zu begeistern. »Er könnte seine Arbeit wenigstens mal vorstellen, ein bisschen Aufmerksamkeit kriegen ...« Roberta verdrehte die Augen. »Was sagt denn Dobbins?«, fragte Atamarie gespannt. »Würde er es machen?«

Rawiri betrachtete sie liebevoll, aber das Strahlen war aus seinen Augen verschwunden. »Die Idee gefiel ihm«, sagte er schließlich. »Aber er hat Pearse nicht erreicht. Der Brief kam zurück, unbekannt verzogen. Tut mir leid, Atamie. Ich dachte ... ich wollte dir helfen, dich zu entscheiden. Aber die Götter spielen ein unfaires Spiel. Ich werde weiterhin gegen einen Geist ankämpfen müssen.«

Roberta holte tief Luft. Sie fand Rawiri ungemein sympathisch – aber auch sie hatte das Strahlen in Atamaries Augen gesehen, als sie wieder Hoffnung schöpfte, Richard Pearse zu treffen.

»Der Geist«, sagte sie, »wohnt bei Loudens Gully, in der Nähe von Milton, Otago. Ungefähr dreißig Meilen von hier, Atamie. Du kannst morgen den Zug nehmen.«

Atamarie und Rawiri vergaßen die Kälte im Wintergarten, als Roberta von ihrem Abstecher nach Temuka berichtete. Rawiri lauschte mit gespielter Gelassenheit, Atamarie mit zunehmender Erregung.

»Er hat Shirley nicht geheiratet?«, fragte sie. »Er … er ist auf und davon?«

Roberta nickte.

»Zu dir ja wohl«, meinte Rawiri resigniert. »Oder warum zieht er nach Otago?«

»Zu mir?« Atamarie sprang auf, ihre Augen schienen Funken zu sprühen. »Wenn er zu mir wollte, dann hätte er mal aussteigen können, als der Zug hier hielt! Wenn er zu mir wollte, warum kauft er sich dann die nächste Farm in dem nächsten gottverdammten Nest? Loudens Gully – kennt ihr die Gegend da? Alles ist hügelig! Wenn du ein Flugzeug startest, dann fliegst du von dem einen Hügel runter und in den anderen hinein. Man kann da nicht fliegen! Also wenn er zu mir wollte … wenn er mich wollte …« Atamarie wandte sich ab, sie kämpfte mit den Tränen.

Roberta sah ihre Freundin an. »Willst du ihn, Atamarie, oder willst du fliegen?«, fragte sie ernst.

Atamarie senkte den Kopf. »Ich weiß es nicht, Robbie, ich weiß es nicht. Aber ich denke … wenn er mich wollte …«

Rawiri erhob sich. »Denk drüber nach, Atamarie«, sagte er sanft. »Wenn du es noch mal versuchen willst, dann fahr morgen einfach hin. Rede mit ihm, wirb ihn an für einen gemeinsamen Vortrag.« Er sah zu Roberta hinüber, dann wieder zu Atamarie. »Aber stell dir nicht die Frage, ob du ihn willst oder fliegen. Das ist falsch, Atamie. Du willst fliegen, und du kannst fliegen. Wenn er seine Träume aufgibt, ist es seine Sache. Gib du die deinen nicht auf für ihn!«

Atamarie dachte so angestrengt nach wie noch nie in ihrem Leben. Sie schloss sich Patrick und Juliet an, die nach dem Wochenende zurück nach Elizabeth Station fuhren – und erlebte eine enervierende Reise, während der Juliet schmollte, da sie es hasste, auf die Farm zurückzukehren. Patrick bemühte sich während der ersten Stunden um sie, gab es dann aber auf und war nach kurzer Zeit in ein angeregtes Gespräch mit Nandé vertieft. Die junge Schwarze hatte sich eingehend mit dem Weinbau befasst und stellte Patrick unzählige Fragen. Atamarie fragte sich, ob sie sich wirklich dafür interessierte oder ihren Herrn nur aufheitern wollte, aber sie drückte sich jedenfalls gewählt aus, sprach perfekt Englisch und schien glücklich zu sein. Wenn sie nicht gerade besorgte Seitenblicke auf Juliet warf …

Atamarie konnte es ihr nicht verübeln. Juliet war zweifellos launisch und ließ das wahrscheinlich an ihrem Dienstmädchen aus. Atamarie fragte sich, was Roberta über Kevin hatte erzählen wollen, als Rawiri sie unterbrach. Aber nach der Sache mit Richard hatte sie nicht mehr daran gedacht, und jetzt ärgerte sie sich, nicht nachgehakt zu haben. Allerdings vergaß sie Juliet auch schnell, als sie Elizabeth Station schließlich erreichten. Lizzie und Michael freuten sich über ihren Besuch – und Michael erklärte sich sofort bereit, ihr am nächsten Tag ein Pferd zu leihen.

»Loudens Gully ist einen halben Tagesritt entfernt«, gab er Auskunft. »Mit einem guten Pferd. Aber die Wege sind befestigt und gut bereitbar, das war ja damals auch Goldgräbergebiet.

Aber willst du den Mann denn wirklich … Also entschuldige, Atamie, aber wenn du mich fragst: Du läufst ihm nach.«

Atamarie biss sich auf die Lippen, während Lizzie begütigte. »Manchen Männern muss man ein bisschen nachlaufen«, neckte sie ihren Mann. »Wenn ich dir damals nicht nach Gabriel's Gully gefolgt wäre, würdest du immer noch erfolglos nach Gold graben.«

Michael lachte. »Nein, Liebste, ich wäre längst zum Whiskeybrennen zurückgekehrt«, bemerkte er. »Außerdem brauchte dir damals keine Freundin zu offenbaren, wo ich war. Du wusstest, wo du mich finden konntest. Ich war nicht vor dir auf der Flucht.«

Atamarie sah ihren Stiefgroßvater entsetzt an. »Du meinst, er läuft vor mir … weg?«

Michael zuckte die Schultern. »Das weiß ich nicht, ich kenne ihn ja gar nicht. Vielleicht läuft er auch vor etwas anderem weg. Aber sieh's mal aus der Sicht des Farmers, Atamie: Ob ich eine Farm in den Plains bearbeite oder in Otago, das bleibt sich ziemlich gleich. Dein junger Mann ist nicht aufgebrochen, um Gold zu suchen und sein Glück zu machen. Der wollte nur einen Ortswechsel. Und nichts hören und nichts sehen von seiner Vergangenheit. Warum auch immer.«

Atamarie packte auch dies zu den Themen, über die sie nachdenken musste, und zog sich schließlich an den Wasserfall zurück. Rawiri, dachte sie, würde wahrscheinlich die Geister befragen. Oder hätte das getan, bevor er sich der Wissenschaft so vollständig zugewandt hatte. Vollständig? Oder wollte auch er eine Entscheidung der Götter? War sein hochherziger Vorschlag, Richard zu einem gemeinsamen Vortrag ins Canterbury College einzuladen, vielleicht nichts anderes als ein Orakel?

Atamarie lächelte. Warum eigentlich nicht?

Am nächsten Morgen lieh sie sich ein Pferd von Michael und ritt in die Berge. Sie sang leise die traditionellen Lieder, als sie sich auf die Suche nach einem Raupo-Busch machte, und bat die Götter ehrerbietig um Erlaubnis, bevor sie sich ein paar Blätter schnitt. Atamarie baute keinen großen Drachen, aber sie machte sich viel Mühe mit dem Gestell aus Manuka-Holz und berechnete sorgfältig die Flügelweite des *birdman*. Der *manu* sollte flugfähig sein, mehr noch, er sollte gut sein. Atamarie intonierte die alten Gebete und Gesänge, während sie die Teile zuschnitt und zusammenfügte. Aber in der Nacht, als sie allein in ihrem Schlafsack am Feuer lag und zu den Sternen emporsah, ließ sie ihre Gedanken schweifen. *Taku* und *toku* – die Vergangenheit und ihre Gewichtung. Wie oft war sie zu Richard gefahren, wie oft hatte sie ihn getröstet, ermutigt, ihm geholfen. Atamarie dachte immer noch mit Schaudern an die Zeit der Ernte. Und wie oft hatte er Kontakt gesucht? Wie oft hatte er sich um sie gekümmert? Sie hatten eine Leidenschaft geteilt, sie hatten auch das Bett geteilt, und es war schön gewesen. Er hatte ihr Herz berührt. Aber auch ihre Seele? Atamarie überlegte, wie er in ihre *pepeha*, ihre Lebensbeschreibung, passen würde, wenn sie denn eine zu halten hätte. Wie wichtig war er für sie? Und wie wichtig war sie für ihn gewesen? Hatte er sie zu schätzen gewusst? Konnte Vergangenheit für ihn Zukunft sein, oder gab es vielleicht weder das eine noch das andere für ihn? Was verankerte ihn in der Gegenwart? Atamarie konnte kein *maunga* ausmachen, keinen Berg im echten oder übertragenen Sinne, der Richard Pearse hielt und ihm Halt gab. Nur eine Ginsterhecke – Symbol seines Scheiterns. Sie schwankte zwischen Lachen und Weinen, als sie irgendwann, nach drei Tagen Arbeit und kurz vor Matariki, den Drachen aufließ. Sie hatte ihn sorgfältig bemalt, sie fand, dass er Richard irgendwie ähnelte. *Birdman* – die Maori hatten Pearse so genannt. Ein Wesen zwischen Himmel und Erde, zwischen Vogel und

Mensch – vielleicht anbetungswürdig, aber keines, das seinen Platz im Diesseits finden konnte.

Atamarie folgte dem Drachen mit den Blicken, sie hielt ihn an einer einzigen *aho tukutuku*. Kein Lenkdrachen, nicht sie, die Götter sollten ihn lenken. Der Wind schien zuerst leicht und angenehm, als er den Drachen erfasste. Der *birdman* stieg schnell auf, während Atamarie sang. Aber dann schwieg sie und wartete. Der Drachen schwankte im stärker werdenden Wind. Er zerrte an seiner Leine. Atamarie hielt ihn. Es fiel schwer, loszulassen. Aber dann erfasste ihn ein Windstoß. Der *manu* schoss zur Seite. Atamarie ruckte am Seil, aber sie wusste, dass sie den Absturz nicht aufhalten würde. Der Drachen schien sich noch einmal zu stabilisieren, als sie die Leine durch die Finger gleiten ließ. Er stieg erneut steil in die Höhe, aber dann schwankte er ... Atamarie sah ihn fallen und irgendwo im Buschwerk verschwinden. Es war keine Ginsterhecke. Aber nach dem Glauben ihrer Ahnen wohnten die Geister in jedem Baum und Strauch. Sie würden hier nicht anders über Richard Pearse urteilen als in Temuka.

Atamarie suchte ihren Drachen nicht.

Und sie ritt auch nicht nach Loudens Gully.

DIE RÜCKKEHR
DER STERNE

Südinsel
Lawrence

1904

KAPITEL 1

Kevin Drury hatte sich in seinem Leben noch nie auch nur annähernd so geschämt wie an jenem Abend, als Roberta Fence in sein Schäferstündchen mit Juliet platzte. Ausgerechnet Roberta, das Mädchen, das zeitlebens für ihn geschwärmt hatte, das einen Helden in ihm gesehen und zu ihm aufgeschaut hatte. Er mochte sich gar nicht ausmalen, was sie jetzt von ihm dachte! Kevin hasste sich längst selbst für seinen Betrug an Doortje. Zumal es keinerlei Entschuldigungen mehr dafür gab, wenn es sie jemals gegeben hatte. Doortje taute zusehends auf, sie fand sich in der Welt zurecht, in der sie nun lebte, und sie schien bereit, Kevin zu lieben. Oder sich einzugestehen, dass sie ihn liebte. Tatsächlich war dieses verräterische Leuchten ja schon damals auf der Farm der VanStouts in ihren Augen gewesen, wenn sie Kevin ansah.

Juliet dagegen ... Kevin hatte schon vor seiner Flucht nach Südafrika gewusst, dass zwischen ihm und der Kreolin keine Liebe war. Im Grunde hätte man die Affäre ohne jedes emotionale Problem beenden können, wenn sich nur Juliet nicht in die Idee verrannt hätte, Patrick gegen Kevin austauschen zu können wie ein Paar Schuhe! Und Kevin verfiel ihren Machenschaften immer wieder. Aber jetzt, so schwor er sich, würde das nicht mehr passieren. Seit Roberta die beiden ertappt hatte, ging er Juliet gezielt aus dem Weg, und nun war Patrick ja auch wieder mit ihr abgereist. Das nächste Wiedersehen würde auf Elizabeth Station stattfinden. Matariki sollte ein Familienfest werden. Lizzie wünschte sich, ihre drei Kinder endlich mal wieder alle im Haus zu haben, auch wenn die Farm dabei aus allen Nähten platzte. Ganz sicher würde sich da keine Möglichkeit bieten, mit Juliet allein zu sein – zumindest nicht länger als ein paar Minuten. Nicht länger, als um ihr zu sagen, dass es endgültig aus war.

Kevin grübelte darüber nach, während er seinen Wagen nach Lawrence lenkte. Er saß auf dem Bock, Matariki und Doortje plauderten hinten miteinander und schäkerten mit Abe. Matariki liebte den Kleinen, sein Anblick rief Erinnerungen an die Zeit wach, als Atamarie noch klein gewesen war. An Colin Coltrane dachte sie nicht, mit dieser Geschichte war sie längst fertig. Und für Doortje war es ein Segen, dass sie Coltrane nie gesehen hatte, bevor sein Gesicht entstellt worden war. Das galt auch für Kevin und erst recht für Patrick. Während Matarikis kurzer Affäre mit Coltrane waren beide fast noch Kinder gewesen und hatten ein Internat in Dunedin besucht. Den Freund ihrer Schwester hatten sie nur ein- oder zweimal gesehen und kaum beachtet.

Doortje jedenfalls schien das Trauma, das Abrahams Zeugung bei ihr ausgelöst hatte, überwunden zu haben und es dem Kind nicht nachzutragen. Sie war eine gute Mutter oder zumindest das, was ihr Volk darunter verstand. Matariki versuchte eben, ihre eisernen Erziehungsprinzipien ein wenig aufzuweichen.

»Ach komm, er wird doch kein Feigling, nur weil du ihn in den Arm nimmst und tröstest, wenn er weint! Maori-Kinder werden ständig liebkost und herumgetragen, keiner schlägt sie oder macht ihnen Angst, sie gehören dem ganzen Dorf, egal, wer ihr Vater und ihre Mutter ist. Und trotzdem werden die Jungen tapfere Krieger und die Mädchen starke Frauen. Weißt du, dass es weibliche Häuptlinge gibt? Und früher gab es noch mehr. Die Engländer hatten da einen schlechten Einfluss, sie

823

nahmen die weiblichen *ariki* einfach nicht ernst. Also wurden keine mehr gewählt, Maori-Stämme denken praktisch. Aber ich kann dir heute noch Kriegskeulen und andere Waffen zeigen, die für unsere Frauen gemacht wurden. Wir können genauso kämpfen wie dein Volk, obwohl wir unsere Kinder verwöhnen.«

Matariki ließ Abe auf ihrem Schoss herumhopsen und wiegte ihn in ihren Armen, als er dann schläfrig wurde.

Kevin lächelte über die Bemühungen seiner Schwester, die langsam auf fruchtbaren Boden fielen. Doortje hatte kein Wort dagegen gesagt, das in ihren Augen heidnische Fest der Sterne im Dorf der Ngai Tahu zu feiern. Im Gegenteil, sie schien gespannt darauf. Und auch mit Lizzie hatte sie sich beim letzten Familientreffen gut verstanden. Wenn sie jetzt Haikina und die anderen Ngai Tahu nicht wieder vor den Kopf stieß, bekam sie sicher eine zweite Chance auf Elizabeth Station.

Kevin war fest entschlossen, das nicht kaputt zu machen. Er würde seine Beziehung zu Juliet beenden und dann auch bald mit Doortje über die Sache mit Coltrane sprechen. Er ertappte sich dabei, ein fröhliches Lied zu pfeifen, als Silver die Steigung zwischen Lawrence und Elizabeth Station mit gewohntem Schwung in Angriff nahm. Alles sah gut aus, er würde sein Leben endlich in Ordnung bringen.

Matariki fiel ein Stein vom Herzen, als Atamarie nach Elizabeth Station zurückkehrte. Sie hatte nach ihrer überstürzten Abreise aus Dunedin mit Roberta und Rawiri gesprochen und deren ärgste Befürchtungen geteilt: ein weiterer Versuch mit Richard Pearse, weitere Enttäuschungen, weitere Tränen und Zweifel. Aber nun schien ihre Tochter zur Vernunft gekommen zu sein. Atamarie begrüßte sie gut gelaunt, freute sich auf das Fest und fragte nach Rawiri. Matariki konnte jetzt nur hoffen, dass dieser es sich nicht endgültig anders überlegt hatte und nach Parihaka zurückkehrte, statt das Fest wie geplant in Otago zu begehen.

Nun bezog sie erst mal ihr früheres Zimmer zusammen mit ihrer Tochter und Nandé. Um die Unterkunft für Juliets Dienstmädchen hatte es wieder Streit gegeben. Gewöhnlich schlief Nandé in Matarikis altem Zimmer, aber nun, da auch Atamarie und ihre Mutter da waren, wollte Juliet sie kurzerhand in die Scheune oder auf den Korridor vor ihren Räumen ausquartieren. Lizzie hatte sich natürlich dagegen gewehrt.

»Es geht auf keinen Fall, Juliet, dass sie vor deiner Schwelle schläft wie ein Hund. Das magst du ja praktisch finden, aber ich finde es menschenverachtend! Und sie kann auch nicht im Winter im Stroh schlafen. Da kann man nämlich kein Feuer anzünden, falls es der Prinzessin entgangen sein sollte. Das Mädchen würde sich zu Tode frieren, wo's doch aus so einem heißen Land kommt … Und wo sollte dann auch das Kind schlafen?«

Nandé pflegte May mit in ihr Zimmer zu nehmen, sie war dann gleich für das kleine Mädchen da, wenn es nachts nicht durchschlief. Lizzie hatte stillschweigend ein altes Kinderbett vom Speicher geholt und in Matarikis altem Zimmer aufgestellt. Matariki verstand nicht, dass es jetzt ein Problem geben sollte. Sie war gern bereit, mit Nandé und der Kleinen den Raum zu teilen. Natürlich war es etwas eng, aber es standen zwei Betten darin, und Matariki brauchte nicht viel Platz. Das galt auch für Atamarie. Als die junge Frau aus den Bergen zurückkehrte, rollte sie ganz selbstverständlich ihre Matte auf dem Boden aus, was Nandé schockierte. Sie konnte doch nicht in einem Bett schlafen, während eine Weiße auf dem Boden lag.

»Ich bin keine Weiße«, sagte Atamarie, als sie ihr das Problem vortrug. »Ich bin Maori. Und was hat denn die Hautfarbe mit dem Bett zu tun? Da gelten eher ältere Rechte. Die hast im Moment du, es ist ja sonst dein Zimmer.«

Der Vorschlag traf auf allgemeine Zustimmung. Matariki, Atamarie und Nandé verstanden sich blendend. Die kleine May war ebenfalls gern gesehen und wurde von allen dreien verwöhnt.

Doortje bewies neu erlernte Diplomatie, indem sie das Thema gar nicht anschnitt, aber vielleicht hatte sie auch genug mit der eisigen Ablehnung zu tun, die ihr von Seiten Juliets entgegenschlug. Kevin, Doortje und Abe bezogen Kevins Kinderzimmer, und Juliet nahm die Einquartierung übel. Sie hatte Kevins altes Zimmer stillschweigend ihrer »Wohnung« auf Elizabeth Station hinzugefügt. Der Raum, den sie mit Patrick teilte, engte sie ein, wie sie behauptete. Sie brauchte zumindest noch ein Ankleidezimmer. Als solches diente nun Kevins ehemaliges Kinderzimmer, und meistens pflegte Juliet dort auch zu schlafen. Sie »besuchte« Patrick in seinem Zimmer oder ließ ihn widerwillig in das ihre. Den Traum, in ihren Armen einzuschlafen, hatte sie ihm längst ausgetrieben.

»Wir müssen uns hier ein paar Tage einschränken, Juliet«, sagte Lizzie, »aber so ein Familientreffen ist es doch auch wert! Das Zimmer gehört Kevin und Doortje, die es mit Abe teilen. Du dagegen hast schon das Privileg, dein Kind bei Nandé unterzubringen. Also freu dich, und halte dich zurück!«

Juliet verhielt sich also weitgehend ruhig, verdarb den anderen aber die Stimmung durch ihr Schmollen und ihre gelegentlichen bissigen Bemerkungen. Sie bezogen sich auch allgemein auf das Raumangebot auf Elizabeth Station. Ein Herrenhaus, das nur vier Schlafzimmer aufwies, schien in Louisiana undenkbar.

»Auf die Dauer sollte hier über Anbau oder besser Neubau nachgedacht werden!«, erklärte sie missmutig.

Michael und Lizzie trugen es mit Fassung, auch sie hatten vor Juliets Launen bereits weitgehend resigniert.

»Ich hege einfach die Hoffnung, dass sie irgendwann wieder wegläuft«, vertraute Lizzie Matariki an. »Sie ist hier doch kreuzunglücklich. Garantiert wartet sie nur auf eine passende Gelegenheit in Dunedin. Wenn der richtige Mann auftaucht, verschwindet sie wieder.«

Matariki sah die Sache nicht so optimistisch. Ihr fehlten zwar die Beweise dafür, dass Juliet ihrem Ziel näher kam, aber die Blicke, die sie auf Kevin warf, sagten ihr, dass Juliet den »richtigen Mann« bereits im Visier hatte.

Juliet ließ Kevin tatsächlich schon am Abend seiner Ankunft auf Elizabeth Station keinen Moment aus den Augen, aber außer ihm, Matariki – und vielleicht Doortje – fiel das niemandem auf. Berauscht vom Wiedersehen und später auch ein bisschen von Lizzies Wein erzählten alle durcheinander. Atamarie berichtete von Robertas Verlobung und ihren Abenteuern in Christchurch, Matariki von dem erfolgreichen Kunstfestival und Patrick von einer interessanten Begegnung mit einem Schafbaron in den Plains, der sich für Schafe aus Michaels Zucht interessierte. Matariki zog Doortje ins Gespräch, indem sie die junge Frau nach dem letzten Buch fragte, das sie gelesen hatte – und Nandé sorgte für einen kleinen Skandal, indem sie sich eifrig in die Unterhaltung einmischte. Auch sie hatte *Die letzten Tage von Pompeji* eben verschlungen und äußerte nun selbstverständlich ihre Meinung. Doortje schaute sie irritiert an, rügte sie allerdings nicht, während Juliet sie hart maßregelte.

»Die Dienerschaft schweigt, wenn die Herrschaft sich unterhält, Nandé. Das gehört ja wohl zu den Grundregeln in einem zivilisierten Haushalt. Hält man es nicht so in Südafrika? Dorothy?«

Doortje öffnete schon den Mund, um etwas zu erwidern, aber dann hielt sie sich zurück. In Südafrika hätte man ein Kaffern-Mädchen einfach für zu dumm gehalten, sich einzumischen, und obendrein hätte es niemals lesen und schreiben gelernt. Aber da hätte man auch nicht über einen Roman von Bulwer-Lytton diskutiert, sondern allenfalls über die Bibel, zu der es wiederum keine unterschiedlichen Meinungen gab.

»Ich wäre mal vorsichtig, Juliet«, bemerkte stattdessen Matariki. »Das Buch zeigt doch sehr nett, dass die Herrschaft mitunter auf die Freundlichkeit der Dienerschaft angewiesen ist. Hätte Nydia Glaukos und Jone nicht zum Hafen geführt, wären sie beim Vulkanausbruch umgekommen. Atamie, erzähl Juliet doch mal ein bisschen über Vulkanaktivitäten auf Neuseeland.«

Die anderen lachten, nur Nandé sah beschämt zu Boden. »Ich würde Sie nicht im Ascheregen umkommen lassen, Mr. Pat!«, sagte sie leise und sehr ernst zu Patrick, während Atamarie grinsend vom letzten Ausbruch des Ruapehu erzählte. »Und auch nicht die kleine May.«

Patrick lächelte ihr zu. »Ich weiß, Nandé. Und ich finde es auch nicht richtig, dass sich die Sklavin am Ende des Buches umbringt. Mr. Bulwer-Lytton hätte irgendeine Möglichkeit finden müssen, sie glücklich zu machen!«

»Soll ich dir mit dem Korsett helfen?«, fragte Kevin, als er später mit Doortje ihren kleinen gemeinsamen Raum betrat. »Du hast heute Abend wunderschön ausgesehen, aber du musst dich hier wirklich nicht schnüren. Mutter tut es nicht, Matariki und Atamie tun es erst recht nicht.«

Doortje ließ zu, dass er ihr hellblaues, mit Blumen bedrucktes Kleid öffnete. Es stimmte schon, es war zwar ein Nachmittagskleid, aber doch zu festlich für den Anlass. Matariki hatte ihr das gleich gesagt, aber sie wollte nicht gegenüber Juliet abfallen. Die hatte an diesem Abend ihr dunkelrotes Kleid getragen. Für Kevin ein deutliches Signal. Für die anderen nur ein erneuter Auftritt in einem eigentlich zu aufreizenden Kleid. Aufreizend war Doortjes Kleid nicht, es war recht hoch geschlossen und unterstrich durch seine freundlichen Farben ihre natürliche Schönheit. Sich zu schminken hätte sich bei diesem Kleid verboten, während Juliets Robe es fast forderte, um komplett zu wirken.

»Es ... gefällt dir?«, fragte Doortje unsicher. »Ich ... gefalle dir?«

Kevin lächelte. Das hatte sie noch nie gefragt. Er wagte es, ihre Schulter zu küssen, als das Kleid darüberglitt und sie entblößte. Doortje zuckte unter dem Kuss zusammen, zog sich aber nicht zurück.

»Du gefällst mir immer, aber in diesem Kleid besonders. Wobei du mir ganz ohne Kleid noch besser gefallen würdest.«

Kevin fuhr fort, ihren Nacken und ihre Schultern zu küssen. Früher hatte sie sich dem stets sofort entzogen. Sie stand ihrem Ehemann zwar jede Nacht zur Verfügung, wenn er es wollte, aber die Bedingungen bestimmte sie, sie erwartete ihn angetan mit einem züchtigen Nachthemd unter der Decke. Jetzt war jedoch noch nicht einmal das Licht gelöscht.

»Gefällt dir denn ... das?«, fragte er sanft zwischen zwei Küssen.

Doortje wandte sich schüchtern zu ihm um. »Ich weiß nicht«, gab sie zu. »Aber ich hab ... in der Bibel steht ...« Kevin seufzte. »Nein, nicht ... nicht, was du meinst. Ich hab ... das Buch Salomon gelesen und das ... das Hohe Lied.«

Kevin grinste. »Also ich kann's nicht auswendig, aber wenn ich mich recht erinnere ... ist da nicht von zwei Brüsten die Rede, die wie Zicklein sind oder so was?«

Er zog ihr Kleid ganz hinunter, löste das Korsett und ließ seine Lippen ihren Ausschnitt herunter zu den Brüsten wandern.

»Wie Rehzwillinge«, flüsterte Doortje und spürte, wie ihr Atem schneller ging unter seinen Liebkosungen. »Und es steht ... es steht auch in der Niederländischen Bibel ...«

Kevin lachte leise. »Warum soll es denn da nicht stehen? Wo das doch die schönste Bibel überhaupt ist, meine Liebste ... Zumindest sagst du das ja immer. Wenn wir zurück in Dunedin sind, werde ich die Stelle suchen und auswendig lernen. Versprochen!«

Doortje schüttelte den Kopf und schob ihm ihren Körper entgegen. »Brauchst du nicht. Du würdest nur alles falsch aussprechen. Wie ›Mejuffrouw Doortje‹ ...«

Kevin hob sie auf und trug sie zum Bett. »Mevrouw Doortje ... so ist es doch richtig, nicht?«

Doortje nickte. »Genau richtig«, sagte sie zufrieden.

Juliet sah auf den ersten Blick, dass sich etwas geändert hatte. Zwischen Kevin und Doortje war eine neue Vertrautheit, als sie am Morgen zum Frühstück kamen. Sie lachten miteinander, ihre Augen strahlten – und Matariki, der das ebenfalls auffiel, schaute drein wie eine zufriedene Katze. Juliet biss sich auf die Lippen. Irgendetwas musste geschehen.

»Was ... was haben wir denn heute so vor?«, fragte sie gespielt fröhlich in die Runde und biss in ihr Honigbrot.

Sie war wieder geschnürt und elegant gekleidet. Ihr Hauskleid war perfekt auf sie zugeschnitten. Doortje trug ein weites Kleid aus Parihaka, ein Geschenk Matarikis.

»Also, wir gehen zum Dorf hinauf«, meinte Matariki. »Ich will meine Freunde besuchen, und Atamarie brennt ganz offensichtlich darauf, mehr über Drachenbaukunst zu erlernen, obwohl ich eigentlich dachte, was Flieger anginge, wüsste sie schon alles. Aber jedenfalls möchte sie nachsehen, ob der entsprechende *tohunga* schon eingetroffen ist.«

»Mommyyy!« Atamarie errötete.

»Und du wolltest mir das Dorf zeigen!«, sagte Doortje überraschend. »Die ... Schnitzereien an den Häusern und ...«

Matariki nickte. Sie ging nicht darauf ein, dass Doortje

wochenlang auf Elizabeth Station gelebt hatte, ohne ihren Nachbarn auch nur einen Besuch abzustatten.

»Du wirst sehen, es ist ganz anders als die Krals in Afrika«, bemerkte Kevin. »Ein ganz anderer Baustil, wohl auch nicht vergleichbar mit den Hütten in Polynesien, nicht, Riki?«

Matariki zog die Schultern hoch. »Ich war noch nie auf den Inseln, von denen die Maori ursprünglich kamen. Aber ich weiß, dass es dort viel wärmer ist als hier. Also wird man luftigere Hütten gebaut haben, vielleicht so wie eure in Afrika, Nandé, magst du nicht auch mitkommen? Juliet passt sicher mal selbst auf ihre Tochter auf. Das wäre nicht schlecht, Juliet. Es wird sonst später peinlich, wenn May dich auf Gesellschaften gar nicht erkennt.«

Juliet blitzte ihre Schwägerin verärgert an. Aber sie erkannte auch ihre Chance. Kevin wirkte nicht so, als ließe er die Frauen allein gehen. Während Patrick sicher auf der Farm zu tun hatte.

»Ich werde mitkommen«, erklärte sie gelassen. Lizzie fiel vor Überraschung fast ihre Kaffeetasse aus der Hand. Juliet strich ihr Haar zurück, eine Strähne hatte sich aus der perfekten Frisur gelöst und fiel ihr immer wieder ins Gesicht, um dann mit einer lasziven Geste zurückgeschoben zu werden. Der Effekt war zweifellos gewollt. »Wenn es euch nichts ausmacht, dass ich mich der Führung anschließe. Ich interessiere mich von jeher sehr für ... Schnitzereien.« Sie lächelte sardonisch. »Griechische Götterstatuen zum Beispiel ... der David ...« Sie ließ den Blick an Kevins Körper herabwandern. Der merkte es gar nicht.

»Das ist Bildhauerei«, verbesserte Atamarie mit vollem Mund. »Ganz lecker, der Honig! Den macht ihr jetzt selbst, nicht, Patrick? Also Bildhauer klopfen an Marmor herum. Maori schnitzen eher aus Holz. Oder Pounamu-Jade. Ein sehr interessantes Material.«

»Aber primäre Geschlechtsmerkmale finden sich auch an

unseren *tiki*«, bemerkte Matariki trocken. »Juliet wird also zweifellos auf ihre Kosten kommen.«

Zu ihrer Überraschung unterdrückte neben Atamarie auch Nandé ein Glucksen. Doortje und Lizzie konnten mit der Anspielung wenig anfangen, Matariki jedoch fragte sich, ob die Schwarze sich vielleicht ein Beispiel an Violet nahm und begonnen hatte, Lexika zu lesen.

Kevin begleitete die Frauen tatsächlich hinauf zum Dorf. Lizzie blieb zu Hause, sie hatte angeboten, die Kinder zu hüten. Es regnete, und Matariki und Atamarie warfen immer wieder ärgerliche Blicke auf Nandés elegante Herrin, die sich von ihrem Dienstmädchen mit einem Schirm vor der Nässe schützen ließ. Juliet hielt ihren Aufstieg zudem auf, da sie in ihrem Korsett und ihren eleganten Schuhen natürlich nicht leichtfüßig wandern konnte. Die anderen Frauen, die sich nur mit Tüchern und Schals gegen den Regen schützten, begannen langsam zu frieren. Doortje schien wundersamerweise gar nicht zu bemerken, dass ihr Wolltuch rutschte und der Regen ihr blondes Haar durchnässte. Sie hatte nur Augen für Kevin und strahlte von innen heraus.

Juliet schob sich an Kevin heran, während die Frauen miteinander plauderten.

»Wir müssen ... reden«, flüsterte sie.

Kevin nickte. »Das müssen wir«, stimmte er zu. »Vielleicht findet sich ja im Dorf irgendeine Möglichkeit. Es wird schnell gehen, Juliet, ich will ein für alle Mal Schluss machen.«

Juliet lächelte.

Dann kam das Dorf in Sicht. Es war nur mit einem niedrigen Zaun eingefriedet, allerdings umgaben es Schafpferche. Auch die Ngai Tahu züchteten, und ihre Tiere standen Michaels qualitativ kaum nach.

»Auf der Südinsel wird weniger aufwendig gebaut als

auf der Nordinsel«, begann Matariki mit der Führung. »Das Land ist kälter und weniger fruchtbar, deshalb wanderten die Stämme oft, um anderswo zu jagen und zu fischen. Dafür ist es weniger bevölkert, die Leute kamen sich seltener in die Quere, es gab kaum kriegerische Auseinandersetzungen. Aber unser Stamm hier ist reich, auch durch die Viehzucht. Es gibt keinen Nahrungsmangel, man wandert höchstens mal zum Vergnügen oder zum Wissenserwerb, und dann nicht mit dem ganzen Stamm. Also ist der *iwi* sesshaft geworden und hat sehr schöne Häuser gebaut.«

Im Regen waren nur wenige Leute draußen, aber die Nachricht von Besuch sprach sich trotzdem schnell herum. Schon bald fanden sich die Frauen von den Dorfbewohnern umringt. Matariki, Atamarie und auch Kevin tauschten *hongi* mit dem halben Dorf. Nandé wurde bestaunt. Viele, besonders ältere Leute hatten nie eine Schwarze gesehen. Sie bewunderten Nandés Haut und lachten über Juliets Figur in ihrem Korsett.

»Was gefällt euch *pakeha* bloß an derart dünnen Frauen?«, fragte der Häuptling.

Kevin hob grinsend die Schultern. »Wir machen die Mode nicht. Das regeln die Damen unter sich. Aber glaub mir, *ariki*, es macht Spaß, so ein Paket abends auszupacken!«

Atamarie hatte nur Augen für einen sanftäugigen, schlanken jungen Mann, der von einer Horde Kinder bedrängt wurde.

»Komm, Rawiri! Die sind doch langweilig, die *pakeha*-Frauen. Und die Drachen müssen fertig werden. Sonst kommt Matariki, und wir haben keine Grüße für die Geister!«

Rawiri und Atamarie lächelten einander an.

»Das würden die Geister übel nehmen«, bemerkte Atamarie. »Und dann stellen sie uns womöglich Hecken in den Weg.«

Rawiri grinste. »Wir stimmen sie also besser freundlich. Aber keine Sorge, die *manu* werden fertig. Zumal wir jetzt ja

Hilfe haben. Oder nicht?« Er warf Atamarie einen fragenden Blick zu.

Sie nickte.

»Du bist auch *tohunga* für *manu*?«, fragte ein kleines Mädchen skeptisch.

Rawiri legte den Finger auf den Mund. »Noch viel mehr«, flüsterte er, als verrate er ein Geheimnis. »Atamarie kann fliegen. Aber jetzt kommt, machen wir weiter mit den Drachen. Kommst du, Atamarie?«

Atamarie ging auf ihn zu, sah zu ihm auf und legte ihre Nase und ihre Stirn an sein Gesicht, als er sich zu ihr herabbeugte. Dann öffnete sie die Lippen.

Rawiri bewies, dass er auch den Kuss nach Art der *pakeha* beherrschte.

Sobald es ihr möglich war, nutzte Juliet die Gelegenheit, Kevin in eins der jetzt verwaisten Schlaf- und Versammlungshäuser zu ziehen. Der Regen hatte aufgehört, und die Dörfler gingen draußen ihren Beschäftigungen nach. Die meisten Männer machten sich auf zu Jagd und Fischfang, für die anstehenden Festlichkeiten wurde noch Fleisch benötigt. Matariki, Doortje und Nandé wurden von den Frauen mit Beschlag belegt. Haikina und die anderen wollten von Parihaka hören – und die Ältesten bestürmten Nandé mit Fragen zu ihrer Heimat.

Kevin schaute sich um, ob die Luft rein war, bevor er Juliet in das mit Schnitzereien reich verzierte Haus folgte. An den Wänden standen mannsgroße Götterfiguren – deren Männlichkeit sehr offensichtlich war. Juliet hatte dafür jedoch keinen Blick.

»Ach, es ist gut, endlich allein zu sein!«, seufzte sie. »Die Enge auf der Farm macht mich krank ... Wir sollten auch die Wohnung in Dunedin aufgeben. Ein ordentliches Stadthaus, Kevin ... mit Dienstbotenräumen im Souterrain und Gästezimmern ...«

Juliet ging auf ihn zu und machte Anstalten, ihm die Arme um den Hals zu legen. Kevin schob sie weg.

»Juliet, bitte, ich will das nicht mehr ...«

Juliet lachte. »Du wiederholst dich.«

Kevin atmete tief durch. »Das tut mir leid, Juliet, aber ich meine es jetzt wirklich ernst. Ich werde nie wieder mit dir ... ich ...«

»Du musst ja gar nichts machen ...«

Juliet ließ sich vor ihm nieder, schob ihre Hände unter sein Hemd und öffnete seine Hose.

»Juliet!« Kevin wollte sich ihr entziehen und hätte dabei fast eine der Götterstatuen umgeworfen. Aber sie hatte sein Geschlecht bereits entblößt, begann, es zu streicheln und rieb sich an ihm. »Juliet, wirklich, es ist aus, du ...«

»Es ist erst aus, wenn ich es sage ...«

Kevin lief Gefahr, sich erneut zu verlieren, aber dann nahm er sich zusammen und packte ihre Schultern, um sie wegzustoßen. Weder er noch Juliet hörten die Tür.

»Kevin!« Im Eingang des Versammlungsraumes standen Doortje und Matariki. Letztere wandte sich beschämt ab. Doortje aber starrte auf die beiden Menschen in eindeutiger Pose, ohne sich ganz bewusst darüber zu sein, was sie taten.

»Kevin, was ... was machst du?«

Juliet lachte auf. Scheinbar gelassen wandte sie sich von Kevin ab und stand langsam auf. »Wonach sieht es denn aus, Dorothy?«, fragte sie. Doortje rang um Worte. Ihre Augen waren weit aufgerissen, und sie fühlte sich wie gelähmt, leer und kalt. Juliet brachte ihr über die Schultern herabgerutschtes Kleid in Ordnung und strich ihr Haar zurück, während Kevin verzweifelt versuchte, möglichst unauffällig seine Hose zu schließen. »Du solltest doch eigentlich wissen, wie es geht ...«, schnurrte Juliet lächelnd, »... als verheiratete Frau. Und vorher warst du ja auch kein unbeschriebenes Blatt. Weißt du, was ich glaube, Dorothy?« Doortje starrte ihre Schwägerin sprachlos an. Kevin und Matariki schienen ähnlich paralysiert. Juliet jedoch sprach gnadenlos weiter. »Ich glaube, du kannst einfach nicht teilen, Dorothy. Und dabei solltest du da doch schon Erfahrung haben. Ich sage nur Colin ... der liebe Colin Coltrane.« Doortje erblasste. »Vor dir hat er die süße Chloé glücklich gemacht ... davor die reizende Matariki ... Hast du ihr nie davon erzählt, Matariki? Vom Vater deiner Tochter?«

Doortje begann zu zittern. »Das ist nicht wahr!«, stieß sie aus. »Ich habe nie mit Colin ... keiner hier weiß von ... von Coltrane ... ich ...«

Juliets Lächeln wurde zu einem zufriedenen Grinsen. Sie hatte ins Schwarze getroffen und drehte nun das Messer in der Wunde um.

»Und die gute Kathleen, die Gattin des Pfaffen? Die weiß auch nicht, dass du sie zur Großmutter gemacht hast? Aber sie müsste das wissen, Dorothy. Dein Sohn ist ihr doch wie aus dem Gesicht geschnitten. Eine große Familienähnlichkeit offensichtlich. Hast du deinem Liebhaber nie ins Gesicht geschaut?«

Vor Doortjes Blick verschwamm die Szene im Versammlungshaus. Sie sah Colin Coltranes Gesicht wieder vor sich, sein zerstörtes, vernarbtes, verschrobenes Gesicht, über sie gebeugt in irrer, böser Lust. Mit Kathleens und Atamaries ebenmäßigen Zügen hatte es nichts gemeinsam gehabt. Aber das Haar ... der metallische Glanz in dem blonden Haar, den Atamarie und Abraham auch hatten – das war Doortje bereits aufgefallen. Und nun sagte Juliet, dass alle es wussten. Alle wussten von ihrer Schande. Mehr noch ... Juliet nahm offensichtlich an, sie hätte sich Colin aus freien Stücken hingegeben.

Doortje stieß einen erstickten Laut aus. Keinen Schrei, dafür hätte sie die Kraft nicht mehr gehabt. Sie warf Kevin einen verstörten, verzweifelten Blick zu. Dann drehte sie sich um und rannte hinaus. Sie hielt es nicht mehr aus. Sie konnte mit dieser Schande nicht leben.

Kevin sah nur Juliet und ihr zufriedenes Gesicht. In einem Anfall verzweifelter Wut schlug er hinein.

»Kevin!« Matariki fasste sich und fiel ihm in den Arm. »Lass sie, das ist jetzt zu spät. Du musst Doortje nach. Du ... wir ... müssen ihr alles erklären. Himmel, wie konntest du aber auch nur so dumm sein!«

Der Regen hatte wieder eingesetzt. Die Frauen waren zurück in ihre Häuser gegangen oder ins Kochhaus, es wurde Zeit, das Mittagessen vorzubereiten. Die Männer waren noch nicht zurück von der Jagd ... Und von Doortje war weit und breit nichts zu sehen.

Kevin und Matariki liefen durch das ganze Dorf, um nach Spuren und Zeugen zu suchen. Fündig wurde allerdings keiner von ihnen. Atamarie und Nandé hockten zusammen im Kochhaus, wo die Frauen Nandé nach Gerichten ihrer Heimat aushorchten und sich fragten, wie Hirse schmeckte – in Afrika ein Grundnahrungsmittel der Schwarzen, das die Maori gar nicht kannten. Alle waren in Gespräche und in die Zubereitung der nächsten Mahlzeit vertieft, Doortje hatten sie nicht mehr gesehen, seit Matariki mit ihr zu einem Dorfrundgang aufgebrochen war.

Atamarie verstand Matarikis Aufregung nicht. »So weit kann sie ja nicht sein«, meinte sie gelassen. »Wahrscheinlich heult sie sich irgendwo aus. Ist ja auch peinlich, Kevin sollte sich wirklich schämen. Sie kommt sicher zurück.«

Matariki ließ ihre ahnungslose Tochter bei den Frauen und rannte zurück in den Regen, um nach Kevin zu sehen. Der war jedoch auch nicht weitergekommen. Der Boden im Dorf war festgetreten, und es waren so viele Menschen vor dem Versammlungshaus herumgelaufen, dass sich Doortjes Spuren nicht ausmachen ließen. Zumindest nicht von Kevin, der kein großer Fährtenleser war – und obendrein völlig aufgelöst.

»Riki, wenn sie sich etwas antut ...« Tränen schossen ihm in die Augen.

Matariki legte den Arm um ihn. »Nun bleib mal ruhig, so

schnell geht das ja nicht. Meinst du denn, sie ist dazu fähig? So ... gläubig, wie sie ist?«

Kevin zuckte sie Schultern. Er sah Johannas bleiches Gesicht vor sich, ihr langes, nasses Haar, nachdem man sie aus dem Fluss gezogen hatte. Die andere VanStout-Schwester, genauso gläubig, aber nicht fähig, mit ihrer Schande weiterzuleben. Doortje hatte dies einmal geschafft, aber gelang es ihr ein weiteres Mal?

Er nickte.

Matariki sah sich noch einmal im Dorf um. Sie fragte sich, wohin sie selbst gegangen wäre, aber das war natürlich müßig. Sie kannte sich hier schließlich aus und hätte genau gewusst, wo sie einen See gefunden hätte oder eine Klippe, von der sie sich hätte herabstürzen können. Doortje dagegen musste blind in den Wald gelaufen sein.

»Wir brauchen gute Fährtensucher«, sagte Matariki. »Hemi und Rewi und Tamati. Aber die sind alle noch im Wald.«

Nun würden die Jäger sicher bald zurückkehren, bei Regen versteckten sich sowohl die einheimischen Vögel wie auch die eingeschleppten Kaninchen, die sonst als bevorzugte Jagdbeute galten. Aber bis dahin war wenig zu machen.

Matariki ging zurück ins Versammlungshaus, um Juliet zu stellen. Es würde nichts nützen, aber sie brauchte jetzt ein Ventil für ihre Wut und ihre Hilflosigkeit.

Juliet war allerdings auch verschwunden.

Es dauerte über eine Stunde, bis die Jäger zurückkehrten, aber dann fanden sie Doortjes Spur ziemlich schnell. Die junge Frau war in Richtung der Berge gelaufen, quer durch den Wald, sie musste die Wege gemieden haben. Zuerst war sie gerannt, aber dann zwang das Unterholz sie zu langsamerer Gangart. Zudem ging es hier steil bergauf. Kevin kletterte verbissen hinter den Jägern her. Er wusste genau, wo dieser Aufstieg endete. Es war sicher Zufall gewesen, aber Doortje war einen Berg hinaufgelaufen, der auf der anderen Seite abrupt zu einem Tal hin abfiel. Die Aussicht von dieser Klippe war atemberaubend, und bei den Maori galt der Platz als *tapu* – heilig. Sie kamen hierher, um zu meditieren, ihre Seele mit der Landschaft zu verbinden ...

Kevin war bislang nur einmal auf diesem Aussichtspunkt gewesen, als Junge, gemeinsam mit Patrick. Die beiden hatten von spektakulären Besteigungen gewaltiger Berge gelesen und planten nun, sich in den Abgrund abzuseilen, um für künftige Besteigungen des Mount Everest gewappnet zu sein. Hainga, die Weise Frau des Ortes, hatte die Jungen erwischt, bevor sie sich zu Tode stürzen konnten. Ärger gab es dann gleich zweimal: von Michael und Lizzie wegen ihres Leichtsinns und von ihren Maori-Freunden wegen der Verletzung der Tabuzone.

»Hier geht es nicht weiter«, meinte Hemi schließlich, als sich der Wald nach einem etwa einstündigen Aufstieg lichtete und den Blick in die Schlucht freigab.

Trotz des Regens war der Ausblick eindrucksvoll. Tief unter ihnen suchte sich ein Bach seinen Weg – dahinter erstreckten sich ein Tal und dann gras- oder waldbewachsene Hügel. Ganz hinten, fast am Horizont, erahnte man die schneebedeckten Südalpen.

»Sie kann nach rechts oder links weitergelaufen sein«, meinte ein anderer Maori. »Aber ich finde keine Spuren mehr.« Der Untergrund war felsig, dazu glattgetreten von den unzähligen *tohunga* und ihren Adepten, die hier auf der Suche nach ihren Göttern gewandelt waren. »Vielleicht ist sie einfach den Weg entlang zurückgegangen.«

Doortje hatte sich durch den Wald gekämpft, aber natürlich gab es auch einen ausgetretenen Pfad zurück zum Dorf. Er endete etwas weiter rechts, Doortje hätte ihn eigentlich sehen müssen.

»Das wäre doch naheliegend, bei dem Wetter. Sie muss schon völlig durchnässt sein.«

Der Mann folgte dem Weg ein Stück, suchte aber vergeblich nach weiteren Spuren. Hemi und Kevin spähten die Klippe hinab.

»Was ... was hat sie denn angehabt?«, fragte Hemi plötzlich. Seine Stimme klang gepresst.

»Ein gewebtes Kleid in Matarikis Stammesfarben.« Kevin sah seine Frau noch vor sich, wie sie ihm morgens strahlend am Frühstückstisch gegenübergesessen hatte. Sie hatten es endlich geschafft, zueinanderzufinden. Es war endlich alles gut gewesen. Und nun das ... Kevin Drury hatte sich niemals so elend und schuldig gefühlt. »Und darüber einen Wollschal. Lizzies Wollschal, den alten blauen.«

Sie hatte so wunderschön ausgesehen, als sie sich fast von Kopf bis Fuß in den sehr breiten und langen Schal gehüllt hatte. Ihr Anblick hatte fast orientalisch gewirkt, aber sie war errötet, als er sie damit neckte.

»Im Orient verdecken Frauen ihr Haar vor jedem, außer ihrem erwählten Gatten«, hatte er gesagt. »Es ehrt mich, dass du dich nun auch für mich in der Öffentlichkeit verhüllst.«

Jetzt dachte er schuldbewusst an ihre Antwort.

»Meine Haube hast du damals nicht gemocht.«

An diesem Abend hatte er ihr sagen wollen, wie sehr er ihre Haube gemocht hatte. Wie es ihn erregt hatte, wenn sie ihr Haar darunter versteckte, wie sie ...

»Der Schal liegt da unten«, sagte Hemi.

Kevin empfand die Worte wie einen Messerstich.

»Nur ... der Schal?«, fragte er tonlos.

Hemi zuckte die Schultern. »Ich kann's nicht erkennen. Aber schau selbst. Da, vor dieser Felsnase. Siehst du? Sie kann ...«

Kevin zitterte, aber er nickte. Sie konnte unter dem Schal liegen. Oder ihr Körper konnte von der Felsnase verdeckt sein.

»Kann man ... hier hinunterklettern?«, fragte er leise.

Hemi schüttelte den Kopf. »Es wäre *tapu*«, meinte er zögernd. »Aber wir könnten es natürlich trotzdem tun. Nur ... wir brauchten Seile ... Haken ... Wir müssten einander sichern. Frei klettern wäre ... Es nützt nichts, Kevin, wenn wir uns auch noch zu Tode stürzen.« Hemi legte seinem Freund die Hand auf den Arm.

Kevin wollte widersprechen. Er wollte sagen, dass Doortje alle Risiken der Welt wert war, dass er lieber sterben wollte als ... Aber dann rief er sich zur Ordnung. Wenn sie hier hinuntergesprungen oder -gefallen war, konnte sie nicht mehr am Leben sein. Ein Abstieg diente nur der Vergewisserung und der Bergung ihrer Leiche. Hemi hatte Recht, das hatte weder Eile noch rechtfertigte es ein Risiko.

»Dann ...«, sagte Kevin heiser, »... solltet ihr Seile holen. Und Haken und ... was auch immer wir brauchen ...« Er dachte an eine Trage.

Hemi nickte. »Die anderen können gehen. Ich bleibe hier bei dir.«

Kevin brauchte ihm nicht zu sagen, dass er nicht vorhatte, sich wegzurühren, bevor Doortje gefunden war. Er ließ sich langsam auf den Felsen sinken, als die Männer gingen, Hemi setzte sich neben ihn.

»Es ist meine Schuld«, flüsterte Kevin.

Hemi schwieg. Es gab nichts, was Kevin umstimmen oder trösten könnte. Er konnte nur bei ihm bleiben und das tun, was seine Ahnen hier seit Urzeiten taten – eins werden mit der Welt und dem Himmel, dem Berg und dem Tal, der Vergangenheit und der Zukunft.

Vielleicht war das ja auch Kevins Frau gelungen. Obwohl ihr *maunga* weit fort liegen musste, in jenem seltsamen Land mit seiner Hitze, seinen riesigen Tieren und seinen streitbaren Menschen. Hemi versuchte, ihre Seele zu erspüren, vielleicht gelang es ihm ja, auch Kevin in seine Verbindung mit dem Land und der Welt und den Göttern hinter dem Himmel zu ziehen …

Kevin litt Höllenqualen, und Hemi brauchte all seine Geduld, um den Tag auf der Klippe zu überstehen. Kevin konnte sich mit der erzwungenen Untätigkeit nicht abfinden, er stand immer wieder auf und sah hinunter zu dem blauen Schal. Er fuhr zusammen, als es aufklarte und ein scharfer Wind aufkam, der den Stoff trocknete und aufbauschte. Konnte Doortje noch am Leben sein? Regte sie sich unter dem Schal? Immer wieder fragte er sich, wo die Helfer blieben, aber natürlich dauerte es Stunden, die Bergungsexpedition zu organisieren.

Im Maori-Dorf gab es kein ausreichendes Tauwerk, die Nachricht von Doortjes Verschwinden war jedoch schon nach Elizabeth Station vorgedrungen. Michael und Patrick rafften zusammen, was sie in den Scheunen und Ställen fanden. Michael stellte auch Pferde zur Verfügung, mit denen der Aufstieg natürlich schneller zu schaffen war – und sowohl Hainga als auch der *ariki* waren so freundlich, zu der nicht zu verhindernden Schändung ihres Heiligtums zu schweigen. Haikina regte die Überlegung an, die Klippe zu umgehen, und Patrick kannte tatsächlich einen Weg ins Tal.

»Das würde allerdings mindestens einen Tag kosten«, meinte er. »Wobei ich es nicht von vorneherein abtun würde. So traurig es ist, aber wenn sie dort wirklich hinuntergefallen ist … dann hilft ihr niemand mehr. Dann haben wir alle Zeit der Welt.«

»Und die Tiere?« Das war Nandé, die verzweifelt weinte, seit sie von dem Schal am Boden des Abgrunds gehört hatte. »Bis dahin fressen sie die wilden Tiere. Sie schleppen sie weg. Dann gibt es kein Grab … bitte, bitte, Mr. Patrick …«

Patrick wollte erwidern, dass es in der Gegend keine Wild-

tiere gab, die groß genug waren, eine menschliche Leiche weg-
zuschleppen. Aber der Ausdruck auf Nandés Gesicht rührte
ihn.

Patrick hatte nicht ganz verstanden, was im Versammlungshaus vorgefallen war – er hatte nur von einem Streit und von
Doortjes und Juliets Verschwinden gehört. Juliets Verbleib
konnte er aufklären, sie war nach Elizabeth Station zurückgekehrt und verschanzte sich jetzt in ihrem Zimmer. Ein Grund
für Patrick, vage Schuldgefühle zu verspüren. Sicher war auch
Juliet verletzt oder verstört, aber er konnte sich nicht um sie
kümmern, und er wollte es auch nicht. In den letzten Wochen
reagierte Juliet auf jede seiner Annäherungen mit einem Wut-
anfall. Wer wusste, was er sich jetzt wieder würde anhören müssen, was Doortje – oder Kevin oder Matariki oder wer auch
immer – getan hatte, um Juliet zu verärgern.

»Wir kümmern uns schon darum, Nandé«, beschied er das
schwarze Mädchen. »Wir tun für sie, was wir können, das verspreche ich. Aber du solltest zurück zur Farm gehen. Jemand
muss sich um Miss Juliet kümmern.« In Nandés Augen blitzte
etwas auf. Ein Funke von Wut oder Ablehnung, ein Gefühl,
das sie sich sonst nie erlaubte. Ihr Gesicht blieb unbewegt, niemand außer Patrick las ihre Gedanken. »Ich weiß, Nandé, es
ist schwierig mit ihr«, seufzte er. »Aber sie ... für sie ist auch
manches nicht einfach. Mit etwas Geduld ...«

Nandé biss sich auf die Lippen. »Sie ist ... sie hat ...« Aber
dann schwieg sie doch. Er sollte es nicht von ihr erfahren.
Irgendjemand würde es ihm sagen müssen, inzwischen ahnte
wohl das halbe Dorf, was sich im Versammlungshaus abgespielt
hatte. Matariki war nicht sonderlich diskret gewesen. Sie hatte
zumindest Haikina und Hainga von ihrer Beobachtung erzählt,
schon um die Suchaktion dringlicher zu machen und den
Bruch des *tapu* zu rechtfertigen. Nandé selbst hatte es niemand
sagen müssen, sie hatte schon am Blick ihrer Herrin gesehen,

was Juliet plante. »Dann gehe ich mal«, sagte Nandé resigniert. »Sie bringen ... Miss Doortje nach Haus?«

Patrick raufte sein Haar. »Wir versuchen es, Nandé. Vorerst ... können wir wohl alle nur beten.«

Bevor alles Material auf der Klippe war und sich die Männer zum Abstieg bereit machten, brach die Dämmerung an. Im Winter wurde es früh dunkel. Michael und Hemi machten Kevin schonend klar, dass die Bergung auf den nächsten Tag verschoben werden musste.

»In der Nacht kommen wir nicht hinunter, und du würdest da unten ja auch gar nichts sehen. Dazu ziehen schon wieder Wolken auf, wir hätten nicht mal Mond- und Sternenlicht. Aber wir bleiben alle hier oben, und morgen beim ersten Tageslicht steigen wir ab.«

»Es würde womöglich reichen, einen großen Spiegel hinunterzulassen«, bemerkte Atamarie. Sie war mit Rawiri die Klippe hinaufgestiegen, lagerte mit ihm etwas abseits von den anderen Männern und Frauen und erörterte alternative Möglichkeiten, sich Gewissheit über Doortjes Verbleib zu verschaffen. »Dann könnten wir unter die Felsnase schauen. Allzu tief darunter kann sie gar nicht liegen. Oder einen Haken, um den Schal zu bewegen, falls sie darunterliegt. Hier abzusteigen erscheint mir gefährlich.«

Rawiri lächelte. »Hinunterzufliegen hättest du keine Angst?«

Atamarie zuckte die Schultern. »Weniger als zu klettern. Aber wir brauchten einen Gleitflieger. Und bis wir den gebaut hätten, haben sich die Männer auch abgeseilt oder sind drumherumgeritten. Ich glaube übrigens nicht, dass sie da unten liegt, zumindest nicht unter dem Schal. Guck dir doch den Winkel mal an ... So einen Fallwinkel gibt es gar nicht für irgendetwas, das schwerer ist als ein Schal, den der Wind wegtreibt. Ist keiner auf den Gedanken gekommen, mal versuchsweise einen großen Stein runterzuwerfen?«

Rawiri strich ihr das Haar aus dem Gesicht. Sie lag zum ersten Mal in seinen Armen, und trotz der Tragödie, um deretwillen sie hier waren, fühlte er sich unendlich glücklich.

»Atamie, überlass es den Göttern«, sagte er sanft. »Niemand hier will etwas von Fallwinkeln wissen oder Spiegel abseilen, ganz sicher nicht Kevin. Er muss mit eigenen Augen sehen, was dort unten ist. Es muss für ihn Wirklichkeit werden, nur dann kann er weiterleben. Was schwer genug für ihn wird. Ich möchte nicht schuld daran sein, wenn du ...«

Atamarie schmiegte sich an ihn. »Aber trotzdem würdest du einen Drachen für mich bauen, mit dem ich da hinunterfliegen könnte ... Ich liebe dich, Rawiri.«

Rawiri küsste sie. »Ich würde es für dich tun«, flüsterte er. »Aber jetzt gehen wir ja erst mal nach Christchurch. Und ich bin den Göttern dafür dankbar, dass die Canterbury Plains ziemlich flach sind.«

Lizzie verbrachte eine höllische Nacht der Ungewissheit. Sie hätte die Wärme und Trockenheit in ihrem Haus gern gegen einen Platz an der Seite ihres Mannes und ihrer Söhne eingetauscht. Lizzie hatte bei den Ngai Tahu gelebt und war in viele ihrer Geheimnisse eingeweiht. Die Klippen kannte sie gut, und der Gedanke, dort hinunterzuklettern, jagte ihr Schauer über den Rücken. Insofern sorgte sie sich nicht nur um Doortje, sondern auch um Michael, Kevin und Patrick. Sie wäre gern hochgeritten, um sie von eventuellen Dummheiten abzuhalten, aber sie hütete immer noch die Kinder. May hatte sie an diesem Abend allein zu Bett gebracht. Juliet kümmerte sich nie um die Kleine, und Nandé war nicht nur durch den Verlust Doortjes am Boden zerstört, sondern wurde auch von Juliet vollständig mit Beschlag belegt. Lizzie kannte inzwischen die Anzeichen ihrer schlechtesten Laune, die sie gnadenlos an ihrem Hausmädchen ausließ. Irgendwann hatte Lizzie genug davon und schickte Nandé in ihr Zimmer.

»Das Mädchen hat jetzt frei, Juliet, jeder Arbeitstag findet mal ein Ende«, beschied sie ihre Schwiegertochter, als die erneut nach ihr rief. »Leg dich hin und schlaf, und ich hoffe, ich bekomme morgen erzählt, was dieses ganze Drama ausgelöst hat! Wie ich dich kenne, Juliet, bist du daran nicht ganz unschuldig. Also denk drüber nach, und lass Nandé in Ruhe.«

Juliet verstummte daraufhin wirklich, aber Nandé weinte bis tief in die Nacht. Lizzie fragte sich, ob das schwarze Mädchen

847

wirklich um seine frühere Herrin trauerte. Es musste ein seltsames Verhältnis sein, das diese Buren zu den Einheimischen hatten. Doortje sah nicht viel mehr als eine Sklavin in Nandé, aber sie hatte darauf bestanden, sie nicht allein in Afrika zu lassen, weil sie sich verantwortlich für sie fühlte. Und Nandé war Doortje bei der nächstbesten Gelegenheit davongelaufen, aber jetzt trauerte sie um sie wie um ein Familienmitglied.

Als es endlich still im Haus war, nahm sich Lizzie ein Glas Wein, um schlafen zu können. Sie fühlte sich fast schuldig, dass sie nicht trauerte, aber sie konnte an Doortjes Tod nicht wirklich glauben. Zumindest in der Anfangszeit hatte Lizzie die Burin zwar nicht gemocht – ihr Starrsinn und ihre Bigotterie hatten Lizzie zur Weißglut getrieben –, sie hatte ihr jedoch in gewisser Weise auch imponiert. Lizzie gab es nicht gern zu, aber manchmal dachte sie, dass Doortje ihr selbst, zumindest ein kleines bisschen, ähnelte. Lizzie wäre nicht da gewesen, wo sie heute war, hätte sie ihre Pläne nicht entschlossen verfolgt und an ihren Zielen festgehalten. Sie hatte ein hartes und bewegtes Leben gehabt. Lizzie wusste, was es hieß, zu hungern und erniedrigt zu werden.

Sie hatte dennoch nie daran gedacht aufzugeben, und sie konnte sich das auch von Doortje VanStout nicht vorstellen. Doortjes Bindung zu ihrem Sohn war vielleicht nicht sonderlich innig – Lizzie glaubte trotzdem nicht, dass die Burin sich von einer Klippe stürzte und ihren Sohn allein zurückließ. Zumal, wenn irgendetwas vorgefallen war, das sie an seinem Vater zweifeln ließ. Lizzies Vorstellungen von den Geschehnissen im Versammlungshaus kamen der Wirklichkeit recht nahe. Doortje war an Juliets Sticheleien und Gemeinheiten gewöhnt. Um sie so weit zu treiben, dass Kevin einen Selbstmord befürchtete, musste mehr vorgefallen sein als ein Streitgespräch.

Lizzie grübelte die halbe Nacht lang, bis sie in einen unruhigen Schlaf fiel. Bei Morgengrauen erwachte sie bereits wieder. Die Männer würden sich jetzt sicher zum Abstieg bereit machen, und Lizzie dankte Gott, dass es nicht regnete … Sie blieb noch eine Weile nachdenklich liegen, dann stand sie auf und warf einen Blick aus dem Fenster. Im Haus hielt sie es nicht länger aus. Lizzie warf schnell ein Hauskleid und einen Umhang über und ging hinaus zum Wasserfall. Ihr *maunga*. Wenn sie Sorgen hatte oder nachdenken musste, pflegte sie hierherzukommen. Und auch wenn sie nach außen hin eine gläubige Anglikanerin war und Reverend Burton über alles schätzte: Ihre Götter traf sie hier.

Die in sich zusammengesunkene Gestalt, die im Schatten eines Felsens Schutz vor der Nachtkälte gesucht hatte, hatte allerdings nichts Göttliches an sich. Im noch fahlen Licht des neuen Tages dachte Lizzie zuerst an ein zitterndes Tier, aber dann erkannte sie Doortjes blondes Haar. Die junge Frau hatte sie noch nicht entdeckt, sie hockte an den Stein gelehnt, das Gesicht an ihre Knie gepresst und die Arme darumgeschlungen. Ihr viel zu dünnes Kleid war durchnässt, schmutzig und zerrissen. Kein Wunder, sie musste stundenlang durch den Wald geirrt sein.

»Doortje!« Lizzie lief zu ihrer Schwiegertochter und nahm dabei schon ihren Umhang ab, um die junge Frau darin einzuhüllen. »Mein Gott, Kind, warum bist du denn nicht ins Haus gekommen? Kevin glaubt, du wärest tot! Die Männer suchen dich unterhalb der Klippe … da warst du doch, oder? Himmel, Doortje, du bist völlig unterkühlt.«

Gleichzeitig besorgt, verärgert und unendlich erleichtert legte Lizzie den Umhang um sie. Doortje zitterte, immerhin zeigte sie Lebenszeichen. Sie blinzelte in das erste Sonnenlicht, und ihr unendlich trauriger Blick traf Lizzie.

»Ich hab deinen Schal verloren«, murmelte sie. »Auf den Klippen. Ich wollte … Tut mir leid …«

Sie sprach nicht weiter, krümmte sich aber wieder zusammen. Lizzie musste an ein verletztes Tier denken. Sie hockte sich zu ihrer Schwiegertochter und nahm sie sanft in die Arme.

»Was ist denn geschehen, Doortje? Was ist denn bloß geschehen?«

Doortje schien sich zuerst in die Umarmung ergeben zu wollen, aber dann zuckte sie zurück.

»Colin Coltrane«, stieß sie hervor. »Du ... du hast es auch gewusst?«

Lizzie sah Verzweiflung in Doortjes Augen und den hilflosen Wunsch, zumindest ihrer Schwiegermutter trauen zu können.

»Was denn, Liebes? Was soll ich gewusst haben?« Der Felsen, auf dem sie saßen, war noch feucht und kalt, bequem war es dort nicht. »Wir sollten besser ins Haus gehen, um zu reden«, meinte Lizzie.

Doortje schüttelte entschlossen den Kopf. »Nicht, solange sie da ist! Ich will sie nie wiedersehen. Sie ... sie wusste es, aber ... sie ... Es war doch alles ganz anders!«

Lizzie bemühte sich, aus ihrer Rede schlau zu werden. »Juliet. Du willst nicht ins Haus, solange Juliet da ist. Verstehen kann ich es ... Aber was hat sie gewusst, Doortje? Und was bedeutet dir Colin Coltrane?«

»Du kennst ihn also?«, flüsterte Doortje. »Du wusstest es auch. Es stimmt, was sie sagte. Mit ... Matariki ...«

Lizzie atmete tief durch. »Ja«, sagte sie. »Ich weiß zwar nicht, um welches geheime Wissen es hier geht, aber ich kannte Colin Coltrane. Er hat meine Tochter verführt und danach Chloé, wobei Matariki noch Glück hatte. Ihr hinterließ er nur eine bezaubernde Tochter – Chloé hätte er fast ihr Leben zerstört. Er ist ein Betrüger und Mistkerl, Doortje – egal, was wer auch immer dir über ihn gesagt haben mag. Obwohl ich ... ich darf mir eigentlich nicht anmaßen, über ihn zu richten, ich …« Sie hielt inne, aber dann sagte irgendetwas in ihr, dass sie dieser jungen Frau einen Vertrauensbeweis schuldete. Sie war bereit, das dunkelste Geheimnis ihres Lebens mit ihr zu teilen. »Ich habe sein Leben zerstört«, sagte sie. »indem ich seinen Vater tötete. Das weiß sonst niemand, Doortje, nur Michael, der Reverend und ich. Es war Notwehr, ich habe mir nichts vorzuwerfen. Aber ich bin schuld daran, dass Colin als Halbwaise aufwuchs … wobei Kathleen alles für ihn getan hat, was sie konnte. Sie war all ihren Kindern eine gute Mutter, sie …«

»Es stimmt, dass Kathleen …?«

Doortjes Stimme wurde tonlos. Sie hatte Kathleen gemocht, ihr vertraut … aber auch diese Frau hatte sie betrogen. Kathleen, die sie für ihre Freundin gehalten hatte, war die Mutter ihres Peinigers. Und auch sie musste von Abrahams Abkunft wissen …

Lizzie legte den Arm um ihre Schwiegertochter. Inzwischen war die Sonne ganz aufgegangen, Lizzie hoffte, dass es bald etwas wärmer werden würde. Doortje würde sich sonst den Tod holen in ihren nassen Kleidern. Aber vorerst konnte sie daran nichts ändern. Lizzie streichelte sanft Doortjes Schulter und begann zu erzählen. Von Kathleens und Michaels Jugendliebe, von ihrem gemeinsamen Sohn Sean und von Kathleens verzweifeltem Versuch, dem Kind einen ehrlichen Namen zu geben. Sie hatte damals den Viehhändler Ian Coltrane geheiratet und mit ihm zwei weitere Kinder bekommen, Colin und Heather.

»Aber Colin schlug nach seinem Vater, und als Kathleen schließlich vor Ian floh, wollte er nicht mit ihr gehen. Er blieb bei Ian und wurde genauso ein Gauner wie er. Und als ich Ian dann tötete …«

»Du hast Colins Vater wirklich getötet?«, fragte Doortje ungläubig. Erst jetzt verstand sie.

Lizzie nickte. »In Notwehr«, wiederholte sie. »Er ... er wollte ...« Sie musste sich zwingen, weiterzusprechen. Ian Coltrane hatte vorgehabt, sie zu vergewaltigen und zu töten. Es ging um den Goldfund unterhalb des Wasserfalls, über den heute Elizabeth Station wachte. »... er wollte mich umbringen«, sagte sie. »Aus Bosheit und Habsucht. Ich habe ihn mit einer Maori-Kriegskeule erschlagen.«

Doortje zitterte, aber jetzt war es nicht mehr die Kälte. »Colin hat ...«, flüsterte sie, »... er hat ... mir Gewalt angetan. Und meiner Schwester. Meine Schwester ist tot. Und ich ... ich hab's überlebt, aber ich war schwanger. Und jetzt ... jetzt wissen alle, dass Abe ... dass Abe nicht Kevins Kind ist, und sie denken ... sie denken, ich hätte Kevin mit Coltrane betrogen.« Sie schluchzte.

Lizzie zog Doortje noch näher an sich und wiegte sie wie ein Kind. Endlich verstand auch sie. »O Gott, ich hätte es merken müssen«, seufzte sie. »Abe hat die gleiche Haarfarbe wie Atamarie – und er wird ihr auch sonst immer ähnlicher ... Ich muss blind gewesen sein ... Aber ich schwöre dir, Doortje, ich habe nichts gewusst!«

»Ich auch nicht«, weinte Doortje. »Ich wäre nie hierhergekommen, wenn ich gewusst hätte, dass es alle sehen würden ... Diese Schande ...«

Lizzie schüttelte den Kopf. »Also ich hab es bis jetzt nicht gemerkt«, wiederholte sie ruhig. »Und Michael auch nicht. Insofern nehme ich an, dass man es nur dann erkennt, wenn man Colin als Baby kannte. Und vielleicht auch, wenn man Atamarie in Abes Alter gesehen hat. Michael und ich haben sie erst als Kleinkind kennengelernt, Riki lebte damals in Wellington. ›Alle‹ wissen es also sicher nicht, genau genommen kommen nur Kathleen und Matariki infrage – eventuell noch Claire Dunloe. Wie Juliet dahintergekommen ist, kann ich mir beim besten Willen nicht denken ... Wahrscheinlich rät sie auch mehr, als sie weiß ...« Lizzie überlegte. Dann verhärtete sich ihr Gesicht. »Oder meinst du, dass Kevin ...«

Doortje schüttelte den Kopf. »Nein. Nein, so ... so dumm kann er nicht sein, er ... er gäbe sich damit ja auch in ihre Hände.«

Lizzie lachte. »Wegen der Vaterschaft? Na, weißt du ...«

Doortjes Kopfschütteln wurde noch heftiger. »Nein, wegen ... wegen des ... des Mordes. Ich habe mich gerächt, Lizzie.« Doortje holte tief Luft. »Ich habe Colin Coltrane getötet. Mit einem Messer. Ich ... ich schälte Kartoffeln ... und ...« Lizzie hörte sich die Geschichte fassungslos an. Doortje erzählte von Colins Tod, von Kevins unfreiwilliger Beteiligung an der Tat und von Robertas Idee, die Leiche verschwinden zu lassen. »Und Kevin bot mir an, mich zu heiraten. Ich brauchte doch ... ich brauchte doch einen Vater für mein Kind.«

»Kevin muss dich sehr lieben«, sagte Lizzie schlicht, als ihre Schwiegertochter geendet hatte. »Und nein, ich glaube nicht, dass er mit Juliet über all das geredet hat. Er ...«

Doortje funkelte sie an. »Warum redet er überhaupt mit Juliet? Wenn er mich so liebt, warum betrügt er mich dann mit ihr?«

Lizzie seufzte. Manchmal erinnerte sie Doortje wirklich an ein ahnungsloses Kind aus dem Lande Oz ...

»Doortje, mein Michael ... und ebenso dein Kevin ... sie sind im Grunde gute Menschen. Hinreißende Männer, charmant, lebhaft – Michael war immer ein wunderbarer Liebhaber, ich nehme an, dass Kevin ihm auch hier nachschlägt.« Doortje errötete. Und dachte an die letzte Nacht. »Aber Michael brauchte immer eine Frau, die auf ihn aufpasste«, sprach Lizzie weiter. »Kathleen war zu jung dafür, damals in Irland. Und ich habe mein halbes Leben gebraucht, um es zu verstehen. Aber ohne mich war Michael wie ein Blatt im Wind, und mit Kevin ist es ähnlich. In gewisser Weise hat Juliet das begriffen – sie beherrscht ihn, aber sie ist nicht gut für ihn. Zum Glück weiß er das, auch wenn er sich jetzt wieder hat verführen lassen. Er ... ist schon mal vor ihr geflohen.«

Lizzie nahm Doortjes kalte, zitternde Hände zwischen die ihren. Sie wusste, dass sie Doortjes Welt noch weiter zerstörte, indem sie von May erzählte, und es war etwas anderes, ihr eigenes Geheimnis zu verraten als Patricks Lebenslüge. Aber hier half nur schonungslose Offenheit. Das Kind von Kevin würde sonst die nächste Waffe sein, die Juliet gegen Doortje benutzte. Zu Lizzies Überraschung nahm Doortje die Enthüllung fast belustigt auf.

»Kevin ist nicht der Vater von Abe, und Patrick ist nicht der Vater von May ... das ist ... und ich habe immer gedacht, diese komischen Gesellschaftsromane, die in den Frauenjournalen stehen, wären zu weit hergeholt ... Aber ... du bist die Mutter von Kevin, ja?«

Lizzie lächelte. »Ich schwöre«, sagte sie. »Und was Geheimnisse angeht: Kathleen kann schweigen, Matariki sowieso. Und ich bin überzeugt davon, dass sie beide mit Kevin gesprochen haben, sobald ihnen die Ähnlichkeit zwischen Abe und Atamarie auffiel. Kevin wird ihnen nichts von Colins Tod erzählt haben, aber ganz sicher davon, wie Abe entstanden ist. Wenn du Vergewaltigung als Schande ansiehst, wirst du also damit leben müssen, dass ein paar deiner Freunde davon wissen. Niemand, Doortje, traut dir jedoch zu, deinen Mann betrogen zu haben!«

Doortje wischte sich entschlossen über die Augen. »Ich glaube, ich kann inzwischen mit fast allem leben«, meinte sie. »Nur nicht mit Juliet Drury-LaBree. Du meinst, ich soll Kevin verzeihen, Lizzie ... Mutter ... Aber das geht nur, wenn sie ... wenn sie ... also wie ... wie schaffe ich sie weg?«

Lizzie lächelte. »Denk gar nicht an Kriegskeulen und Küchenmesser. Es gibt sehr viel einfachere Möglichkeiten, sich solcher Leute wie Juliet zu entledigen. Und wir können auch gleich die Morgenstunde nutzen ... Ich zeige dir jetzt, wie man Gold wäscht, Dorothea Drury. Und ich nehme dich damit endgültig und unabdingbar in unsere Familie auf. Denn dieses Geheimnis kennen wirklich nur die Drurys und die Ngai Tahu.«

Juliet war gerade erst aufgestanden, als Lizzie und Doortje zurück ins Haus kamen. Doortje zögernd, sie hasste es, Juliet gegenüberzutreten zu müssen, aber Lizzie bestand auf ihre Begleitung.

»Wir stehen das zusammen durch, Doortje. Ich hätte es vielleicht längst tun sollen, aber ich wollte ... ich wollte Patrick diese Wunde nicht zufügen. Wir werden gleich seine Träume zerstören, Doortje, und ihm das Herz brechen, es geht nicht anders. Aber lass es mich nicht allein tun!«

Doortje sah sie an, und in ihren Augen stand wieder die Härte der Burin. »Herzen brechen nicht so leicht«, sagte sie schroff, und Lizzie seufzte, erwiderte jedoch nichts.

Die beiden trafen Juliet am Frühstückstisch an. Nandé werkelte am Herd, sie backte Pfannkuchen und sah verweint und übernächtigt aus. Ganz sicher stand ihr nicht der Sinn nach einem opulenten Frühstück. Zumindest nicht, bis sie Doortje sah. Dann stieß sie einen Schrei aus und ließ die Pfanne fallen. Heißes Fett spritzte auf Juliets Morgenmantel, Nandé achtete jedoch gar nicht darauf.

»Baas! Mejouffrouw Doortje!«

Nandé fiel in ihre alte Sprache zurück. Sie stammelte Worte in gebrochenem Afrikaans und warf sich vor Doortje auf den Boden, um ihr die Hand zu küssen. Doortje half ihr auf und umarmte sie wie eine Schwester.

»Das mit der Baas hat uns Lizzie doch verboten«, murmelte Doortje verlegen.

Lizzie lächelte. Dann wandte sie sich Juliet zu, die begann, auf Nandé einzuschimpfen, weil sie ihren Morgenrock verdorben hatte. Lizzie hob jedoch nur kurz die Hand, um sie zum Schweigen zu bringen. Ihre Geste war so gebieterisch wie ihr Gesichtsausdruck.

»Nun zu dir, Juliet«, sagte sie ruhig. »Es reicht uns jetzt, Doortje und mir. Und Kevin … ich denke, ich spreche da auch für ihn. Patrick wird es vielleicht nicht gleich einsehen, aber auch ihm kann nichts Besseres passieren als dein Verschwinden. Also machen wir es kurz. Wie viel?«

Doortje schaute verständnislos, und Juliet lächelte jetzt, tatsächlich ein wenig irritiert.

»Ich verstehe nicht«, bemerkte sie. »Wieso soll ich gehen? Ich bin Patricks Frau, habt ihr das schon vergessen? Und Mays Mutter. Ich habe alles Recht der Welt, hier zu leben.«

Lizzie nickte gelassen. »Wie viel?«, wiederholte sie.

Juliet strich ihr Haar zurück. »Wie viel was?«, fragte sie scheinheilig.

»Geld, Juliet«, meinte Lizzie. »Davon verstehst du doch etwas. Gut, bisher hast du es eher dafür erhalten, zu kommen, statt zu gehen. Aber jetzt machen wir es mal anders. Also wie viel?«

»Du hältst mich für käuflich?« Juliet lehnte sich zurück.

Lizzie stöhnte. »Wir wollten es doch kurz machen, Juliet. Ich habe wirklich anderes zu tun. Aber gut, reden wir in ganzen Sätzen. Wie viel Geld verlangst du dafür, dass du heute noch verschwindest?«

»Wohin denn?«, fragte Juliet.

Lizzie rieb sich die Stirn. »Nach Amerika. Oder Europa. Oder auf die Fidschi-Inseln. Aber weg aus Neuseeland. Und das schnell!«

Juliet lachte. »So schnell geht das wohl nicht. Oder willst du mir gleich noch ein Schiff kaufen?«

Lizzie zuckte die Achseln. »Wenn es sein muss. Aber ich warne dich, es wäre nicht seetüchtig. Also wie viel?«

Juliet verschränkte die Arme. Sie dachte kurz über ihren Einstieg in die Verhandlungen nach. Sie musste die Summe sehr hoch ansetzen.

Schließlich lächelte sie. »Zehntausend Pfund.«

Lizzie verzog keine Miene. »Na also. Dann mach dich fertig, Juliet, bis Mittag solltest du aus dem Haus sein. Eine Chaise kannst du kutschieren, nimm die mit dem Verdeck, damit du nicht nass wirst, wenn es wieder regnet.«

Juliet sah sie verständnislos an. »Du willst … du zahlst … zehntausend Pfund?«

Ihre Stimme und ihre Gedanken überschlugen sich. Woher hatte Lizzie Drury eine solche Summe Geld?

Lizzie sprach jedoch schon unbeeindruckt weiter. »Fahr damit nach Dunedin, und stell das Pferd im Mietstall unter. Danach nimmst du den Zug nach Christchurch. So weit kommst du heute noch. Miete dich im White Hart ein. Innerhalb von drei Tagen, wenn eben möglich schon morgen, wird dich ein Anwalt aufsuchen. Du wirst die Einwilligung in die Scheidung von Patrick unterzeichnen sowie ein für alle Mal auf alle Rechte an deiner Tochter May verzichten.«

»Von May war bislang nicht die Rede!«, warf Juliet ein. »Wenn ich die Rechte auf sie abtrete, dann will ich … dann will ich fünftausend mehr!«

In Lizzies Gesicht stand nur noch Verachtung. »Interessant zu hören, was sie dir wert ist«, sagte sie kurz. »Du wirst also schriftlich und ausdrücklich auf alle Rechte an deiner Tochter verzichten, dafür wird dir der Anwalt fünfzehntausend Pfund in bar aushändigen. Und mit dem nächsten Schiff bist du dann weg.«

Juliet lächelte. »Und wenn ich nicht gehe?«, fragte sie.

Lizzies Gesicht wurde hart. »Es gibt Männer in diesem

Land«, sagte sie, »die würden dich mir für sehr viel weniger als fünfzehntausend Pfund vom Hals schaffen. Leg es nicht darauf an!« Damit wandte sie sich um. »Komm jetzt, Doortje, wir gehen hinauf zum Maori-Dorf und dann zur Klippe. Nandé kann Juliet beim Packen helfen, die Kleinen nehmen wir mit. Vielleicht können wir die Männer noch von diesem Wahnsinn abhalten, sich da abzuseilen. Auch wenn ich meinen Schal natürlich gern wiederhätte. Es ist ein sehr schöner Schal ... und man soll ja kein Geld verschwenden.« Sie lächelte Doortje verschwörerisch zu.

Doortje dachte an das Gold, das Lizzie im Garten versteckt hatte. Unzweifelhaft konnte man sich sehr viele Schals davon kaufen.

Oder die Freiheit von Juliet Drury-LaBree.

Die Frauen im Maori-Dorf überschlugen sich vor Freude und Überraschung, als Lizzie mit den Kindern und Doortje dort auftauchte. Matariki umarmte sie zwischen Lachen und Weinen. Und konnte es kaum abwarten, mit ihr zu sprechen.

»Kevin hat mir alles erzählt, Doortje. Erinnerst du dich, dass ich mich sofort mit ihm zurückgezogen habe, als ich Abraham das erste Mal sah? Abe ist Atamie wie aus dem Gesicht geschnitten, ich wusste gleich, dass da etwas faul ist. Kathleen hat es auch auf den ersten Blick gesehen, aber die weiß nur von ... der Vaterschaft ... Von Colins Tod weiß sie nichts, das muss sie auch nicht erfahren. Und du darfst es mir glauben: Ich wollte Kevin dazu bringen, dass er es dir erzählt. Ich hätte es fast selbst getan – alles wäre besser gewesen als diese Geschichte jetzt. Aber er ... er wollte dir nicht wehtun, Doortje, und er wusste doch, dass er es sowieso schon tat. Diese verfluchte Juliet ...«

»... ist Geschichte«, sagte Lizzie gelassen. »Du hättest es mir wirklich erzählen sollen, Riki, ich wusste von nichts. Aber jetzt gehen wir erst mal hoch zur Klippe. Die Männer sind schon weg, oder?«

Matariki nickte. »Die Männer haben da oben kampiert«, verriet sie. »Kevin wollte keine Zeit verlieren. Beim ersten Tageslicht wollten sie absteigen.« Sie kontrollierte mit einem Blick den Sonnenstand. »An sich müssten sie bald schon zurück sein ... Ach, schaut mal, da ist schon Haraki.«

Haraki, ein drahtiger, vielleicht zehn Jahre alter Junge flitzte eben auf den Dorfplatz. »Neuigkeiten!«, brüstete er sich. »Ich hab Neuigkeiten von den Männern. Kevins *wahine* ist nicht von der Klippe gefallen! Aber Kevin ...«

Doortje verstand kein Wort von der in raschem Maori vorgebrachten Rede des Jungen, aber sie las in Matarikis und Lizzies Gesichtern, dass etwas nicht stimmte.

»Was ist los, was ist passiert?«

Ängstlich wandte sie sich an Lizzie, aber die wehrte sie ab, sie brauchte ihre ganze Konzentration, um den Kleinen zu verstehen.

Haikina übersetzte schließlich für Doortje. »Kevin ist gestürzt. Er hatte es sehr eilig, hinunterzukommen, und hat sich wohl gegen Ende des Abstiegs mit der Höhe verschätzt. Ich weiß nicht, wie schwer er verletzt ist, aber aus eigener Kraft kommt er die Klippe wohl nicht mehr hoch, sie müssen ihn irgendwie bergen. Wir ... wir sollten uns vielleicht mit Hainga auf den Weg machen.«

Hainga, die Weise Frau, war auch die Heilerin des Stammes. Lizzie nickte. »Kiri ist nicht hier?«, fragte sie leise.

Kiri, Haingas Enkelin, hatte zunächst die traditionelle Heilkunst erlernt, studierte nun aber in Dunedin Medizin. Lizzie wusste nicht, ob sie der einen oder der anderen mehr vertraut hätte.

Haikina schüttelte den Kopf. »Nein. Sie wollte zu Matariki kommen, aber ...«

»Er wird doch nicht sterben?«, flüsterte Doortje. »Er darf doch nicht ... er kann doch jetzt nicht ...«

Matariki richtete rasch weitere Fragen an Haraki, der sie mit vielen Worten beantwortete. Doortje lechzte nach einer Übersetzung, aber Matariki schüttelte den Kopf.

»Der Kleine weiß gar nichts«, erklärte sie kurz. »Nur dass Kevin sich noch bewegt hat, das sah man von oben, und dass er wohl noch sprechen konnte. Nimmt er an. Hemi ist mit ihm unten, die anderen versuchen jetzt eine Bergung mithilfe dieser Trage, die sie zum Glück mitgenommen hatten. Das ist alles, was er wirklich weiß. Fragt ihn besser nicht länger, sonst denkt er sich noch was aus.«

»Er kann noch mal abstürzen, wenn sie versuchen, ihn mit der Trage zu bergen«, flüsterte Doortje. »Das sind doch alles … sind es Bergsteiger, Matariki? Erfahrene Bergsteiger?«

Matariki verneinte. »Wir klettern nicht auf Berge, nur weil sie da sind«, beschied sie ihre Schwägerin. »Aber trotzdem mache ich mir darum weniger Sorgen. Atamarie und Rawiri sind ja auch oben. Und die sind Techniker. Atamarie wird jede Kleinigkeit berechnen, bevor sie irgendwo ein Seil anbringt. Mach dir keine Sorgen, Doortje, wenn er am Leben ist, bringen sie ihn auch hoch.«

Doortje schluchzte auf. »Er darf nicht tot sein. Er nicht auch noch. Und … und ich wäre schuld …«

»Gestern habe ich das Gleiche von Kevin gehört«, meinte Matariki. »Und du bist nun auch nicht tot. Also verlier nicht gleich den Mut. Lasst uns lieber hingehen und sehen, was wirklich passiert ist.«

Die Frauen beeilten sich mit dem Aufstieg, aber sie brauchten nicht ganz bis zur Klippe zu gehen. Die Männer kamen ihnen bereits auf halbem Weg entgegen.

Doortje durchfuhr es eisig, als sie die Schritte und Stimmen hörten. Das war schneller gegangen als erwartet – ganz sicher konnte die Zeit nicht ausgereicht haben, einen Schwerverletzten mithilfe einer improvisierten Krankentrage zu bergen. Also war es entweder nicht allzu schlimm oder … oder … Man musste nicht besonders behutsam sein, wenn man eine Leiche die Klippe hinaufzog.

Lizzie und Matariki hegten die gleichen Gedanken, aber sie

beruhigten sich schon, als sie nah genug waren, um Wortfetzen zu verstehen. Hemi und ein paar andere diskutierten hitzig über Doortjes möglichen Verbleib. Das hätten sie kaum getan, hätte es einen weiteren Todesfall gegeben. Doortje allerdings sah nur die Trage, die zwei der Männer zwischen sich schleppten. Jemand lag darauf, zugedeckt mit Lizzies Schal.

»Kevin!« Doortje rannte auf die Männer zu und stürzte sich auf die Trage. »Kevin …«

Sie riss den Schal zur Seite – und starrte auf das Tauwerk, das die Männer ohne große Bemühungen, es aufzurollen, zum Transport auf die Trage geworfen hatten. Fassungslos sah sie sich um, aber sie erkannte Kevin nicht unter den Männern.

»Doortje! O mein Gott, Doortje!«

Kevins Stimme kam von oben – und Doortje bemerkte jetzt erst die beiden Pferde, die Michael mit zur Klippe genommen hatte. Kevin hockte im Sattel des einen und sah ziemlich mitgenommen aus. Sein Gesicht war voller Schrammen, einen Arm trug er in der Schlinge. Doortje lief auf das Pferd zu und umklammerte Kevins Bein.

»Du bist am Leben, Kevin, du bist …«

»Ich war gar nicht in Gefahr!«, behauptete Kevin, woraufhin die Männer um ihn herum in hysterisches Gelächter ausbrachen. Patrick und Michael führten die Pferde. Allein hätte Kevin kaum reiten können.

»Er ist nur ungefähr zehn Meter tief in einen Dornbusch gefallen und hat sich möglicherweise das Bein gebrochen, an dem du gerade nicht hängst, Doortje«, erläuterte Atamarie. »Sonst würde er nämlich schreien, statt so dumme Bemerkungen zu machen. Vielleicht ist es aber auch nur verstaucht. Diese Hecken federn manches ab.«

Kevin und Doortje hörten gar nicht auf sie. Michael konnte Kevin nur mühsam daran hindern, abzusteigen, um Doortje zu umarmen. Er beugte sich so weit wie möglich zu ihr hinunter, berührte mit seiner gesunden Hand ihr Haar und ihr Gesicht, als könnte er nicht glauben, sie tatsächlich wiederzusehen.

»Ich hatte solche Angst um dich«, flüsterte er. »Als wir den Schal da unten sahen ... und ich wäre schuld gewesen ...«

»Ich hätte nicht weglaufen sollen«, murmelte Doortje. »Dann wärest du nicht da runtergeklettert ... Aber jetzt wäre ich beinahe schuld gewesen ...«

»Könnt ihr das nicht nachher besprechen?«, fragte Matariki. »Im Dorf vielleicht? Im Trockenen?« Es begann eben wieder zu regnen.

Lizzie gab Doortje ihren Schal. »Hier hast du ihn wieder, aber das nächste Mal verlierst du ihn an besser zugänglichen Stellen! Michael, wir bringen Kevin direkt nach Hause ... nichts gegen Hainga, aber vielleicht braucht er doch einen Arzt.«

Kevin sah zweifelnd von ihr zu Doortje.

»Mutter, vielleicht wäre es besser, wenn wir gleich nach Dunedin zurückführen. Oder bei den Ngai Tahu bleiben, bis Hainga das hier verbunden hat. Das Bein ist nicht gebrochen, keine Angst, das kommt bald wieder in Ordnung. Aber ich möchte nicht, dass Doortje und Juliet ...«

»Was ist denn nun eigentlich vorgefallen zwischen Doortje und Juliet?«, fragte Patrick.

Doortje suchte Kevins Blick, der sah sie flehend an. Doortje kämpfte mit sich. Auch Patrick war betrogen worden. Musste er es nicht erfahren? Aber dann würde er Kevin vielleicht sein Leben lang hassen ...

»Nichts«, flüsterte Doortje. »Nichts, wir ... wir haben nur gestritten. Sie ... sie war ziemlich gemein zu mir.«

Patrick nickte entschlossen. »Ich werde mich darum kümmern, dass das nicht mehr vorkommt, Doortje. Glaub mir, ich werde etwas tun. So geht es nicht weiter, sie kann nicht ...«

Doortje wollte etwas sagen, aber Lizzie schüttelte fast unmerklich den Kopf. Patrick würde früh genug erfahren, dass Juliet gegangen war.

Tatsächlich wurde es dann Abend, bis alle nach Elizabeth Station zurückkehrten. Die Frauen im Maori-Dorf hatten gekocht und bewirteten die Mitglieder der Hilfsexpedition, nachdem sie diversen Reinigungsprozeduren unterworfen worden waren. Schließlich war ein *tapu* gebrochen worden, die Priester und Priesterinnen des Stammes mussten die Götter um Verzeihung bitten und wieder friedlich stimmen. Hainga war stundenlang damit beschäftigt, die Versorgung von Kevins Verletzungen blieb Lizzie und Doortje überlassen. Die Burin erwies sich dabei als erstaunlich geschickt.

»Bei uns gibt es ja keine Ärzte«, erklärte sie auf Lizzies Nachfragen. »Wir Frauen machen alles selbst – und es ist nicht so, wie die Engländer sagen, dass uns alle Patienten sterben.« Dabei warf sie Kevin einen strengen Blick zu. Er erwiderte ihn liebevoll.

»Du machst das sehr gut«, sagte er sanft.

Schließlich wurde das ausgedehnte Essen zu einem Fest, die Musiker des Stammes spielten auf, Whiskeyflaschen und Bierkrüge kreisten, und jeder einzelne Expeditionsteilnehmer berichtete lang und breit von seinen Erfahrungen an der Klippe. Dazu wartete man natürlich auch in dieser Nacht auf Matariki, doch die Sterne ließen sich noch nicht blicken.

Lizzie war rechtschaffen müde, als sie schließlich nach Hause kamen. Abwechselnd mit Doortje hatte sie Abe getragen. Kevin ritt, aber es ging ihm bereits so gut, dass er die kleine May vor sich in den Sattel nehmen konnte. May war gesellig, aber nach dem langen Tag quengelte auch sie herum. Auf dem Heimritt schlief sie schließlich ein. Kevin reichte sie Patrick vorsichtig hinunter, als sie vor Elizabeth Station ankamen.

»Ich bringe sie gleich ins Bett. Nandé wird zwar sicher schon schlafen, aber …«

Während Michael Kevin vom Pferd half – nachdem sein Fuß verbunden worden war, konnte er bereits wieder auf Krücken gehen –, folgte Lizzie ihrem jüngeren Sohn ins Haus, erschöpft und in böser Erwartung seiner Reaktionen. Sie sah, dass Patrick behutsam an Nandés Zimmertür klopfte.

»Warum macht sie denn nicht auf?«, fragte er verwundert. »Sie hat doch sonst einen so leichten Schlaf.«

Lizzie hasste es, sich der Sache in dieser Nacht noch stellen zu müssen, aber nun öffnete sie ruhig die Tür zu dem Zimmer. Sie war überrascht, es bis auf die Kleider und Koffer von Matariki und Atamarie leer zu finden.

»Sie ist weg, Patrick«, erklärte Lizzie. »Es tut mir leid.«

Patrick sah sie entsetzt an. »Sie ist … fort? Weggelaufen? Nandé ist … Juliet!« Patrick drückte Lizzie seine Tochter in die Arme und stürzte wie von Sinnen in das Schlafzimmer, das er mit Juliet teilte. »Juliet, du Biest, was hast du gemacht, was hast du ihr angetan?«

Lizzie warf Michael, der eben mit Kevin, Doortje und dem kleinen Abe hereinkam, einen verblüfften Blick zu. Michael wusste Bescheid, Lizzie hatte ihm schon auf dem Fest der Maori von Juliets erzwungenem Weggang berichtet. Zumindest in groben Zügen, die Sache mit dem Geld wollte sie vorerst auslassen. Michael hatte es auch nicht angesprochen, aber zu ihrer Verwunderung sofort das Thema Nandé zur Sprache gebracht.

»Und was ist mit dem schwarzen Mädchen?«, hatte er gefragt. »Nimmt sie die mit?«

Lizzie hatte die Stirn gerunzelt. Tatsächlich hatten weder sie noch Doortje darüber nachgedacht. »Nein, warum sollte sie? Nandé hat ihr beim Packen geholfen. Sie wird doch nicht mitgehen wollen.«

Michael hatte in seiner charakteristischen Art und Weise die Augen verdreht. »Lizzie, Nandé ist noch nie gefragt worden, ob sie irgendwohin gehen will oder nicht. Doortje hat sie von Afrika aus hierher geschleift. Dann hat Patrick sie abgeworben. Aber Juliet hält sie seitdem in heiliger Furcht. Für die ist sie doch nicht mehr als eine Sklavin.«

Lizzie hatte sich nervös auf die Lippen gebissen. Es war natürlich ein Fehler gewesen, das schwarze Mädchen bei Juliet zu lassen. Aber Himmel, auch sie konnte nicht an alles denken! Und nun war Nandé mit ihrer Herrin verschwunden, und Patrick ...

»Juliet ist auch weg!«, erklärte er nach einem Blick in das Schlafzimmer. »Sie ist ... was hat sie nur plötzlich?«

Es klang verblüfft, aber nicht so emotional und entsetzt wie eben seine Reaktion auf Nandés leeres Zimmer.

Lizzie atmete tief durch. »Ich habe sie weggeschickt, Patrick«, sagte sie sanft. »Es tut mir leid für dich, aber sie passte nicht hierher. Sie wusste das auch selbst. Sie ...«

Patrick schien sie gar nicht zu hören. Er hatte Juliets Zimmer wieder verlassen und sich Nandés zugewandt. Hilflos riss er die Schränke auf, als hoffte er, einen Beweis dafür zu finden, dass das Mädchen nur für kurze Zeit ausgegangen war.

»Sie konnte doch nicht einfach fortgehen! Und May. Ich ... ich dachte, sie liebt sie. Wenn schon nicht ... aber ich dachte, dass sie vielleicht auch mich ... ich ... dachte, wir hätten Zeit.«

Lizzie schüttelte den Kopf. Sie wusste nicht, wie oft sie es noch würde wiederholen müssen. »Juliet hat dich nie geliebt«, sagte sie geduldig. »Und sie hat sich nie etwas aus May gemacht. Sie ...«

Patrick blitzte sie an. »Wer spricht denn von Juliet?«, fragte er eisig. »Gib dir keine Mühe, Mutter, ich weiß das alles längst selbst. Aber Nandé ... ich ... ich hätte doch nie gedacht, dass sie ... dass sie May allein lässt.«

866

»May?«, fragte Michael spöttisch.

Sein Gesicht verzog sich zu einem breiten Grinsen.

Lizzie schob ihn entschlossen in ihr Schlafzimmer. »Führ das jetzt bloß nicht aus!«, schalt sie und seufzte. »Die Sache scheint viel komplizierter zu werden, als ich gedacht hatte. Aber das ist vielleicht auch besser. Ich muss morgen nach Dunedin, Michael, mit Sean Coltrane sprechen. Mit einem fremden Anwalt kann ich das nicht durchziehen. Aber wie es aussieht, müssen wir neben einem Scheidungsvertrag und einem Kind auch noch eine Sklavin kaufen.«

»Nun komm doch mit!« Über Elizabeth Station senkte sich die Abenddämmerung, und wenn die Drurys zusammen mit ihren Maori-Freunden auf das Erscheinen der Plejaden warten wollten, wurde es Zeit, aufzubrechen. Atamarie und Matariki hatten bereits ihre Festkleider angelegt, und auch Doortje trug wieder eines der in Parihaka gefertigten Gewänder. Sie strahlte nur so vor Glück, und Kevin ging es ähnlich, auch wenn er nach seinem Abenteuer vom Vortag noch ziemlich mitgenommen wirkte. Lizzie und Michael waren noch nicht zurück aus Dunedin, würden aber sicher zum Fest stoßen, sobald sie heimkehrten. Nur Patrick verschanzte sich mit May in seinem Schlafzimmer. Vermutlich hätte er Nandés Zimmer vorgezogen, aber das belegten ja Matariki und ihre Tochter. Und nun redeten beide seit bald einer Stunde auf Patrick ein. »Vom Trübsalblasen wird es auch nicht besser!«, meinte Matariki.

»Und May will bestimmt die Drachen sehen!«, fügte Atamarie hinzu.

Sie war allerbester Stimmung – eigentlich war sie nur zum Umziehen zurück zur Farm gekommen, die Nächte verbrachte sie bei Rawiri im Zelt, seit sie ihn im Dorf wiedergetroffen hatte. Seinen Vorschlag, gleich das Fest zu nutzen, um einander im Gemeinschaftshaus beizuliegen und damit die Ehe zu schließen, hatte sie abgelehnt.

»Dafür bin ich zu sehr *pakeha!*«, beschied sie ihn. »Ich stelle mir eine Hochzeit in der Kirche vor, in einem Kleid von Lady's Goldmine.«

Sie lachte, als Rawiri verständnislos guckte.

»Später könnt ihr dann ja eine Nacht im Gemeinschaftshaus schlafen«, vermittelte Matariki, »um der Tradition Genüge zu tun ... vielleicht in Parihaka.«

Atamarie nickte. »Schlafen ist in Ordnung. Wenn wir dann schon so eine Art ›altes Ehepaar‹ sind. Aber für alles andere brauche ich keine Zeugen. Und im Moment wäre schlafen ... ziemlich verschwendete Zeit, nicht?«

Dabei hatte sie Rawiri zugeblinzelt und war gleich darauf wieder mit ihm im Zelt verschwunden. Die beiden schienen im Moment wunschlos glücklich – ihre Drachen würden den Göttern wohl nur Dankesbotschaften in den Himmel schicken.

Patrick schüttelte allerdings jetzt nur den Kopf zu all den gut gemeinten Einladungen.

»Ich bin nicht in der Stimmung zum Feiern, Atamie. Zumindest nicht in Gesellschaft. May und ich werden die Sterne am Wasserfall erwarten. Allein!« Um klarzumachen, dass das Gespräch beendet war, erhob er sich, nahm May auf den Arm und ging zur Tür. »Und falls mir danach ist, den Göttern eine Botschaft zu schicken ... ich glaube allerdings nicht, dass sie hören wollen, was ich zu sagen habe!«

Atamarie lachte. »Soll ich dir einen *manu* leihen, mit direktem Draht zur himmlischen Beschwerdestelle?«, witzelte sie.

»Einen habe ich noch hier unten, einen *birdman*. Sehr aufwendig verziert, ein sehr feiner Botschafter. Vielleicht rührt er an das Herz einer Göttin, und sie bringt dir Juliet zurück.«

Weit davon entfernt, ihn einfach sich selbst zu überlassen, folgten sie und Matariki ihm hinaus.

»Bloß nicht, Atamie!« Matariki seufzte und warf einen prüfenden Blick in den Himmel. Sterne standen noch nicht am
Himmel, aber er war wolkenlos. Wenn die Plejaden aufgingen,
würde man sie leicht sehen können. Ein gutes Omen für das
neue Jahr, ebenso wie Juliets Weggang. »Wo wir alle froh sind,
dass wir sie los sind. Du doch auch, Patrick, wenn du ehrlich
bist, oder?« Sie legte ihrem Bruder den Arm um die Schultern.
»Das war doch längst keine Ehe mehr … ihre dauernde Unzu-
friedenheit, die Streitereien …«

»Was für mich eine Ehe ist, müsst ihr schon mir überlassen!« Patrick schüttelte seine Schwester wütend ab. »Glaub mir,
ich hätte das beendet. Aber nicht so! Es hätte noch einiges zu
regeln gegeben.«

»Zwischen Juliet und dir?«, fragte Matariki kopfschüttelnd.
»Also, wenn du mich fragst, war da alles gesagt.«

Patrick wandte sich böse zu ihr um. »Wer spricht von Juliet,
Matariki? Ihr … ihr wisst alle gar nichts, ihr …«

Die Frauen liefen ihm nach den Weg hinunter. Der Pfad
führte zum Teich, nicht zum Wasserfall, aber Patrick war das
anscheinend egal, er wollte nur entkommen.

Matariki lächelte. »Es geht um Nandé, nicht? Ich habe mich
schon die ganze Zeit gefragt, ob sich da etwas anbahnt … Aber
ich würde die Hoffnung nicht aufgeben, Patrick. Mutter hat so
was erwähnt … Vielleicht bringt sie Nandé ja zurück.«

Patrick stieß scharf die Luft aus und ging schneller. Langsam geriet er außer Atem, May war mit ihren drei Jahren schon
recht schwer.

»Ich habe das mitbekommen«, sagte er. »Und ich habe es
mir verbeten. Es ist mir schon klar, dass Mutter etwas mit
Juliets Verschwinden zu tun hat! Und schon das ist infam. Aber
ihr nun auch noch Nandé ›abzukaufen‹, das ist … das wäre …«

Patrick hielt plötzlich inne. Vor ihnen lag der kleine, durch
den Wasserfall gespeiste See, von dem aus der goldführende

Bach zu Tal floß. Und am See kniete ein Mädchen, dem krauses schwarzes Haar über den Rücken fiel. Viel mehr von ihr konnte man nicht erkennen, die junge Frau schöpfte eben mit bloßen Händen Wasser aus dem Teich und trank. Aber mehr brauchte man auch nicht zu sehen.

May gab einen Quietschlaut von sich. »Nandy!«, rief sie und streckte der jungen Frau die Arme entgegen. »Daddy, May zu Nandy!«

Die Kleine bestand darauf, heruntergelassen zu werden, und rannte dann so rasch sie konnte auf die junge Frau zu, die sich eben aufrichtete. Sie strahlte Patrick an und beugte sich zu seiner Tochter herunter. Nandé trug keine Schuhe, und ihr Dienstbotenkleid war schmutzig und verschwitzt. Patrick starrte sie nur sprachlos an.

»Mr. Patrick ... ich ... ich durfte doch weglaufen, oder?«

Patrick hob hilflos die Arme. »Du kannst hingehen, wohin du möchtest, Nandé«, flüsterte er und trat endlich näher an sie heran. »Das weißt du doch. Aber ich ... also, ich war schon traurig, als ich gesehen habe, dass du fortgegangen bist.« Er reichte ihr beide Hände, die das Mädchen zögernd nahm.

»Ich bin doch nicht von Ihnen weggelaufen«, sagte Nandé. »Zu Ihnen bin ich jetzt ... – wie sagt man das richtig? – ... hingelaufen?«

Patrick lächelte. »Zurückgekommen, Nandé«, korrigierte er. »Aber wo kommst du denn her? Und warum bist du überhaupt ...? Aber das ist jetzt nicht wichtig, Nandé. Komm, du wirst Hunger haben. Bist du zu Fuß gekommen? Von wo?«

»Von Dunedin, Mr. Patrick«, erklärte Nandé gelassen. »Miss Juliet wollte, dass ich mit ihr komme. Nach Christchurch und dann nach Amerika. Aber da will ich gar nicht hin. Und ich hab lange nachgedacht über das, was Miss Doortje immer aus der Bibel vorgelesen hat, dass man ein guter Diener sein soll. Aber auch, was Sie gesagt haben, dass ich frei bin. Und was

Miss Violet gesagt hat über die Frauen und die … Gewerkschaften …« Anlässlich des Kunstfestivals hatte Violet eine Rede über den Kampf um das Frauenwahlrecht gehalten, in dem auch die ersten in der Tailoresses' Union organisierten Frauen eine Rolle gespielt hatten. »Und dann, dann bin ich Miss Juliet – wie sagt man? – erwischt?«

»Entwischt, Nandé.« Patrick klang glücklich.

»Ich sollte noch etwas zu essen kaufen, bevor der Zug losfuhr, aber ich bin weggelaufen. Mit dem Geld. Aber das habe ich noch hier, Mr. Patrick. Ich wollte nicht stehlen!«

Nandé zwinkerte Patrick an. Die beiden wirkten eher wie Komplizen als wie Herr und Diener oder wie … Liebende.

Atamarie beschäftigte allerdings anderes. »Du bist den ganzen Weg zu Fuß gegangen? Von Dunedin aus? Fast vierzig Meilen?«

Nandé nickte. »Wir sind alle gute Läufer in meinem Volk«, erklärte sie stolz. »Aber jetzt bin ich doch ein bisschen müde. Kann ich denn jetzt hierbleiben?«

»Nandy!«, wiederholte May und dann für alle überraschend: »Mommy!«

Matariki runzelte die Stirn. »Hat sie bis jetzt nicht immer nur ›Daddy‹ gesagt?«, erkundigte sie sich.

Niemand hatte je eine Unterhaltung zwischen Juliet und ihrer Tochter wahrgenommen.

Patrick lächelte. »Vielleicht will sie damit ja sagen, dass sie gern eine neue Mommy hätte …«

»Und sie trifft auch gleich eine Auswahl!« Atamarie lachte. »Kluges Kind. Aber jetzt kommt, wir sollten ins Dorf gehen. Es wird nun wirklich dunkel, und Rawiri wird auf mich warten.«

»Schaut mal!« Matariki warf einen Blick zum Himmel. Die ersten Sterne zeigten sich am Firmament, und die leuchtendsten unter ihnen waren die Augen des Gottes Tawhirimatea –

der helle Stern Whanui mit den sechs etwas weniger strahlenden Tochtersternen in seinem Gefolge.

»Ka puta Matariki ka rere Whanui.
Ko te tohu tena o te tau e!«

Matariki begrüßte das Sternbild, nach dem sie benannt war, mit dem alten Lied. Atamarie fiel ein, und beide umarmten Patrick, Nandé und die kleine May, die fröhlich mitkrähte.

»Ein glückliches neues Jahr!«

Auch oben im Maori-Dorf lachten, tanzten und umarmten sich die Menschen. Rawiri und seine Schüler ließen die ersten Drachen auf, die Kinder begannen mit den *karakia*, um sie zu lenken und die Sterne zu grüßen. Nur die alten Leute weinten und klagten wie in jedem Jahr.

»Warum weinen sie?«, fragte Doortje ihren Mann, wie Atamarie als kleines Mädchen ihre Mutter gefragt hatte. »Ich denke, Matariki ist ein Freudenfest.«

Kevin nickte. »Matariki ist das Fest des Jahreswechsels. Ein Ende und ein Anfang. Matariki zieht auf, die Augen des Gottes ruhen auf uns, nachdem er lange fort gewesen ist. Die Stammesältesten berichten ihm nun, was vorgefallen ist in dieser Zeit. Sie beweinen noch einmal die Toten vom letzten Jahr und beklagen all das Schlechte, das dem Stamm in den vergangenen Monaten zugestoßen ist. Aber damit ist die Trauer dann auch abgeschlossen, die Toten gehen zu den Ahnen, werden Teil der Vergangenheit. Nach dieser Nacht gedenkt man ihrer nicht mehr mit Tränen und Zorn. Sie werden Teil der Erinnerung und bestimmen damit auch die Zukunft.«

»Ein … schöner Brauch«, sagte Doortje zögernd. »Denkst du … denkst du, dieser … dieser Maori-Gott … würde auch mir zuhören?«

Kevin küsste sie. »Natürlich. Geh einfach hin zu den Alten. Sing mit ihnen … Erzähl ihnen von deiner Familie, von dem, was du verloren hast, berichte von deinem Land … Sie werden dich verstehen. Die Menschen und die Sterne …«

»Und wenn ich weine?«, fragte Doortje erstickt.

»Dann weinst du, Doortje. Wie die anderen. Heute ist noch Zeit zu weinen. Morgen beginnt die Zukunft.«

Kevin legte den Arm um sie und führte sie in die Gruppe der Ältesten. Hainga wies sie an, sich zu setzen. Sie zog Doortje hinein in ihren Kreis der Trauer und der alten Lieder.

Doortje Drury-VanStout weinte in dieser Nacht zum ersten Mal, seit sie ein kleines Mädchen gewesen war und ihr Vater sie dafür gescholten hatte. Mit einer Flut von Tränen beschwor sie noch einmal ihre Toten, nannte die Namen ihrer Eltern und Geschwister und trauerte um ihr verlorenes Zuhause und ihr geschundenes Land.

Aber Kevin hielt sie dabei in den Armen, und in der Nacht trocknete der Wind ihre Tränen. Am Morgen weckten sie die Gesänge der Kinder. Atamarie und Rawiri ließen ihre Drachen und Träume auf zu den Göttern. Und die bunten *manu* trugen die Trauer davon.

NACHWORT

Die Südinsel Neuseelands als Heimat eines Flugpioniers, der seinen Motorflieger *vor* den Brüdern Wright in die Luft brachte?

Auch ich habe gestutzt, als ich genauer nachforschte, woher der Richard Pearse Airport in Timaru seinen Namen hat. Es ist aber tatsächlich die Wahrheit: Richard Pearse war zweifellos einer der ersten Motorflieger der Welt, und viele Indizien sprechen dafür, dass er schon Monate vor dem Flug der Brüder Wright über Waitohi schwebte, um dann in seine Ginsterhecke zu stürzen. Das war bei Wilbur und Orville Wright allerdings auch nicht viel anders. Ihre ersten Flüge endeten ähnlich weich, aber weniger stachelig in Sanddünen. Umstritten ist allerdings das Datum des ersten Fluges, wie es überhaupt keine offiziellen Zeugen für Pearse' Flugversuche gibt. Er lud tatsächlich niemals Pressevertreter oder Fachleute ein, einem Flug beizuwohnen, und er dokumentierte seine Testflüge auch sonst nicht. An Zufallszeugen wie Nachbarn oder Familienmitgliedern fehlte es allerdings nicht.

Bis heute stehen Fernseh- und Radiointerviews mit Zeitzeugen im Internet. Dass die sich angeblich alle nicht daran erinnerten, ob Pearse nun in den ersten Monaten des Jahres 1903 oder erst im Jahr 1904 abhob, erklärt man mit der »einfachen geistigen Struktur des Landbewohners«, der damals nicht so auf die Jahreszahlen achtete. Mir erscheint das unglaubwürdig – ein Landwirt, der zum ersten Mal ein Flugzeug über

874

seine Felder schweben sieht, wird sich daran erinnern, ob die abgeerntet waren oder nicht! Und auch wenn man sich an eine Jahreszahl nicht direkt erinnert, so gibt es doch meist persönliche Zeitbezüge, die es möglich machen, sie nachträglich zu eruieren. Warum hier niemand nachgehakt hat, wird wohl ewig unerforscht und Richard Pearse somit in der zweiten oder dritten Reihe der Flugpioniere bleiben. Er soll übrigens wirklich mit den Brüdern Wright korrespondiert haben – ob vor oder nach seinem und/oder ihrem Flug und in welchem Ausmaß ließ sich allerdings nicht herausfinden. Die hierzu in meinem Buch gemachten Angaben sind fiktiv. Auch seine Tätigkeit als Hilfskraft am Canterbury College und die Teilnahme an der Expedition nach Taranaki sind erfunden, außerdem natürlich die Liebesgeschichte mit Atamarie und mit Shirley. Tatsächlich blieb Pearse zeit seines Lebens unverheiratet, und es ist auch keine engere Beziehung zu einer Frau bekannt.

Die weitaus meisten Informationen, die ich in diesem Roman über Pearse' Leben, seinen Werdegang und seinen familiären Hintergrund vermittle, entsprechen allerdings der Wahrheit. Zu ein paar Details wie etwa der PS-Zahl seines verwendeten Motors und Ähnlichem fanden sich in verschiedenen Quellen unterschiedliche Angaben, wobei ich nicht versucht habe, sie zu verifizieren, sondern einfach das übernahm, was mir am passendsten schien. Ich bin keine Flugzeugexpertin, und bei allen Bemühungen, mich hier einzuarbeiten – Flugzeugingenieure mögen vielleicht Fehler finden, für die ich mich hiermit schon im Vorfeld entschuldige.

Wissentlich verfälscht habe ich Pearse' Geschichte nur einmal: Der Erfinder zog nicht 1904 von seiner alten Farm in Christchurch auf eine neue in Otago, sondern erst 1911. Die Gründe dafür mögen ähnlich gewesen sein wie im Buch geschildert, nur geschah alles mit schwer erklärbaren Verzögerungen.

Es gibt immer wieder weiße Flecken in seinem dokumentierten Lebenslauf sowie weitere seltsame Ungereimtheiten wie etwa seine Behauptung, er sei nicht wirklich geflogen. All das war dann auch der Grund für meine massive Spekulation bezüglich Richard Pearse' seelischem Zustand: Der Mann, den Atamarie in diesem Roman kennenlernt, leidet an einer manisch-depressiven Störung, einer Erkrankung, die man Anfang des 20. Jahrhunderts noch nicht kannte, sondern allenfalls als Melancholie beschrieb. Für mich würde eine solche Störung vieles in Pearse' Lebenslauf erklären, in gewisser Weise sogar die Sorge seines Umfeldes bezüglich zu viel Öffentlichkeit und Weltruhm für den labilen Nachbarn, Freund, Sohn und Bruder. Dennoch bleibt die Annahme natürlich fiktiv. Das einzige wirklich haltbare Indiz für eine psychische Erkrankung findet sich erst ganz am Ende von Pearse' Lebenslauf. Er wurde 1951 mit schwerer Paranoia in eine psychiatrische Klinik in Christchurch eingewiesen, wo er zwei Jahre später starb.

Im Gegensatz zu Richard Pearse ist Professor Dobbins, der Leiter des Canterbury College of Engineering, eine fiktive Person. Er ist allerdings dem wirklichen Professor Dobson nachempfunden. Der gehörte zu den Gründern der Fakultät für Ingenieurwesen und weilte in den fraglichen Jahren auch in Neuseeland. Es ließ sich aber nicht mehr ermitteln, ob er neben seiner sonstigen Arbeit in Christchurch – die Stadt verdankt ihm unter anderem die städtischen Wasserleitungen – noch am College unterrichtete. Der Lehrplan der Hochschule ist authentisch, allerdings ist es eher unwahrscheinlich, dass schon so früh ein Mädchen den Ingenieurstudiengang absolvierte. Theoretisch wäre das allerdings möglich gewesen, die Hochschulen in Neuseeland öffneten sich extrem früh, oft gleich bei ihrer Gründung, weiblichen Studenten.

Der Egmont Nationalpark rund um den Mount Taranaki wurde tatsächlich im Jahre 1900 gegründet, aber die Expedition zu seiner Vermessung habe ich mir ausgedacht.

Sämtliche Angaben zur Drachenbaukunst der Maori stammen aus authentischen Quellen, die kunstvoll gestalteten *manu* gehören noch heute zu ihrer lebendigen Kultur. Die Berichte von frühen Drachenflügen von Menschen sind allerdings durchweg Legende, weshalb ich denn auch auf den Effekt verzichtet habe, Atamarie und Rawiri mit ihren Gleitern in die Luft gehen zu lassen.

Die Verstrickung Neuseelands in den Burenkrieg und die Geschichte der Rough Riders ist weitgehend historisch korrekt wiedergegeben, ebenso die Zustände in den Konzentrationslagern. Dieser Begriff wurde übrigens im Zusammenhang mit den Lagern in Südafrika zum ersten Mal gebraucht. Das Lager Karenstad ist zwar fiktiv, aber dem Lager Kroonstad stark nachempfunden.

Der Ort Wepener wird im Buch als »an der Grenze zu Basutoland« lokalisiert. Da liegt er immer noch, aber Basutoland heißt heute Lesotho. Die gleichnamigen Ponys haben ihren Namen allerdings behalten, sie sind immer noch robuste Reit- und Arbeitspferde im Stockmaß um einen Meter fünfundvierzig und leben oft halb wild in den Maluti- und Drakensbergen.

Was die Geschichte des Trabrennens in Neuseeland angeht, so fanden die genannten Rennen tatsächlich statt, der New Zealand Trotting Cup zum ersten Mal im November 1904.

Liebe Leserin, lieber Leser,

*wenn Sie mehr von dieser großartigen Autorin lesen möchten, emp-
fehlen wir Ihnen folgende Leseprobe aus Sarah Larks Karibik-Saga*
DIE INSEL DER TAUSEND QUELLEN.

SCHWÄRMEREI

London
Spätsommer bis Herbst 1729

KAPITEL 1

W as für ein Wetter!«
Nora Reed schüttelte sich, bevor sie aus dem Haus
ihres Vaters trat und auf die davor wartende Kutsche
zueilte. Der alte Kutscher lächelte, als sie trotz hochhackiger
Seidenschuhe behände über die Pfützen hüpfte, um ihr Kleid
nicht zu beschmutzen. Der voluminöse Reifrock entblößte weit
mehr von ihren Knöcheln und Waden, als schicklich war, aber
Nora hatte vor Peppers keine Hemmungen. Er war seit Jahren
im Dienst ihrer Familie und kannte sie, seit er sie weiland zur
Taufe gefahren hatte.

»Wo soll's denn hingehen?«

Lächelnd hielt der Kutscher Nora den Schlag des hohen,
schwarz lackierten Gefährts auf. Die Türen waren mit einer Art
Wappen verziert: kunstvoll ineinander verschlungene Initialen –
T und R für Thomas Reed, Noras Vater.

Nora schlüpfte rasch ins Trockene und ließ sofort die Kapuze
ihres weiten Mantels sinken. Ihre Zofe hatte an diesem Morgen
dunkelgrüne Bänder in das goldbraune Haar geflochten, pas-

send zu Noras vorn offenem sattgrünen Mantelkleid. Dem breiten Zopf, der ihr über den Rücken fiel, hätte der Regen jedoch auch ohne Schutz nichts anhaben können. Nora pflegte ihr Haar nicht weiß zu pudern, wie die Mode es vorschrieb. Sie bevorzugte es natürlich und freute sich, wenn Simon ihre Locken mit flüssigem Bernstein verglich. Die junge Frau lächelte versonnen beim Gedanken an ihren Liebsten. Vielleicht sollte sie doch im Kontor ihres Vaters vorbeischauen, bevor sie Lady Wentworth besuchte.

»Erst mal runter zur Themse, bitte«, gab sie dem Kutscher eher vage Anweisungen. »Ich will zu den Wentworths … Sie wissen schon, das große Haus im Geschäftsviertel.«

Lord Wentworth hatte sich gleich in der Gegend der Kontore und Handelshäuser an der Themse angesiedelt. Der Kontakt mit den Kaufleuten und Zuckerimporteuren war ihm offensichtlich wichtiger als eine Residenz in einem der vornehmeren Wohnviertel.

Peppers nickte. »Ihren Vater möchten Sie nicht besuchen?«, erkundigte er sich.

Der alte Diener kannte Nora gut genug, um in ihrem schmalen, ausdrucksstarken Gesicht zu lesen. In den letzten Wochen bat sie ihn auffallend oft, sie hinunter zum Reed'schen Kontor zu kutschieren – auch wenn es eigentlich ein Umweg war. Und natürlich drängte es sie dabei nicht so sehr, ihren Vater zu sehen, sondern eher Simon Greenborough, den jüngsten seiner Sekretäre. Peppers ahnte, dass die junge Frau sich auch mit dem jungen Mann traf, wenn sie spazieren ging oder ausritt, aber er gedachte nicht, sich einzumischen. Zweifellos wäre es seinem Herrn nicht recht, wenn Nora mit einem seiner Angestellten tändelte. Doch Peppers mochte seine junge Herrin – Nora verstand es seit jeher, das Personal ihres Vaters um den Finger zu wickeln –, und er gönnte ihr die Schwärmerei für den hübschen, dunkelhaarigen Schreiber. Bislang hatte Nora auch niemals ernsthafte Heimlichkeiten vor ihrem Vater gehabt. Thomas Reed hatte sie praktisch allein aufgezogen, nachdem ihre Mutter früh verstorben war, und die beiden hatten ein enges, herzliches Verhältnis. Peppers glaubte nicht, dass sie dies für eine Liebelei aufs Spiel setzen würde.

»Mal sehen«, meinte Nora jetzt, und ihr Gesicht nahm einen spitzbübischen Ausdruck an. »Kann jedenfalls nicht schaden, wenn wir vorbeifahren. Fahren wir einfach ein bisschen spazieren!«

Peppers nickte, schloss die Tür hinter ihr und stieg auf den Bock. Dabei schüttelte er unwillig den Kopf. Bei allem Verständnis für Noras junge Liebe – zum Spazierenfahren lud das Wetter nun wirklich nicht ein. Es regnete in Strömen, und das Wasser schoss sturzbachartig durch die Straßen der Stadt, Unrat und Müll mit sich reißend. Regen und Straßenschmutz verbanden sich zu einer übel riechenden Brühe, die unter den Rädern der Kutschen gurgelte, und nicht selten verfingen sich weggespülte Bretter, von den Ladenfronten gerissene Schilder oder gar Tierkadaver in den Speichen.

Peppers fuhr langsam, um keinen Unfall zu riskieren und die Laufburschen und Passanten zu schonen, die trotz des Wetters zu Fuß unterwegs waren. Sie ergriffen vor dem aufspritzenden Wasser die Flucht, wenn eine Kutsche vorbeikam, schafften es aber nicht immer, dem stinkenden unfreiwilligen Duschbad zu entkommen. Nun musste Peppers seine Pferde auch nicht zurückhalten. Die Tiere gingen nur unwillig vorwärts, sie schienen sich unter dem Regen ducken zu wollen – ebenso wie der schmale junge Mann, offensichtlich ein Botenjunge, der aus dem Kontor des Thomas Reed heraustrat, als Peppers seine Kutsche vorbeilenkte. Peppers empfand Mitgefühl für den Armen, aber er wurde nun von Nora abgelenkt, die heftig gegen das Fenster zwischen Kutsche und Bock klopfte.

»Peppers! So halten Sie doch an, Peppers! Das ist …«

Simon Greenborough hatte gehofft, dass sich das Wetter bessern würde. Aber als er aus dem Halbdunkel des Kontors auf die Straße trat, belehrte ihn der Anblick der triefenden Pferde vor den geschlossenen Droschken eines Besseren. Simon versuchte, den Kragen seines fadenscheinigen Mantels hochzuziehen, um den Spitzenbesatz seines letzten brauchbaren Hemdes zu schützen. Er pflegte ihn an jedem Abend selbst zu plätten, um ihn halbwegs in Form zu halten. Jetzt war er aber in kürzester Zeit durchnässt, ebenso wie Simons spärlich gepuderte Frisur. Das Wasser lief an dem kurzen Zopf herab, zu dem er sein dichtes dunkles Haar zusammengefasst hatte. Simon sehnte sich nach einer Kopfbedeckung, aber darauf pflegte er schon deshalb zu verzichten, weil er nicht genau wusste, was für seinen neuen Stand als Schreiber schicklich war. Ganz sicher nicht der Dreispitz des jungen Adligen, selbst wenn sein einziger Hut noch vorzeigbar gewesen wäre. Und auch nicht die aufwändige Perücke, die sein Vater getragen hatte und der Gerichtsvollzieher …

Simon versuchte, nicht weiter darüber nachzudenken. Er hustete, als ihm das Wasser den Rücken herunterrann. Wenn er nicht bald aus dem Platzregen herauskam, würden auch sein Mantel und seine Kniehosen völlig durchnässt sein. Seine alten Schnallenschuhe hielten der Nässe schon jetzt nicht stand, das Leder quietschte bei jedem Schritt. Simon versuchte, schneller zu gehen. Letztlich waren es ja nur ein paar Blocks bis in die Thames Street, und vielleicht konnte er gleich auf die Antwort auf den Brief warten, den er sich erboten hatte zu befördern. Bis dahin würde der Regen hoffentlich nachlassen …

Simon bemerkte die von hinten herannahende Kutsche erst, als er Noras helle Stimme hörte.

»Simon! Was um Himmels willen machst du hier? Du holst dir noch den Tod bei dem Wetter! Was fällt meinem Vater ein, dich den Laufburschen spielen zu lassen?«

Der Kutscher hatte sein nobles Gefährt neben Simon zum Stehen gebracht, zweifellos auf Noras Anweisung. Die junge Frau wartete allerdings nicht, bis er vom Bock gestiegen war, um ihr den Schlag aufzuhalten. Stattdessen stieß sie die Tür schwungvoll von innen auf und klopfte auffordernd auf den Sitz neben sich.

»Komm rein, Simon, rasch! Der Wind weht ja den ganzen Regen auf die Polster.«

Simon blickte unschlüssig ins Innere der Kutsche, und auch der Kutscher schaute etwas betreten auf den jungen Mann, der nass wie eine Katze am Bordstein stand. Schließlich ergriff er das Wort.

»Es wäre deinem Vater sicher nicht recht ...«

»Es wäre Ihrem Vater sicher nicht recht, Miss Reed ...«

Simon und der Kutscher sprachen die Worte fast zur gleichen Zeit aus und blickten auch gleichermaßen indigniert, als Nora sie mit einem hellen Lachen quittierte.

»Nun sei mal vernünftig, Simon! Egal, wo du hinwillst, es kann meinem Vater auch nicht recht sein, wenn sein Bote da ankommt, als habe er eben die Themse durchschwommen. Und Peppers wird nichts verraten, nicht, Peppers?«

Nora lächelte ihrem Kutscher verständnisheischend zu. Peppers seufzte und öffnete den Kutschenschlag weit für ihren Gast.

»Bitte, Mister ... äh ... Mylord ...« Alles in Peppers sträubte sich, diese unglückliche Gestalt mit einem Adelstitel anzureden.

Simon of Greenborough zuckte denn auch die Schultern. »›Mister‹ ist in Ordnung. Der Sitz im House of Lords ist ohnehin verkauft, ob ich mich nun Lord oder Viscount nenne oder wie auch immer.«

Es klang bitter, und Simon schalt sich dafür, dem Diener Einblick in seine Familienverhältnisse gewährt zu haben. Aber womöglich wusste der ohnehin schon zu viel über ihn. Nora betrachtete das Personal in ihrem Haus in Mayfair als ihre erweiterte Familie. Wer wusste, was sie ihren Zofen oder Hausmädchen alles erzählt hatte?

Simon ließ sich aufatmend in die Polster neben sie gleiten. Er hustete wieder, dieses Wetter schlug ihm auf die Lunge. Nora schaute den jungen Mann halb strafend, halb bedauernd an. Dann griff sie kurz entschlossen nach ihrem Schal und rubbelte sein Haar trocken. Natürlich hinterließ das Puderspuren auf der Wolle. Nora betrachtete sie kopfschüttelnd.

»Dass du da aber auch immer dieses Zeug draufgibst!«, rügte sie. »Eine dümmliche Mode, du hast so schönes dunkles Haar, warum es weiß färben wie bei einem Greis? Gott sei Dank kommst du nicht auch noch auf die Idee, so eine Perücke aufzusetzen ...«

Simon lächelte. Er hätte sich die Perücke gar nicht leisten können, aber Nora weigerte sich beharrlich, seine Armut auch nur zu bemerken. Wie sie alle anderen Unterschiede zwischen ihrer eigenen Stellung und der Simons ebenso konsequent leugnete. Ihr war es egal, ob er adlig war und sie bürgerlich, ob er völlig verarmt war, während ihr Vater zu den reichsten Kaufleuten des Empire zählte, und ob er in einem Schloss wohnte oder im Kontor ihres Vaters als schlecht bezahlter Schreiber diente. Nora Reed liebte Simon Greenborough, und sie ließ keinen Zweifel daran, dass diese Liebe irgendwann Erfüllung finden würde. Jetzt lehnte sie sich vertrauensselig an seine Schulter, während die Kutsche über Londons Kopfsteinpflaster rumpelte.

Simon warf dagegen einen nervösen Blick in Richtung Kutschbock, bevor er sie lächelnd in die Arme nahm und küsste. Nora hatte sich an diesem regnerischen Tag natürlich für eine geschlossene Kutsche entschieden. Das Fenster, das ihr ermöglichte, Peppers anzusprechen, war winzig und obendrein beschlagen. Der Kutscher würde nichts von dem mitbekommen, was sich drinnen tat. Nora erwiderte Simons Kuss denn auch ohne jede Hemmung. Sie strahlte, als sie sich von ihm löste.

»Ich hab dich so vermisst!«, flüsterte sie und schmiegte sich an ihn, ohne Rücksicht darauf, dass ihr Umhang dabei nass wurde und die Spitzen am Ausschnitt ihres Kleides zerknitterten. »Wie lange ist es her?«

»Zwei Tage«, antwortete Simon sofort und streichelte zärtlich über den Ansatz ihres Haars und ihre Schläfe. Er konnte sich an den feinen Zügen und dem Lächeln der zierlichen jungen Frau kaum sattsehen, und die Tage ohne sie waren ihm ebenso dunkel und trostlos erschienen wir ihr. Nora und ihr Vater hatten das Wochenende auf dem Landsitz von Freunden verbracht, aber es hatte auch da schon anhaltend geregnet. Die Liebenden hätten sich also sowieso nicht heimlich treffen können. Schließlich gab es keinen öffentlichen oder gar privaten Raum, in dem ein so unpassendes Paar unbemerkt miteinander hätte plaudern können – vom Austausch von Zärtlichkeiten gar nicht zu reden. Wenn das Wetter schön war, trafen sich die beiden im St. James' Park, obwohl auch das nicht ungefährlich war. Auf den bevölkerten Wegen konnten sie von Noras Freunden und Bekannten gesehen werden, während in den verschwiegenen Nischen hinter dunklen Hecken oft auch dunkle Gestalten lauerten ... Und nun wurde es obendrein Herbst.

»Wir müssen unbedingt mit Vater reden!«, erklärte Nora, der wohl ähnliche Gedanken durch den Kopf gingen. »Das geht nicht mehr mit den Spaziergängen im Park, das Wetter wird doch immer schlechter. Vater muss gestatten, dass du mir in aller Offenheit den Hof machst! Schon, weil ich dich herumzeigen möchte. Meinen wunderschönen Lord ...«

Sie lächelte Simon spitzbübisch an, und er verlor sich wie so oft im Anblick ihres schmalen, klugen Gesichts und ihrer grünen Augen, in denen ein Kaleidoskop von helleren und dunkleren Lichtern aufzublitzen schien, wenn Nora erregt war. Er liebte ihr goldbraunes Haar, vor allem, wenn sie es mit Blumen schmückte. Orangenblüten ... Weder Simon noch Nora hatten je einen Orangenbaum gesehen, aber sie kannten die Blüten von Abbildungen, und sie träumten davon, sie eines Tages gemeinsam zu pflücken.

»Dein Vater wird das nie erlauben …«, erwiderte Simon pessimistisch und zog Nora näher an sich. Es war schön, sie zu spüren, sich vorzustellen, dies sei seine eigene Kutsche, in der er seine Liebste heimbrachte, auf einen Herrensitz in der Sonne …

»Wo wollen Sie überhaupt hin?«

Peppers knappe Frage ließ die Liebenden auseinanderstieben. Dabei war es unwahrscheinlich, dass er viel gesehen hatte. Er hatte sich nur halb zu seinen Passagieren umgewandt, und der Verkehr auf Londons Straßen, noch dazu bei diesem Wetter, erforderte seine ganze Aufmerksamkeit.

»In … in die Thames Street«, antwortete Simon. »Zum Kontor von Mr. Roundbottom!«

Nora lächelte dem Kutscher und Simon gleichermaßen vergnügt zu. »Ach, da kommen wir praktisch vorbei!«, freute sie sich. »Ich bin auf dem Weg zu Lady Wentworth, um das Buch zurückzugeben.«

Sie zog ein kleines, hübsch gebundenes Buch aus ihrem spitzenbesetzten Beutel und hielt es Simon hin.

»*Barbados*«, die Falte, die stets auf Simons Stirn erschien, wenn er sich sorgte, glättete sich, »ich hätte es auch gern gelesen.«

Nora nickte. »Weiß ich. Aber ich muss es zurückbringen, die Wentworths reisen morgen ab, auf die Jungferninseln. Sie haben da eine Plantage, weißt du. Sie waren nur hier, um …«

Simon hörte nicht mehr zu, er blätterte bereits in dem Büchlein. Warum die Wentworths in England gewesen waren, konnte er sich denken. Wahrscheinlich hatten sie ihre karibischen Besitztümer nur verlassen, um einen Parlamentssitz zu kaufen oder sich um einen zu kümmern, der ihrer Familie bereits gehörte. Die Zuckerrohrpflanzer aus Jamaika, Barbados und anderen Anbaugebieten in der Karibik wachten eifersüchtig über die Preisbindungen ihrer Produkte und die Einfuhrverbote aus anderen Ländern. Zu diesem Zweck festigten sie ihre Macht durch den Ankauf von Sitzen im House of Lords, angeboten von verarmten Adligen wie Simons eigener Familie. Soweit Simon wusste, hatte die Vertretung der Grafschaft Greenborough heute ein Mitglied der Familie Codrington inne, der ein großer Teil der kleinen Karibikinsel Barbuda gehörte.

Aber auch Nora hielt sich nicht lange mit Geschichten über die Familie Wentworth auf. Stattdessen schaute sie erneut in das Buch, das sie schon mehrmals gelesen hatte.

»Ist das nicht hübsch?«, kommentierte sie eine Zeichnung.

Simon hatte eben eine Seite aufgeschlagen, deren Text eine Radierung vom Strand von Barbados illustrierte. Palmen … Sandstrand, der dann unmittelbar in dichten Urwald überzugehen schien … Nora beugte sich eifrig darüber und kam Simon dabei so nahe, dass er den Duft ihres Haars aufnehmen konnte: kein Talkumpuder, Rosenwasser.

»Und da steht unsere Hütte!«, träumte sie und wies auf eine Art Lichtung. »Gedeckt mit Palmenzweigen …«

Simon lächelte. »Was das angeht, wirst du dich aber irgendwann entscheiden müssen«, neckte er sie. »Willst du jetzt mit den Eingeborenen in ihren Hütten leben oder eine Tabakplantage für deinen Vater führen?«

Nora und Simon waren sich einig darüber, dass England überhaupt und London im Besonderen nicht die Orte waren, an denen sie ihr Leben verbringen wollten. Nora verschlang alle Literatur über die Kolonien, derer sie habhaft werden konnte, und Simon träumte über den Briefen, die er für ihren Vater schrieb, von Jamaika, Barbados oder Cooper Island. Thomas Reed importierte Zuckerrohr, Tabak und Baumwolle aus allen Teilen der Erde, die sich das britische Empire im letzten Jahrhundert einverleibt hatte. Er stand in regem Kontakt mit den dortigen Pflanzern, und Nora hatte insofern auch schon einen Plan zur Verwirklichung ihrer Wünsche. Gut, in England gab es für sie und Simon vielleicht keine Zukunft. Aber wenn sie eine Zweigstelle des Reed'schen Geschäftes irgendwo in den Kolonien eröffneten ... Aktuell war Barbados ihr Traumland. Aber sie hätte sich auch überall sonst angesiedelt, wo nur täglich die Sonne schien.

»Da wären wir ... Miss Nora, Sir ...« Peppers verhielt die Kutsche und machte Anstalten, die Türen für Simon zu öffnen. »48, Thames Street.«

Neben dem Eingang des Stadthauses prangte ein goldenes Schild, das auf Mr. Roundbottoms Kontor hinwies. Simon schlug das Buch bedauernd zu und schob sich hinaus in den Regen.

»Vielen Dank für die Mitfahrgelegenheit, Miss Reed«, verabschiedete er sich höflich von Nora. »Ich hoffe, Sie bald wiederzusehen.«

»Die Freude war ganz auf meiner Seite, Viscount Greenborough«, erwiderte Nora ebenso artig. »Aber warten Sie im Kontor, bis es aufhört zu regnen. Ich möchte nicht, dass Sie sich auf dem Rückweg verkühlen.«

Peppers verdrehte vielsagend die Augen. Bisher fand er Noras Liebelei eher erheiternd als besorgniserregend, aber wenn das so weiterging, manövrierte sich seine kleine Herrin in eine Geschichte hinein, die nicht glücklich enden konnte. Thomas Reed würde seine Tochter auf keinen Fall mit seinem Schreiber vermählen, egal, ob der irgendwann mal einen Adelstitel getragen hatte oder ihn sogar noch trug.

Simon quälten ähnliche Gedanken, als er schließlich zurück an seinen Arbeitsplatz lief. Der Regen hatte nachgelassen, aber seine Kleider waren längst noch nicht getrocknet, und auf dem

Korridor, auf dem Mr. Roundbottom ihn hatte warten lassen, war es obendrein zugig und kalt gewesen. Simon fror bis ins Mark – die hartnäckige Erkältung, die er sich schon im Frühjahr in dem winzigen, ungezieferverseuchten Zimmer geholt hatte, das er im Eastend von London gemietet hatte, würde ihn noch lange quälen. Was für ein Abstieg nach Greenborough Manor, und natürlich auch nicht angemessen für einen Angestellten in einem angesehenen Kontor.

Thomas Reed entlohnte seine Schreiber nicht üppig, aber er war auch kein Ausbeuter. Gewöhnlich hätte Simons Verdienst für eine saubere kleine Wohnung ausgereicht, die älteren Sekretäre ernährten davon sogar eine Familie – bescheiden, aber annehmbar. Simon konnte allerdings nicht hoffen, irgendwann auch einmal eine Familie gründen zu können. Wenn nicht ein Wunder geschah, würde er sein Leben lang für die Schulden schuften müssen, die sein Vater angehäuft hatte, und das, obwohl bereits alles verkauft war, was die Familie an Wertsachen besessen hatte.

Der Absturz war für Simons Mutter, seine Schwester und ihn völlig überraschend gekommen. Natürlich wusste die Familie, dass es mit den Finanzen von Lord Greenborough nicht allzu gut stand. Der Verkauf des Parlamentssitzes stand schon lange im Raum, wobei Simon im Stillen längst zu dem Ergebnis gekommen war, dass dies der Entscheidungsfähigkeit des House of Lords nur guttun konnte. Sein Vater hatte seinen Sitz nur selten eingenommen, und wenn, dann konnte er den Debatten, wie man sich erzählte, ebenso wenig folgen wie zu Hause den Tiraden seiner Frau, die nie müde wurde, ihm seine Trunk- und Verschwendungssucht vorzuwerfen. John Peter Greenborough war weit häufiger betrunken gewesen als nüchtern – aber seine Familie hatte keine Ahnung davon, dass er obendrein versucht hatte, seine angeschlagenen Finanzen am Spieltisch wieder in Ordnung zu bringen.

Als er schließlich starb – offiziell ein Sturz bei der Reitjagd, aber tatsächlich die Folge davon, dass er zu betrunken war, um sich auch nur im Schritt auf dem Pferd zu halten –, meldeten mannigfaltige Gläubiger ihre Ansprüche an. Lady Greenborough verkaufte den Parlamentssitz und damit im Prinzip auch ihr Land und den Titel ihres Sohnes. Sie trennte sich von ihrem Schmuck und ihrem Silber, verpfändete ihr Haus und musste es schließlich verkaufen. Die Familie Codrington überließ den Greenboroughs aus reiner Gnade ein Cottage am Rande des Dorfes, das immer noch ihren Namen trug. Aber Geld verdienen konnte Simon dort nicht. Inzwischen war zu den Schulden seines Vaters auch noch die Mitgift für seine Schwester gekommen, die man Gott sei Dank halbwegs standesgemäß hatte verheiraten können. Simons Zukunft dagegen war zerstört. In seinen dunkelsten Stunden fragte er sich, ob er die Liebe Noras, dieser ebenso schönen wie reichen jungen Frau, als ein Glück betrachten sollte oder ob sie nur eine weitere Prüfung darstellte.

Nora Reed war überzeugt, dass die Verwirklichung ihrer Träume nur eine Frage der Zeit war. Ihre Hoffnung, Thomas Reed würde Simon mit offenen Armen als Schwiegersohn aufnehmen, vermochte dieser allerdings nicht zu teilen. Im Gegenteil, eher würde der Geschäftsmann ihn als Mitgiftjäger aus dem Haus weisen. Dabei war Simon bereit, sehr hart für die Verwirklichung seiner Träume zu arbeiten. Er war ein ernsthafter junger Mann, hatte sich stets einen Posten in einer der Kolonien gewünscht und versucht, sich so gut wie möglich darauf vorzubereiten. Simon war kein großer Reiter, Jäger und Fechter – für die Zerstreuungen des Adelsstandes zeigte er weder besondere Neigungen noch Begabungen, ganz abgesehen von der finanziellen Situation seiner Familie. Aber er war klug und hochgebildet. Simon sprach mehrere Sprachen, war verbindlich und höflich und konnte im Gegensatz zu den meisten

Peers auch gut mit Zahlen umgehen. Auf jeden Fall hätte er es sich durchaus zugetraut, ein Handelshaus wie das des Thomas Reed irgendwo in Übersee zu vertreten. Simon war bereit, sich hochzudienen, jeglicher Dünkel war ihm fremd. Man musste ihm nur eine Chance geben! Aber ob Thomas Reed seine Liebe zu Nora zum Anlass dazu nahm? Wahrscheinlich würde er Simon eher verdächtigen, seine Tochter als Sprungbrett für seine Karriere benutzen zu wollen.

Simon zweifelte jedenfalls daran, dass es richtig war, sich Thomas Reed so bald schon zu offenbaren. Es wäre auf jeden Fall besser zu warten, bis er sich selbst seine Achtung erworben und in eine höhere Position aufgestiegen war. Nora war erst siebzehn, und bisher machte ihr Vater keine Anstalten, sie zu vermählen. Simon hatte sicher noch ein paar Jahre Zeit, um sich so weit zu etablieren, dass er als Schwiegersohn des Kaufmanns in Frage kam.

Wenn er nur gewusst hätte, wie er das anstellen sollte!

W as kann man denn sonst noch machen – also außer Zuckerrohr zu pflanzen oder Tabak?«, erkundigte sich Nora.

Sie saß auf der Chaiselongue der Lady Wentworth und balancierte geziert eine Teetasse zwischen Daumen und Zeigefinger. Seit Queen Anne das Heißgetränk einige Jahrzehnte zuvor bekannt gemacht hatte, wurde es in jedem besseren Salon in England serviert. Wie die meisten Damen hatte Nora reichlich Zucker hineingerührt – sehr zum Wohlgefallen ihrer Gastgeberin, die in jedem in England gesüßten Tee einen Beitrag zur Erhaltung ihres Wohlstandes sah.

»Also Tabak hat sich gar nicht besonders bewährt«, antwortete Lady Wentworth geduldig.

Die vielen Fragen der jungen Kaufmannstochter amüsierten sie. Nora Reed schien wild entschlossen, ihre Zukunft in den Kolonien zu sehen. Lady Wentworth bedauerte, dass ihre Söhne erst acht und zehn Jahre alt waren. Die kleine Reed wäre eine hervorragende Partie, und dass sie bürgerlich war, störte die Lady kaum. Schließlich hatte auch ihr eigener Mann den Titel käuflich erworben. Man musste längst nicht mehr heiraten oder sich aufwändig vom König zum Ritter schlagen lassen, um zu den Peers von England zu gehören. Wobei auch Letzteres für die Zuckerbarone machbar war. Gegen entsprechende Zuwendungen – Geschenke, Unterstützung der Flotte oder andere Wohltaten für die Krone – erkannte der König an, wie fleißig man dort am anderen Ende der Welt für das Gedeihen des Königreichs tätig war …

»In Sachen Tabak erzielen Virginia und andere Kolonien in der Neuen Welt bessere Qualitäten. Aber Zuckerrohr wächst nirgendwo so gut wie auf unseren Inseln. Wobei man natürlich auch Ausgaben hat …« Lady Wentworth erinnerte sich rechtzeitig, dass sie hier eine Kaufmannstochter vor sich hatte. Wenn sie zu sehr davon schwärmte, wie leicht sich der Zuckerrohranbau auf Jamaika, Barbados und den Jungferninseln gestaltete, mochte Noras Vater versuchen, die Preise zu drücken. »Allein die Sklaven!«

»Also, Sklaven halten wollten wir eigentlich nicht!«, bemerkte Nora leise, aber ehrlich. Auch darüber hatte sie sich mit Simon bereits ausgetauscht, und die beiden waren einer Meinung. »Das … das ist unchristlich.«

Lady Wentworth, eine resolute Frau in den Dreißigern, deren üppige Figur Korsett und Reifrock fast sprengte, lachte auf. »Ach, Kindchen«, wehrte sie ab, »Sie haben ja keine Ahnung. Aber die Kirche sieht das zum Glück ganz realistisch: Hätte Gott nicht gewollt, dass die Schwarzen für uns arbeiten, dann hätte er sie nicht geschaffen. Und wenn Sie erst mal in Übersee sind, Miss Reed, werden Sie das auch einsehen. Das Klima ist nichts für weiße Menschen. Zu heiß, zu feucht. Keiner kann lange da arbeiten. Die Neger dagegen, für die ist das ganz normal. Und wir behandeln sie ja gut – sie kriegen zu essen, wir stellen ihnen die Kleidung, sie …« Lady Wentworth brach ab. Viel mehr schien ihr zum Wohlbefinden ihrer Sklaven nicht einzufallen. »Der Reverend predigt ihnen sogar das Evangelium!«, erklärte sie schließlich triumphierend, als sei allein das schon die Arbeitskraft eines ganzen Lebens wert. »Wenngleich sie das nicht immer zu schätzen wissen. Da grassieren Rituale, Kindchen – furchtbar! Wenn die ihre alten Götzen beschwören … Es ist zweifellos gottgefällig, dass wir das einschränken. Aber lassen Sie uns von angenehmeren Dingen sprechen, Miss Reed.« Die Lady griff nach einem Teekuchen. »Gibt es vielleicht schon konkrete Pläne, Sie auf eine unserer schönen Inseln zu verheiraten? Was sagt denn überhaupt Ihr Vater zu Ihren Auswanderungsplänen?«

Dieser Roman ist im Buchhandel erhältlich.

ISBN 978-3-7857-2430-9

*Die neue Familiensaga von Bestsellerautorin
Sarah Lark: grandios, fesselnd, einzigartig*

Sarah Lark
DIE INSEL DER
TAUSEND QUELLEN
Roman
704 Seiten
ISBN 978-3-7857-2430-9

London, 1732: Nach dem Tod ihrer ersten großen Liebe geht die Kaufmannstochter Nora eine Vernunftehe mit einem verwitweten Zuckerrohrpflanzer auf Jamaika ein. Aber das Leben in der Karibik gestaltet sich nicht so, wie Nora es sich erträumt hat. Der Umgang der Plantagenbesitzer mit den Sklaven schockiert sie zutiefst, und sie entschließt sich, auf ihrer Zuckerrohrfarm manches zum Besseren zu wenden. Überraschend unterstützt sie dabei ihr erwachsener Stiefsohn Doug, als er aus Europa anreist. Allerdings versetzt seine Rückkehr manches in Aufruhr - vor allem Noras Gefühle. Doch dann verliert Nora durch ein tragisches Ereignis plötzlich alles, bis auf ihr Leben ...

Lübbe Hardcover

Mitreißend, gefühlvoll und voller unerwarteter Schicksalswendungen – eine einzigartige Neuseelandsaga

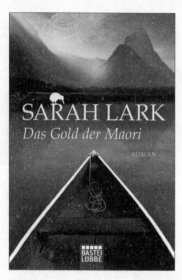

Sarah Lark
DAS GOLD DER MAORI
Roman
752 Seiten
ISBN 978-3-404-16590-2

Kathleen und Michael wollen Irland verlassen. Das heimlich verlobte Paar schmiedet Pläne von einem besseren Leben in der neuen Welt. Aber all ihre Träume finden ein jähes Ende: Michael wird als Rebell verurteilt und nach Australien verbannt. Die schwangere Kathleen muss gegen ihren Willen einen Viehhändler heiraten und mit ihm nach Neuseeland auswandern ...
Michael gelingt schließlich mit Hilfe der einfallsreichen Lizzie die Flucht aus der Strafkolonie, und das Schicksal verschlägt die beiden ebenfalls nach Neuseeland. Seine große Liebe Kathleen kann er allerdings nicht vergessen ...

Bastei Lübbe Taschenbuch